P9-CQH-831

Le Guide de l'auto 2001

Conception graphique et infographie : Pierre Durocher et Johanne Lemay
Révision et correction : Nicole Raymond et Sylvie Tremblay
Traitement des images : Mélanie Sabourin

Photos : Jacques Duval, Denis Duquet, Alain Florent, Alain Raymond, Jean-Georges Laliberté, Bernard Brault, Chris Walton (*Motor Trend*), Patrick Jérôme, Ingo Barenschee, Louis Tortell

La quasi-totalité des photos d'auteurs du Guide de l'auto 2001 a été réalisée avec du film AGFA Agfachrome. Nos remerciements à M. Denis Desbois.

Le Guide de l'auto tient à remercier, sans ordre particulier, les personnes et les organismes dont les noms suivent et qui, chacun à leur façon, ont collaboré à l'élaboration de la présente édition.
Francine Tremblay-Duval
François Duval
Alain Morin (voitures d'occasion)
Amyot Bachand
Richard Petit
Dominic Fortier
Pierre Martel et Jacques Guertin (SANAIR)
Paul Deslauriers et Jean-François Descarries (Autodrome St-Eustache)
PMG Technologies, Centre d'essais de Blainville
André Bilodeau
Bernice Holman
Chris Bye
Laurent Beaudoin
Pierre Beaudoin
Pierre Deragon
Gerry Girouard (Silver Star rive sud)
Mathieu Bouthillette
Robert Pagé
Pascal Boissé
Pierre Trudeau (Ministère fédéral des Transports)
Patrick Xuereb (RaceInc International)
Michael Nye et Robert Lebeau (Ferrari Québec)
Dr Jacques Papillon (Vignoble les Côtes d'Ardoise)
Philippe Adam
Olivier Adam
Claude Carrière
Robin Choinière
Éric Beaumont
et un MERCI éternel à Monique, pour m'avoir dit un jour « pourquoi pas un guide de l'auto ».

JACQUES DUVAL

Les participants à nos matchs comparatifs :
Guy Authier de Nikon Canada
Denis Lemieux
Amyot Bachand
Antoine Joubert
Robert Gariépy
Éric Gariépy
Claude Carrière
Mathieu Bouthillette
Collaboration spéciale : Carole Dugré, Yvan Fournier, Dominic Fortier et François Macret.

DISTRIBUTEURS EXCLUSIFS :

- Pour le Canada
et les États-Unis :
MESSAGERIES ADP*
955, rue Amherst
Montréal, Québec
H2L 3K4
Tél. : (514) 523-1182
Télécopieur : (514) 939-0406
* Filiale de Sogides ltée

- Pour la France et les autres pays :
INTER FORUM
Immeuble Paryseine, 3, Allée de la Seine
94854 Ivry Cedex
Tél. : 01 49 59 11 89/91
Télécopieur : 01 49 59 11 96
Commandes : Tél. : 02 38 32 71 00
Télécopieur : 02 38 32 71 28

- Pour la Suisse :
DIFFUSION : HAVAS SERVICES SUISSE
Case postale 69 - 1701 Fribourg - Suisse
Tél. : (41-26) 460-80-60
Télécopieur : (41-26) 460-80-68
Internet : www.havas.ch
Email : office@havas.ch
DISTRIBUTION : OLF SA
Z.I. 3, Corminbœuf
Case postale 1061
CH-1701 FRIBOURG
Commandes : Tél. : (41-26) 467-53-33
Télécopieur : (41-26) 467-54-66

- Pour la Belgique et
le Luxembourg :
PRESSES DE BELGIQUE S.A.
Boulevard de l'Europe 117
B-1301 Wavre
Tél. : (010) 42-03-20
Télécopieur : (010) 41-20-24

Pour en savoir davantage sur nos publications,
visitez notre site : **www.edhomme.com**
Autres sites à visiter : www.edjour.com • www.edtypo.com
www.edvlb.com • www.edhexagone.com • www.edutilis.com

Dépôt légal : 4e trimestre 2000
Bibliothèque nationale du Québec

ISBN 2-7619-1575-5

L'Éditeur bénéficie du soutien de la Société de développement des entreprises culturelles du Québec pour son programme d'édition.

Nous remercions le Conseil des Arts du Canada de l'aide accordée à notre programme de publication.

Nous reconnaissons l'aide financière du gouvernement du Canada par l'entremise du Programme d'aide au développement de l'industrie de l'édition (PADIÉ) pour nos activités d'édition.

Jacques Duval et Denis Duquet

Le Guide de l'auto 2001

Collaboration: Philippe Laguë

Table des matières

Index

Liste de prix

ACURA
- 1,6EL 20000 $*
- 1,6EL Sport 21600 $*
- 1,6EL Premium 23000 $*
- 3,2CL Type S 40000 $
- 3,2TL 36000 $
- Integra SE 22000 $
- Integra GS 26000 $
- Integra GS-R 28000 $
- Type R 31000 $
- 3,5RL 53000 $
- NSX-T 140000 $

ASTON MARTIN
- DB7 206700 $
- DB7 Volante 207760 $

AUDI
- A4 1,8 Turbo 33785 $
- A4 2,8 41265 $
- S4 57200 $
- A6 2,8 49885 $
- A6 Avant 54400 $
- A6 2,7T 58455 $
- A6 4,2 70800 $
- A8 Quattro 86500 $
- A8L 96500 $
- Allroad 60900 $
- TT 50400 $
- TT Roadster 50500 $
- TT 225 ch 54900 $
- TT Roadster 225 ch 59000 $

BMW
- 320 33900 $
- 325i 38900 $
- 325 Ci 40900 $
- 325 Ci cabrio 52500 $
- 330i 45900 $
- 330Ci 47800 $
- 300Ci cabrio 52800 $
- Z3 2,5 46900 $
- Z3 3,0 55900 $
- 525i 54700 $
- 540i 74200 $
- 525i Touring 56700 $
- 540i Touring 76700 $
- 740i 89900 $
- 750iL 137900 $
- M3 Cabriolet 79800 $
- M3 Coupe 69800 $
- M5 104250 $
- X5 3,0 56800 $
- X5 4,4 68800 $

BUICK
- Century Custom 25200 $
- Century Limited 28640 $
- LeSabre Custom 32120 $
- LeSabre Limited 36690 $
- Park Avenue 43000 $
- Park Avenue Ultra 48 520 $
- Regal LS 28895 $
- Regal GS 32465 $

CADILLAC
- Catera 42485 $
- Catera Sport 44790 $
- DeVille 51895 $
- DeVille DHS 60880 $
- DeVille DTS 61760 $
- Eldorado Touring Coupe 56600 $
- Escalade 63805 $*
- Seville SLS 58710 $
- Seville STS 66245 $

CHEVROLET
- Astro 26440 $
- Astro AWD 29370 $
- Blazer 2 portières 4X4 32085 $
- Blazer 4 portières 4X4 37020 $
- Silverado 4X2 21960 $
- Silverado 4X4 25340 $
- Camaro 26120 $
- Camaro Z28 29540 $
- Camaro Z28 Cabriolet 38585 $
- Cavalier (coupé) 16905 $
- Cavalier Z24 (coupé) 21165 $
- Cavalier LS (berline) 22120 $
- Corvette Coupé 61400 $
- Corvette Cabriolet 68315 $
- Corvette Hardtop Z06 65980 $
- Malibu 22495 $
- Malibu LS 24685 $
- Monte Carlo LS 26165 $
- Monte Carlo SS 28885 $
- S10 régulier/boîte courte 17025 $
- S10 régulier/boîte longue 17340 $
- Suburban 4X2 35425 $
- Suburban 4X4 38715 $*
- Tahoe 4 portières 4X2 31715 $
- Tahoe 4 portières 4X4 35010 $
- Tracker décapotable 4RM 19995 $
- Tracker 4 portes 4RM 21445 $
- Venture SW Value Van 25230 $
- Venture LW 28900 $

CHRYSLER
- 300 M 40900 $
- Concorde LX 28485 $
- Concorde LXi 33170 $
- PT Cruiser 23665 $
- Intrepid 25910 $
- Intrepid ES 27105 $
- Intrepid RT 30370 $
- LHS 41655 $
- Neon 18375 $
- Neon LX 18886 $
- Neon R/T 21269 $
- Sebring LX 23240 $
- Sebring LXi 27195 $
- Sebring LX coupe 28195 $
- Sebring Coupe LXi 5
- Sebring LX Cabrio 33595 $
- Sebring Cabriolet LXi 37550 $
- Sebring LTD cabrio 37665 $
- Town & Country LXi 41150 $
- Town & Country LTD 46970 $
- Town & Country AWD 50030 $

DAEWOO
- Lanos S 3 portières 12750 $
- Lanos SX 3 portières 15600 $
- Lanos S 4 portières 13350 $
- Nubira SX berline 16700 $
- Nubira CDX berline 18500 $
- Nubira SX familiale 17500 $
- Nubira CDX familiale 19500 $
- Leganza SX 20600 $
- Leganza CDX 24500 $

DODGE
- Grand Caravan Sport 29505 $
- Grand Caravan SE 26395 $
- Grand Caravan LE 34160 $
- Grand Caravan ES 37600 $
- Grand Caravan Sport AWD 39555 $
- Dakota 18780 $
- Dakota 4X4 22775 $
- Dakota 4X2 Quad Cab 24 509 $
- Dakota 4X4 Quad Cab 27915 $
- Durango SLT 38410 $
- Durango SLT 5,9 litres 38345 $
- Ram 1500 21205 $
- Viper RT/10 106515 $
- Viper GTS Coupé 110285 $

FERRARI
- Ferrari F360 Modena 6 rapports 199850 $
- Ferrari F360 F1 214270 $
- Ferrari 456 Automatique 334905 $
- Ferrari 456 6 rapports 328730 $
- Ferrari F550 Maranello 309025 $

FORD*
- Econoline Club Wagon XLT 37295 $
- Focus ZX3 16695 $
- Focus LX 15095 $
- Focus SE 18295 $
- Focus SE familiale 19095 $
- Focus ZTS 19895 $
- Escape XLS 20245 $
- Escape XLS AWD 22895 $
- Escape XLT AWD 26695 $
- Excursion XLT 4X4 47795 $
- Excursion LTD 54895 $
- Expedition Eddie Bauer 51395 $
- Explorer XLS 33995 $
- Explorer XLT 39195 $
- Explorer Eddie Bauer 43696 $
- Explorer Limited 44995 $
- Explorer Sport Irac 4X2 28445 $
- Explorer Sport Trac 4X4 33445 $
- F-150 21495 $
- F-150 SuperCrew 37695 $
- Mustang 21295 $
- Mustang cabriolet 25295 $
- Mustang GT 28295 $
- Mustang GT cabriolet 32295 $
- Ranger XL 16595 $
- Ranger XLT Supercab 21595 $
- Taurus LX 24595 $
- Taurus SE 25895 $
- Taurus SE familiale 26795 $

- Windstar LX 28 595 $
- Windstar SEL 33 295 $

GMC
- Jimmy SLS (2 portières) 4X4 32 085 $
- Jimmy SLS (4 portières) 4X4 37 020 $
- Safari SL 26 440 $
- Safari SL AWD 29 370 $
- Sierra bte courte 22 115 $
- Sierra bte longue 22 405 $
- Sonoma SL bte courte 17 025 $
- Sonoma SL 4X4 24 390 $
- Yukon 4 portières 32 055 $
- Yukon 4X4 4 portières 35 300 $
- Yukon Denali 59 960 $
- Yukon XL 35 760 $
- Yukon XL 4X4 41 270 $

HONDA

Accord*
- Coupé LX 23 800 $
- Coupé EX LTH 27 800 $
- Coupé EX-V6 31 300 $
- Berline DX 22 000 $
- Berline LX 24 300 $
- Berline EX LTH 27 800 $
- Berline EX-V6 31 300 $

Civic*
- Coupé DX 16 300 $
- Coupé Si 18 900 $
- Berline LX 16 100 $
- Berline SE 16 900 $
- Berline EX 17 400 $
- Berline EX-G 18 900 $

CR-V*
- LX 26 000 $
- EX 28 000 $

Odyssey*
- LX 30 800 $
- EX 33 800 $

Prelude*
- Coupé 27 900 $
- Type SH 31 900 $

Insight
- Coupé hybride 26 000 $

HYUNDAI
- Accent Coupé GS 12 195 $
- Accent Coupé Gsi 14 295 $
- Accent berline GL 13 595 $
- Elantra GL 14 875 $
- Elantra VE 17 075 $
- Santa Fe 26 795 $ (estimé)
- Sonata GL 20 495 $
- Sonata GL V6 22 495 $
- Sonata GLX 25 495 $
- XG300 31 995 $
- Tiburon 18 895 $*
- Tiburon SE 21 295*$

INFINITI
- G20 29 900 $
- G20T 31 000 $
- I30 38 700 $
- 30 T 41 500 $
- Q45T 70 000 $
- QX4 48 000 $

ISUZU
- Rodeo S 31 550 $
- Rodeo LS 35 380 $
- Rodeo LSE 41 310 $
- Trooper S 34 225 $
- Trooper LS 39 045 $
- Trooper Limited 43 145 $

JAGUAR
- S-Type V6 59 500 $
- S-Type V8 70 950 $
- XJ8 82 500 $
- Vanden Plas 91 500 $
- Vanden Plas Supercharged 114 959 $
- XJR 95 500 $
- XK 8 coupé 93 500 $
- XK8 cabriolet 102 500 $
- XKR Coupé 104 500 $
- XKR Cabriolet 113 500 $
- XKR Silverstone Convertible 129 500 $

JEEP
- Cherokee Sport 4X4 2 portières 28 550 $
- Cherokee SE 4X4 4 portières 30 220 $
- Cherokee Sport 4X4 31 610 $
- Grand Cherokee Laredo 4X4 39 790 $
- Grand Cherokee Limited 4X4 45 980 $
- TJ SE cabriolet 4X4 20 355 $
- TJ Sport 4X4 cabriolet 24 030 $
- TJ Sahara 28 570 $

Kia
- Rio S 11 995 $
- Rio RS 12 795 $
- Rio LS 13 695 $
- Sephia L 13 845 $
- Sephia LS 15 095 $
- Sephia LS « Power Package » 15 895 $
- Sportage 20 995 $
- Sportage EX 23 745 $
- Sportage EX Auto 25 245 $

LAMBORGHINI
- Diablo VT 386 000 $
- Diablo Roadster 404 000 $
- Diablo GT 500 000 $

LAND ROVER*
- Discovery LE 46 900 $
- Range Rover 4.0 SE 84 950 $
- Range Rover 4,6 HSE 96 950 $

LEXUS
- IS 300 40 830 $
- ES 300 44 000 $
- GS 300 60 700 $
- GS 430 71 300 $
- LS 430 80 000 $
- LS 430 Sport 81 000 $
- LS 430 Premium 92 300 $
- LX 470 90 100 $
- RX 300 48 000 $

LINCOLN*
- Continental 53 095 $
- LS V6 manuelle 40 795 $
- LS V6 automatique 41 295 $
- LS V8 automatique 47 395 $
- LS V8 groupe sport 49 195 $
- Navigator 4X4 70 169 $
- Town Car Executive 51 165 $
- Town Car Signature 53 095 $
- Town Car Cartier 54 995 $

MAZDA
- B3000 SX 16 680 $
- B4000 SX Cab Plus 22 140 $
- B4000 SE Cab Plus 4X4 24 845 $
- 626 LX 23 470 $
- 626 ES 30 565 $
- Millenia 41 450 $
- MPV DX 25 505 $
- MPV LX 29 450 $
- MPV ES 33 855 $
- MX-5 Miata 27 605 $
- Protegé DX 14 995*$
- Protegé SE 15 715*$
- Protegé LX 17 390 $
- Tribute DX 21 750 $
- Tribute DX V6 28 860 $
- Tribute DX 4RM 24 400 $
- Tribute DX V6 4RM 26 510 $

MERCEDES-BENZ
- C240 Classic 38 950 $
- C240 Manuelle 37 450 $
- C240 Sport Manuelle 47 350 $
- C320 49 950 $
- C320 Sport 54 450 $
- CLK 320 59 150 $
- CLK 430 70 450 $
- CLK 320A cabriolet 69 650 $
- CLK 430A cabriolet 78 250 $
- CLK 55 94 975 $
- E320 67 990 $
- E320 4Matic 71 850 $
- E320 familiale 68 850 $
- E320 s 4 Matic familiale 72 900 $
- E 430 75 750 $
- E430 4Matic 79 550 $
- E55 100 155 $
- ML 320 Classic 48 600 $
- ML 320 Élégance 54 850 $
- ML430 61 350 $
- ML 55 91 650 $
- S430 93 750 $
- S430L 99 950 $
- S500 114 650 $
- S600 168 850 $
- S55 139 900 $
- CL500C 125 500 $
- CL600C 172 000 $
- CL55 141 000 $
- SLK230 automatique 55 750 $
- SLK230 manuelle 54 350 $
- SLK 320 manuelle 60 150 $
- SLK 320 automatique 61 650 $
- SL500R 116 500 $
- SL600R 169 000 $

MERCURY*
- Cougar 4 cyl. 20 695 $
- Cougar V6 22 595 $
- Grand Marquis GS 34 095 $
- Grand Marquis LS 37 695 $

NISSAN

• Altima XE	20 098 $
• Altima GXE	22 698 $
• Altima SE	25 998 $
• Altima GLE	28 798 $
• Frontier KC	20 998 $
• Maxima GXE	29 000 $
• Maxima SE	35 400 $
• Maxima GLE	35 400 $
• Pathfinder XE	34 700 $
• Pathfinder LE	42 000 $
• Quest GXE	31 298 $*
• Sentra XE	15 298 $
• Sentra GXE	17 698 $
• Sentra SE	19 698 $
• Xterra XE	28 498 $
• Xterra SE	32 998 $

OLDSMOBILE

• Alero GX berline / coupé	21 325 $
• Alero GL berline / coupé	23 010 $
• Alero GLS berline / coupé	27 335 $
• Aurora 3,5	39 590 $
• Aurora 4,0	46 130 $
• Intrigue GX	28 450 $
• Intrigue GL	30 160 $
• Intrigue GLS	32 595 $
• Silhouette GL	31 470 $
• Silhouette GLS	36 505 $
• Silhouette Premiere	41 960 $

PLYMOUTH

• Prowler	62 895 $

PONTIAC

• Aztek GT	33 845 $
• Bonneville SE	32 065 $
• Bonneville SLE	36 080 $
• Bonneville SSEi	42 305 $
• Firebird	26 915 $
• Trans Am coupé	35 815 $
• Trans Ram Air coupé	35 815 $
• Trans Am Ram Air Cabrio	45 820 $
• Grand Am SE	20 915 $
• Grand Am SE coupé	20 495 $
• Grand Am GT	26 375 $
• Grand Am GT coupé	26 375 $
• Grand Prix SE	26 130 $
• Grand Prix GT	28 110 $
• Grand Prix GT coupé	28 110 $
• Sunfire SE Coupé	17 375 $
• Sunfire GT Coupé	21 940 $
• Sunfire SLX	18 125 $
• Sunfire GTX	21 890 $
• Montana SW	27 095 $
• MontanaVision	37 890 $

PORSCHE

• Boxster	59 900 $
• Boxster S	71 500 $
• 911 Carrera Coupe	97 300 $
• 911 Carrera Cabrio	111 200 $
• 911 Carrera 4 Coupe	105 300 $
• 911 Carrera 4 Cabrio	119 500 $
• Turbo Coupe	162 500 $

ROLLS ROYCE

• Silver Seraph	333 306 $

SAAB

• 9^3 *hatchback* 3 portières	35 465 $
• 9^3 *hatchback* 5 portières	33 650 $
• 9^3 SE *hatchback* HO 5 portières	42 390 $
• 9^3 cabrio	52 015 $
• 9^3 SE cabrio HO	59 215 $
• 9^3 Viggen 3 portières	51 265 $
• 9^3 Viggen 5 portières	51 265 $
• 9^3 Viggen cabrio	64 865 $
• 9^5 berline	41 515 $
• 9^5 SE	53 590 $
• 9^5 Aero berline	55 990 $
• 9^5 familiale	43 615 $

SATURN

• SC1	16 763 $
• SC2	22 043 $
• SL	14 358 $
• SL1	15 218 $
• SL2	18 128 $
• SW2	19 553 $
• LS100	20 065 $
• LS200	22 455 $
• LS300	27 305 $
• LW200	25 235 $
• LW300	28 995 $

SUBARU

• Forester L	27 095 $
• Forester S	31 795 $
• Forester SE	29 995 $
• Forester S Limited	35 195 $
• Impreza TS berline	22 195 $
• Impreza RS berline	27 595 $
• Impreza Brighton Wagon	18 395 $
• Impreza 2,5RS Coupe	27 295 $
• Impreza Outback Sport	25 395 $
• Legacy Brighton familiale	24 295 $
• Legacy L familiale	26 995 $
• Legacy GT familiale	32 495 $
• Legacy L	27 395 $
• Legacy GT	30 395 $
• Legacy GT Limited	34 395 $
• Legacy Outback berline	35 195 $
• Outback	31 395 $
• Outback Limited	36 995 $
• Outback H6 3,0	39 995 $

SUZUKI

• Esteem GL	15 695 $
• Esteem GLX	18 795 $
• Esteem familiale GL	16 195 $
• Esteem familiale GLX	19 795 $
• Grand Vitara JX	24 495 $
• Grand Vitara JLX	27 295 $
• Vitara Cabriolet JA	18 895 $
• Vitara cabriolet JX	19 795 $
• Virara 4 portes JX	20 995 $
• Swift	11 695 $

TOYOTA

• Avalon XL	36 595 $*
• Avalon XLS	43 800 $*
• Camry CE	24 070 $*
• Camry LE	27 225 $*
• Camry CE V6	28 860 $*
• Camry XLE V6	31 715 $*
• Camry Solara SE	27 580 $
• Camry Solara V6	30 650 $
• Camry Solara Cabriolet	39 105 $
• Corolla CE	15 625 $
• Corolla Sport	19 925 $
• Corolla LE	21 145 $
• Celica GT	24 140 $
• Celica GT-S	32 025 $
• Echo 2 portières	13 980 $
• Echo 4 portières	14 315 $
• Highlander	ND
• 4Runner SR5 V6 4X4	36 670 $
• 4Runner Limited	49 465 $
• RAV4 2 portières 4X4	23 910 $*
• RAV4 4 portières 4X4	25 555 $*
• Sienna CE 3 portières	29 535 $
• Tacoma cabine régulière	17 565 $*
• Tacoma 4X2 XTRACAB	21 470 $*
• Prerunner	22 655 $*
• Tundra Access V8	30 595 $
• Tundra 4X4 V6	28 600 $

VOLKSWAGEN

• EuroVan GLS	43 940 $*
• EuroVan MV	46 200 $*
• Golf GL	19 040 $
• Golf GL TDI	21 280 $
• Golf GLS	23 220 $
• Golf GLS TDI	25 025 $
• Golf GTi GLS	26 050 $
• Golf GTi GLX	30 785 $
• Golf Cabrio GL	28 530 $
• Golf Cabrio GLS	29 780 $
• Jetta GL	21 280 $
• Jetta GLS VR6	26 430 $
• Jetta GLX VR6	33 075 $
• New Beetle GL	21 950 $
• New Beetle TDI	24 300 $
• New Beetle 1,8T GLX	29 195 $
• Passat GLS	29 100 $
• Passat GLS V6	32 750 $
• Passat GLX	38 370 $
• Passat GLX V6 4 Motion	42 500 $
• Passat GLS familiale	30 275 $
• Passat GLS V6 familiale	33 925 $
• Passat GLX familiale 4Motion	43 675 $

VOLVO

• S40	29 995 $
• V40	30 995 $
• C70	52 995 $
• C70 cabriolet	59 595 $
• S60	35 995 $
• S60 T5	43 995 $
• V70	37 495 $
• V70 T5	46 495 $
• V70 XC	48 995 $
• S80	53 795 $
• S80 T	55 995 $

* Prix des modèles 2000
Les prix sont fournis à titre indicatif seulement et sont ceux des modèles désignés sans autre équipement optionnel. Ces prix sont ceux en vigueur le 1er octobre 2000 et sont sujets à changements sans préavis au cours de l'année.

Les pneus : de grands négligés

Les récentes manchettes des grands journaux auront très certainement sensibilisé les automobilistes à l'importance de surveiller attentivement les pneus de leurs véhicules et d'assurer leur rendement optimal. Pour nous aider à faire le point sur le sujet, nous avons consulté Yves Day, responsable de la formation technique chez UNI*PNEU*, le plus important réseau de vente de pneumatiques de toutes marques au Québec. Voici ses recommandations.

Comme toutes les autres composantes d'une automobile, les pneus ont beaucoup évolué au cours des dernières années et cela sans que le consommateur s'en rende compte. Il aura même fallu que les manufacturiers de pneumatiques produisent des pneus de couleur différente pour démontrer qu'ils avaient eux aussi suivi le courant de la technologie.

Nous ne nous lancerons pas ici dans l'exposé des différentes percées technologiques en matière de pneus, mais une question se pose : en sommes-nous rendus à ignorer l'entretien des pneus sur notre véhicule parce que nous tenons pour acquis qu'ils ont atteint un niveau de fiabilité exemplaire ? Nous pouvons affirmer que les pneus des années 2000 sont extrêmement fiables et performants, mais pour bénéficier de toutes leurs qualités, une observation stricte des recommandations de gonflage est primordiale. La pression d'air idéale pour votre véhicule est celle recommandée par le manufacturier, qui est indiquée dans le manuel du propriétaire ou sur la vignette d'information apposée à l'intérieur. La pression d'air affecte le profil de la bande de roulement, l'empreinte de la semelle au sol, la tenue de route, le confort de roulement, le niveau sonore, la traction, la durée de vie du pneu et surtout l'aspect sécurité. Comme vous le voyez, les bonnes pressions de gonflage, c'est très important.

La consommation peut en souffrir

Selon des études réalisées par diverses associations de l'industrie du pneumatique, plus de 80 % des automobilistes roulent avec des pneus qui sont sous-gonflés ou sur-gonflés. Des pneus sous-gonflés de seulement quelques livres augmentent considérablement la résistance au roulement et, par conséquent, la consommation d'essence. Vérifier la pression de vos pneus une fois par mois peut vous faire économiser de l'essence : il est prouvé que des pneus sous-gonflés de 5 livres réduisent l'économie d'essence de 2 % ! Cette mesure préventive prendra seulement quelques minutes de votre temps et vous fera économiser bien plus que tous ces supposés économiseurs d'essence qu'on trouve sur le marché, et cela sans dépenser un seul sou ! Un bon indice pour savoir si vos pneus sont sous-gonflés ; l'usure sera plus marquée sur les épaules comparativement au centre du pneu.

Contrairement aux pneus sous-gonflés, les pneus sur-gonflés seront plus fragiles aux impacts de la route (nids-de-poule), ce qui peut provoquer un choc plus grand sur la carcasse et les ceintures. Les pneus sur-gonflés sont 43 % plus susceptibles d'être endommagés. Un bon indice pour savoir si vos pneus sont sur-gonflés : la bande de roulement s'usera plus rapidement au centre.

Grâce aux améliorations techniques survenues, les véhicules d'aujourd'hui sont beaucoup plus puissants que ceux d'il y a 15 ans. Il n'est pas rare de voir un véhicule compact offrant plus de 125 chevaux. Pendant les années 80, ce même véhicule aurait été classé parmi les voitures de performance. Toute une différence !

Les nombreux manufacturiers de pneumatiques ont dû s'adapter à de telles augmentations de puissance. Là non plus, les progrès apportés dans les mélanges de gomme du dessin de semelle pour accentuer la durée de vie des pneus ne sont pas très visibles. Mais de même, un entretien rigoureux est de mise pour accroître le kilométrage parcouru avec les pneus. Cet entretien est tout de même assez simple. Le principe de base adopté par l'industrie des pneumatiques est le suivant : pour les véhicules qui ont plus de 140 chevaux-vapeur, la permutation des pneus doit se faire tous les 5 000 km. Pour les véhicules ayant moins de 140 chevaux-vapeur, il est conseillé de faire la permutation tous les 8 000 km.

Un lien vital

Comme vous pouvez le constater, les pneus sont non seulement le seul lien de la voiture avec la surface de la route, mais ils sont aussi un élément de sécurité de première importance pour vous et vos passagers. Si seulement chaque conducteur prenait quelques instants pour vérifier, ne serait-ce qu'une fois par mois, la pression de leurs pneus, le nombre d'accidents reliés à la perte de contrôle d'un véhicule due à une mauvaise pression en serait passablement diminué.

Lorsque sera venu le temps de remplacer vos pneus, rappelez-vous que, parmi les modèles offerts sur le marché, certains conviendront mieux à votre type de conduite et à vos besoins.

Yves Day
Responsable de la formation technique chez UNI*PNEU*

Avant-propos

De *Prenez le volant* au *Guide de l'auto* à *Prenez le volant*: 35 ans de passion

Ça fait un sacré bout de temps que je m'esquinte à faire mes devoirs dans *Le Guide de l'auto.* Trente-cinq ans, pour ceux qui ont la lassante manie de toujours revenir en arrière. Oui, oui, je me souviens, c'était l'année de l'Expo et au lieu d'aller voyager dans l'île, je défonçais des voitures sur le circuit du Mont-Tremblant pour remplir une demi-heure à la télévision de Radio-Canada. Dans le très mince télé-horaire du temps, c'était inscrit *Prenez le volant* à la case de 20 h le vendredi. Et j'en disais des choses à cette émission, quelquefois flatteuses mais souvent cinglantes. Et c'est sans doute pourquoi tout le monde regardait la télé ce soir-là (il n'y avait pas grand-chose à regarder à l'époque) pour savoir qui allait se planter, moi ou la voiture. Toujours est-il que *Prenez le volant* a accouché d'une plaquette appelée *Le Guide de l'auto* et que, 35 ans plus tard, je suis encore là à essayer de donner l'heure juste aux automobilistes du Québec. On dirait que l'on apprécie puisque vous avez acheté 75 000 exemplaires du *Guide* l'an dernier et que l'édition 2001 a été tirée à 88 000 exemplaires (seul *Le Petit Larousse* fait mieux, me dit-on). Un gros merci en passant pour ce beau témoignage de confiance. Ça aide à rosir les nuits blanches.

Prenez le volant avait ses fans, dont cet énergumène de Michel Barrette qui, comme plusieurs autres jeunes Québécois, y trouvait matière à entretenir sa passion pour l'automobile. Et, par un curieux retour de balancier, c'est ce même Michel Barrette qui a permis la renaissance de ce magazine télévisé. Je lui dois une fière chandelle même si le *Prenez le volant* édition 2000 à TVA aurait pu s'appeler *Prenez le champ* à l'occasion.

Mais c'est cette spontanéité, cette complicité et, bien sûr l'humour de Michel qui nous ont propulsés vers le sommet des cotes d'écoute de la télévision l'été dernier, pavant la voie à notre retour en 2001. Oui, la boucle est bouclée, ce qui veut dire que *Prenez le volant* a donné naissance au *Guide de l'auto* qui a pour sa part contribué à la relance de *Prenez le volant* en passant par le canal Vox (canal 9) où l'équipe qui rédige ce livre siège toujours le lundi soir à 20 h.

Si *Le Guide de l'auto* célèbre fièrement cette année sa 35e parution, c'est en grande partie à cause de sa crédibilité et de la qualité de l'information qu'il a toujours véhiculée. Je ne vous cacherai pas que je suis très flatté lorsqu'un automobiliste vient me raconter qu'il a toujours fait l'achat de ses voitures selon les recommandations du *Guide de l'auto* et, surtout, qu'il a rarement été déçu. Ma passion pour l'automobile a aussi toujours transpiré dans les pages de ce livre et c'est ce bon dosage de rêve et de réalité qui, je crois, a fait que nos lecteurs y ont tous trouvé leur compte, envers et contre tous. Ma plus belle récompense est d'avoir su rejoindre les jeunes, dont les témoignages d'appréciation me font vraiment chaud au cœur. Cette année, *Le Guide de l'auto* inaugure son site Internet et vous y êtes convié à la bonne adresse, soit www.guideauto2001.com. À moins que vous préfériez consulter le résumé de nos essais dans la section auto d'America Online, dont nous sommes l'un des fournisseurs depuis plusieurs années, sans pourtant nous péter les bretelles avec ça.

Un cadeau

Cela dit, *Le Guide de l'auto* s'est mis sur son 36 pour célébrer son... 35e anniversaire. Nous avons d'abord remodelé la présentation des textes tout en privilégiant la qualité photographique. Quant au contenu, je pense que cette édition du *Guide* est la plus complète et dans un même temps la plus volumineuse publiée à ce jour. Plutôt que de ressasser le passé comme cela est souvent de mise à l'occasion d'un anniversaire, nous avons voulu scruter l'avenir. General Motors nous a notamment ouvert les portes de son centre d'essais pour nous permettre de conduire quelques-uns des *show-cars* les plus spectaculaires de sa nouvelle collection. En plus, le jeune designer québécois Pascal Boissé est venu compléter ce dossier du futur en nous présentant sa version de certains modèles qui pourraient meubler les salles de montre d'ici quelques années.

Notre sondage d'il y a deux ans ayant démontré un intérêt marqué pour les prototypes et les grandes sportives, nous avons réuni quelques-unes des têtes d'affiche de la catégorie dans une sorte de sommet mondial de l'automobile.

Et pour me faire un cadeau, je me suis offert l'essai ultime, celui d'une Formule 1, en souhaitant que vous aurez autant de plaisir que moi à déballer cette belle surprise. En revanche et sans doute pour nous donner bonne conscience, nous avons déniché au ministère fédéral des Transports une brochette de voitures propres comme Monsieur Net et économes comme Séraphin que notre collaborateur Alain Raymond a judicieusement appelées « Les Amies de la planète ».

Et comme si cela n'était pas suffisant, nous vous offrons la solution au problème du coût élevé de l'essence sous la forme d'un dossier diesel dans lequel nous évaluons le rendement en parallèle de deux Volkswagen Jetta, l'une fonctionnant à l'essence et l'autre au gazole. Au chapitre de l'économie, les meilleures voitures d'occasion sont de retour, cette fois sous la plume humoristique de notre nouveau collaborateur Alain Morin. En terminant, je m'en voudrais de ne pas souligner les débuts journalistiques de mon complice de *Prenez le volant,* Michel Barrette.

Oui, la boucle est vraiment bouclée. Bonne route et rendez-vous au petit écran.

Jacques Duval

Les meilleurs achats du *Guide de l'auto*

* Les voitures dans la rubrique « À discuter » sont placées par ordre alphabétique.

Sous-compactes

À acheter

MEILLEUR ACHAT • Chrysler PT Cruiser

2e Mazda Protegé

3e Ford Focus

À considérer

- Volkswagen Golf
- Honda Civic
- VW New Beetle
- Subaru Impreza
- Toyota Corolla
- Chrysler Neon
- Daewoo Nubira
- Hyundai Elantra
- Kia Sephia
- Nissan Sentra
- Suzuki Esteem

À discuter

- Chevrolet Cavalier

À éviter

- Saturn SL1

Économiques

À acheter

MEILLEUR ACHAT • Toyota Echo

2e Hyundai Accent

3e Daewoo Lanos

À éviter

- Kia Rio

Grandes compactes

À acheter

MEILLEUR ACHAT

Volkswagen Passat

2e Chrysler Sebring

3e Honda Accord

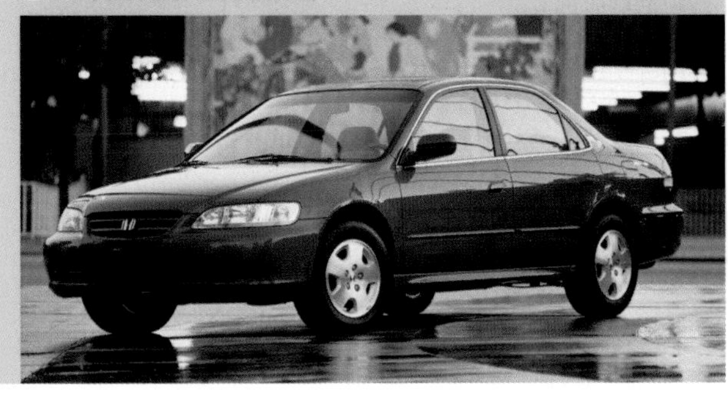

À considérer

- Toyota Camry/Camry Solara
- Subaru Legacy
- Oldsmobile Alero
- Volvo S40

À discuter

- Chevrolet Malibu
- Daewoo Leganza
- Hyundai Sonata
- Mazda 626
- Nissan Altima
- Saturn LS

À éviter

- Pontiac Grand Am

Intermédiaires

À acheter

MEILLEUR ACHAT

Nissan Maxima

2e Acura 3,2TL

3e Volvo S60

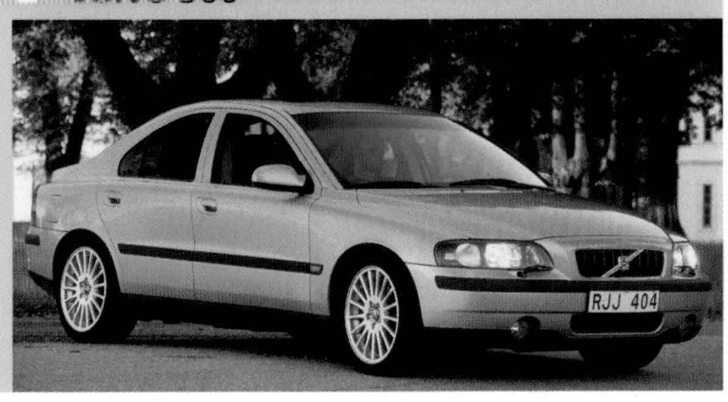

À considérer

- Toyota Avalon
- Oldsmobile Intrigue
- Mazda Millenia
- Buick Regal

À discuter

- Buick Century
- Chevrolet Lumina
- Ford Taurus
- Pontiac Grand Prix
- Saturn LS

À éviter

- Hyundai XG300

Grosses berlines

À acheter

MEILLEUR ACHAT • Chevrolet Impala

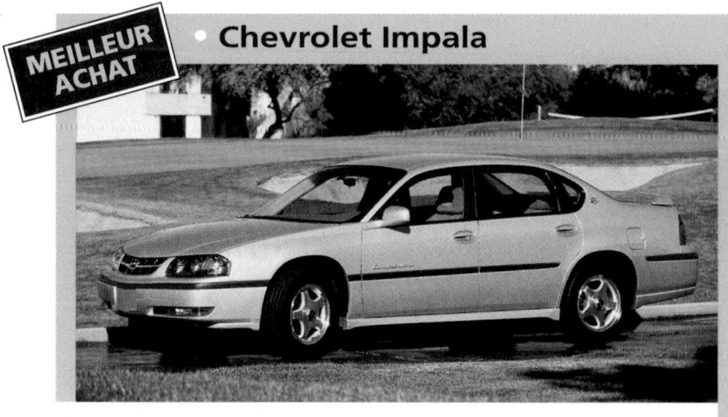

2e Chrysler Intrepid / Concorde

3e Pontiac Bonneville

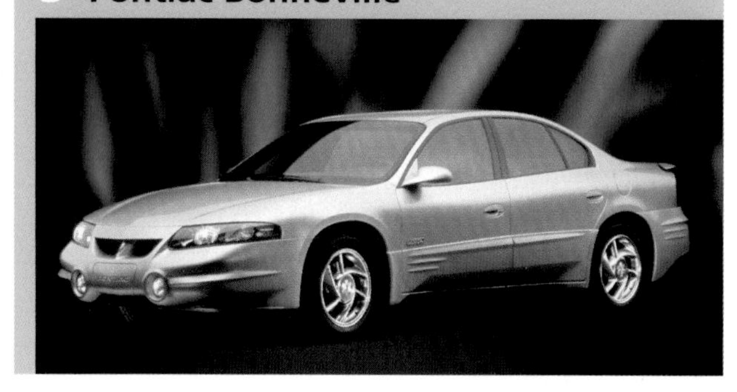

À considérer

- Buick LeSabre
- Mercury Grand Marquis

Fourgonnettes

À acheter

MEILLEUR ACHAT • Chrysler Town & Country

2e Honda Odyssey

3e Mazda MPV

À considérer

- Toyota Sienna
- Ford Windstar
- Chevrolet Venture / Pontiac Montana / Oldsmobile Silhouette
- Nissan Quest
- Pontiac Aztek

À discuter

- Chevrolet Astro / GMC Safari

À éviter

- Volkswagen EuroVan (comme fourgonnette)

Familiales hybrides

À acheter

MEILLEUR ACHAT • Subaru Outback H6 3,0

2e Lexus RX 300

3e Volvo V70 XC

À considérer

- Mercedes-Benz E430 4Matic

* Toyota Highlander (données incomplètes)

Berlines sport

À acheter

MEILLEUR ACHAT • Audi A4 / S4

2e Mercedes C320

3e BMW 330i

À considérer

- Lexus IS 300
- Jaguar S-Type
- Lincoln LS
- Oldsmobile Aurora

À discuter

- Cadillac Catera
- Chrysler 300 M
- Lexus ES 300

À éviter

- Saab 9³ Viggen

Berlines de luxe

À acheter

MEILLEUR ACHAT • BMW 540i

2e Audi A6 2,7T

3e Mercedes-Benz E430

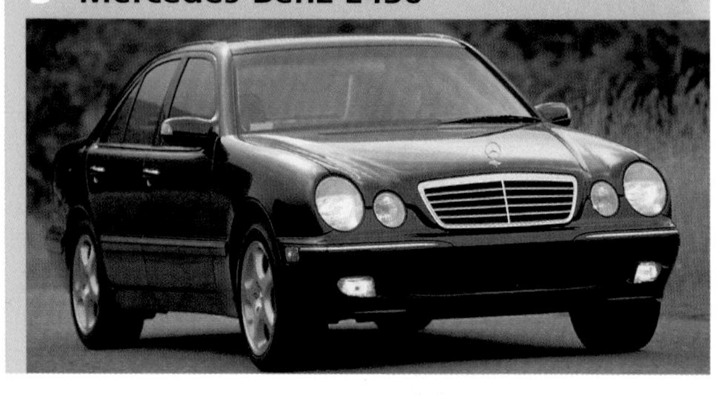

À considérer

- Volvo S80
- Lexus GS 430
- Cadillac Seville
- Cadillac DeVille

À discuter

- Acura RL
- Infiniti Q45
- Lincoln Town Car

Berlines grand luxe

À acheter

MEILLEUR ACHAT • Audi A8

2e Mercedes-Benz Classe S

3e BMW 750

À considérer

- Lexus LS 430
- Jaguar XJ8

Cabriolets sport

À acheter

MEILLEUR ACHAT • Porsche Boxster S

2e Mercedes-Benz SLK320

3e BMW Z3 3 litres

À considérer

- Audi TT
- Mazda Miata
- Honda S2000

Coupés sport de moins de 30 000 $

À acheter

MEILLEUR ACHAT • Toyota Celica

2e Acura Integra

3e Honda Prelude

À considérer

- Mercury Cougar
- Honda Civic

À discuter

- Hyundai Tiburon

À éviter

- Chevrolet Cavalier Z24
- Saturn SC

Cabriolets GT

À acheter

MEILLEUR ACHAT • BMW 330Ci

2e Mercedes-Benz CLK

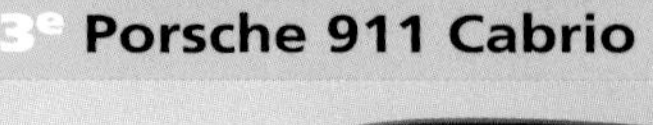

3e Porsche 911 Cabrio

À considérer

- Toyota Camry Solara
- Volvo C70

À éviter

- Saab 9^3 Turbo cabriolet

Utilitaires sport 4X4 de moins de 45 000 $

À acheter

MEILLEUR ACHAT • Acura MDX

2e Mercedes-Benz ML320

3e Nissan Pathfinder

À considérer

- Toyota 4Runner
- Ford Explorer V6 (2001)
- Jeep Grand Cherokee
- Dodge Durango

À discuter

- Chevrolet Blazer / GMC Jimmy
- Isuzu Rodeo

À éviter

- Land Rover Discovery

Utilitaires sport compacts

À acheter

MEILLEUR ACHAT

Mazda Tribute

2e Ford Escape

3e Subaru Forester

À considérer

- Toyota RAV4
- Honda CR-V
- Hyundai Santa Fe
- Nissan Xterra
- Suzuki Grand Vitara / Chevrolet Tracker
- Jeep Cherokee

À éviter

- Kia Sportage

Utilitaires sport de plus de 45 000 $

À acheter

MEILLEUR ACHAT

Audi Allroad

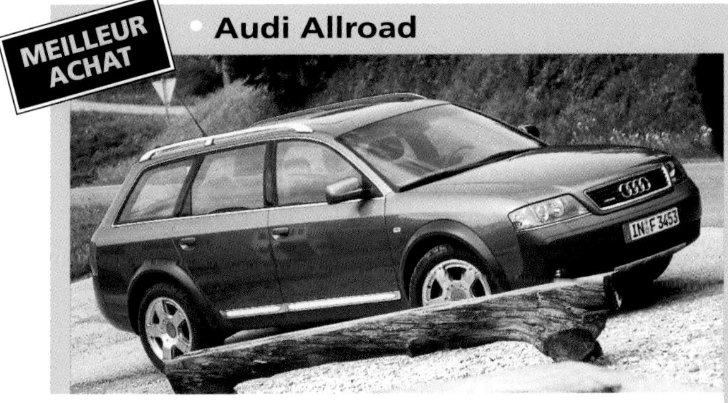

2e Mercedes-Benz ML430

3e Lexus LX 470

À considérer

- BMW X5
- Toyota Sequoia
- Infiniti QX4
- Lincoln Navigator / Ford Expedition
- Chevrolet Tahoe / GMC Yukon
- Cadillac Escalade

À éviter

- Ranger Rover SE

Voitures d'occasion

Des perles rares aux misérables

Ce qu'il faut savoir avant d'acheter une voiture d'occasion

Imaginez un monde où l'automobile usagée n'existe pas. Que du neuf. Vous achetez une voiture avec 0 km au compteur et ne pourrez pas vous en défaire avant qu'elle ait rendu son dernier coup de piston. Si vous n'êtes pas très en moyens, c'est encore pire : vous devrez faire du pouce pendant 10 ans tout en amassant votre argent ! Heureusement, il s'agit d'un monde fictif. Le marché des voitures d'occasion est bel et bien vivant, plus en forme que jamais. Mais comme dans un repaire de motards, on n'y entre pas sans précautions...

PAR ALAIN MORIN

Pour débuter, une calculatrice et un brin de jugeote sont requis au moment où l'urgence de vous procurer un nouveau véhicule s'empare de vous. Planifier votre BUDGET constitue l'étape la plus ennuyante mais aussi la plus importante du processus. Il importe tout d'abord de bien déterminer le montant mensuel maximum que vous pouvez vous permettre de consacrer à une bagnole. Si vous n'en n'avez aucune idée, votre institution financière se fera un plaisir de vous guider. Une fois ce chiffre déterminé, NE LE DÉPASSEZ PAS ! Prévoyez aussi le nombre d'années pendant lesquelles vous resterez lié à ce chef-d'œuvre roulant dont vous rêvez déjà. Cinq années d'une belle histoire d'amour, c'est court. Mais cinq ans à payer pour un tas de tôle qui perdra peu à peu de sa valeur et qui requerra de plus en plus d'entretien, ça peut être long en titi ! Pensez aussi à l'essence et aux assurances ainsi qu'à tous les petits détails qui s'additionnent si facilement.

En respectant votre budget, DÉTERMINEZ VOS BESOINS. Si votre frigo est vide et que le toit de votre deux et demi ressemble à une moustiquaire, il serait peut-être préférable d'envisager l'acquisition d'une modeste sous-compacte, une Toyota Tercel par exemple. Si vous désirez parcourir la « Main » pour attirer les regards du sexe opposé, il est parfaitement inutile de vous procurer une grosse Crown Victoria ; une Corvette serait plus appropriée. Vous attendez votre cinquième enfant ? La fourgonnette est pour vous. Vos besoins, vous seul les connaissez. C'est une question de priorité et, bien entendu, de moyens financiers ! N'ayez pas peur de fureter, que ce soit dans Internet (www.hebdo.net n'est qu'un des nombreux sites intéressants) ou par le biais des petites annonces. En plus de vous offrir l'embarras du choix, vous aurez une bonne idée de ce que vous pourrez vous procurer avec les quelques sous à votre disposition. Les bibliothèques municipales sont presque toutes abonnées aux Canadian Black Book et Canadian

Red Book. N'hésitez pas à consulter ces bibles des prix des voitures d'occasion. N'oubliez pas non plus de vous informer auprès de votre courtier en assurances AVANT d'acheter une automobile, surtout si elle est le moindrement sportive. Vous pourriez être estomaqué par le coût de la prime, même si l'auto est usagée.

Il n'est pas loin le moment où on se commandera une voiture dans Internet. Mais en attendant, rien de mieux que le bon vieux MAGASINAGE sur place. En premier lieu, vous devez prendre en considération les concessionnaires, qui possèdent généralement un bon choix de « seconde main », comme on dit au Québec, accompagnés d'une garantie respectable. De plus, vous êtes assuré qu'ils seront encore là demain matin et leur sacro-sainte réputation devrait les empêcher de vous flouer. Mais ces bons côtés se monnayent et vous paierez plus cher que si vous achetiez le même véhicule d'un particulier ou d'un vendeur indépendant. Ne négligez surtout pas ces derniers. La plupart sont honnêtes et offrent des automobiles pour tous les goûts et les portefeuilles. Quelques pommes pourries leur font malheureusement une très mauvaise réputation. L'Office de la protection du consommateur est là pour vous aider à éviter les commerces du genre Jos Bleau Inc. qui apparaissent comme des champignons. Finalement, une auto vendue par son propriétaire peut se négocier pour beaucoup moins. Généralement, si une personne met son véhicule à vendre, c'est parce qu'elle veut s'en défaire. Mais il ne faut pas oublier que vous serez beaucoup moins protégé, légalement parlant. En effet, la loi de la protection du consommateur ne s'applique pas dans ce cas ; seul le code civil peut être utilisé pour régler un différend.

NE PAS SE FAIRE ROULER

De toute façon, peu importe qu'il s'agisse d'un concessionnaire, d'un indépendant ou d'un particulier, stoppez toute négociation dès que vous avez le sentiment, même vague, de vous faire rouler. Jamais on ne doit tenter de vous faire passer outre à une INSPECTION MÉCANIQUE par un mécanicien compétent et impartial que VOUS aurez choisi. Ces quelques dollars (calculez environ une heure) pourraient vous épargner un gouffre financier (croyez-en mon expérience personnelle avec une splendide Nova 1978 qui avait été inspectée par le beau-frère du vendeur...). Il existe une règle d'or qui prescrit de toujours examiner une voiture à la lumière naturelle. Observer une automobile le soir équivaut à magasiner les yeux bandés ! De plus, n'hésitez jamais à effectuer une promenade sur diverses chaussées. Vous en apprendrez ainsi beaucoup sur le confort, la qualité de l'entretien et l'état général de cette magistrale création qui vous fait déjà saliver. À la limite, on peut toujours acheter une auto neuve sans l'essayer mais, pour une usagée, c'est un peu comme prendre une photo sans regarder dans le viseur. Le résultat peut surprendre... et pas toujours favorablement !

Si le vendeur de la huitième merveille du monde vous parle de GARANTIES, demandez s'il s'agit de la couverture de base du véhicule, d'une protection supplémentaire ou d'une garantie indépendante. Les garanties des manufacturiers sont toujours transférables, mais s'il s'agit d'une garantie indépendante (Le Groupe PPP ou Wynn's par exemple), il ne serait pas mauvais de savoir ce que couvre exactement cette protection.

NOS CHOIX

Pour vous aider un peu dans votre démarche, nous vous présentons quelques exemples de voitures qui pourraient vous intéresser. Faute d'espace, il a fallu faire un tri draconien parmi une pléthore de modèles et choisir quelques renseignements parmi des tonnes d'information. Les prix mentionnés sont approximatifs et ne comprennent pas les options qui ont pu être ajoutées ou les améliorations apportées : transmission automatique si la manuelle était offerte en équipement de série, garantie prolongée, roues en alliage, etc. Le prix le plus bas est valable pour une voiture de base ou peu équipée ayant parcouru un kilométrage élevé (plus de 30 000 km par année) tandis que le prix le plus haut, vous l'auriez deviné, convient à un modèle haut de gamme affichant peu de kilométrage (moins de 16 000 km par année). Généralement, le prix de la beauté fatale que vous convoitez devrait se situer entre ces deux extrêmes.

Vous voilà donc très rapidement préparé à l'achat d'une plus-vraiment-neuve-mais-pas-très-vieille-non-plus. Beaucoup de sites Internet et de publications peuvent vous aider. En voici quelques-uns. Pour obtenir des prix : www.caa-quebec.qc.ca (vous devez être membre du CAA) et les Canadian Red Book et Canadian Black Book. Besoin de renseignements sur un modèle en particulier ? L'agence américaine de contrôle routier, la NHTSA, vous donnera des informations complètes au sujet des rappels pour toute l'Amérique ou des tests de résistance aux impacts (www.nhtsa.dot.gov). La contrepartie canadienne, Transports Canada, pourrait aussi vous être utile (1 800 333-0510 ou www.tc.gc.ca/roadsafety). Du côté québécois, la revue *Protégez-vous,* est l'une des meilleures références pour les consommateurs. Le numéro d'avril 2000 vous fournira une masse de renseignements pertinents.

Avant de passer à la partie suivante, je m'en voudrais de ne pas remercier chaleureusement Daniel Favreau, directeur des ventes de véhicules usagés chez Honda Chagnon de Granby, dont l'aide et la patience furent grandement appréciées tout au long de la rédaction de cette section sur les voitures d'occasion.

LES PERLES RARES

Il se passe dans le domaine de l'automobile des choses que seul un sociologue expérimenté pourrait expliquer. Comment se fait-il, par exemple, que des voitures qui ont tout pour réussir somnolent au bas des statistiques de vente? Quelque chose, quelque part, n'a pas fonctionné Parfois, ce sont les lignes trop banales ou mal adaptées à la réalité, victimes d'un département du marketing qui s'était mis un doigt dans l'œil, quand ce n'étaient pas les deux mains au complet! Ou bien il s'agit tout simplement d'une aubaine! Peu importe la raison, on n'a qu'à garder le secret pour mieux profiter de ces fantastiques occasions!

ACURA VIGOR 1992-1994

La compagnie Acura n'a peut-être pas toujours connu le succès voulu avec ses voitures mais le trophée de l'échec revient sans équivoque à la Vigor, disparue des salles de montre à la fin du millésime 1994. C'était, pourtant, une saprée bonne voiture mais les penseurs qui s'intéressent plus aux chiffres qu'aux voitures avaient réussi à bousiller sa carrière.

Construite sur une base de Honda Accord (ce qui n'était pas vilain), elle offrait d'intéressantes performances, un équipement de série sérieux et une finition digne d'un moine.

ANNÉE	VALEUR MINIMALE	VALEUR MAXIMALE
1994	8 100 $	13 600 $
1993	6 300 $	4 750 $
1992	11 650 $	9 700 $

Conséquemment, cette Acura constitue un choix avisé. Aucune campagne de rappel n'est venue entacher un brillant curriculum vitæ. Seuls les circuits électriques semblent un peu douteux, de même que la transmission automatique jugée trop bruyante sans toutefois, semble-t-il, entraîner un problème mécanique. Les frais d'entretien chez le concessionnaire ont déjà rendu plusieurs propriétaires insomniaques.

Si la fiabilité, la tenue de route, la sécurité, un équipement complet et une certaine exclusivité vous tiennent à cœur, l'Acura Vigor est faite pour vous.

BMW 318ti 1996-1999

Certains sont nés pour un petit pain, d'autres pour la grosse vie. Chez BMW, on est fait pour le luxe. Il aura fallu à ce constructeur sortir la 318ti, une *hatchback* « bas de gamme » dérivée de la 325, pour s'en convaincre. Le public a carrément boudé cette petite Béhème qui ne correspondait pas aux standards nord-américains habituels.

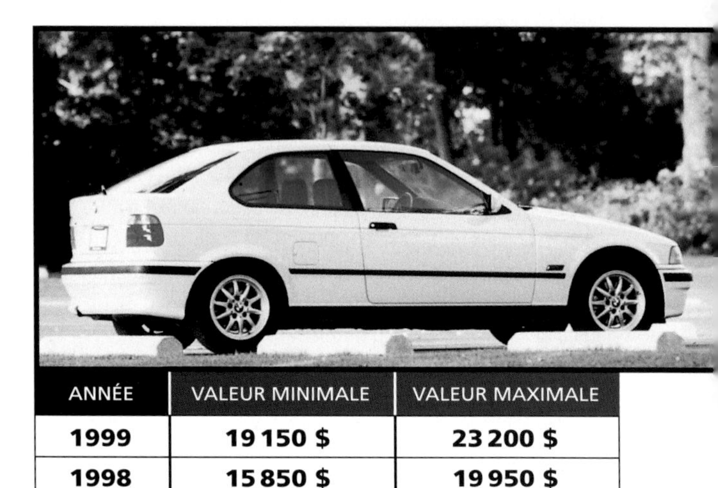

ANNÉE	VALEUR MINIMALE	VALEUR MAXIMALE
1999	19 150 $	23 200 $
1998	15 850 $	19 950 $
1997	14 100 $	18 050 $
1996	12 650 $	16 200 $

C'est la raison pour laquelle cette petite allemande nous a quittés dès que l'année-modèle 1999 a été terminée. Pourtant, elle possédait de fort belles qualités dont celle, non négligeable, d'offrir un comportement routier très relevé. Pour la fiabilité, elle s'avérait l'égale des autres modèles de la superbe Série 3. Le seul rappel a concerné 410 000 unités 1995. En somme, une très bonne voiture. Mais elle sentait le bon marché et ça, la clientèle traditionnelle ne pouvait l'accepter. Le client, quelquefois, n'a pas raison. Ici, il s'est gouré pas à peu près!

Le plus beau, c'est que la valeur de revente de cette petite merveille ne vous assommera pas le portefeuille. Et vous pourrez conduire une BMW, avec tout le plaisir que cela implique.

CHEVROLET CORVETTE 1995-1999

J'entends déjà les plaintes, les pleurs et les cris de terreur. La Corvette parmi les perles rares! Sacrilège, incompétence, ignorance! Chut! Voyons la situation d'un œil différent...

Vous désirez une voiture de très haut calibre sportif, du genre à être capable de tenir tête à une Ferrari. Vous voulez aussi qu'elle soit fiable; pas question que vos amis voient votre beau « char » en train de se faire remorquer. Vous aimeriez aussi qu'elle possède une histoire, une réputation établie, un pedigree quoi! Bien entendu, vous voulez qu'elle ait de la classe et qu'elle soit assez docile, au moins durant la belle saison, pour pouvoir vous en servir comme voiture de tous les jours. Mais vous n'êtes pas millionnaire... Cessez de brailler sur votre triste sort et allez vous acheter une Corvette!

ANNÉE	VALEUR MINIMALE	VALEUR MAXIMALE
1999	42 450 $	56 300 $
1998	40 450 $	51 200 $
1997	35 750 $	40 950 $
1996	27 100 $	35 050 $
1995	23 600 $	30 550 $

Les Corvette ne sont vraiment pas chères si on considère tout ce qu'elles ont à offrir. Même neuves, ce sont des aubaines! Allez, ouste, cessez de critiquer et allez en essayer une!

Entre 1989 et 1995, il y avait une Corvette «full débile écœurante», comme dit mon ado. C'était la ZR-1 et elle vaut amplement les 30 % supplémentaires qu'elle commande, ne serait-ce que pour son statut de «voiture de collection».

FORD CROWN VICTORIA, MERCURY GRAND MARQUIS 1995-1999

Ces grosses américaines auraient logiquement dû nous quitter il y a déjà belle lurette. Conçues au temps où gros rimait avec bon et plus gros avec encore meilleur, elles font aujourd'hui figure de Commodore 64 dans un monde de Pentium III… Mais elles peuvent compter sur d'irréductibles amateurs qui ne jurent que par des propulsions alimentées par des V8 assoiffés, montés sur de vrais châssis autonomes auxquels s'accrochent des suspensions de trampoline. D'où le retour, année après année, de ces anachronismes roulants.

ANNÉE	VALEUR MINIMALE	VALEUR MAXIMALE
1999	15 750 $	24 350 $
1998	13 300 $	21 900 $
1997	11 950 $	19 750 $
1996	8 700 $	16 550 $
1995	7 350 $	14 150 $

Pourtant, malgré cette analyse un peu assassine, ces voitures ont beaucoup à proposer… Tout d'abord, un confort digne d'un salon, un espace habitable important et un coffre à peine plus petit que la mine à ciel ouvert d'Asbestos et une fiabilité digne de mention. Quelques problèmes de transmission (automatique, bien entendu!) sont venus perturber la quiétude des propriétaires (rapports lents à changer, huile qui sent le chauffé). L'alternateur et l'allumage ne sont pas parfaits non plus. Évitez la suspension à air dont l'entretien engloutira l'ensemble de vos économies. Mais dites-vous que, dans tous les cas, vous pourrez compter sur une excellente protection en cas de collision, autant frontale que latérale.

Puisqu'elles n'ont plus la cote et qu'elles engloutissent énormément d'essence, les Grand Marquis et Crown Victoria (cette dernière, en passant, n'est plus commercialisée au Canada depuis l'an dernier) ont une valeur de revente inférieure à ce qu'elle devrait être. À vous d'en profiter!

INFINITI G20 1993-1996

Une perle, vous savez, ça se trouve dans une huître, carcasse fort peu ragoûtante. Il faut passer par-dessus notre dédain et ouvrir la chose pour y découvrir un trésor…

L'Infiniti G20 (la première génération) fait partie de cette catégorie qui s'adresse aux connaisseurs avisés qui savent ce qu'ils ont entre les mains. Au-delà d'une carrosserie à la limite des normes modernes, on découvre un châssis ultrarigide, un moteur performant

ANNÉE	VALEUR MINIMALE	VALEUR MAXIMALE
1996	12 550 $	16 150 $
1995	10 750 $	13 900 $
1993	7 000 $	7 200 $

et solide, une transmission manuelle délicieuse et une fiabilité très au-dessus de la moyenne. Les versions initiales (1990-1992) souffraient de problèmes de freins et d'électricité. Deux rappels, totalisant plus de 150 000 G20, sont venus jeter un peu de térébenthine sur le tableau du grand maître Infiniti. Le premier rappel concernait les harnais des tensionneurs des ceintures de sécurité et le second visait à changer le tube de remplissage du réservoir d'essence.

La version actuelle de la G20, dévoilée en 1999, semble moins intéressante que la précédente. On s'en reparlera dans quelques années… probablement encore dans la catégorie des perles rares!

Le millésime 1994 n'existe pas pour les G20. Ce furent plutôt des 93 ½ bonifiées.

MERCEDES-BENZ C220/230 1995-1999

Pour plusieurs, posséder une voiture à l'étoile d'argent dressée sur le capot représente la réussite sociale dans toute sa splendeur. Mais il leur faudra attendre d'avoir l'argent et les cheveux gris qui viennent avec... Eh bien! nous, du *Guide de l'Auto,* avons la solution. Oui, mes amis, une Mercedes C220 ou 230 vous attend quelque part!

Vous pourrez compter sur une voiture solide comme une... Mercedes, une tenue de route phénoménale, un freinage époustouflant et une finition digne des plus grands perfectionnistes. La C220 a été remplacée en 1997 par la C230, un tantinet plus puissante.

Ces bébés Mercedes sont peut-être petites, mais elles méritent pleinement leur étoile d'argent. Et elles sont abordables si vous évitez les modèles plus huppés que sont les C280 et C43. Puisque le renouvellement des Mercedes est un événement rare qui ne se produit qu'environ tous les sept ans, leur valeur de revente s'avère très bonne. Voyez donc l'achat de ces Mercedes comme un investissement!

ANNÉE	VALEUR MINIMALE	VALEUR MAXIMALE
1999	**29950 $**	**33350 $**
1998	**23200 $**	**27350 $**
1997	**19550 $**	**29200 $**
1996	**17000 $**	**25350 $**
1995	**13450 $**	**20450 $**

ANNÉE	VALEUR MINIMALE	VALEUR MAXIMALE
1997	**21750 $**	**26750 $**
1996	**17900 $**	**23600 $**
1995	**14300 $**	**18350 $**
1994	**12650 $**	**14650 $**
1993	**10050 $**	**11500 $**

SUBARU SVX 1995-1997

Subaru nous avait plutôt habitués à des voitures bulldozer: laides, robustes et d'une lenteur décourageante. Et puis, sans nous aviser, ce fabricant nous arrive avec une superbe automobile, au comportement routier assuré et aux performances relevées. C'est un peu comme si un joueur des Expos parlait français... On ne le prendrait probablement pas au sérieux.

Eh bien! c'est exactement ce qui est arrivé avec la SVX. Je ne sais pas combien de SVX ont été vendues en Amérique du Nord, ni même au Québec, mais je peux vous assurer qu'elles sont aussi rares qu'une BAR recevant le drapeau à damier! Pour toutes ces raisons, leur valeur de revente est des plus basses. Quel bonheur! Un confort papal dans une voiture d'une beauté quasiment fatale, une finition professionnelle, la sécurité de la traction intégrale (eh oui!) et la fiabilité subarienne. Malgré le manque de données, il semble que la transmission ait été une source d'ennuis pour nombre de propriétaires. Il se pourrait aussi que la rareté des pièces vienne troubler un bonheur autrement parfait.

Si jamais vous avez la chance de tomber sur une de ces trop rares SVX, je vous en prie, ne laissez pas passer une si belle occasion!

LES INCONTOURNABLES

Elles sont là, à tous les coins de rues, dans tous les stationnements et pratiquement près de chaque habitation. On les voit tellement qu'on ne les voit plus. Et même si on rêve de Ferrari, on conduit une Civic ou une Cavalier. Triste sort? Pas tant que ça. Les voitures que nous vous présentons ne sont peut-être pas parfaites (rien ne l'est!), mais elles méritent que vous y jetiez un sérieux coup d'œil en vue de votre prochain achat.

ACURA INTEGRA 1995-1999

L'Acura Integra berline nous a quittés depuis déjà deux ans. Fidèle au poste depuis 1987, elle a connu trois générations et n'a jamais déçu ses propriétaires. La dernière mouture, dévoilée en 1994, est la plus intéressante et sa valeur de revente est très bonne!

Avec l'Integra, Acura vous offre une voiture agréablement fiable, économique et confortable. Mais il vous faudra surveiller de près l'alternateur, dont la durée de vie est juste un peu plus longue que la garantie de base (3 ans/60000 km). Les rotules et coussinets des tables de suspension ne durent guère plus longtemps... Le climatiseur pourrait aussi s'amuser à donner des sueurs froides à votre compte en banque. Mais on a déjà vu bien pire et, depuis 1995, aucun rappel n'est venu entacher le dossier de l'Integra. Qui, en passant, a recueilli 4 étoiles sur 5 pour la protection du pilote au cours de tests de collision menés par la très sérieuse NHTSA.

ANNÉE	VALEUR MINIMALE	VALEUR MAXIMALE
1999	14 400 $	21 550 $
1998	14 250 $	20 050 $
1997	13 300 $	18 350 $
1996	12 000 $	16 350 $
1995	10 100 $	13 950 $

Ajoutez 5 % pour une GS-R et 15 % pour une Type-R. Mais soyez avisé que ces modèles ont peut-être été légèrement maltraités…

CHEVROLET CAVALIER, PONTIAC SUNFIRE 1995-1999

Les critiques automobiles auront beau s'époumoner à dénoncer les Cavalier et Sunfire, le public continue à apprécier ce couple. Les versions de base sont très abordables, relativement confortables et fort logeables. Les modèles plus huppés, eux, à défaut d'être économiques, sont performants.

Mais ce duo n'a jamais pu compter sur sa réputation de fiabilité pour attirer les acheteurs… Il était temps, en 1995, de mettre sur le marché une nouvelle génération de Cavalier et de Sunbird (qui devenait la Sunfire), question de faire oublier les horreurs du passé. Depuis, c'est beaucoup mieux mais ce n'est pas le paradis. L'alternateur n'alterne pas toujours comme il faut, les joints de culasses des moteurs 2,2 et 2,4 litres aiment les fuites autant qu'un journaliste politique et la carrosserie se lie un peu trop facilement d'amitié avec la rouille. Beaucoup de petits et grands rappels pour ces Cavalier/Sunfire, trop longs à énumérer mais quelquefois importants (soudures oubliées sur des bras de suspension avant, modules de feux d'urgence ne voyant pas l'urgence de fonctionner, coussins gonflables se gonflant inopinément, écrous de bras de suspension arrière trop faibles). Vérifiez avec Transports Canada pour de plus amples renseignements.

Les versions cabriolet sont souvent affichées à un prix prohibitif. Pour rouler cheveux au vent, il faut ajouter 25 %.

ANNÉE	VALEUR MINIMALE	VALEUR MAXIMALE
1999	8 950 $	15 650 $
1998	7 700 $	13 500 $
1997	6 800 $	12 600 $
1996	6 100 $	11 550 $
1995	4 800 $	9 650 $

CHRYSLER CIRRUS, DODGE STRATUS, PLYMOUTH BREEZE 1997-1999

Ce trio de jolies berlines compactes est aujourd'hui réduit à la seule Cirrus. On peut donc présumer que ce groupe est sur le point de nous laisser. Pourtant, il offre une habitabilité, un confort et un comportement routier des plus intéressants ainsi qu'un V6 peu avare de chevaux.

ANNÉE	VALEUR MINIMALE	VALEUR MAXIMALE
1999	11 500 $	17 600 $
1998	10 200 $	15 400 $
1997	8 300 $	14 100 $

Les premiers modèles apparus en 1995, fidèles à la tradition Chrysler, furent des exemples de fiabilité… à ne pas suivre ! C'est la raison pour laquelle je vous incite très amicalement à ne vous intéresser qu'aux millésimes 1997, 1998 et 1999. Ces modèles ne sont cependant pas parfaits. Le faiblard et bruyant moteur 2 litres est à éviter. Le système de freinage ABS n'est pas des plus sérieux, le compresseur du climatiseur peut devenir bruyant et les roulements à billes des roues avant, qui coûtent trop cher à remplacer, n'offrent pas une longévité satisfaisante. Les Cirrus, Stratus et Breeze ont visiblement été fabriquées à la va-vite. Près de 600 000 d'entre elles portaient une rotule avant « détachable » pouvant causer une soudaine perte de contrôle tandis qu'un plus grand nombre encore d'unités 1997 et 1998 avec transmission automatique péchaient par un mécanisme de blocage de transmission déficient (lorsque la clé était dans le contact). Et que dire de ces 219 000 véhicules rappelés à l'ordre pour avoir possédé un loquet de capot aussi fiable que la parole d'un ministre en campagne électorale ? Et j'allais oublier les 366 000 autres affectés par une conduite de frein arrière qui frottait dangereusement contre le système d'échappement.

Le plus beau dans cette histoire, c'est que la valeur de revente est plutôt faible. Et elle ne s'améliorera pas avec la disparition prochaine de cette série. Vous pouvez donc vous dégoter quelque chose de bien pour peu. Mais prenez le temps de magasiner.

CHRYSLER CONCORDE, INTREPID, LHS 1998-1999

En 1993, Chrysler assommait le marché avec ses nouvelles Concorde, Intrepid et Vision. Un design fantastique, mais une fiabilité parfaitement nulle. Ces modèles sont à éviter comme la peste. En 1998, ces voitures nous revenaient totalement redessinées et Chrysler avait enfin pris le temps (et les moyens financiers) nécessaires pour régler les problèmes de fiabilité.

Depuis, peu à redire. La cuvée 1998 a connu des problèmes électriques, désormais résolus. L'année-modèle 1999 a vu 207 028 de ses véhicules retourner chez le concessionnaire pour le remplacement des écrous du mécanisme d'ajustement de la hauteur des ceintures de sécurité. Les Intrepid 1999 ont démontré une résistance aux impacts frontaux de 4 étoiles.

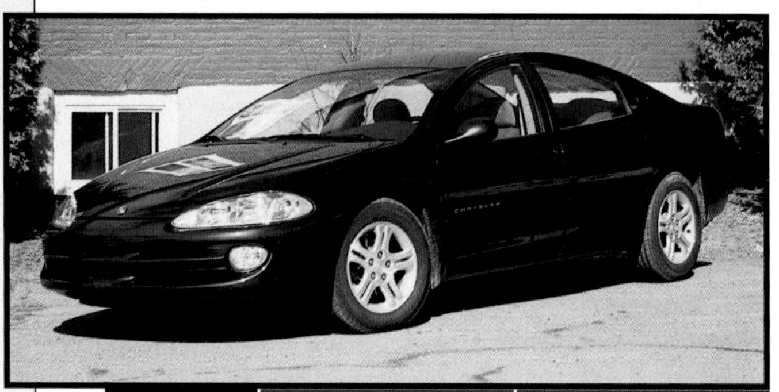

ANNÉE	VALEUR MINIMALE	VALEUR MAXIMALE
1999	14 450 $	22 350 $
1998	12 000 $	20 050 $

Je ne veux tellement pas vous inciter à acquérir (ni même seulement regarder) les spécimens de la première génération que je ne vous donne pas leurs prix ! C'est pour votre bien. Je vous aime.

Les LHS, véritables petites limousines, commandent un débours supplémentaire d'environ 25 %.

DODGE CARAVAN, PLYMOUTH VOYAGER, CHRYSLER TOWN & COUNTRY 1996-1999

En 1983, apparaissait le duo Caravan/Voyager : c'était la naissance du créneau des fourgonnettes. Mais la qualité de construction, elle, n'était pas encore créée chez Chrysler.

Renouvelées en 1991, les Autobeaucoup se montraient déjà meilleures, mais encore bien en deçà des normes morales. Puis, en 1996, Chrysler refit ses devoirs avec un peu plus de succès. Rien n'est parfait et les modèles 1996 sont à déconseiller. D'ailleurs, plus d'un demi-million de véhicules de ce millésime ont été rappelés pour le remplacement d'un écrou mieux « pensé » pour éviter une fuite d'essence. Et un autre rappel massif, toujours concernant cette pauvre année 1996, visait à éliminer un risque d'incendie à la suite d'une accumulation d'électricité statique dans le réservoir d'essence. Un troisième rappel touchait les ancrages de la banquette arrière. En revanche, depuis 1997, on a resserré la qualité de construction et la fiabilité ne s'en porte que mieux. Dommage que l'édition 1997 souffre chroniquement de freins avant à la surchauffe facile et de freins arrière qui laissent échapper l'huile des cylindres. Les problèmes électriques n'ont jamais épargné les Caravan et compagnie de même que ceux du climatiseur, pour le moins capricieux.

ANNÉE	VALEUR MINIMALE	VALEUR MAXIMALE
1999	12 500 $	24 200 $
1998	10 400 $	21 350 $
1997	9 100 $	18 550 $
1996	7 600 $	16 400 $

Il n'en demeure pas moins que les Caravan/Voyager/Town & Country sont des voitures infiniment pratiques et sécuritaires, comme le démontrent les 5 étoiles accordées par la NHTSA pour la protection des passagers en cas d'impact frontal.

Ces prix ont été établis pour des Caravan et Voyager. Attention, car ces fourgonnettes sont souvent affichées à des prix indécents. Les Chrysler Town & Country valent à peu près 30 % de plus.

FORD ESCORT 1997-1999

Ce qu'elle en a fait couler de l'encre, rouge la plupart du temps, cette petite Ford ! Mais la dernière génération, juste avant le lancement des Focus, a su brillamment racheter les versions précédentes.

ANNÉE	VALEUR MINIMALE	VALEUR MAXIMALE
1999	9 200 $	13 600 $
1998	8 050 $	12 350 $
1997	6 950 $	10 800 $

J'ai même presque eu envie de placer la dernière Escort dans ma liste des perles rares! Mais le voyant « Check Engine » peut s'allumer soudainement et sans aucune raison. Le niveau d'huile de la transmission automatique à 4 rapports en provenance de Mazda doit être maintenu au bon niveau, sinon vous devrez prendre une deuxième hypothèque sur votre maison! Du côté des rappels, *niet*, le vide total. Aux tests américains de collision frontale et latérale, l'Escort n'a pu faire mieux que 3 pauvres petites céphéides.

Une bonne petite voiture américaine usagée? Ça peut encore se trouver!

HONDA ACCORD, HONDA CIVIC 1995-1999

Deux voitures si différentes regroupées dans le même texte? Eh oui! Parce que, à bien y penser, elles ne sont pas si dissemblables que ça. En termes de fiabilité, s'entend. D'ailleurs, les produits Honda sont ceux qui coûtent le moins cher à entretenir (673 $ annuellement selon un récent sondage du CAA). Faudrait quasiment être un animateur d'émission d'affaires publiques pour trouver à redire...

ANNÉE	VALEUR MINIMALE	VALEUR MAXIMALE
1999	13 750 $	23 000 $
1998	12 600 $	21 450 $
1997	10 750 $	19 970 $
1996	9 300 $	17 850 $
1995	8 150 $	15 000 $

L'Accord, modernisée en 1998, peut souffrir de disques avant gauchis et de fuites du système de climatisation. Les joints homocinétiques tentent, eux aussi, quelquefois avec succès, de ternir la superbe feuille de route de la voiture. Quant à la Civic, la voiture que l'auteur de ces lignes conduit quotidiennement, elle possède une aussi vaste expérience des clients satisfaits que sa grande sœur, l'Accord. Et cela malgré un problème intermittent, sur ma voiture à tout le moins, non résolu au moment d'écrire ces lignes. On dirait que la pompe à essence ou un quelconque bidule électronique s'emballe ou, à d'autres moments, refuse de fonctionner pendant une fraction de seconde. Plus énervant que dangereux. Un rappel important de près d'un million de Accord 1995 (Soichiro Honda a dû faire un 180° dans sa tombe) a permis de remplacer le harnais soutenant les fils électriques de l'air climatisé, empê-

ANNÉE	VALEUR MINIMALE	VALEUR MAXIMALE
1999	9 700 $	17 300 $
1998	8 550 $	15 350 $
1997	7 600 $	14 450 $
1996	7 150 $	14 200 $
1995	6 000 $	11 450 $

chant ainsi les fils de se toucher et de provoquer certains désagréments... Le seul rappel important visant les Civic concernait... l'installation du tapis du côté du conducteur! Même si elles sont un peu plus petites, les Civic ont mieux fait aux tests de collision, obtenant 5 étoiles pour la protection du passager.

Malheureusement, le duo Accord et Civic est victime de sa popularité. Peu de voleurs s'intéressent aux Lada! Marquage des vitres et antidémarreur obligatoires. Attention aux prix qui sont quelquefois à la limite de la fraude...

La Del Sol n'est pas une bière mexicaine. C'est un joli petit coupé sport construit sur une plate-forme de Civic et vendu entre 1993 et 1997. Ajoutez donc un 20 % au prix des Civic pour avoir le privilège du plaisir!

MAZDA PROTEGÉ 1995-1999

ANNÉE	VALEUR MINIMALE	VALEUR MAXIMALE
1999	9 550 $	14 450 $
1998	8 200 $	13 200 $
1997	6 950 $	11 950 $
1996	6 100 $	10 650 $
1995	5 400 $	9 850 $

Totalement revue en 1995, la remplaçante de la 323 a quelque peu déçu. Puis, Mazda a corrigé le tir en 1999. Les critiques, cependant, ont très rarement touché la fiabilité ou la qualité de construction. Les Protegé cachent aussi un atout majeur, soit un comportement routier fort intéressant.

Le moteur s'avère digne de confiance et la transmission automatique aurait intérêt à l'imiter. Le silencieux crie rapidement son manque de durabilité tandis que le radiateur de la chaufferette laisse facilement échapper de l'antigel.

Pour une qualité à peu près égale, les Protegé sont légèrement moins chères que leurs consœurs Corolla ou Civic.

NISSAN ALTIMA, NISSAN MAXIMA, NISSAN SENTRA 1995-1999

Automobiles différentes qui s'adressent à des publics différents, ces Nissan, bien qu'elles ne déclenchent pas les passions, sont d'excellentes voitures louangées pour la qualité de leur construction, leur finition presque artistique et leur confort de limousine. Quant à leur bilan de fiabilité, il est fort brillant.

ANNÉE	VALEUR MINIMALE	VALEUR MAXIMALE
1999	12 500 $	19 600 $
1998	15 500 $	18 250 $
1997	9 750 $	16 400 $
1996	8 750 $	14 500 $
1995	7 700 $	13 100 $

Maxima

ANNÉE	VALEUR MINIMALE	VALEUR MAXIMALE
1999	17 900 $	26 700 $
1998	16 100 $	24 050 $
1997	14 100 $	20 900 $
1996	12 450 $	17 800 $
1995	10 650 $	14 650 $

Sentra

ANNÉE	VALEUR MINIMALE	VALEUR MAXIMALE
1999	7 900 $	16 300 $
1998	6 600 $	12 100 $
1997	5 350 $	12 000 $
1996	3 900 $	10 700 $
1995	3 050 $	9 200 $

Franchement, il n'y a pas grand chose à redire. Quelques Maxima voient leur système électrique (portières, alternateur) s'affaiblir après 100 000 km et si le témoin « Check Engine » s'allume, « Check » la facture, car il pourrait s'agir de capteurs défectueux dont la réparation vous arrachera nombre de précieux dollars en même temps que quelques larmes.

L'Altima, sagement renouvelée en 1996, se montre très avare de problèmes. Si les Altima pouvaient briller partout, elles n'auraient certes pas obtenu 3 fragiles étoiles dans des tests de collisions frontale et latérale. Rien n'est parfait.

Quant à la Sentra, revue et corrigée en 1996, c'est le désert du côté des plaintes. Le système électrique et les freins sont les éléments les plus souvent pris en défaut mais rien pour écrire à sa mère. En fait, le plus gros problème des Sentra demeure l'infiltration d'eau dans le coffre. Plus d'un demi-million de Sentra 1995, 1996 et 1998 avaient été fabriquées avec des tringleries de bras d'essuie-glaces fautifs, qui ont été modifiés gratuitement, il va sans dire ! En cas de collision frontale, le passager avant a plus de chances de s'en sortir vivant que le pilote (4 étoiles contre 3).

Pour les 3 voitures, le coût des pièces est plus élevé que pour leurs concurrentes chez Honda et Toyota. Mais en revanche, leur valeur de revente est généralement plus basse.

SATURN SL, SW 1995-1999

L'automobile réinventée, qu'ils disaient... Tirons ça tout de suite au clair : il s'agit d'excellentes voitures, très fiables, confortables, qui tiennent bien la route, mais on est encore loin de l'invention du bouton à 4 trous !

ANNÉE	VALEUR MINIMALE	VALEUR MAXIMALE
1999	7 000 $	14 500 $
1998	6 000 $	12 150 $
1997	5 100 $	11 000 $
1996	4 800 $	10 650 $
1995	4 050 $	9 700 $

Pour faire pardonner le grognement et la modeste puissance de leurs moteurs ainsi qu'une ligne presque trop sobre et un intérieur un peu Picasso, Saturn a légèrement revu son duo de vedettes l'an dernier. Si vous optez pour une SL ou une SW, ne soyez pas surpris si les circuits électriques des phares et des essuie-glaces vous désobéissent. Quant aux panneaux en polymère, ils ignorent la rouille, mais un désajustement se traduit par des grincements. Malgré une carrosserie en plastique, la

NHTSA lui a décerné 5 étoiles pour la protection des occupants avant. Bravo ! J'ai d'ailleurs été à même d'en vérifier la solidité lorsqu'une Saturn s'est jetée en plein devant ma Civic 1998. Deux voitures solides, c'est mon sternum qui vous le jure !

Les prix les plus élevés représentent les versions SL2 ou SW2, plus puissantes et plus luxueuses.

TOYOTA CAMRY, TOYOTA COROLLA, TOYOTA TERCEL 1995-1999

Les produits Toyota sont souvent associés au qualificatif « ennuyeux ». Qu'y a-t-il de mal à cela ? Quiconque se procure une voiture usagée veut absolument s'ennuyer de son mécanicien et de ses factures quelquefois salées. Les trois Toyota présentées ici sont reconnues pour leurs moteurs solides, leur confort mais surtout pour leur fiabilité quasiment maternelle.

Mais puisqu'on est ici pour chialer un peu, soulignons que la transmission automatique de quelques Camry s'est dissipée aux alentours de 120 000 km et que les joints de culasse du V6 peuvent fuir. Félicitations pour les 5 étoiles adjugées pour la protection du passager avant en cas de collision frontale.

Quant à la Corolla, peu s'en fallait pour que ce paragraphe reste vide. Mais ce serait ignorer les quelques cas d'embouts de biellette qui en prennent un peu trop large, plusieurs pompes à eau pas très étanches et les pivots d'essuie-glaces peu résistants. Près de 630 000 Corolla 1995 ont été trouvées coupables de laisser infiltrer des liquides (eau, liqueur, etc.) entre les interstices du panneau recouvrant le sac gonflable. Puis, en 1997, 61 000 nouveaux déclencheurs de coussins gonflables moins sensibles ont été installés.

Que dire sur la Tercel qui nous a quittés en 1999 pour laisser sa place au grille-pain sur roues qu'est l'Echo ? Aucun rappel au cours des cinq dernières années. Les plus gros problèmes de la Tercel (si on peut appeler ça des problèmes) concernent le câble de sélection de la transmission manuelle qui « jamme dans le coude » facilement et la pompe à eau qui fuit après 60 000 km.

Ce qui fait le bonheur des uns fait le malheur des autres, c'est bien connu. La valeur de revente des produits Toyota est particulièrement élevée. Attention, toutefois : le seul nom Toyota ne justifie pas un montant anormalement élevé. Soyez prudent.

ANNÉE	VALEUR MINIMALE	VALEUR MAXIMALE
1999	14 200 $	24 350 $
1998	12 550 $	22 350 $
1997	11 150 $	20 350 $
1996	9 650 $	19 250 $
1995	8 700 $	16 000 $

Corolla

ANNÉE	VALEUR MINIMALE	VALEUR MAXIMALE
1999	9 850 $	16 600 $
1998	8 950 $	14 550 $
1997	8 100 $	12 850 $
1996	7 500 $	11 900 $
1995	7 000 $	10 550 $

Tercel

ANNÉE	VALEUR MINIMALE	VALEUR MAXIMALE
1999	7 750 $	11 250 $
1998	6 750 $	10 300 $
1997	5 800 $	9 900 $
1996	5 300 $	9 750 $
1995	4 800 $	8 700 $

VOLKSWAGEN GOLF, VOLKSWAGEN JETTA 1995-1999

Comment l'Allemagne des Porsche, BMW, Mercedes et Audi peut-elle produire des voitures à la fiabilité aussi aléatoire que celle des Volks Golf et Jetta ? En les fabriquant au Mexique ! Et pour sauver encore un peu plus de sous, on donne la pire garantie de l'industrie, soit 2 ans ou 40 000 km ! On a beau dire qu'il s'agit d'une couverture complète, sur le marché de la voiture d'occasion, 2 ans de garantie, c'est comme prendre une cannette de Raid pour éloigner une invasion de sauterelles australiennes.

Ces voitures sont dotées de fort belles qualités. Leur confort surprend et l'habitabilité est telle qu'il faut pratiquement une

ANNÉE	VALEUR MINIMALE	VALEUR MAXIMALE
1999	10 650 $	18 100 $
1998	10 400 $	15 300 $
1997	7 600 $	14 600 $
1996	7 100 $	13 350 $
1995	6 700 $	11 850 $

Jetta

ANNÉE	VALEUR MINIMALE	VALEUR MAXIMALE
1999	12 550 $	25 600 $
1998	10 950 $	21 350 $
1997	9 900 $	18 500 $
1996	9 600 $	16 050 $
1995	8 600 $	14 250 $

boussole pour se retrouver à l'intérieur. Mais en ce qui concerne la fiabilité, on repassera. Vous énumérer tous les bobos, grands et petits, demanderait la création d'un *Guide de l'auto* Tome II. En résumé, les deux voitures partagent les mêmes maux électriques, le même besoin d'ajouter fréquemment de l'huile dans les moteurs 2 litres et V6 et un moteur d'essuie-glaces vraiment fragile. Et si, par les nuits froides, vous pouviez rentrer les serrures des portières dans votre maison, vous auriez plus de chances qu'elles fonctionnent le lendemain matin ! Quelques campagnes de rappels assez importantes ont eu lieu. Elles concernaient le remplacement de boulons retenant le mécanisme d'ouverture du capot de 238 000 Golf et Jetta 1995-1996. Et puis, 150 000 propriétaires de Volkswagen 1995 ont dû retourner au garage pour faire remplacer une canalisation de freins défectueuse. Le duo Golf-Jetta n'a reçu que 6 étoiles sur une possibilité de 10 pour la protection des passagers avant en cas de collision.

Sous prétexte qu'il s'agit de voitures allemandes, ce qui n'est pas toujours le cas, les prix sont souvent gonflés.

Faut payer pour avoir du plaisir... Pour une Golf VR6, il faut aligner environ 30 % de plus. Et le même surplus s'applique pour une Golf cabriolet un excellent choix.

LES MISÉRABLES

Prenez vos jambes à votre cou et foncez dans la direction opposée jusqu'à l'abri nucléaire le plus près ! Les voitures suivantes n'auraient jamais dû trouver preneur, même neuves ! Elles sont hantées par une fragilité de modèles à coller, rongées par les problèmes, reniées même par leurs concepteurs. Elles donnent un exemple parfait de la Médiocrité avec un grand M et sont la gangrène de l'industrie automobile. Ce n'est donc pas pour rien que ces absurdités perdent leur valeur aussi rapidement qu'un cambrioleur sort d'une banque. Dans cette morose partie du *Guide de l'auto*, nous tenterons tout de même de trouver un peu de soleil. Au moins un filet...

CHEVROLET CAMARO, PONTIAC FIREBIRD 1995-1999

Une seule voiture est construite en série au Québec et il faut que je la démolisse sur la place publique. Les Camaro et Firebird sont des voitures trop grosses à l'extérieur et trop petites à l'intérieur, trop brutales pour être agréables à conduire, pas confortables pour cinq sous et instables sur mauvaise route (ne pas oublier qu'on n'a que ça au Québec, des mauvaises routes !). De plus, le levier de vitesses de la boîte manuelle finira par vous arracher le bras droit. Et pour l'hiver, oubliez ça à moins d'avoir un côté suicidaire très prononcé. Quant à la fiabilité, c'est du GM tout craché. Cependant, peu de rappels. Le plus important a touché 1 573 Camaro et Firebird 1997 qui présentaient des ceintures de sécurité pouvant se bloquer et devenir inutilisables. Autre bonne nouvelle : la protection 5 étoiles, autant pour le conducteur que pour le passager, en cas de collision frontale.

General Motors n'a pas su adapter ses sportives au marché actuel, contrairement à Ford avec sa Mustang, et la compagnie n'accorde aucun intérêt à leur avenir. Pour ces raisons, les Camaro et Firebird voient leur valeur de revente chuter verticalement.

ANNÉE	VALEUR MINIMALE	VALEUR MAXIMALE
1999	14 650 $	32 150 $
1998	12 600 $	27 450 $
1997	11 050 $	25 000 $
1996	9 850 $	22 250 $
1995	7 750 $	19 150 $

DODGE/PLYMOUTH NEON 1995-1999

« Mais quelle jolie fleur ! Et quel arôme ! » s'extasia le monsieur. « N'Y TOUCHEZ PAS ! C'est une plante carnivore qui vous engloutirait en moins de deux secondes ! » le prévint la fleuriste. Fiction ? Pas tant que ça...

Quiconque a, un jour, touché une Neon ne connaît que trop bien cette histoire. Une histoire où les joints de culasse des moteurs se rompent entre 70 000 et 100 000 km, où l'alternateur et tout le système électrique faiblissent à vue d'œil, où la pompe à eau et tout le système de refroidissement ont été conçus par un ingénieur de Lada ivre, où le climatiseur flanche dès l'expiration de la garantie et coûte une fortune à faire réparer, où la transmission automatique vous abandonne, où les infiltrations d'eau dans l'habitacle donnent l'impression de se retrouver dans sa douche, où... Il y en aurait encore beaucoup à dire, mais je commence à en avoir assez. Imaginez les propriétaires, maintenant !

ANNÉE	VALEUR MINIMALE	VALEUR MAXIMALE
1999	8850 $	12900 $
1998	7500 $	11950 $
1997	6250 $	10300 $
1996	5150 $	9300 $
1995	3800 $	6800 $

Heureusement, une nouvelle Neon a fait son apparition l'an dernier, corrigeant les pires lacunes de ces cancers sur roues. Et n'allez pas croire que je proclame que les Neon de la première génération sont mauvaises... Non. Elles sont TRÈS mauvaises.

FORD AEROSTAR 1995-1997

L'humain peut envoyer un robot sur Mars, s'émouvoir devant les beautés de sa planète et donner la vie à la plus magnifique des créatures, un enfant. Dans ce monde merveilleux, COMMENT SE FAIT-IL QU'ON EN SOIT VENU À PRODUIRE DES AEROSTAR ? HEIN ?

Remarquez que je n'ai, personnellement, rien contre les Aerostar. Je n'en ai jamais possédé. Heureusement. Il m'aurait fallu traiter avec une transmission automatique aussi fiable qu'une vieille connaissance qui vous doit de l'argent, avec des freins antiblocage des roues arrière moins résistants qu'une tour Eiffel en cure-dents et qui coûtent un bras à réparer et avec un moteur 3 litres un peu trop porté sur la consommation d'huile et laissant fuir son antigel. Et puis, des problèmes, il y en a à la tonne. Tout comme les campagnes de rappels qui nous rappellent (vous voyez la relation !) que ces fourgonnettes ont été mal conçues dès le départ. Vérifiez avec Transports Canada pour continuer de vous décourager. Si jamais vous aviez le malheur d'hériter d'une Aerostar, faites d'une pierre deux coups : aidez-vous et aidez autrui en la donnant à la Fondation Canadienne du Rein que vous pouvez joindre au 1 888 228-8673 ou, à Montréal, au 514 938-4515.

Les prix les plus élevés correspondent aux modèles à 4 roues motrices. Cette option améliore grandement une motricité autrement déficiente, mais ces véhicules boivent comme des trous et la fiabilité du boîtier de transfert est plus que douteuse. Vous voilà avisé.

ANNÉE	VALEUR MINIMALE	VALEUR MAXIMALE
1997	6350 $	15075 $
1996	5000 $	13000 $
1995	2900 $	10650 $

LADA (toutes les années et tous les modèles !)

Venues de l'ex-URSS, ces... choses (appelons-les ainsi, des Choses) sont une image saisissante de tout ce qui ne fonctionne pas au pays de la vodka.

Tout comme l'économie, ça ne démarre jamais, qu'on change le démarreur ou le ministre des finances. C'est raboudiné, mal foutu, corrompu (par la mafia ou la rouille, c'est selon). Ces voitures sont laides et vieillissent mal. Et avec elles, vous êtes aussi peu sûr de vous rendre à destination qu'une petite vieille revenant du marché avec sa maigre épicerie, qui rencontre un soldat russe affamé portant une AK-47 chargée à bloc... Avec une Chose, il n'y a qu'une certitude : quelque chose va flancher. Nommez un morceau, il va se briser.

Pour posséder une Lada, n'importe laquelle, vous devrez sentir en vous l'hormone mécanicienne, et posséder sans faute un cellulaire... Vous aurez remarqué qu'il n'y a pas d'échelle de prix. Les Lada ne sont même pas listées, ni dans le Canadian Red Book ni dans le Black !

1200 chevaux *en liberté*

PAR JACQUES DUVAL

Il y a des semaines où la vie d'un journaliste automobile est un pur bonheur. L'hiver dernier, par exemple, je suis allé faire l'essai de l'exclusive BMW Z8 à Pasadena, en Californie, juste avant de prendre l'avion pour l'Espagne où m'attendait la fabuleuse Porsche 911 Turbo. Après avoir eu l'occasion de conduire les deux voitures les plus désirables et les plus excitantes du début du siècle, je me suis dit qu'il ne restait plus qu'à les comparer à celle qui devrait normalement compléter ce trio d'élite, la Ferrari 360 Modena. Les plans étaient tirés pour un beau match qui serait en quelque sorte un sommet mondial de l'automobile. Sauf que la vie d'un journaliste automobile n'est pas toujours aussi rose qu'on pourrait le croire.

Bien que les gens de Ferrari Québec aient été prévenus trois mois à l'avance du projet de couverture du *Guide de l'auto 2001,* la Ferrari 360, à l'instar d'un pilote de Formule 1 mal élevé, a joué les prima donna. Sous une foule de prétextes dont je vous épargnerai les détails, la diva est restée clouée dans sa salle de montre. La Porsche 911 Turbo a failli elle aussi rater son rendez-vous, mais un très bon samaritain qui tient à garder l'anonymat (ce qui l'honore) a accepté de venir à notre secours en nous prêtant sa voiture personnelle, même si celle-ci n'avait

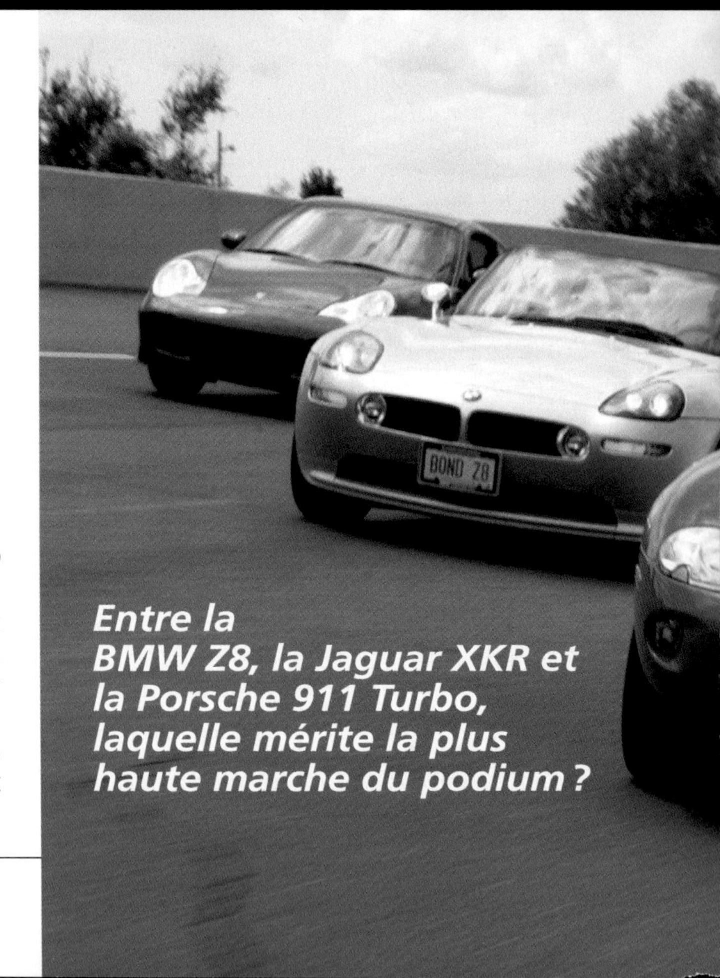

Entre la BMW Z8, la Jaguar XKR et la Porsche 911 Turbo, laquelle mérite la plus haute marche du podium ?

que 900 km au compteur. Voilà de la courtoisie avec un C majuscule.

C'est finalement la Jaguar XKR qui est venue remplacer au pied levé la star de Maranello.

Et celle qui m'apparaissait au début comme une solution de rechange est devenue une candidate de choix pour accompagner la Z8 et la 911 Turbo. Elle ne s'est pas déshonorée en aussi galante compagnie et on l'a même accueillie avec plus d'enthousiasme que la 360 pour la simple raison que cette Jaguar est une voiture plus civilisée et plus « utilisable » que la Ferrari.

Excusez ce long préambule ; le moment est venu de passer aux présentations.

BMW M Power
BMW

BMW Z8

Disparue en 120 millisecondes

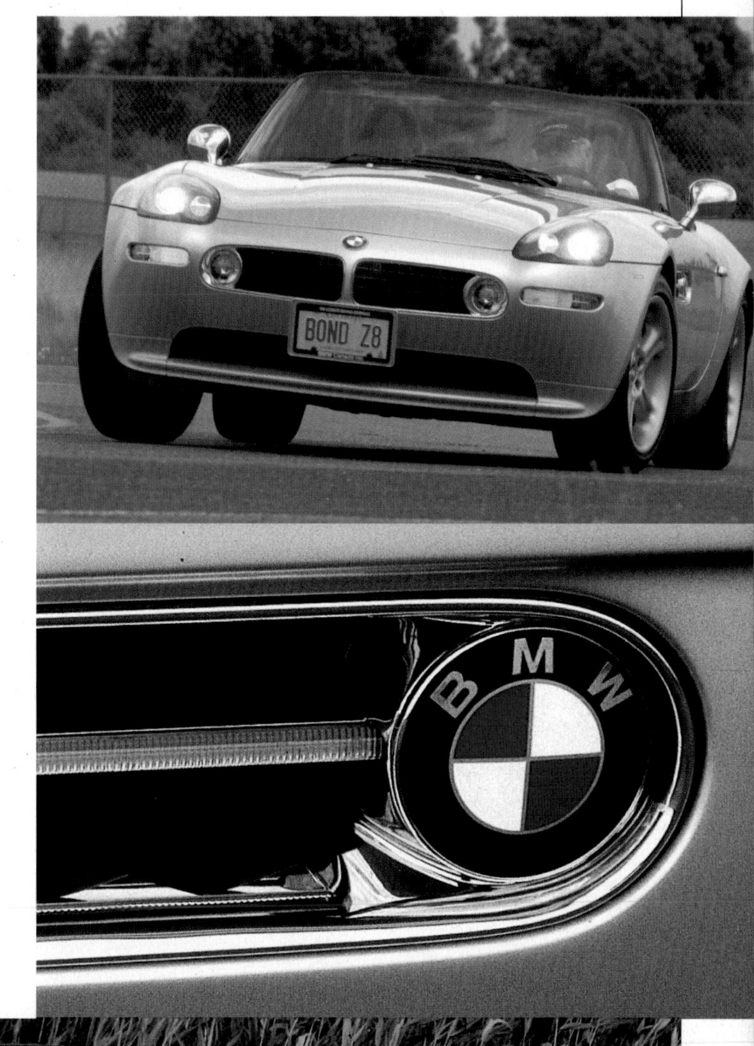

Avec la Z8, BMW fait pour ainsi dire son entrée officielle dans le cercle restreint des grandes sportives ou, si vous préférez, des voitures d'exception. Et on peut dire que la marque bavaroise n'arrive pas sur ce marché ultrasélect les mains vides. Son expérience en matière de haute performance a été maintes fois confirmée par les incroyables prestations des berlines de la série M, que ce soit la M5 ou la récente M3.

J'ai déjà passablement fait le tour de la Z8 dans un long papier qui lui est consacré dans notre section des grandes sportives. Contentons-nous d'ajouter ici que ce roadster hérite du bouillant moteur V8 de 5 litres qui catapulte la berline M5 et que celui-ci est monté à l'avant, mais plus près du centre de la voiture de manière à assurer une meilleure répartition du poids entre les essieux avant et arrière. Déjà fort de 400 chevaux et d'un couple de 369 lb-pi, le moteur a 135 kg de moins à tirer que dans la M5. Pas surprenant que l'accélérateur électronique lui permette de réagir en 120 millisecondes à la moindre impulsion du pied droit. Dotée d'un châssis en aluminium, d'une suspension arrière multibras et d'un levier de vitesses ultracourt, la Z8 a toutes les coordonnées d'un véritable engin sportif.

Depuis son lancement, BMW ne cesse de répéter que cette voiture est la réincarnation de la 507, un roadster produit en toute petite série dans les années 50. Or, plus on admire la Z8, plus on lui trouve des affinités avec la quasi-totalité des belles anglaises d'autrefois depuis l'Austin Healey jusqu'à la Jaguar E-Type et même la terrifiante Cobra, cette AC britannique apprêtée à la sauce américaine par Carrol Shelby.

Brassez tous ces éléments et vous obtenez une voiture d'exception prête à se mesurer aux reines de la catégorie.

JAGUAR XKR

La plus belle pour aller danser

Ne vous fiez pas uniquement au titre, auquel je n'ai pu résister. La Jaguar XKR (coupé ou cabriolet) n'est pas simplement une voiture à montrer ou à admirer. Belle à mourir et quasiment irrésistible dans son rouge plus rouge que celui de Ferrari, elle sait aussi courtiser les amateurs de haute performance. Avec les 370 chevaux de son V8 à compresseur, sachez qu'elle n'est pas très loin de ses rivales, autant par son rapport poids/puissance que par ses accélérations ou ses reprises. Par contre, le groupe motopropulseur doit se satisfaire d'une transmission automatique à 5 rapports, un sérieux handicap face à ses rivales d'un jour dotées de boîtes manuelles à 6 rapports.

Et pour alimenter votre réserve de faits cocasses, sachez que Jaguar (propriété de Ford) achète cette transmission de Mercedes-Benz parce que la ZF d'origine serait incapable d'encaisser l'énorme couple du moteur.

Pour les néophytes, soulignons que la XKR est une sorte de version «grand sport» de la XK8 dont le V8 à aspiration normale développe 290 chevaux et 284 lb-pi de couple. Assorti d'un compresseur volumétrique, le même V8 de 4 litres gagne pas moins de 80 chevaux et, surtout, 103 lb-pi de couple. Dommage que la bête soit muselée par une masse de plus de 2 tonnes. Il n'en reste pas moins que la XKR est la voiture de série la plus rapide jamais produite par Jaguar. Pour jouer ce rôle, elle se pare d'une suspension appelée CATS pour *Computer Active Technology Suspension* qui modifie la raideur de l'amortissement en fonction des exigences de la conduite.

L'œil bien ouvert reconnaîtra la XKR à ses gros pneus Pirelli P Zéro directionnels, à ses sorties d'air sur le capot avant, à sa grille de calandre maillée et à son petit becquet arrière.

Malgré tout cela, le cabriolet XKR allait avoir beaucoup de pain sur la planche face à la Z8 et à la 911 Turbo.

SUPERCHARGED

PORSCHE
STUTTGART

PORSCHE 911 TURBO

Pour remettre les pendules à l'heure

Absente du marché pendant deux ans, la Porsche 911 Turbo avait laissé la voie libre à la concurrence. Ses rivales pouvaient se permettre de ravir les manchettes et de collectionner trophées et superlatifs. Le *party* est malheureusement terminé et le *boss* est de retour. La plus sportive des sportives nous arrive cette année dans sa version de 5e génération. On pourra faire plus ample connaissance avec elle dans la section consacrée aux grandes sportives et je me contenterai ici d'ajouter certains détails pertinents. Par exemple, son moteur de 3,6 litres avec ses 6 cylindres à plat et son refroidissement par eau n'est pas une version suralimentée du 6 cylindres de la 911 normale. Il provient plutôt de la Porsche GT1 de course et est gavé par deux turbocompresseurs sur échappement tournant à 150 000 tr/min et produisant 1,8 atmosphère de pression en pleine accélération lorsque le moteur tourne à moins de 2 700 tr/min. À plus haut régime, la pression de suralimentation est ramenée à 1,65 atmosphère. La pointe du couple maximum se situe à 2 700 tr/min et demeure constante jusqu'à 4 600 tr/min. Sur la nouvelle 911 Turbo, le système de calage des arbres à cames d'admission se voit complété par une levée variable des soupapes d'admission grâce à des cames de profil différent. C'est ce que Porsche appelle le système VarioCam Plus. Le système de variation de la levée des soupapes se compose de deux poussoirs à coupelle pilotable, placés l'un dans l'autre, du côté admission du moteur, et actionnés par deux cames de dimension différente sur l'arbre à cames d'admission.

L'autre atout majeur de la 911 Turbo est sa transmission intégrale empuntée à la Carrera 4. Un visco-coupleur sur l'essieu avant assure la traction permanente. Lorsque la motricité est bonne, 5 % de la puissance moteur sont envoyés aux roues avant. Toutefois, si les conditions routières se dégradent et que la route est mouillée ou verglacée, les roues avant peuvent transmettre jusqu'à 40 % du couple moteur sur la route.

Visuellement, on identifie la 911 Turbo aux trois grandes prises d'air avant surplombées par des phares au xénon de conception nouvelle. À l'arrière, on retrouve des entrées et sorties d'air pour le refroidissement de l'air de suralimentation.

Une tonne de plaisir

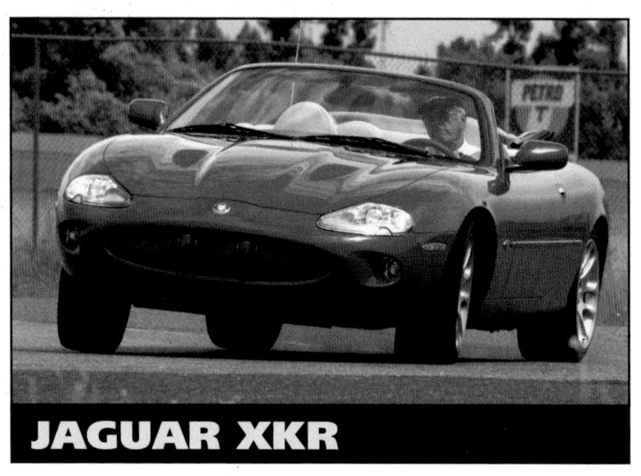

JAGUAR XKR

« Boulevard Cruiser et ne s'en cache pas. »

Alain Raymond

« Un gentleman's express. »

Claude Carrière

Première entrée en piste, la Jaguar a vite annoncé ses couleurs. Alain Raymond et Claude Carrière l'ont bien décrite et j'abonde dans le même sens, sans pour autant rejeter la XKR du revers de la main. D'accord, elle est lourde et massive et ne se laisse pas bousculer comme une Miata dans les virages, mais elle n'en demeure pas moins très performante sur route. Du moment que l'on fait confiance au système antipatinage, tout se passe bien et la voiture est immuable en conduite rapide. Par contre, n'allez pas débrancher l'antipatinage (*Traction Control*) sans avoir apprivoisé la bête. Dans ces conditions, on a l'impression que la XKR se transforme en une vulgaire Triumph Spitfire des années 70, tantôt sous-vireuse, tantôt survireuse, mais ne pointant jamais dans la bonne direction. Bref, si vous ne savez pas ce que c'est qu'un tête-à-queue, débranchez l'antipatinage et la XKR vous fera passer par toute la gamme des émotions.

Un tel comportement est facile à comprendre quand on sait que la XKR traîne avec elle le châssis démodé de sa devancière, la XKS. Si la tenue de route n'est pas tout à fait là, la puissance en revanche est à l'origine de beaux chronos. La voiture s'élance en hésitant, mais fonce par la suite comme un boulet de canon pour signer un 0-100 km/h en un honorable 5,48 secondes et cela malgré l'absence d'une boîte de vitesses manuelle. Comme l'a noté Alain Raymond, le moteur est puissant et débordant de couple, mais n'a pas le côté rageur du V8 BMW ou le souffle interminable du 6 cylindres turbo de la 911. Détail surprenant, le freinage a mieux résisté aux abus de la conduite sur piste que celui de la Z8 de BMW.

Côté charme, c'est aussi la Jaguar qui a fait le plus de conquêtes grâce à sa discrète élégance et à son raffinement. Et la version cabriolet de la XKR est une pure merveille à côté de la Z8. La capote est impeccablement insonorisée et bénéficie d'une lunette arrière dégivrante, deux qualités absentes chez BMW malgré un prix considérablement plus élevé. Pas mal pour une remplaçante !

Si je sais encore compter, les trois animatrices de notre sommet mondial de l'automobile totalisent 1 190 chevaux, ce qui revient à dire une tonne de plaisir. Après une balade routière d'environ 200 km, nous avons pris la direction du circuit de Sanair pour passer aux choses plus sérieuses. Accélération 0-100 km/h, freinage 100 km/h à l'arrêt et, bien sûr, plusieurs boucles de cet adorable petit circuit routier inventé pour les besoins de la série télévisée Prenez le volant. Denis Duquet, Alain Raymond, Claude Carrière et votre heureux serviteur ont eu l'agréable tâche de conduire ces voitures d'exception et d'en faire un portrait assez juste. Car, entre vous et moi, ces perles de la route sont des voitures incomparables et personne ne songera à acheter l'une plutôt que l'autre parce qu'elle a un meilleur coffre à gants ou un porte-verres mieux situé. Ces grandes sportives ont chacune leur public, leurs admirateurs et surtout leurs fanatiques qui se laisseront séduire par le look ou par le pedigree de la voiture. Face à ça, on ne peut qu'entretenir leur passion et exposer les faits tels qu'ils sont. L'essentiel, c'est que vous passiez un bon moment à lire ce texte.

• **Conclusion**

« Une GT cruiser dont le moteur mériterait un châssis plus moderne. »

Alain Raymond

« Le gros chat de Coventry m'a charmé. »

Claude Carrière

• **Conclusion**

« Une machine sérieuse, sans compromis pour les inconditionnels de la conduite sportive. »

Alain Raymond

« Chapeau à BMW pour avoir eu le courage de construire une telle voiture en cette période politically correct. »

Claude Carrière

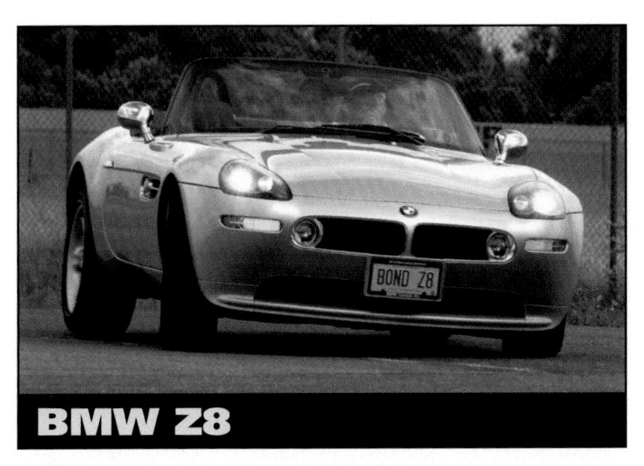

BMW Z8

« J'en veux une. »

Alain Raymond

« Une fabuleuse auto d'exception qui me laisse perplexe... »

Claude Carrière

La BMW Z8 est tout ce que l'on ne s'attendait pas qu'elle soit. On pensait être confronté à une sorte d'œuvre d'art finement ciselée et offrant des performances au-dessus de la moyenne. Or, si elle répond à cette description, elle va bien au-delà des attentes de la faune automobile. Serez-vous surpris par exemple si je vous dis que la fougue de son moteur fait penser aux anciennes Cobra ou à un *hot-rod* américain?

Entre le moteur V8 de 400 chevaux de la Z8 et le 6 cylindres turbo de 420 chevaux de la Porsche, il est bien difficile de dire lequel est le plus excitant. Nous sommes en présence de deux écoles de pensée différentes; l'une axée sur la puissance brute à l'américaine et l'autre sur la force plus subtile de la turbocompression.

Si l'on éprouve un gros plaisir à faire patiner les roues motrices de la Z8 et à laisser des traces larges comme ça sur le bitume en écoutant le moteur cracher toute son énergie, il n'est pas déplaisant non plus d'étirer chacun des rapports de boîte de la 911 et d'avoir la sensation que la puissance est inépuisable. Le juste milieu entre l'adhérence et le patinage des roues n'est pas aisé à trouver. Quand l'antipatinage est annulé, la Z8 exige aussi de bons bras, des réflexes rapides et une immunité à l'intimidation lorsque l'arrière décide de venir vous dire bonjour au beau milieu d'un virage. Pas facile à conduire à la limite cette bavaroise néo-moderne! Que dire aussi de ce satané tableau de bord central qui oblige à bouger les yeux vers la droite pour consulter le compte-tours? Pas surprenant que l'on chatouille constamment le limiteur de régime, ce qui devrait inciter les gens de BMW à prévoir un petit affichage numérique ou des témoins clignotants juste en face du conducteur de manière à éviter ce désagrément.

Si l'on laisse l'antipatinage faire son travail, la voiture adopte une tout autre personnalité. Les roues ne patinent plus, les dérapages sont exclus et toute la puissance du moteur se trouve brimée par l'électronique. Pas drôle du tout!

Pendant qu'Alain Raymond ne cessait de s'extasier sur la Z8 en vantant son suprême agrément de conduite, Claude Carrière digérait mal son prix et son intérieur où la recherche du rétro donne un ensemble un peu confus.

PORSCHE 911 TURBO

« Creusée dans un bloc de granit. »

Alain Raymond

« Porsche a remis les pendules à l'heure. »

Claude Carrière

Pendant que la XKR fait du grand-tourisme et que la Z8 mélange les genres, la Porsche 911 Turbo ne veut être rien d'autre que la meilleure voiture sport au monde. Et elle y parvient admirablement. « Elle est sûrement aussi performante que les Porsche GT de compétition d'il y a cinq ans », notait notre essayeur Claude Carrière.

Par rapport à ses rivales d'un jour, cette 911 inspire une confiance illimitée en gérant ses incroyables performances avec la facilité d'une voiture de course. Son régulateur de stabilité à commande électronique est une merveille du genre. Il n'intervient que si vous vous êtes vraiment mis dans le pétrin au lieu de simplement freiner la voiture à la moindre perte d'adhérence. Ce qui revient à dire que l'on peut s'amuser à son volant sans que l'électronique ait l'effet d'un rabat-joie.

Cette 911 Turbo enfile les virages plus vite que la Jag ou la BM sans exiger pour autant des aptitudes particulières. Bien que mes collègues soient d'avis qu'il s'agit d'une voiture à ne pas mettre entre toutes les mains, je sais par expérience qu'elle est infiniment plus sûre à conduire que ses devancières. Beaucoup des anciennes Turbo ont fini leur carrière dans des cours de recyclage. Certains diront que les nouvelles sont aseptisées par rapport aux anciennes, mais leurs propriétaires n'ont plus à rédiger leur testament en prenant livraison de leur voiture.

La dernière 911 Turbo est surtout très prévisible lorsqu'on commence à la pousser en virage. Elle glisse d'abord très légèrement pour ensuite s'en remettre à son PSM. Tout se passe en douceur alors que la Z8 et la XKR décrochent plus brutalement. Il suffit d'examiner les photos d'action qui illustrent ce texte pour constater jusqu'à quel point la Porsche est à l'aise en virage comparativement à ses concurrentes.

Au risque d'être redondant, on se doit de souligner la force de freinage et la parfaite stabilité de la voiture au moment d'arrêts en catastophe. La 911 vous arrache littéralement vos lunettes lorsque vous plongez sur les freins.

Sur route, cette Porsche vous laisse bien sentir que le réseau routier du Québec est dans un état pitoyable et vous permet même de compter les joints d'expansion sur nos autoroutes. Heureusement, la caisse ne s'en porte pas plus mal et affiche une solidité exemplaire tandis que la suspension offre un certain confort en dépit de sa grande fermeté.

Le groupe motopropulseur reste la carte maîtresse de la 911 Turbo. Malgré un léger temps de réponse qui lui fait prendre un certain recul par rapport à la BMW Z8 au cours d'une accélération côte à côte à 80 km/h, le 6 cylindres double turbo, une fois réveillé, livre sa puissance comme si elle provenait d'une réserve sans fin. Un tout petit dixième de seconde sépare la Porsche de la BMW au test d'accélération classique. La boîte manuelle est quasi parfaite dans sa précision et sa facilité d'utilisation et il n'y a vraiment que l'enclenchement de la marche arrière qui pose problème à l'occasion.

Pour ce qui est du pratico-pratique, je vous renvoie à l'essai complet de ce modèle ailleurs dans ce bouquin. J'en profite cependant pour souligner que la présentation intérieure de la voiture essayée avait été considérablement rehaussée par diverses options utilisant le cuir et le bois pour égayer l'ambiance. Dans sa présentation normale, la 911 Turbo s'attire les mêmes critiques que les autres 911.

• Conclusion

« Une voiture ultrasérieuse. »

Alain Raymond

« La voiture de rêve s'appelle de nouveau Turbo. »

Claude Carrière

La Porsche 911 Turbo gagne, mais...

Compte tenu que ce sommet mondial de l'automobile s'est déroulé dans une ambiance sportive, c'est nécessairement la Porsche 911 Turbo qui doit monter sur la plus haute marche du podium. Strictement au plan des performances d'ensemble, c'est la plus douée du lot et, selon moi, la meilleure voiture sport au monde. Avec son retour, le pique-nique est terminé pour la concurrence. Et la présence de la Ferrari 360 Modena n'aurait carrément rien changé à ce résultat. Malgré tous les efforts de la marque italienne, une Ferrari reste une automobile à admirer qui se rend désirable en étant inaccessible et dont l'usage est extrêmement limité. C'est plus un mythe qu'une voiture.

Pour son remarquable moteur et son design unique, la BMW Z8 n'a aucune difficulté à devancer la Jaguar dans cette petite lutte fraternelle. Malgré une dernière place, la Jaguar XKR est tout de même celle dans laquelle tout le monde aurait aimé rentrer à la maison après une dure journée de travail.

Bref, chacune saura trouver sa place dans le cœur des heureux mortels qui ont les moyens d'hésiter entre une BMW Z8, une Porsche 911 Turbo et une Jaguar XKR.

Fiche technique

	BMW Z8	JAGUAR XKR	PORSCHE 911 TURBO
• Prix	190 000 $	110 950 $	162 000 $
• Empattement	250,5 cm	258 cm	235 cm
• Longueur	440 cm	476 cm	446 cm
• Largeur	183 cm	183 cm	179 cm
• Hauteur	131,7 cm	129 cm	130,5 cm
• Poids	1 585 kg	1 824 kg	1 540 kg
• Volume du coffre	203 litres	310 litres	130 litres
• Volume du réservoir	73 litres	75 litres	90 litres
• Moteur	V8	V8	6H
• Puissance (ch à tr/min)	400/6 600	370/6 150	420/6 000
• Couple (lb-pi à tr/min)	369/3 800	387/3 600	414/2 700
• Transmission	manuelle 6 rapports	automatique 5 rapports	manuelle 6 rapports
• Diamètre des freins à disque (av./arr.)	334/328 mm	324/305 mm	330/280 mm
• Suspension	indépendante	indépendante	indépendante
• Direction	à crémaillère	à crémaillère	à crémaillère
• Diamètre de braquage	11,8 mètres	11 mètres	11,3 mètres
• Pneus avant	P245/45ZR18	P245/45ZR18	P225/40ZR18
• Pneus arrière	P275/40ZR18	P255/45ZR18	P295/30ZR18
Performances			
• 0-100 km/h	4,89 secondes	5,48 secondes	4,99 secondes
• 0-160 km/h	10,7 secondes	12,8 secondes	9,2 secondes
• Freinage 100-0 km/h	37,5 mètres	38,7 mètres	38,4 mètres
• Meilleur tour de piste	46,7 secondes	48,4 secondes	45,8 secondes
• Vitesse maximale	250 km/h*	250 km/h*	305 km/h
• Consommation (100 km)	14,5 litres	14 litres	12,7 litres

* Limitée électroniquement.

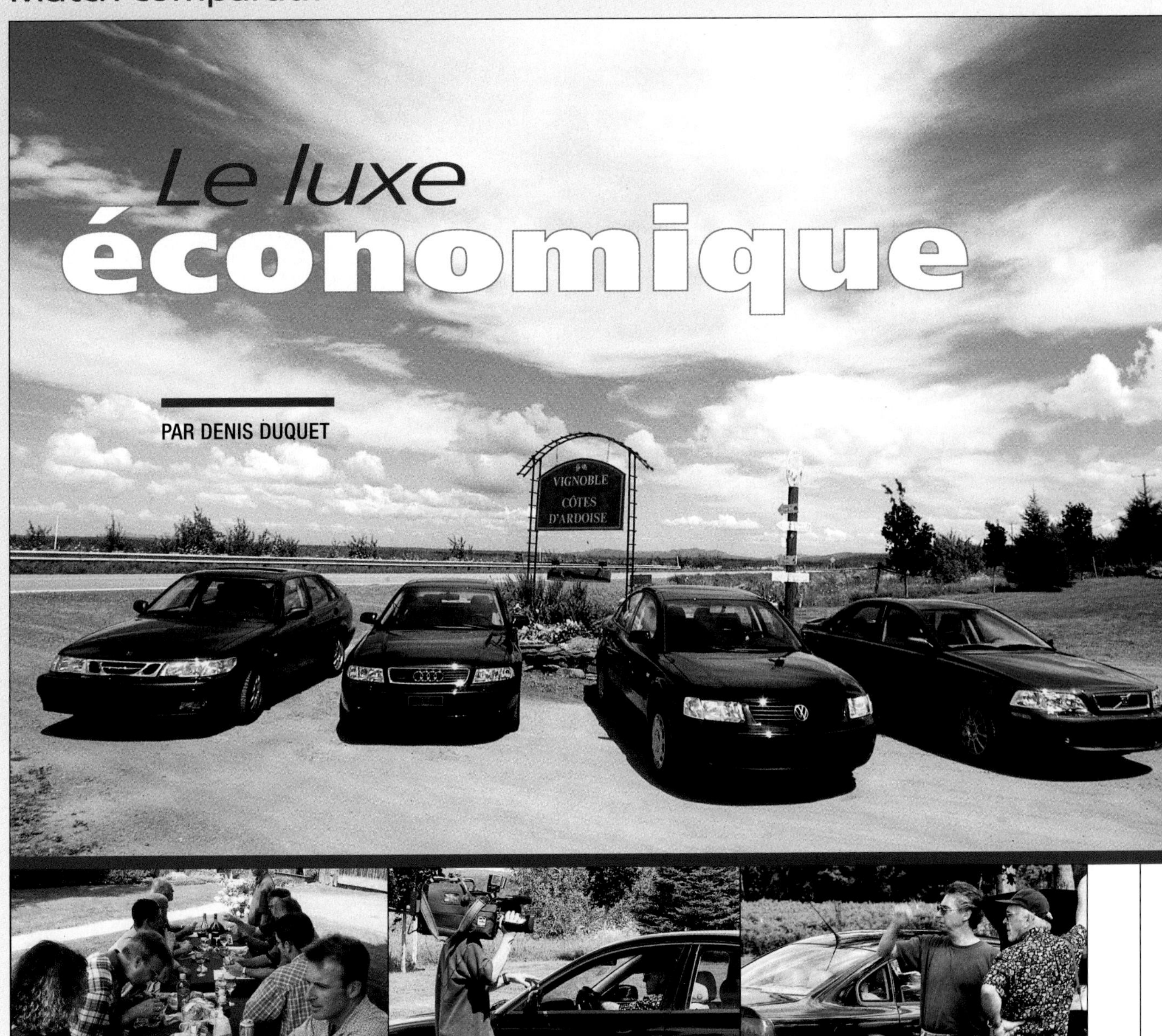

Le luxe économique

PAR DENIS DUQUET

Voitures de luxe à prix abordable : quatre candidates à la ligne de départ

L'un des secteurs du marché qui connaît le plus de progrès est celui des voitures de luxe compactes, celles qui permettent à bien des gens de se payer un peu de luxe sans avoir à se départir de toutes leurs économies. En plus d'offrir des performances intéressantes et un équipement de série fort complet, ces automobiles possèdent un certain charisme qui les rend encore plus désirables. Compte tenu de l'importance sans cesse croissante de cette catégorie, nous avons décidé d'évaluer quelques-uns des modèles les plus en demande.

Il faut avouer que c'est l'arrivée sur notre marché de la Volvo S40 qui a servi d'élément déclencheur. En effet, rarement nouvelle voiture aura suscité autant d'intérêt de la part des lecteurs. Depuis son entrée sur la scène américaine l'an dernier, nous avons été inondés de demandes à son sujet. Il est certain que la

réputation de Volvo et surtout un prix annoncé de moins de 30 000 $ pour le modèle le moins cher expliquent en bonne partie ce désir d'en savoir davantage. Mais si la réputation de la compagnie suédoise est toujours excellente, il nous faut vous mettre en garde contre ce prix alléchant. Si ce modèle existe, il est presque assuré que la facture moyenne pour la S40 oscillera entre 35 000 $ et 40 000 $, une fourchette de prix plus réaliste.

Festival du turbo

C'est en tenant compte de ces limites de prix et de la fiche technique de la S40 que nous avons recruté les autres participantes. Il fallait un moteur 4 cylindres de puissance moyenne, turbocompressé si possible, couplé à une boîte automatique. C'est pourquoi l'Audi A4 1,8T, la Saab 9^3 et la Volkswagen Passat 1,8T ont été réunies pour cette confrontation. Il aurait été possible d'en sélectionner d'autres, mais ou bien elles étaient trop onéreuses ou encore la puissance de leur moteur ne permettait pas une comparaison juste. Il y aurait bien eu la nouvelle Lexus IS 300, mais elle est d'une catégorie au-dessus tant en raison de son prix que par son moteur 6 cylindres. On aurait pu inclure une BMW Série 3, ce que nous avons tenté de faire. Malheureusement, pour l'une des rares fois dans l'histoire du *Guide de l'auto,* une compagnie s'est désistée sous le vague prétexte qu'elle ne possédait pas de voiture à nous fournir ! Manque de collaboration, ignorance du marché québécois, peur de perdre, arrogance, toutes les raisons sont plausibles.

Ces quatre européennes ont été confrontées sur la Route des vins du Québec, dans la région de Dunham, en Estrie. Après avoir établi leurs quartiers au Domaine des Côtes d'Ardoise, nos essayeurs ont sillonné les routes environnantes afin de départager ce quatuor fort intéressant. Et il faut admettre que l'environnement était nettement plus convivial que l'austérité d'une piste d'essai. Après tout, des voitures plus raffinées méritent un changement de décor.

Les jeux sont faits. Nos essayeurs ont rendu leur verdict et le vainqueur devance de très peu deux de ses adversaires. Il ne faut pas s'en surprendre, puisque nous avons affaire à des voitures de qualité, chacune se démarquant des autres par un trait de caractère particulier. Si l'Audi A4 l'a emporté, c'est parce qu'elle avait un peu plus de caractère et de raffinement. Voyons donc comment elles se départagent.

Audi A4
La plus séduisante

Même si cette berline allemande n'est pas dépourvue de qualités mécaniques et routières, c'est sa présentation esthétique, le cachet de son tableau de bord et une finition supérieure à la moyenne qui lui permettent de finir en tête. Force est d'admettre que les stylistes d'Ingolstadt ont eu le coup de crayon passablement heureux puisque cette berline a servi d'inspiration à l'élégante A6 qui l'a suivie sur le marché. D'ailleurs, dans leurs commentaires, plusieurs ont choisi cette voiture pour terminer en tête en raison de son élégance et de sa présentation. Et c'est justement pourquoi plusieurs personnes acceptent de dépenser quelques milliers de dollars de plus pour acheter une automobile de cette catégorie. Leur style les place dans une catégorie à part.

Mais cette A4 est plus qu'une « belle gueule ». Elle est la plus sportive du lot, non pas uniquement en raison de son moteur qui développe dorénavant 170 chevaux, mais par ses réactions sur la route. C'est une automobile agile, rapide, qui n'est pas intimidée par une succession de virages serrés. Elle est agréable à piloter et c'est une voiture beaucoup plus personnelle que les trois autres concurrentes. Ce choix explique sans doute qu'elle offre peu d'espace aux places arrière et le plus petit coffre à bagages du lot. L'A4 est mieux adaptée au désir de ceux qui privilégient la conduite et la tenue de route avant le côté pratique.

Notre modèle d'essai était équipé d'une boîte automatique Tiptronic qui n'a impressionné personne, une fois de plus. Même si ce mécanisme a été l'ancêtre de toutes les transmissions du genre sur le marché, son délai de passage des rapports demeure un irritant majeur. Ajoutez à cela un certain temps de réponse du système 4 roues motrices et on comprend pourquoi cette Audi n'a pas dominé autant qu'on serait porté à le croire le créneau du comportement routier. Comme c'est le cas dans tous les modèles à traction intégrale de ce constructeur, plusieurs personnes ont besoin d'un certain temps d'acclimatation pour piloter cette voiture sur le sec. Mais il ne s'agit que de réserves mineures et il faut vraiment être très tatillon pour lui reprocher ces quelques faiblesses.

C'est certainement la voiture qui plaira le plus aux amateurs de conduite plus sportive. Elle sera également la plus rassurante en conduite hivernale. Son moteur 4 cylindres 20 soupapes est un modèle du genre. Il était déjà impressionnant avec 150 chevaux; les 20 supplémentaires rendent cette voiture encore plus désirable et plus agréable. Cependant, certains de nos essayeurs auraient apprécié une puissance supérieure. Ce reproche est en fait un compliment aux qualités dynamiques de la plate-forme, qui est capable d'en prendre.

L'Audi A4 est la seule des quatre à se démarquer autant par son élégance, ses performances et sa qualité d'ensemble. Les autres ne sont pas dépourvues de points forts, mais ne serait-ce que pour son rouage intégral, cette Audi domine ses rivales d'un jour.

Audi A4

Ils ont dit:

La plus belle ligne du groupe. Sa finition est sans reproche et elle allie confort et performances convenables. Elle gagne le match parce qu'elle représente le meilleur équilibre.

Mathieu Bouthillette

Parmi les points négatifs, j'ai noté l'accoudoir avant agaçant, le manque d'espace à l'arrière et le tableau de bord surchargé qui se veut peut-être high tech, *mais qui finit par être* high complexity.

Alain Raymond

Volkswagen Passat 1,8T
Beaucoup d'espace

La Passat termine au deuxième rang, mais elle fait pratiquement match nul avec l'Audi A4. Un tel résultat ne surprend pas puisque ces deux voitures partagent la même plate-forme et les mêmes organes mécaniques. Toutefois, l'A4 est avantagée par un moteur plus puissant et par une silhouette beaucoup moins générique que celle de la Volkswagen. Ajoutons également que celle-ci coûte moins cher, un atout non négligeable pour plusieurs. En fait, si vous êtes certain que la banquette arrière sera occupée à maintes reprises par des adultes, elle est le choix logique, car elle est la mieux nantie à ce chapitre. La Passat est en quelque sorte une version pratique et familiale de l'Audi. De plus, certains de nos essayeurs ont bien apprécié cette présentation ultrasobre dans laquelle la fonction dicte les formes. Le tableau de bord en a gagné plusieurs à sa cause. Ce n'est donc pas par hasard si cette Volkswagen a décroché le premier rang en ce qui a trait à l'habitabilité. Il faut également souligner la qualité de sa finition et une position de conduite jugée excellente. Par contre, plusieurs ont pesté contre l'accoudoir central avant qui est parfois encombrant. D'autres n'ont pas tellement apprécié la molette de réglage de l'inclinaison du dossier des sièges avant. Ils ont trouvé ce mécanisme difficile à atteindre et à utiliser.

Il ne faudrait pas en conclure que la Passat n'est rien d'autre qu'une berline dotée d'une silhouette sobre et d'une habitabilité

supérieure à la moyenne. Elle se défend également fort bien en termes de tenue de route, de stabilité directionnelle et de précision de la direction. Nos essayeurs l'ont d'ailleurs placée au premier rang pour sa tenue de route et sa direction tandis que seule la Volvo S40 la devance par la qualité de ses freins. Et la Saab, avec son hayon arrière, est la seule qui permet d'accueillir plus de bagages.

Si on veut chercher des poux, on pourrait affirmer que le prestige de la marque n'est pas assez relevé pour placer cette Passat dans un groupe réservé à des berlines de luxe et que ce rôle revient à l'Audi dans le groupe Audi-Volkswagen. Mieux ne vaut pas tenir de tels propos devant Ferdinand Piëch, le grand patron de la compagnie, qui veut justement augmenter le prestige de Volkswagen sur tous les marchés. Il compte sur les marques Seat et Skoda pour prendre la place de la compagnie de Wolfsburg dans la catégorie des modèles à vocation économique, du moins sur le marché européen.

D'ailleurs, cette berline n'a aucun complexe à faire face à une A4 tout équipée. Si elle doit s'incliner de peu, c'est justement qu'il lui manque ce petit cachet de luxe que l'A4 possède. Le reste est tout à fait similaire. À part bien entendu cet avantage que possède l'Audi avec son nouveau moteur de 170 chevaux, même si le système de traction intégrale en absorbe une partie.

Une chose est certaine, la Passat n'a aucune difficulté à devancer la S40 et la Saab 9³ dans le classement en fait de confort, de tenue de route et d'équilibre général.

Volkswagen Passat 1,8T

Ils ont dit :

Ses courbes lui confèrent une allure classique. La finition extérieure et intérieure est bonne. Dans l'habitacle, le choix des teintes est judicieux même si les tissus des sièges pourraient être améliorés. Les places arrière sont très généreuses et les espaces de rangement nombreux.

Denise Lemieux

Le moteur ne suffit pas toujours à la tâche et on a l'impression qu'il s'essouffle de temps à autre... Mais elle a de l'espace à revendre sur tous les plans. Une vraie de vraie !

Robert Gariépy

Volvo S40

Controversée

Sans vouloir défendre la Volvo S40 qui termine en troisième place, il est important de souligner que même si elle en est à ses premiers pas sur notre marché, cette berline n'est plus tout à fait jeune. En effet, elle est commercialisée en Europe depuis 1995 et la berline S40 est certainement moins intéressante que la familiale V40. La plate-forme de la berline a été développée en collaboration avec Mitsubishi, mais la familiale est une création de Volvo qui a utilisé les mêmes éléments pour développer une version de son cru. Le résultat est bien meilleur. Mais puisque ce type de voiture est pratiquement inconnu dans cette catégorie, nous avons choisi de comparer les berlines.

Parmi les quatre voitures en lice, la S40 est la seule qui a soulevé des verdicts carrément contradictoires de la part de nos essayeurs. Tandis que l'un d'entre eux avouait que c'était sa voiture « coup de cœur », un autre s'interrogeait quant au bien-fondé de sa présence dans le match et comparait même ses plastiques à ceux des premières Huyndai.

En fait, cette S40 n'est pas une petite japonaise fabriquée en Europe et assaisonnée à la sauce européenne. Il faut féliciter Volvo d'avoir produit une authentique... Volvo. Autant sa silhouette que son habitacle s'intègrent fort bien avec les autres modèles de la famille. S'il est vrai que la présentation du plastique doit être améliorée, tout le reste respecte la tradition de la

marque avec des sièges confortables, de nombreux espaces de rangement, des commandes faciles à utiliser et une climatisation efficace. Et comme dans toute bonne Volvo, on y retrouve tout l'attirail de sécurité passive, incluant des sièges anti-coup de lapin, des rideaux gonflables latéraux et j'en passe. Il faut également souligner la présence d'ingénieux sièges arrière surélevés pour enfants. Malheureusement, malgré qu'ils soient très pratiques, leur intégration nécessite une banquette arrière très large qui vient restreindre énormément l'espace réservé aux jambes. En fait, c'est la principale lacune de cette voiture.

Nos essayeurs lui ont reproché ses suspensions sautillantes et bruyantes moins efficaces que celles des deux allemandes. En revanche, le moteur 1,9 litre turbo s'avère performant et ses reprises excellentes. Soulignons également des freins puissants et faciles à doser.

Si le style de l'Audi A4 a fait l'unanimité, plusieurs n'ont pas succombé aux charmes de la silhouette de la S40. La calandre typique de Volvo et la partie avant passent le test, mais le profil et l'arrière n'ont pas été appréciés. En fait, c'est là que la voiture camoufle le plus mal son âge. Une fois encore, la familiale est mieux réussie à ce chapitre. Mais revenons aux berlines...

Malgré certains éléments négatifs, la majorité de nos essayeurs sont d'avis que la S40 devrait connaître du succès sur notre marché autant grâce à ses qualités dynamiques qu'en raison de la réputation de la marque et de son prix très compétitif. Enfin, son comportement routier n'est pas vilain : elle fait pratiquement match égal avec l'Audi et la Volkswagen à ce chapitre.

Volvo S40

Ils ont dit :

J'ai adoré cette Volvo. Elle est agréable à conduire, sécuritaire, confortable. Bref, Volvo a frappé dans le mille avec cette voiture qui convient bien à la clientèle visée.

Éric Gariépy

Je ne crois pas que cette voiture ait quoi que ce soit à offrir. Les performances sont moyennes. Le confort est bon à l'avant, mais médiocre à l'arrière. Selon moi, acheter ce modèle, c'est acheter la prétention de rouler en Volvo pour moins de 30 000 $.

Mathieu Bouthillette

Saab 9³

L'anarchiste

Chez Saab, on se pique de ne pas faire les choses comme les autres et cette 9³ est conforme à la philosophie de la marque. Même si elle termine quatrième, il ne faut pas la déclasser pour autant. Comme le résumait fort bien un participant, « c'est la voiture idéale pour les gens pressés qui ont beaucoup d'objets à transporter ». En effet, elle est la plus rapide du lot et son hayon donne accès à un coffre à bagages de beaucoup supérieur à ceux des trois autres véhicules. Voilà des éléments positifs qui pourraient convaincre certains acheteurs. De plus, si vous aimez les choses excentriques, cette suédoise vous comblera. Sa clé de contact est toujours au plancher tandis que la présentation de son tableau de bord, bien que pratique, n'est pas tellement conventionnelle. Plusieurs essayeurs ont cependant déploré l'austérité de la présentation de l'habitacle et le fait que plusieurs commandes soient obstruées par le volant.

Un habitacle plus étroit que les autres, l'absence d'un accoudoir central, un volant réglable uniquement en profondeur et non pas en hauteur, voilà autant d'irritants qui ont contribué à « caler » la 9³ dans le classement. Et tous se sont également plaints qu'il n'y avait pas d'espace suffisant pour le pied gauche. Cette simple énumération souligne le caractère disparate de cette Saab qui est également celle dont le châssis est le plus ancien.

Si certains participants à notre évaluation n'ont pas été tendres envers la silhouette de la Volvo S40, la Saab y goûte encore davantage. Très peu ont apprécié ses lignes et la majorité ont trouvé cette voiture carrément... laide! D'ailleurs, un commentaire savoureux d'un essayeur la décrit comme «une voiture marginale qui plait aux gens qui aiment être à part et ils sont bien servis à ce chapitre avec la 9³».

En plus de sa capacité de chargement, des sièges arrière rabattables et du côté extrêmement pratique de son hayon, la Saab est également en mesure de combler le pilote par ses performances. Les accélérations et les reprises de son moteur sont très musclées, les freins sont puissants et l'assistance de la direction bien dosée. Il est possible d'attaquer certains parcours sinueux avec enthousiasme et de s'amuser à tirer le meilleur parti de la combinaison moteur-freins-direction. Toutefois, plusieurs déclarent qu'il leur serait impossible de vivre avec une voiture si peu attirante.

Dans le cas de cette voiture, le cœur a des raisons que la raison ne connaît pas et il est certain que son côté anarchique est susceptible de plaire à certains tout comme il en fera fuir d'autres. Si vous aimez le caractère anticonformiste de ce mouton noir, vous allez également apprécier ses poignées de portes uniques et son rétroviseur gauche à double foyer. Autant d'éléments qui la démarquent encore des autres.

La 9³ n'est pas destinée aux personnes qui aiment le rassurant conformisme des allemandes, leur réputation de voiture sérieuse et leur silhouette élégante. Elle semble avoir été dessinée par des iconoclastes pour des gens de même inspiration.

Saab 9³

Ils ont dit:

Malgré toutes ses anomalies typiques aux voitures Saab, elle se distingue par le meilleur moteur, le plus performant de notre essai. Sa puissance, la répartition du couple, le temps de réponse minimal du turbo, tout est supérieur aux moteurs 1,8 turbo de l'Audi et de la Passat.

Claude Carrière

Sa conception archaïque, son habitacle étroit, sa silhouette discutable et une valeur de revente décourageante expliquent sa faible popularité sur le marché. Et sa tenue de route n'est pas plus à la hauteur.

Antoine Joubert

Fiche technique

	AUDI A4	SAAB 9³	VW PASSAT	VOLVO S40
• Empattement	261 cm	260 cm	270 cm	256 cm
• Longueur	448 cm	463 cm	467 cm	454 cm
• Hauteur	142 cm	143 cm	146 cm	142 cm
• Largeur	185 cm	171 cm	174 cm	172 cm
• Hauteur	142 cm	143 cm	146 cm	142 cm
• Poids	1 470 kg	1 375 kg	1 428 kg	1 300 kg
• Transmission	automatique	automatique	automatique	automatique
• Nombre de rapports	5	4	5	5
• Moteur	4L	4L	4L	4L
• Cylindrée	1,8 litre turbo	2,0 litres	1,8 litre turbo	1,9 litre
• Puissance	170 ch	185 ch	150 ch	160 ch
• Suspension avant	indépendante	indépendante	indépendante	indépendante
• Suspension arrière	indépendante	indépendante	indépendante	indépendante
• Freins avant	disque	disque	disque	disque
• Freins arrière	disque	disque	disque	disque
• ABS	oui	oui	oui	oui
• Pneus	P205/55R16	P205/50ZR16	P195/60R15	P195/60VR15
• Direction	à crémaillère	à crémaillère	à crémaillère	à crémaillère
• Diamètre de braquage	11,1 mètres	10,5 mètres	11,4 mètres	10,6 mètres
• Coussin gonflable	frontaux et latéraux	frontaux et latéraux	frontaux et latéraux	frontaux et latéraux
• Réservoir de carburant	60 litres	68 litres	62 litres	60 litres
• Capacité du coffre	440 litres	614 litres	475 litres	471 litres
• Accélération 0-100 km/h	8,5 secondes	8,2 secondes	9,5 secondes	9,0 secondes
• Vitesse de pointe	220 km/h	210 km/h	220 km/h	215 km/h
• Consommation (100 km)	12,5 litres	10,0 litres	11,7 litres	9,2 litres
Prix	41 995 $	34 800 $	34 595 $	35 500 $

CONCLUSION

Donc, l'Audi A4 devance de peu sa sœur ennemie, la Volkswagen Passat. Cette fois, c'est le caractère sportif et plus esthétique de l'A4 qui l'emporte. En fait, la surprise provient du fait que la Volkswagen réussit à devancer les deux suédoises de notre match. Ces deux dernières ont sans doute un pedigree plus impressionnant et leur constructeur une réputation plus impressionnante que celle de Volkswagen, souvent associée par le passé aux sous-compactes économiques. Mais cette compagnie a modifié ses produits et sa stratégie de mise en marché avec cette génération de la Passat, ce qui se traduit dans les résultats de notre match.

La S40 a soulevé bien des attentes auprès du public. Elle ne décevra certainement pas les amateurs de Volvo puisque la cadette de la famille possède les qualités de solidité, de confort et de sécurité propres aux autres Volvo. Sa silhouette légèrement rétro, un châssis qui pourrait être amélioré et des places arrière handicapées par un faible dégagement pour les jambes lui ont fait perdre les points qui ont fait la différence au classement final.

La Saab 9³ est une voiture anticonformiste tout en étant la plus pratique du lot en raison de son hayon et d'une capacité de chargement supérieure. De plus, les performances de son moteur en ont surpris plusieurs. Malheureusement, elle utilise la plus ancienne plate-forme du groupe et cela est aisément perceptible dans le cadre d'un match comparatif. Son habitacle plus étroit et relativement austère ainsi qu'une certaine souplesse de la caisse lui ont fait perdre de précieux points. Mais c'est sa silhouette biscornue qui l'a handicapée le plus fortement au moment du choix subjectif.

Quatre voitures, quatre personnalités différentes, quatre façons d'entrevoir le mode automobile. À vous de choisir celle qui convient le mieux à vos besoins et à vos goûts. Cette comparaison vous permet de savoir comment elles se départagent les unes des autres et de voir au-delà de l'image projetée par le manufacturier.

Évaluation

		AUDI A4	SAAB 9³	VW PASSAT	VOLVO S40
Esthétique					
Extérieur	10	9,1	6,6	8,4	7,0
Intérieur	10	8,4	6,8	8,3	8,0
Finition extérieure	10	8,4	7,5	8,2	8,1
Finition intérieure	10	9,0	7,4	8,4	8,6
Total	**40 pts**	**34,9**	**28,3**	**33,3**	**31,7**
Accessoires					
• Nombre et commodités	10	8,1	7,3	7,9	8,3
• Espaces de rangement	10	7,8	7,0	8,6	7,6
• Instruments/commandes	10	8,2	7,0	6,8	9,0
• Ventilation/chauffage	10	9,1	8,4	8,9	9,0
Total	**40 pts**	**33,2**	**29,7**	**32,2**	**33,9**
Carrosserie					
• Accès/espace avant	15	12,4	10,5	13,3	13,0
• Accès/espace arrière	15	8,1	11,0	14,4	10,3
• Coffre : accès & volume	5	3,7	5,0	3,7	4,0
• Accès mécanique	5	3,8	4,1	4,0	4,0
Total	**40 pts**	**28,0**	**30,6**	**35,4**	**31,3**
Confort					
• Suspension	10	8,4	8,0	8,3	8,1
• Niveau sonore	10	7,7	6,6	7,7	8,5
• Sièges	10	8,5	8,0	7,3	9,4
• Position de conduite	10	9,0	7,8	8,7	8,0
Total	**40 pts**	**28,0**	**30,6**	**35,4**	**31,3**
Moteur/transmission					
• Rendement	15	13,8	12,8	14,4	13,5
• Performances	15	12,6	13,7	11,3	13,2
• Sélecteur de vitesses	5	4,2	3,6	4,1	4,3
• Passage des vitesses	5	4,0	3,1	4,2	4,3
Total	**40 pts**	**34,6**	**33,2**	**34,0**	**35,3**
Comportement routier					
• Tenue de route	20	15,5	13,5	16,0	15,4
• Direction	15	13,4	11,5	13,6	13,4
• Freins	15	13,1	12,8	13,3	13,6
Total	**50 pts**	**42,0**	**37,8**	**42,9**	**42,4**
Sécurité					
• Coussins de sécurité	15	15,0	15,0	15,0	15,0
• Visibilité	10	8,7	8,5	8,7	8,3
• Rétroviseurs	5	4,3	4,8	4,3	4,2
Total	**30 pts**	**28,0**	**28,3**	**28,0**	**27,5**
Performances mesurées					
• ¼ mille	10	8,0	10,0	7,0	7,0
• Accélération	20	18,0	20,0	16,0	17,0
• Freinage	20	20,0	18,0	16,0	17,0
Total	**50 pts**	**46,0**	**48,0**	**39,0**	**41,0**
Autres clasements					
• Espace pour bagages	10	6,0	10,0	8,0	7,0
• Choix des essayeurs	50	50,0	46,0	48,0	47,0
• Prix	10	7,0	8,0	10,0	8,0
Total	**70 pts**	**63,0**	**64,0**	**66,0**	**62,0**
Grand total	**400 pts**	**343,3**	**330,3**	**342,8**	**339,1**
CLASSEMENT		**1**	**4**	**2**	**3**

Match des roadsters

La seconde génération

Profitant du dévoilement du bouillant roadster S2000 de Honda, *Le Guide de l'auto 2000* avait organisé un match comparatif opposant le nouveau venu de la catégorie au trio allemand qui l'a précédé. L'alignement comprenait, par ordre d'entrée en piste, la BMW Z3 2,8, la Mercedes-Benz SLK230, la Porsche Boxster et, bien sûr, la S2000. À la ligne d'arrivée, Porsche battait Honda de justesse suivie de Mercedes, tandis que BMW subissait l'humiliation d'une dernière place.

PAR JACQUES DUVAL ET DENIS DUQUET

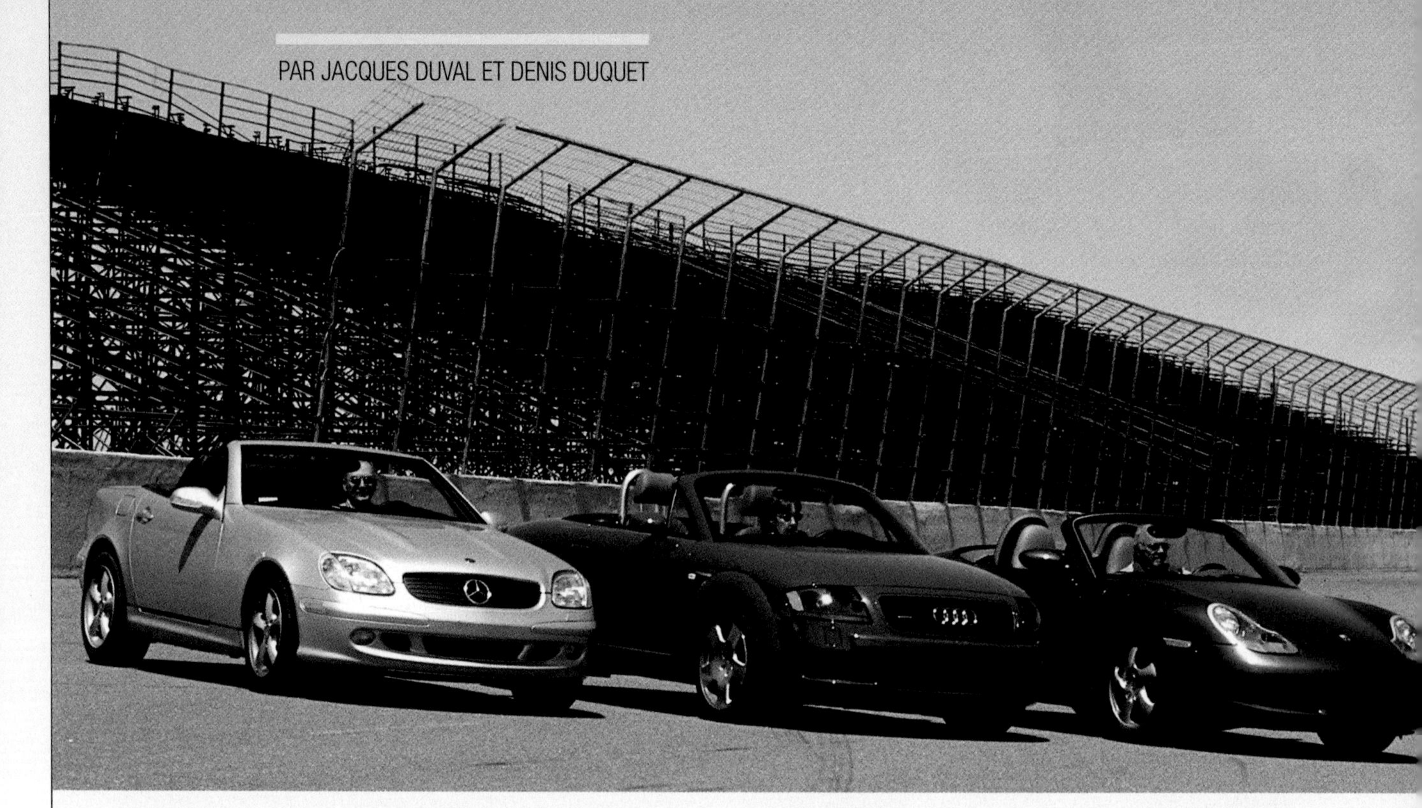

Depuis, l'Audi TT roadster a fait son entrée en scène et le trio allemand s'est transformé en quatuor. En plus, notre gagnante de l'an dernier s'est vue bonifiée par l'apparition d'une version S qui lui a permis de gagner 35 chevaux alors que le coupé-roadster de Mercedes voit son petit moteur à compresseur de 190 chevaux secondé par un V6 3,2 litres de 215 chevaux. Il n'en fallait pas plus pour nous inciter à organiser un match comparatif des roadsters de seconde génération. La Z3 et la S2000 étant inchangées, nous les avons exclues de cette rencontre disputée sur le circuit de Sanair à Saint-Pie de Bagot.

À la ligne de départ, on retrouve donc l'Audi TT Roadster dans sa version de 225 chevaux, les 252 chevaux de la Porsche Boxster S et le couple abondant du gros V6 de 215 chevaux qui anime la Mercedes-Benz SLK320. C'est parti !

PORSCHE BOXSTER S

Dominante

Si, l'an dernier, la Boxster l'avait emporté de justesse sur la Honda S2000, cette année, elle a obtenu une victoire totale, une domination sans partage. Grâce à son moteur plus puissant, à son châssis révisé et ses freins plus efficaces, la S n'a fait qu'une bouchée de ses adversaires. Compte tenu des améliorations apportées à cette version, il est sûr que la Honda S2000 se serait inclinée une fois de plus.

Ce qui fait la force de cette voiture, c'est qu'elle ne souffre pas de lacunes graves. Mieux encore, elle a dominé à tous les chapitres portant sur les performances en plus d'être le choix personnel des essayeurs qui l'ont plébiscitée avec enthousiasme. Aucune autre voiture de cette troïka ne peut accélérer avec autant d'assurance de 100 km/h à 225 km/h. Elle tire son épingle du jeu de 0 à 100 km/h, mais elle est encore plus impressionnante par la suite. À son volant, on se surprend à vouloir appuyer encore sur l'accélérateur même lorsque l'aiguille blanche du compteur oscille aux alentours de 225 km/h. Mais il n'y a pas que les performances en ligne droite qui impressionnent. Sur la piste, c'est une voiture qui pardonne beaucoup. Vous entrez trop rapidement et trop profondément dans un virage, et voilà que la puissance des freins vous ralentit sans ambages, et ce tour après tour. Si vous êtes surpris par un virage trop serré abordé à grande vitesse, la suspension se charge du reste. De plus, le système de stabilité latérale est l'un des plus transparents sur le marché et l'un des plus efficaces.

Si la Boxster S domine haut la main en termes de performances et de comportement routier, elle est loin d'être démunie ailleurs. En fin de compte, c'est là sa grande force. Il est vrai qu'elle brille sur la piste, mais cela ne pénalise pas pour autant pilote et occupant dans la conduite de tous les jours et dans la circulation urbaine. Sa suspension est ferme, mais elle est tellement bien calibrée que même les mauvaises routes québécoises ne transforment pas toute randonnée en un véritable supplice. Et il semble que la rigidité et l'intégrité de la caisse ont été améliorées. Notre voiture d'essai en avait vu d'autres avant ce match ; pourtant, aucun bruit de caisse, aucun signe de fatigue du châssis ne se sont manifestés.

Il peut sembler incongru de souligner le caractère pratique d'une grande sportive. Pourtant, cette Porsche est également assez bien pourvue à ce chapitre. Les coffres avant et arrière permettent à deux personnes de transporter pratiquement tout ce dont elles auront besoin en vacances. De plus, quelques espaces de rangement dans la cabine se révèlent pratiques, notamment le compartiment vertical entre les deux sièges. En revanche, la SLK est mieux nantie à cet égard. Plusieurs n'apprécient guère la présentation quelque peu plastique du tableau de bord et les commandes de radio et climatisation inspirées des chaînes stéréo. Heureusement, le plastique semble être de meilleure qualité qu'auparavant.

Enfin, le toit souple de la Boxster est une vraie petite merveille d'ingénierie. Il se replie en 12 secondes et se déploie dans le même temps. Et pas de capote à ajuster !

À eux seuls, le moteur 6 cylindres à plat de 252 chevaux et la boîte de vitesses manuelle à 6 rapports valent le prix d'admission. Mais, en plus, on bénéficie d'une voiture rapide au comportement routier presque sans faille, capable de jouer les grands-tourismes en plus de se tirer d'affaire dans la circulation de tous les jours. Il est difficile de demander mieux.

MERCEDES SLK
Authentique GT

Même si la compagnie Mercedes-Benz a remporté plusieurs championnats mondiaux en sport motorisé, elle s'est surtout taillé une enviable réputation pour ses grandes routières et ses voitures de grand-tourisme capables de nous mener à bon port dans un confort supérieur à la moyenne et à des vitesses élevées. La SLK est issue de cette lignée.

Elle se classe au second rang du classement général tout simplement parce qu'elle doit s'incliner devant la Boxster S en ce qui concerne les performances pures et la tenue de route en piste. Il lui manque ce petit côté hargneux, teigneux qui sied bien à la Porsche et qui lui donne plus de caractère. La SLK est plus à l'aise sur une route secondaire parsemée de virages d'amplitude moyenne, ce qui permet à ce lourd roadster de prendre assise et de négocier le virage avec aplomb. Faute de quoi, il a tendance à sous-virer. Il suffit de piloter de façon agressive sur une route en lacets pour percevoir les limites de ce châssis par rapport à celui de la Porsche qui ne semble jamais se rassasier de conduite sportive.

Mais si la version précédente, avec son moteur 2,3 litres avec suralimentation n'a pas tellement fait belle figure lors de notre match comparatif de l'an dernier, cette fois, l'impression générale est beaucoup plus favorable. Il semble que les ingénieurs aient été pressés par le temps lors du développement de la première génération. L'arrivée du moteur V6 de 3,2 litres fait des merveilles pour l'équilibre général de la voiture. Les accélérations sont non seulement plus rapides, mais également plus linéaires. On n'est pas irrité par les vibrations du groupe propulseur à 4600 tr/min comme c'était le cas précédemment sur la SLK230 et la sonorité de ce V6 est juste dans la note. Soulignons au passage que le 4 cylindres a été sérieusement revu cette année. Son rendement est supérieur et l'étrange sonorité provenant de sous le capot a été modifiée. Il est maintenant impossible de faire des allusions blessantes à l'ancien moteur de la Ford Pinto de même cylindrée et de triste mémoire.

Les résultats du match confirment d'emblée la vocation grand-tourisme de ce roadster au toit rigide rétractable. C'est la SLK qui rafle les grands honneurs dans les catégories évaluant les qualités esthétiques, le confort, la finition et l'intégrité de la carrosserie. D'ailleurs, ce sont toutes des qualités qui ont permis à la marque de bâtir sa réputation. Naturellement, le toit rigide rétractable est considéré comme génial en hiver ou lorsque le mauvais temps est de la partie. Il est solide, insonorisé, étanche, isolé et il s'installe en un tournemain ; c'est le bonheur ! D'autant plus qu'il suffit d'appuyer sur un bouton pour le remiser dans la partie supérieure du coffre arrière. Mais c'est justement là le hic ! Une fois en place, cette calotte d'aluminium bouffe plus de 35 % de l'espace réservé aux bagages.

Élégante, confortable, capable de belles prestations en piste comme sur la route, la SLK est la voiture des grandes randonnées. Sa cabine est large, on y retrouve de multiples espaces de rangement et les sièges sont confortables, autant d'éléments qui ont leur importance en voyage ou en usage quotidien.

De tous les roadsters de luxe sur le marché, la SLK est sans doute le plus homogène et le mieux adapté aux besoins des personnes prêtes à consentir quelques sacrifices du côté des performances pour se retrouver au volant d'une voiture plus confortable et un peu moins spécialisée que la Porsche Boxster.

AUDI TT

Irrationnelle

Autant la version coupé de l'Audi TT fait l'unanimité, autant le roadster soulève les controverses. Certains sont attirés par ces formes globuleuses accentuées par la présence du toit souple. Et c'est justement ce toit qui est la source de toutes les discussions. Plusieurs trouvent que la TT a l'air d'un « kit car » une fois cette bulle de nylon en place. D'autres sont d'avis que « c'est pas pire, mais le look est meilleur lorsque le toit est abaissé ». Notre jury l'a recalé puisque c'est l'Audi qui a obtenu la plus basse note pour son esthétique. Et s'il est vrai que le tableau de bord demeure l'un des plus aguichants sur le marché, un choix de couleur pour le moins surprenant et des sièges garnis en leur pourtour d'un lacet de cuir nous prouvent une fois de plus que les goûts des stylistes allemands peuvent parfois s'avérer étranges. Ces sièges, appelés « gants de baseball », sont heureusement offerts en option. Et si cette lanière de cuir enfilée est censée nous faire penser à cet accessoire de sport, c'est raté. J'ai l'impression que les stylistes ont trop vu d'émissions de Davy Crockett ou de Daniel Boone.

Les ingénieurs n'ont rien ménagé pour transformer cette plate-forme de Volkswagen Golf en voiture de haute performance. Le modèle essayé était équipé d'un moteur 4 cylindres 1,8 litre à double turbo d'une puissance de 225 chevaux. Pour transmettre cette cavalerie au bitume, on a eu recours à une traction intégrale. Après tout, Audi est la championne des autos à 4 roues motrices. Ajoutez une boîte manuelle à 6 rapports et vous semblez avoir la recette du succès.

Malheureusement, comme le confirme le verdict de nos essayeurs, cette séduisante allemande ne possède pas l'équilibre voulu en piste pour être une sportive de haut niveau tandis que son caractère pour le moins particulier ne convient pas tellement à une vocation de voiture de grand-tourisme. Si l'intégrale semble être la solution à tous les maux, sur la route, cette voiture n'a pas la même assurance que les deux autres protagonistes. Le système ne réagit pas toujours avec la rapidité nécessaire et on perçoit un certain flottement à haute vitesse. De plus, même si les 225 chevaux sont bien présents, ils se manifestent à haut régime et il faut toujours solliciter le levier de vitesses pour avoir des performances décentes. Et encore, comme le soulignent les notes de conduite de Jacques Duval, les temps d'accélération sont nettement supérieurs aux 6,6 secondes promis par Audi.

La TT roadster n'est pas une vilaine voiture. Sa silhouette particulière, sa fiche technique originale et un style unique en feront craquer plusieurs. Malheureusement, l'accès à bord n'est pas toujours une expérience positive une fois le toit en place. Et si ce toit souple s'abaisse en un rien de temps, il faut ensuite se battre avec une capote qui semble avoir été dessinée par le même ingénieur britannique qui a conçu celle de la MG B au début des années 60. La silhouette rétro, ça peut aller, mais pas les caractéristiques de la « belle époque » ! Mieux aurait valu investir davantage dans le développement d'un toit aussi raffiné que celui de la Boxster et ne pas dépenser un mark dans la mise au point du déflecteur d'air vitré à commande électrique. C'est innovateur, mais on aurait pu utiliser un élément fixe comme sur les deux autres voitures et personne ne s'en porterait plus mal.

Si l'Audi TT se fait sérieusement distancer par les deux autres protagonistes de cette confrontation, c'est en raison de son caractère disparate. D'ailleurs, la TT n'a remporté aucune catégorie dans notre évaluation. Certains vont souligner que l'intégrale est bien adaptée à nos hivers rigoureux. Mais qui veut rouler en « convertible » en hiver ? Quatre roues motrices ou pas ?

Avec le cabriolet TT quattro, Audi a répondu à une question que personne n'avait posée.

POUR TOUS LES GOÛTS

Même si la Boxster S confirme sa suprématie dans la catégorie des roadsters de luxe compacts, ce match permet de départager trois voitures totalement différentes. La S est sans conteste la plus sportive du lot et elle se classe très près de la Mercedes SLK lorsque vient le temps de passer plusieurs heures à son volant sur les autoroutes. Par contre, la Mercedes est nettement plus distancée par la Porsche sur la piste et en performances, ce qui lui vaut le deuxième rang. Cela n'empêchera pas plusieurs personnes de craquer pour sa silhouette, son toit rigide et la promesse d'un certain respect des conventions dans la conception mécanique.

L'Audi TT ne manque pas de qualités, mais son caractère est nettement plus étriqué que celui des deux autres. Il lui manque ces quelques éléments de raffinement qui sont trop souvent le fruit de la maturité. La S est en quelque sorte une Boxster de seconde génération et c'est carrément le cas avec la SLK.

Trois roadsters, trois voitures se démarquant nettement l'une de l'autre ; à vous de décider laquelle correspond à votre personnalité et à vos attentes.

Trois petits tours et puis s'en vont

C'est sur un petit circuit aménagé par l'équipe du *Guide de l'auto* pour les besoins de l'émission de TVA *Prenez le volant* que s'est déroulée l'évaluation du comportement routier de nos trois roadsters allemands. Avec ses sept virages, ce terrain d'essai sollicite autant la justesse de la direction que l'endurance du freinage et la tenue de route. Il fait appel à une partie du « tri ovale » de Sanair en empruntant l'allée des puits et la surface asphaltée des paddocks. Selon les voitures, les vitesses atteintes varient entre 70 km/h (dans le virage le plus lent) et 180 km/h (sur la ligne droite). À deux endroits, des virages successifs en sens opposé soumettent la voiture à un brusque changement d'appui qui permet de bien attester de ses réactions face à des transferts de poids rapides.

En passant au bilan routier de nos trois protagonistes, il est intéressant de noter que l'ordre des meilleurs temps réalisés en piste est parfaitement fidèle au classement final de ce match. Et ceci sans qu'il y ait eu consultation entre les essayeurs invités dans la compilation des notes.

1 PREMIÈRE PLACE PORSCHE BOXSTER S

(47,2 secondes)

Sur la plus haute marche du podium, on retrouve donc la Porsche Boxster S qui a ravi la victoire à ses concurrentes avec un temps inférieur de 2 secondes à celui de la Mercedes-Benz SLK320. C'est incontestablement la plus sportive du lot, sinon la seule. La SLK se rapproche beaucoup plus d'une GT tandis que l'Audi est un joli petit cabriolet quatre saisons.

La Boxster S brille par la précision de sa direction qui la rend facile à inscrire en virage juste sur le point de corde. Elle est moins engourdie que la SLK à ce chapitre et son freinage est un autre atout qui permet de grignoter quelques dixièmes de secondes ici et là. Très maniable, la voiture s'offre quelquefois des survirages spectaculaires qu'il est relativement facile de rattraper. Ce n'est pas une faiblesse chez elle, mais tout simplement la démonstration que sa tenue de route est si tenace qu'on a toujours l'impression que l'on pourrait aller plus vite. Or, il arrive un moment où la Boxster S touche à sa limite et décroche de l'arrière. L'antipatinage vous aidera à éviter le pire, mais sachez qu'il a lui aussi ses limites.

Le nouveau moteur 6 cylindres à plat de 3,2 litres qui se cache dans les entrailles de cette Porsche a lui aussi son mot à dire dans les belles prestations de la Boxster S. Il est surtout parfaitement en accord avec tout le reste, à l'exception peut-être de la boîte de vitesses dont l'enclenchement des rapports supérieurs est quelquefois malaisé.

Aussi bien sur route que sur piste, la Boxster S domine largement ses rivales dans cette catégorie.

2 DEUXIÈME PLACE MERCEDES-BENZ SLK320

(49,1 secondes)

De prime abord, la Mercedes-Benz SLK ne semble pas à sa place sur une piste de course. Sa direction feutrée, son roulis de caisse et son freinage progressif sont les caractéristiques d'une grande routière raffinée. On a du mal à se convaincre qu'elle peut être conduite sportivement. Petit à petit, toutefois, on découvre qu'il ne faut pas se fier aux apparences. Aidé par un moteur au couple généreux, le coupé-roadster de Mercedes fonce d'un virage à l'autre avec fougue et malgré tout le roulis qu'il accuse en virage, il reste accroché au bitume de manière surprenante. On a beau pousser et pousser, il résiste au dérapage avec une rare détermination. Pendant qu'il se couche sur ses flancs, il perd toutefois un peu de momentum et cela se reflète dans l'ensemble de ses performances. La présence de la transmission automatique à 5 rapports n'est cependant pas un obstacle majeur.

En gagnant 25 chevaux, la Mercedes-Benz SLK a aussi gagné en agrément de conduite et en performances puisqu'elle devance l'Audi TT Roadster, pourtant riche de 10 chevaux supplémentaires.

3 TROISIÈME PLACE AUDI TT ROADSTER

(50 secondes)

À la stupéfaction de tout le monde, l'Audi TT Roadster a été la grande perdante de ce match. Il ne faut pas chercher plus loin que son moteur pour expliquer cette contre-performance. Le petit 4 cylindres 1,8 litre a beau être gavé par un turbocompresseur surdimensionné accompagné de deux échangeurs thermiques, il n'arrive pas à compenser son manque de cylindrée face aux 3,2 litres des forces adverses. Ses 225 chevaux doivent s'incliner devant les 252 chevaux de la Boxster S et même face à la puissance inférieure (215 chevaux) de la SLK. Bref, de quoi donner raison aux Américains qui ne cessent de clamer qu'il n'existe aucun substitut aux pouces cubes.

Avec sa traction intégrale Quattro, l'Audi TT est quasi à l'abri des dérapages dans les virages et elle est bien servie par sa direction rapide. Sa lourdeur et le manque d'ardeur de son moteur deviennent toutefois des handicaps sérieux pour s'extirper des virages. Malgré les 6 rapports de la boîte manuelle, le moteur met du temps à réagir, ce qui nuit inévitablement aux performances.

Le freinage du roadster TT accusait aussi une perte d'efficacité après quelques tours de piste, ce qui a sans doute contribué aussi à sa contre-performance au chrono.

(N.B.) Face à des chiffres d'accélération de 0-100 km/h bien au-dessus de ceux fournis par Audi (8,5 secondes contre 6,9 secondes), nous avons demandé à un concessionnaire de procéder à une révision du moteur de notre TT roadster. Son intervention n'a pourtant strictement rien changé aux piètres performances du moteur.

Fiche évaluation

		AUDI TT	MERCEDES SLK320	PORSCHE BOXSTER S
Esthétique				
Extérieur	10	7,5	8,5	9
Intérieur	10	8	8	7
Finition extérieure	10	8	9	8,5
Finition intérieure	10	9	9	8,5
Total	**40 pts**	**32,5**	**34,5**	**33**
Accessoires				
Nombre et commodités	10	8	8,5	8
Espaces de rangement	10	6	9	6,5
Instruments/commandes	10	7,5	8,5	8
Ventilation/chauffage	10	8	8	8
Total	**40 pts**	**29,5**	**34**	**30,5**
Carrosserie				
Accès à l'espace avant	15	12	14	13
Accès à l'espace arrière	15	10	15	12
Coffre : accès & volume	5	2	3	4
Accès mécanique	5	4	4	2
Total	**40 pts**	**28**	**36**	**31**
Confort				
Suspension	10	7	8	7,5
Niveau sonore	10	6	9	7,5
Sièges	10	7,5	9	8
Position de conduite	10	7	8	8,5
Total	**40 pts**	**27,5**	**34**	**31,5**
Moteur/transmission				
Rendement	15	10	12	14
Performances	15	11	12	14
Sélecteur de vitesses	5	3	4	4
Passage des vitesses	5	3	4	4
Total	**40 pts**	**27**	**32**	**36**
Comportement routier				
Tenue de route	20	14	15	18
Direction	15	11	12,5	14
Freins	15	10	12	14
Total	**50 pts**	**35**	**39,5**	**46**
Sécurité				
Coussins de sécurité/arceau	15	15	15	15
Visibilité	10	7	8	7,5
Rétroviseurs	5	4	3	4
Total	**30 pts**	**26**	**26**	**26,5**
Performances mesurées				
Tour de piste	10	7	8	10
Accélération	20	16	18	20
Freinage	20	18	17	20
Total	**50 pts**	**41**	**43**	**50**
Autres clasements				
Espace pour bagages	10	6	5	8
Choix des essayeurs	50	40	45	50
Prix	10	6	5	4
Total	**70 pts**	**52**	**55**	**62**
Grand total	**400 pts**	**298,5**	**334**	**346,5**
CLASSEMENT		3	2	1

Fiches techniques : voir la section « Les essais et analyses ».

▶ *Une question de 35 000 $*

Mercedes d'occasion ou Accord neuve

Laquelle choisir au même prix ?

Pour 35 000 $, vaut-il mieux s'offrir le plaisir et le prestige de rouler dans une Mercedes d'occasion ou devrait-on plutôt profiter de la tranquillité d'esprit que procure une Honda Accord haut de gamme toute neuve ? C'est la question de 35 000 $ à laquelle *Le Guide de l'auto* a tenté de répondre. (JD).

Le dicton parle de « couper la poire en deux ». Et il est possible de l'appliquer dans le domaine de l'automobile. Par exemple, si l'on dispose d'une somme d'environ 35 000 $, il est possible de se procurer une Honda Accord V6 toute neuve ou encore une Mercedes usagée de la Classe E pour environ le même prix, tout dépendant de sa condition mécanique et du kilométrage.

Cette interrogation n'est pas aussi farfelue que certains pourraient le croire. Tous les membres de l'équipe du *Guide de l'auto* se font poser cette question à plusieurs reprises au cours d'une année. Les marques et les modèles peuvent varier, mais l'interrogation de base demeure la même.

Pour trouver des éléments de réponse à cette question, nous nous sommes amusés en compagnie de quelques volontaires à comparer côte à côte une Honda Accord V6 toute neuve et une Mercedes E320 1996. Cet exercice aurait pu se terminer dans un cul-de-sac si la Mercedes n'avait pas été à la hauteur. Mais grâce à M. Gerry Girouard, de Silver Star Rive-Sud, nous avons pu obtenir une E320 1996. Cette voiture a été achetée à un client un mardi soir, lavée le mercredi et nous en avons pris possession pour quelques heures le lendemain. Malgré ces délais très courts, l'E320 qui nous a été prêtée était impeccable ; et ce, malgré trois années d'utilisation et plus de 70 000 km au compteur.

Comme vous l'avez sans doute deviné, la solution à notre problème va reposer davantage sur le choix personnel que dans nos matchs réguliers. Nous allons donc comparer les forces et les faiblesses de ces deux voitures avant de vous faire part des éléments positifs et négatifs de leur acquisition respective.

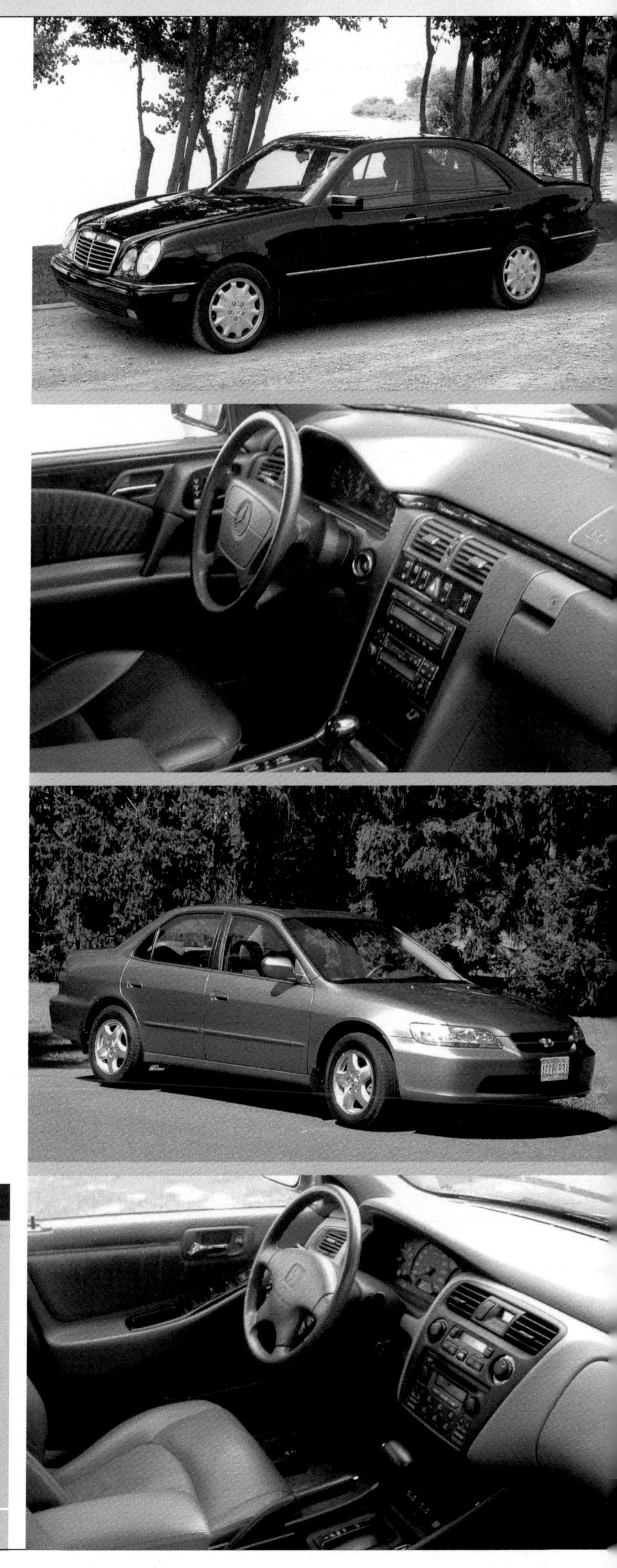

Côte à côte

Il est tout de même intéressant de comparer les deux voitures pour ce qu'elles sont avant d'étudier le coût d'achat, d'entretien et la valeur de revente. Notre galop d'essai nous a convaincus qu'une Accord V6 n'est pas humiliée par une E320, même neuve, malgré le fait que cette dernière coûte le double. L'esthétique de l'allemande est supérieure, mais la finition de la japonaise est excellente pour le prix.

Les commandes de la Honda sont d'une simplicité et d'une efficacité désarmantes. Celles de la Mercedes sont à peine supérieures, notamment en ce qui concerne les deux zones de température du climatiseur. La plus grande taille de l'E320 explique le plus grand espace disponible dans l'habitacle, mais l'utilisation de cet espace est excellente dans les deux cas. En revanche, la suspension de notre belle germanique et son confort dépassent franchement ce que l'Accord offre. On entend davantage les bruits de la route dans la Honda, problème que l'on retrouve d'ailleurs dans toute la gamme. La Mercedes ne laissait filtrer aucun son de l'extérieur et sa carrosserie n'émettait aucun cliquetis ni craquement, même si la voiture avait roulé plus de trois ans sur les routes du Québec.

Les accélérations, reprises et freinages sont légèrement meilleurs dans la Mercedes, dont la boîte de vitesses automatique à 5 rapports sert bien le moteur. La direction et le comportement routier en général sont supérieurs à ce qu'offre la Honda V6. Cette dernière n'est nullement déclassée, mais on y ressent une plus grande légèreté de tous les éléments et on s'y sent moins en sécurité.

Bref, en conduite pure, la Mercedes l'emporte même si l'Accord est une voiture qui domine sa catégorie en fait de tenue de route et d'homogénéité. Ce n'est pas une surprise compte tenu de la différence de prix et de catégorie de ces deux voitures. Reste à voir comment nos participants ont évalué la situation et quel serait leur choix.

Le cœur a des raisons...

À chaud, tous les participants ont plébiscité la Mercedes. Comme le mentionne un essayeur, il suffit de la conduire pour être convaincu de sa supériorité. Ce qui est le plus impressionnant, c'est son incroyable solidité même après plusieurs années sur la route. Il faut spécifier que l'ancien propriétaire semble avoir pris un soin jaloux de sa voiture. L'intérieur était propre comme un sou neuf et le moteur tournait comme une horloge.

Ils ont dit :

Mon choix porte sur la Mercedes E320, une voiture de classe supérieure qui ne peut être qu'une judicieuse acquisition. Même si elle est usagée. Ses performances routières et son confort valent à eux seuls qu'on prenne ce « beau risque ». De plus, ses accessoires technologiques et une présentation vraiment à part lui donnent un cachet unique. Silencieuse et imposante, elle procure un sentiment de notoriété. Elle intéressera une clientèle qui aime les belles voitures et qui est peu soucieuse des commentaires.

Denise Lemieux

Bref, tous ont craqué devant sa solidité, sa présentation, son luxe. Il faut aussi avouer que l'ego est toujours flatté lorsqu'on se fait voir au volant d'une telle voiture. De plus, on a l'impression que cette berline de luxe aura conservé l'essentiel de ses qualités, même lorsqu'elle aura trois années de plus.

Enfin, la robustesse de sa caisse et de sa construction en général ainsi que la sophistication des éléments de sécurité passive sont à prendre en considération. Même une Honda Accord V6 toute neuve n'offre pas la même protection.

Donc, c'est le coup de cœur. Après avoir conduit l'E320, l'avoir examinée et considéré sa valeur, notre groupe l'a adoptée d'emblée. Ils se sont tous dit : « Pourquoi hésiter ? Allons-y avec l'E320. » Mais, quand ils ont eu analysé la question un peu plus froidement, les parts de l'Accord V6 ont pris du mieux.

Ils ont dit :

À chaud, je choisis la Mercedes. Il suffit de la conduire pour être automatiquement charmé. C'est une voiture de haute qualité dont la solidité, le luxe et le comportement routier sont exceptionnels. Solide comme le roc après trois ans, on dirait que cette voiture est toujours en période de rodage. De plus, les performances m'ont étonné. Quel moteur ! Doux, vigoureux et d'une belle sonorité.

À froid, j'opte pour la Honda en raison de ses coûts d'utilisation moindres, de sa garantie d'auto neuve et de la fiabilité de la marque. On est assuré de n'avoir aucune surprise pendant trois ans. Elle n'est pas dépourvue de qualités non plus. Douceur, silence de roulement, moteur sophistiqué, voilà autant de points positifs. Par contre, l'Accord s'est embourgeoisée au fil des ans et sa silhouette est anonyme à souhait. Une voiture de qualité, mais sans histoire et presque sans saveur à côté de l'E320.

Claude Carrière

Le choix de la raison

Si on pose ses gestes par instinct, on va choisir d'emblée la Mercedes qui en offre plus en termes de qualité de conduite et de confort que l'Accord. Mais une fois remis de leurs émotions, plusieurs avouent qu'ils choisiraient sans doute la japonaise après réflexion. Les coûts d'utilisation seront moindres, tout simplement parce que la voiture est neuve et les frais d'entretien moins élevés que ceux de la Mercedes. De plus, comme il s'agit d'une voiture neuve, la Honda offre la paix de l'esprit en ce qui concerne les frais de réparation des pièces maîtresses ; il n'y en aura pas. Or, ce point peut s'avérer catastrophique dans le cas de la Mercedes. Il est possible de prolonger la garantie, mais les coûts sont élevés pour une voiture de cette catégorie et de ce prix.

Détail intéressant, nos participants ont également souligné le fait que plusieurs personnes risquent d'être jugées différemment si elles arrivent à leur travail au volant d'une Mercedes. Un représentant commercial dont les produits ont connu une hausse de prix sera à coup sûr froidement accueilli par ses clients qui jugeront la nouvelle Mercedes comme étant en partie responsable de cette hausse. Dans certains cas, une Honda est plus politiquement correcte. En d'autres circonstances, le prestige de la marque Mercedes vous ouvrira bien des portes et vous avez de bonnes chances d'être mieux traité par les portiers d'établissements chic ou les préposés au stationnement des magasins haut de gamme.

Enfin, comme le démontre la liste de prix des pièces de rechange fournie par le CAA-Québec (en annexe), il existe une différence dont il faut tenir compte, d'autant plus que la période de garantie de l'E320 est terminée. Dans certains cas, la différence de prix n'est pas tellement importante, mais quelques

exceptions risquent d'ébranler vos finances. Les Mercedes sont faites pour durer, mais leur fiabilité n'est pas à toute épreuve et ces voitures demandent un entretien suivi. De plus, pas question d'y installer des pièces de *jobber,* mais la présence des concessionnaires Mercedes hors des grandes zones urbaines est assez limitée.

Match nul ?

Sans vouloir tirer une conclusion à la Salomon, il est certain que le choix de l'une ou de l'autre solution dépend en grande partie de l'acheteur, de ses besoins et des conditions anticipées d'utilisation de la voiture.

Donc, si la mécanique ne vous intéresse pas, si vous ne connaissez pas de réparateur indépendant pour votre Mercedes et si votre budget ne peut souffrir aucune surprise, mieux vaut opter pour la Honda, plus économique à l'usage et protégée par une garantie de voiture neuve.

Il ne faut pas éliminer la Mercedes pour autant. Si vous aimez les belles bagnoles, un agrément de conduite supérieur à la moyenne, et que vous pouvez vous débrouiller avec des factures de réparation plus élevées, la Mercedes est pour vous.

Ils ont dit :

Élément non négligeable dans l'équation, le service chez Honda, sans être un modèle du genre, est à mon avis supérieur à ce que l'on rencontre chez Mercedes. J'aime mieux pouvoir choisir mon atelier de réparation d'un concessionnaire à l'autre que de me retrouver devant un gérant de service Mercedes qui sait que je ne pourrai pas acheter des pièces de* jobber*, que le prochain concessionnaire est à des dizaines voire parfois à des centaines de kilomètres et qui me traite comme s'il me faisait une faveur de me recevoir.

Jean-Georges Laliberté

Comme toute médaille a un revers, choisir entre une Honda Accord V6 et une Mercedes-Benz E320 d'occasion n'est pas facile. En optant pour la première, vous payez pour la tranquillité d'esprit d'une voiture japonaise qui est également agréable à conduire bien qu'embourgeoisée. Par ailleurs, l'E320 est l'une des meilleures berlines sur le marché, toutes catégories confondues. Reste à voir si vous aimez vivre avec un certain risque, si votre condition sociale vous permet de rouler en Benz et si vos finances ne seront pas bouleversées par le remplacement d'un élément mécanique critique ou même par les coûts d'entretien normaux.

Voilà la question que Hamlet se poserait de nos jours. Comme dans son cas, la réponse vous appartient.

Denis Duquet / Jean-Georges Laliberté

	HONDA ACCORD V6	MERCEDES E320
• Poids	1 490 kg	1 570 kg
• Transmission	automatique	automatique
• Nombre de rapports	4	5
• Moteur	V6	V6
• Cylindrée	3 litres	3,2 litres
• Puissance	200 ch	221 ch
• Freins avant	disque	disque
• Freins arrière	disque	disque
• ABS	oui	oui
• Pneus	P205/65R15	P215/55R16
• Diamètre de braquage	11,8 mètres	11,3 mètres
• Coussin gonflable	frontaux	frontaux et latéraux
• Capacité coffre	399 litres	434 litres
• Accélération 0-100 km/h	8,5 secondes	7,7 secondes
• Vitesse de pointe	220 km/h	210 km/h
• Consommation (100 km)	12,5 litres	11,3 litres
• Prix	33595 $	34000 $/36000 $ 70000 $ (neuve)

Prix des pièces des véhicules Mars 2000	HONDA ACCORD*	MERCEDES E320*
PIÈCES		
Aile avant	192	409
Alternateur neuf	(0)	1 114
Alternateur réusiné	245	456
Amortisseur arrière	114	157
Pare-chocs arrière	585	596
Cardan (extérieur)	177	(0)
Démarreur neuf	(0)	655
Démarreur réusiné	250	427
Disque de freins avant	77	127
Filtre à air	22	36
Filtre à essence	37	132
Filtre à huile	7	12
Freins avant (plaquettes)	63	95
Phare avant**	319	333
(bloc optique) ET		
Ampoule de phare avant	7	17
Silencieux d'origine***	273	690
Coussin gonflable	857	606
TOTAL	**3 225**	**5 862**

Total : Celui-ci représente la somme des prix les plus bas fournis. Si une pièce réusinée est disponible, c'est cette dernière qui est additionnée et non la neuve.
(0) Cela signifie que cette pièce ou son prix n'est pas encore disponible ou qu'elle n'existe pas pour ce véhicule.
* Moteur de base.
** Avec le bloc optique, une ampoule peut être remplacée si brûlée. Par contre, tout le bloc doit être remplacé en cas d'accident.
*** Pour Mercedes le prix du silencieux inclut celui du résonateur.
N.B. Les fabricants et/ou les concessionnaires peuvent changer les prix sans préavis. Tous les prix sont arrondis au dollar près.

Évaluation

		HONDA ACCORD V6	MERCEDES E320
Esthétique			
• Extérieur	10	7,6	8,8
• Intèrieur	10	7,5	9,0
• Finition extérieure	10	8,0	8,5
• Finition intérieure	10	8,2	9,0
Total	**40 pts**	**31,3**	**35,3**
Accessoires			
• Nombre et commodités	10	8,0	9,0
• Espaces de rangement	10	8,0	9,0
• Instruments/commandes	10	8,0	8,5
• Ventilation/chauffage	10	7,8	8,8
Total	**40 pts**	**31,8**	**35,3**
Carrosserie			
• Accès à l'espace avant	15	12,6	13,3
• Accès à l'espace arrière	15	11,7	13,3
• Coffre : accès & volume	5	3,8	4,2
• Accès mécanique	5	4,2	4,0
Total	**40 pts**	**32,3**	**34,8**
Confort			
• Suspension	10	7,5	9,0
• Niveau sonore	10	7,5	8,5
• Sièges	10	7,5	9,0
• Position de conduite	10	8,0	9,0
Total	**40 pts**	**30,5**	**35,5**
Moteur/transmission			
• Rendement	15	12,0	13,0
• Performances	15	11,5	13,8
• Sélecteur de vitesses	5	4,0	3,5
• Passage des vitesses	5	4,0	4,0
Total	**40 pts**	**31,5**	**34,3**
Comportement routier			
• Tenue de route	20	15,0	18,0
• Direction	15	12,0	13,0
• Freins	15	12,0	13,3
Total	**50 pts**	**39,0**	**44,3**
Sécurité			
• Coussins de sécurité	15	13,0	15,0
• Visibilité	10	8,5	8,0
• Rétroviseurs	5	4,0	4,0
Total	**30 pts**	**25,5**	**27,0**
Performances mesurées			
• ¼ mille	10	8,0	10,0
• Accélération	20	18,0	20,0
• Freinage	20	18,0	20,0
Total	**50 pts**	**44,0**	**50,0**
Autres clasements			
• Espace pour bagages	10	8,0	10,0
• Choix des essayeurs	50	48,0	50,0
• Prix	10	10,0	8,0
Total	**70 pts**	**66,0**	**66,8**
Grand total	**400 pts**	**331,9**	**363,3**
CLASSEMENT		1	2

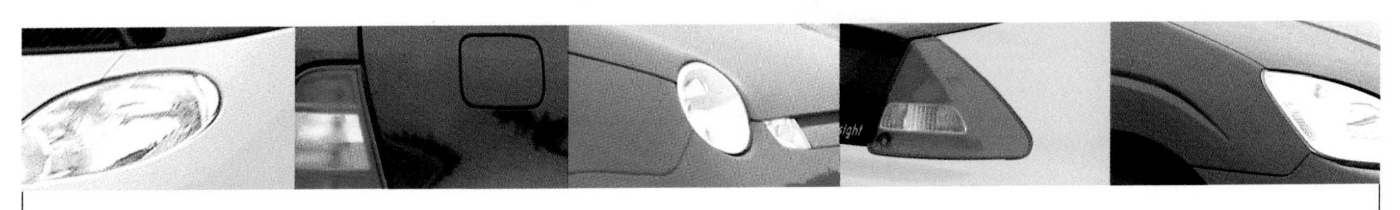

Les Amies de la planète

L'aller-retour Montréal-Québec pour 10 $

PAR ALAIN RAYMOND

L'an dernier, *Le Guide de l'auto 2000* effectuait un tour d'horizon du premier siècle de l'automobile. Pour l'édition 2001, nous vous proposons de poser un regard sur l'avenir, en vous plaçant au volant d'une série de voitures inédites en Amérique du Nord que nous avons appelées les Amies de la planète. Pourquoi les Amies de la planète ? Tout simplement parce que ce sont des voitures à très faible taux de pollution et d'une économie telle qu'on pourrait faire l'aller-retour Montréal-Québec pour 10 $ à peine.

DEUX HYBRIDES ET TROIS INCONNUES EN TERRE D'AMÉRIQUE

En ses débuts, l'automobile, c'était la liberté. Puis, vinrent les dangers de la route, les pénuries de pétrole, la congestion des villes et la pollution de la terre et de l'air, menaçant à la fois notre santé, celle de notre planète et, par conséquent, l'existence même de l'automobile. Mais la nécessité étant la mère de l'invention, plutôt que de perdre du terrain, depuis un quart de siècle l'automobile progresse, devenant moins gaspilleuse, moins dangereuse, moins problématique et moins polluante. Certes, il reste du chemin à parcourir, mais l'automobile fiable et propre est devenue réalité.

L'AUTOMOBILE MONDIALE

À l'origine très « nationale » et très typée, l'automobile adopte depuis les années 70 un visage plus universel. Néanmoins, il reste encore des voitures « régionales » qui ne conviennent qu'à un marché précis, autant pour des considérations commerciales que pour des questions d'habitude ou de culture. C'est ainsi que chez nous persiste encore le mythe de la petite voiture « dangereuse » lorsqu'on l'oppose à un gros utilitaire sport, alors qu'un nombre considérable de propriétaires de grosses voitures n'hésitent pas à se balader le dimanche en moto ou à pratiquer la motoneige ou le tout-terrain avec pour seule protection un casque en plastique.

POUR LA PREMIÈRE FOIS EN TERRE D'AMÉRIQUE

Mais puisque l'avenir appartient à la jeunesse et que la nôtre a souvent grandi au volant de petites Civic, Golf et Tercel, appréciant les qualités et les avantages des petites voitures, il y a fort à parier qu'à l'âge adulte, nos jeunes n'auront pas la même réticence que leurs parents devant les dimensions extérieures de leur monture.

C'est donc dans cet esprit et en hommage à notre jeunesse et à l'avenir qu'elle symbolise que *Le Guide de l'auto 2001* vous présente, avec un brin de fierté, un face-à-face inédit de cinq

machines exceptionnelles réunies spécialement pour *Le Guide de l'auto*: une Smart, une Mercedes-Benz Classe A, une Volkswagen Lupo – du jamais vu sur nos routes – accompagnées des deux premières hybrides sur le marché canadien que sont la Toyota Prius et la Honda Insight. Un match exclusif en Amérique du Nord, celui des Amies de la planète!

LA SOLUTION ALLEMANDE: LE DIESEL

Inventé par l'Allemand Rudolph Diesel en 1893, le moteur qui porte son nom est resté cher aux constructeurs européens qui n'ont cessé de le perfectionner et de le «nettoyer», au point qu'il constitue aujourd'hui une solution pour l'avenir. En voici trois preuves éloquentes.

MCC Smart, *Small is beautiful*

Voici sans conteste la plus révolutionnaire des voitures de ville depuis l'Austin Mini (1959)! Microvoiture urbaine à deux places, née dans l'esprit créatif de Nicolas Hayek, inventeur des montres Swatch, conçue et construite par MCC (Micro Compact Car), filiale de DaimlerChrysler, la Smart a connu des débuts difficiles en 1998, notamment à cause des problèmes de stabilité étalés au grand jour par la presse européenne.

Depuis ses débuts houleux, la Smart révisée et corrigée est retombée sur ses quatre roues et propose une gamme étoffée par une récente version diesel (à l'essai) et un cabriolet. Les ventes décevantes en début de carrière dépassent aujourd'hui les prévisions plus réalistes de MCC. Mais en quoi consiste cet «œuf sur roues»?

Micro-dimensions et haute technologie

La cellule de sécurité qui constitue la coque de la Smart entoure littéralement les occupants et les protège à la manière de la coque d'une monoplace de Formule 1. Le plancher double en sandwich permet d'adopter une position assise élevée et de loger plusieurs éléments mécaniques, notamment le moteur arrière et la boîte de vitesses.

L'habitacle est un amalgame de contrastes et de surprises, contrastes provenant des couleurs et des formes qui dénotent un modernisme sans brides et surprises que provoque l'espace appréciable dont disposent les deux occupants, notamment en hauteur et en dégagement aux jambes. Le confort des sièges baquets hauts compense la fermeté de la suspension et l'insonorisation poussée s'associe à la facilité de conduite en ville pour rendre la Smart agréable à vivre, tandis que l'antiblocage, l'antipatinage et l'antidérapage (comme dans une Mercedes!) visent à vous permettre de continuer à vivre... agréablement.

Diesel à rampe commune

Disposé transversalement à l'arrière, le petit 3 cylindres diesel à rampe commune démarre en émettant le petit ronron caractéristique. La boîte semi-automatique demande une certaine accoutumance, car le passage des rapports est plutôt lent. Avec ses 41 chevaux propulsant les 730 kg de la Smart, le petit diesel de 800 cm^3 ne produit pas des accélérations foudroyantes, mais une fois que vous avez appris à manier le sélecteur séquentiel de la boîte à 6 rapports, les reprises s'avèrent acceptables pour manœuvrer dans le trafic et s'engager dans le flot de la circulation sur l'autoroute.

Certes, l'autoroute n'est pas le terrain de prédilection de la Smart. Capable de rouler à 120 km/h en vitesse de croisière en 6e, la Smart est essentiellement un animal urbain, ses 250 cm en longueur (la moitié d'une Ford Taurus) autorisant la maniabilité d'une moto, la facilité de stationnement d'une trottinette et l'appétit d'une tondeuse à gazon (moins de 4 litres/100 km).

Demain matin, seul à bord comme la plupart des automobilistes, roulant en pleine circulation à une moyenne de 47 km/h, pensez à la Smart et posez-vous la question suivante: ai-je vraiment besoin de plus?

Mercedes-Benz Classe A, la mini-Mercedes

Une sous-compacte Mercedes ! Et une traction de surcroît ! N'y a-t-il plus rien de sacré ? « Seuls les dinosaures ne changent pas », vous dira le philosophe, et pour contrer la percée de plusieurs constructeurs dans le domaine autrefois privilégié de la voiture de luxe, Mercedes-Benz a adopté la même stratégie d'élargissement de la gamme, mais vers le bas. C'est ainsi qu'est née en 1998 la Classe A, le bébé Mercedes.

Montée sur un empattement de 242 cm (4 cm de moins qu'une Corolla), la Classe A mesure 358 cm (84 de moins que la Corolla) mais présente une habitabilité surprenante notamment pour le dégagement aux jambes et à la tête. Dotée d'un museau court et plongeant et d'un hayon à la façon d'une fourgonnette, la Classe A a surmonté la controverse portant sur la tenue de route qui a marqué ses débuts et s'est rapidement imposée comme le modèle le plus vendu de la gamme Mercedes-Benz. Comme sa petite cousine la Smart, la Classe A à 4 portes est dotée d'un châssis original à double plancher qui autorise une position de conduite élevée et permet de loger le groupe motopropulseur et d'autres accessoires comme la batterie.

Le diesel à l'honneur

Grand spécialiste du moteur à auto-allumage, Mercedes-Benz équipe sa 170 CDi (à l'essai) d'un turbodiesel de 1,7 litre à rampe commune développant 89 chevaux et qui se distingue par sa faible consommation (moins de 6 litres/100 km) et son remarquable couple à très bas régime. Mais la plus grande surprise que nous réserve cette Classe A provient de la boîte de vitesses. Un levier ordinaire de boîte manuelle à 5 rapports, mais pas de pédale d'embrayage. Vous engagez la 1re, vous démarrez, vous passez en 2e et ainsi de suite, exactement comme une boîte manuelle, mais *sans* embrayage. Pas d'à-coups, pas de lenteurs ; une merveille !

Pour le reste, la Classe A, même si elle arbore la célèbre étoile à trois branches, ne ressemble pas aux autres produits de la marque sur le plan de la qualité des matériaux intérieurs ni de la finition, et la suspension sèche nuit au confort sur mauvaises routes. Conviendrait-elle au Québec ? Oui, sans aucun doute, à condition que son prix soit concurrentiel.

Volkswagen Lupo 3L TDi, « un pied de nez aux hybrides »

C'est ainsi que Jacques Duval décrivait l'an dernier la petite Volkswagen 3 portes qu'il avait essayée en Europe, la désignation « 3L » faisant référence non pas à la cylindrée du moteur, mais à la consommation du petit turbodiesel de 3 cylindres de 1,2 litre : moins de 3 litres de carburant aux 100 km.

Pour réaliser cet exploit, Volkswagen a usé de tout son savoir en matière de moteurs diesel. Résultat : 103 lb-pi de couple dès

1 800 tr/min, soit plus qu'un 4 cylindres à essence comme celui de la Toyota Echo… Pour minimiser la consommation, Volkswagen s'est aussi attaqué à l'autre grand ennemi : le poids. Capot, portes et hayon en aluminium, roues en alliage chaussées de pneus à faible résistance au roulement (comme nos quatre autres amies d'ailleurs), d'où 830 kg sur la balance pour la micro VW.

Autres innovations, la boîte semi-automatique avec Eco-Mode et la coupure automatique du moteur lors d'un arrêt de plus de 4 secondes. Dès que vous relâchez la pédale des freins, le petit turbodiesel redémarre et la boîte exécute automatiquement les passages de vitesses, à moins que vous ne préfériez manier le sélecteur séquentiel. Moins réussi que le reste, le système de transmission de la Lupo ressemble par sa lenteur et ses saccades à celui de la Smart.

Malgré les 830 kg de la Lupo et ses pneus à pression de gonflage élevée, le confort aux places avant y est tout à fait convenable. L'espace à l'arrière est à réserver à des enfants, tandis que le coffre de 130 litres (dossier relevé) fait un peu ridicule.

Le tour du monde pour 650 $

Le tour du monde en 80 jours, soit exactement 33 333 km avec 792,57 litres de carburant, une moyenne remarquable de 2,38 litres aux 100 km à une vitesse moyenne de 85,6 km/h, tel est l'exploit que vient de réaliser la Lupo. Si elle avait été parcourue au Québec, cette distance aurait coûté… 650 $! La preuve irréfutable qu'il est possible de rouler longtemps et pour pas cher.

LA SOLUTION JAPONAISE : L'HYBRIDE

Changement de continent, changement de philosophie. Bien qu'ils soient aussi compétents que les Allemands en matière de moteur diesel pour voitures particulières, les Japonais ont porté leurs efforts pour lutter contre la pollution et la consommation d'essence en développant les autres formes d'énergie, notamment l'électricité, l'une des raisons à cela étant qu'au Japon, la congestion routière impose des vitesses de circulation nettement inférieures à celles qu'on connaît en Europe et en Amérique du Nord. Doté d'un couple élevé à très bas régime, le moteur électrique comble une importante lacune du moteur à combustion interne à ce chapitre. L'alliance du moteur électrique au moteur à combustion interne présente donc des avantages intéressants, avantages qu'exploitent chacune à sa façon la Honda Insight et la Toyota Prius, deux voitures dont vous pourrez faire l'essai réel en vous rendant chez votre concessionnaire ou l'essai virtuel en lisant les rubriques qui figurent sous « Essais et analyses » dans votre *Guide de l'auto.*

Honda Insight, l'hybride sympathique

Les succès de Honda en sport mécanique le portent naturellement à transposer à ses produits routiers les compétences acquises sur circuit. C'est ainsi que lorsqu'il s'agit de lutter contre l'éternel ennemi qu'est le poids, Honda est capable de produire des châssis ultralégers qui permettent des performances convenables à partir de moteurs de plus petite cylindrée.

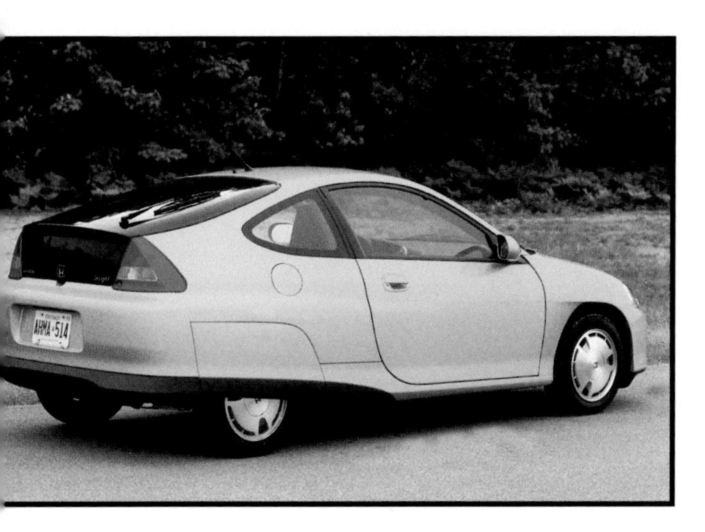

C'est précisément sur cette équation que se sont penchés les ingénieurs de Honda lors de la conception de l'Insight, un petit coupé deux places à châssis et carrosserie en aluminium. Pesant rien que 835 kg, l'Insight compte aussi sur l'aérodynamique pour maximiser son rendement.

Troisième élément de l'équation adoptée par Honda : le groupe propulseur hybride. D'une part, un petit 3 cylindres à essence de 1 litre de cylindrée, très propre et très économique, développant 67 chevaux et, d'autre part, un moteur électrique logé en sortie du moteur et ne développant que 6 chevaux, mais doté (comme tous les moteurs électriques) d'un couple élevé à bas régime.

Est-ce que ça marche? Oui. Sans aucun doute, l'Insight est au point tant sur le plan mécanique que sur le plan dynamique. Agile, légère et maniable à souhait grâce à une direction à crémaillère très directe à assistance électrique, l'Insight se conduit comme un gros kart. Avec un total de 73 chevaux, vous imaginez qu'elle ne prétend pas se mesurer à une Mustang au démarrage. En revanche, la belle américaine devra faire plusieurs haltes de ravitaillement pour chaque 1 100 km que l'Insight peut parcourir par plein de 40 litres. Calculez. Ça fait 3,6 litres/100 km. Rira bien qui rira le dernier...

Toyota Prius, la haute technologie au service de l'environnement

L'hybride Toyota adopte le même principe que la Honda : un petit moteur à essence ultrapropre et ultra-économique, assisté par un moteur électrique. Mais la Prius marque un pas de plus vers la voiture à propulsion électrique, car son moteur électrique, dans certaines circonstances, se charge à lui seul de propulser la voiture, contrairement à la Honda où le moteur électrique ne fait que venir en aide au moteur à essence.

Solution donc plus complexe que celle de Toyota qui confie la gestion du va-et-vient entre les deux moteurs à une centrale hautement perfectionnée qui décide qui fait quoi et à quel moment. Les résultats remarquables obtenus au chapitre de la consommation en ville (4,5 litres/100 km) témoignent de l'efficacité du groupe hybride Toyota dans la propulsion de cette berline 4 portes offrant 4 vraies places et un coffre de 354 litres. Certes, compte tenu de son poids de 1 200 kg, les performances sont modestes mais quand même suffisantes pour vous véhiculer tant sur autoroute qu'en ville, cette dernière option étant sans aucun doute le terrain de prédilection de la Prius. C'est en effet en ville que le moteur électrique parvient à s'exprimer, mettant au repos son compagnon à essence – et votre portefeuille.

Si elle est moins mignonne que les autres – ce qui est d'ailleurs sujet à discussion –, la Prius présente quand même deux grands avantages : d'abord, comme la Honda et contrairement aux européennes, elle existe chez nous ; ensuite, elle pourrait, grâce à ses 4 places, convenir à une petite famille, ce qui n'est pas le cas de l'Insight ni de la Smart ni, dans une certaine mesure, de la Lupo.

Fiche technique

	MCC SMART	MERCEDES-BENZ CLASSE A	VOLKSWAGEN LUPO	HONDA INSIGHT	TOYOTA PRIUS
• Modèle et type	City Coupé CDi, 2 portes	170 CDi, berline 5 portes	1,2 TDi, berline 3 portes	Coupé 2 portes	Berline 4 portes
• Empat./Longueur/Largeur (cm)	P181/250/152	P242/358/172	P232/353/162	P240/394/119	P255/170/147
• Poids (kg)	730	1 095	830	835	1 255
• Moteur	3L 0,8 litre turbodiesel	4L 1,7 litre turbodiesel	3L 1,2 litre turbodiesel	hybride	hybride
• Puissance (ch)/Couple (lb-pi)	41 / 74	89 / 132	61 / 103	68 / 75	114 / 82 + 259
• Transmission	semi-automatique 6 rapports	man. 5 rapports sans embrayage	semi-automatique 5 rapports	manuelle 5 rapports	automatique variateur
• Consommation (100 km)	3,8 litres	5,9 litres	3,2 litres	3,4 litres	5,2 litres

LE GOUVERNEMENT DOIT FAIRE SA PART

Comme c'est une excellente idée, simple et facile à adopter, il y a fort à parier que le gouvernement fera la sourde oreille à notre suggestion. Je la lance à tout hasard.

Pourquoi ne pas mettre en place des incitatifs pour encourager les automobilistes à opter pour des voitures plus économiques et moins polluantes comme les nouvelles Toyota Prius et Honda Insight? Comme celles-ci bénéficient d'une technologie d'avant-garde assez coûteuse, les prix demandés sont relativement élevés dans le contexte automobile actuel.

Or, pour adoucir la pilule et contribuer à la diffusion de telles voitures, des pays comme l'Allemagne ont institué des programmes spéciaux donnant droit à d'importants rabais de taxe, que ce soit à l'achat ou lors de l'immatriculation. Il n'y a aucune raison pour que ce soit le consommateur qui ait à assumer le coût additionnel de ces modèles. Pourquoi les acheteurs de petites voitures propres et vertes devraient-ils être les seuls à financer la diminution de la pollution de l'air?

Si nos gouvernements ont le moindrement de la suite dans les idées, il serait grand temps qu'ils adoptent le leitmotiv américain *«put your money where your mouth is»* au lieu de continuer à financer à fort prix d'interminables études sur la qualité de l'environnement. C'est la loi du simple bon sens ainsi qu'une façon intelligente et productive d'alléger le fardeau d'automobilistes déjà surtaxés. La Colombie-Britannique vient d'adopter des incitatifs en ce sens. À quand le Québec?

Jacques Duval

À NOUS D'AGIR

Smart, Classe A, Lupo, Insight et Prius, cinq Amies de la planète que nous avons eu le plaisir de vous présenter en primeur afin de démontrer que la voiture propre existe, que la voiture économique est au point et prête à nous transporter dans nos déplacements quotidiens, sans complications ni exigences spéciales ni même sacrifice majeur.

Certes, la Smart ne pourrait pas servir à transporter une famille de quatre, mais elle ferait, comme toutes les autres Amies de la planète, une magnifique deuxième ou troisième voiture.

La Prius et l'Insight roulent déjà sur nos routes, mais des trois allemandes, laquelle pourrait traverser l'Atlantique sans se noyer? Soyons réalistes. La Smart et la Lupo ne sont peut-être pas prêtes à affronter le public nord-américain. Le choc des cultures serait trop grand. Mais que penser de la Mercedes-Benz? Si la Smart préfère la ville, la Classe A serait tout aussi à l'aise sur Sainte-Catherine que sur la 40 et son habitabilité, contrairement à celle de la Lupo, est comparable et même supérieure à ce qui roule déjà chez nous. Mercedes-Benz est-il à l'écoute? L'avenir le dira.

Une question d'attitude

Si nous avons réussi à changer d'attitude face à l'alcool au volant et à l'usage de la cigarette, le temps est peut-être venu de modifier notre culture automobile de manière à adopter, voire exiger, des voitures plus propres et plus économiques. La planète – et le portefeuille – nous lancerait un grand merci.

Remerciements

Des passionnés d'automobile, on en trouve partout! C'est ainsi que l'on doit à Transports Canada et à la persévérance de Pierre Trudeau, ingénieur principal, l'idée d'importer la Smart, la Mercedes Classe A et la Volkswagen Lupo afin d'en étudier le comportement et de sensibiliser le public – et les constructeurs d'ici – à ce qui se fait ailleurs en matière de voitures vertes et superéconomiques. *Le Guide de l'auto* tient à remercier M. Trudeau et ses collègues pour leur amabilité et leur disponibilité et à les féliciter pour cette heureuse et originale initiative.

A. R.

Jetta essence contre Jetta diesel

PAR ALAIN RAYMOND

Fumant, puant, bruyant, trop lent ! C'est la réputation que s'est fait le moteur diesel, réputation autrefois justifiée et perpétuée par tous ces camions qui polluent visiblement l'air que nous respirons et qui nous assourdissent du roulement de tambour incessant que produisent leurs gros moteurs.

Mais ça, c'est la réalité du diesel lourd qui cache la réalité très différente des voitures diesel, un engin rare en nos contrées. Je dirais même rarissime, car seule Volkswagen ose l'afficher à son catalogue, d'autres comme GM, Mercedes-Benz et BMW ayant abandonné l'idée de commercialiser le moteur à auto-allumage en Amérique du Nord.

Les perturbations qui secouent le marché du carburant, accompagnées des hausses incessantes du prix de l'essence et des préoccupations grandissantes en matière de pollution, ont porté *Le Guide de l'auto* à examiner les solutions de remplacement au moteur à essence, en commençant par le bon vieux diesel. Et pour ce faire, quoi de mieux qu'un match comparatif de deux voitures absolument identiques, l'une qui carbure à l'essence et l'autre au diesel ?

Une favorite des Québécois

Pour Volkswagen, la berline compacte Jetta constitue un modèle à succès, notamment au Québec où elle recueille la faveur d'un nombre grandissant d'automobilistes. Le remaniement de la gamme Jetta en 1999 n'est pas étranger à ce succès, car aux qualités traditionnelles de la petite allemande est venue s'ajouter une ligne fort agréable.

Nos deux Jetta d'essai, une GL à essence et une TDi turbodiesel, ont donc passé l'hiver et une partie du printemps à nous véhiculer, couchant sous la neige de l'Estrie et parcourant à de multiples reprises l'autoroute menant à Montréal.

Avant de passer aux moteurs, principal objet de ce comparatif, il serait opportun de consacrer quelques lignes aux qualités

générales de la Jetta et aussi à ses défauts. Sur le plan positif, notons la facilité et l'agrément de conduite, le maniement agréable de la boîte de vitesses, la sensation de sécurité, le bon freinage que procurent les 4 disques doublés de l'ABS, la rigidité de la caisse, le confort des sièges, leur réglage en hauteur et, surtout, la rapidité du chauffe-siège que nous avons abondamment béni lorsque le mercure tombait dans des abîmes.

Parmi les points « susceptibles d'être améliorés », notons l'insonorisation des portes avant, source de bruits de vent désagréables, le dégagement réduit aux pieds à l'arrière, l'accoudoir central avant gênant l'usage du frein de stationnement, l'ouverture restreinte du coffre et, surtout, l'exécrable molette de réglage du dossier des sièges avant.

Choisissez vos armes !

D'abord, l'essence. Un 2 litres développant 115 chevaux et 122 lb-pi de couple. Banal et accusant un certain âge pour ne pas dire un âge certain, ce 4 cylindres VW ne représente certainement pas le fleuron de la marque. Robuste, sans problème, facile à vivre en hiver et raisonnablement économique, ce moteur procure à la Jetta des accélérations et des reprises qui se situent dans la bonne moyenne et une vitesse de pointe qui frise deux fois la limite affichée.

Là où le bât blesse, cependant, c'est au niveau… des oreilles, car à vitesse d'autoroute, le 2 litres à essence est bruyant. Très bruyant même, vous empêchant d'écouter la radio ou d'entretenir une conversation. Comme il tourne à régime élevé (3600 tr/min à 120 km/h en 5e), il n'est pas surprenant que le moteur soit si présent dans l'habitacle. En revanche, les reprises sont nettement plus franches que dans une Toyota Corolla, par exemple, qui favorise les régimes bas mais manque cruellement de reprises.

Le couple salutaire

Au diesel, à présent. Toujours un 4 cylindres, mais de 1,9 litre développant 90 chevaux et – notez bien la différence avec l'essence – 155 lb-pi de couple. Sachez aussi qu'il s'agit d'un moteur suralimenté par turbocompresseur, ce qui explique en partie l'importance du couple. C'est d'ailleurs autour du couple que tourne l'histoire de ce moteur, car couple moteur étant synonyme d'accélérations et de reprises, le turbodiesel brille à bas régime, dans la circulation urbaine, lorsqu'il s'agit d'accélérer en 2e, en 3e ou en 4e. Vif et souple, ce moteur rehausse l'agrément de la conduite quotidienne grâce à sa belle disponibilité à bas régime.

En outre, la crainte d'être accueilli par un refus de démarrage à -25 °C ne s'est pas concrétisée. Le turbodiesel VW démarre en tout temps. Comme le précise le guide de l'automobiliste, prenez soin d'attendre que la bougie de préchauffage fasse son travail (quelques secondes) et que le témoin en « queue de cochon » s'éteigne et vous n'aurez pas d'ennuis, en tout cas pas plus qu'avec un moteur à essence. Le bruit de castagnettes au démarrage à froid et la légère odeur de diesel qui se dégage de l'échappement disparaissent dès la mise en route.

Certes, par très grand froid, il faut veiller à ce que le carburant diesel ne gèle pas dans les canalisations, mais les pétrolières consultées nous assurent que leur diesel reçoit en hiver les additifs voulus pour éviter l'épaississement du carburant (qu'on appelle « paraffinage »), tandis que Volkswagen accuse le paraffinage, donc la mauvaise qualité du carburant, pour les rares défaillances d'hiver.

Ce turbodiesel constitue une révélation, ou plutôt trois. Aux performances à bas régime, vient s'ajouter le silence de fonctionnement à vitesse d'autoroute. Oui, vous avez bien lu, un diesel silencieux, plus silencieux sur l'autoroute que son homologue à essence, ce qui s'explique sans doute par le plus faible régime du moteur.

Enfin, la consommation. Avec une moyenne mesurée (en hiver) de 5,6 litres aux 100 km sur autoroute, vous pouvez parcourir 982 km avec un plein de 55 litres. En été, la consomma-

tion sur autoroute est plus proche de 5 litres (1 100 km d'autonomie) et en ville, elle augmente légèrement à 6 litres aux 100 km, par opposition à près de 10 litres pour la version à essence.

Près de 40 % d'escompte

Vous voulez réduire vos dépenses de carburant de 40 % et vous moquer des automobilistes qui courent d'une station-service à une autre pour économiser 4 $ sur un plein ? Rien de plus facile : optez pour la TDi. Cet avantage remarquable de 40 % au chapitre de la consommation constitue l'attrait premier du turbodiesel, attrait qui ne « coûte » rien en matière d'agrément de conduite, bien au contraire, et qui s'accompagne d'un silence de fonctionnement salutaire. Par contre, à l'achat, la TDi coûte 1 940 $ de plus, mais ce surplus se maintient lors de la revente et ne pénalise donc pas l'acheteur. En outre, le moteur diesel étant plus robuste, il dure généralement plus longtemps (300 000 km contre 200 000 pour l'essence).

Reste à régler la question du prix du carburant diesel qui, à l'heure d'écrire ces lignes, coûte plus ou moins la même chose que l'essence ordinaire alors qu'il devrait, comme pratiquement partout ailleurs au monde, coûter moins cher. Si l'on accepte cette anomalie – avons nous le choix ? –, l'avantage du diesel en matière de consommation se résume donc à près de 40 %, un avantage qui a séduit en l'an 2000 près de 40 % d'acheteurs de Jetta au Québec et qui, si la tendance se poursuit, en séduira, selon Volkswagen, 50 % en 2001.

D'ailleurs, si vous surveillez ce qui se passe outre-Atlantique, vous saurez que 70 % des commandes de la nouvelle Peugeot 607 de luxe portent sur les versions diesel. S'il vous est arrivé de conduire une récente BMW, Renault ou Mercedes-Benz turbodiesel, vous en conclurez comme moi que l'invention de Rudolph Diesel n'est pas près de prendre sa retraite.

Supplément technique

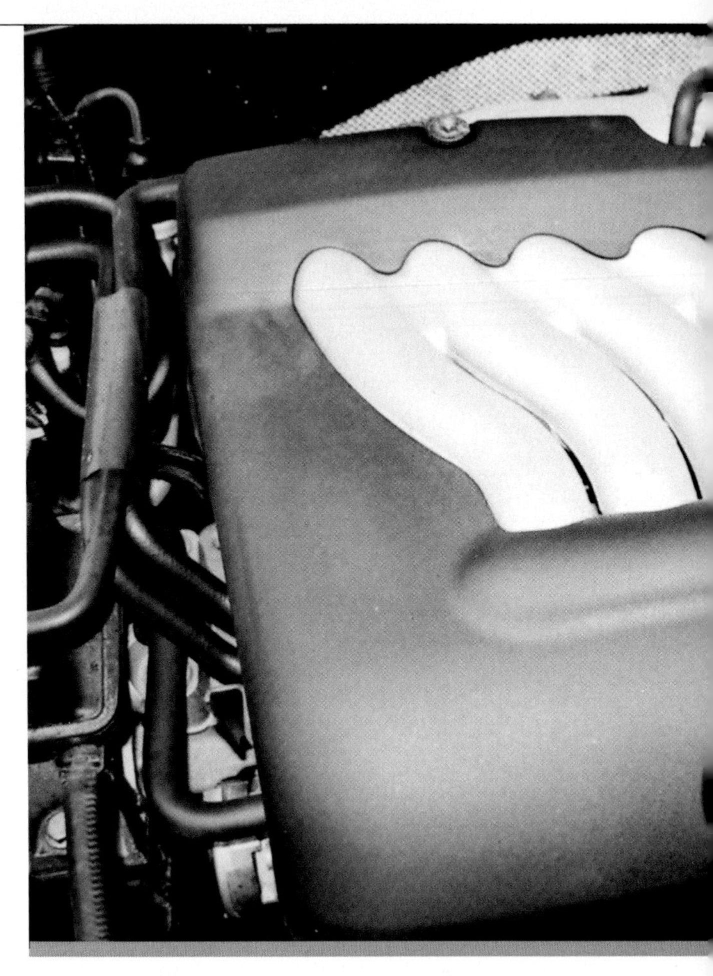

Le diesel, c'est quoi ?

Pour satisfaire la curiosité des amateurs de mécanique, *Le Guide de l'auto* a voulu expliquer ce qu'est le moteur diesel et en quoi il se distingue du moteur à essence.

Le secret de l'auto-allumage

Inventé par l'ingénieur allemand Rudolph Diesel en 1893, ce moteur à combustion interne ressemble en tous points au moteur à essence, sauf pour l'allumage et l'alimentation.

En effet, dans un diesel, les bougies d'allumage sont absentes et c'est la très forte compression du mélange air-carburant qui provoque l'explosion, d'où l'appellation « moteur à auto-allumage ». Pour faciliter le démarrage à froid, le diesel a recours à une bougie de préchauffage, une petite résistance qui s'échauffe et assure les premières explosions. Autre différence : pour surmonter la très forte compression, le carburant doit être injecté à forte pression, d'où la nécessité de disposer d'une puissante pompe d'injection.

Quant à l'alimentation, le moteur diesel se satisfait d'un carburant moins raffiné qui, en principe, coûte moins cher. Sur le plan du rendement énergétique (puissance au litre de carburant brûlé), le diesel remporte aussi la palme, mais la masse importante de ses pièces en rotation n'autorise pas des régimes aussi élevés que chez le moteur à essence. En outre, pour résister aux fortes pressions qu'il engendre, le diesel doit être très robuste. Faible consommation et robustesse, les ingrédients recherchés par les véhicules utilitaires, expliquent la prépondérance du diesel dans les domaines du transport routier, des machines agricoles et des chemins de fer, pour n'en nommer que quelques-uns.

Et la pollution ?

Visible au tuyau d'échappement d'un moteur diesel, la fumée noire nous choque et nous rebute. Moins visible, celle du moteur à essence passe bien plus inaperçue. Pourtant, les deux polluent et, sans vouloir être dramatique, les deux tuent. D'ailleurs, les progrès réalisés ces dernières années en matière de dépollution portent autant sur le moteur à essence que le moteur diesel, et un diesel moderne, bien entretenu et alimenté par un carburant « propre » ne pollue pas plus qu'un moteur à essence comparable. Le seul fait que les TDi de Volkswagen soient autorisées chez nous démontre qu'elles sont conformes aux normes antipollution en vigueur.

Le soufre : le poison que l'on tolère

Si les motoristes ont fait leur travail et continuent de « nettoyer » leurs créations mécaniques, nous ne pouvons pas en dire autant des pétrolières. Les constructeurs automobiles nous livrent aujourd'hui des voitures qui polluent moins sur un trajet de 200 km qu'une voiture équivalente des années 70 à l'arrêt ! Électronique, perfectionnements internes apportés au moteur et catalyseurs de plus en plus performants nous garantissent des moteurs 99 % plus propres qu'en 1970.

Mais pour tourner, un moteur a besoin de carburant et plus ce carburant contient de polluants, plus les catalyseurs s'encrassent et plus l'échappement est « sale ». C'est particulièrement vrai dans le cas du soufre que renferme le pétrole, cette matière étant, de l'aveu même de Santé Canada, responsable de 2 100 décès au pays et d'une perte de 1 600 000 journées de travail (étude de 1997).

Qu'attend-on pour réduire la teneur en soufre du carburant, qui se situe aujourd'hui à une moyenne de 360 parts par million (ppm) au Canada – et jusqu'à 1000 ppm dans certaines stations-service de Montréal ? Si l'Allemagne (à 30 ppm) et le Japon (à 20 ppm) l'ont déjà fait, comment expliquer que nous traînions encore la patte, hypnotisés par les discours vides de politiciens qui n'osent pas parler ou qui ne savent pas ? Surtout qu'il existe au Canada une pétrolière qui produit déjà un carburant à moins de 100 ppm de soufre, un carburant sanctionné par les constructeurs automobiles. Cette pétrolière, c'est Irving Oil, du Nouveau-Brunswick, et le carburant désigné « Choix des constructeurs » est en vente au Nouveau-Brunswick, à l'Île-du-Prince-Édouard, à Terre-Neuve et dans certaines régions de la Nouvelle-Angleterre.

Automobilistes du Québec, à la prochaine consultation populaire, exigez des réponses de vos représentants élus. Et la prochaine fois que vous achèterez une voiture, optez pour celle qui ira le plus loin sur un litre de carburant. Si l'air pur vous tient à cœur.

A. R.

Tableau comparatif

	VOLKSWAGEN JETTA GL	VOLKSWAGEN JETTA GL TDi
• Moteur	4L 2 litres essence	4L 1,9 litre turbodiesel
• Puissance	115 ch à 5 200 tr/min	90 ch à 3 750 tr/min
• Couple	122 lb-pi à 2 600 tr/min	155 lb-pi à 1 900 tr/min
Performances		
• 0-100 km/h	11 secondes	12,9 secondes
• 50-80 km/h (3e)	5 secondes	4,8 secondes
Consommation (litres/100 km)		
• Ville	10 litres	6 litres
• Route	8 litres	5 litres
• Prix	21 280 $	23 470 $

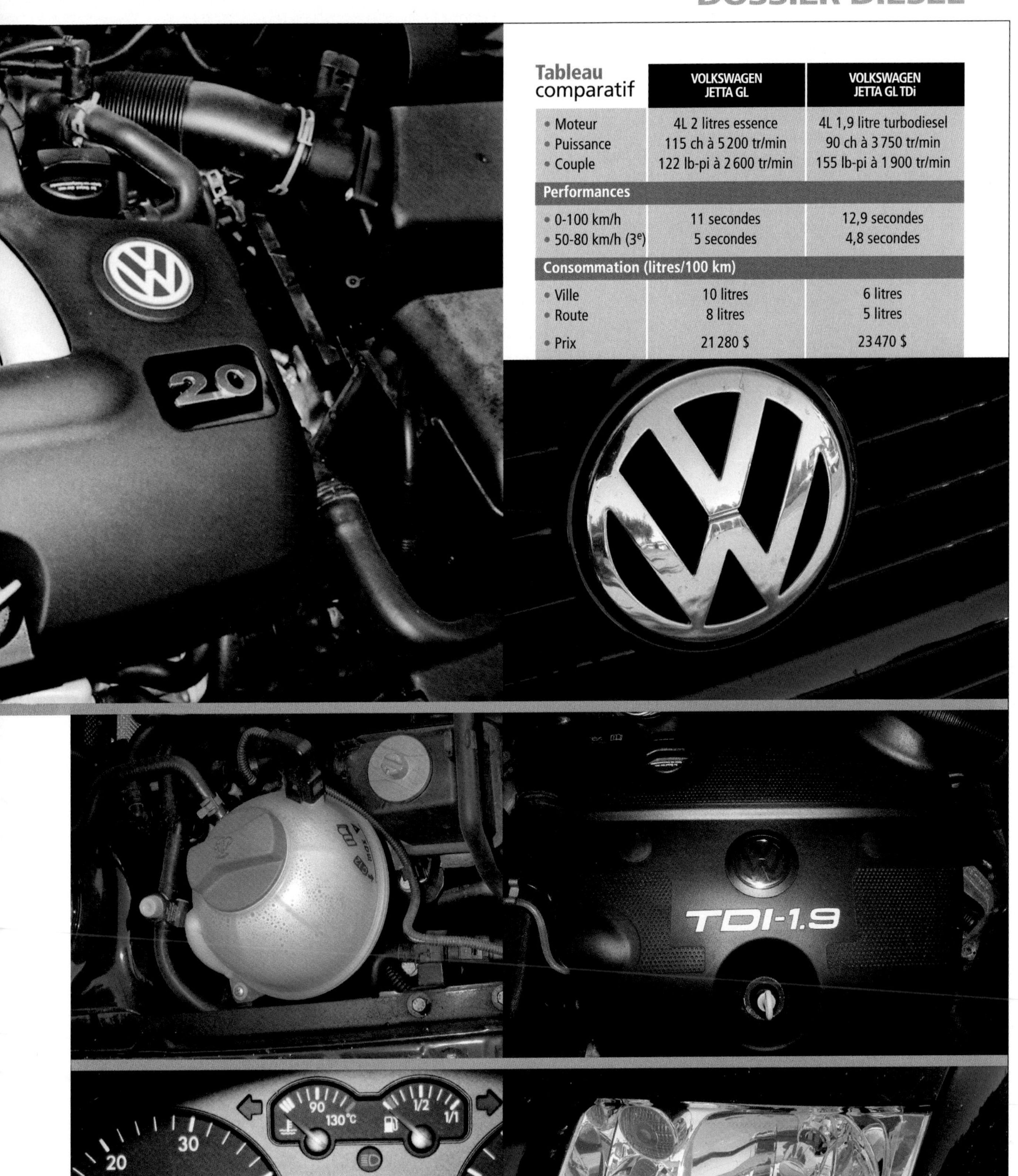

Au volant de l'avenir

Pour souligner le 35e anniversaire du *Guide de l'auto*, nous avons pensé inverser le processus habituel. Au lieu de faire une rétrospective de ceci et de cela, nous vous proposons une excursion dans le futur ou, si vous préférez, un aperçu de ce que pourrait être l'automobile au cours des 35 années à venir. Nous désirons remercier General Motors d'avoir si élégamment mis à notre disposition sa dernière brochette de voitures virtuelles.

PAR JACQUES DUVAL

Ces fabuleuses voitures conceptuelles que l'on admire bouche bée dans les grands salons automobiles sont-elles uniquement de beaux emballages attachés avec de la ficelle ou des modèles capables d'offrir des sensations de conduite fidèles à leur ronflante description? C'est la question que je me pose chaque fois que j'assiste au dévoilement de ces exercices de style, que ce soit à Detroit, à Paris, à Genève, à Francfort ou à Tokyo.

Certaines publications, en quête de sensationnalisme, tentent régulièrement de faire la lumière sur ce sujet en affirmant avoir fait l'essai des voitures en question. Toutefois, au-delà des jolies photos qu'on nous propose, le chapitre consacré aux impressions de conduite est généralement très mince. Et je peux vous dire pourquoi depuis que General Motors a accepté de lever partiellement le voile sur son avenir en nous laissant prendre le volant de ces belles de demain.

À quelques exceptions près, ces machines fastasmagoriques vous font passer du pur émerveillement à la profonde déception. Leur look est accrocheur, mais il suffit de quelques tours de roue pour déchanter. Bref, ces engins du futur recèlent des tas d'idées avant-gardistes mais sont loin d'être prêts à rouler. Ce sont en quelque sorte des laboratoires sur roues dans lesquels le contenant a préséance sur le contenu.

GM promène ces voitures dans les grands salons internationaux afin de recueillir des impressions sur certaines solutions d'avenir que l'on aimerait incorporer à des modèles de série. Il n'en reste pas moins que bon nombre de ces idées sont souvent irréalisables ou économiquement peu viables. En revanche, le style agressif d'une Cadillac IMAJ avec ses arêtes vives et ses lignes en coin a déjà fait son chemin, nous dit-on, sur la future Cadillac Catera. Ce concept faisait partie des sept modèles que *Le Guide de l'auto* a pu conduire lors d'une présentation spéciale sur une des pistes d'essai de ce constructeur (communément appelée Black Lake) à Milford, au Michigan. Les autres étaient la Saturn CV1, la Buick LaCross, la Pontiac Piranha, le Hummer H2 ainsi que les Chevrolet SSR et Traverse.

Confortablement installé au volant, examinons un à un ces prototypes assemblés à la main et dont le seul et unique exemplaire a souvent coûté plusieurs millions de dollars.

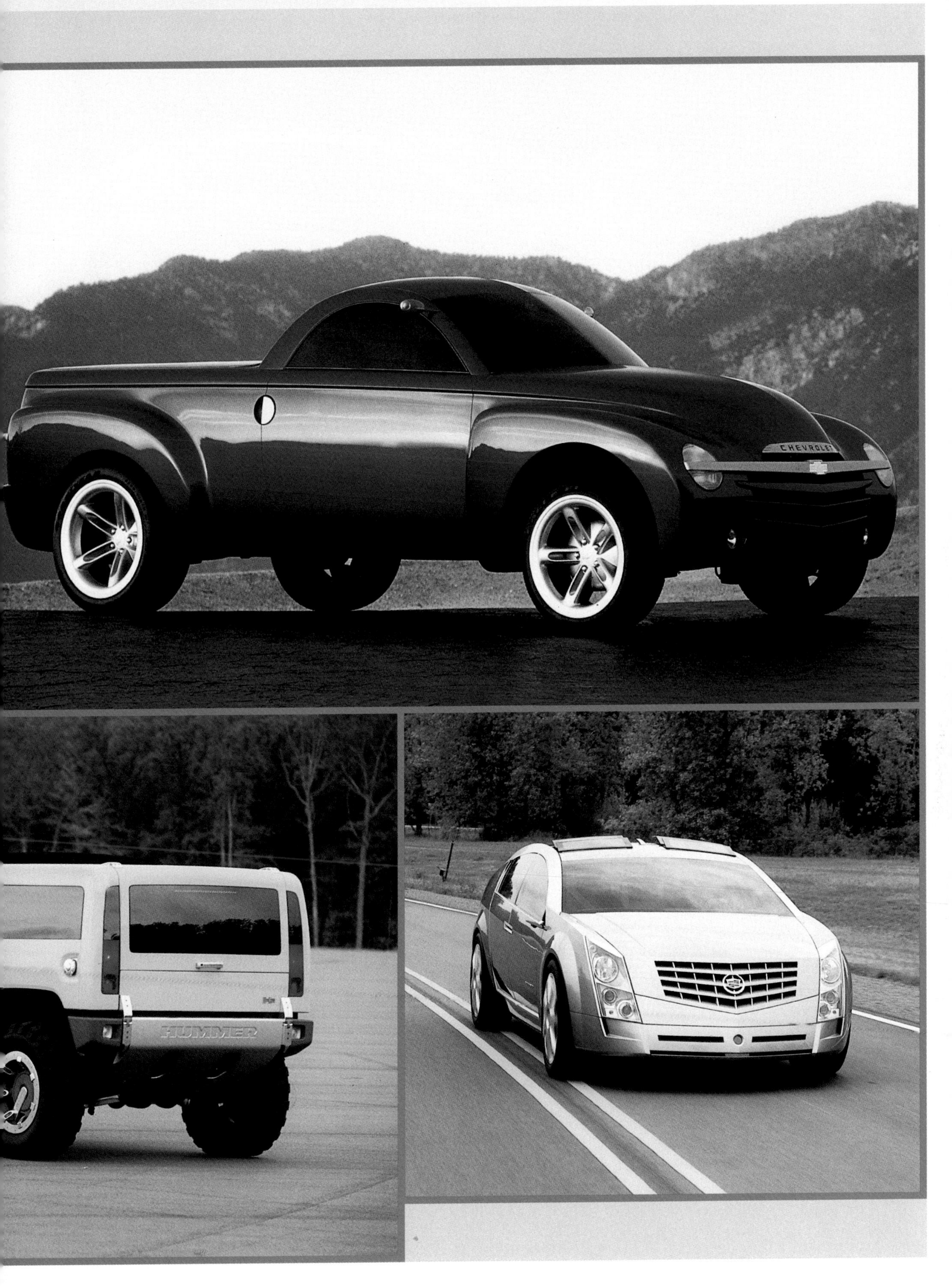
CHEVROLET
HUMMER

CADILLAC IMAJ

Bâtisseur d'image

Dessinée au studio de design GM à Birmingham en Grande-Bretagne, l'IMAJ de Cadillac a un nom prédestiné puisque son rôle est justement d'améliorer l'image de la marque américaine, autant sur le vieux continent qu'en Amérique. Depuis trop longtemps, le nom Cadillac est associé à des voitures pépères, soporifiques, trop grosses, démodées, peu agréables à conduire et j'en passe. Ce n'est pourtant pas entièrement vrai comme on peut s'en rendre compte en lisant nos impressions de conduite des Seville et DeVille cuvée 2001. Pour rectifier le tir, GM a entamé une vaste campagne de valorisation de son image. Cela a débuté en 1999 au Salon de Detroit avec le roadster EVOQ et a continué l'an dernier au Salon de Genève avec la berline IMAJ.

Ses lignes tranchées au couteau, disons-le tout de suite, ne font pas l'unanimité. En revanche, la voiture est bourrée d'innovations techniques et d'idées avant-gardistes.

Le moteur V8 Northstar de 4,2 litres à turbocompresseur développe 425 chevaux acheminés aux 4 roues motrices par une transmission automatique intégrale à 5 rapports. Les immenses roues de 20 pouces renferment d'imposants freins Brembo de 380 mm et sont chaussées de pneus 255/40 pouvant rouler à plat. Le châssis léger et résistant utilise une structure en profilés d'aluminium et est doté d'une suspension semi-active à amortissement variable.

Toutefois, c'est surtout la carrosserie ainsi que l'aménagement intérieur qui font de l'IMAJ une voiture innovatrice. Le toit composé de lamelles en verre de sécurité électrochrome se présente sous un aspect opaque et discret. Lorsqu'on appuie sur un bouton, le verre devient transparent et laisse entrer le soleil. L'accès à la voiture est protégé par un *e-lock*, un système de sécurité basé sur la reconnaissance des empreintes digitales. Le régulateur de vitesse, de type adaptatif, se charge de maintenir une distance de sécurité avec le véhicule qui précède sur l'autoroute. Le luxe n'est évidemment pas exclu de cette prestigieuse berline dont l'intérieur se pare de ronce d'érable avec un subtil mélange d'aluminium brossé et d'aluminium poli. Le cuir écossais « Bridge of Weir » complète l'habillage. Finalement, le célèbre bijoutier et créateur italien Bulgari a réalisé un jeu de bagages en aluminium ainsi qu'une pendulette de bord exclusive assortie de compteurs spéciaux pour l'IMAJ.

Pour ce qui est des impressions de conduite de cette Cadillac, je serais malhonnête si je vous disais que j'ai été enthousiasmé. On reste sur son appétit, c'est le moins que l'on puisse dire. Chaque essai se déroulait en compagnie d'un ingénieur afin que personne n'ait l'idée de

pousser ces précieux prototypes à leur limite. Et on comprend pourquoi quand on constate que la Cadillac IMAJ, par exemple, fait entendre un bruit de camion et que sa suspension semble conçue pour rouler exclusivement en ligne droite. Bref, il est beaucoup trop tôt pour se faire une idée même lointaine de ce que cette Cadillac offrira comme sensations de conduite.

BUICK LACROSS
Elle écoute et elle parle

La Buick LaCross est un peu dans le même moule et ce sont surtout ses astuces de design qui retiennent l'attention. Cette grande berline de luxe aux lignes fluides n'a aucune prétention sur le plan mécanique et se contente de solutions traditionnelles comprenant un moteur V8 de 4,2 litres monté transversalement, la traction et une transmission automatique à 4 rapports.

Des sept modèles conceptuels montrés ce jour-là chez GM, cette Buick est sans aucun doute la voiture qui a le moins de chances d'avenir. Elle a été conçue pour le tape-à-l'œil avec ses portières à commande électrique sans pilier central afin de permettre un meilleur accès à la cabine. Et pour que le spectacle soit complet, ces mêmes portières s'ouvrent ou se referment par commande vocale. Il en va de même du capot avant et, surtout, du panneau arrière qui peut s'escamoter sous le plancher pendant que la lunette arrière et une portion du toit sont repoussés dans le pavillon. Cette opération entièrement automatisée permet à la Buick LaCross de s'offrir une immense plateforme pour le transport d'objets longs et encombrants, devenant du même coup une sorte de *pick-up* moderne.

Tout cela est bien impressionnant dans un salon automobile, mais les nombreux systèmes à commande électrique s'avèrent d'une lenteur exaspérante.

Les communiqués de GM présentent ce modèle comme un « discret serviteur » (*quiet servant*) prêt à réagir à la moindre intonation de votre voix. C'est ainsi que le tableau de bord est dépourvu de toute instrumentation ou commutateur. Le conducteur n'a qu'à dicter ses demandes d'information pour que celles-ci s'affichent sur un petit écran.

La Buick LaCross ressemble beaucoup plus à une voiture de science-fiction qu'à un modèle prêt à être commercialisé. D'ailleurs, il suffit de quelques centaines de mètres au volant pour se rendre compte qu'une auto comme celle-ci, ce n'est pas demain la veille qu'elle verra le jour.

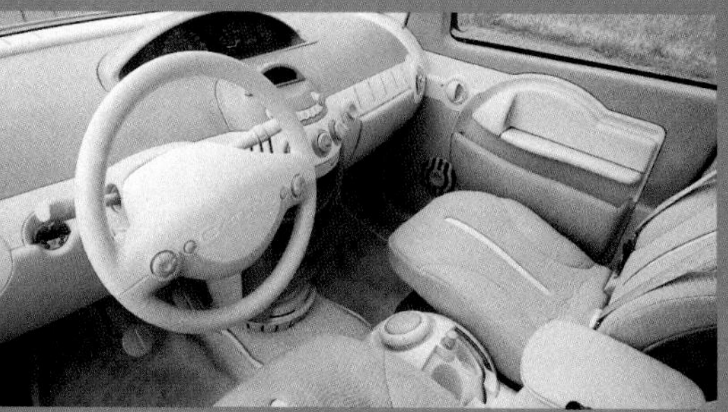

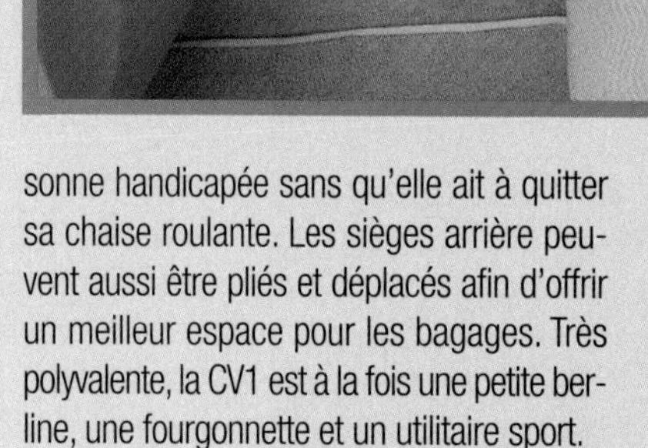

SATURN CV1

Une PT Cruiser signé General Motors

À l'opposé de la Buick LaCross, le concept CV1 de Saturn est peut-être la voiture d'exposition la plus susceptible de devenir un modèle de série. J'irais même jusqu'à dire que General Motors possède là une rivale de taille pour la récente PT Cruiser de Chrysler et qu'il serait dommage que l'on n'en profite pas. Ses lignes ne sont peut-être pas aussi séduisantes, mais son aspect pratique est carrément plus poussé.

Oublions son intérieur couleur vert nanane sucé longtemps qui donne des hauts-le-cœur pour s'attarder à sa judicieuse utilisation de l'espace. Comme la PT Cruiser, cette CV1 est petite à l'extérieur (plus petite qu'une Saturn SL, notamment) et immense à l'intérieur. Elle peut transporter 5 personnes à l'aise tout en permettant à 2 enfants de s'asseoir dos à la route sur les strapontins aménagés à l'arrière. Cette Saturn peut aussi accueillir une personne handicapée sans qu'elle ait à quitter sa chaise roulante. Les sièges arrière peuvent aussi être pliés et déplacés afin d'offrir un meilleur espace pour les bagages. Très polyvalente, la CV1 est à la fois une petite berline, une fourgonnette et un utilitaire sport.

Bien que spectaculaires à regarder, les portières électriques sont d'une trop grande complexité pour être incorporées à un véhicule de série. Elles s'ouvrent et se plient comme si nous étions en présence de trois portes latérales.

Le moteur 4 cylindres de 2,2 litres à faible taux de pollution est muni d'une transmission intégrale permettant de répartir la puissance aux 4 roues.

Sur la route, le mécanisme de changement de vitesse de la transmission automatique est sans doute original mais peu pratique. Il s'agit d'une molette que l'on doit tourner laborieusement et qui ne fait que compliquer la vie du conducteur au lieu de lui faciliter la tâche.

Quoi qu'il en soit, General Motors a réalisé sans le savoir le modèle parfait pour faire réfléchir les acheteurs de PT Cruiser. Espérons que l'on sera assez prompt à profiter de la situation.

PONTIAC PIRANHA
Une Sunfire plus vorace

De toutes les machines futuristes conduites ce jour-là à Detroit, c'est la Pontiac Piranha qui était de loin la plus agréable et, sans doute aussi, la plus achevée sur le plan du comportement routier. Il ne manquerait pas beaucoup de chose à ce curieux petit engin pour qu'il devienne un coupé sport assez doué.

On aime ou on n'aime pas ses lignes évoquant le petit poisson carnassier qui lui a donné son nom et qui sème la terreur autant par sa voracité que par son extrême rapidité. Ce Piranha sur roues se distingue par la marque de commerce de Pontiac, c'est-à-dire sa voie large (*wide track*) qui, alliée à un empattement court, contribue à en faire une voiture particulièrement agile et âprement rivée à la route.

Ce coupé 4 places est destiné à une clientèle jeune qui pourrait l'utiliser aussi bien pour ses performances et son agrément de conduite que pour son extrême polyvalence. Basée sur la Pontiac Sunfire dont elle reprend le châssis et les éléments mécaniques, la Piranha se démarque par son moteur à compresseur qui travaille à l'unisson avec une boîte de vitesses dont les 5 rapports sont changés au moyen de ces commandes en forme de cuillères que l'on retrouve en Formule 1. Des roues de 19 pouces à l'arrière et de 18 pouces à l'avant contribuent également au look agressif de cette petite Pontiac.

Les jeunes acheteurs aux goûts changeants devraient apprécier les garnitures intérieures qu'on peut remplacer dans le temps de le dire. En effet, le tableau de bord et les contre-portes sont recouverts d'un tissu (bleu sur le prototype) fixé par une fermeture éclair dont on peut changer la couleur à sa guise. Autres détails s'adaptant à votre humeur du moment : des sièges pliables et escamotables et une banquette arrière pouvant être rabattue pour agrandir de 311 à 793 litres (11 à 28 pi^3) l'espace de chargement.

Ledit espace est d'ailleurs en caoutchouc et facilement lavable. L'aspect récréatif du Piranha se retrouve dans son support à bagages qui sort du toit sur la simple pression d'un bouton et par sa présentation intérieure inspirée par divers accessoires de sport de plein air.

Avec sa peinture bicolore, le coupé Pontiac Piranha ne passe pas inaperçu. Le concept est si près de la réalité que l'on peut se demander s'il ne fait pas partie des projets à court terme de General Motors qui a grandement besoin de rajeunir sa clientèle.

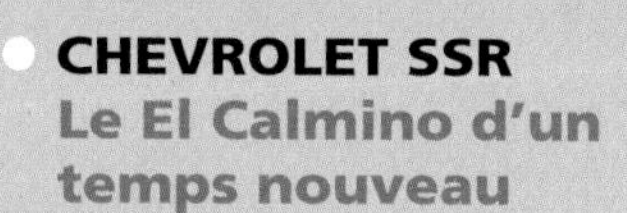

CHEVROLET SSR
Le El Calmino d'un temps nouveau

Grande vedette du Salon de Detroit 2000 et destiné à une production en série pour 2002, le Chevrolet SSR (pour « Super Sport Roadster ») est ce que General Motors considère comme le mariage parfait entre une camionnette et un roadster. Et ce n'est pas une blague.

Ce curieux cocktail permet à un véhicule qui a toutes les apparences d'un *pick-up* léger de se transformer en un authentique roadster. Au simple toucher d'un bouton, le toit métallisé disparaît derrière l'habitacle et nous voilà au volant d'un cabriolet sport haute performance. Et comment, puisque le SSR peut compter sur un V8 de 6 litres monté longitudinalement dont la puissance (non révélée) est acheminée aux roues arrière par une transmission automatique avec commandes intégrées au volant. Des jantes de 19 pouces (avant) et 20 pouces (arrière) complètent cette panoplie. Contrairement aux roadsters ordinaires qui offrent autant d'espace pour les bagages qu'une boîte d'allumettes, ce Chevrolet SSR ouvre son compartiment arrière à une multitude d'objets ou d'équipements de sport grâce à son plateau de chargement.

À l'intérieur, cette camionnette-roadster se distingue par une console centrale qui peut être convertie en siège, faisant ainsi du SSR un véhicule 3 places.

Dès le début de la construction de ce concept, la mise au point a été orientée vers une éventuelle production en série. En combinant deux des segments les plus animés du marché automobile à l'heure actuelle, il est certain que General Motors aurait là un véhicule particulièrement attrayant.

Les quelques tours de roue accomplis n'ont pas permis d'évaluer le potentiel du moteur ou les limites de son comportement routier. En revanche, l'emballage est ingénieux même si, pour remettre le toit en place, il a fallu tourner le véhicule contre le vent afin de ne pas l'endommager. Bref, certains détails ne sont pas encore tout à fait au point.

CHEVROLET TRAVERSE

Très réaliste

Suivant la tendance du marché qui se tourne de plus en plus vers des véhicules polyvalents et multifonctionnels, General Motors a conçu ce qu'elle considère comme la Chevrolet Impala du nouveau millénaire. La Traverse est en quelque sorte la voiture traditionnelle réinventée. Mi-camion, mi-voiture, c'est aussi le genre de modèle vers lequel les acheteurs semblent s'orienter.

Sa fiche technique fait état de 4 roues motrices, d'un moteur V6 de 4,5 litres et d'une transmission dont les commandes à boutons-poussoirs servent à contrôler les 4 rapports électroniquement. La carrosserie répond à une définition nouvelle, soit celle de *Smartback,* conjuguant un hayon relevable et un abattant arrière à la manière d'un utilitaire sport.

On trouve à l'intérieur une banquette surélevée donnant une excellente visibilité. En plus, l'absence de porte-à-faux important aussi bien à l'avant qu'à l'arrière permet de bien positionner les quatre coins du véhicule en tout temps. Et pour marquer sa polyvalence, la Chevrolet Traverse possède une banquette arrière pliante et à glissière donnant accès à un compartiment à bagages où l'on peut loger la sempiternelle feuille de contreplaqué de 4 pi x 8 pi.

Tout comme la majorité des modèles présents lors de cette séance d'essai, la Chevrolet Traverse a pour but de tester la réaction du public vis-à-vis d'un design radicalement différent de tout ce que GM a fait à ce jour.

HUMMER H2
Mieux que l'original

Au Salon de l'auto de Detroit, en janvier 2000, la société General Motors a annoncé qu'elle avait fait l'acquisition des droits d'utilisation du nom Hummer afin d'entreprendre la commercialisation d'une nouvelle gamme de véhicules utilitaires dont le premier modèle serait le Hummer H2.

L'idée est excellente car, en dépit d'une robustesse et d'une fiabilité qui ne sont pas à citer en exemple, les Hummer exercent une incroyable fascination auprès du public. Tout le monde rêve d'en conduire un, sauf que son prix archiprohibitif a vite fait de refroidir les ardeurs. Dans ce contexte, le projet de General Motors est de proposer une gamme diversifiée de véhicules Hummer qui seraient à la fois plus civilisés et moins chers que le modèle que l'on connaît. L'original, qui s'est rendu célèbre lors de la guerre du Golfe, sera toujours construit par AMG General pour satisfaire l'armée américaine et les excentriques de ce monde (dont Arnold Schwarzenegger), mais GM compte offrir dès 2002 une version à peine modifiée du Hummer H2. C'est ce concept que j'ai essayé lors de mon passage à Black Lake, une aire d'essais dynamique, dont la vaste étendue d'asphalte ressemble effectivement à un immense lac tout noir.

Un coureur des bois confortable

De toute évidence, le Hummer H2 n'est pas loin de la chaîne d'assemblage et son comportement est déjà très au point. Il ne faut pas s'en étonner puisqu'il a été construit sur la base d'un camion GMT 800 ¾ de tonne. On lui a cependant greffé une suspension arrière à roues indépendantes, une rareté dans un véhicule utilitaire sport. Je ne l'ai pas conduit hors route mais, sur le macadam, son confort et sa tenue de route sont très supérieurs à ce que peut offrir le Hummer que l'on connaît (voir essai dans la section « Camionnettes »). Pourtant, rien n'a été ménagé pour lui conserver ses capacités de coureur des bois.

Plus court de 16 cm que le Hummer original, le H2 est nécessairement plus agile tout en étant plus spacieux à l'intérieur. Fini ce large tunnel de transmission qui oblige pratiquement les occupants du véhicule à utiliser un porte-voix pour se parler.

Le moteur de ce Hummer civilisé est une version gonflée du V8 à essence Vortec 6000 de General Motors développant plus de 300 chevaux.

Dans sa livrée jaune et avec ses lignes carrées, le H2 fait même encore plus d'effet que le modèle d'origine. Il ne manque pas d'allure avec ses charnières de porte chromées ressemblant à celles d'un réfrigérateur commercial et son armure en métal qui lui sert de calandre. À l'intérieur, la présentation offre un contraste frappant avec celle du Hummer d'origine. Les sièges mi-cuir, mi-suède, l'utilisation de chrome autour des nombreux cadrans et la présence d'accessoires comme un altimètre, un inclinomètre et un oscilloscope (inspiré de l'écran radar des avions de combat) contribuent à donner au H2 un air à la fois élégant et high-tech.

À un prix envisagé d'environ 65 000 $, le Hummer H2 pourrait rivaliser avec les grands noms de la catégorie, que ce soit le ML430 de Mercedes, le X5 de BMW ou le Navigator de Lincoln. Reste à voir à quoi ressemblera la version client de ce 4X4 très spécial.

Et l'avenir ?

Bien que tous les ingénieurs présents lors de ces essais n'aient cessé de me demander lequel de ces véhicules je mettrais en production demain matin si j'étais le président de General Motors, (j'ai répondu la Pontiac Piranha et la Saturn CV1), il est peu probable que de tels concepts deviennent réalité dans leur forme actuelle. Il y a fort à parier toutefois que le Hummer H2, les Chevrolet Traverse et SSR ainsi que la Saturn CV1 ont bien des chances de voir le jour dans un proche avenir en retenant plusieurs des solutions mises de l'avant sur les prototypes. Et l'on nous dit que la Cadillac IMAJ est un avant-goût de la future Catera. Quant à la Buick LaCross et à la Pontiac Piranha, elles m'apparaissent plus éloignées dans la lorgnette de l'automobile de l'avenir.

Vision du futur

Émule de Paul Deutschman, Pascal Boissé est un jeune designer québécois passionné d'automobile. Il a œuvré tour à tour dans le domaine de l'architecture, de la scénographie et des arts du cirque, ce qui l'a amené à travailler notamment à la conception du Casino de Biarritz, du Centre Culturel Français de Libreville au Gabon et à la restauration des infrastructures du Cirque du Soleil. Ce parcours inusité l'a amené à se rapprocher de son centre d'intérêt qui demeure l'automobile. Il travaille présentement dans l'équipe de Fibrobec/Fibrocap Inc. une PME québécoise spécialisée dans la fabrication d'accessoires de camionnettes.

Il collabore régulièrement à la version télévisée du *Guide de l'auto* au Canal Vox (lundi soir à 20 h) comme illustrateur et concepteur de futurs modèles d'automobiles. C'est à ce titre que nous lui avons demandé de nous donner sa vision du futur.

Du point de vue du design, nous vivons une période fascinante. Un foisonnement de marques et de modèles doivent se distinguer pour survivre. Dans ce contexte, la banalité, c'est la mort !

Jacques Duval

PAR PASCAL BOISSÉ

Autrefois, le projet d'un nouveau véhicule traversait les étapes de son développement selon un long processus linéaire. Il y a à peine une décennie, la création d'un nouveau modèle prenait parfois plus de cinq ans ; les différents départements intervenaient tour à tour, et, comme dans le jeu du téléphone, modifiaient les caractéristiques du véhicule au fur et à mesure qu'il s'acheminait vers la production. Parallèlement, le contexte social et les besoins des consommateurs pouvaient se transformer radicalement pendant cette période, mettant en péril l'avenir du nouveau modèle et, incidemment, celui de son fabricant.

Pour répondre plus rapidement aux exigences du marché et raccourcir le temps de développement des nouveaux modèles, les manufacturiers les plus dynamiques ont mis en place des équipes de conception multidisciplinaires, qui mènent toutes les étapes simultanément. Les tests préliminaires sont ensuite effectués à l'aide de prototypes virtuels. Ainsi, la conception et l'industrialisation d'une nouvelle voiture peuvent prendre actuellement moins de 30 mois.

Dans ce contexte de cycles de déve-

loppement très courts, les fabricants «testent» les goûts du public en présentant de prétendus «véhicules-concepts» lors des salons internationaux. Selon la réaction populaire, relayée par une importante machine médiatique, on décide, ou non, d'aller en production. L'annonce de la venue de ces modèles, rompant avec la gamme habituelle d'un constructeur, constitue de véritables événements dans le monde de l'automobile. Suivant ce procédé de la «voiture-événement», l'histoire récente nous a donné la Plymouth Prowler, la Porsche Boxster, la VW New Beetle, l'Audi TT, la Chrysler PT Cruiser et le Ford Explorer Sport Trac. Dans un avenir proche, nous verrons apparaître la nouvelle T-Bird, la Cadillac Evoq, les Chevrolet Avalanche et SSR ainsi que, probablement, la Chrysler 300 C Hemi.

Chacun sa niche

Avec ces voitures-événements, l'objectif est de créer un segment de marché qui leur est propre, d'établir une «niche», comme disent les spécialistes. Pour ce faire, les constructeurs doivent se démarquer, en donnant une personnalité unique à leur véhicule. Un acheteur épris d'une telle voiture n'en considérera aucune autre car, comme le dit l'adage, le cœur a ses raisons que la raison ne connaît point.

L'Aztek de Pontiac constitue l'exception qui confirme la règle; la réponse à la question que personne n'avait posée. Si l'Aztek est bel et bien dérivé d'un véhicule-concept, aucune pression populaire n'avait réclamé la mise en marché d'une telle horreur. Le résultat de cette vue de l'esprit des décideurs de GM: un véhicule qui rate la cible de plusieurs kilomètres, qui ne suscite aucun engouement auprès du public et qui vise une clientèle qui n'a généralement pas les moyens d'acheter un tel véhicule. Le pauvre Aztek n'est pas aidé par son design extérieur qui tente, sans succès, de nous faire oublier qu'il s'agit d'une fourgonnette endimanchée. À sa décharge, cependant, il faut constater que ce n'est pas la première fois, chez Pontiac, que l'on confond audace et vulgarité, caractère sportif et tape-à-l'œil baroque. Le Buick Rendezvous, tiré de la même plate-forme, mais destiné à une clientèle plus âgée et plus aisée, est sans doute voué à un avenir plus prometteur.

Voitures-événement

Quelles seront les voitures-événements des prochaines années? Quelles seront ces automobiles «à forte personnalité ajoutée» qui feront battre le cœur des passionnés, des mois, voire des années d'avance, dans l'attente fébrile du premier exemplaire? Les illustrations regroupées dans cette section présentent quelques concepts qui se concrétiseront dans les années à venir et qui sont susceptibles d'appartenir à cette catégorie de véhicules qui marquent l'histoire de l'automobile.

Chose certaine, nous assisterons à une multiplication des genres dans l'automobile. Des mutations et des croisements insusités nous apporteront des véhicules aux architectures nouvelles et innovatrices: des voitures sport à 4 portes, des familiales tronquées avec des caisses ouvertes comme un *pick-up,* des camions de grand luxe haute performance et des minivoitures écologiques à propulsion hybride. Certains genres feront un retour à l'avant-scène: les grosses berlines à propulsion, mais aussi les familiales (avec traction intégrale) qui hériteront de la clientèle déçue par les utilitaires sport. D'autres types de véhicules effectueront un retour aux sources: les 4X4 (les vrais) notamment, ainsi que certaines voitures sport qui redeviendront spartiates et légères pour le plus grand plaisir des puristes. Et pendant ce temps, les riches et les puissants de cette planète pourront s'offrir, à près d'un million de dollars, une Bentley, une Bugatti, une Daimler, une Maybach ou une Rolls équipées de moteurs de 16, 18 et même 24 cylindres... Mégalomanie, quand tu nous tiens!

Après le bruyant passage à l'an 2000, la popularité du design rétro ne pourra aller qu'en s'émoussant. Il faudrait parler ici d'un phénomène «fin de siècle». Les designers des grands manufacturiers rechercheront dorénavant des formes automobiles en accord avec la réalité du XXIe siècle plutôt que de se complaire dans la nostalgie. Cela n'exclut pas, cependant, la présence d'éléments symboliques appartenant à l'héritage historique et au patrimoine du constructeur.

Les manufacturiers automobiles et leurs designers regardent maintenant vers le futur, tentant de suivre l'évolution rapide de notre société aux valeurs complexes et changeantes. Cette course en avant vers le progrès pourra amener un nouvel âge d'or de l'automobile, à l'instar des années 25-35 et des années de l'après-guerre. C'est pendant ces périodes fertiles que naissent les automobiles les plus fascinantes: lorsque les mutations de la société obligent à remettre en question les fondements techniques, symboliques et commerciaux de l'automobile.

BMW SÉRIE 2

BMW travaille à concevoir une petite voiture qui ira faire de l'ombre à la Golf GTI. Chose étonnante pour une voiture de cette taille, la nouvelle Série 2 reprendra l'architecture chère à BMW : moteur avant et roues arrière motrices. Contrairement à ce qui est le cas pour l'actuelle 318ti, la carrosserie du nouveau modèle n'aura aucune pièce en commun avec la Série 3. Donc, finie la silhouette malhabile d'une berline tronquée, comme si l'acheteur n'avait pas eu les moyens de s'offrir le coffre arrière !

VOLKSWAGEN COLORADO & PORSCHE CAYENNE

Aussi invraisemblable que cela puisse paraître aux yeux de certains, Porsche aura son utilitaire sport, le Cayenne. Conçus à partir de la même plate-forme mécanique, le Volkswagen Colorado et son cousin Porsche surprendront par un gabarit imposant, plus proche du Ford Expedition que de l'Explorer. La motorisation fera aussi dans le gigantisme : on parle d'un V8 de près de 5 litres et d'un énorme V10 diesel turbocompressé en plus d'un V6 de 3,2 litres.

ALFA ROMEO 157

L'alliance récente entre GM et le groupe Fiat a donné lieu à maintes spéculations sur le retour d'Alfa Romeo en Amérique du Nord. Imaginons ici le rêve de tous les «alfistes»: une petite berline aux allures de coupé, pleine de personnalité, avec une tenue de route diabolique et un beau V6 qui chante. De quoi tracer des ronds de gomme autour d'une Jetta GLX et bien rigoler aux dépens d'une BMW Série 3. Le meilleur dans tout cela: l'entretien régulier chez votre concessionnaire Saab, et non pas dans un garage de fond de cour à Saint-Léonard!

MAZDA RX-?

Mazda a l'intention de remplacer son porte-étendard, la RX-7, toujours vendue au Japon, par une petite berline sport, 4 places, de la taille d'une Miata. Animée par le fameux rotatif birotor et équipée de «portes-suicide» pour l'accès aux places arrière, cette berline minuscule et inclassable pourrait créer son propre segment dans le marché des voitures sport.

CADILLAC ESCALADE EXT

La division Cadillac aura sa déclinaison du Chevrolet Avalanche : le Cadillac Escalade EXT. Si l'on employait jusqu'ici l'expression « Cadillac du cow-boy » pour décrire les *pick-up* en général, on peut conclure qu'avec ce « Truckallac », les gens de GM ont pris la boutade au pied de la lettre. Il y a quelques années, parler de camion de luxe semblait une incongruité ; il semble bien que le concept soit entré dans les mœurs aujourd'hui.

NISSAN « NEW Z »

Nissan veut faire revivre le mythe de la 240Z originale : une voiture sport à la fois élégante, performante et abordable. On parle ici du V6 de la Maxima dans un coupé sport qui tentera d'évoquer, sans nostalgie, l'héritage de la Z. Nissan ne commercialise habituellement, chez nous, que des véhicules inoffensifs et dépourvus de personnalité, réservant au marché japonais ses voitures les plus intéressantes. Réussira-t-elle à redorer son blason et à refaire le coup de la voiture-culte ?

PONTIAC SPEEDSTER

Pour remplacer la Firebird en tant que symbole de sa vocation sportive, la division Pontiac pourrait hériter du petit speedster conçu par Opel en Allemagne. Ce minicabriolet à moteur central, inspiré par la Lotus Elise, aura certainement un tempérament sportif. Mais pas forcément le type de tempérament dont raffolent les amateurs de « gros cubes » qui achètent la production de l'usine de Sainte-Thérèse. Du moment qu'ils ne décideront pas de la baptiser Fiero !...

VOLVO C50

Changement de cap chez Volvo, ou plutôt retour aux sources : le prochain véhicule à vocation sportive dans la gamme Volvo aura un air de déjà-vu. Un break de chasse reprenant l'esprit de la P1800 des années 70, mais aussi l'aspect de la Volvo 480, commercialisée en Europe à la fin des années 80. Cette voiture sera équipée d'un toit vitré rétractable, ce qui en fera une décapotable avec d'importants arceaux de protection latéraux qui resteront en place... Sécurité oblige !

L'essai de ma vie : une Arrows Formule 1

par Jacques Duval

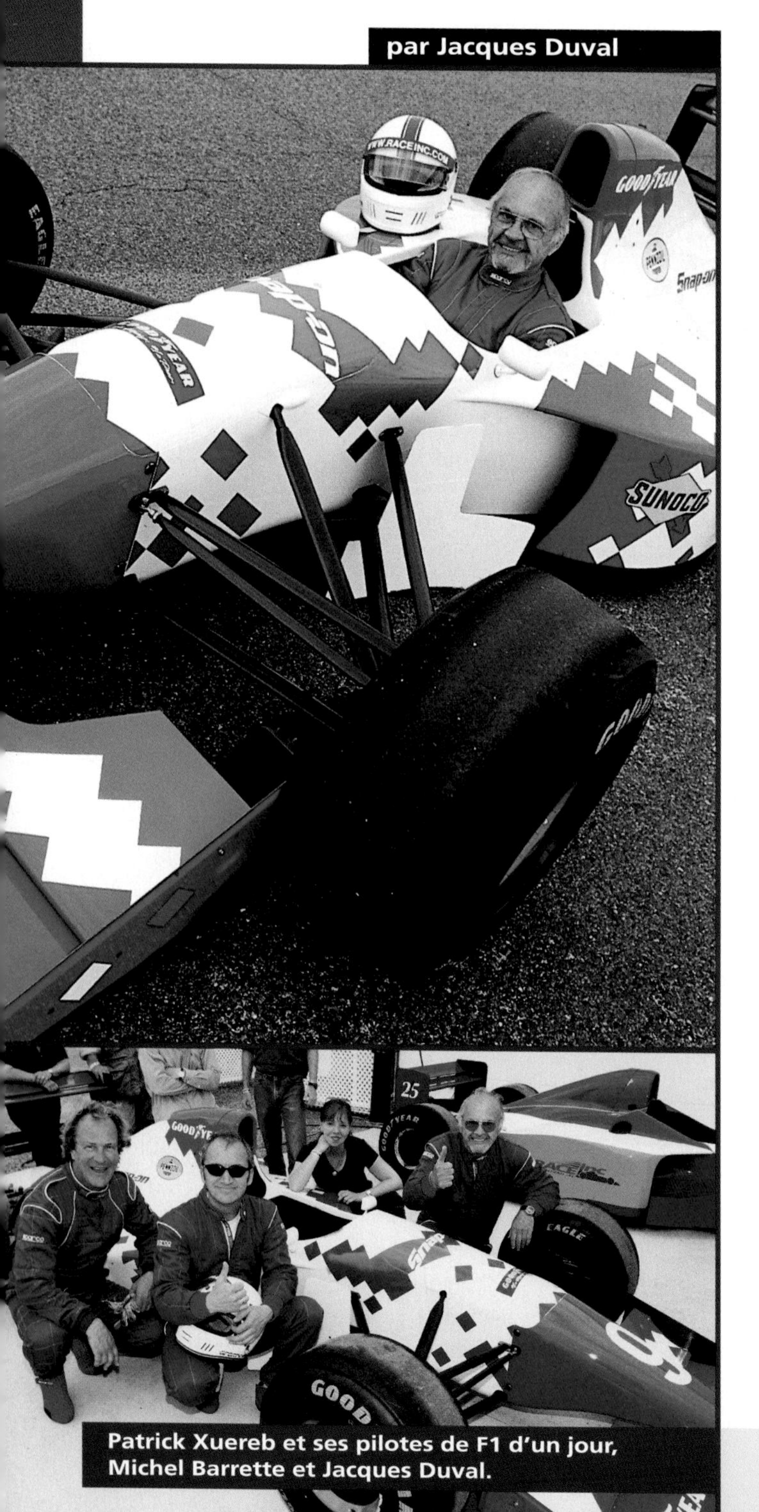

Patrick Xuereb et ses pilotes de F1 d'un jour, Michel Barrette et Jacques Duval.

Note de l'Éditeur : Depuis son tout premier *Guide de l'auto* publié en 1967, Jacques Duval estime qu'il a fait l'essai, au bas mot, de 1500 voitures différentes. Rien... ou presque ne lui a échappé depuis la plus humble des berlines jusqu'aux prototypes de course hyperperformants. Pourtant, en 35 ans de métier, Jacques n'avait jamais encore conduit une Formule 1. C'est maintenant chose faite et, pour Jacques Duval comme pour les lecteurs du *Guide de l'auto,* il ne pouvait y avoir de plus beau cadeau pour souligner ce 35e anniversaire. Un récit fascinant !

Pilote de F1 De l'humiliation à l'extase

Je suis ordinairement assez volubile quand vient le moment de décrire mes impressions de conduite. Et s'il y a quelqu'un qui a du bagout, c'est bien le populaire comédien Michel Barrette avec qui j'ai le plaisir d'animer l'émission *Prenez le volant* à l'antenne du réseau TVA. Pourtant, nous étions tous deux en panne de mots après avoir vécu l'expérience de conduire une Formule 1. Figés, immobiles, euphoriques, en pleine extase, nous avions tous les deux la langue dans notre poche. Incapables de prononcer un seul mot parce que nos cerveaux n'arrivaient pas à décoder ce que nous venions de vivre et à l'articuler en paroles.

La caméra tournait déjà depuis un bon moment quand nous avons commencé à réaliser ce qui venait de nous arriver. Et heureusement pour vous et moi, je me suis remémoré chacun des détails de cette journée inoubliable.

Chapitre I : **Initiation ou humiliation ?**

Je me disais intérieurement : « Si je rate mon coup une fois de plus, toute ma carrière s'envole en fumée. » À deux reprises, le grand spécialiste de l'automobile n'a pas été foutu de faire avancer, ne serait-ce que de 1 cm, cette satanée voiture dans laquelle on l'a ficelé il y a quelques minutes et qui promet d'être l'apothéose d'une longue carrière de pilote d'essai. Cette voiture est une Formule 1 Arrows FA15 de cuvée récente qui, il n'y a pas si longtemps, disputait le championnat du monde des pilotes avec Christian Fittipaldi à son volant. Pourtant, j'en ai conduit des voitures de course dans ma vie : Porsche 906 et 917, Ferrari Dino prototype, McLaren MK VII, Ford GT 40, Formule Atlantique et j'en passe. Aujourd'hui, toutefois, sur

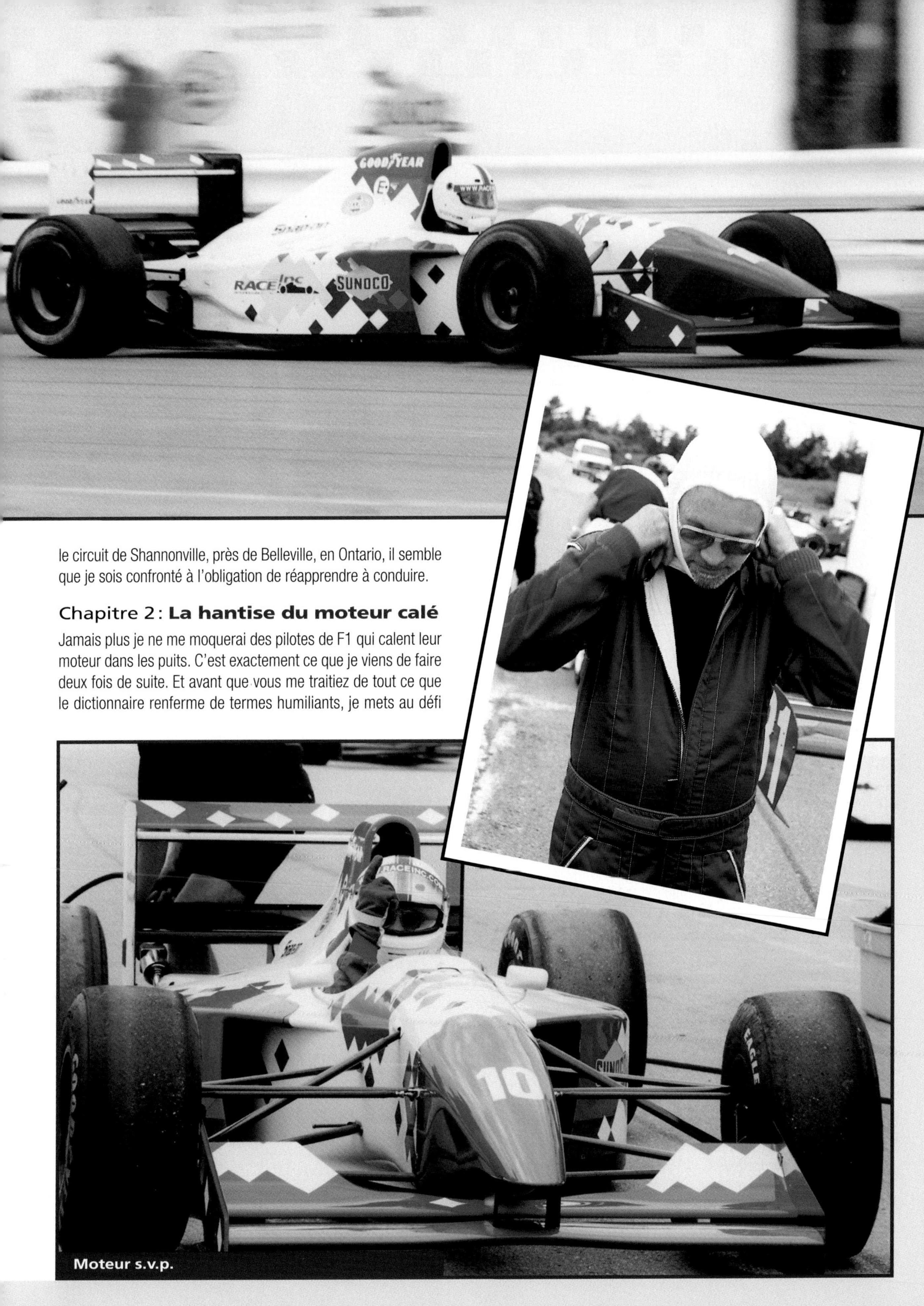

le circuit de Shannonville, près de Belleville, en Ontario, il semble que je sois confronté à l'obligation de réapprendre à conduire.

Chapitre 2 : **La hantise du moteur calé**

Jamais plus je ne me moquerai des pilotes de F1 qui calent leur moteur dans les puits. C'est exactement ce que je viens de faire deux fois de suite. Et avant que vous me traitiez de tout ce que le dictionnaire renferme de termes humiliants, je mets au défi

Moteur s.v.p.

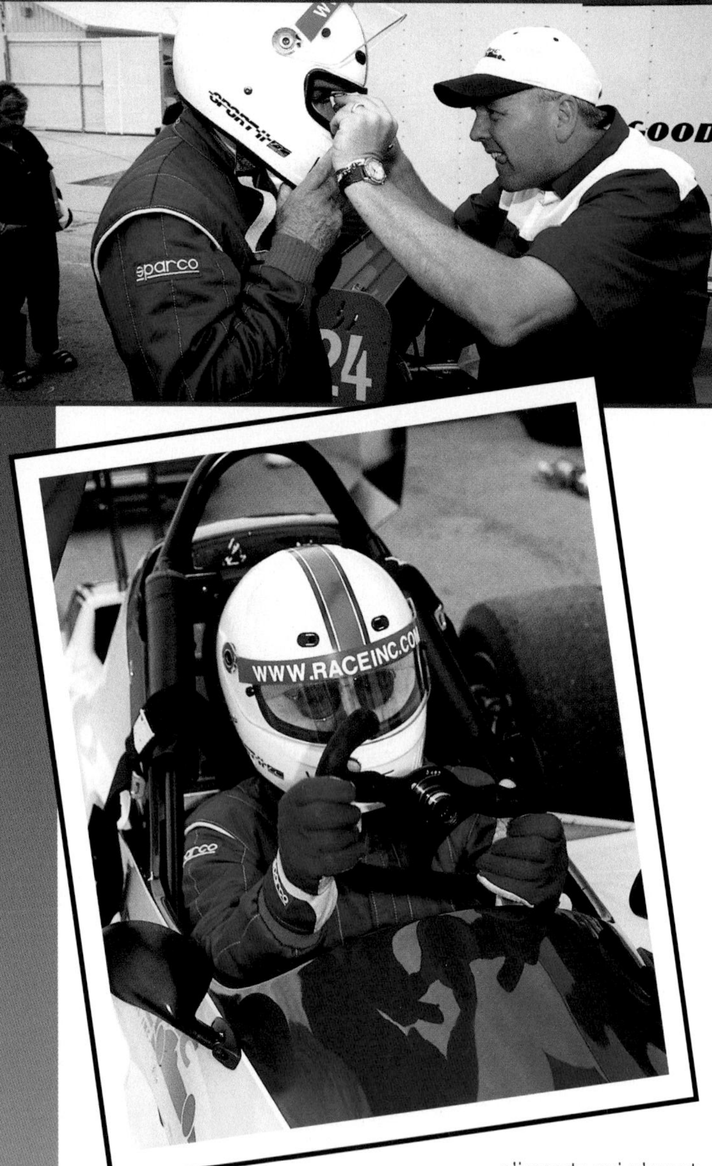

n'importe qui n'ayant jamais posé ses fesses dans une Formule 1 de réussir à faire avancer la voiture du premier coup.

Voyez-vous, la pression qu'il faut exercer pour enfoncer l'embrayage est de 75 livres et la course utile de la pédale ne dépasse pas les 3 cm.

L'exercice est le suivant : je sors la main droite du cockpit en la faisant tourner au-dessus de ma tête pour signaler aux mécanos qu'ils peuvent actionner le démarreur électrique portable qui sert à lancer le moteur. Dès que les 650 chevaux du Cosworth commencent à piaffer, je dois les garder en vie en appuyant sur l'accélérateur pour monter le régime aux environs de 3 000 tr/min. Au signal de Patrick, le maître d'œuvre de la journée, je dois enfoncer l'embrayage et passer le premier rapport de la boîte en poussant le levier vers l'avant. L'adrénaline monte d'une dose et l'instructeur, avec la paume de la main tournée vers le ciel, me fait signe d'augmenter le régime graduellement. Le bruit est strident, mais je l'entends à peine, préoccupé que je suis à attendre le « go » fatidique. Et soudain, le silence… Le moteur a calé. Merde !

Patrick ne s'en formalise pas, car le scénario se répète jour après jour, participant après participant. Au second essai, même résultat ; grâce à un ultime effort de concentration, le troisième essai est le bon. Je me sens soulagé d'être sorti des puits et pourtant, le vrai test est devant moi.

Chapitre 3 : **La boîte séquentielle**

J'aperçois cet énorme pneu avant droit qui me rappelle que tout ce qui s'en vient sera différent de tout ce que j'ai connu à ce jour. Je pense à la Reynard de Formule 3 000 essayée en guise de prélude à la F1, qui m'avait donné un peu de fil à retordre. Pendant 10 petits tours, j'ai cherché à mémoriser comment passer les vitesses selon les caprices de la boîte séquentielle : du point mort, la première s'enclenche en poussant le levier vers l'avant, puis on tire le levier vers l'arrière pour la 2e, la 3e, etc. Pour rétro-

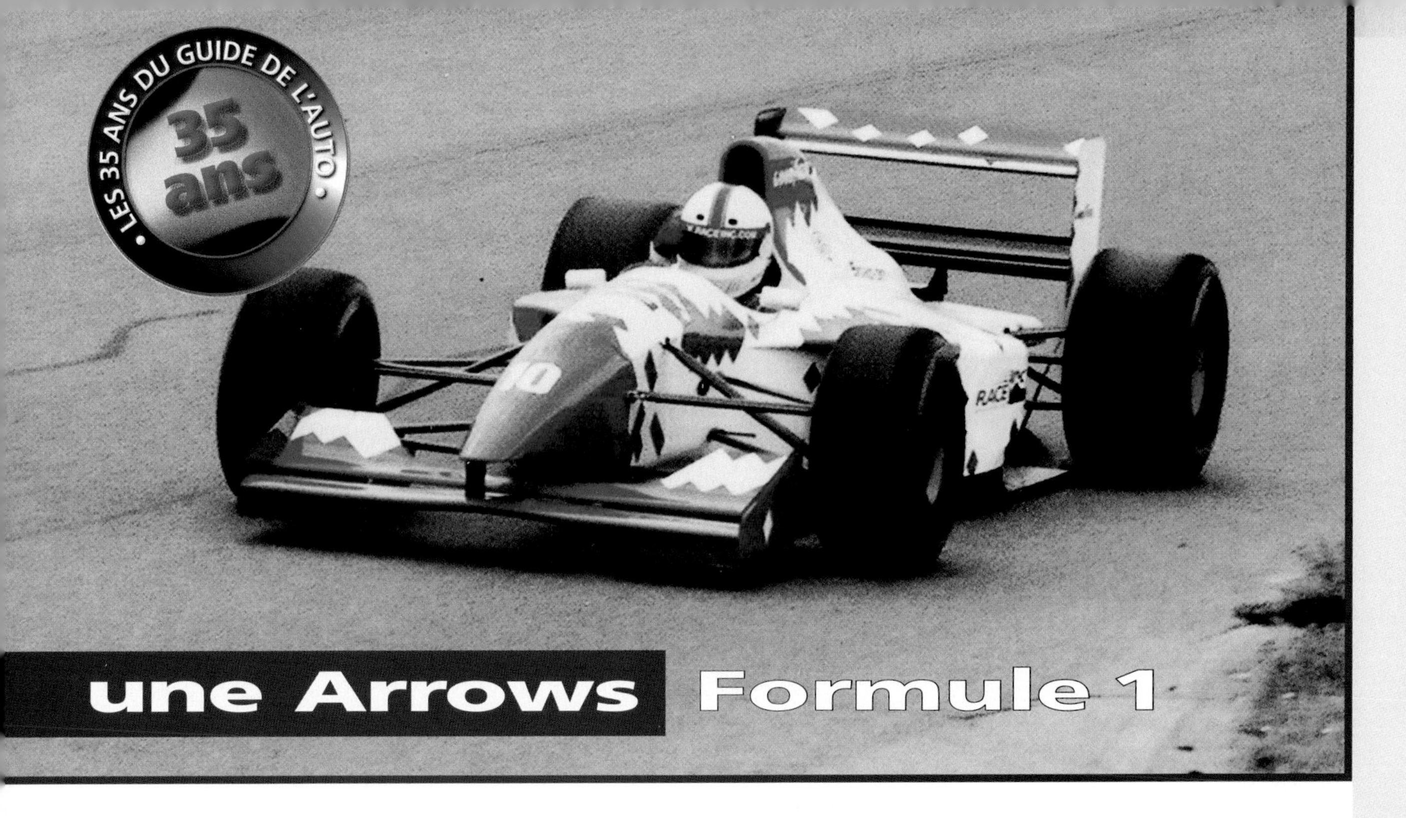

une Arrows Formule 1

grader, on fait le contraire en poussant à nouveau le levier vers l'avant, toujours dans le même axe. Je suis tellement occupé à assimiler ces particularités que je rate un point de freinage et j'allume les pneus. Selon les consignes des responsables de la journée, j'ai droit à un drapeau jaune au tour suivant. Bref, chaque maladresse vous est signalée et il vous appartient de vous remémorer tout ce qu'on vous a enseigné avant le grand départ : ne pas accélérer le régime comme on le fait normalement en course pour faciliter le passage des rapports de boîte en pratiquant le pointe-talon, accélérer en douceur dans les virages, ne jamais mettre toute la puissance en 1re vitesse même en ligne droite sous peine de tête-à-queue, tenir le volant (ou ce qu'il en reste) à la position 9 h-3 h. Or, la bonne technique de conduite veut que l'on place ses mains à la position 10 h-2 h dans une voiture ordinaire. Sauf que le volant d'une F1 n'est qu'un demi-volant dont la partie supérieure a été amputée pour mieux dégager l'écran numérique qui affiche les informations pertinentes et éliminer tout ce qui est superflu. En plus, son braquage est si court qu'il suffit d'un demi-tour à gauche ou à droite pour négocier n'importe quel virage. Ajoutez à cela une position de conduite quasi couchée qui vous donne l'impression d'être étendu dans une chaise longue plutôt que d'être assis dans une voiture et vous aurez une vague idée du niveau de difficulté.

J'irais même jusqu'à dire qu'il faut pratiquement réapprendre à conduire pour piloter une F1 et oublier tous les réflexes naturels emmagasinés au cours de 40 ans de conduite automobile. Cela exige, bien sûr, une concentration de tous les instants pour un non-initié. Bref, il faut apprendre sa leçon et faire ses devoirs en même temps.

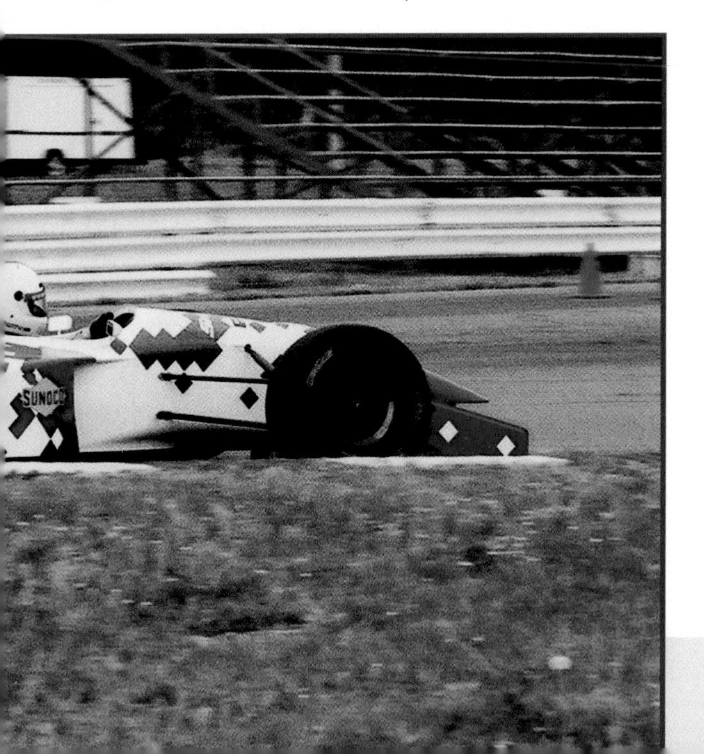

Chapitre 4 : Patience, patience, patience

J'y vais donc très mollo pendant trois ou quatre tours, histoire de faire connaissance avec la voiture et de maîtriser les 10 virages du circuit Fabi (ainsi nommé en l'honneur du Sherbrookois Bertrand Fabi) qui s'étend sur 2,23 km. Le postérieur au ras du sol (à 2 cm, par souci de précision) vous communique instantanément les réactions de la voiture. D'ailleurs, il vient juste d'encaisser une poignée de vibrations qui ne sont pas loin du choc électrique et qui sont sans doute causées par le trop bas régime du moteur. Dans le premier virage rapide sur la gauche, les propos de Patrick me reviennent en mémoire : patience, patience, patience. Il faut éviter d'accélérer à fond et y aller progressivement, patiemment. Je comprends pourquoi une fois arrivé dans la ligne droite. Au 5e tour ou à peu près (je n'ai pas le temps de compter), en sortant de l'épingle, je décide de réveiller les 650 chevaux du Ford Cosworth. Je passe la 3e et ma tête est violemment projetée vers l'arrière ; en 4e et en 5e, c'est le même scénario.

La pause qui rafraîchit.

La 6e, me dis-je, sera plus tendre pour mes muscles cervicaux. Eh non ! Ça pousse toujours aussi fort juste avant de passer devant les puits. Je me demande à quelle vitesse je roule.

Chapitre 5 : **Vers la stratosphère**

Les gens de RaceInc International qui organisent cette expérience F1 sont formels là-dessus. Pas question de révéler les performances de qui que ce soit, car on ne veut absolument pas d'émulation chez les futurs participants. Par contre, dans la Formule 3000 essayée précédemment, il y avait un indicateur de vitesse digital calibré en milles à l'heure (mph) – 1 mille = 1,6 km. Mais les chiffres montaient si vite que l'électronique n'arrivait pas à suivre instantanément la vitesse atteinte. À fond de 4e, j'aperçois un 85 mph qui, l'instant d'après, au passage de la 5e, devient 139 mph. Quelques calculs rapides me permettent d'estimer la vitesse de la F1 en bout de ligne droite à 160 mph. C'est peu, mais bien suffisant pour que je réalise qu'il est mauditement le temps de plonger sur les freins pour négocier le premier virage sur l'asphalte plutôt que dans l'herbe du pré voisin. Ces freins en fibre de carbone que j'avais expérimen-

Ébloui, pas à peu près.

Poste de travail d'un pilote de F1.

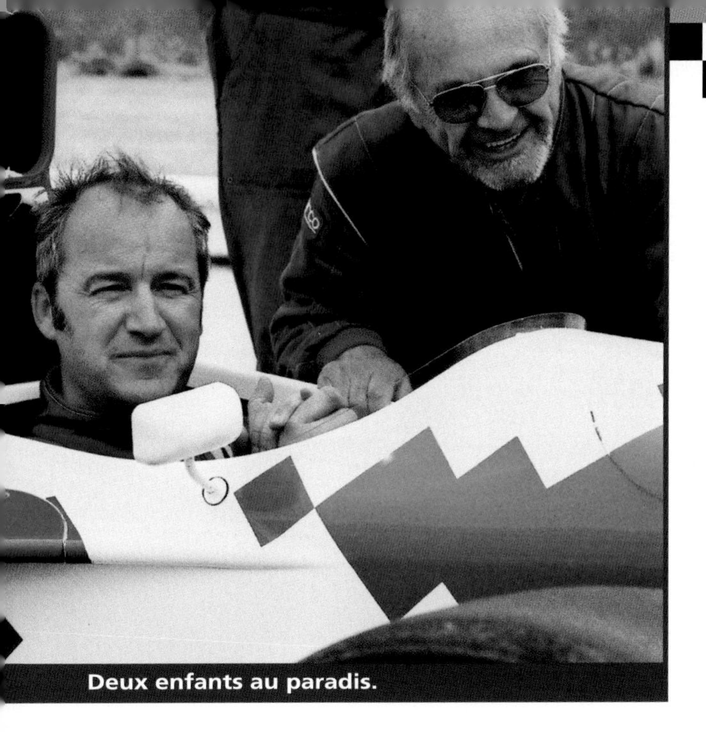

Deux enfants au paradis.

tés sur la New Beetle de course exigent autant d'accoutumance que le moteur tellement leur puissance de ralentissement est phénoménale.

Chapitre 6 : **Apprenti pilote de F1**

Au cours des 5 tours suivants, j'ai l'impression de me débrouiller pas si mal même si je suis persuadé d'être à des années-lumière du meilleur temps que pourrait réaliser cette voiture. Je roule quand même assez vite pour me rendre compte que la conduite d'une F1 s'adoucit au fur et à mesure que la vitesse augmente. Toute la vivacité des accessoires de conduite (volant, freins, accélérateur, levier de vitesses) qui vous fait paraître si gauche au début devient soudainement d'une aide précieuse. La voiture réagit au moindre petit mouvement avec une précision chirurgicale. La conduite devient plus coulée, plus fluide et, dès que l'on sent que l'on a trouvé son rythme, on peut accélérer le mouvement d'un tour à l'autre. Mais je suis convaincu que l'apprentissage doit être long et je comprends mieux les 10 000 km que s'était payé Jacques Villeneuve pour se familiariser avec sa Williams-Renault à sa première saison en F1.

Comme me l'a déjà dit Rick Mears (ancien gagnant des 500 milles d'Indianapolis), n'importe quel pilote de course compétent peut s'approcher à 3 secondes du meilleur temps réalisé par un professionnel sur la même voiture. Ce sont les dernières secondes qu'il est difficile d'aller chercher ; seuls les grands champions y arrivent.

Chapitre 7 : **Une bulle de bonheur**

En quête d'un peu plus de vitesse, je m'éloigne de la trajectoire idéale et me voilà dans une zone bosselée du circuit. Il n'en faut pas plus pour me faire expérimenter cette « vision brouillée » dont parlent souvent les pilotes de F1 appelés à rouler sur des pistes au revêtement dégradé. Pendant un instant, j'ai l'impression d'avoir échappé mes lunettes tellement tout est flou devant moi. La fatigue s'installe et certains muscles nouvellement sollicités commencent à me faire sortir de cet isolement total que l'on ressent au volant d'une monoplace de Formule 1.

On est dans un autre monde, sur une autre planète, très très loin des préoccupations quotidiennes. Juste au moment où une surdose d'adrénaline s'apprête à me faire plonger dans la griserie de la vitesse, le drapeau à damier vient mettre un terme à la fête. J'entre aux puits, envahi d'un sentiment à mi-chemin entre l'extase et le soulagement d'avoir réussi l'examen. Lentement, je retire les gants, le casque, le balaclava (la cagoule) avant de quitter définitivement la bulle de bonheur dans laquelle je m'étais réfugié. C'est le retour à la réalité, au travail, aux gens qui me pressent de questions.

Ma réponse est que le pilotage d'une Formule 1 dépasse tout ce que l'on peut imaginer. C'est tellement loin de tout ce que l'on connaît qu'il est difficile de trouver les mots justes pour faire vivre l'expérience aux autres.

Chose certaine, au-delà de l'admiration, j'aurai dorénavant un profond respect pour le travail des pilotes de Formule 1, qu'ils soient en pôle position ou en fond de grille. Car conduire une telle voiture à la limite ou presque est déjà un exploit qui n'est pas à la portée du premier venu. J'en sais maintenant quelque chose.

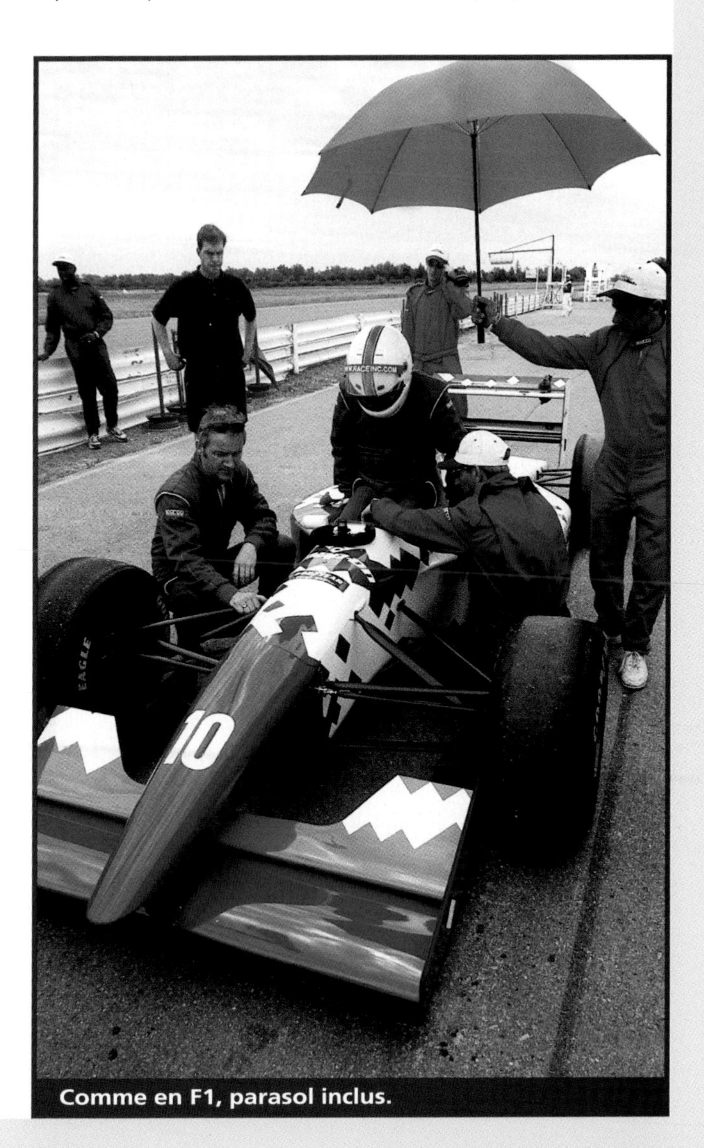

Comme en F1, parasol inclus.

Du tableau noir au champagne

La journée de rêve dont le point culminant est la conduite d'une Formule 1 commence au tableau noir et se termine par une petite fête arrosée de champagne Veuve Cliquot. C'est la compagnie RaceInc International, de Toronto, qui a mis sur pied ce programme unique au monde. Fondée par Patrick Xuereb, un Canadien d'origine maltaise, et Patrick fils, cette entreprise permet à des gens qui en ont les moyens ou aux gagnants de promotions spéciales organisées par de grandes corporations de vivre une expérience absolument inoubliable.

Moyennant 12 000 $, on aura droit à une journée complète de préparation attentive à l'objectif ultime qui est la conduite pendant une dizaine de tours de piste d'une Formule 1. Et contrairement à ce que l'on pourrait croire, les voitures ne sont pas des antiquités ou des poubelles qui se sont toujours traînées en fond de grille. On y trouve des Arrows 1994 de l'époque Footworks, des Lola-Ford 1997 ainsi que des Benetton de l'ère Schumacher.

Le participant n'accède à la F1 qu'après avoir reçu une formation intensive qui débute avec une séance au tableau noir, une reconnaissance du circuit avec des coupés BMW, une acclimatation à la monoplace avec des formules Star dotées de moteurs rotatifs Mazda de 170 chevaux et une familiarisation avec la puissance d'une F1 et d'une boîte de vitesses séquentielle dans des Formules 3000 Reynard 1995. Ce n'est qu'après avoir franchi toutes ces étapes qu'on accède à la formule suprême.

Dès l'arrivée, l'heureux mortel est pris en charge par une équipe de trois personnes qui s'occuperont la journée durant de tous les menus détails depuis le déploiement du parasol pour vous protéger du soleil jusqu'à la fixation des sangles dans les voitures de course. Un salon VIP est mis à la disposition des participants avec des loges privées permettant d'endosser la tenue F1 comprenant la combinaison ignifugée, les gants, les bas, les souliers adaptés et, bien sûr, le casque intégral assorti du balaclava (la cagoule). Le patron, on le constate, ne fait pas les choses à moitié et il est aussi très soucieux d'assurer la sécurité des gens.

La piste complètement plane ne comporte aucun arbre, arbuste, mur ou autre obstacle susceptible de causer des blessures en cas de sortie de route. Une ambulance et des infirmiers sont sur les lieux et un moniteur surveille chaque virage pendant votre escapade. RaceInc emploie même un photographe chargé de faire passer à la postérité vos exploits ou vos inepties.

Certains ont suggéré à Patrick Xuereb de tenir ces séances à Mosport, ce qui à mon sens serait suicidaire. Ce circuit est à la fois difficile et dangereux, ce qui est contraire à la politique des propriétaires de RaceInc qui veulent offrir une journée de plaisir et non de peur. Et du plaisir nous en avons eu plus que nous le croyions !

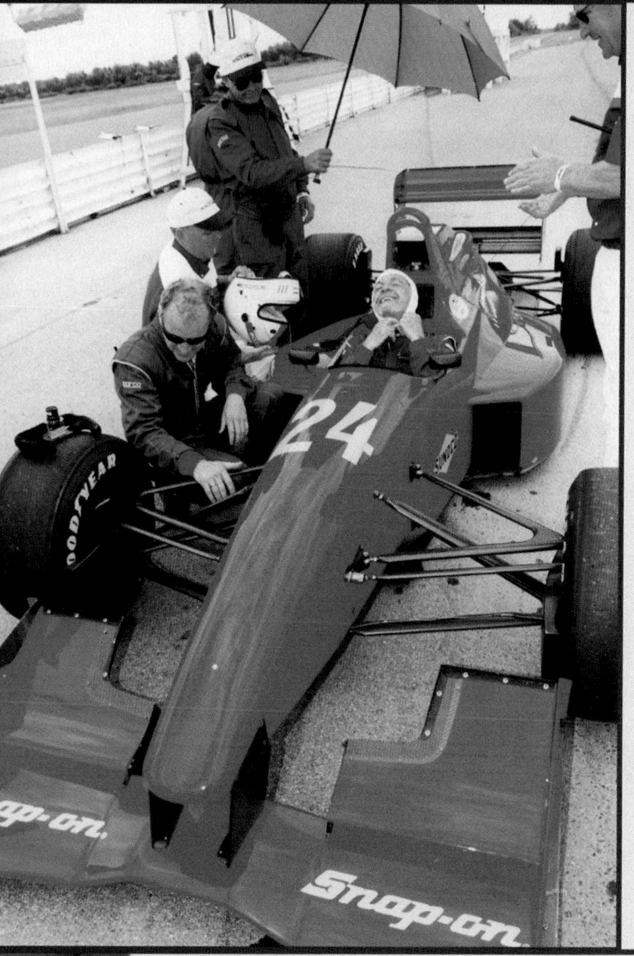

RaceInc compte 28 employés réunissant des ingénieurs, des instructeurs de conduite, des mécanos, etc. Les voitures sont entretenues sur place, sauf les moteurs Ford Cosworth qui sont scellés et doivent être expédiés à l'usine pour être mis au point ou remis à neuf. Lui-même ancien pilote de Formule 3 en Europe, le fondateur de RaceInc est très conscient que l'image de sa compagnie se doit d'être impeccable pour assurer sa réussite. Pour l'avoir expérimenté personnellement, je peux vous dire que l'organisation est si bien rodée que chacun des inscrits a la nette impression d'être un vrai pilote de Formule 1 pour un jour. Un jour de rêve.

Pour plus de renseignements :

RACEINC INTERNATIONAL

120, rue Carlton, bureau 207,
Toronto, Ontario
M5A 4K2
Tél. : (416) 968-0508
téléc. : (416) 968-1 342
courriel : info@raceinc.com
site web : www.raceinc.com

Fiches **techniques**

ARROWS FA15

Concepteur
Gordon Jenkins

Type
V8 3 litres Cosworth DFR, 650 ch à 14000 tr/min

Distribution
4 arbres à cames, 2 par rangée de cylindres, 4 soupapes par cylindre

Boîte de vitesses
Arrows, longitudinale, à 6 vitesses séquentielles

Châssis
Arrows, nid d'abeille en aluminium et composite de fibre de carbone, avec réservoir d'essence 100 litres increvable intégré

Suspension avant et arrière
Double triangulation avec combiné ressort/amortisseur et barre antiroulis intérieurs actionnés par levier de renvoi

Freins
Disque et plaquette en carbone, étriers de compétition AP

Pneus
Goodyear Eagle F1, lisses

Carrosserie
Capot moteur et pontons latéraux en fibre de carbone et nid d'abeille Nomex, nez avec aileron avant intégré, aileron arrière

Diamètre de braquage
19,8 mètres

Dimensions approximatives
Longueur: 450 cm
Largeur: 180 cm
Hauteur: 95 cm
Poids: 600 kg

Performances estimées
Accélération 0-100 km/h: 2,8 secondes
Accélération 0-160 km/h: 5 secondes
Accélération 0-250 km/h: 8,7 secondes
Freinage 100-0 km/h: 24,7 mètres

Vitesse maximale
365 km/h

Consommation
65 litres aux 100 km

REYNARD F3000

Type
V8 Cosworth DFR

Distribution
4 arbres à cames, 2 par rangée de cylindres, 4 soupapes par cylindre

Boîte de vitesses
Arrows, longitudinale, à 5 vitesses séquentielles

Châssis
Reynard, nid d'abeille en aluminium et composite de fibre de carbone, avec réservoir d'essence increvable intégré

Suspension avant et arrière
Double triangulation avec combiné ressort/amortisseur et barre antiroulis intérieurs actionnés par levier de renvoi

Amortisseurs
Koni

Freins
Disque en acier, plaquette en carbone métallique, étriers de compétition AP

Pneus
Goodyear Eagle F1, lisses

Carrosserie
Capot moteur et pontons latéraux en fibre de carbone et nid d'abeille Nomex, nez avec aileron avant intégré, aileron arrière

Électronique
Système d'acquisition de données Cosworth PI

FORMULA STAR

Type
Mazda 13B à piston rotatif

Boîte de vitesses
Webster 5 vitesses

Châssis
Châssis-cadre en acier

Suspension avant et arrière
Bras supérieur et inférieur actionnant le combiné ressort/amortisseur et barre antiroulis

Amortisseurs
Koni

Freins
Disque en acier et plaquette en carbone métallique

Pneus
Goodyear Eagle

Carrosserie
Capot moteur et pontons latéraux en fibre de verre

Électronique
MSD-Bosch, système d'acquisition de données PI

Quand la VW New Beetle se prend pour une Ferrari

UNE COCCINELLE DOPÉE

Piquée aux hormones, gonflée aux stéroïdes ou dopée aux amphétamines, la Volkswagen New Beetle, que j'ai eu le bonheur de piloter lors de la course présentée en lever de rideau au dernier Grand Prix du Canada, n'avait pas grand-chose en commun avec la voiture que vous conduisez peut-être tous les jours, serait-ce une 1,8 Turbo.

Outre sa silhouette et sa panoplie de couleurs, cette Coccinelle des circuits était très loin des modèles de série. Si l'on vous dit que son prix de 100 000 $ permettrait d'acheter quatre New Beetle normales, vous aurez tout compris.

C'est au volant de ces machines multicolores que les pilotes Jacques Lafitte, René Arnoux, Hurley Haywood, Price Cobb, Bill Adam, Brian Redman, David Empringham, Christian Vandal, Richard Laporte ou Andrew Bordin sont sortis de l'ombre pour se bagarrer avec une brochette de journalistes automobiles nord-américains ayant tous, à divers paliers, fait de la compétition automobile. Dans mon cas, ma dernière vraie course remontait à 1990 alors que j'avais piloté une Escort GT dans la série Firehawk. Un peu rouillé? Sans doute mais toujours aussi passionné et c'est bien ce qui compte.

Cela dit, qu'est-ce qui distingue ces New Beetle bigarrées de la voiture de Madame Tout-le-monde?

Pour nous permettre de nous familiariser avec ces bolides format de poche, Volkswagen nous avait d'abord invités à en prendre le volant au cours d'essais privés au circuit de Saint-Eustache environ un mois avant la course.

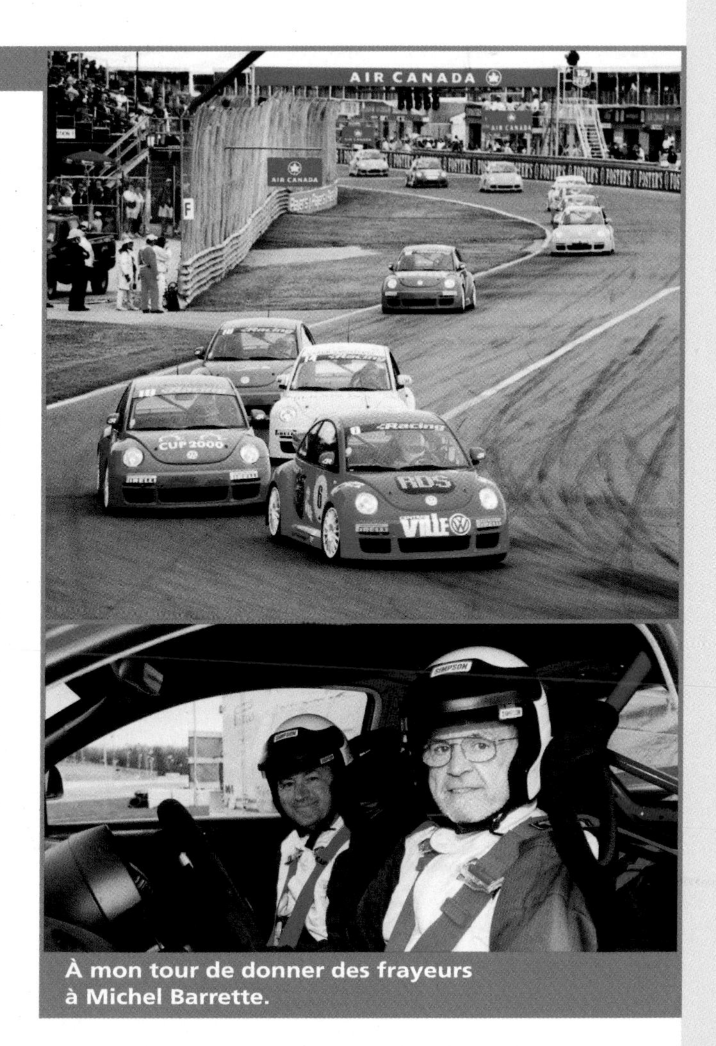

À mon tour de donner des frayeurs à Michel Barrette.

Mini bombe

Précisons tout de suite l'origine de ces New Beetle de course. Depuis deux ans, Volkswagen organise en Allemagne deux championnats destinés aux jeunes; l'un se dispute au volant de modèles Lupo, la plus petite voiture du constructeur allemand, tandis que l'autre met en présence les New Beetle. Le gagnant du premier championnat mérite un laissez-passer pour la coupe New Beetle alors que le vainqueur de cette série reçoit une participation gratuite à la coupe Porsche. Les voitures, parfaitement

identiques, sont construites, modifiées et préparées par Volkswagen et les pilotes changent de voiture à chacune des 12 épreuves du championnat. Si un concurrent se plaint que la voiture du gagnant est plus rapide que la sienne, on lui refilera l'auto gagnante. Chaque fois que cela s'est produit, le plaignant a quand même terminé aux derniers rangs. Depuis, personne n'a jamais plus protesté contre l'inégalité des forces en présence.

ALLÉGÉE ET VITAMINÉE

À quoi ressemble cette Coccinelle gonflée à bloc? Soulignons d'abord qu'elle a été débarrassée de ses garnitures intérieures et de tout matériau insonorisant. Cela lui a fait perdre un bon 100 kg par rapport à la version de route. Des passages de roues élargis permettent d'accommoder des pneus de course Pirelli sans aucune rainure (*slicks*), tandis que la partie arrière arbore un gigantesque aileron qui ne laisse aucun doute sur la nouvelle vocation de ces Smarties sur roues. Le moteur d'origine a été remplacé par une version modifiée du populaire VR6 de la marque allemande. On lui concède 204 chevaux, mais mon petit doigt me dit que sa vraie puissance se situe plutôt autour des 250 chevaux. Cette impressionnante cavalerie est acheminée aux roues avant par une boîte de vitesses manuelle à 6 rapports empruntée à l'Audi TT. Finalement, 2 énormes freins à disque rainurés à l'avant se chargent de ralentir les ardeurs de nos conducteurs du dimanche.

Curieusement, les freins à disque arrière sont prélevés du modèle de série.

Attachez vos ceintures

Ficelé par un harnais de sécurité à 6 sangles dans un siège baquet enveloppant qui n'accepterait pas un seul kilo supplémentaire de mon humble carcasse, il me suffit de mettre le coupe-circuit de l'alimentation à *ON* et de tourner la clé de contact pour faire rugir le VR6 de ma New Beetle. Le niveau sonore est envahissant et j'ai l'impression de prendre place dans une caisse de résonance tellement tous les bruits de la mécanique me bourdonnent dans les oreilles, pourtant bien isolées par le casque de sécurité.

Les 4 fers en l'air, ou presque...

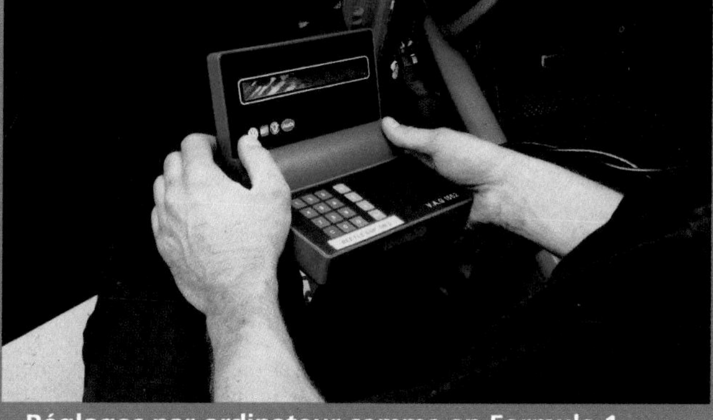
Réglages par ordinateur comme en Formule 1.

J'enclenche la première sans effort particulier, contrairement à ce qui est le cas pour certaines voitures de course dont l'embrayage exige des mollets d'acier. Et me voilà en piste. Un premier tour mollo pour m'acclimater à la voiture et surtout pour réchauffer les pneus qui, à froid, n'ont que les trois quarts de leur adhérence ultime.

Lorsque j'entame plus vite le second tour, la chose qui me frappe le plus est l'incroyable puissance des freins, une puissance qui va bien au-delà de nos réflexes normaux. En somme, si l'on freine au moment où l'on pense que c'est le temps de freiner, la voiture est pratiquement arrêtée quand on arrive dans le virage. Il faut retarder et retarder encore plus son point de freinage pour bien exploiter les extraordinaires capacités de la voiture. Je dirais que c'est ce qui est le plus difficile à apprivoiser sur la Volkswagen New Beetle Cup.

Quatre fers en l'air

La tenue de route aussi exige une certaine familiarisation. Le peu de poids qui repose sur l'essieu arrière (35 % contre 65 % à l'avant) rend le survirage un peu brutal à la limite. Bref, quand l'arrière décroche, il décroche et il faut être « vite sur ses patins » pour le rattraper. La piste de Saint-Eustache haussait le niveau de difficulté d'un gros cran en raison d'une bosse gênante juste à l'endroit où le circuit routier rejoint l'ovale. La New Beetle y faisait un bond spectaculaire qui la projetait dans les airs d'un bon 6 cm. Un autre petit problème est qu'il n'est pas facile de repérer le point de corde (apex) à l'entrée d'un virage à gauche en raison du pilier A de la carrosserie dont la largeur initiale est accentuée par la présence des tuyaux de la cage de sécurité.

Quant au moteur, son couple ne vous pousse pas dans le dos comme une grosse cylindrée, mais la puissance s'échelonne jusqu'à 7 000 tr/min et ne semble jamais vouloir diminuer. Avec le résultat qu'on se surprend à atteindre les 180 km/h au bout de la courte ligne droite de l'autodrome Saint-Eustache. Sur le circuit Gilles-Villeneuve de F1, nos New Beetle allaient pouvoir s'exprimer plus librement et nous montrer tout ce qu'elles avaient dans le ventre.

Une course « amicale » ?

Les journaux et la télévision ayant été avares de commentaires sur la course des VW New Beetle présentée en lever de rideau lors du Grand Prix du Canada, je pense qu'il y a lieu de revenir sur ce qui fut indiscutablement l'épreuve la plus animée et la plus sympathique de ce week-end. Ayant eu le privilège de la « vivre » aux premières loges, je trouve qu'il est regrettable que cet événement ait été presque ignoré par un certain nombre de journalistes, offusqués de ne pas avoir été invités à y participer. Ce genre de mesquinerie a privé les amateurs d'informations pertinentes. Et les coureurs sans volant qui ont fustigé les organisateurs d'avoir invité des journalistes seront sans doute moins loquaces quand ils apprendront que ce sont deux journalistes qui ont bouclé les tours les plus rapides en course.

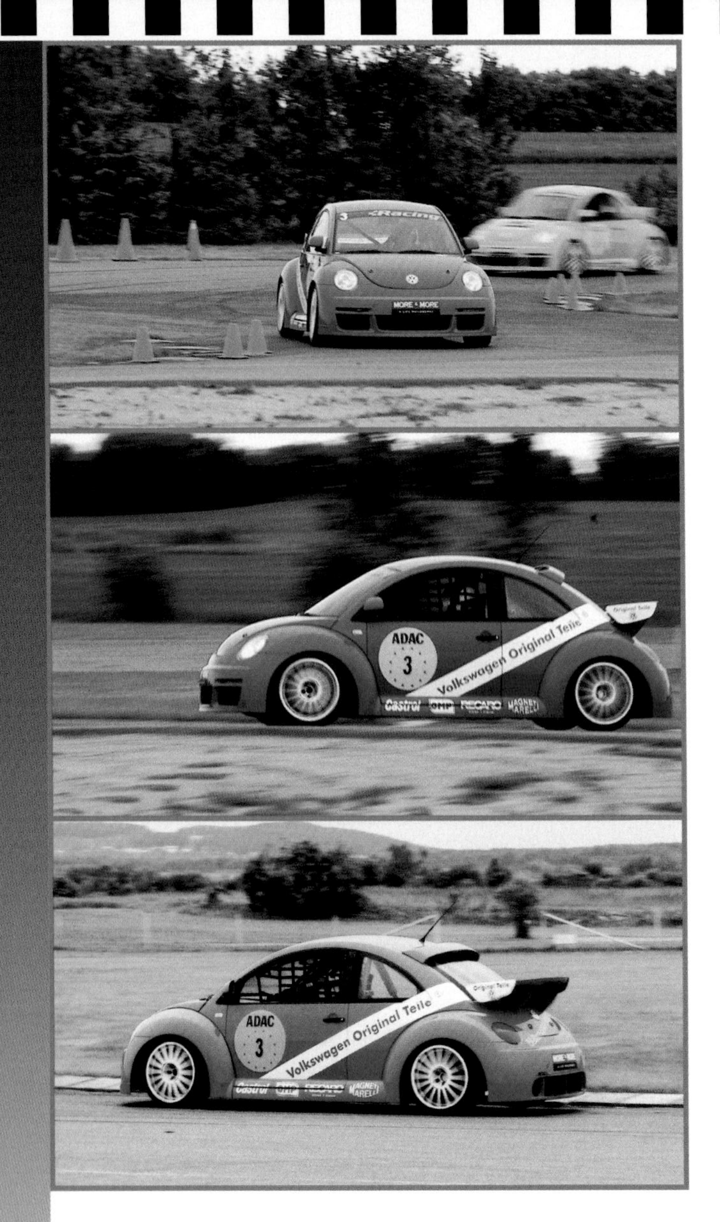

Personne n'a su non plus que ces sacrées petites bombes tournaient pratiquement dans les mêmes temps que les Formules Ford et qu'elles atteignaient les 235 km/h sur la ligne droite du Casino, une performance comparable à celle des Ferrari 355 et 360. Bref, ces New Beetle étaient de vrais petits engins de course relativement faciles à conduire, mais avec certains traits de caractère bien marqués comme je l'ai démontré en me payant un tête-à-queue dans l'épingle en insistant un peu trop pour mettre rapidement les pneus en température.

En plus, tous les pilotes, à l'exception des quelques géants du groupe, se sont plaints d'être assis trop bas et d'être incapables de voir autre chose que le tableau de bord, même en réglant le siège à sa hauteur maximale. Mon collègue Tony Swan, de *Car and Driver,* a cru résoudre le problème en mettant 5 paires de sous-vêtements dans sa combinaison de course. La recette s'est avérée moins heureuse lorsqu'il s'est mis à glisser sur son siège. Pourtant, les plus petits du groupe, dont Christian Vandal (meilleur temps du samedi) et René Arnoux, l'ancien pilote de F1 (un podium), n'ont pas semblé incommodés par leur taille. René a d'ailleurs été le clown du groupe, se permettant même de conduire d'une main en doublant Jacques Lafitte.

Un « spécial Schumacher »

Le tirage au sort des positions de départ a souri à certains mais d'autres, dont votre serviteur, ont été pénalisés. Qualifié 13e, j'ai pigé la New Beetle miniature qui cachait la 18e place de départ, ce qui revient à dire 17 voitures devant et seulement 2 derrière. Même en doublant une voiture à chacun des 12 tours, on est encore loin d'un podium.

Ma tentative de remontée s'est terminée au début du 4e tour dans le virage Senna alors qu'un collègue s'est rabattu sur sa gauche pour m'empêcher de le doubler, sauf que Bernard Brault a tout vu, en photos. Geste volontaire ou simple maladresse de sa part, je ne saurais dire, mais comme l'incident s'est produit juste avant que l'on tourne à droite pour négocier la deuxième partie du virage Senna, ça rappelle drôlement le geste de Michael Schumacher à l'endroit de Jacques Villeneuve il y a quelques années. De toute évidence, certains ont pris très au sérieux ce qui devait être une course « amicale ». Toujours est-il qu'après cet accrochage mineur, ma New Beetle numéro 7 n'avançait plus. Il n'y avait plus aucun lien entre l'essieu avant et la boîte de vitesses. La faiblesse de l'essieu avant a aussi emporté le champion canadien David Empringham et s'était manifestée à deux reprises lors des essais privés à Saint-Eustache. L'explication est simple : on utilise un essieu de série qui, dans le cas présent, est soumis à un couple et à une puissance pour lesquels il n'a jamais été conçu.

Quel spectacle

Devenu spectateur malgré moi, je me suis régalé à voir Richard Laporte donner du fil à retordre à René Arnoux, Brian

Heureusement que René Arnoux était là pour alléger l'ambiance d'une course que plusieurs ont pris beaucoup trop au sérieux.

Fiche technique

• Modèle :	Volkswagen New Beetle Cup 2000
• Type :	Voiture de course
• Moteur :	V6 2,8 litres transversal, 24 soupapes
• Puissance :	204 ch à 6800 tr/min
• Couple :	200 lb-pi à 4000 tr/min
• Boîte de vitesses :	manuelle 6 rapports
• Freins :	disques ATE ventilés avec ABS et étriers à 4 points 355 x 28 mm (avant) 232 x 9 mm, non ventilés (arrière)
• Jantes :	9 x 18 BBS
• Pneus :	235/625 18 *(slicks)*
• Poids :	1200 kg
• Empattement :	250 cm
• Longueur :	408 cm
• Équipement spécial :	cage de sécurité, extincteur OMP, coupe-circuit, ceintures de sécurité à 6 points et sièges course FIA
• 0-100 km/h :	5 secondes
• Vitesse de pointe :	245 km/h
• Prix estimé :	100000 $

Redman, dans la soixantaine heureuse, s'agripper à la 5e place et Marc Lachapelle se démener comme un diable dans l'eau bénite pour combler le déficit qui l'avait fait chuter de la 2e place de la veille au milieu du peloton, victime lui aussi du tirage au sort.

C'est finalement le pilote et moniteur de conduite automobile à l'école Bob Bondurant, Terry Borcheller, qui a raflé les honneurs de cette course mémorable et cela malgré la poussée d'un René Arnoux (gagnant du GP du Canada en 1983) aussi drôle que talentueux.

Détail amusant, il s'est perdu beaucoup d'argent chez les mécanos et les organisateurs qui avaient misé gros sur Hurley Haywood, le grand favori pour gagner la coupe New Beetle. Riche d'un impressionnant palmarès et toujours très actif sur Porsche, il était l'homme à battre. Or, Hurley ne s'est jamais senti à l'aise dans la voiture et s'est qualifié dernier le samedi. Et même si le tirage au sort lui avait permis de monter aux avant-postes sur la grille de départ, il n'a rien fait qui vaille au grand dam de ses nombreux partisans.

Dommage !

Dommage que les efforts de Volkswagen aient été contrecarrés par la bureaucratie malsaine des « autorités sportives » du Grand Prix qui inciteront la marque allemande à se poser de nombreuses questions avant de revenir sur le circuit Gilles-Villeneuve. Pendant ce temps, la coupe New Beetle se poursuivra en Europe et aux États-Unis. J'envie les pilotes allemands qui, pour l'équivalent de 70000 $, peuvent s'inscrire à cette série européenne et bénéficier d'une voiture prête à courir pendant 12 week-ends. Ces jeunes sont les Schumacher de demain et on a vu durant leur course du vendredi avant le Grand Prix qu'ils n'ont pas froid aux yeux.

les prototypes 2001

BERTONE SLIM

Le SLIM est un véhicule 2 places de type tandem pensé et conçu pour les très jeunes gens. D'une longueur de 3 mètres et d'une largeur de 1 mètre, ce prototype est l'une des suggestions des stylistes de chez Bertone pour résoudre le problème de mobilité urbaine : une voiture facile à garer et ayant un faible impact environnemental.

BERTONE SLIM

Le SLIM est propulsé par un moteur Lombardini 2 cylindres d'une puissance de 15 kW. On entre et on sort de l'habitacle grâce au glissement de 2 portes de type avion. À bord, on peut placer aisément les sacs, des skis et même une planche à neige à côté des passagers.

BUGATTI VEYRON

Depuis que la compagnie Volkswagen s'est portée acquéreur de Bugatti, de nombreux prototypes ont été produits. Cette fois, c'est le EB 18/4 Veyron qui a été nommé en mémoire de Pierre Veyron, un pilote français qui a remporté les 24 Heures du Mans au volant d'une Bugatti Tank en 1939.

BUGATTI VEYRON

L'habitacle du EB 18/4 Veyron est un clin d'œil aux voitures du passé avec de nombreuses pièces en aluminium brossé contrastant avec les garnitures en cuir de couleur orangée. Les commutateurs à bascule ainsi que certaines autres commandes sont volontairement d'allure rétro.

BUGATTI VEYRON

Cette Bugatti à moteur central est propulsée par un moteur 18 cylindres de 6,3 litres d'une puissance de 555 chevaux. Il est constitué de 3 rangées de 6 cylindres et recouvert d'un capot transparent qui permet de le contempler.

CITROËN
DÉMONSTRATEUR
PLURIEL

Ce prototype dévoile les grands principes d'une voiture modulaire polyvalente qui sera commercialisée d'ici peu. Des arches longitudinales amovibles, un toit en toile escamotable et un double plancher arrière permettent au Démonstrateur Pluriel de se transformer en berline, en cabriolet ou en camionnette.

CITROËN
DÉMONSTRATEUR
PLURIEL

L'habitacle peut être modifié au besoin. La banquette arrière escamotable dans le plancher permet d'agrandir l'espace de chargement et de transformer la voiture en 2 ou 4 places. Le volet du coffre s'ouvre vers le bas, ce qui prolonge le plancher. De plus, un plateau coulissant donne accès au faux plancher, sans qu'on ait à vider le coffre.

CITROËN C6

La C6 est la vision de ce que nous réserve le constructeur français lorsqu'il dévoilera sa prochaine berline de grand luxe. Il est presque assuré que la C6 sera équipée de la nouvelle suspension Hydractive de la troisième génération. Cette suspension hydraulique est auto-adaptative : la hauteur du véhicule varie en fonction de la vitesse.

CHRYSLER ESX3

La Chrysler ESX3 est un véhicule à propulsion hybride qui est la réplique de DaimlerChrysler au Precept de General Motors. Il est propulsé par un moteur 3 cylindres en aluminium de 1,3 litre produit par Detroit Diesel. Il travaille de concert avec un moteur électrique refroidi à l'air et alimenté par des piles aux ions lithium.

CHRYSLER ESX3

Cette berline à propulsion hybride est dotée d'une carrosserie particulièrement légère grâce à la technologie du moulage par injection de thermoplastique. Cela permet d'obtenir une berline de grandes dimensions aussi légère et économique à produire qu'une voiture deux fois plus petite.

CHRYSLER 300 C HEMI

Une fois de plus, les stylistes de Chrysler se sont inspirés d'un prestigieux modèle du passé pour concevoir ce prototype. On tente de faire revivre la Chrysler 300 C cabriolet 1957. Comme les voitures décapotables de cette époque, ce véhicule peut accueillir 4 personnes. Compte tenu du caractère « prêt pour la production », la 300 C Hemi pourrait être commercialisée sous peu.

CHRYSLER 300 C HEMI

Les motoristes de Chrysler n'ont pas abandonné le légendaire moteur Hemi qui a dominé les « gros cubes » au cours des années 60. Cette version du troisième millénaire est un V8 de 5,7 litres d'une puissance de 353 chevaux. Ce gros cabriolet peut boucler le 0-100 km/h en moins de 6 secondes.

CHRYSLER HOWLER

La Prowler fait tourner les têtes sur son passage, mais elle a un handicap de taille : son coffre à bagages est pratiquement nul. On a réglé le problème sur le Howler avec un arrière allongé en forme de caisse de camion. La silhouette devient plutôt étrange avec cet appendice, mais le caractère pratique de cette voiture est très amélioré.

CHRYSLER HOWLER

Après le Prowler, voici le Howler. La compagnie Chrysler a connu beaucoup de succès médiatiques avec son *hot-rod* bien sympathique. Cette fois, on tente d'utiliser la même plate-forme d'une façon différente. Pour répondre aux demandes des amateurs de voitures personnalisées, le Howler a été équipé d'un moteur V8 4,7 litres Power Tech couplé à une boîte de vitesses manuelle à 5 rapports de Borg Warner.

DODGE MAXX

Cette camionnette Dodge aux formes assez élégantes est le premier camion à accorder la priorité aux passagers. En effet, l'habitacle a pris de l'expansion au détriment de la boîte de chargement. Le styliste Clyde Ney, qui a dessiné le MAXX, propriétaire d'une camionnette Dodge Ram, a recueilli les commentaires de sa femme et de ses enfants avant de réaliser ce prototype.

DODGE MAXX

Puisque la priorité est accordée aux occupants, l'habitacle du MAXX est tout aussi luxueux que celui d'une berline haut de gamme. Avec son écran cathodique, ses appliques en bois véritable et des sièges recouverts de cuir, ce camion Dodge comprend également un système audiovisuel incluant un lecteur DVD.

DODGE VIPER GTS/R

La Dodge Viper a été dévoilée il y a plus de 10 ans et les stylistes de cette division se sont amusés à produire une voiture étroitement inspirée des Viper GTS-R qui participent aux 24 Heures du Mans et aux 24 Heures de Daytona. En plus d'avoir une suspension abaissée, cette spectaculaire Viper est dotée d'une carrosserie en fibre de carbone.

DODGE VIPER GTS/R

Le tableau de bord est nettement plus élégant que celui de la Viper actuelle. Il faudra garder l'œil sur l'indicateur de vitesse, car les 500 chevaux du V10 de 8 litres permettent de boucler le 0-100 km/h en 4 secondes et le ¼ mille en 12 secondes.

FORD 24.7

Pour J. May, directeur du stylisme chez Ford, le style de la carrosserie de la 24.7 importe peu, c'est le concept global de la voiture qui a préséance. Selon des chercheurs, les consommateurs passent en moyenne 80 minutes par jour dans leur voiture. Le 24.7 est équipé de technologies avancées de communication et de télématique, notamment Internet, afin de nous faciliter la tâche et d'optimiser le temps passé au volant.

FORD 24.7

Le design extérieur est délibérément simple et totalement fonctionnel. Cette familiale est équipée de sièges arrière qui se rabattent jusqu'au plancher pour augmenter l'espace disponible. Les rétroviseurs latéraux ont été remplacés par des « mini caméras » qui projettent sur le tableau de bord une vue panoramique des alentours du véhicule.

FORD 24.7

Le tableau de bord est en fait un écran de projection haute définition. Après qu'on a mis le contact et dévoilé au système qui conduit la voiture, les indicateurs affichent la configuration correspondant au pilote. Le conducteur peut activer, à sa guise, par commande vocale, une ou plusieurs fonctions : compteur de vitesse, niveau d'huile, niveau de carburant, GPS / carte routière, etc.

FORD EQUATOR

Les amateurs de véhicules utilitaires sport et de gros camions semblent toujours en vouloir davantage. Pour répondre à leurs demandes, les stylistes de Ford ont concocté l'Equator, dont la longueur est la même que celle d'un F-150 et la largeur celle du F-350 Super Duty. Comme le veut la tendance actuelle, la cabine multiplace a priorité sur la boîte de chargement.

FORD EQUATOR

Ne laissez pas ces formes très carrées vous décevoir : l'Equator est doté d'une suspension indépendante aux 4 roues et d'éléments de suspension en aluminium machiné. De plus, les roues en alliage léger sont équipées d'un système automatique de gonflage. Et pour ceux qui sont intimidés par sa hauteur, un marchepied à commande hydraulique se déploie dès qu'on ouvre la portière.

HISPANO SUIZA

L'une des plus grandes marques de prestige avant la Deuxième Guerre mondiale était Hispano Suiza. Les voitures à l'effigie de la cigogne étaient recherchées par les gens riches et célèbres de l'époque. Cette compagnie était également reconnue pour ses avions et ses moteurs. Le prototype de la nouvelle H.S. 21 a été dévoilé à Genève en mars 2000.

HISPANO SUIZA

La H.S. 21 est équipée d'un moteur V10 de 5 litres développant 500 chevaux. Il est couplé à une boîte séquentielle à 6 rapports. Avec son bloc en alliage et ses deux turbos, ce groupe propulseur est tout aussi sophistiqué que les autres voitures exotiques.

HISPANO SUIZA

La compagnie Mazel est spécialisée dans la recherche en haute technologie et cette expertise se reflète sur la H.S. 21. La carrosserie en matière composite et le châssis en aluminium de celle-ci en font une voiture exotique à part entière. Reste à savoir si le concepteur sera capable de commercialiser sa voiture de rêve.

HONDA FCX

La Honda Insight est une voiture fort intéressante sur le plan technologique, mais le fait qu'il s'agisse d'un coupé 2 portes et 2 places en limite la diffusion. Mais Honda a déjà prévu une solution encore plus intéressante avec cette berline FCX dont le moteur est alimenté par une cellule d'énergie, la solution jugée la plus intéressante par les spécialistes.

HISPANO SUIZA

Cette nouvelle Hispano a été créée, développée et produite par la compagnie Mazel, une firme d'ingénierie située à Barcelone qui se spécialise dans la production de prototypes pour les constructeurs automobiles. Elle a fait appel à son expertise dans la conception assistée par ordinateur pour réaliser ce spectaculaire coupé.

HONDA SPOCKET

Dessiné dans les studios de Honda à Torrance, en Californie, le Spocket est un véhicule d'une incroyable polyvalence puisqu'il peut être transformé en coupé sport, en camionnette et même en cabriolet. Malgré ces multiples possibilités, sa silhouette s'apparente à celle des voitures sport d'endurance. Et la transformation de ce véhicule concept s'effectue comme par magie. Il suffit d'appuyer sur un bouton pour que les sièges arrière s'escamotent et que le toit se rétracte.

HONDA SPOCKET

Ce prototype de Honda est un hybride de plus d'une façon. En effet, il est propulsé par un groupe propulseur hybride qui se démarque par l'utilisation de deux moteurs-roues à l'arrière et d'un moteur hybride à l'avant. Cela permet d'en faire un 4 roues motrices.

GM PRECEPT

La compagnie General Motors n'entend pas se laisser distancer dans le développement de véhicules utilisant des sources d'énergie alternatives. Pour répondre aux goûts des consommateurs américains, on a conçu cette révolutionnaire berline intermédiaire capable de transporter 5 occupants dans un confort digne des grosses berlines tout en consommant moins de 4 litres aux 100 km.

GM PRECEPT

Comme il se doit, le tableau de bord est futuriste. Le système de propulsion est tout aussi futuriste. Cette autre version, d'apparence extérieure similaire, est propulsée par un moteur électrique situé à l'avant qui est alimenté par une pile à hydrogène. La consommation équivalente serait de 2,24 litres aux 100 km.

GM PRECEPT

Cette berline existe en deux versions. La première est dotée d'un groupe propulseur hybride comprenant un petit moteur diesel placé à l'arrière avec lequel on obtient une consommation moyenne vraiment basse. Cet hybride parallèle permet au moteur à essence d'alimenter en énergie un moteur électrique.

ISUZU ZXS

Isuzu est dorénavant une compagnie spécialisée dans les véhicules utilitaires et les camionnettes. Cela ne l'empêche pas de lorgner du côté des familiales avec la ZXS. Ce prototype dévoilé au Salon de Tokyo sera commercialisé en tant que Isuzu Axiom à partir du printemps 2001. Cette familiale sport sera équipée de l'incontournable moteur V6 de 3,2 litres d'une puissance de 215 chevaux.

JAGUAR F-TYPE CONCEPT

La première voiture-concept de Jaguar a été dévoilée au Salon automobile de Londres de 1938. La dernière en liste est la F-Type Concept, présentée au Salon de Detroit en janvier 2000. Sa spectaculaire silhouette a été dessinée par Keith Helfet, qui a conçu la légendaire XJ220.

JAGUAR F-TYPE CONCEPT

L'intérieur ressemble à celui de la XK180 et tire son inspiration de la simplicité fonctionnelle de la E-Type, la plus appréciée de toutes les voitures provenant de Brown's Lane. Cet habitacle a été conçu par deux jeunes stylistes qui y ont intégré des boutons et des garnitures en aluminium afin de lui donner un côté tactile unique.

JAGUAR F-TYPE CONCEPT

Cette Jag a été conçue pour utiliser plusieurs groupes motopropulseurs. Selon toute éventualité, elle pourrait être dotée du moteur V8 de 240 chevaux qui équipe la S-Type. Une version suralimentée de 300 chevaux est une autre option. Enfin, si ce prototype est une propulsion, chez Jaguar, on anticipe d'offrir également une traction intégrale.

JEEP VARSITY

La Jeep Varsity est un véhicule-concept dont la vocation est d'être un moyen de transport urbain tout usage et non pas un tout-terrain pour partir à l'aventure dans les forêts tropicales. Ce *hatchback* promet d'être infiniment pratique tout en claironnant haut et fort à votre entourage que vous avez l'esprit d'aventure.

JEEP VARSITY

Ce prototype est pourvu d'un moteur V6 de 3,5 litres d'une puissance de 300 chevaux. Comme tout véhicule Jeep qui se respecte, il est équipé d'une boîte de transfert permettant de rouler en intégrale, en 4X4, en propulsion et en mode démultiplié.

KARMANN COUPE

Le carrossier allemand Karmann est la référence en fait de toit rétractable. Ses ingénieurs font étalage de leur savoir-faire sur ce coupé à toit escamotable. L'objectif était d'offrir le confort et l'étanchéité d'un coupé quatre places à un véhicule qui pouvait être également transformé en cabriolet. Plus de huit servomoteurs sont utilisés pour assurer le déploiement de ce toit dont la superficie totale est supérieure à celle d'une Mercedes SLK, soit 23,8 pi^2 contre 16,3 pi^2 pour la Mercedes.

KARMANN COUPE

Le toit est constitué de trois éléments autonomes qui se replient en forme de sandwich avant de prendre place dans le coffre. La partie arrière comprenant la lunette en verre est la première à prendre position suivie des deux autres panneaux. L'espace de rangement du coffre est de 501 litres et de 250 lorsque le coupé est transformé en cabriolet. On dénombre 36 charnières dans ce mécanisme Plus de six brevets internationaux ont été octroyés à Karmann pour ce toit.

LOTUS M250

Cette Lotus a d'abord été dévoilée au Salon de Genève en 1999 en tant que version dérivée du cabriolet Elise. Une année plus tard, la ML250 est présentée au même salon en tant que voiture de production. Voilà qui promet puisque l'Elise est l'une des voitures sport ayant une tenue de route spectaculaire. Quand on connaît l'expertise de Lotus en fait de voiture sport, c'est gagné d'avance !

LOTUS M250

Cette élégante sportive à la robe argentée nous présente un porte-à-faux arrière pratiquement inexistant. Son moteur V6 de 3 litres de 250 chevaux permet à cette très britannique de boucler le 0-100 km/h en 4,8 secondes.

LOTUS M250

Les stylistes ont utilisé le châssis en aluminium de cette voiture pour servir d'élément de présentation de l'habitacle. C'est audacieux, et l'effet est très réussi. Par contre, les trois commutateurs circulaires montés au centre font quelque peu Buck Rogers ou bande dessinée des années 50.

MAZDA NEOSPACE

Avec la Neospace, les ingénieurs de Mazda ont voulu réaliser une minivoiture offrant de bonnes performances et une habitabilité supérieure à la moyenne. Son moteur 4 cylindres de 1,5 litre à essence est à injection directe et couplé à une boîte automatique à rapports continuellement variables.

MAZDA NEOSPACE

Bien de petites voitures ont un habitacle de bonnes dimensions, mais il n'est pas toujours facile de prendre place à bord. Chez Mazda, on a résolu le problème en éliminant le pilier B et en faisant appel à des portières arrière dont les charnières sont placées sur le pilier C. Ces portes de type « suicide » permettent d'obtenir une grande ouverture pour entrer dans l'habitacle.

MAZDA RX EVOLV

Cette Mazda pour le moins spectaculaire est propulsée par une nouvelle version du légendaire moteur rotatif de Mazda. Appelé Renesis, il développe 280 chevaux et son régime moteur peut atteindre 10 000 tr/min. Il est associé à une boîte à 6 rapports dotée d'une commande placée sur le volant. Dernier détail, le châssis est en fibre de carbone.

MAZDA RX EVOLV

Une authentique voiture sport 4 portes, 4 places ? L'idée n'est pas aussi saugrenue qu'elle peut paraître de prime abord. En effet, il n'est pas nécessaire que la voiture soit de grandes dimensions pour que 4 personnes s'y sentent à l'aise. Pour optimiser la répartition du poids, le moteur est placé derrière l'essieu avant.

MERCEDES VISION SLA

Devant les grands succès connus par les deux prototypes SLR, les stylistes de Mercedes ont décidé de réaliser l'équivalent pour les budgets plus modestes. Cette fois, on a utilisé la plate-forme de la Classe A pour concocter ce petit roadster qui serait susceptible d'intéresser les jeunes acheteurs autant par ses performances que par sa silhouette audacieuse.

MERCEDES VISION SLA

Même si plusieurs trouvent sa silhouette vraiment très tourmentée, cette Mercedes ne laisse personne indifférent. On peut toutefois s'interroger sur la pertinence de sangles de cuir pour retenir la petite mallette décorative placée sur le porte-bagages. Le moteur est le 4 cylindres 1,9 litre de la Classe A. Ses 125 chevaux sont suffisants pour atteindre une vitesse de pointe de 209 km/h.

NISSAN CYPACT CONCEPT

La compagnie Nissan connaît des difficultés sur presque tous les marchés en grande partie en raison du style de ses voitures. Ce véhicule-concept permet de douter qu'on ait corrigé la situation. Encore une fois, on rate la cible avec le Cypact, dont la silhouette est plus étrange qu'élégante. Il va falloir faire beaucoup mieux.

MERCEDES VISION SLA

La présentation de l'habitacle est de style futuro-rétro-rococo. Les stylistes se sont inspirés des voitures des années 50 et le résultat est controversé, c'est le moins qu'on puisse dire. Mais, des goûts et des couleurs, on ne discute pas !

MITSUBISHI SSS

L'accès à bord est facilité par d'intrigantes portes latérales à charnières de type parallélogramme qui ne requièrent pas beaucoup d'espace dans les stationnements tout en facilitant l'accès à bord. La SSS est dérivée d'une traction dont la suspension indépendante assure confort et tenue de route. Un rouage intégral à visco-coupleur se charge de la partie « toutes routes ».

MITSUBISHI SSS

Pour la troisième année de suite, ce constructeur japonais dorénavant associé avec DaimlerChrysler a proposé ce prototype qui représente la philosophie « géo-mécanique » des stylistes. Leur but est d'offrir une tenue de route sportive et le confort d'une limousine dans un véhicule qui a également des capacités similaires à celles d'un véhicule tout-terrain.

MITSUBISHI SSS

Comme le veut la tendance actuelle, le tableau est très dépouillé. Ses deux grandes surfaces rectangulaires nous font songer aux tableaux de bord des voitures GM qui ont adopté ce style pendant des années.

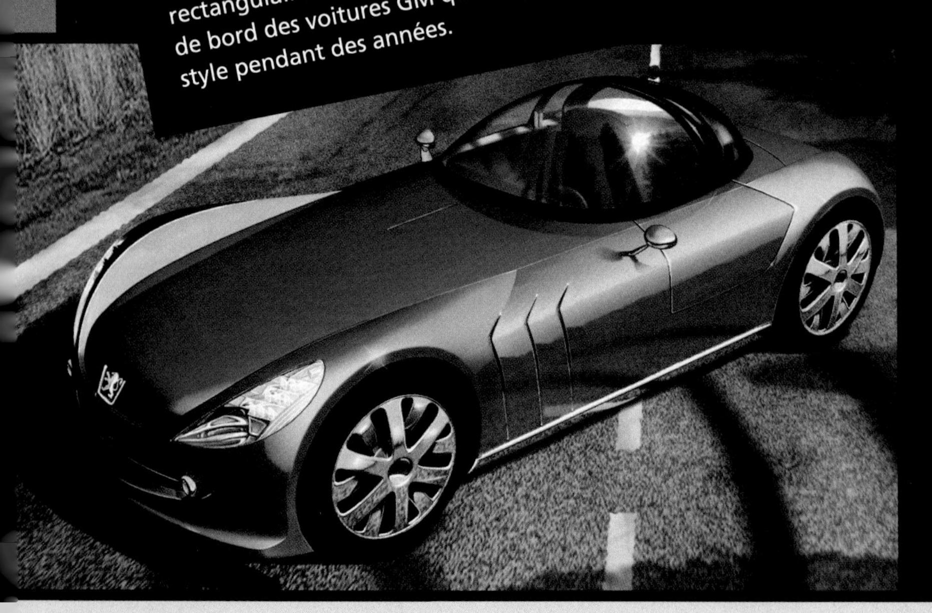

PEUGEOT 607 FÉLINE

Les stylistes de Peugeot ont décidé de renouveler la catégorie des roadsters avec la 607 Féline. Cette voiture ne se contente pas d'afficher une silhouette fort originale, son toit est unique en son genre. Son pavillon « bulle » athermique se compose d'un pare-brise hydrophobe, de portes sans vitres latérales et d'une lunette arrière, tous coulissants.

PININFARINA METROCUBO

Le célèbre styliste italien Pininfarina s'est intéressé à la question de l'encombrement de la circulation urbaine et a créé la Metrocubo, une minivoiture électrique aux formes très recherchées dont l'habitacle peut être modifié de multiples façons afin de pouvoir transporter passagers et bagages avec une efficacité optimale.

PININFARINA METROCUBO

L'utilisation de pneus Michelin de type Pax a permis aux concepteurs de se permettre le luxe de se passer de la roue de secours. Il est donc possible d'utiliser cet espace afin d'optimiser l'habitabilité et l'aménagement des organes mécaniques. Les ingénieurs de chez Pininfarina ont utilisé de nombreux matériaux inédits autant dans la structure du véhicule que dans l'habitacle lui-même.

RENAULT KOLEOS

Les stylistes de Renault ne se sont pas contentés de dessiner une voiture originale. La Koleos n'est ni une berline traditionnelle ni un 4X4, mais la rencontre de ces deux concepts. La suspension indépendante est à hauteur variable. Les fonctions essentielles du véhicule sont gérées par un écran à commande vocale.

RENAULT KOLEOS

Cette Renault est propulsée par une motorisation hybride. Le moteur électrique Renault Élégie 30 kW avec piles lithium-ion propulse les roues arrière. Les roues avant sont entraînées par un moteur thermique F4R 2 litres turbo de 170 chevaux. En mode 4X4, les deux moteurs fonctionnent ensemble.

RENAULT KOLEOS

La forme monocorps de la Koleos a permis d'optimiser l'espace intérieur. Les 4 sièges sont composés de feuilles de carbone entourées de cuir. Ces feuilles de carbone s'adaptent à la pression du corps des occupants, optimisant le confort. L'assise et le dossier reposent sur 4 vérins amortisseurs.

RINSPEED TATOO.COM

Malgré ses apparences, cette camionnette « Custom » aux couleurs très californiennes n'a pas été réalisée aux États-Unis. Le Tatoo.com a été conçu dans les ateliers du carrossier suisse Rinspeed. Son gros moteur V8 5,7 litres de 409 chevaux assure de boucler le 0-100 km/h en 5,9 secondes. Ce « bazou helvétique » a une vitesse de pointe de 245 km/h.

SEAT SALSA

La Salsa est une réalisation du Centre technique de SEAT à Martorell. L'équipe dirigée par Walter de'Silva a concocté une voiture d'une nouvelle orientation, le *Multi Driving Concept* ou MDC. Tout porte à croire que ce prototype aura une influence marquée sur le style des futures voitures de production pour ce constructeur espagnol membre du groupe Audi-Volkswagen.

SEAT SALSA

L'une des principales particularités de la Salsa est son hayon arrière à deux battants. La partie inférieure se rabat vers le bas tandis que la partie supérieure se glisse sur le toit. Autre caractéristique, cette voiture n'a pas de capot tel qu'on le conçoit. En outre, on n'a pas directement accès au moteur mais à des bouchons de service situés dans la partie inférieure du pare-brise. Le moteur : un V6 2,8 litres de 250 chevaux.

TATA ARIA ROADSTER

Malgré son nom pour le moins farfelu, le groupe Tata est le plus grand conglomérat et le mieux connu en Inde avec un chiffre d'affaires avoisinant 8 milliards $US. Fondée en 1887 par Jamsetji Nusserwanjti Tata, cette société exploite plus de 50 sociétés et a 250 000 employés. L'Aria roadster est le tout dernier prototype de la compagnie.

TATA ARIA ROADSTER

Cet élégant roadster a été dessiné par la société italienne IDEA. Comme la plupart des autres véhicules produits par Tata, l'Aria vise le marché des voitures économiques et sa mécanique est sans prétention puisque le moteur est un 4 cylindres d'une puissance de 140 chevaux. On prévoit même développer une version 4 places en allongeant l'empattement.

TATA ARIA ROADSTER

Les stylistes italiens d'IDEA ont eu le coup de crayon heureux aussi bien pour la carrosserie que pour l'habitacle. En plus d'une nacelle pour les principaux cadrans indicateurs, on a regroupé toutes les commandes ainsi que le levier de vitesses dans une console centrale verticale. Plusieurs autres commandes ont également été placées sur le moyeu du volant.

TOYOTA NCSV

Les constructeurs japonais sont généralement avares d'information lorsqu'ils dévoilent un prototype. Toyota confirme cette règle avec le NCSV, qui semble être purement un exercice de style puisque aucune information technique n'accompagne cette photo. Il s'agit d'une voiture hybride dont la silhouette est spécialement conçue pour donner un air costaud à l'avant. Faites sauter la partie arrière style familiale et vous avez une Audi TT.

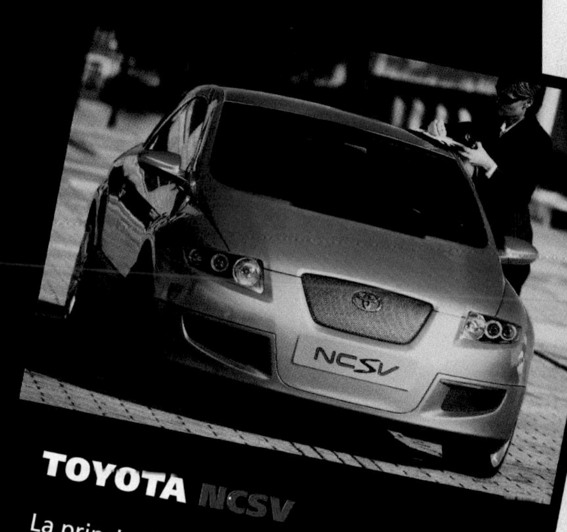

TOYOTA NCSV

La principale caractéristique de cette voiture-concept est de concilier les qualités d'un coupé sport et celles d'une familiale. Le résultat est particulièrement réussi. Même si aucun renseignement n'a transpiré, on peut en déduire que le châssis a été emprunté à la Celica. Ce prototype vise le marché européen et a reçu un accueil favorable à son dévoilement.

VANDENBRINK CARVER

La Carver est la voiture la plus originale de l'année. Ce petit producteur néerlandais n'a certainement pas manqué d'audace en concoctant un véhicule unique en son genre aussi bien par sa présentation que sa conception. Ce tricycle marie les caractéristiques d'une moto et celles d'une automobile de belle façon.

VANDENBRINK CARVER

En raison de son faible poids – 650 kg – et de sa carrosserie aérodynamique, le moteur turbocompressé de 660 cm³ de 65 chevaux suffit pour atteindre une vitesse de pointe de 190 km/h et boucler le 0-100 km/h en 8,2 secondes. Le moteur est placé à l'arrière et repose sur un châssis tubulaire qui sert également de support au mécanisme d'inclinaison de la caisse.

VANDENBRINK CARVER

Cette voiture permet de défier la gravité grâce à son système d'inclinaison dynamique. La caisse peut s'incliner de 45° et la voiture peut atteindre une force gravitationnelle de 1 g. Le secret est un ingénieux mécanisme hydraulique et mécanique qui permet d'incliner la carrosserie en virage en actionnant le volant comme sur une voiture.

VANDENBRINK CARVER

La Carver est une 2 places et les occupants s'assoient l'un derrière l'autre, comme sur une moto. Des sièges en cuir, un système de ventilation efficace, un lecteur de disques compacts et des fenêtres à commandes électriques font partie de ce véhicule qui est commercialisé en Hollande, mais qui ne se rendra probablement jamais sur notre continent.

VOLKSWAGEN PICK-UP

La silhouette de ce camion, identifié comme le AAC, pour *Advanced Activity Concept,* soulève la controverse. Certains y voient une copie format réduit du Toyota Tundra, certains soulignent même que la partie arrière de la cabine a des airs de Subaru Brat. Mais les stylistes ont atteint leur objectif : soulever l'intérêt.

VOLKSWAGEN PICK-UP

Il est facile de critiquer le fait que la boîte de chargement soit très petite et que la partie avant soit assez peu esthétique, mais personne ne pourra accuser Volkswagen de ne pas avoir utilisé un groupe propulseur unique en son genre. On retrouve en effet dans ce véhicule le moteur V10 de 5 litres double turbo d'une puissance de 313 chevaux.

VOLKSWAGEN PICK-UP

Si la silhouette de la carrosserie ne fait pas l'unanimité, la majorité des observateurs sont d'accord pour souligner que l'habitacle est beaucoup mieux réussi. Cette présentation, avec ses cuirs de couleur fauve et les éléments contrastants en aluminium brossé, emporte la faveur de bien des stylistes ces temps-ci.

VOLKSWAGEN DUNE

Les succès de la New Beetle ont incité les concepteurs à développer cette intéressante version à traction intégrale. La Dune est dotée de la traction intégrale 4Motion et son moteur est un V5 d'une puissance de 150 chevaux. La suspension peut également s'élever ou s'abaisser selon la condition du terrain.

CHEVROLET
DODGE
FORD
HUMMER
MAZDA
NISSAN
TOYOTA

les camionnettes

CHEVROLET Avalanche

Chevrolet Avalanche

Un avant-goût de 2002

Même si ce nouvel utilitaire sport de Chevrolet ne sera pas commercialisé avant plusieurs mois (comme modèle 2002), sa conception est tellement originale qu'il nous a semblé important de vous le présenter en avant-avant-première. Si, par le passé, on a souvent accusé General Motors de manquer d'esprit d'innovation, cet hybride est la preuve que les choses ont changé dans le camp du « General ».

L'Avalanche réunit les éléments d'un utilitaire sport et ceux d'une camionnette puisqu'il s'agit d'un Chevrolet Suburban dont la partie arrière a été transformée en boîte de chargement. L'idée n'est pas nouvelle et plusieurs autres concurrents s'apprêtent à commercialiser un véhicule semblable. Mais l'un des avantages de cet hybride est qu'il est bâti à partir des meilleurs éléments de la catégorie puisque le Suburban est dérivé de la camionnette Silverado, dont le châssis est reconnu par les spécialistes comme étant le plus sophistiqué sur le marché. Non seulement il est très robuste, mais une répartition inégale de la rigidité des poutres longitudinales permet d'obtenir de la souplesse là où c'est nécessaire sans pour autant affaiblir l'ensemble. Des éléments porteurs formés par pression hydraulique, à la fois légers et très rigides, ont permis aux ingénieurs de peaufiner les réglages de ce châssis à flexibilité variable. Avec pour résultat que le comportement routier du Silverado et du Suburban est considéré comme l'un des meilleurs dans la catégorie des gros véhicules. Il ne faut pas perdre de vue que la cabine du Silverado et l'habitacle du Suburban offrent une habitabilité et un confort supérieurs à la moyenne.

C'est en se servant de ces éléments positifs fortement enviés par la concurrence que les planificateurs de General Motors ont amorcé le développement de plusieurs nouveaux modèles dérivés de ces deux véhicules. L'Avalanche sera le premier à être commercialisé.

Simple, mais...

Jusqu'à tout récemment, les camionnettes et les utilitaires sport comme le Suburban cohabitaient en parallèle. Mais les utilisateurs de camionnettes se plaignaient de ne pas bénéficier d'une cabine assez grande tandis que les propriétaires d'utilitaires devaient se résigner à souiller le coffre à bagages pour transporter certains objets dont la hauteur devait être limitée à celle du pavillon.

Au lieu d'ajouter une portière additionnelle à une camionnette, on a préféré transformer la partie arrière d'un Suburban en boîte de camion. On croit chez Chevrolet qu'il s'agit du meilleur de deux mondes puisque l'habitacle est encore plus luxueux et plus confortable que celui d'un Silverado tandis que la suspension est réglée en fonction d'une charge moyenne. Elle est donc d'une rigidité moins « commerciale » que celle de la camionnette et davantage en harmonie avec l'utilisation anticipée. La boîte de chargement est d'une longueur de 160 cm, soit 35 cm de moins que celle du Silverado.

Un costaud astucieux

Mais là où l'Avalanche se démarque des autres modèles à cabine multiplace, c'est grâce à son astucieux système Midgate qui permet d'obtenir une caisse dans laquelle on peut transporter une feuille de contreplaqué de 4 pi X 8 pi tout en refermant le panneau arrière. La solution est ingénieuse: c'est la paroi arrière de la cabine qui se rabat vers l'avant, un peu comme les dossiers rabattables de la banquette arrière sur un modèle *hatchback*.

Un autre élément intéressant dans ce véhicule est la possibilité de recouvrir la caisse d'un capot constitué de panneaux articulés fabriqués en plastique Pro-Tec afin de protéger le contenu contre les éléments et les cambrioleurs. Une fois l'arrière verrouillé, on obtient une énorme caisse de rangement et de transport. Ces panneaux amovibles sont faciles à enlever et à remiser. Et pour ajouter à la polyvalence de ce véhicule, des espaces de rangement additionnels ont été aménagés dans les parois de la boîte de chargement, une solution ingénieuse. Ceux-ci sont même dotés de trous de drainage afin qu'on puisse les utiliser comme glacière ou comme vivier.

L'Avalanche peut donc répondre aux attentes des amateurs de véhicules utilitaires sport et de camionnettes. Une combinaison qui risque de devenir fort populaire au cours des mois à venir. D'ailleurs, Ford commercialise déjà le Sport Trac, un modèle Explorer transformé en camionnette tout-terrain. Détail intéressant, General Motors et North Face, un manufacturier d'équipement de plein air, ont signé une entente de partenariat, un peu comme Ford l'a fait avec Eddie Bauer. L'habitacle de l'Avalanche est d'ailleurs protégé par des tapis fabriqués avec un matériau développé par North Face qui a également fourni les tissus pour les sièges.

Il est vrai que le modèle actuel, destiné à être exhibé dans les salons automobiles, pèche par une présentation extérieure un peu trop chargée avec des panneaux de bas de caisse démesurément larges. On nous promet que le modèle de série sera plus sobre. Quant à la mécanique, les ingénieurs ont choisi pour l'instant le moteur V8 Vortec 5 300 couplé à une boîte automatique à 4 rapports et relié au système de traction intégrale Autotrac.

Denis Duquet

CHEVROLET Avalanche

▲ POUR

• Châssis sophistiqué • Cabine confortable • Système Midgate • Moteur bien adapté • Concept ingénieux

▼ CONTRE

• Dimensions encombrantes • Panneaux latéraux trop larges • Roues hors normes • Remisage manuel de la lunette arrière • Seuil très élevé

CARACTÉRISTIQUES

Prix du modèle à l'essai	n.d.
Garantie de base	3 ans / 60 000 km
Type	camionnette hybride / intégrale
Empattement / Longueur	330 cm / 557 cm
Largeur / Hauteur	201 cm / 192 cm
Poids	n.d.
Coffre / Réservoir	caisse 160 cm-247 cm / 125 l
Coussins de sécurité	frontaux
Suspension av.	indépendante
Suspension arr.	essieu rigide
Freins av. / arr.	disque ABS
Système antipatinage	oui
Direction	à billes, assistée
Diamètre de braquage	12,8 mètres
Pneus av. / arr.	P245/75R16

MOTORISATION ET PERFORMANCES

Moteur	V8 5,3 litres
Transmission	automatique 4 rapports
Puissance	285 ch à 5 200 tr/min
Couple	325 lb-pi à 4 000 tr/min
Autre(s) moteur(s)	aucun
Autre(s) transmission(s)	aucune
Accélération 0-100 km/h	11, 9 secondes
Vitesse maximale	180 km/h
Freinage 100-0 km/h	47,8 mètres
Consommation (100 km)	15,3 litres

MODÈLES CONCURRENTS

• Ford SuperCrew

QUOI DE NEUF ?

• Prototype • Commercialisation en 2001 en tant que modèle 2002

VERDICT

Agrément	★★★★
Confort	★★★
Fiabilité	prototype
Habitabilité	★★★★
Hiver	★★★
Sécurité	★★★★
Valeur de revente	prototype

CHEVROLET S-10 GMC Sierra ISUZU Hombre

Chevrolet S-10

En attendant la refonte

Décidément, nos voisins du sud n'en ont que pour les gros gabarits ! Même si le prix de l'essence ne semble pas cesser de grimper, camionnettes géantes à moteur V8, utilitaires sport aux dimensions imposantes et autres véhicules du même acabit jouissent toujours d'une forte popularité. Et cet engouement pour tout ce qui consomme beaucoup a une influence négative sur la moyenne de consommation corporative que doivent respecter tous les constructeurs automobiles faisant affaire au pays de l'Oncle Sam.

Pour compenser cette situation pour le moins saugrenue, on a décidé de donner une seconde jeunesse à la catégorie des camionnettes compactes dont les moteurs plus petits vont avoir l'effet d'un baume amaigrissant sur les moyennes de consommation. La situation est tellement importante que General Motors, même si son trio de camionnettes sera entièrement transformé l'an prochain, n'a pas hésité à développer un nouveau modèle 4 portes afin de répondre à la demande.

Viva Las Vegas !

Las Vegas et les camionnettes ont très peu d'affinités. Pourtant, c'est dans la ville du jeu que le modèle Crew Cab de la S-10 a été dévoilé en novembre dernier, dans le cadre du SEMA, une exposition spécialisée dans les accessoires pour automobiles et camions qui a pris une ampleur spectaculaire depuis quelques années. General Motors en a profité pour y présenter une fournée de nouveaux véhicules « concepts » sans nécessairement annoncer leur mise en production. Quelques semaines plus tard, la venue sur le marché du Crew Cab en 2001 était confirmée. Toutefois, au moment d'écrire ces lignes, l'arrivée de ce modèle au Canada est incertaine. GM hésite à exporter ce modèle 4 portes au Canada puisque les Chevrolet S-10, GMC Sierra et Isuzu Hombre seront transformés l'an prochain. On préfère réserver au marché canadien la version à cabine allongée dont le panneau d'accès arrière gauche permet de prendre place de peine et de misère sur des strapontins assez inconfortables merci.

Le modèle à cabine multiplace a un empattement et une longueur identiques à la version à cabine allongée. La caisse de chargement est donc l'élément qui a le plus souffert dans la transformation puisqu'elle a été raccourcie de 85 cm, ce qui est tout de même considérable. La priorité est davantage d'assurer le confort des occupants de la banquette arrière que de pouvoir transporter des objets encombrants.

Même si plusieurs modifications apportées au fil des années ont permis à ces camionnettes de ne pas trop se laisser distancer par la concurrence tant en matière de style que d'équipement, la dernière révision en profondeur de ce trio remonte quand même à 1994. Autant la silhouette que la présentation de l'habitacle commencent donc à démontrer des signes de vieillesse.

Des vétérans

De retour !

Si les responsables de la commercialisation ont réussi à faire adopter une nouvelle cabine, les ingénieurs s'en sont tenus à des valeurs sûres en fait de rouage d'entraînement. C'est pourquoi les incontournables moteurs 4 cylindres de 2,2 litres et le V6 de 4,3 litres sont à nouveau au menu. Il faut se souvenir que si les acheteurs d'automobiles sont friands de nouveautés en fait de groupes propulseurs, les adeptes des camions préfèrent souvent les éléments qui ont fait leurs preuves. Et c'est justement le cas pour ces deux moteurs.

Ceux qui aiment casser du sucre sur le dos de General Motors adorent s'en prendre au vétuste 4 cylindres de 2,2 litres qui a connu plus de révisions mécaniques qu'Elizabeth Taylor a eu de maris ou de rieur. Le V6 de 4,3 litres produit 180 chevaux dans la version 2X2 et 10 de plus dans le modèle 4X4. Robuste et fiable, il est le choix logique pour la majorité des gens.

Le point fort de cette gamme de camionnettes compactes est la diversité des modèles qui y sont offerts. Chez Chevrolet, par exemple, il est possible de choisir entre trois suspensions différentes sur le modèle 2 roues motrices et deux autres sur les modèles 4X4. Mais c'est un véritable casse-tête que de s'y retrouver dans ce dédale d'options et de modèles. Il est très important d'obtenir le soutien d'un bon conseiller en ventes pour vous aider à faire le bon choix, sinon vous risquez de trouver le temps long par la suite.

Les amateurs de conduite plus sportive seront heureux au volant d'une S-10 Xtreme à moteur V6 4,3 litres. Avec sa suspension abaissée, ses pneus plus larges et une présentation extérieure moins

liftings. Et les communiqués de la compagnie ont beau souligner la présence d'un collecteur d'admission en composite, d'une culasse en aluminium et de bougies à pointe de platine, ses soupapes avec tiges et culbuteurs de même qu'une modeste puissance de 120 chevaux le font mal paraître contre les moteurs de cylindrée presque égale offerts sur les Nissan Frontier et Toyota Tacoma possédant plus de chevaux et un couple supé-

anonyme, elle vise la clientèle qui craque pour les sports « extrêmes ». Pour l'amateur de conduite hors route, le système Insta-Trac a fait ses preuves tandis que la suspension ZR2 à voie large lui permettra de jouer d'audace.

La gamme des camionnettes compactes offre de tout pour tous. Une concurrence de mieux en mieux pourvue lui fait la vie dure.

Denis Duquet

CHEVROLET S-10

▲ POUR

• Fiabilité en progrès • Choix de suspension • Moteur V6 • Système Insta-Trac • Tableau de bord complet

▼ CONTRE

• Moteur 2,2 litres • Crew Cab non commercialisé au Canada • Modèles en fin de carrière • Pneus décevants • Strapontins arrière inconfortables

CARACTÉRISTIQUES

Prix du modèle à l'essai	LS / 24 895 $
Garantie de base	3 ans / 60 000 km
Type	camionnette compacte / propulsion
Empattement / Longueur	312 cm / 523 cm
Largeur / Hauteur	172 cm / 159 cm
Poids	1 460 kg
Coffre / Réservoir	1 125 litres / 72 litres
Coussins de sécurité	frontaux
Suspension av.	indépendante
Suspension arr.	essieu rigide
Freins av. / arr.	disque / tambour ABS
Système antipatinage	non
Direction	à billes, assistée
Diamètre de braquage	10,6 mètres
Pneus av. / arr.	P205/70R15

MOTORISATION ET PERFORMANCES

Moteur	4L 2,2 litres
Transmission	manuelle 5 rapports
Puissance	120 ch à 5000 tr/min
Couple	140 lb-pi à 3600 tr/min
Autre(s) moteur(s)	V6 4,3 litres 190 ch
Autre(s) transmission(s)	automatique 4 rapports
Accélération 0-100 km/h	11,3 s; 9,4 s (V6)
Vitesse maximale	175 km/h
Freinage 100-0 km/h	44,6 mètres
Consommation (100 km)	10,3 litres; 12,2 l (V6)

MODÈLES CONCURRENTS

• Ford Ranger • Toyota Tacoma • Isuzu Hombre • Mazda Série-B

QUOI DE NEUF ?

• Cabine multiplace (É.-U. seul.) • Roues 18 po sur suspension ZQ8 • Nouvelles couleurs de carrosserie

VERDICT

Agrément	★★★
Confort	★★★½
Fiabilité	★★★½
Habitabilité	★★½
Hiver	★★★
Sécurité	★★★½
Valeur de revente	★★★½

CHEVROLET Silverado GMC Sierra

GMC Sierra

Puissance et raffinements

La popularité des camionnettes est à son zénith et les responsables de leur développement tentent de diversifier les options, les modèles et les configurations cabine/boîte afin de répondre aux besoins de la majorité tout en espérant prendre la concurrence à son propre jeu. Cette année, le tandem Silverado/Sierra pourra être commandé avec une boîte de chargement en matériau composite.

On joue de prudence chez GM avec cette innovation puisque cette boîte assez spéciale ne sera offerte que dans le modèle 4X4 à cabine allongée, équipé de la suspension spéciale Z71 chez Chevrolet et dans son équivalent chez GMC. Ce qui signifie que si on aime bien claironner que cette nouvelle boîte possède de multiples avantages, on préfère la cantonner dans un secteur assez peu populaire afin de ne pas connaître de trop graves ennuis si le matériau miracle ne remplit pas ses promesses.

Si vous faites partie des gens qui font toujours plus confiance à l'acier qu'au plastique, sachez qu'on nous jure dur comme fer, tiens tiens, que cette boîte est plus légère de 25 kg et qu'elle résistera bien entendu à la corrosion, mais également aux éraflures, tout en étant capable de subir des chocs plus importants sans se détériorer. Et si vous êtes toujours sceptique, sachez que le panneau arrière est capable de supporter un poids de 450 kg au lieu des 280 kg de son équivalent en acier.

Il est certain que cette innovation ne semble pas importante à première vue, mais c'est un signe avant-coureur d'une tendance qui devrait se généraliser dans la plupart des autres modèles d'ici quelques années. D'ailleurs, plusieurs autres constructeurs offrent déjà des boîtes en composite ou sont à la veille d'en utiliser.

Attente comblée

Pour l'instant, la bonne nouvelle est que GM a finalement été en mesure au cours de l'an 2000 de pouvoir livrer à ses concessionnaires des modèles à cabine allongée dotés de 4 portières. Cette omission avait été fortement critiquée au moment du lancement de ces camions en 1999; il est enfin possible de pouvoir profiter au maximum de la cabine la plus confortable de toute l'industrie.

Parmi les 4 moteurs disponibles, le V8 de 5,3 litres, avec ses 285 chevaux, est sans doute celui qui est le plus en mesure de répondre aux besoins des clients voulant tracter une remorque. Il faut toutefois souligner que le V8 6 000, qui équipe le modèle 2 500, bénéficie d'un couple plus élevé grâce à une nouvelle culasse en aluminium et à un profil révisé des lobes des arbres à cames.

Ces camions se caractérisent par leur châssis très raffiné et une conduite relativement agréable. Curieusement, les modèles 4X4 à suspension indépendante à barres de torsion sous-virent moins que les propulsions. Pour une utilisation en tant que véhicule de tourisme, une version 4X4 LT avec le système intégral AutoTrac couplé au V8 de 5,3 litres est sans doute le modèle le plus intéressant et, malheureusement, l'un des plus coûteux de la gamme des camionnettes GM.

L'écart est comblé

Du muscle !

Nous n'avons pas coutume de vous parler des modèles *Heavy Duty* (HD) dans cet ouvrage puisque leur vocation est presque exclusivement commerciale et industrielle. Mais, compte tenu de l'arrivée sur le marché d'une toute nouvelle génération de Chevrolet Silverado et de GMC Sierra, nous faisons une entorse à la tradition pour vous donner quelques détails sur ces colosses.

Appelés à transporter des objets lourds ou à remorquer des charges de plus de 5000 kg, ils doivent avoir du muscle sous le capot. Le plus petit moteur est le V8 6 litres de 330 chevaux qui remplace le Vortec 5700 utilisé précédemment. Mais il doit s'incliner en couple et en puissance devant le V8 8100 de 8,1 litres. Celui-ci ne produit que 20 chevaux de plus que le moteur 6 litres, mais son couple de 455 lb-pi lui est supérieur de 95 lb-pi !

Mais tout cela est de la petite bière à côté du nouveau V8 turbodiesel 6,6 litres qui fera rapidement oublier le vénérable V8 6,5 litres turbodiesel qui n'est plus produit. Développé et fabriqué en collaboration avec Isuzu, il affiche une puissance de 300 chevaux et un couple de 520 lb-pi. C'est presque suffisant pour tracter votre maison pour partir en vacances. Il peut être couplé à une boîte manuelle à 6 rapports ou à une transmission automatique à 5 rapports.

GM a mis deux ans à parachever sa gamme de grosses camionnettes qui se décline en version 1500 à moteur V6 jusqu'au gros 3500 HD avec son impressionnant moteur Duramax turbodiesel 6,6 litres.

Et pour titiller la concurrence qui tente de combler l'écart, GM a récemment annoncé que plusieurs de ces gros camions de la classe HD allaient pouvoir être équipés du système Quadrasteer à 4 roues directionnelles. Si on s'est fait devancer avec le truc des cabines à 4 portes, on s'empresse de prendre les devants avec un système de roues directionnelles.

Denis Duquet

CHEVROLET Silverado

▲ POUR

- Version 4 portes • Famille HD
- Moteur Duratec • Cabine confortable
- Châssis sophistiqué

▼ CONTRE

- Moteurs gourmands • Dimensions encombrantes
- V6 d'application limitée • Versions HD destinées aux entreprises • Boîte en composite sur un seul modèle

CARACTÉRISTIQUES

Prix du modèle à l'essai	LS / 36995 $
Garantie de base	3 ans / 60000 km
Type	camionnette intermédiaire / propulsion
Empattement / Longueur	364 cm / 578 cm
Largeur / Hauteur	199 cm / 187 cm
Poids	1980 kg
Coffre / Réservoir	1611 litres / 95 litres
Coussins de sécurité	frontaux
Suspension av.	indépendante
Suspension arr.	essieu rigide
Freins av. / arr.	disque ABS
Système antipatinage	oui
Direction	à billes, assistée
Diamètre de braquage	13,8 mètres
Pneus av. / arr.	P235/75R16

MOTORISATION ET PERFORMANCES

Moteur	V8 4,8 litres
Transmission	automatique 4 rapports
Puissance	270 ch à 5200 tr/min
Couple	285 lb-pi à 4000 tr/min
Autre(s) moteur(s)	V6 4,3 l 200 ch; V8 5,3 l 285 ch; V8 6,0 l 300 ch
Autre(s) transmission(s)	manuelle 5 rapports
Accélération 0-100 km/h	9,8 s; 10,6 s (V6)
Vitesse maximale	180 km/h
Freinage 100-0 km/h	44,2 mètres
Consommation (100 km)	13,4 l; 11,8 l (V6)

MODÈLES CONCURRENTS

- Ford F-150 • Toyota Tundra • GMC Sierra
- Dodge Ram

QUOI DE NEUF ?

- Modèles HD disponibles • Caisse en composite
- Nouveaux coloris de caisse

VERDICT

Agrément	★★★½
Confort	★★★★
Fiabilité	★★★★
Habitabilité	★★★★
Hiver	★★★½
Sécurité	★★★½
Valeur de revente	★★★★½

DODGE Dakota

Dodge Dakota 5,9 R/T

Une idée comme une autre

Vous le savez mieux que moi, il s'en trouve toujours pour faire à part des autres. D'ailleurs, chez Chrysler, on connaît bien le phénomène puisqu'on a compté sur ces clients pour développer des véhicules hors catégorie. Le Dodge Dakota est un exemple patent de cette politique.

À une certaine époque, la compagnie Chrysler ne possédait pas de gros camion en mesure de faire la lutte aux modèles fabriqués par Ford et General Motors. Il y avait bien une camionnette compacte, mais on a préféré l'oublier tant elle ne supportait pas la comparaison. Le Dakota s'est donc avéré être une trouvaille géniale puisque ses dimensions intermédiaires étaient à la fois assez petites pour amadouer les acheteurs de camionnettes compactes et assez imposantes pour qu'il serve de succédané aux gros calibres, du moins la plupart du temps.

Un astucieux compromis

Jusqu'à tout récemment, les camionnettes multiplaces commercialisées en Amérique étaient de gros mastodontes presque exclusivement utilisés sur les chantiers de construction. Leurs concepteurs s'étaient refusés à tout compromis aussi bien quant aux dimensions de la cabine que pour celles de la caisse.

Le Dakota Quad Cab tente de joindre l'utile à l'agréable en proposant une habitabilité surprenante pour sa catégorie et une caisse de chargement capable de répondre aux besoins de la majorité. Sa cabine est suffisamment spacieuse pour que 5 adultes s'y sentent à l'aise. Mieux encore, on accède à la banquette arrière par des portières de dimensions normales et non de simples panneaux d'accès donnant sur des strapontins accrochés à la paroi. Elles sont même pourvues de glaces mobiles qui s'abaissent complètement, ce que beaucoup de berlines ne sont pas en mesure d'offrir. Et l'habitacle est encore plus polyvalent puisque la banquette arrière se replie complètement pour faire place aux bagages qui sont ainsi abrités des intempéries et des cambrioleurs. Cette même banquette étant de type 60/40, on peut installer passagers arrière et bagages selon les besoins du moment.

Puisqu'il s'agit d'une solution de compromis, cette cabine plus allongée que la moyenne a grignoté sur les dimensions de la caisse de chargement dont la longueur passe de 244 cm à 199 cm, une diminution de 45 cm. Par contre, la capacité de charge est demeurée inchangée à 658 kg. Cette approche a été approuvée par les utilisateurs. Un sondage effectué auprès des acheteurs potentiels a révélé que 98 % d'entre eux préféraient la polyvalence d'une cabine avec banquette arrière à un plateau de charge plus grand.

Encore le juste milieu !

Lorsque vient le temps de choisir une camionnette, bien des gens trouvent que les moteurs des modèles compacts manquent de puissance tandis que les grosses cylindrées des grands formats les effraient. Là encore, le Dakota offre une solution astucieuse.

Une solution logique

Même si ses 4,7 litres n'en font pas un V8 de petite cylindrée, ce moteur est tout de même un choix plus intéressant que d'autres à la cylindrée plus volumineuse qui sont beaucoup plus gloutons. Mieux encore, avec sa conception moderne comportant un arbre à cames en tête par rangée de cylindres et une économie de carburant capable de faire la nique à certains moteurs V6 installés sur les modèles compacts de la concurrence, ce V8 initialement développé pour le Grand Cherokee tire bien son épingle du jeu. Détail intéressant pour les conducteurs plus sportifs, il est possible de solliciter les 235 chevaux de ce moteur par l'intermédiaire d'une boîte de vitesses manuelle à 5 rapports qui en fait pratiquement un modèle sport. Bien entendu, cette boîte est de série avec le moteur V6 Magnum de 3,9 litres d'une puissance de 175 chevaux. L'automatique à 4 rapports couplée au V8 a été développée de concert avec le moteur et les deux travaillent en parfaite harmonie. Cette transmission de type adaptatif règle les passages des rapports en fonction du style de conduite du pilote.

Contrairement à plusieurs camionnettes concurrentes qui se contentent d'un système à temps partiel, le Dakota essayé était pourvu d'un rouage intégral. En plus du mode «4 Hi», on retrouve également un «4 Lo» et un «2 Hi». Ce système est un partenaire idéal du moteur V8. Cependant, il ne faudrait pas passer sous silence un sautillement prononcé à haute vitesse sur mauvaise route.

D'ailleurs, cette année, cette commande a pris la forme d'un bouton rotatif monté sur le tableau de bord. Les styliste en ont profité pour remanier le tableau de bord et rafraîchir leur présentation tout en clamant que le tout avait été complètement changé, C'est mieux qu'avant, mais il n'y a rien là pour écrire à sa mère. Ah ! Oui ! J'allais oublier ! Le tissu de sièges est également nouveau...

Même si cette camionnette Dakota semble avoir été conçue pour faire bande à part, il ne faut pas sous-estimer ses qualités intrinsèques. Et ses dimensions «juste ce qui faut» ont permis à la division Dodge de convaincre bien des acheteurs.

Somme toute, le Dakota 4X4 à cabine multiplace et à traction intégrale est la solution toute trouvée pour la personne qui hésite entre un utilitaire sport et une camionnette.

Denis Duquet

DODGE Dakota

▲ POUR

• Habitacle spacieux • Version Quad Cab • Moteur V8 de 4,7 litres • Suspension confortable • Traction intégrale

▼ CONTRE

• Tableau de bord trop dépouillé • Caisse raccourcie sur Quad Cab • Train arrière sautille sur mauvaise route • Consommation élevée (V8)

CARACTÉRISTIQUES

Prix du modèle à l'essai	Quad Cab Sport / 31 495 $
Garantie de base	3 ans / 60 000 km
Type	camionnette intermédiaire / propulsion
Empattement / Longueur	332 cm / 497 cm
Largeur / Hauteur	181 cm / 172 cm
Poids	1 785 kg
Coffre / Réservoir	1 317 litres / 83 litres
Coussins de sécurité	frontaux
Suspension av.	indépendante
Suspension arr.	essieu rigide
Freins av. / arr.	disque / tambour (ABS optionnel)
Système antipatinage	non
Direction	à crémaillère, assistée
Diamètre de braquage	11 mètres
Pneus av. / arr.	P215/75R15

MOTORISATION ET PERFORMANCES

Moteur	V6 3,9 litres
Transmission	automatique 4 rapports
Puissance	175 ch à XX tr/min
Couple	225 lb-pi à 3 200 tr/min
Autre(s) moteur(s)	4L 2,5 l 120 ch; V8 4,7 l 230 ch- V8 5,9 l 250 ch
Autre(s) transmission(s)	manuelle 5 rapports
Accélération 0-100 km/h	9,6 s; 8,4 s (V8 4,7 litres)
Vitesse maximale	175 km/h
Freinage 100-0 km/h	45.7 mètres
Consommation (100 km)	12,8 litres; 14,3 litres (V8 4,7 litres)

MODÈLES CONCURRENTS

• Toyota Tundra • Nissan Frontier 4 portes • Ford F-150 Crew Cab

QUOI DE NEUF ?

• Partie avant modifiée • Nouveau tableau de bord • Option cuir sur modèle 4 portes

VERDICT

Agrément	★★★★
Confort	★★★★
Fiabilité	★★★½
Habitabilité	★★★½
Hiver	★★★
Sécurité	★★★½
Valeur de revente	★★★★

DODGE Ram

Dodge Ram

500 % d'augmentation !

Lorsque la division Dodge a dévoilé son nouveau camion Ram en 1994, on espérait tout au moins que le public remarquerait sa silhouette vraiment originale et que cela permettrait aux ventes de grimper quelque peu. Il y a un peu plus de six ans, le secteur des grosses camionnettes était le cadre d'une lutte à finir entre Chevrolet et Ford tandis qu'on tentait de sauver les meubles chez Dodge.

Le camion Ram d'avant 1994 était non seulement vétuste, mais aussi bien la cabine que la silhouette n'inspiraient pas tellement confiance. On avait l'impression de rouler dans un véhicule d'occasion tant c'était rétro. N'ayant absolument rien à perdre, on a alors tenté le tout pour le tout. Pour que le public remarque les changements apportés à cette famille de camionnettes, la direction a même insisté auprès des stylistes pour que l'allure de ce costaud fasse tourner les têtes. On s'est alors amusé à refuser projet après projet sous prétexte que ça n'avait pas assez de punch. De révision en révision, on est arrivé à cette silhouette qui est, en quelque sorte, un pastiche de gros camion.

L'objectif a non seulement été atteint, il a été dépassé au-delà des espoirs les plus fous : en six ans, les ventes ont progressé de 500 % !

La maturité

Si le nouveau camion Ram avait des allures de rebelle au moment de son lancement, sa gamme s'est étoffée au fil des années et il est maintenant possible de choisir parmi trois styles de cabine, deux longueurs de boîte et trois capacités de charge, 1/4 tonne, 1/2 de tonne et 1 tonne.

Les concepteurs de ce véhicule n'ont pas eu peur d'innover en dessinant la cabine la plus spacieuse de l'industrie. Même le modèle à cabine simple dorlotait ses occupants en comparaison avec ce que la concurrence avait à offrir. Et c'était tant mieux puisque la version à cabine allongée a pris plusieurs mois à entrer en scène. Mais peu importe les dimensions de la cabine, on y retrouvait de multiples espaces de rangement ainsi qu'un tableau de bord pratique avec un porte-verres qui a fait école. Quant à la banquette avant, elle est toujours de type 40/20/40 avec un accoudoir géant au centre. Il est ainsi possible d'y ranger plusieurs choses dont un ordinateur portatif, un téléphone et tous les autres accessoires nécessaires à l'entrepreneur branché qui se déplace d'un chantier de construction à un autre. Voilà plusieurs caractéristiques qui font partie intégrante de toutes les grosses camionnettes de nos jours. Mais c'est surtout Dodge qui a montré la voie.

La meilleure trouvaille demeure quand même la cabine allongée Quad Cab introduite en 1998, qui est rapidement devenue le modèle le plus populaire de toute la gamme. Il suffisait d'y penser ou d'avoir l'audace de le faire. Déjà, Chevrolet et Ford avaient des versions avec un seul panneau d'accès derrière la porte avant droite, mais Chrysler a été encore plus audacieuse en ajoutant une autre porte à l'arrière gauche. Rien n'est parfait et ces panneaux d'accès sont tributaires des portières avant pour ouvrir. De plus, le dossier de la banquette arrière est vraiment trop droit pour être confortable. Mais le tout est quand même astucieux et toute la concurrence a suivi, avec plus ou moins de succès. Le Toyota Tundra, en dépit de toutes ses qualités, fait endurer le martyre aux occupants des places arrière tandis que les Chevrolet Silverado et GMC Sierra les dorlotent. Enfin, Ford avec ses F-150 Super Cab se révèle un excellent compromis espace/confort.

Une belle maturité

Mais pour terminer le débat sur la configuration des cabines, Ford a devancé tous ses concurrents avec le SuperCrew à 4 portières, encore plus confortable. Cette fois, Dodge est sur la défensive et on attend probablement la refonte du Ram prévue dans quelques mois pour répliquer. Et pour compenser, on commercialise le Dakota Quad Cab pourvu de 4 vraies portes.

Plus que du style

Si le Dodge Ram n'avait eu qu'une « belle gueule », il aurait lamentablement sombré dans les bas-fonds du marché après une petite flambée d'enthousiasme. Même son impressionnant moteur V10 de 8 litres aurait été tourné en dérision. Ce qui n'est pas le cas. Non seulement son couple et sa puissance sont impressionnants, mais son bloc a servi de base au moteur V10 de la Dodge Viper qui a remporté la dernière édition des 24 Heures de Daytona.

Toujours au sujet des moteurs enviés par la concurrence, il faut mentionner le 6 cylindres en ligne turbodiesel fabriqué par Cummins. Cette année, l'acheteur a le choix. Il y a la nouvelle version HO de 245 chevaux et 460 lb-pi de couple livrée avec une transmission manuelle à 6 rapports. L'autre version de ce moteur de 5,9 litres développe 235 chevaux et 460 lb-pi de couple et peut être commandée avec une boîte automatique ou manuelle.

Trois autres moteurs sont au catalogue : un V6 de 3,9 litres, un V8 de 5,2 litres et un second de 5,9 litres. Le V8 de 5,2 litres constitue un compromis logique puisque le V6 se montre un peu juste en certaines occasions. Mais peu importe le moteur, le comportement routier est sain et la suspension relativement confortable pour une camionnette. Voilà sans doute deux autres éléments qui expliquent ses succès sur le marché.

Denis Duquet

DODGE Ram

▲ POUR

• Choix de moteurs • Cabine 4 portes • Habitabilité surprenante • Fiabilité en progrès • Nombreux accessoires

▼ CONTRE

• Finition perfectible • Dossier arrière trop droit • Moteur V10 ultragourmand • Système 4X4 peu efficace • Conception un peu vieillotte

CARACTÉRISTIQUES

Prix du modèle à l'essai	Sport / 34 595 $
Garantie de base	3 ans / 60 000 km
Type	camionnette intermédiaire / propulsion
Empattement / Longueur	392 cm / 620 cm
Largeur / Hauteur	201 cm / 182 cm
Poids	2 172 kg
Coffre / Réservoir	1982 litres / 132 litres
Coussins de sécurité	frontaux
Suspension av.	indépendante
Suspension arr.	essieu rigide
Freins av. / arr.	disque / tambour ABS
Système antipatinage	non
Direction	à billes, assistée
Diamètre de braquage	13,7 mètres
Pneus av. / arr.	P245/75R16

MOTORISATION ET PERFORMANCES

Moteur	V8 5,2 litres
Transmission	automatique 4 rapports
Puissance	230 ch à 4 400 tr/min
Couple	300 lb-pi à 1230 tr/min
Autre(s) moteur(s)	V6 3,9 l 175 ch ; V8 5,9 l 245 ch ; V10 8,0 l 310 ch ; 6L 5,9 l 235 ch
Autre(s) transmission(s)	manuelle 5 rapports ; manuelle 6 rapports
Accélération 0-100 km/h	10,8 s ; 10,1 s (245 ch)
Vitesse maximale	175 km/h
Freinage 100-0 km/h	45,8 mètres
Consommation (100 km)	13,6 litres

MODÈLES CONCURRENTS

• Ford F-150 • Chevrolet Silverado • GMC Sierra • Toyota Tundra

QUOI DE NEUF ?

• Nouvelles roues • Nouveaux cadrans indicateurs • Nouvelle sellerie de cuir des sièges

VERDICT

Agrément	★★★½
Confort	★★★
Fiabilité	★★★½
Habitabilité	★★★★
Hiver	★★½
Sécurité	★★★½
Valeur de revente	★★★★

FORD Ranger

Ford Ranger

La bosse de la puissance

Depuis 13 ans, la Ford Ranger est la camionnette compacte la plus vendue en Amérique du Nord. Toutefois, comme General Motors s'apprête dans les mois à venir à modifier très sérieusement ses modèles Chevrolet S-10 et GMC Sonoma, on a pris les devants chez Ford et apporté de multiples améliorations au Ranger afin de le rendre encore plus compétitif. En plus, Nissan a redessiné le Frontier et le Toyota Tacoma a également été modifié cette année. Autant de raisons pour Ford de passer à l'action.

Bref, le marché des camionnettes prend tellement d'importance que les constructeurs se doivent d'améliorer sans cesse leur produit, même le leader de la catégorie. Pendant longtemps, les camions et les véhicules utilitaires étaient essentiellement des outils de travail et la plupart des utilisateurs se souciaient assez peu de l'apparence de leur camion. Une révision esthétique de temps à autre faisait l'affaire. Les qualités mécaniques des véhicules et surtout leur fiabilité importaient davantage. Mais de nos jours, ils sont également utilisés comme moyen de transport individuel et le stylisme joue un rôle primordial. Le « nouveau » Ranger possède une silhouette inspirée de celle du F-150 afin de faire « gros camion », un élément fort apprécié dans la confrérie. En plus, on a surélevé la partie centrale du capot. Cette fois, il faut vous citer le communiqué de presse afin que vous puissiez découvrir toute la subtilité de la chose. Concernant ce renflement, on déclare chez Ford : « Sur les versions XLT et la série Edge, le capot est surélevé, afin de souligner la puissance ajoutée du moteur. » Bref, une grosse bosse signifie plus de chevaux dans l'inconscient du consommateur.

Les retouches esthétiques du Ranger comprennent également une nouvelle grille de calandre à carrelage. Par contre, certains modèles conservent la grille de calandre à deux rayons horizontaux afin d'afficher une apparence plus traditionnelle.

Ce qui est important, ce n'est pas la forme du capot, mais ce qui se trouve dessous. Cette année, trois moteurs sont au catalogue. Il y a le tout nouveau V4 4 litres à SACT dont la puissance est de 207 chevaux. Ce V6 remplace l'ancien 4 litres à soupapes en tête. Non seulement il est plus puissant (47 chevaux de plus), mais il est presque exempt de vibrations tout en étant nettement plus performant à tous les régimes. Il peut être associé à une boîte de vitesses automatique ou à une boîte manuelle, les deux à 5 rapports. Le moteur de série de plusieurs modèles est l'incontournable V6 de 3 litres pouvant également être lié à une boîte manuelle ou à l'automatique à 5 rapports. Enfin, les premiers exemplaires du Ranger 2001 seront livrés avec un moteur 4 cylindres de 2,5 litres qui est en service depuis quelques années. Avec 119 chevaux, il est reconnu pour sa fiabilité et sa consommation plus raisonnable que celle des moteurs V6. Cependant, en cours d'année, un nouveau moteur 4 cylindres viendra le remplacer.

Curieusement, chez Ford, on ne laisse filtrer aucune information concernant ce nouveau moteur. En revanche, chez Mazda, on a vendu la mèche depuis belle lurette. On sait que les camions Mazda de la Série B sont ni plus ni moins des Ford Ranger et sont dotés des mêmes organes mécaniques. Grâce à l'associé nippon de Ford, il est possible de savoir que le nouveau 4 cylindres du Ranger sera un moteur 2,3 litres d'une puissance de 134 chevaux. De plus, on nous promet, chez Mazda bien entendu, que sa consommation de carburant sera moindre que celle du 2,5 litres.

Le style au travail !

The Edge

Cette révision assez importante du Ranger ne s'est pas limitée à quelques considérations esthétiques et à un nouveau choix de moteur. La suspension a été modifiée et tisseurs, ressorts et coussinets isolants. La suspension est donc plus confortable et le niveau sonore de la cabine nettement diminué.

Mais j'allais oublier le plus important, il s'agit du nouveau modèle The Edge. Que les mélomanes se rassurent : ce Ranger n'a pas été nommé en l'honneur du guitariste du groupe irlandais U2. Cette identification a été choisie en fonction du style *New Edge* préconisé par les stylistes de Ford depuis plusieurs années.

Cette édition spéciale est destinée à une clientèle plus jeune. Elle se caractérise surtout par sa couleur extérieure monochrome et sa suspension de même hauteur que le modèle 4X4, même lorsqu'il s'agit d'un modèle 4X2. Le moteur V6 3 litres est de série, tout comme la boîte manuelle à 5 rapports. Et, bien entendu, le système stéréo comprend un lecteur de disques compacts. Et parlant de stéréo, il y a aussi la version Tremor avec chaîne stéréo ultra-puissante de 560 watts. Ouch !

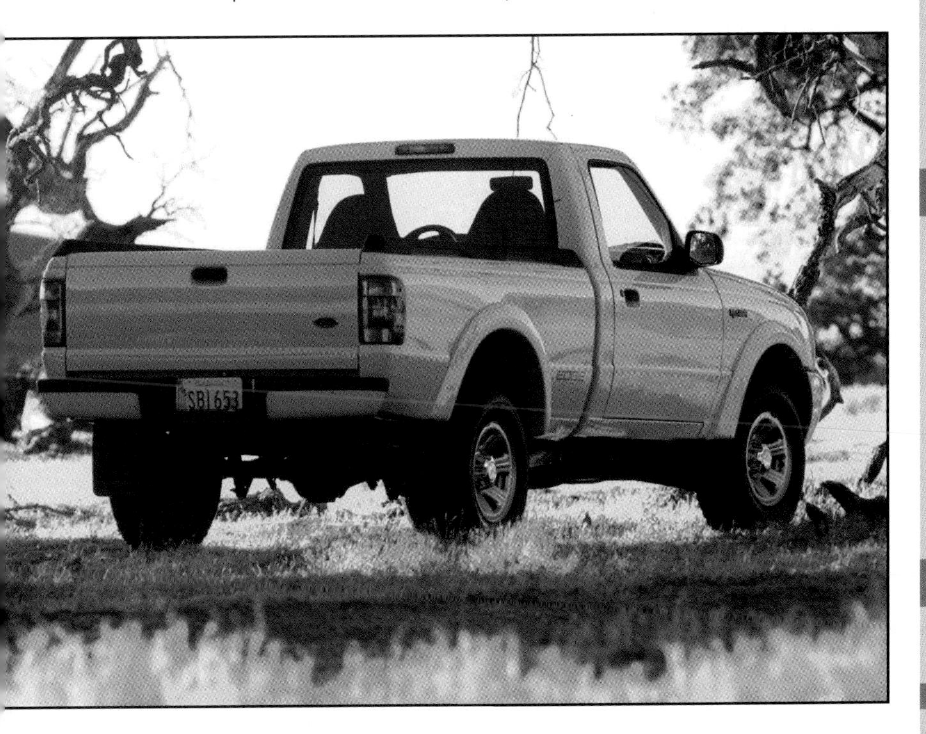

c'est tant mieux. Il y a quelques années, on avait amélioré et renforcé la structure du châssis afin d'obtenir une meilleure rigidité. Malheureusement, la suspension était devenue plus sèche et le train arrière avait tendance à se dérober sur mauvaise route. La géométrie de la suspension a été revue et corrigée et il en est de même des amor-

Les Ranger 2001 ont conservé leurs qualités initiales, mais se sont raffinés tant sur le plan de la présentation que des groupes propulseurs. Il faut toutefois se demander pourquoi on n'a pas profité de cette révision pour nous offrir une cabine multiplace.

Denis Duquet

FORD Ranger

▲ POUR

• Nouveaux moteurs • Suspension plus confortable • Freins à disque aux 4 roues • Silhouette plus moderne • Boîte automatique à 5 rapports

▼ CONTRE

• Absence de cabine multiplace • Places arrière symboliques (Supercab) • Ventilation perfectible • Moteur V6 3 litres • Version Tremor

CARACTÉRISTIQUES

Prix du modèle à l'essai	XLT Supercab / 29 995 $
Garantie de base	3 ans / 60 000 km
Type	camionnette cabine allongée / 4X4
Empattement / Longueur	320 cm / 512 cm
Largeur / Hauteur	172 cm / 171 cm
Poids	1 680 kg
Coffre / Réservoir	n.d. / 88 litres
Coussins de sécurité	frontaux
Suspension av.	indépendante
Suspension arr.	essieu rigide
Freins av. / arr.	disque / tambour ABS
Système antipatinage	non
Direction	à crémaillère, assistée
Diamètre de braquage	12,4 mètres
Pneus av. / arr.	P225/70R15

MOTORISATION ET PERFORMANCES

Moteur	V6 3 litres
Transmission	manuelle 5 rapports
Puissance	150 ch à 5 000 tr/min
Couple	185 lb-pi 3 750 à tr/min
Autre(s) moteur(s)	V6 4 litres 207 ch ;
	4L 2,3 litres 134 ch
Autre(s) transmission(s)	automatique 4 rapports
Accélération 0-100 km/h	10,9 secondes
Vitesse maximale	160 km/h
Freinage 100-0 km/h	42,8 mètres
Consommation (100 km)	12,8 litres

MODÈLES CONCURRENTS

• Chevrolet S-10 • GMC Sonoma • Mazda Série B • Nissan Frontier • Toyota Tacoma

QUOI DE NEUF ?

• Nouveau modèle Edge • Moteur 4 L 2,3 litres • ABS de série sur tous les modèles

VERDICT

Agrément	★★★
Confort	★★★½
Fiabilité	★★★★
Habitabilité	★★★
Hiver	★★½
Sécurité	★★★
Valeur de revente	★★★★

FORD Série F

FORD SuperCrew

Ford F-150 SuperCrew 4X4

Une cabine 1re classe !

Même si la tendance n'est pas aussi forte au Québec, les camionnettes sont très populaires sur presque tous les marchés. Cette situation incite donc les compagnies à développer de nouveaux modèles et de nouvelles options. Et ce marché n'est pas près de se calmer puisque Toyota entend s'attaquer à la chasse gardée nord-américaine des gros camions avec le Sequoia tandis que Nissan a annoncé son intention de commercialiser une camionnette à moteur V8 d'ici quelques années.

En tant que leader de cette catégorie avec ses modèles F-150 et SuperDuty, Ford n'a pas envie de se faire déloger du premier rang de ce lucratif marché. En fait, actuellement, c'est ce secteur qui rapporte le plus. La forte demande assure des prix fermes pour ces camions plus économiques à produire qu'une automobile vendue au même prix.

Mais on a beau les faire plus gros, plus forts, plus fiables et plus confortables que jamais, il est certain que la compagnie qui se montre plus audacieuse dans la commercialisation de nouveaux modèles aura un avantage sur ses concurrents. C'est ce qui explique la prolifération de versions de toutes sortes. Chez Ford, on croit que le SuperCrew est susceptible d'intéresser un grand nombre d'acheteurs, surtout de nouveaux convertis à cette catégorie.

Costaud mais confortable

Depuis qu'un plus grand nombre d'individus utilisent les camionnettes pour leurs déplacements personnels, cet outil de travail est aussi devenu un véhicule de tourisme. Le camion moderne est souvent appelé à parcourir de longues distances dans une même journée, et ce avec plusieurs personnes à bord. Il est alors essentiel de pouvoir compter sur une cabine plus grande et plus confortable. Les modèles à cabine allongée sont donc devenus très populaires. Dans le F-150 SuperCab, un adulte de grande taille n'a pas trop de difficulté à prendre ses aises sur la banquette arrière. De plus, on y accède avec assez de facilité grâce à un panneau d'accès. Cette solution ingénieuse permet de transporter 5 ou 6 personnes et tous leurs bagages.

Malgré tout, on croit chez Ford qu'une version pourvue de 2 vraies portières et de plus d'espace sera en mesure de répondre aux besoins de bon nombre de gens. C'est ce qui a amené la création du SuperCrew. Il existe déjà une camionnette 4 portes dans la gamme Ford, mais il s'agit d'un SuperDuty à empattement allongé, surtout destiné à véhiculer des équipes de travail et tout leur outillage. Ses dimensions et ses caractéristiques intéressent presque exclusivement les compagnies de construction et autres entreprises semblables.

Le SuperCrew, surtout conçu pour un usage personnel, a la même longueur hors tout qu'un F-150 à cabine allongée. Ce n'est pas petit, mais ça se manœuvre plus facilement qu'un CrewCab à empattement long. On respecte cette limite en raccourcissant la boîte de chargement de 30 cm.

L'incontournable

Il semble quelque peu contradictoire de raccourcir la boîte de chargement d'une camionnette pour allonger la cabine au profit des occupants. Cela va peut-être à l'encontre de la vocation première d'un tel véhicule, mais les recherches de Ford indiquent que, 95 % du temps, la boîte d'une camionnette utilisée par un individu contient de... l'air! On n'a pas eu beaucoup de remords à la raccourcir. Pourtant, on est toujours en mesure d'y transporter les incontournables feuilles de contreplaqué, à condition d'abaisser le panneau arrière. De plus, il est possible de commander en option une rallonge à claire-voie du plateau. Cet accessoire en aluminium bascule sur lui-même pour servir de barrière ajourée ou d'espace restreint pour des objets de toutes sortes.

On peut quand même se demander à quoi rime le modèle SuperCrew 4X4. En effet, on déclare que moins de 5 % des gens effectuent des randonnées hors route tandis que la boîte arrière est inutilisée 95 % du temps. Il y a de quoi s'interroger.

Encombrant mais pratique

Sur les photos, ce F-150 possède cette allure sport qui fait la différence. Il est vrai que la version 4X4 est trop haute pour le coup d'œil, mais c'est quand même bien. L'élégance est de la partie ainsi que le confort et des aménagements intéressants. La banquette arrière permet à 3 personnes de s'asseoir sans devoir jouer du coude et le dégagement pour les jambes est plus que suffisant. En fait, il y a tellement d'espace qu'on offre un système de divertissement vidéo pour les occupants des places arrière!

Le SuperCrew est de nature à plaire aux gens actifs. Mais leurs moyens financiers devront être à la hauteur puisque notre modèle d'essai affichait une facture d'un peu moins de 45 000 $. Il se débrouille quand même assez bien sur la route, malgré un train arrière trop ferme qui provoque des ruades. Malheureusement, son encombrement le rend désagréable à conduire dans la circulation et son moteur V8 de 5,4 litres consomme beaucoup.

Denis Duquet

FORD F-150

▲ POUR

• Cabine spacieuse • Choix de moteur • Bonne valeur de revente • Nombreuses options • Système 4X4

▼ CONTRE

• Hauteur exagérée (4X4) • Marchepieds très glissants • Consommation élevée • 5e roue incompatible avec SuperCrew • Prix corsés

CARACTÉRISTIQUES

Prix du modèle à l'essai	SuperCrew / 41 560 $
Garantie de base	3 ans / 60 000 km
Type	camionnette 4 portes / 4X4
Empattement / Longueur	352 cm / 574 cm
Largeur / Hauteur	202 cm / 189 cm
Poids	1 906 kg
Coffre / Réservoir	1 251 litres / 95 l
Coussins de sécurité	frontaux
Suspension av.	indépendante
Suspension arr.	essieu rigide
Freins av. / arr.	disque ABS
Système antipatinage	non
Direction	à billes, assistée
Diamètre de braquage	12,3 mètres
Pneus av. / arr.	P235/70R16

MOTORISATION ET PERFORMANCES

Moteur	V8 4,6 litres
Transmission	manuelle 5 rapports
Puissance	220 ch à 4 950 tr/min
Couple	265 lb-pi à 3 700 tr/min
Autre(s) moteur(s)	V8 5,4 litres 260 ch
Autre(s) transmission(s)	automatique 4 rapports
Accélération 0-100 km/h	8,6 secondes
Vitesse maximale	175 km/h
Freinage 100-0 km/h	43,5 mètres
Consommation (100 km)	16,9 litres

MODÈLES CONCURRENTS

• Chevrolet Silverado • Dodge Ram • GMC Sierra • Toyota Tundra

QUOI DE NEUF ?

• Nouveau modèle 4 portes • Boîte de chargement en composite • Console au pavillon de série

VERDICT

Agrément	★★★½
Confort	★★★★
Fiabilité	★★★★
Habitabilité	★★★★★
Hiver	★★★½
Sécurité	★★★★
Valeur de revente	★★★★★

Hummer

À l'assaut du mont Glen

Bien avant les Ferrari ou Lamborghini de ce monde, le véhicule automobile qui soulève la plus grande curiosité est de loin le Hummer, dont la version originale est désormais connue sous le nom alphanumérique de H1. Surnommé le « Rambo de la route », ce mastodonte exerce une véritable fascination auprès des badauds. Endossé par l'acteur Arnold Schwarzenegger et dérivé de l'AMG Humvee utilisé par l'armée américaine lors de la guerre du Golfe, le Hummer est-il vraiment le passe-partout qu'il prétend être ? Afin de répondre à cette question, nous en avons réquisitionné une demi-douzaine pour une sortie hors route... hors du commun.

L'exercice consistait à escalader le mont Glen, dans les Cantons-de-l'Est, en empruntant la piste escarpée qui, par endroits, suit le remonte-pente de ce centre de ski. Et pour ajouter un peu de piquant au défi, nous avions demandé aux propriétaires d'un Iltis semblable à celui de l'armée canadienne et d'un Unimog Mercedes-Benz utilisé par l'armée suisse d'essayer de suivre les Hummer.

Pour ceux qui n'auraient pas vu l'émission de télévision qui fut consacrée à cette sortie inusitée, sachez que cette guerre des tranchées n'a pas permis de couronner un vainqueur.

Oui, le Hummer a franchi des obstacles quasi insurmontables et a grimpé des pentes archiraides, mais ses adversaires en ont fait tout autant. Une chose est sûre cependant ; ces 4X4, dans des conditions extrêmes, sont un cran au-dessus de bien des utilitaires sport à vocation touristique. En revanche, les Explorer, Grand Cherokee, Blazer et cie sont d'une plus grande civilité que ces spécialistes de la brousse. Et dans 90 % des cas, ils peuvent « suivre » un Hummer, un Iltis ou un Unimog. Leurs performances hors route sont toutefois directement proportionnelles à l'habileté de leurs conducteurs. Même aux commandes d'un Hummer, un conducteur inexpérimenté en tout-terrain sera mis rapidement hors de combat, tandis qu'un pilote aguerri saura se défendre de manière surprenante au volant d'un simple Subaru Forester.

Boue et bitume

On a déjà écoulé une quarantaine d'exemplaires du H1 au Québec. À un prix pouvant aller jusqu'à 140 000 $, c'est déjà un exploit digne de mention.

Brièvement, disons que ce jouet de millionnaire est équipé pour « la grosse ouvrage ». Pesant près de 3 000 kg, il possède une garde au sol de 406 mm et un angle d'attaque de 72°. Sa carrosserie en aluminium répond davantage aux normes utilisées pour la construction des avions que des camions.

On a même prévu un compresseur qui permet de gonfler ou de dégonfler les pneus en marche afin de maximiser l'adhérence sur des surfaces boueuses. Toute cette masse est entraînée par un bon vieux moteur diesel à turbocompresseur, un V8 de 6,5 litres développant 195 chevaux à seulement 3 400 tr/min et, tenez-vous bien, 430 lb-pi de couple à 1800 tr/min. Ce moteur est de fabrication General Motors, tout comme plusieurs autres éléments aussi bien mécaniques qu'électriques du Hummer.

Joujou pour millionnaire

En dévoilant le prototype du futur Hummer H2 au dernier Salon de Detroit, GM a fait savoir qu'elle avait acquis les droits d'utilisation du nom Hummer pour la production de modèles dérivés. Le premier de cette série sera vraisemblablement le H2, une version « adoucie » du H1 (voir le reportage « Au volant de l'avenir » ailleurs dans ce guide pour en savoir davantage). Ce « baby » Hummer sera lancé en 2002 et suivi de plusieurs autres modèles misant sur la valeur commerciale du nom Hummer. La version originale demeurera toutefois sous l'entière responsabilité de AMG General.

tante et que la visibilité est plutôt médiocre tout autour. Ce qui fait la force de ce mastodonte, c'est l'absence de porte-à-faux avant (les roues sont quasi en ligne avec le pare-chocs) qui permet aux roues de s'attaquer d'abord à l'obstacle à franchir.

Il faut aussi savoir que le Hummer n'est ni confortable ni performant et que c'est avant tout un camion. Ainsi, le bruit du moteur est envahissant et les accélérations montrent bien que l'on a affaire à un poids lourd.

L'aménagement intérieur est plutôt modeste, pour ne pas dire rudimentaire. Malgré la largeur du véhicule, l'espace est mesuré et le conducteur aussi bien que le passager avant se trouvent à l'étroit de chaque côté du très large tunnel de transmission.

C'est surtout quand on quitte les sentiers battus que cet engin entre dans son véritable élément. Même quand il n'y a pas de piste ou de sentier, le Hummer arrive à se frayer un chemin, uniquement par sa force et sa robustesse.

Bref, autant le Hummer impose certains sacrifices en conduite « mondaine », autant il vous rembourse en plaisirs et en émotions fortes quand il se retrouve sur son terrain de jeu.

Jacques Duval

« Big Foot » en puissance

Pour revenir au H1, sa conduite sur la route exige une certaine habitude, principalement en raison de sa largeur excessive de 2,20 m. C'est énorme et il faut prévoir l'espacement nécessaire pour ne pas décapiter la voiture qui roule à votre droite. C'est d'autant plus difficile que la direction est d'une imprécision déconcer-

HUMMER H1

▲ POUR

- Bon moteur • Sécurité passive impressionnante • Construction robuste • Aptitudes redoutables

▼ CONTRE

- Prix substantiel • Maniabilité nulle • Aménagement rudimentaire • Confort marginal • Mauvaise visibilité

CARACTÉRISTIQUES

Prix du modèle à l'essai	120 700 $
Garantie de base	3 ans / 60 000 km
Type	familiale / traction intégrale
Empattement / Longueur	330 cm / 469 cm
Largeur / Hauteur	220 cm / 190,5 cm
Poids	3 252 kg
Coffre / Réservoir	n.d. / 95 litres (64 l réserve)
Coussins de sécurité	non
Suspension av.	indépendante
Suspension arr.	indépendante
Freins av. / arr.	disque ABS
Système antipatinage	non
Direction	à billes, assistance variable
Diamètre de braquage	16,2 mètres
Pneus av. / arr.	P37X12,50R16,2

MOTORISATION ET PERFORMANCES

Moteur	V8 turbodiesel 6,5 litres
Transmission	automatique 4 rapports
Puissance	195 ch à 3 400 tr/min
Couple	430 lb-pi à 1 800 tr/min
Autre(s) moteur(s)	aucun
Autre(s) transmission(s)	aucune
Accélération 0-100 km/h	20 secondes
Vitesse maximale	135 km/h
Freinage 100-0 km/h	n.d.
Consommation (100 km)	18,0 litres

MODÈLES CONCURRENTS

- Aucun

QUOI DE NEUF ?

- Aucun changement majeur

VERDICT

Agrément	★★
Confort	★★
Fiabilité	★★
Habitabilité	★★
Hiver	★★★★★
Sécurité	★★★★½
Valeur de revente	★★★½

MAZDA Série B

Mazda B-4000

Puissance et portières

Le marché des camionnettes compactes ne jouit pas du même élan que celui des modèles plus gros et plus costauds. Cela n'empêche pas les constructeurs de peaufiner ces modèles moins en demande, justement dans le but de les rendre plus attrayants pour les consommateurs. Ils sont bien sûr inspirés par les plus élémentaires lois de l'offre et de la demande. Mais en plus, ces camions consomment moins que les plus gros avec leur moteur V8 et contribuent ainsi à stabiliser la cote de consommation corporative.

Cette année, Mazda a décidé de moderniser la plupart de ses groupes propulseurs tout en succombant à la nouvelle tendance de l'industrie dans cette catégorie, à savoir commercialiser un modèle 2 roues motrices doté de la même suspension élevée que celle des authentiques 4X4, ainsi que de tous les indices visuels propres à la catégorie. En plus de ne pas avoir de traction intégrale, le Dual Sport a une suspension avant à ressorts hélicoïdaux tandis que celle du 4X4 est à barres de torsion. On peut s'interroger sur le bien-fondé de ce type de véhicule, mais il semble que le public en redemande puisque toutes les compagnies emboîtent le pas pour produire cet ersatz des modèles 4 roues motrices. La version concoctée par Mazda est même affublée de pneus tout-terrains tandis que les autres modèles 4X2 ont des pneumatiques toutes saisons. Il aurait sans doute été plus approprié d'identifier ce camion Mazda comme étant « The Impostor ».

Tous les modèles ont droit cette année à une révision esthétique de la partie avant, histoire de poursuivre l'évolution visuelle de cette camionnette qui est en fait une Ford Ranger fabriquée pour Mazda à l'usine Ford située à Edison, dans le New Jersey. Depuis 1993, les camionnettes commercialisées par Mazda sont issues de cette usine, l'une des meilleures de l'industrie en fait de qualité d'assemblage.

Le nerf de la guerre

Le style extérieur d'une camionnette, le confort offert par sa cabine et la présentation générale de l'habitacle sont autant d'éléments qui ont une forte influence sur l'acheteur. Mais il n'en demeure pas moins que ce sont les moteurs qui sont le nerf de la guerre. Une camionnette est un outil de travail et il est indispensable de pouvoir compter sur un moteur dont les caractéristiques répondent à vos besoins.

Cette année, trois moteurs sont au programme, dont deux qui sont tout nouveaux. Le vétéran demeure le V6 3 litres de 150 chevaux. Offert depuis des années, il continue d'être la solution de compromis pour plusieurs acheteurs. Avec sa consommation plutôt raisonnable, il permet à plusieurs de se vanter d'avoir un moteur V6 sous le capot sans trop délier les cordons de leur bourse.

En revanche, ceux qui prévoient charger lourdement leur camion de Série B ou tracter une remorque seront heureux de l'arrivée du V6 4 litres à simple arbre à cames en tête. Sa puissance de 205 chevaux fera rapidement oublier les 160 du V6 4 litres à soupapes en tête dont le rendement était décevant et la consommation de carburant élevée. Il est couplé à une boîte automatique à 5 rapports, la seule du genre à être offerte dans une camionnette vendue sous la bannière d'un constructeur japonais. Les plus perspicaces d'entre vous auront vite reconnu le moteur et la boîte de vitesses utilisés dans le Ford Explorer depuis quelques années. Le verdict est facile à rendre : il s'agit d'un grand pas en avant tant en fait de puissance que de sophistication et de douceur.

Un autre petit pas en avant

Enfin, le nouveau modèle B2300 appelé à remplacer la version 2500 est propulsé par un nouveau moteur 4 cylindres de 2,3 litres d'une puissance de 134 chevaux. Même si la cylindrée a été diminuée de 200 cm^3, la puissance a augmenté de 15 chevaux et la consommation de carburant sera également moindre.

Du solide

Lorsque les camionnettes Mazda provenaient du Japon, elles ont toujours eu la réputation d'être très solides et de pouvoir résister aux pires abus de la part de leur propriétaire tout en montrant une consommation légèrement supérieure à la moyenne. La source de production et la mécanique diffèrent depuis 1993, mais les camions de la Série B de Mazda continuent d'être des costauds qui ont une excellente réputation en fait de fiabilité et de durabilité.

Une vaste palette de modèles et d'options permet à chaque personne de commander le modèle qui convient à ses besoins. Il est certain que le B4000, avec son moteur V6 de 205 chevaux, sa cabine presque aussi confortable que l'habitacle d'une automobile de même prix et la possibilité de choisir parmi une longue liste d'accessoires, est une camionnette en mesure d'accomplir de durs travaux tout en offrant un niveau de confort et de luxe élevé.

Le comportement routier est prévisible, mais le train arrière s'avère très rétif en présence de bosses sur la chaussée. Les roues dansent alors la sarabande et il est plus prudent de ralentir. Et sur les modèles à 4 roues motrices, le train avant a tendance à sautiller.

Mais malgré ces quelques irritants, les camions de la Série B figurent parmi les plus compétitifs sur le marché.

Denis Duquet

MAZDA Série B

▲ POUR

- Moteur 4 litres • Boîte automatique 5 rapports • Choix d'options • Bonne valeur de revente • Cabine 4 portières

▼ CONTRE

- Moteurs gourmands • Suspension sèche • Ventilation perfectible • Strapontins peu confortables (4 portes) • Cabine simple exiguë

CARACTÉRISTIQUES

Prix du modèle à l'essai	B-4000 / 32 895 $
Garantie de base	3 ans / 60 000 km
Type	camionnette compacte / propulsion
Empattement / Longueur	320 / 512 cm
Largeur / Hauteur	176 cm / 164 cm
Poids	1 620 kg
Coffre / Réservoir	1 056 litres / 75 litres
Coussins de sécurité	frontaux
Suspension av.	indépendante
Suspension arr.	essieu rigide
Freins av. / arr.	disque ABS / tambour ABS
Système antipatinage	non
Direction	à crémaillère, assistée
Diamètre de braquage	12,3 mètres
Pneus av. / arr.	P225/70R15

MOTORISATION ET PERFORMANCES

Moteur	V6 4 litres
Transmission	automatique 5 rapports
Puissance	205 ch à 5 250 tr/min
Couple	240 lb-pi à 3 250 tr/min
Autre(s) moteur(s)	V6 3 litres 150 ch
Autre(s) transmission(s)	manuelle 5 rapports; automatique 4 rapports
Accélération 0-100 km/h	10,5 secondes
Vitesse maximale	175 km/h
Freinage 100-0 km/h	43 mètres
Consommation (100 km)	13,9 litres

MODÈLES CONCURRENTS

- Chevrolet S-10 • GMC Sonoma • Ford Ranger • Toyota Tacoma • Nissan Frontier • Dodge Dakota

QUOI DE NEUF ?

- Nouveau moteur 4 litres • Modèle 4X2 Dual Sport • Nouvelle boîte automatique

VERDICT

Agrément	★★★
Confort	★★★
Fiabilité	★★★★
Habitabilité	★★★
Hiver	★★
Sécurité	★★★
Valeur de revente	★★★★

NISSAN Frontier

Nissan Frontier

Un pas dans la bonne direction

Si la compagnie Nissan a été obligée d'accepter la bouée de sauvetage que lui lançait Renault, ce n'est pas le fruit du hasard. Cette compagnie nippone a toujours excellé dans la conception technique mais échoué lamentablement en fait de mise en marché et de stylisme. Le parcours du Frontier en est un bel exemple.

Il faut se rappeler que c'est Nissan qui a été la première compagnie à commercialiser une camionnette compacte avec succès. Cet antécédent aurait dû lui donner un net avantage sur ses concurrents. Mieux encore, elle a également innové avec la cabine allongée King Cab. Malheureusement, la situation s'est gâtée par la suite: la camionnette compacte de Nissan a peu évolué pendant plus d'une décennie. La nouvelle Frontier dévoilée en 1998 était solide, bien réalisée sur le plan technique, mais affectée par une silhouette quasiment rétro et un habitacle tristounet.

Heureusement, la nouvelle direction, provenant en majorité de chez Renault, a pris de bonnes décisions. Le Frontier est transformé sur le plan visuel en plus de recevoir une bonne dose supplémentaire de chevaux-vapeur grâce à l'ajout d'un compresseur au moteur V6 permettant une hausse appréciable du couple moteur et de la puissance. En fait, après qu'on eut fait de l'immobilisme un art consommé, la nouvelle devise est devenue l'amélioration continue aux goûts du jour.

Cette fois, c'est réussi

Au fil des années et des modèles, les chroniqueurs automobiles avaient l'impression de radoter en soulignant le manque de panache des produits Nissan. Cette fois, on a réussi à trouver la combinaison gagnante en optant pour une allure massive et robuste. La calandre avant est toute nouvelle, les ailes et les fausses ailes avant et arrière ont été élargies. Et on pousse même le raffinement jusqu'à adopter deux approches selon la clientèle: le modèle le plus économique est doté d'une calandre et de fausses ailes de couleur noire tandis qu'elles s'harmonisent aux couleurs de la carrosserie sur les versions SE et SC. De plus, les fausses ailes sont garnies de rivets décoratifs pour ajouter à l'impression de robustesse. Comme ils sont en plastique, ils ne rouillent pas... et ne s'enlèvent pas. Les phares avant, également tout nouveaux, s'intègrent bien au nouveau style. Ces changements ont semblé plaire aux gens que nous avons rencontrés au cours de notre essai. Le panneau de la caisse arrière comprend une serrure pouvant être verrouillée avec la clef de la cabine et on a prévu l'utilisation des couvertures rigides de caisse pour protéger le contenu.

Du côté de l'aménagement intérieur, peu de changements cette année. Un nouveau volant à 4 rayons, des tissus différents, un tableau de bord noir pour les versions de base. Les autres versions profiteront d'un tableau argenté, plus doux à l'œil. Les deux versions de gamme supérieure obtiennent des cadrans à fond blanc, plus faciles à lire. La version avec compresseur jouit d'une finition en cuir avec piqûres rouges pour bien l'identifier : l'effet est sobre et élégant.

Du progrès

Une attention spéciale a été apportée cette année aux systèmes audio des camionnettes Frontier : on a pris soin de mieux situer et calibrer les haut-parleurs en fonction des cabines offertes (2 ou 4 portes). On pourra y ajouter un lecteur de 6 disques compacts dans les versions SE et SC.

La Frontier conserve ses baquets confortables. Les accessoires et les contrôles sont aisément accessibles et faciles à manipuler. Dans le cas de la version 2 portes, les strapontins sont toujours aussi étroits. La version 4 portes offre un meilleur dégagement à l'arrière, mais un peu limité pour des adultes.

De nouvelles jantes en alliage d'aluminium à 5 rayons complètent l'ensemble. Le modèle SE, le plus économique, doit se contenter de roues de 15 pouces tandis que les modèles XE ont adopté des jantes de 16 pouces. Noblesse oblige, des jantes de 17 pouces sont de série sur les versions SC à compresseur.

Une motorisation plus musclée

Devant se contenter de budgets plutôt serrés, les ingénieurs n'ont pas eu le loisir de développer un nouveau moteur. Ils ont joué d'astuce et greffé un compresseur sur le V6 de 3,4 litres. Ce compresseur de marque Eaton, installé en usine, permet de développer un couple de 245 lb-pi et fait passer les chevaux de 190 à 210. Le résultat : une accélération et des reprises intéressantes pour une camionnette de ce poids. On y gagne une seconde pour réaliser le 0-100 km/h. Au Canada, seule la version à 4 portes et à 2 ou 4 roues motrices pourra jouir de l'option du moteur V6 à compresseur. Une erreur de marketing selon la majorité des spécialistes. Le moteur 4 cylindres sera toujours offert avec la version 2 portes, 2 roues motrices. Par contre, les transmissions sont inchangées.

Avec les modifications offertes cette année, Nissan retrouve la voie du progrès et de la modernité dans sa gamme de camionnettes. Il reste à poursuivre sur cette lancée pour les années à venir.

Amyot Bachand / Denis Duquet

NISSAN Frontier

▲ POUR

- Ligne agréablement rajeunie • Moteur à compresseur • Fiabilité assurée • Cabine 4 portes • Prix compétitif

▼ CONTRE

- Levier du frein d'urgence à revoir • Cabine régulière exiguë • Modèle King Cab sans compresseur • Tableau de bord rétro

CARACTÉRISTIQUES

Prix du modèle à l'essai	SE / 31 995 $
Garantie de base	3 ans / 60 000 km
Type	camionnette compacte 4 portes / propulsion
Empattement / Longueur	295 cm / 490 cm
Largeur / Hauteur	182 cm / 167 cm
Poids	1 550 kg
Coffre / Réservoir	934 litres / 73 litres
Coussins de sécurité	frontaux
Suspension av.	indépendante
Suspension arr.	essieu rigide
Freins av. / arr.	disque ABS / tambour ABS
Système antipatinage	non
Direction	à billes, assistée
Diamètre de braquage	11,8 mètres
Pneus av. / arr.	P265/70R16

MOTORISATION ET PERFORMANCES

Moteur	V6 3,3 litres
Transmission	manuelle 5 rapports
Puissance	170 ch à 4 800 tr/min
Couple	200 lb-pi à 2 800 tr/min
Autre(s) moteur(s)	V6 3,3 l suralimenté 210 ch; 4L 2,4 litres 143 ch
Autre(s) transmission(s)	automatique 4 rapports
Accélération 0-100 km/h	11,2 secondes; 10,2 secondes (V6 210 ch)
Vitesse maximale	165 km/h
Freinage 100-0 km/h	41,3 mètres
Consommation (100 km)	13,8 l; 14,1 l (210 ch)

MODÈLES CONCURRENTS

- Mazda Série B • Ford Ranger • Chevrolet S-10 / GMC Sonoma / Isuzu Hombre • Toyota Tacoma

QUOI DE NEUF ?

- Nouvelle apparence extérieure • Tableau de bord plus moderne • Moteur suralimenté

VERDICT

Agrément	★★★½
Confort	★★★½
Fiabilité	★★★★½
Habitabilité	★★★½
Hiver	★★★
Sécurité	★★★½
Valeur de revente	★★★

TOYOTA Tacoma

Toyota Tacoma

Sans complexe

Lorsque Toyota a dévoilé son modèle Tacoma 4 portes, l'hiver dernier, ses chances d'être distribué sur le marché canadien étaient considérées comme pratiquement nulles. Par ailleurs, le roadster MR2, dévoilé en même temps, avait de meilleures chances de franchir la frontière selon les « zexperts ». Comme c'est souvent le cas, les rôles ont été inversés et c'est le Tacoma à cabine multiplace qui est commercialisé au Canada.

L'arrivée de cette version semble avoir été, par la même occasion, le coup d'envoi pour un débroussaillage en règle de toute la gamme Tacoma. Même si les ventes ne sont pas aussi florissantes qu'on l'espérait, chez Toyota, on n'a aucun complexe face à la concurrence et on a apporté plusieurs modifications en 2001 afin de corriger certaines erreurs et de mieux cibler une clientèle potentielle toujours croissante.

Comme c'est de bonne guerre, les stylistes se sont mis de la partie et ont apporté de nombreuses retouches à la présentation extérieure. Toute la section avant a été modifiée avec l'utilisation de nouveaux phares à lentille cristalline, d'une grille de calandre redessinée et d'un capot doté d'une partie centrale surélevée. À l'arrière, les phares sont nouveaux. Il faut admettre que toutes ces retouches ont eu un effet bénéfique sur la silhouette.

L'habitacle a également été modernisé. L'inconfortable banquette 60/40 est disparue et les Tacoma ne sont livrés qu'avec des sièges baquets. Ce qui nous débarrasse du levier de vitesses monté sur la colonne de direction. Dorénavant, manuelles comme automatiques sont commandées par un levier de vitesses placé sur une console centrale. Il faut également ajouter que le modèle à cabine simple n'est plus commercialisé. Tous les Tacoma sont de type Xtracab ou Doublecab, soit à cabine allongée ou 4 portes.

PreRunner ou pas

Il est sans doute profitable pour les constructeurs de cibler leur clientèle de façon très précise, mais c'est un cauchemar que de s'y retrouver dans ce dédale de versions de tout acabit. Dans la famille des modèles 4X2, il n'y a qu'un Tacoma proprement dit, propulsé par un moteur 2,4 litres couplé à une boîte manuelle. Tous les autres sont identifiés comme étant des PreRunner, à savoir un modèle qui a pratiquement la même suspension et la même apparence qu'un 4X4, mais dont seules les roues arrière sont motrices. Un seul des trois PreRunner est propulsé par un 4 cylindres de 2,7 litres couplé à une boîte automatique. Comme sur les autres éditions 4X2 à moteur V6 de 3,4 litres, seule la boîte automatique à 4 rapports est offerte.

Voilà pour la famille 4X2. Quant aux authentiques 4X4, le seul moteur 4 cylindres au programme est le 2,7 litres associé à une boîte manuelle à 5 rapports. Le moteur V6 3,4 litres se contente de l'automatique.

Voilà, une fois de plus, nous avons tenté de vous faire comprendre comment fonctionne le cube Rubik de l'automobile. Mais revenons à nos camions et examinons de plus près le Tacoma Doublecab.

À la puissance 4

Fausse perception

Souvent, le public et même certains chroniqueurs automobiles ont l'impression que Toyota est une compagnie conservatrice qui se fait tirer l'oreille avant d'innover. Cette réputation vient sans doute du fait que ses voitures sont d'une fiabilité à toute épreuve et que la longévité des modèles est particulièrement élevée. Mais, depuis quelques années, le numéro un japonais ne se fait pas prier pour se trouver aux avant-postes quand vient le temps d'innover. Il suffit d'ailleurs d'examiner le nombre de nouveaux modèles dévoilés cette année et l'arrivée du Doublecab pour réaliser qu'on est loin de se traîner les savates à Toyota City.

Si la silhouette du Tacoma était relativement pépère, les modifications qui y ont été apportées et la cabine multiplace lui confèrent une allure vraiment plus intéressante. Cette fois, l'amalgame des ajouts et changements a fait des merveilles pour l'indice de désirabilité de ce camion qui était surtout attirant par le passé par sa fiabilité et la qualité de sa finition.

Pour les personnes à la recherche d'une camionnette pour une utilisation familiale, le Tacoma Doublecab V6 est la solution toute trouvée. Compte tenu de nos conditions hivernales, il est certain qu'un modèle 4X4 est plus rassurant, mais on a tendance à oublier qu'il est toujours possible de conduire en hiver avec une propulsion en utilisant un minimum de gros bon sens et des pneus d'hiver.

Il y a encore place pour des améliorations cependant. Le moteur 2,4 litres est plus bruyant qu'efficace, la suspension de presque tous les modèles est toujours sèche sur les mauvais revêtements et le tableau de bord n'est pas le plus élégant de l'industrie. Même s'il est plus inspirant que celui du Nissan Frontier, il est presque aussi tristounet et il faut toujours s'adapter à un levier de frein d'urgence aussi irritant que mal placé.

Le Tacoma n'est toujours pas le camion le plus stylisé sur le marché ou encore le plus excitant à conduire, mais il a progressé en termes d'agrément de conduite. Et on n'aura pratiquement jamais à s'inquiéter de sa fiabilité.

Denis Duquet

TOYOTA Tacoma

▲ POUR

• Modèle 4 portes • Présentation extérieure plus dynamique • Finition impeccable • Sièges baquets • Moteur V6

▼ CONTRE

• Moteur 4L 2,4 litres • Choix des modèles complexe • Levier de frein d'urgence • Suspension ferme (4X4) • Direction imprécise

CARACTÉRISTIQUES

Prix du modèle à l'essai	Doublecab / 34 500 $
Garantie de base	3 ans / 60 000 km
Type	camionnette compacte / 4X4
Empattement / Longueur	309 cm / 513 cm
Largeur / Hauteur	169 cm / 172 cm
Poids	2 325 kg
Coffre / Réservoir	n.d. / 68 litres
Coussins de sécurité	frontaux
Suspension av.	indépendante
Suspension arr.	essieu rigide
Freins av. / arr.	disque / tambour (ABS en option)
Système antipatinage	non
Direction	à crémaillère, assistée
Diamètre de braquage	13,5 mètres
Pneus av. / arr.	P265/70R16

MOTORISATION ET PERFORMANCES

Moteur	V6 3,4 litres
Transmission	automatique 4 rapports
Puissance	190 ch à 4 800 tr/min
Couple	220 lb-pi à 3 600 tr/min
Autre(s) moteur(s)	4L 2,7 litres 150 ch; 4L 2,4 litres 142 ch
Autre(s) transmission(s)	manuelle 5 rapports
Accélération 0-100 km/h	11,2 secondes; 12,3 secondes (4L 2,7 litres)
Vitesse maximale	165 km/h
Freinage 100-0 km/h	45,6 mètres
Consommation (100 km)	13,6 l; 11,3 l (4L 2,7 l)

MODÈLES CONCURRENTS

• Ford Ranger/Mazda Série B • Nissan Frontier • Chevrolet S-10

QUOI DE NEUF ?

• Modèle à cabine multiplace • Sièges baquets de série • Boîte auto. non disponible sur 4 cyl. 4X4

VERDICT

Agrément	★★★
Confort	★★★½
Fiabilité	★★★★★
Habitabilité	★★★★
Hiver	★★★½
Sécurité	★★★½
Valeur de revente	★★★★

TOYOTA Tundra

Toyota Tundra

Raffinement assuré

Après avoir erré dans la mauvaise direction avec la camionnette T100, la direction de Toyota a décidé de cesser de tergiverser et s'est attaquée de front au marché des gros camions, jusqu'à ce jour chasse gardée des constructeurs américains. Lancé l'an dernier, le Tundra a permis à Toyota de regrouper sur un même châssis tous les éléments mécaniques nécessaires pour que ce modèle puisse affronter ses concurrents à armes égales.

Bien entendu, l'une des exigences pour que le Tundra fasse partie de la « Bande des Trois » est la présence d'un moteur V8 sous le capot. En Amérique du Nord, ce type de moteur est considéré comme la solution à tous les problèmes, surtout sur une camionnette. Les ingénieurs n'ont pas lésiné sur les moyens puisque le V8 de 4,7 litres et 245 chevaux qui propulse le Tundra est le seul de la catégorie à posséder deux arbres à cames en tête par rangée de cylindres. Il est couplé à une boîte de vitesses automatique à 4 rapports dont la douceur est remarquable. Cette mécanique est également d'une fiabilité à toute épreuve, comme c'est de mise sur tout produit fabriqué par Toyota.

Cette puissance permet d'obtenir un temps d'accélération d'un peu plus de 7 secondes pour le 0-100 km/h. Aucun autre camion de la catégorie n'est aussi rapide. Il faut une seconde et des poussières de plus au Chevrolet Silverado pour y arriver, tandis que le Ford F-150 et le Dodge Ram sont encore plus lents. Le Tundra est tout aussi impressionnant par son freinage : il lui faut 6 mètres de moins que son plus proche concurrent pour s'immobiliser à partir d'une vitesse de 110 km/h. Et si l'économie de carburant vous préoccupe, sachez qu'il est également possible de commander un modèle équipé du moteur V6 3,4 litres de 190 chevaux.

Mais cette belle mécanique doit être associée à un châssis des plus rigides pour qu'on puisse en tirer tout le potentiel. Les ingénieurs ont concocté une structure comprenant des poutres fermées et deux éléments principaux sur toute la longueur afin d'éliminer les points de flexion. C'est réussi du point de vue de la rigidité. Il faut cependant déplorer le fait que les freins arrière soient à tambour alors que les Ford F-150 et Chevrolet Silverado sont équipés de freins à disque aux 4 roues.

Confort assuré

Au fil des années, les camionnettes sont devenues de plus en plus confortables, silencieuses et performantes. Ce gros camion Toyota n'échappe pas à cette tendance. En fait, il est pratiquement la référence en la matière. Sa cabine est presque aussi confortable qu'une Camry tandis que la suspension amortit les chocs avec grande efficacité. Sur une chaussée en mauvais état, la plupart des camions ont tendance à sautiller, surtout lorsqu'ils ne sont pas chargés. Le Tundra est très docile, chargé ou pas.

Cette camionnette est donc toute désignée pour des randonnées de plusieurs heures, et ce, même sur des routes en mauvais état. Le confort des sièges avant contribue également à accentuer son caractère civilisé. Malheureusement, le modèle à cabine allongée est beaucoup moins attrayant. Non seulement il est difficile de prendre place à bord en raison d'un seuil très haut, mais la ceinture de sécurité du siège avant obstrue le passage vers les places arrière. Enfin, l'angle du dossier de la banquette arrière force les passagers à adopter une position vraiment inconfortable. Et si les dimensions du Tundra en version régulière sont en mesure de soutenir la comparaison avec ses concurrents, le modèle 4 portes doit leur concéder plusieurs centimètres.

Presque là

Ces chiffres sont la preuve que Toyota a produit une camionnette capable de se mesurer à ses concurrentes américaines. Mieux encore, les mesures de la version à cabine régulière sont même à son avantage lorsque son empattement et sa longueur hors tout sont comparés aux autres.

Si cette évaluation s'arrêtait là, il serait facile de crier victoire. Malheureusement, certaines autres statistiques viennent embrouiller la situation. Peu importe le modèle et sa variante, tous les Tundra doivent concéder plusieurs centimètres en largeur et en hauteur. Et l'analyse des données du modèle à cabine allongée met en lumière de nombreuses dimensions qui sont toutes à l'avantage des nord-américaines. Le Chevrolet Silverado à cabine allongée a un empattement plus long de 15,3 cm en plus d'avoir une longueur hors tout plus généreuse de 8,8 cm. Capable de se mesurer avec tous les autres modèles à cabine régulière, le Tundra à cabine allongée a plus de difficulté à dominer.

Une habitabilité déficiente

En dépit d'incontournables qualités, ce camion n'a pas tout à fait la carrure nécessaire pour lutter à armes égales. Il lui manque ce côté « gros camion macho » que tant de Nord-Américains apprécient. Le Tundra décevra ceux qui confondent qualité et grosseur. Il sera cependant apprécié par les personnes à la recherche d'un camion silencieux, rapide et doté d'une suspension confortable. Il est dommage que les places arrière soient si peu accueillantes. À quoi servent les 2 portes arrière si c'est pour accéder à l'une des banquettes les plus inconfortables de l'industrie ?

Cette fois, on a visé tout près du centre de la cible. Il reste à revoir le modèle à cabine allongée, à retravailler la banquette arrière et d'autres détails du genre pour que l'on puisse déclare : mission accomplie.

Denis Duquet

TOYOTA Tundra

▲ POUR

- Moteur V8 sophistiqué • Insonorisation relevée • Sièges avant confortables • Tenue de route saine • Fiabilité garantie

▼ CONTRE

- Places arrière médiocres • Dimensions modestes du modèle à cabine allongée • Présentation extérieure anonyme • Freins arrière à tambour

CARACTÉRISTIQUES

Prix du modèle à l'essai	4X4 / 32 895 $
Garantie de base	3 ans / 60 000 km
Type	camionnette intermédiaire / 4X4
Empattement / Longueur	326 cm / 552 cm
Largeur / Hauteur	191 cm / 182 cm
Poids	2 495 kg
Coffre / Réservoir	n.d. / 101 litres
Coussins de sécurité	frontaux
Suspension av.	indépendante
Suspension arr.	essieu rigide
Freins av. / arr.	disque ABS / tambour ABS
Système antipatinage	non
Direction	à crémaillère, assistance variable
Diamètre de braquage	13,5 mètres
Pneus av. / arr.	P245/70R16

MOTORISATION ET PERFORMANCES

Moteur	V6 3,4 litres
Transmission	manuelle 5 rapports
Puissance	190 ch à 4 800 tr/min
Couple	220 lb-pi à 3 600 tr/min
Autre(s) moteur(s)	V8 4,7 litres 245 ch
Autre(s) transmission(s)	automatique 4 rapports
Accélération 0-100 km/h	10,9 s ; 8,3 s (V8)
Vitesse maximale	165 km/h
Freinage 100-0 km/h	40,3 mètres
Consommation (100 km)	11,9 litres ; 12,6 litres (V8)

MODÈLES CONCURRENTS

- Ford F-150 • Dodge Ram • Dodge Dakota
- Chevrolet Silverado / GMC Sierra

QUOI DE NEUF ?

- Aucun changement majeur

VERDICT

Agrément	★★★½
Confort	★★★★½
Fiabilité	★★★½
Habitabilité	★★★
Hiver	★★★★
Sécurité	★★★½
Valeur de revente	★★★½

les grandes sportives

ACURA NSX-T

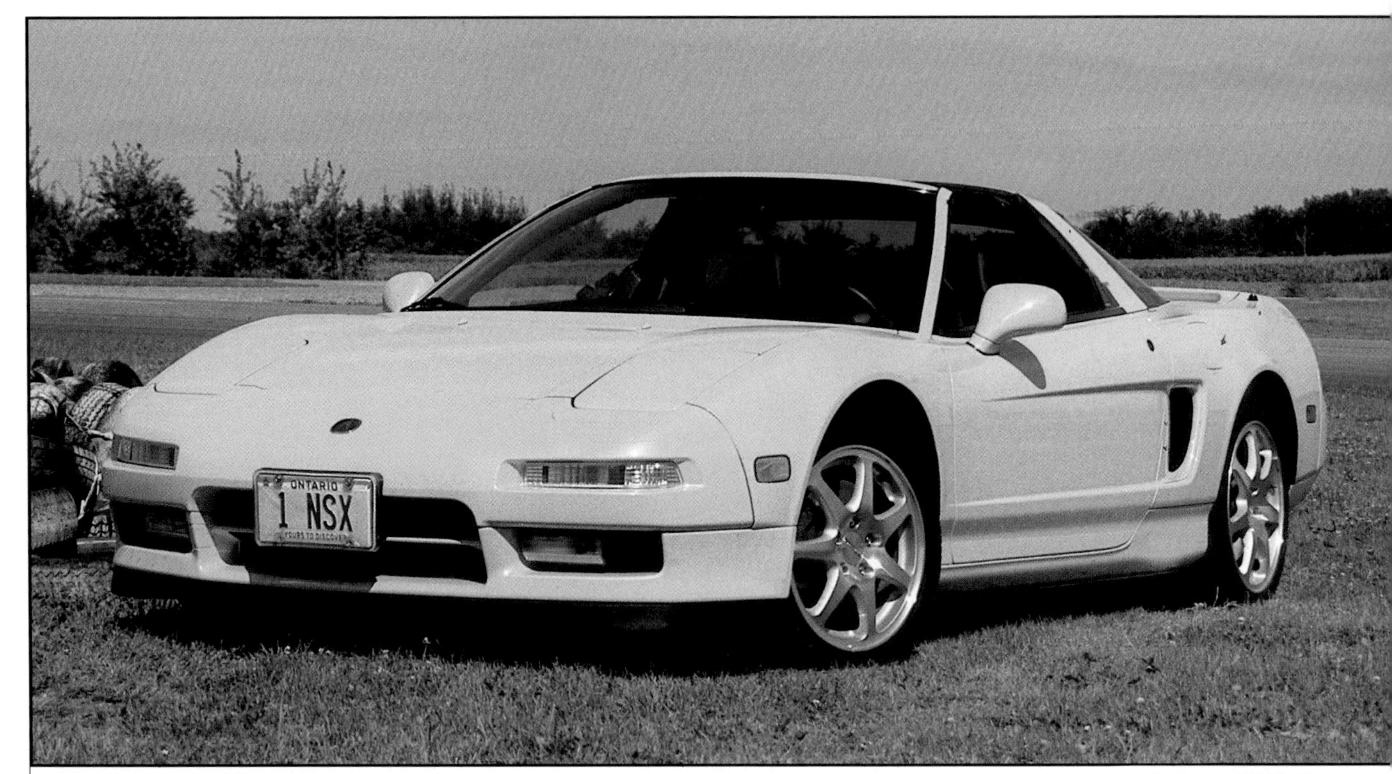

Acura NSX-T

Fidèle au poste

Bon an, mal an, la seule supervoiture construite au Japon demeure fidèle au poste. Depuis ses débuts, il y a 11 ans, son apparence n'a pas changé, mais elle n'a pas vieilli non plus, ce qui est tout à son honneur. Certes, des modifications furent apportées en cours de route, mais dans le fond plutôt que la forme, et avec parcimonie. Il n'en reste pas moins que la NSX est un véhicule-phare au sein de la trop souvent terne production automobile nippone ; ne serait-ce que pour cette raison, il est pertinent de la garder en vie.

C'est peut-être là que réside l'entêtement, en partie du moins, des dirigeants de Honda, qui refusent de sacrifier leur sportive sur l'autel de la rentabilité. Évidemment, on ne s'attend pas qu'une voiture d'exception devienne le pain et le beurre d'un constructeur, encore moins si sa vocation est avant tout généraliste. Avec une production moyenne tournant autour de 1000 exemplaires par année, il n'y a pas de quoi se mettre riche. Toutefois, on chuchote que Honda encaisse un déficit sur chaque NSX vendue. Ça, c'est plus grave : on a retiré des véhicules du marché pour moins que ça.

Qu'importe, celle qu'on a surnommée « la Ferrari japonaise » est toujours là, et c'est très bien ainsi. Une affaire de pertinence, mais de cohérence également, de la part d'une firme impliquée dans les plus hautes sphères du sport automobile. Dans ce contexte, la NSX est en quelque sorte condamnée à exister. Par ailleurs, ses inconditionnels – et les amateurs de sportives en général – seront heureux d'apprendre que Honda planche déjà sur la prochaine génération, prévue pour l'année-modèle 2004.

En attendant, le modèle actuel s'apprête à passer sous le bistouri du chirurgien, afin de se faire remonter le visage. Cette NSX revue et corrigée, codée ZS, devrait faire son apparition au cours de l'année, sous le millésime 2002. De sa remplaçante, on ne sait pas grand-chose, mais on en sait plus sur la prochaine génération de la berline RL, qui arrivera l'an prochain. Où est le rapport, direz-vous ? Sous le capot, chers amis. La future RL aura droit à un V8, une première chez Honda. D'une cylindrée de 4 litres, il devrait développer entre 280 et 300 chevaux (à 4800 tr/min), pour un couple de 290 lb-pi (à environ 3200 tr/min). Cependant, il se murmure entre les branches qu'on pourrait en tirer jusqu'à 350 chevaux. De là à dire que cette version plus musclée du nouveau V8 pourrait motoriser la future NSX, il n'y a qu'un pas que je franchirai allègrement, en insistant toutefois sur l'usage du conditionnel. Pour l'instant, on ne peut que se fier à nos espions.

Vaut-elle deux Corvette ?

Le modèle actuel n'a pas changé ni évolué d'un iota depuis trois ans, soit depuis la dernière révision de son V6 de 3,2 litres, dont la puissance fut alors portée à 280 chevaux. Auparavant, la NSX s'était enrichie d'une nouvelle configuration, la NSX-T, munie d'un toit amovible, de type Targa. Celle-ci a d'ailleurs signifié l'arrêt de la production des modèles à toit fixe.

Toujours dans le coup

L'édition 2001 se résume donc ainsi : une seule configuration et une seule version. Par contre, les rares acheteurs (six au Canada l'an dernier) peuvent choisir entre une boîte manuelle et une boîte automatique bimodale, calquée sur la transmission Tiptronic de Porsche. Comme cette dernière, la SportShift de l'Acura permet de passer les rapports sans bouger les mains du volant, si on décide d'opter pour la conduite manuelle. En mode automatique, il faut se rabattre sur le traditionnel levier de vitesses. Il est important de préciser que cette transmission ne peut être jumelée qu'à une version dégonflée du V6, qui perd ainsi 200 cm^3 et, surtout, près de 30 chevaux (252 chevaux). Parions que ce n'est pas le meilleur vendeur de la gamme NSX...

Avec une addition chiffrée à 140 000 $, cette GT nippone a pour rivales directes la Porsche 911, la Dodge Viper et la Jaguar XKR. À part la Porsche, elles sont plus lourdes, mais aussi plus puissantes. Cela s'applique également à la Chevrolet Corvette qui, en plus, coûte deux fois moins cher ! Mais il faut bien admettre que le niveau de raffinement n'est pas le même. À vous de décider si la technologie de pointe de l'Acura vaut deux Corvette...

À l'inverse, si on la compare à la Ferrari 360 Modena, la japonaise fait figure d'aubaine. Plus légère, sa rivale italienne propose un rapport poids/puissance difficile à battre, forte qu'elle est de ses 400 chevaux. Bon, d'accord, elle coûte environ 70 000 $ de plus, mais quand on est arrivé dans cette échelle de prix, allonger quelques dizaines de milliers de dollars supplémentaires n'est pas un problème. D'autant plus qu'une Acura n'aura jamais le prestige d'une Ferrari.

Pourtant, la fiche technique de cette nippone est loin de démériter. Dix ans avant la Ferrari 360, elle fut la première voiture de série à être assemblée sur un châssis monocoque entièrement en aluminium. De plus, son moteur étrennait de nouvelles solutions : les bielles en titane et le système de distribution à calage variable des soupapes (VTEC). Sans parler de l'accélérateur électronique (*Drive By Wire*). Avant-gardiste à sa sortie, la NSX-T demeure tout à fait dans le coup 11 ans plus tard. Cela vient confirmer l'intemporalité de ses lignes, ce qui est un des traits des grandes sportives.

On ne peut en dire autant de l'intérieur : très typé Honda, trop même au goût des puristes, l'habitacle pèche également par sa présentation trop sobre qui, elle, cache de moins en moins bien son âge. Mais les performances, la tenue de route et le freinage continuent d'afficher les mêmes standards d'excellence, tout comme la direction, la suspension et la superbe boîte manuelle. Toutes des qualités qui sont le propre des sportives de haut niveau ; ce sont celles-là qui importent pour ceux qui ont les aptitudes requises pour apprécier une telle voiture à sa juste valeur.

Philippe Laguë

ACURA NSX-T

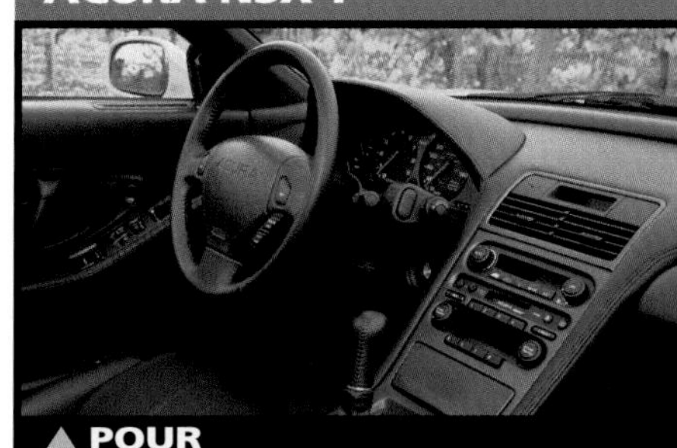

▲ POUR

• Ligne intemporelle • Haute technologie • Tenue de route et performances impressionnantes • Sportive très civilisée

▼ CONTRE

• Présentation intérieure sans éclat • Habitacle peu fonctionnel • Accès mécanique difficile • Prix corsé • Carrière en dilettante

CARACTÉRISTIQUES

Prix du modèle à l'essai	140 000 $
Garantie de base	3 ans / 60 000 km
Type	coupé 2 places / propulsion
Empattement / Longueur	253 cm / 442,5 cm
Largueur / Hauteur	181 cm / 117 cm
Poids	1 370 kg
Coffre / Réservoir	141 litres / 70 litres
Coussins de sécurité	frontaux
Suspension av.	indépendante
Suspension arr.	indépendante
Freins av. / arr.	disque ABS
Système antipatinage	oui
Direction	à crémaillère, assistance variable
Diamètre de braquage	11,6 mètres
Pneus av. / arr.	P215/45ZR16 / P245/40ZR17

MOTORISATION ET PERFORMANCES

Moteur	V6 3,2 litres
Transmission	manuelle 6 rapports
Puissance	280 ch à 7 100 tr/min
Couple	224 lb-pi à 5 500 tr/min
Autre(s) moteur(s)	V6 3 litres 252 ch (auto)
Autre(s) transmission(s)	automatique 4 rapports
Accélération 0-100 km/h	5,1 secondes
Vitesse maximale	268 km/h
Freinage 100-0 km/h	36,0 mètres
Consommation (100 km)	13,2 litres

MODÈLES CONCURRENTS

• Chevrolet Corvette • Dodge Viper • Ferrari 360 Modena • Jaguar XKR • Porsche 911

QUOI DE NEUF ?

• Aucun changement majeur

VERDICT

Agrément	★★★★½
Confort	★★★
Fiabilité	★★★★
Habitabilité	★★
Hiver	★★
Sécurité	★★★
Valeur de revente	★★★

ASTON MARTIN DB7 Vantage Vantage Volante

Aston Martin DB7 Vantage

Ayant appartenu à James Bond...

Sanctionnée par sa Très Britannique Majesté, le Prince de Galles, Aston Martin poursuit sa route depuis 1921. Aujourd'hui, sous le giron de la très prolétaire Ford Motor Company et sous la direction de son nouveau patron, le brillant ingénieur allemand Ulrich Bez, la prestigieuse marque a retrouvé sa rentabilité et son dynamisme sans abandonner ses traditions.

Opération réussie que la transformation d'Aston Martin : 46 voitures vendues en 1992 ; 1 000 en l'an 2000 ! La DB7 lancée en 1999 bat tous les records de production et de vente de l'entreprise. Ajoutez à cela l'annonce récente de la construction d'une nouvelle usine à Bloxham, près des installations Land Rover que Ford vient d'acquérir de BMW, et vous comprendrez que le géant américain s'est fixé comme objectif de faire pour l'Angleterre avec Aston Martin ce que Ferrari a fait pour l'Italie. Rien de moins.

Issue du crayon du styliste britannique Ian Callum, la DB7 fait son apparition sur la scène mondiale en 1997 et reçoit immédiatement les accolades de la presse internationale et des *aficionados* de la marque. Inspirée de la légendaire Aston Martin DB4 GT Zagato des années 60, la DB7 est considérée encore aujourd'hui par plusieurs designers comme la plus belle voiture au monde – jusqu'à l'arrivée de la BMW Z8...

Rationalisation et rentabilité étant à l'ordre du jour des patrons américains, la DB7 partage plusieurs éléments avec Jaguar, l'autre grande dame anglaise ressuscitée par Ford. Montée sur la même plate-forme que le coupé Jaguar XK8, la DB7 reçoit le vénérable 6 cylindres en ligne Jaguar de 3,2 litres gavé par compresseur volumétrique.

Un moteur noble pour le 40e anniversaire

Si le moteur d'origine Jaguar développant la bagatelle de 335 chevaux permet à la DB7 d'atteindre les 100 km/h en 5,6 secondes, il lui manquait quand même un certain je-ne-sais-quoi face aux rutilants V12 Ferrari. Quand on sait le prix de l'Aston, la beauté des lignes et le parfum des cuirs Connolly ne suffisent pas. Il faut un moteur noble. Et Ford s'en doutait.

C'est pourquoi nous avons eu droit en 1998 au prototype DB7 Project Vantage affichant une ligne encore plus séduisante, un habitacle de rêve et une motorisation démoniaque. Ce prototype a d'ailleurs servi de base à la DB7 Vantage, la supervoiture de production présentée à la presse spécialisée en 1999 à l'occasion du 40e anniversaire de la victoire de l'Aston Martin DBR1 aux 24 Heures du Mans de 1959. Rappelons que c'est Carroll Shelby et Roy Salvadori qui s'étaient partagé le volant de l'Aston pour arracher cette victoire à Ferrari.

La DB7 Vantage est donc motorisée par un superbe V12, œuvre conjointe des bureaux de recherche de Ford, de l'illustre motoriste britannique Cosworth et d'Aston Martin. Ce moteur en aluminium est issu du V12 suralimenté de 700 chevaux équipant les prototypes GT-90 et Indigo élaborés récemment par Ford. Il s'agit essentiellement de deux V6 Duratec Ford regroupés en un seul V12. Ce 6 litres à 4 arbres à cames en tête et 48 soupapes, piloté par un système de gestion Visteon, développe 420 chevaux et 400 lb-pi de couple. L'impressionnante cavalerie que l'on actionne en appuyant sur un bouton rouge au tableau de bord est alliée à une boîte manuelle à 6 rapports. Les 1 775 kg de la DB7 Vantage sont ainsi propulsés de 0 à 100 km/h en 5 secondes et à 298 km/h en vitesse de pointe.

À l'assaut de Ferrari

Et puisqu'il faut gérer cette débauche de puissance, Aston Martin a entrepris une révision en profondeur des suspensions de la belle. En outre, la DB7 Vantage est chaussée de pneus Bridgestone S02 montés sur des roues en alliage de 18 pouces qui abritent les énormes disques de freins pincés par des étriers Brembo. Évidemment, l'ABS et l'antipatinage sont au rendez-vous. La rigidité de la caisse a aussi fait l'objet d'améliorations importantes et des modifications ont été apportées à la carrosserie, notamment à l'avant pour agrandir la prise d'air du moteur et loger deux gros projecteurs dans le bouclier, rappelant ainsi encore plus le museau de la DB4 Zagato.

Pour ceux qui préfèrent l'automatique (oui, c'est permis), sachez que vous pouvez opter pour la boîte à 5 rapports avec option Touchtronic actionnée par touches au volant. Sachez aussi que vous avez le choix entre le sensuel coupé et un cabriolet Volante (prononcer Volanté) de fort belle facture, même si c'est le coupé qui semble remporter la faveur populaire sur le plan esthétique.

« La meilleure Aston Martin en 40 ans »

Tel fut le commentaire du prestigieux magazine *Motorsport* au moment du dévoilement de la Vantage, la voiture du renouveau de cette entreprise jadis artisanale créée au début du siècle. Depuis lors, il y a eu Le Mans en 1959, puis... James Bond, le célèbre agent 007 au volant de sa DB5, et enfin, Ford, le sauveur. Reste à voir si la belle anglaise et ses descendantes qui ont déjà pris naissance sur les planches des ingénieurs sauront redorer le blason automobile terni de la fière Albion et se hisser ainsi au niveau du *Cavallino rampante* de Modène. Pour l'instant, la fiabilité et la qualité de construction sont loin d'être à la hauteur de la fiche technique de ces prestigieuses GT.

Alain Raymond

Aston Martin DB7 Vantage Volante

ASTON MARTIN DB7

▲ POUR

- Beauté féroce - Motorisation noble - Tenue de route de haut niveau - Fiabilité en net progrès - Aménagement intérieur classique

▼ CONTRE

- Poids élevé - Prix tout aussi élevé - Certains accessoires de bas niveau

CARACTÉRISTIQUES

Prix du modèle à l'essai	Vantage / 49 000 $
Garantie de base	3 ans / 60 000 km
Type	cabriolet 2+2 / propulsion
Empattement / Longueur	259 cm / 466 cm
Largeur / Hauteur	183 cm / 126 cm
Poids	1 875 kg
Coffre / Réservoir	150 litres / 89 litres
Coussins de sécurité	frontaux et latéraux
Suspension av.	indépendante
Suspension arr.	Indépendante
Freins av. / arr.	disque
Système antipatinage	oui
Direction	à crémaillère, assistée
Diamètre de braquage	12,9 mètres
Pneus av. / arr.	P245/40ZR18 / P265/35ZR18

MOTORISATION ET PERFORMANCES

Moteur	V12 6 litres 48 soupapes
Transmission	automatique 5 rapports
Puissance	420 ch à 6 000 tr/min
Couple	400 lb-pi à 5 000 tr/min
Autre(s) moteur(s)	6L 3,2 litres suralim. 340 ch
Autre(s) transmission(s)	manuelle 6 rapports
Accélération 0-100 km/h	5,1 secondes
Vitesse maximale	265 km/h
Freinage 100-0 km/h	38 mètres
Consommation (100 km)	16 litres

MODÈLES CONCURRENTS

- BMW Z8 • Ferrari 550 Maranello
- Lamborghini Diablo • Porsche 911 Turbo

QUOI DE NEUF ?

- Aucun changement majeur

VERDICT

Agrément	★★★★★
Confort	★★★★
Fiabilité	★★★
Habitabilité	★★★★
Hiver	★★
Sécurité	★★★★
Valeur de revente	n.d.

BMW M3

Méfiez-vous des apparences

On pourra s'étonner de retrouver dans cette section du *Guide de l'auto* consacrée aux grandes sportives deux berlines qui, de prime abord, peuvent difficilement se comparer à une Porsche 911 Turbo ou à une Ferrari 360 Modena. Or, quand ces voitures s'appellent BMW et qu'en plus elles arborent la lettre M, la haute performance n'est plus liée au nombre de places qu'elles offrent mais plutôt à la panoplie de transformations que cache leur logo tricolore. En somme, sous leur déguisement de prosaïques berlines, les BMW M3 et M5 sont de redoutables sportives.

Prenons d'abord le volant de la M5 qui, depuis un an déjà, collectionne les contraventions sur les routes du Québec. Il est en effet difficile de respecter les limites de vitesse aux commandes d'un tel engin. Sa puissance et son comportement routier inspirent une telle confiance qu'on a l'impression de rouler à 90 km/h quand, en réalité, le compteur (ou le radar, c'est selon) indique 140 km/h. Mais que voulez-vous, les limites de vitesse chez nous sont faites pour de vieilles guimbardes rouillées aux freins et aux pneus usés à la corde. Qu'importe que vous conduisiez une voiture sûre et solide, le règlement est le même pour tout le monde et vous devrez acquitter cette autre forme de taxation si jamais vous désirez exploiter les performances de votre M5.

La M5, du deux dans un

J'ai heureusement pu pousser la voiture à sa limite sans toutes ces contraintes lors d'un essai spécial organisé pour le club YPO *Young Presidents Organization* visant à comparer plusieurs modèles haut de gamme. Malgré la présence des Porsche, Mercedes, Jaguar et autres sportives de fort calibre, la M5 a été la vedette du jour. Sur un parcours de type slalom, cette berline BMW a fait montre d'une tenue de route exceptionnelle même sans le secours de l'antipatinage. Dans les mêmes conditions, la Mercedes-Benz C43 nous en mettait «plein les bras» et il valait mieux s'en remettre au système de contrôle de la traction pour ne pas partir en tête-à-queue. Tout ce que l'on peut reprocher à la M5 en conduite sportive, c'est sa direction à billes qui n'a pas tout à fait la précision d'une crémaillère.

Pour le reste, la voiture est un pur enchantement avec un V8 de 5 litres percutant, une boîte manuelle à 6 rapports bien adaptée, un freinage archipuissant dont les disques résident dans des jantes de 18 pouces ainsi qu'un châssis d'une étonnante rigidité. La BMW M5 est tellement fascinante qu'elle remet en question la nécessité de s'acheter une voiture sport 2 places pour se faire plaisir et une berline de luxe 5 places pour les sorties sérieuses. S'il vous plaît, Monsieur Pierre, annulez ma commande de Z8 et de 540 et trouvez-moi une M5.

Place à la M3

L'année 2001 marque les débuts du plus célèbre des modèles M, le M3, élaboré à partir de la plate-forme du coupé de Série 3. Dans sa troisième mise à jour, la M3 reste fidèle aux principes qui ont fait son succès. C'est ainsi que la firme bavaroise continue d'équiper ses voitures les plus performantes de moteurs atmosphériques tournant à haut régime qui, par rapport aux turbos, ont une mise en action plus spontanée. Le dernier 6 cylindres de la M3 va chercher sa puissance maximale à 7 900 tr/min tandis que le couple de 269 lb-pi se situe à 4 900 tr/min. Ce moteur de 3,2 litres a été optimisé au moyen de soupapes commandées par basculeurs et par un nouveau régulateur électronique des papillons (EDR) associé à la gestion Motronic qui transmet sans délai le besoin de puissance exigé par le conducteur aux 6 papillons individuels.

M. comme Magistrales

Il ne faut donc pas se surprendre si cette M3 bondit de 0 à 100 km/h en 5,2 secondes et que ses reprises sont suffisantes pour lui permettre de passer de 80 à 120 km/h en 5,4 secondes en 4e des 6 rapports de la boîte manuelle.

Une première mondiale

La nouvelle M3 donne lieu à une première mondiale sous la forme d'un système de blocage du différentiel à huile hydraulique visqueuse. La particularité de l'autobloquant variable réside dans le fait qu'à la différence des systèmes classiques, il ne saisit pas le couple différentiel entre les roues arrière gauche et droite, mais leurs vitesses de rotation différentes. Il en résulte que le conducteur d'une M3 bénéficie à tout moment d'une motricité suffisante tant pour démarrer dans des conditions difficiles (chaussée glissante) que pour négocier un virage de manière sportive.

D'une extrême rigidité, le châssis de la dernière M3 a été optimisé par une minimisation des masses non suspendues et les voies ont été élargies. La voiture bénéficie également d'un système de freinage hautes performances avec des disques en acier d'un diamètre de 325 cm qui donnent à la M3 une puissance de ralentissement aussi impressionnante que celle de la M5.

Sur le circuit Jerez de la Frontera, là où elle a fait ses premiers tours de roue pour la presse internationale, la nouvelle BMW M3 a fait preuve d'un comportement routier égal à celui des meilleures voitures sport du moment. Elle conserve ainsi son titre de *Best Handling Car* et constitue sans aucun doute le plus bel exemple que BMW détient quasiment des droits exclusifs sur le plaisir de conduire. Les M5 et M3 en sont la meilleure preuve.

Jacques Duval

BMW M5

▲ POUR

- Moteur fabuleux
- Comportement sûr et sportif
- Sièges superbes
- Plaisir garanti
- Freinage exceptionnel

▼ CONTRE

- Direction à billes
- Pas de roue de secours
- Places arrière un peu justes
- Prix substantiel

CARACTÉRISTIQUES

Prix du modèle à l'essai	102 650 $
Garantie de base	4 ans / 80 000 km
Type	berline / propulsion
Empattement / Longueur	283 cm / 478 cm
Largeur / Hauteur	180 cm / 144 cm
Poids	1 825 kg
Coffre / Réservoir	460 litres / 70 litres
Coussins de sécurité	frontaux, latéraux et tête
Suspension av.	indépendante
Suspension arr.	indépendante
Freins av. / arr.	disque ABS
Système antipatinage	oui
Direction	à billes, assistée
Diamètre de braquage	11,7 mètres
Pneus av. / arr.	P245/40ZR18 / P275/35ZR18

MOTORISATION ET PERFORMANCES

Moteur	V8 5 litres (M3 : 6L 3,2 litres)
Transmission	manuelle 6 rapports
Puissance	400 ch à 6 600 tr/min (M3 : 343 ch à 7 900 tr/min)
Couple	368 lb-pi à 3 800 tr/min (M3 : 269 lb-pi à 4 900 tr/min)
Autre(s) moteur(s)	aucun
Autre(s) transmission	aucune
Accélération 0-100 km/h	5,3 s (M3 : 5,2 s)
Vitesse maximale	250 km/h (limitée)
Freinage 100-0 km/h	36,2 mètres
Consommation (100 km)	14 litres

MODÈLES CONCURRENTS

- M5 : Mercedes-Benz E55 • Jaguar XJR
- M3 : Audi S4 • Saab Viggen

QUOI DE NEUF ?

- Aucun changement majeur (M5)
- Nouveau modèle (M3)

VERDICT

Agrément	★★★★★
Confort	★★★★
Fiabilité	★★★★
Habitabilité	★★½
Hiver	★★★
Sécurité	★★★★
Valeur de revente	★★★★

BMW Z8

BMW Z8

Un grand cru

Elle a une belle gueule d'anglaise d'autrefois, un tonitruant moteur V8 à l'américaine et les bonnes manières d'une allemande. Ce portrait en trois dimensions est celui de la BMW Z8, ce sublime roadster lancé au printemps dernier parmi le gratin de Hollywood, là où il avait joué la star de cinéma quelques mois plus tôt dans le dernier James Bond, *The world is not enough*.

Même si la poignée d'acheteurs désirant s'approprier l'une des rares Z8 2001 réservées au marché québécois devront aligner quelque 190 000 $ pour s'offrir ce privilège, BMW ne sera pas plus riche pour autant. Fabriqué à la main et en toute petite série comme les anciennes 507 qui ont inspiré sa conception, ce cabriolet biplace est extrêmement coûteux à produire. Sa construction prend 10 fois plus de temps que celle de n'importe quel autre modèle BMW.

Un futur classique

À titre d'exemple, les feux arrière sont si minces qu'une ampoule ordinaire à incandescence ne pourrait résister longtemps à la chaleur qu'elle dégage. On a dû utiliser une lampe au néon, une technologie encore inédite en automobile et, surtout, huit fois plus onéreuse qu'un éclairage conventionnel. Le tableau de bord, dénué de tout plastique bon marché et utilisant des surfaces vernies de la même couleur que la carrosserie, a aussi contribué à l'escalade des coûts de production.

« L'usine nous a donné le feu vert pour produire une voiture sans compromis », d'expliquer Henrick Fisker, responsable du design de la Z8. Car cette voiture est avant tout une variation moderne sur le

thème de la fameuse 507 qui fut produite à seulement 252 exemplaires au milieu des années 50. Les spécialistes prévoient que, comme cette dernière, le nouveau cabriolet sport de BMW deviendra avec le temps un modèle de collection destiné à prendre de la valeur. Bref, il faudrait considérer les 190 000 $ de la Z8 comme un investissement, plutôt que comme une folle dépense.

Une page d'histoire

Quoi qu'il en soit, il s'agit véritablement d'une voiture d'exception comme on n'en voit qu'une fois tous les 15 ou 20 ans. Personnellement, en 35 ans de métier, je n'ai pas vu défiler beaucoup de modèles du genre. Parmi ceux qui me viennent en tête, je peux citer la première Lamborghini Miura, la Lancia Stratos, la Ferrari Daytona et peut-être la Citroën SM à moteur Maserati. Même si l'on serait porté à faire des rapprochements avec une Ferrari, une Porsche ou certaines autres voitures dites « exotiques », la Z8 ne ressemble à aucune autre dans son caractère. Visuellement, toutefois, je ne suis sans doute pas le seul à lui trouver des affinités avec les anciennes Austin-Healey (de profil) ou Jaguar Type E (de l'arrière).

Si BMW ne prévoit pas engendrer de gros profits avec ce modèle, on peut se demander quel est son but. « C'est une question d'image, précise Christian Dietrich, le responsable du projet Z8. Toute notre gamme bénéficiera du prestige et

La première et la dernière d'une grande lignée, la Z1 et la Z8.

de la réputation d'excellence rattachée à la Z8. »

Il est en effet difficile de rester indifférent devant une telle réalisation. La Z8 est en quelque sorte la quintessence du plaisir de conduire associé depuis longtemps aux divers modèles BMW. La firme allemande a mis tout son savoir-faire au service de cette voiture et les résultats sont remarquables, autant sur papier que sur la route.

Sous son long capot avant, la Z8 abrite le même V8 costaud à 4 arbres à cames en tête de 5 litres et 400 chevaux qui anime la berline M5. Jumelé exclusivement à une boîte manuelle à 6 rapports et placé loin derrière l'essieu avant, il fait de la Z8 une voiture à moteur central-avant parfaitement équilibrée. Ce V8 prend vie sous l'impulsion d'un bouton au tableau de bord (comme dans la Honda S2000) et est gratifié d'une sonorité rappelant la belle époque des *muscles cars* de Detroit. Comme dans la M5, on a même droit à un accélérateur électronique que l'on peut régler sur deux modes différents : sport ou normal. En mode sport, la réaction du moteur est plus vive pour ne pas dire instantanée, un choix que l'on aurait intérêt à éviter si l'antipatinage jumelé au contrôle dynamique de la stabilité a été désactivé. Pourquoi le désactiver, demanderez-vous ? Tout simplement parce que la conduite sportive devient quasi impraticable lorsque l'antipatinage se met à l'œuvre. Il faut donc le mettre en veilleuse si l'on veut « sentir » l'arrière se dérober et pratiquer le contrôle du dérapage.

Un autre atout de ce modèle est son châssis autoporteur en aluminium (*space frame*) épousant la forme d'un Y. D'un poids de seulement 230 kg, il assure une rigidité maximale à la structure, tandis que sa grande résistance permet d'obtenir d'excellents résultats en matière de sécurité passive lors de tests de collision.

L'aluminium est omniprésent dans la Z8. On le retrouve entre autres dans les panneaux de caisse et sur pratiquement toutes les commandes intérieures. Le pédalier en est toutefois dépourvu, afin d'éviter que les pieds mouillés ne glissent comme je l'avais déploré dans l'Audi TT, par exemple.

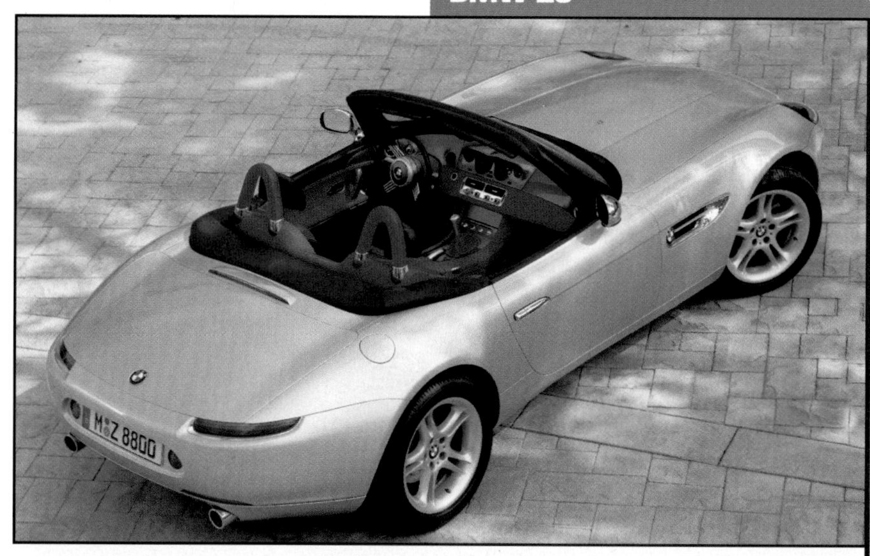

Tout en haut du tableau

Lors du lancement mondial de la Z8 dans le sud de la Californie, j'ai eu l'occasion de me familiariser avec cette voiture sur un trajet de plus de 300 km, dont une bonne centaine à travers les canyons de Mulholland Drive, un parcours incroyablement sinueux. Jusque-là, je roulais calmement en savourant le paysage et en me disant que 190 000 $, c'était beaucoup d'argent pour se promener tranquillement au bord du Pacifique.

Puis, un virage à droite m'entraîne vers cette route presque déserte et son interminable série d'épingles entrecoupées de petites lignes droites. La Z8 se réveille et les plaisirs interdits commencent. Le panneau indique 20 mph (30 km/h) et notre roadster s'en moque à 80 km/h. On est loin de ces GT un peu pataudes souvent mal à l'aise en conduite sportive. Elle se précipite

d'un virage à l'autre avec la fougue d'une Viper GTS pour ensuite adopter la stabilité et la précision d'une 911, aussi bien au freinage qu'en négociant la prochaine courbe serrée. Et le simple feulement du moteur qui se répercute sur les parois des canyons est à lui seul une expérience grisante. Si la Z8 est capable d'accélérer de 0 à 200 km/h (oui, oui, 200 !) en 16,4 secondes, elle est aussi capable de passer de 100 km/h à l'arrêt en 2,5 petites secondes seulement.

Par ses performances et son comportement routier, il ne fait aucun doute que la Z8 est digne de figurer tout en haut du tableau dans la hiérarchie des meilleures voitures sport au monde. Elle obtient cette distinction tout en s'offrant le luxe d'être confortable et facile à vivre, contrairement à certains modèles à vocation plus limitée. Elle conjugue le passé au présent avec une

ÉQUIPEMENTS

DE SÉRIE

- Système de contrôle de stabilité
- Lecteur à 6 CD • Miroirs chauffants
- Toit électrique

EN OPTION (sans frais)

- Peinture métallisée
- Toit beige au lieu de noir

mécanique parfaitement moderne qui procure des sensations de conduite dignes des meilleures supervoitures de la planète. Je pense ici à la nouvelle Porsche 911 Turbo ou encore à la Ferrari 360 Modena, ce qui signifie que la Z8 évolue en très belle compagnie au sein de l'élite automobile.

Musique maestro

Double personnalité

Certains diront qu'elle se rapproche davantage d'une Mercedes-Benz CL, mais je crois plutôt qu'elle affiche une double personnalité : d'un côté, calme et confortable pour la balade et de l'autre, enjouée et virile quand on décide de s'attaquer à une petite route en lacets.

Ces éloges ne doivent toutefois pas masquer certains détails un peu gênants comme une capote qui n'est pas complètement automatique et qui exige donc souvent une assistance manuelle pour être refermée. Il faut aussi s'esquinter les ongles en essayant de fixer la housse protectrice en plus d'avoir à subir une lunette arrière en plastique sans dégivreur. La housse de ma voiture d'essai, soit dit en passant, repose quelque part en bordure d'une autoroute californienne.

Comme la plupart des cabriolets, la Z8 peut se montrer bruyante à l'occasion. Passe encore jusqu'à 110 km/h, mais au-delà de cette vitesse, le bruit du vent devient plus sensible malgré le soin apporté à l'insonorisation de la capote. En revanche, un toit dur est offert de série pour ceux qui oseront rouler l'hiver avec un tel joyau.

Malgré son originalité et sa grande beauté, le tableau de bord n'est pas à l'abri des critiques. Ainsi, le superbe volant avec ses branches à rayons a le désavantage de dissimuler certaines commandes, dont le bouton du démarreur. L'instrumentation centrale ne fait pas l'unanimité non plus mais, personnellement, j'ai surtout été gêné par les agaçantes réflexions des surfaces polies dans le pare-brise lorsque le soleil descend en fin de journée. Le soir, toutefois, l'éclairage des instruments, qui rappelle la lueur de bougies de Noël, est du plus bel effet. Cela montre bien l'attention accordée à certains petits détails qui font qu'une voiture comme la Z8 tranche carrément sur tout ce que l'industrie a à offrir. Et c'est aussi ce qui fait dire à plusieurs que cette BMW est appelée à devenir un des grands classiques de l'automobile. C'est déjà tout un exploit à une époque où les artisans font partie de l'histoire ancienne.

Jacques Duval

BMW Z8

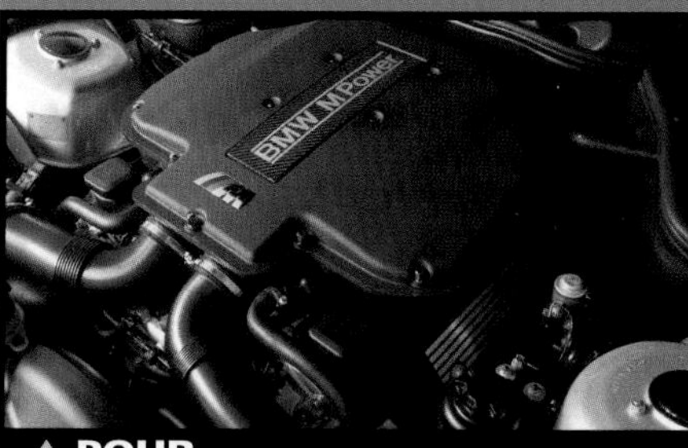

▲ POUR

• Construction soignée • Design intemporel • Moteur fabuleux • Tenue de route ahurissante • Performances exceptionnelles

▼ CONTRE

• Tableau de bord déroutant • Capote semi-automatique • Prix dissuasif • Coffre étroit • Complexité des réparations de la carrosserie

CARACTÉRISTIQUES

Prix du modèle à l'essai	190 000 $
Garantie de base	4 ans / 80 000 km
Type	roadster 2 places / propulsion
Empattement / Longueur	290 cm / 440 cm
Largeur / Hauteur	183 cm / 132 cm
Poids	1 585 kg
Coffre / Réservoir	203 litres / 73 litres
Coussins de sécurité	frontaux et latéraux
Suspension av.	indépendante
Suspension arr.	indépendante
Freins av. / arr.	disque ABS
Système antipatinage	oui
Direction	à crémaillère, assistée
Diamètre de braquage	11,8 mètres
Pneus av. / arr.	P245/45ZR18 / P275/40ZR18

MOTORISATION ET PERFORMANCES

Moteur	V8 5 litres
Transmission	manuelle 6 rapports
Puissance	400 ch à 6600 tr/min
Couple	369 lb-pi à 3800 tr/min
Autre(s) moteur(s)	aucun
Autre(s) transmission(s)	aucune
Accélération 0-100 km/h	4,89 secondes
Vitesse maximale	250 km/h (limitée)
Freinage 100-0 km/h	37,5 mètres
Consommation (100 km)	14,5 litres

MODÈLES CONCURRENTS

• Porsche 911 Turbo • Aston Martin Volante
• Ferrari 360 Modena Spider

QUOI DE NEUF ?

• Nouveau modèle

VERDICT

Agrément	★★★★
Confort	★★★★
Fiabilité	nouveau modèle
Habitabilité	★★
Hiver	★★★
Sécurité	★★★★
Valeur de revente	★★★★★

CALLAWAY C12

Callaway C12

Corvette revue et corrigée

Ayant fait l'objet d'un essai spécial dans *Le Guide de l'auto 2000,* la « super-voiture doublement québécoise » a attiré l'attention des amateurs de Corvette. Certains y voient une rivale digne de concurrencer la venimeuse Viper qui fait les beaux jours de Chrysler tant sur la *Main* que sur le circuit des 24 Heures du Mans. Mais qui est donc Callaway ? Et en quoi sa C12 se distingue-t-elle d'autres Corvette modifiées ?

Reeves Callaway est membre d'une famille d'entrepreneurs américains aux intérêts très variés : édition, golf, jardins et, évidemment, l'automobile, mais l'automobile exclusive, celle que l'on voit rarement, celle qui roule plus souvent sur circuit que sur route. Fondée en 1976, Callaway Cars est en somme la version américaine de Lotus, un amalgame de services spécialisés dans les technologies de pointe relatives notamment aux moteurs et aux matériaux composites.

Parmi les clients de l'entreprise, quelques marques de prestige : Alfa Romeo, Iso Rivolta, Aston Martin Lagonda, Aston Martin Racing, Holden, Land Rover, Malibu Boats, Indmar Marine et General Motors. Parmi ses réalisations : des machines de compétition ayant couru notamment au Mans et les Speedster, Sledgehammer, SuperNatural Corvette, SuperNatural Camaro et, les dernières en lice, le coupé et le roadster C12, habillés par le designer québécois Paul Deutschman.

Une refonte en profondeur

Partant de la base saine qu'est la Corvette C5, Callaway intervient sur tous les éléments qui composent la voiture, depuis le châssis jusqu'à la carrosserie, en passant par le groupe motopropulseur, les suspensions, les freins, la direction et l'habitacle. En somme, une refonte presque complète qui justifie amplement que le produit final porte l'emblème ailé de Callaway plutôt que celui de la Chevrolet Corvette.

Mais quel est l'objectif de cette transformation ? L'exclusivité, tout simplement. En effet, depuis les débuts de l'automobile, carrossiers et mécaniciens de génie ont toujours offert à une clientèle de connaisseurs fortunés, qu'ils soient vedettes de cinéma, princes du pétrole ou têtes couronnées, la possibilité de « personnaliser » tel ou tel produit de luxe ou de hautes performances afin de le rendre encore plus luxueux, plus beau, plus performant. En un mot, plus unique. Farouchement indépendants, ces « sorciers » de l'automobile sont souvent les premiers à oser une solution novatrice, bien avant que les grands constructeurs se lancent dans l'aventure. C'est pourquoi ces mêmes constructeurs s'adressent aux maisons spécialisées pour l'étude et la réalisation à petite échelle d'un concept ou d'un système qu'ils seraient eux-mêmes incapables de mener à bien rapidement dans la structure hiérarchisée de la grande entreprise.

Le prix de l'exclusivité

Des performances exclusives

Malgré ses 440 chevaux et son appréciable couple de 383 lb-pi, la Callaway C12 n'est pas une bête sauvage. Les quelques tours de piste que j'ai effectués l'an dernier à Sanair à une allure plutôt modeste révèlent une voiture presque docile dont la conduite paisible ne nécessite aucune mise en garde. Par contre, avant de réveiller les chevaux qui dorment sous le pied droit, il serait préférable – pour votre ego et votre santé – d'avoir au préalable parfaitement maîtrisé l'art et la science de la conduite sportive. La vraie, et non celle qui consiste à faire flamber les pneus entre un feu rouge et l'autre.

Sans augmentation de la cylindrée de 5,7 litres et sans suralimentation, le V8 trituré par Callaway développe la bagatelle de 440 chevaux (contre 350 ch dans la Corvette d'origine). Avec moins de 1 500 kg à déplacer, ce V8 à bloc et culasses en alliage léger et injection électronique Bosch permet à la Callaway d'afficher un rapport poids/puissance de 3,4 kg/ch, soit mieux qu'une Ferrari 550 Maranello, d'où l'incroyable chrono de 4,3 secondes pour passer de 0 à 100 km/h et les 304 km/h annoncés par Callaway pour la vitesse de pointe.

La mission étant accomplie pour le « décollage », il faut ensuite penser à garder la voiture dans la bonne trajectoire, d'où modification des suspensions à double triangulation et installation d'énormes roues de 19 pouces chaussées de pneus Pirelli P Zero à profil ultrabas. Le freinage est confié à des disques ventilés pincés par des étriers à 4 pistons qui assurent le ralentissement approprié. ABS et antipatinage font partie de l'arsenal de série.

Sérieusement motorisée, suspendue et freinée, il ne reste à la Callaway C12 qu'à faire tourner les têtes, mission confiée au coup de crayon magistral de notre Paul Deutschman national. Affinée, abaissée, carénée et convenablement profilée pour assurer la stabilité à plus de 300 km/h, la carrosserie en fibre de verre de la C12 a su ravir la presse spécialisée et ses quelques heureux acheteurs, sans oublier Reeves Callaway qui a su reconnaître le talent du designer Deutschman.

Alain Raymond

CALLAWAY C12

▲ POUR

- Performances de grande classe
- Tenue de route phénoménale
- Réalisation sérieuse
- Ligne exclusive

▼ CONTRE

- Prix astronomique
- Très faible diffusion

CARACTÉRISTIQUES

Prix du modèle à l'essai	200 000 $
Garantie de base	n.d.
Type	coupé 2 places / propulsion
Empattement / Longueur	266 cm / 485 cm
Largeur / Hauteur	200 cm / 120 cm
Poids	1 480 kg
Coffre / Réservoir	n.d.
Coussins de sécurité	frontaux
Suspension av.	indépendante
Suspension arr.	indépendante
Freins av. / arr.	disque
Système antipatinage	oui
Direction	à crémaillère, assistée
Diamètre de braquage	12,6 mètres
Pneus av. / arr.	P295/30ZR19 / P335/25ZR19

MOTORISATION ET PERFORMANCES

Moteur	V8, 5,7 litres
Transmission	manuelle 6 rapports
Puissance	440 ch à 6300 tr/min
Couple	383 lb-pi à 5200 tr/min
Autre(s) moteur(s)	aucun
Autre(s) transmission	aucune
Accélération 0-100 km/h	4,3 secondes
Vitesse maximale	304 km/h
Freinage 100-0 km/h	n.d.
Consommation (100 km)	14,5 litres

MODÈLES CONCURRENTS

- Aston Martin DB7 Vantage • BMW Z8 • Ferrari 550 Maranello • Lamborghini Diablo • Porsche 911 Turbo

QUOI DE NEUF ?

- Aucun changement majeur

VERDICT

Agrément	★★★★½
Confort	★★★
Fiabilité	★★★★
Habitabilité	★★½
Hiver	★★
Sécurité	★★★
Valeur de revente	n.d.

FERRARI 360 Modena

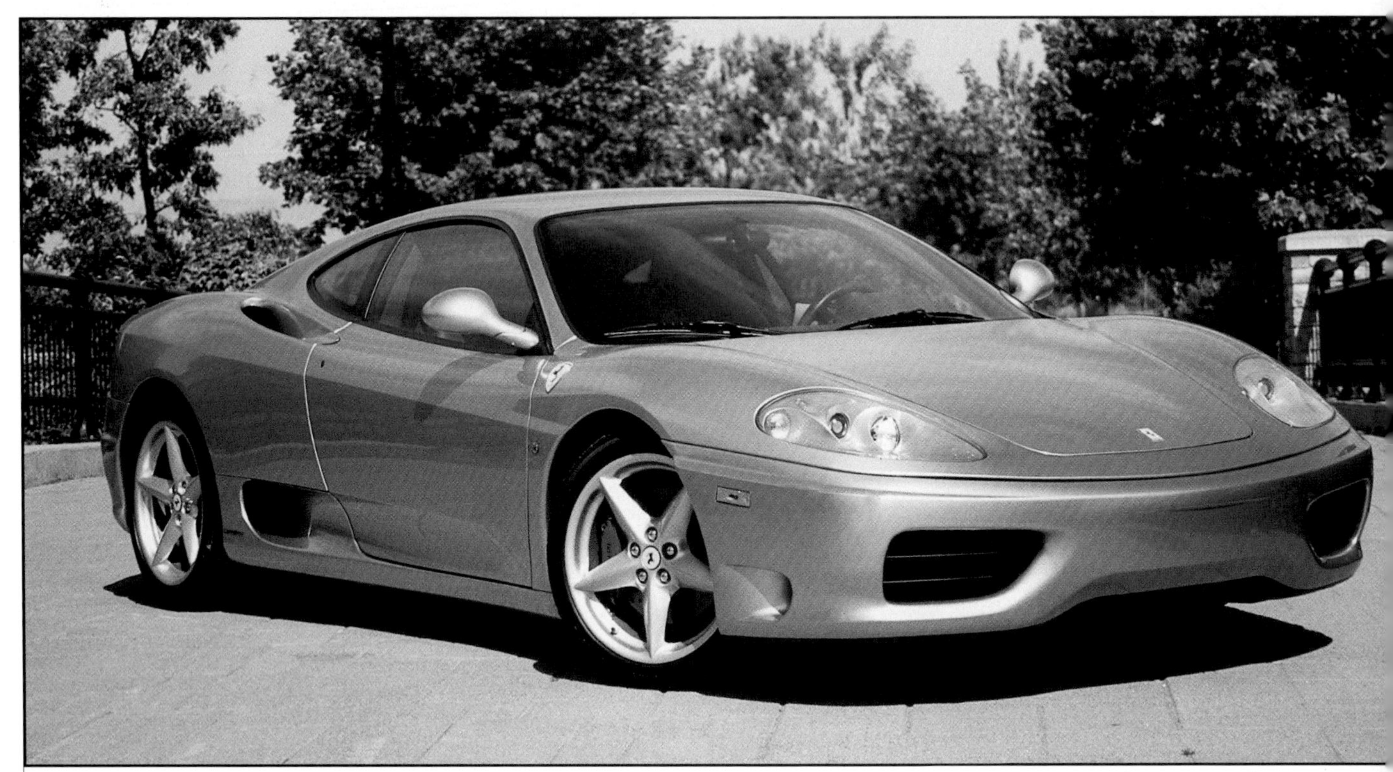

Ferrari 360 Modena

Surdouée

Lorsque la Ferrari 360 Modena a été dévoilée au Salon de Genève 1999, plusieurs, y compris l'auteur de ces lignes, trouvaient que son arrivée en scène était prématurée. Nous avions eu à peine le temps d'admirer la splendide F355 que celle-ci devait céder sa place à un tout nouveau modèle. La déception n'a toutefois pas duré longtemps et l'on s'est vite rendu compte que sa remplaçante était surdouée. La 360 est la première Ferrari de route construite presque entièrement en aluminium. C'est, en grande partie, l'utilisation de cet alliage léger qui a permis à la dernière-née de Maranello de faire oublier sa devancière.

De nos jours, faire l'essai d'une Ferrari, n'importe laquelle, n'est pas chose simple. Or, aussi étonnant que cela puisse paraître, il fut une époque où il m'était plus facile d'obtenir une Ferrari à des fins d'évaluation qu'une simple Volkswagen. Dans les années 60-70, l'importateur de la marque me courait après chaque fois qu'un nouveau modèle lui était livré. Aujourd'hui, Ferrari cultive l'image d'une star pleinement consciente de son vedettariat et qui ne se laisse pas facilement approcher. Bref, on vous donne l'impression que l'on vous fait une faveur en vous laissant conduire une des créations de la firme modenaise. Quoi qu'il en soit, l'important c'est qu'au moment où ces souvenirs défilent dans ma mémoire, je suis assis dans le baquet rouge feu de style Daytona d'une Ferrari 360 Modena.

La magie de l'aluminium

Aussi indigne que cela puisse paraître, cette 360 représente le bas de gamme chez Ferrari et son acquisition laissera un trou d'environ 200 000 $ dans votre budget. Malgré ce prix assez substantiel, c'est la plus petite et la moins chère des Ferrari. Ce n'est pas pour autant la moins intéressante comme j'ai eu le bonheur de le constater au cours d'un bel après-midi du mois d'août. Cette voiture a des qualités insoupçonnées, tel un châssis tout en aluminium d'une remarquable rigidité qui a permis d'alléger la voiture de 80 kg par rapport à sa devancière la 355. Et cela même si la 360 possède une carrosserie légèrement plus volumineuse. Le poids affiché est d'ailleurs assez spectaculaire puisque la 360 Modena ne pèse que 1 290 kg, c'est-à-dire 250 de moins qu'une Porsche 911 Turbo et 295 kg de moins qu'une BMW Z8. Un tel chiffre a été obtenu en utilisant un alliage d'aluminium non seulement pour le châssis mais aussi pour la carrosserie et les éléments de suspension. Pour les néophytes, soulignons que l'aluminium ne pèse qu'un tiers du poids de l'acier. Cela permet notamment à la Ferrari 360 Modena d'afficher un rapport poids/puissance de 3,2 kg par cheval-vapeur comparativement à 3,6 dans le cas de la F355.

Dans un tel châssis, le moteur V8 Ferrari de 3,6 litres et 400 chevaux nage en plein bonheur, à condition d'être jumelé à la boîte de vitesses manuelle à 6 rapports. Au lieu des enfants, c'est lui qui s'agite derrière vous, pleinement visible sous sa lunette de verre transparente. Il vous emmènera à 100 km/h en moins de deux (en 4,2 secondes, si vous préférez) en route vers une vitesse de pointe de 295 km/h. Si jamais vous pouviez poser une roue sur le circuit privé de Ferrari à Fiorano et si jamais vous aviez le talent du pilote maison Michael Schumacher (cela fait bien des si...), vous pourriez tourner 3 secondes plus vite au tour qu'avec l'ancienne F355. C'est ce genre de chiffres qui commencent à nous réconcilier avec la 360 Modena.

Ferrari 360 Modena Spider

D'un seul bloc

Même si la mémoire est une faculté qui oublie, je me souviens encore très bien du comportement de la F355 à Fiorano lors de mon passage à l'usine il y a cinq ans à l'occasion du 30e anniversaire du *Guide de l'auto.* Plus lourde et moins puissante (de 25 chevaux) que sa remplaçante, elle m'avait ravi par sa vicacité et son agilité en virage. J'avais par contre noté le manque de rigidité du châssis, une faiblesse imputable en partie à la nature du modèle (Spider) mis à ma disposition. À propos de rigidité justement, la 360 Modena coupé est un modèle du genre et elle vient rejoindre à ce chapitre la Porsche 911 en donnant l'impression d'être coulée dans un même bloc de béton. Ce châssis, aidé par la position centrale du moteur et une suspension à leviers transversaux triangulaires doubles, rend la 360 presque facile à conduire. À la limite, les dérobades du train arrière sont progressives et ne se manifestent que si l'on cherche vraiment à se faire peur en virage. Bref, la 360 réussit à nous faire oublier une fois de plus la F355.

Musique, maestro

Le moteur à 4 arbres à cames en tête et 5 soupapes par cylindre m'a séduit autant par sa puissance que par sa sonorité. Autant on se régalait auparavant du bruit des V12 Ferrari, autant les V8 sont devenus mélodieux. On ne s'imagine pas conduisant une Ferrari sans avoir le bonheur d'écouter chanter la mécanique. Et si jamais vous voulez vous en mettre plein les oreilles, il existe un système d'échappement spécial qui fera monter votre plaisir de plusieurs octaves.

Dieu merci, je n'avais jamais encore expérimenté une Ferrari dotée de l'option F1, cette boîte de vitesses séquentielle offerte depuis déjà quelques années par la marque italienne. Plusieurs en ont vanté les mérites mais, dans mon cas, je ne suis pas convaincu de la pertinence d'un tel équipement dans la plus sportive des Ferrari. On a beau l'associer aux boîtes actuellement utilisées en Formule 1, nous sommes loin de la même sophistication.

Maranello à son mieux

Pour se servir de la transmission dite F1, il faut d'abord se faire expliquer son fonctionnement. On doit impérativement appuyer sur la pédale de frein pour lancer le moteur. Par la suite, il faut se rappeler que la palette de droite sert à monter les rapports et celle de gauche à les descendre. Pour revenir au point mort, il faut tirer sur les deux commandes en même temps. Quant à la marche arrière, le conducteur doit faire basculer la minuscule commande logée sur la console centrale afin d'obtenir l'inscription R dans la petite fenêtre témoin des rapports de boîte. Si l'on désire s'en remettre entièrement à l'automatique, on ignore tout ça et on appuie sur la touche « automatic », aussi sur la console. Dans ce mode, tout se passe relativement bien; ce n'est que lorsqu'on fait appel à des changements de rapports manuels que les choses se gâtent. On a l'impression que quelqu'un passe les vitesses à votre place et que ce quelqu'un n'est pas particulièrement doué. Quand on accélère à fond, les réactions sont moins saccadées mais, en conduite normale et surtout en ville l'agrément de conduite se détériore passablement comparativement à la boîte de vitesses manuelle à 6 rapports.

Ferrari, de toute évidence, a succombé au progrès et certaines caractéristiques de la 360 en font une voiture plus civilisée, donc plus facilement utilisable que les précédents modèles.

Sur la console, deux petits boutons permettent de modifier le comportement de la Modena, selon votre humeur. On peut opter pour des réglages de suspension plus fermes (sport) ou encore annuler l'antipatinage. La construction est aussi beaucoup plus soignée qu'auparavant comme en témoigne l'emblème Ferrari fixé sur l'aile avant de la voiture. Alors qu'on se serait contenté dans le passé d'un simple autocollant, on a droit désormais à une plaque de porcelaine imprégnée dans l'aluminium de la carrosserie. Ne la cherchez pas sur toutes les 360, toutefois, puisqu'il s'agit d'une option.

Si jamais votre acquisition d'une Ferrari est guidée par l'esprit pratico-pratique, sachez aussi que l'habitacle est vaste, tout comme le coffre à bagages à l'avant.

Avec la 456M GT, la 550 Maranello et finalement la 360 Modena, Ferrari a entièrement renouvelé sa gamme depuis ma visite à l'usine il y a cinq ans. C'est un signe que la marque italienne est beaucoup plus soucieuse de sa clientèle et qu'elle réalise l'importance de construire des voitures qui ne sont pas simplement de petites œuvres d'art réservées à des puristes mais des automobiles à part entière, fonctionnelles, performantes, belles et immensément agréables à conduire. La 360 Modena est de cette race.

Jacques Duval

FERRARI 360 Modena

▲ POUR

- Moteur éclatant
- Performances éblouissantes
- Comportement routier exceptionnel
- Habitacle confortable
- Valeur assurée

▼ CONTRE

- Boîte F1/automatique discutable
- Bruit élevé
- Confort moyen sur longs trajets

CARACTÉRISTIQUES

Prix du modèle à l'essai	Spider F1 / 235 000 $
Garantie de base	2 ans, kilométrage illimité
Type	coupé 2 places / propulsion
Empattement / Longueur	260 cm / 447 cm
Largeur / Hauteur	192 cm / 121 cm
Poids	1 290 kg
Coffre / Réservoir	120 litres / 82 litres
Coussins de sécurité	frontaux
Suspension av.	indépendante
Suspension arr.	indépendante
Freins av. / arr.	disque ventilé ABS
Système antipatinage	oui
Direction	à crémaillère, assistée
Diamètre de braquage	10,8 mètres
Pneus av. / arr.	P215/45ZR18 / P275/40ZR18

MOTORISATION ET PERFORMANCES

Moteur	V8, 3,6 litres
Transmission	automatique 6 rapports séquentielle
Puissance	400 ch à 8 500 tr/min
Couple	275 lb-pi à 4 750 tr/min
Autre(s) moteur(s)	aucun
Autre(s) transmission(s)	manuelle 6 rapports
Accélération 0-100 km/h	4,5 secondes
Vitesse maximale	295 km/h
Freinage 100-0 km/h	36,4 mètres
Consommation (100 km)	17 litres

MODÈLES CONCURRENTS

- Porsche 911 Turbo • BMW Z8
- Aston-Martin DB7

QUOI DE NEUF ?

- Aucun changement majeur

VERDICT

Agrément	★★★★
Confort	★★
Fiabilité	★★★½
Habitabilité	★★
Hiver	nul
Sécurité	★★★
Valeur de revente	★★★★★

FERRARI 456M GT

FERRARI 550 Maranello

Ferrari 550 Maranello

Grand-tourisme

Si les Ferrari incarnent la quintessence de l'automobile, que dire des deux modèles qui trônent au sommet de la gamme de ce mythique constructeur, sinon qu'ils donnent tout son sens à l'expression grand-tourisme, dont les deux premières lettres désignent les plus belles voitures au monde. Pas d'erreur, la 456M GT et la 550 Maranello font partie de ce cénacle.

Si elles nous reviennent inchangées en 2001, il y a néanmoins du nouveau qui se prépare. Commençons avec le futur immédiat, qui consiste en un superbe spider, la 550 Barchetta, conçue à partir de la 550 Maranello, dont elle reprend la carrosserie et la mécanique. De son prix, on ne sait pas grand-chose, sinon qu'il ne devrait pas excéder la barre des 400 000 $. Une affaire... Vous pouvez toujours rêver, même si vous avez les moyens de vous offrir cette œuvre d'art: Ferrari du Québec, le seul concessionnaire autorisé chez nous, n'en recevra que deux exemplaires, et ils sont déjà vendus. Au mois de septembre dernier, les deux heureux propriétaires ont d'ailleurs été reçus par le président de Ferrari en personne, Luca Cordero di Montezemolo, qui les a accueillis chez lui après leur avoir montré leurs futurs bolides en cours d'assemblage. Un peu comme si le pape vous faisait visiter lui-même le Vatican. Si vous trouvez la comparaison tirée par les cheveux, c'est que vous n'avez aucune idée du culte Ferrari, en Italie comme dans le reste du monde.

Cela dit, le coupé 550 Maranello, qui fut introduit il y a quatre ans à titre de successeur de la 512 TR (née Testarossa), continue de régner en maître dans le cercle fermé de ce qu'on appelle les supervoitures. Depuis l'arrêt de la production des Bugatti et McLaren F1, la 550 n'a que pour seule rivale une Lamborghini Diablo vieillissante. D'autres *Supercars* sont en chantier, chez Mercedes et Porsche notamment, mais ils n'arriveront pas avant deux ou trois ans. Parions que la Ferrari aura fait peau neuve d'ici là.

En attendant, elle demeure l'une des plus belles voitures sport au monde, et l'une des plus rapides, avec une vitesse de pointe de 320 km/h et un chrono de 4,3 secondes pour le 0-100 km/h. Ces chiffres impressionnants sont obtenus grâce à un moteur qui l'est tout autant, soit un V12 de 5,5 litres qui génère, excusez du peu, une puissance maximale de 485 chevaux à 7 000 tr/min. Ne vous creusez pas la tête : à part la Diablo, aucune sportive ne fait mieux. Enfin, il y a bien l'Aston-Martin V8 Vantage (557 chevaux), mais elle accuse un bon 300 kg de plus que sa rivale italienne et, contrairement à sa sœur la DB7, elle n'est pas importée chez nous.

Sous cette superbe robe griffée Pininfarina se cache une mécanique performante et ultrasophistiquée, qui bénéficie en ligne directe des acquis de la *Scuderia* Ferrari en Formule 1. Que ce soit sur le plan de la conception et des matériaux du moteur (bielles en alliage de titane, lubrification à carter sec), ou encore des trains roulants et du freinage. Il n'y a que l'architecture de coupé à moteur longitudinal et roues motrices arrière qui est classique, sinon on nage en plein délire technologique. Cela se traduit par un confort et une facilité de conduite qui surprennent encore d'une Ferrari, ainsi que par un comportement routier à la hauteur de la réputation des chefs-d'œuvre de la firme de Maranello. (Les néophytes auront compris d'où vient le nom de la plus rapide des Ferrari.)

Ferrarissimo

En attendant la 460

Introduite en 1992, la 456M GT est la première Ferrari du règne Montezemolo. Cela coïncide avec l'amorce du redressement de ce constructeur pas comme les autres, ce qui n'a rien d'un hasard. Depuis la mort de son fondateur, en 1988, la marque au Cheval cabré avait perdu de sa superbe et c'est le retour du sieur Montezemolo à Maranello – il avait été le directeur sportif de la *Scuderia* dans les années 70 – qui lui permit de retrouver un second souffle. Mieux, depuis l'arrivée de cet aristocrate italien à la présidence de Ferrari, cette filiale du tout puissant groupe Fiat accumule les records de vente.

Réussie sur toute la ligne, la 456M GT a largement contribué à ce renouveau. Élégante, racée, sportive et sophistiquée, elle est d'ores et déjà considérée comme un classique de cette marque, qui en compte plus d'un... De plus, elle incarne la concrétisation de deux concepts qui relevaient naguère de l'abstrait chez Ferrari, soit la rigueur et la fiabilité.

Ferrari 456M GT

Si sa grande beauté et ses qualités intrinsèques lui ont valu une longue et fructueuse carrière, elles ne parviennent pas à arrêter le temps ; aussi la plus cossue des Ferrari entreprend-elle en 2001 son ultime tour de piste sous sa forme actuelle. De sa remplaçante, qui portera le millésime 2002, on sait peu de chose, sinon qu'elle reprendra la même architecture, soit un coupé (de type 2+2) à moteur avant et roues arrière motrices. Après la 360 Modena, ce sera au tour de la 460 d'être montée sur une structure tout aluminium.

Comme celle que nous connaissons déjà, elle sera la seule Ferrari à recevoir une boîte automatique, même si la boîte manuelle à 6 rapports continuera d'être montée en série. Deux transmissions, mais une seule motorisation, soit un V12 (quoi d'autre ?), dont la cylindrée serait portée à 6 litres. De source sûre, on parle d'une puissance de 500 chevaux. La future 550 Maranello y aura aussi droit, mais avec une centaine de chevaux de plus, vocation oblige. En effet, celle-ci évolue dans le créneau des supervoitures, tandis que la 460 jouera, comme sa devancière, la carte du grand-tourisme. Elle bénéficiera néanmoins des dernières innovations maison, telles la boîte séquentielle F1 et une aérodynamique dite « adaptative », issue directement de la Formule 1. Pour en savoir plus, surveillez les magazines spécialisés au cours des prochains mois, car la plupart lui consacreront leur une. Une nouvelle Ferrari ne saurait se contenter de moins !

Philippe Laguë

FERRARI 550 Maranello

▲ POUR

- Silhouette intemporelle • Performances hallucinantes • Comportement routier exceptionnel • Technologie de pointe • Voiture de collection

▼ CONTRE

- Prix astronomique • Poids important • Modèle en fin de carrière (456 M GT)

CARACTÉRISTIQUES

Prix du modèle à l'essai	309 025 $
Garantie de base	2 ans / kilométrage illimité
Type	coupé 2 places / propulsion
Empattement / Longueur	250 cm / 455 cm
Largeur / Hauteur	193 cm / 128 cm
Poids	1 690 kg
Coffre / Réservoir	n.d. / 114 litres
Coussins de sécurité	frontaux
Suspension av.	indépendante
Suspension arr.	indépendante
Freins av. / arr.	disque ventilé ABS
Système antipatinage	oui
Direction	à crémaillère, assistée
Diamètre de braquage	n.d.
Pneus av. / arr.	P255/40ZR18 / P295/35ZR18

MOTORISATION ET PERFORMANCES

Moteur	V12 5,5 litres
Transmission	manuelle 6 rapports
Puissance	485 ch à 7 000 tr/min
Couple	419 lb-pi à 5 000 tr/min
Autre(s) moteur(s)	aucun
Autre(s) transmission(s)	aucune
Accélération 0-100 km/h	4,3 secondes
Vitesse maximale	320 km/h
Freinage 100-0 km/h	n.d.
Consommation (100 km)	23,0 litres

MODÈLES CONCURRENTS

- Lamborghini Diablo

QUOI DE NEUF ?

- Version spider

VERDICT

Agrément	★★★★★
Confort	★★★
Fiabilité	★★★
Habitabilité	★★
Hiver	★
Sécurité	★★★★
Valeur de revente	★★★★★

LAMBORGHINI Diablo

Lamborghini Diablo

Ultime

Il n'y a pas que les chats qui ont neuf vies. C'est aussi le cas du taureau, emblème d'une marque mythique dont l'existence est faite de hauts et de bas. La Diablo est à l'image de Lamborghini : elle refuse de mourir. Mieux, elle n'a cessé de s'améliorer depuis que cette firme italienne est passée dans le giron du tout-puissant groupe Volkswagen, par le biais d'Audi.

Le consortium germanique ne doit pas regretter cette acquisition, car il a pu constater encore récemment que le prestige du petit constructeur bolognais est intact. Connaissez-vous bien des marques qui peuvent monopoliser la page couverture de la plupart des magazines d'automobiles avec un modèle dont la sortie remonte à une dizaine d'années ? C'est l'exploit qu'a réussi Lamborghini avec la dernière mouture de la Diablo.

Cette ultime (dit-on) version, simplement nommée 6,0 en l'honneur – c'est le mot – de la cylindrée de son V12, arrive en version intégrale (VT) et son châssis a fait l'objet d'une minutieuse révision. Pour faire honneur à la tradition maison, on l'a vêtue, lors du lancement et des activités promotionnelles qui ont suivi, d'une superbe robe de couleur orange, rendue célèbre par l'immortelle Miura, le classique parmi les classiques de la marque au taureau.

Dans les faits, la nouvelle 6,0 est une version dégonflée (!) de la GT qui fut lancée l'année dernière et dont seulement 80 exemplaires (dont un pour Monsieur Piëch) sortirent de l'usine de Sant'Agata. Il faut dire que la bête était réservée aux puristes : baquets de course à l'intérieur, carrosserie allégée (en carbone), 575 chevaux sous le capot et 338 km/h en pointe ! Mais pas de traction intégrale... Deux roues motrices seulement, à l'arrière il va sans dire ; au conducteur de dompter la bête. À ne pas mettre entre toutes les mains, quoi.

Ce qu'ont compris les dirigeants de Lamborghini qui, la jugeant trop radicale, ont préféré faire une croix sur certains marchés, dont l'Amérique du Nord et le Japon. Enfin, il était possible d'en commander une, à condition de la confiner à un circuit puisque sur nos routes, la Diablo GT était une hors-la-loi.

Coproduction germano-italienne

Prévue pour mars 1999, l'arrivée de la remplaçante de la Diablo fut ensuite reprogrammée pour le Salon de Genève 2001. Lors du rachat de Lamborghini, il y a trois ans, son développement entrait pourtant dans la phase finale. Mais c'est le grand patron lui-même, Ferdinand Piëch, grand manitou de VW, qui a fait avorter le projet. *Herr Doktor* Piëch lui reprochait notamment, non sans raison, sa ligne bizarroïde (signée Zagato), qu'il jugeait « trop asiatique ».

En attendant, les sorciers de Sant' Agata ont planché de nouveau sur l'unique modèle de la gamme Lamborghini. Quoi qu'on en dise, deux évolutions en deux ans, c'est bon signe : les cerveaux peuvent s'exprimer plus librement depuis que cette prestigieuse firme italienne est devenue partie intégrante de la division Audi. La sécurité financière, voilà une situation qu'on ne connaissait plus chez Lamborghini !

Tape-à-l'œil garanti

Mais il n'y a pas que l'argent. Le savoir des ingénieurs allemands a lui aussi été mis à contribution dans l'élaboration de la Diablo 6,0. On s'est efforcé de corriger la principale lacune de l'habitacle, soit une ergonomie déficiente, en plus de revoir le châssis et les trains roulants.

Seulement 550 chevaux!

Comme sur la GT, la cylindrée du V12 atteint maintenant 6 litres, mais on a ramené la puissance à 550 chevaux. Qu'importe, c'est plus qu'il n'en faut pour vivre les sensations les plus fortes qui soient à bord d'une automobile de série. Pour en avoir conduit une du millésime 1998, dont le V12 développait seulement (*sic*) 530 chevaux, votre serviteur peut en témoigner. Une expérience inoubliable, incomparable, presque surréaliste!

Malgré le raffinement dont elle a fait l'objet, la Diablo 6,0 n'est pas parfaite pour autant. Parmi les lacunes qui persistent, citons la présence d'une boîte manuelle à 5 rapports, alors que la norme pour les sportives de haut niveau est désormais de 6. Par ailleurs, le côté pratique de ce pur-sang est inexistant. Mais il faut bien admettre que les acheteurs se soucient sans doute très peu, ou pas du tout, de ce genre de détail. Il y a des frimeurs dans le lot, et ils seront servis: impossible de passer inaperçu dans une voiture aussi spectaculaire. Quant à ceux qui s'en procurent une pour les bonnes raisons, c'est-à-dire les performances et le comportement routier, ils se régaleront. À titre d'exemple, les données du constructeur annoncent un 0-100 km/h en moins de 4 secondes et l'opération peut s'effectuer sans toucher au levier de vitesses puisqu'on peut atteindre près de 120 km/h avant de passer en deuxième...

Les améliorations apportées au châssis se traduisent par une meilleure tenue de cap à haute vitesse. Dans les virages, cette fougueuse italienne (pléonasme ?) mord littéralement l'asphalte et cette tenue de route extraordinaire bénéficie de surcroît d'une motricité qui ne l'est pas moins, gracieuseté du rouage intégral. Quant au freinage, il est directement proportionnel aux accélérations de ce bolide.

Grâce aux nombreux raffinements qu'elle a reçus ces dernières années, la Lamborghini Diablo pourra, après cet ultime tour de piste, sortir par la grande porte. Comme les légendaires Countach et Miura, elle appartient déjà au panthéon de Lamborghini. Et à celui de l'automobile, il va sans dire.

Philippe Laguë

LAMBORGHINI Diablo

▲ POUR

- Performances d'exception
- Comportement ultrasportif
- Ergonomie améliorée
- Ligne intemporelle
- Prestige incomparable

▼ CONTRE

- Boîte manuelle dépassée
- Côté pratique inexistant
- Visibilité réduite
- Prix surréaliste
- Modèle en fin de carrière

CARACTÉRISTIQUES

Prix du modèle à l'essai	6.0 / 390 000 $
Garantie de base	2 ans / kilométrage illimité
Type	berlinette 2 places / intégrale
Empattement / Longueur	265 cm / 447 cm
Largueur / Hauteur	204 cm / 110 cm
Poids	1 625 kg
Coffre / Réservoir	140 litres / 100 litres
Coussins de sécurité	frontaux
Suspension av.	indépendante
Suspension arr.	indépendante
Freins av. / arr.	disque ventilé ABS
Système antipatinage	non
Direction	à crémaillère, assistée
Diamètre de braquage	13,0 mètres
Pneus av. / arr.	P235/35ZR18 / P335/30ZR18

MOTORISATION ET PERFORMANCES

Moteur	V12 6 litres
Transmission	manuelle 5 rapports
Puissance	550 ch à 7 100 tr/min
Couple	457 lb-pi à 5 500 tr/min
Autre(s) moteur(s)	aucun
Autre(s) transmission(s)	aucune
Accélération 0-100 km/h	3,9 s (données constr.)
Vitesse maximale	330 km/h (données constr.)
Freinage 100-0 km/h	39,6 mètres
Consommation (100 km)	21,0 litres

MODÈLES CONCURRENTS

- Aston Martin DB7 Vantage
- Ferrari 550 Maranello

QUOI DE NEUF ?

- Version 6.0 • Carrosserie en carbone • Voies avant et arrière élargies • Habitacle redessiné

VERDICT

Agrément	★★★★
Confort	★★
Fiabilité	★★
Habitabilité	★★
Hiver	★
Sécurité	★★★
Valeur de revente	★★½

Mercedes-Benz CL600

Au coude à coude avec Ferrari

Quelle voiture ! Aussi étonnant que cela puisse paraître, le joyau de la gamme Mercedes, le coupé CL, fait abstraction de son poids et de son format pour jouer les grandes sportives avec des réflexes incroyablement bien aiguisés. Cela tient en majeure partie à sa suspension active (ABC), une première sur une voiture de série. Et tout cela avant même que le coupé CL55 ne se soit pointé le bout du nez avec ses 349 chevaux et ses grandes pointures.

Mercedes-Benz avait mis ses gants blancs pour nous présenter ce nouveau modèle. Hôtel 5 étoiles sur la Côte d'Azur, déjeuner de truffes et casse-croûte au Château de Taulane. Le message était clair : plus que du haut de gamme, le coupé CL représente la plus fine expression de l'art automobile.

« La Côte d'Azur est un habitat naturel pour le coupé CL », de dire le professeur Jürgen Hubbert, membre du bureau de direction de DaimlerChrysler. Il tenait ainsi à souligner l'exclusivité et le raffinement de ce modèle qui ne sera construit qu'à 9 000 exemplaires.

Sur les pelouses de l'Eden Roc, au cap d'Antibes, la firme allemande avait aligné toutes les devancières du dernier coupé CL, des modèles d'exception créés sur une période de 42 ans.

Issu de la limousine de Classe S, le coupé est une sorte de vitrine technologique dans laquelle on retrouve la totalité des récentes innovations de Mercedes en matière de confort ou d'assistance à la conduite. Cela comprend la fermeture des portières assistée (on appuie légèrement et elles se referment toutes seules) et des sièges ventilés pour climatiser vos précieuses foufounes.

Le radar à bord

En traversant l'Atlantique, le coupé CL a malheureusement perdu de sa prestance puisque plusieurs de ses accessoires ne sont pas offerts sur les versions nord-américaines. Je pense notamment à la carte à puces qui tient lieu de clef et qu'il suffit d'avoir dans sa poche pour que les portières se déverrouillent quand vous approchez de la voiture. Les moteurs à cylindrée variable sont aussi exclus ici tout comme le Distronic.

Ce dernier consiste en un système de radar embarqué relié au régulateur de vitesse. Ce dispositif maintient entre la voiture et celle qui la précède une distance préréglée par le conducteur. J'ai choisi les options 100 mètres et 160 km/h (cela se passait en Europe) et j'ai été assez impressionné par l'efficacité du système. À 160 km/h, dès que le radar détectait la présence d'un obstacle à 100 mètres ou moins, je sentais la voiture ralentir et freiner légèrement sans aucune intervention de ma part.

En revanche, on peut se réjouir de constater que la suspension active appelée ABC (pour *Active Body Control*) est offerte en équipement de série.

Une touche sportive

Vitrine technologique

Pendant toute la durée de mon essai de la CL sur les routes en serpentin de l'arrière-pays provençal, ce gros coupé a fait preuve d'un comportement étonnant, compte tenu de son poids et de ses dimensions. Des essais subséquents effectués ici au Québec ont une fois de plus démontré l'aisance du coupé CL en conduite supersportive. Et si vous insistez un peu trop, le système ESC (*Electronic Stability Control*) vous ramène à l'ordre en appliquant les freins et en réduisant la puissance du moteur.

L'ABC utilise l'hydraulique haute pression pour adapter l'amortissement de la carrosserie aux conditions du moment. Si vous prenez un virage sur les chapeaux de roue, la voiture reste stable et ne penche absolument pas du côté opposé. Idem au freinage ou à l'accélération alors que le tangage est quasi complètement supprimé. Et ce n'est pas tout. Une diminution de poids de 340 kg, grâce à l'utilisation d'aluminium (capot, moteur, ailes arrière et pavillon) et de plastique (ailes avant et couvercle du coffre), a aussi contribué dans une certaine mesure à l'amélioration des performances. À ce propos, AMG a déjà joué de sa baguette magique sur le coupé CL en le dotant d'un V8 de 5,5 litres (349 chevaux et 391 lb-pi de couple) assorti de roues de 18 pouces. Ce sera à surveiller dans le rétroviseur de votre 911.

Avec le V8 de 306 chevaux, le sprint 0-100 km/h est l'affaire de 6,5 secondes, à peine quelques dixièmes de plus qu'avec le V12 5,8 litres de 367 chevaux. Je n'ai pas trouvé ce dernier tellement plus en verve que le V8. Avec le V12, la voiture est à peine plus rapide et on a l'impression que le moteur met plus de temps à répondre aux sollicitations de l'accélérateur à régime moyen. Comme ce moteur est plus lourd, il a aussi le désavantage de rendre la voiture un peu plus sous-vireuse dans des virages serrés.

Exercice de patience

À l'intérieur, on tombe vite en panne de superlatifs pour décrire le confort et le luxe dont on est entouré. Les places arrière pourront être utilisées par des adultes de taille normale, ce qui n'est pas toujours le cas dans les coupés, même de luxe.

Malgré l'absence d'un montant central, le coupé CL a fait preuve d'une bonne étanchéité à grande vitesse et je parle ici d'environ 220 km/h sur l'autoroute entre Nice et Cannes.

La perfection n'étant pas de ce monde, même le coupé CL de Mercedes n'échappe pas à la critique : le fameux système de contrôle central qui sert de réglage pour la radio, le GPS et le téléphone cellulaire donnerait des maux de tête au plus futé des cracks en informatique.

Toutefois, dès que la fastidieuse étape de l'apprivoisement est franchie, cette nouvelle Mercedes-Benz a bien des chances de vous emmener au septième ciel, là où il n'y a pas grand monde, à 122 900 $ le billet...

Jacques Duval

Mercedes-Benz CL500

MERCEDES-BENZ CL500

▲ POUR

• Suspension active impressionnante • Excellents moteurs • Comportement sportif • Confort suprême • Sécurité exemplaire • Équipement hypercomplet

▼ CONTRE

• Prix substantiel • Moteur V12 peu convaincant • Ergonomie perfectible (*Command Control*) • Transmission automatique lente

CARACTÉRISTIQUES

Prix du modèle à l'essai	122 900 $
Garantie de base	5 ans / 120 000 km
Type	coupé / propulsion
Empattement / Longueur	288,5 cm / 499 cm
Largeur / Hauteur	186 cm / 140 cm
Poids	1 865 kg
Coffre / Réservoir	450 litres / 88 litres
Coussins de sécurité	frontaux, latéraux et plafond
Suspension av.	indépendante
Suspension arr.	indépendante
Freins av. / arr.	disque ventilé
Système antipatinage	oui
Direction	à crémaillère, paramétrique
Diamètre de braquage	11,5 mètres
Pneus av. / arr.	P225/55R17

MOTORISATION ET PERFORMANCES

Moteur	V8 5 litres
Transmission	automatique 5 rapports (touch shift)
Puissance	306 ch à 5 600 tr/min
Couple	339 lb-pi à 2 700 à 4 200 tr/min
Autre(s) moteur(s)	V12 6 litres 367 ch
Autre(s) transmission(s)	aucune
Accélération 0-100 km/h	6,5 secondes
Vitesse maximale	250 km/h
Freinage 100-0 km/h	36,2 mètres
Consommation (100 km)	13,5 litres

MODÈLES CONCURRENTS

• Jaguar XK8 • BMW Z8 • Lexus SC 430

QUOI DE NEUF ?

• CL55 AMG • CL600 • Système Distronic disponible en début d'année

VERDICT

Agrément	★★★★½
Confort	★★★★
Fiabilité	★★★★½
Habitabilité	★★★
Hiver	★★★
Sécurité	★★★★★
Valeur de revente	★★★★½

Mercedes-Benz E55 AMG

Une référence !

Plusieurs d'entre vous se souviennent sûrement de cette ancienne publicité de la compagnie des rasoirs Remington. Son président, Victor Kiam, y tenait la vedette et déclarait : « J'ai tellement aimé le Remington que j'ai acheté la compagnie. » Il semble que ce scénario se répète avec la Mercedes E55. Cette fois, personne n'a acheté la compagnie, mais la direction de Mercedes a tellement été enthousiasmée par les succès de l'E55 qu'elle a décidé d'utiliser la même recette dans la Classe CLK avec la CLK55 et dans la Classe S avec la S55. Dans tous les cas, les voitures ont été « préparées » par AMG et on retrouve sous leur capot le même moteur V8 de 5,5 litres.

Pendant des années, des décennies même, Mercedes a laissé BMW, son grand rival de toujours, commercialiser des berlines sport sans réaglir. On se contentait à Stuttgart des grosses berlines bourgeoises, des limousines et des taxis. Le changement de philosophie de la direction a incité Mercedes à revenir en course et même à produire des berlines sport destinées à notre marché. Mieux encore, les modifications ont été confiées à AMG, le partenaire sportif de Mercedes.

L'une des premières tentatives en ce sens a été la C43, qui a été abandonnée depuis. Cet essai était plus ou moins concluant. Les performances étaient plus que généreuses, mais l'agrément de conduite au quotidien était complètement éradiqué par une suspension vraiment trop ferme pour les conditions routières de notre « belle province ».

La seconde tentative a été nettement plus intéressante. Cette fois, on a musclé le moteur et modifié la suspension d'une berline de la Classe E. Avec son puissant moteur V8 de 5,5 litres et des pneus P265/35R18 au profil très bas, on s'est donné les outils pour faire la chasse à la BMW M5.

De prime abord, cette fiche technique a de quoi inquiéter. La C43 était sportive, mais inconfortable compte tenu de nos routes du tiers-monde. Heureusement, le pilote d'une E55 a l'agréable surprise de se retrouver au volant d'une berline dont le comportement est quasiment bourgeois dans la circulation urbaine ! La suspension absorbe trous et bosses avec aplomb et l'E55 s'avère d'une docilité désarmante pour une voiture équipée d'un moteur d'une puissance de 349 chevaux. Et contrairement à plusieurs berlines de la même catégorie, elle n'est pas affligée de bruits de caisse et sa finition se révèle impeccable.

Comme le veulent les règles non écrites de la catégorie, il ne faut pas afficher la nature de la bête. La présentation extérieure est presque aussi dépouillée que celle d'une E420 « ordinaire ». Et ce n'est certainement pas pour le tape-à-l'œil qu'une personne se procure une telle voiture. D'autant plus qu'il faut se départir d'environ 100 000 $ pour en devenir propriétaire.

Mais c'est le prix à payer pour une voiture exceptionnelle. AMG n'a pas perdu la touche en fait de voiture sport. L'E55 est très docile en conduite normale, mais dès qu'on appuie vigoureusement sur l'accélérateur, elle se transforme en bolide de haute performance. Il faut un peu plus de 5 secondes pour boucler le 0-100 km/h tandis que le quart de mille est réalisé en 13,8 secondes. Et si cette donnée vous intéresse, la vitesse de pointe, de 250 km/h, est limitée électroniquement.

Rare, discrète, confortable et capable de performances très supérieures à la moyenne, cette E55 est une voiture d'exception qui comporte tout ce qu'on recherche dans une berline sport et même plus encore.

Haut de gamme

Tombée de rideau

Si l'E55 est l'un des plus récents modèles chez Mercedes, le cabriolet SL est présentement l'un des plus anciens à être commercialisé par la même compagnie. Pour les nostalgiques, qu'il suffise de mentionner que lors de son lancement, le Canadien affrontait Calgary en finale de la coupe Stanley et Pat Burns dirigeait ces joueurs que l'on qualifiait encore de « Glorieux ». Comme vous pouvez le constater, ça fait des lunes.

Dévoilée à l'aube des années 90, cette décapotable était le nec plus ultra des voitures de luxe. Sa plate-forme était exceptionnellement rigide pour l'époque et les ingénieurs y avaient incorporé quelques éléments de sécurité passive inusités, dont un arceau de sécurité intégral à déploiement automatique. Et pour l'une des premières fois, le montant du pare-brise était en acier renforcé, pour assurer une meilleure protection en cas de capotage.

Elle a été pendant plusieurs années la référence en fait de voiture de grand-tourisme et l'élégance de ses lignes est toujours appréciée de nos jours. Pourtant, après une décennie, elle doit céder le pas à des modèles nettement plus intéressants tant au chapitre des performances que de la tenue de route, du confort et de la sécurité. Ce n'est pas une mauvaise voiture, mais elle a fait son temps. Les roadsters CLK et SLK nous donnent un aperçu des progrès accomplis par cette marque en un peu plus de 10 ans.

On assiste donc à la tombée du rideau sur la SL en 2001. Elle sera remplacée par un modèle dont la silhouette sera inspirée de la spectaculaire SL-R dévoilée en 1999 au Salon de Detroit. Toutefois, sa fiche technique ne sera pas aussi éthérée et son prix beaucoup moins élevé.

Denis Duquet

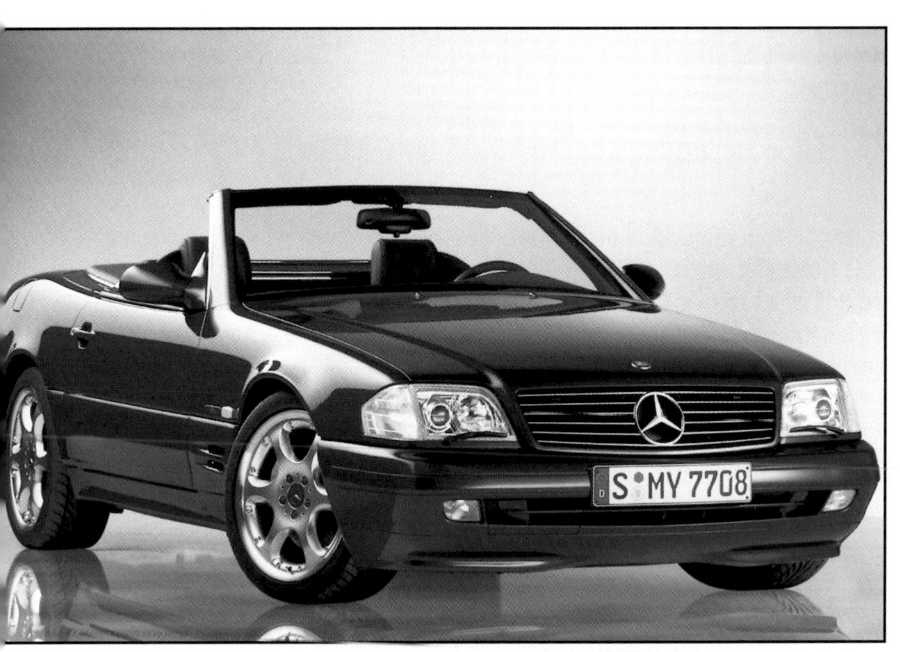

Mercedes-Benz SL500

MERCEDES-BENZ SL

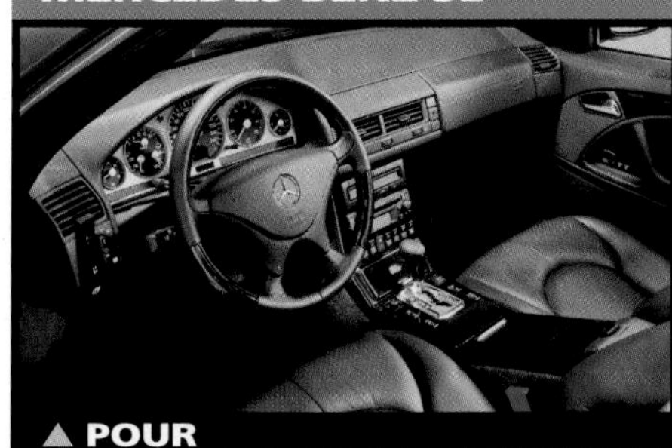

▲ POUR

E55 : • Performances très élevées • Adhérence exceptionnelle • Confort assuré • Moteur étonnant • Sécurité exemplaire

▼ CONTRE

E55 : • Pneus à profil trop bas • Prix stratosphérique • Insonorisation perfectible • Omniprésence de l'aide électronique au pilotage • Diffusion limitée

CARACTÉRISTIQUES

Prix du modèle à l'essai	SL500 / 116 500 $
Garantie de base	4 ans / 80 000 km
Type	roadster / propulsion
Empattement / Longueur	251 cm / 450 cm
Largeur / Hauteur	181 cm / 130 cm
Poids	1 875 kg
Coffre / Réservoir	223 litres / 80 litres
Coussins de sécurité	frontaux et latéraux
Suspension av.	indépendante
Suspension arr.	indépendante
Freins av. / arr.	disque ABS
Système antipatinage	oui
Direction	à billes, assistée
Diamètre de braquage	10,8 mètres
Pneus av. / arr.	P245/45ZR17

MOTORISATION ET PERFORMANCES

Moteur	V8 5 litres
Transmission	automatique 5 rapports
Puissance	302 ch à 5 600 tr/min
Couple	339 lb-pi à 2700-4250 tr/min
Autre(s) moteur(s)	V12 6 litres 389 ch
Autre(s) transmission(s)	aucune
Accélération 0-100 km/h	6,7 secondes
Vitesse maximale	250 km/h (limitée)
Freinage 100-0 km/h	38,7 mètres
Consommation (100 km)	14,8 litres

MODÈLES CONCURRENTS

• Jaguar XK8 • Lexus SC 430

QUOI DE NEUF ?

• Aucun changement majeur

VERDICT

Agrément	★★★
Confort	★★★½
Fiabilité	★★★★
Habitabilité	★★
Hiver	★★
Sécurité	★★★★
Valeur de revente	★★★★

PAGANI Zonda C12 S

Pagani Zonda C12 S

Une œuvre d'art dédiée à Fangio

Juan Manuel Fangio fut l'un des plus grands pilotes automobiles de tous les temps, sinon le plus grand. Couronné cinq fois champion du monde des conducteurs, deux fois au volant des Flèches d'argent de Mercedes-Benz, l'Argentin était doté d'une volonté de fer, d'une précision inouïe au volant et d'une aptitude hors du commun à prendre des risques calculés.

Admirateur inconditionnel de Juan Manuel Fangio, Horacio Pagani est patron et fondateur de Modena Design, entreprise spécialisée dans le design et la conception assistée par ordinateur, l'ingénierie et la construction de prototypes faisant appel aux plus récentes techniques en matière de composites.

Le rêve réalisé

Fils d'un boulanger argentin, Horacio rêve d'automobile depuis sa tendre enfance. Installé en Italie depuis de nombreuses années, il travaille successivement chez Lamborghini, Dallara, Aprilia et Ferrari. En 1988, au cours d'un dîner avec Fangio, l'idée est lancée de construire une supervoiture en hommage au champion argentin. Onze ans plus tard, la Pagani Zonda C12 est dévoilée au Salon de Genève de 1999.

Chef-d'œuvre d'artisanat où chaque pièce a fait l'objet d'une étude poussée, la Zonda (nom d'un vent qui souffle dans les Andes) a été conçue selon les techniques les plus modernes en matière de design, de châssis et de moteur.

Un moteur signé Mercedes-Benz

Sur les conseils de Fangio (décédé en 1995 à l'âge de 84 ans), Pagani équipe sa Zonda de l'imposant V12 Mercedes-Benz habilement remanié par AMG, le préparateur attitré du constructeur allemand. Dans la récente version S, cette merveille de mécanique déplace 7 010 cm^3 et développe la bagatelle de 550 chevaux et de 420 lb-pi de couple. Logé en position centrale, le V12 en aluminium est couplé à une boîte manuelle à 6 rapports avec différentiel autobloquant.

Les suspensions avant et arrière à doubles bras triangulés en aluminium et les combinés ressort-amortisseur montés *inboard* à la manière d'une monoplace s'accrochent à deux berceaux tubulaires, l'un à l'avant et l'autre à l'arrière, fixés au châssis central en fibre de carbone. Cellule d'une rigidité record, cette coque est doublée d'un arceau-cage en acier au chrome-molybdène qui lui assure la résistance voulue pour se conformer aux essais de collision, les berceaux avant et arrière servant de structure déformable.

Le recours aux matériaux composites permet aussi de réaliser une carrosserie en fibre de carbone qui ne pèse que 60 kg, à laquelle un toit transparent donne l'allure d'un avion de chasse. Utilisation de matériaux nobles et conception par ordinateur se traduisent par une supervoiture qui ne pèse que 1 250 kg, soit l'équivalent d'une

VW Golf. Avec 550 chevaux, le rapport poids/puissance se chiffre à 2,27 kg/ch, ce qui explique les accélérations ahurissantes de la belle italienne (3,7 secondes pour le 0-100 km/h).

Un bijou de Modène

Cette débauche de technologie ne doit pas faire oublier le soin apporté à l'aménagement de l'habitacle et au confort des deux occupants. Les sièges en carbone sont réalisés sur mesure pour s'adapter parfaitement à l'anatomie du propriétaire, tandis que cuir, nubuck et aluminium enveloppent le volant et le tableau de bord aussi futuriste qu'élégant. Le bloc d'instruments en aluminium massif est solidaire de la colonne de direction qui se règle en hauteur et en profondeur. Réglable aussi le pédalier, véritable pièce d'orfèvrerie dont les divers éléments sont tournés à la main! Sonorisation haut de gamme, système de climatisation et ensemble de valises sur mesure signé Schedoni complètent les douceurs dont jouira l'heureux «paganiste».

En somme, la Pagani Zonda C12 S, tout comme certaines des créations de rêve qui sortent de Modène, constitue une vitrine technologique et artistique qui permet d'étaler au grand jour l'art et la science des artisans, ingénieurs et designers de cette ville. Modène, capitale incontestée de la voiture sport, où se côtoient les bureaux d'étude des maîtres établis, tels que Ferrari, Lamborghini, De Tomaso et Maserati, ainsi que les ateliers d'autres créateurs moins connus mais non moins talentueux, tels que Horacio Pagani.

Alain Raymond

L'avion de chasse

Pour freiner cette imposante cavalerie, Pagani n'a pas lésiné sur les moyens : 4 énormes disques pincés par des étriers Brembo, le tout issu directement de la compétition, se chargent de ralentir les gros Michelin Pilot conçus spécifiquement pour la Zonda. Et puisque l'on souhaite quand même rester sur terre quand on file à la vitesse de décollage d'un avion, il faut compter sur l'aérodynamique pour réaliser les appuis nécessaires. À 200 km/h, les formes de la Zonda, largement tributaires des études en soufflerie effectuées chez Dallara, permettent d'exercer une déportance de 100 kg sur le train avant et de 130 kg sur le train arrière. Autrement dit, le vent, ennemi de la performance, se métamorphose ainsi en un bel allié. Et toujours sur le thème de l'aviation, signalons la présence, en plein milieu du bouclier arrière, de la quadruple sortie d'échappement en forme de tuyère et des deux petits ailerons qui s'allient à la verrière du cockpit pour évoquer l'avion de chasse.

PAGANI Zonda C12 S

▲ POUR

- Données insuffisantes

▼ CONTRE

- Données insuffisantes

CARACTÉRISTIQUES

Prix du modèle à l'essai	n.d.
Garantie de base	n.d.
Type	coupé 2 places / propulsion
Empattement / Longueur	273 cm / 439,5 cm
Largeur / Hauteur	205,5 cm / 115 cm
Poids	1 250 kg
Coffre / Réservoir	n.d. / 100 litres
Coussins de sécurité	n.d.
Suspension av.	indépendante
Suspension arr.	indépendante
Freins av. / arr.	disque
Système antipatinage	non
Direction	à crémaillère assistée
Diamètre de braquage	n.d.
Pneus av. / arr.	P255/40ZR18 / P345/35ZR18

MOTORISATION ET PERFORMANCES

Moteur	V12 7 litres
Transmission	manuelle 6 rapports
Puissance	550 ch 5 550 tr/min
Couple	420 lb-pi à 4 100 tr/min
Autre(s) moteur(s)	aucun
Autre(s) transmission(s)	aucune
Accélération 0-100 km/h	3,7 secondes
Vitesse maximale	n.d.
Freinage 100-0 km/h	n.d.
Consommation (100 km)	16 litres

MODÈLES CONCURRENTS

- Aston Martin DB7 Vantage • Ferrari 550 Maranello
- Lamborghini Diablo • Porsche 911 Turbo

QUOI DE NEUF ?

- Version S

VERDICT

Agrément	★★★★
Confort	★★★
Fiabilité	n.d.
Habitabilité	★★★
Hiver	★
Sécurité	★★★
Valeur de revente	n.d.

PANOZ ESPERANTE

PANOZ
AIV Roaster

Panoz Esperante

La fine fleur de l'automobile américaine

Daniel Panoz (appelez-le Dan), fondateur de Panoz Auto Development (1989), est le fils de Donald (Don pour les intimes) que l'on surnomme Doctor Panoz, magnat de l'industrie pharmaceutique, inventeur du système transdermique (pastille de nicotine) et richissime Américain qui s'est lancé dans le monde ultraconcurrentiel de la course automobile avec des voitures portant son nom.

Le *Guide de l'auto 99* avait d'ailleurs consacré un dossier complet et sa page couverture aux réalisations des Panoz père et fils. Descendants d'un immigrant italien, Gene Panunzio, et récents propriétaires des circuits de Road Atlanta, de Mosport et de Sebring, les Panoz se sont fixé comme objectif de se mesurer aux marques prestigieuses, tant sur les circuits de courses d'endurance que sur route.

C'est ainsi que Dan Panoz nous a servi en 1996 un roadster inspiré de la Lotus Super Seven mais conçu selon les techniques les plus modernes, notamment pour la confection du châssis. Le Roadster Panoz AIV (*Aluminium Intensive Vehicle*), qui bénéficie d'un châssis innovateur en aluminium et allie poids plume à la puissance respectable de son V8 Ford, offre des prestations dignes d'une supervoiture.

L'aluminium à l'honneur

Tirant les leçons de l'expérience du Roadster, Panoz a présenté au dernier Salon de New York l'Esperante (prononcer Espéranté), une voiture sport de luxe qui pousse encore plus loin l'usage de l'aluminium. En effet, le châssis en poutres rectangulaires d'aluminium extrudé présente une rigidité exceptionnelle doublée d'une légèreté enviable. La technique d'extrusion de l'aluminium permet de produire des pièces creuses aux formes diverses à un coût relativement abordable. Les éléments formant trois des cinq modules du châssis sont ensuite collés (et non soudés) avec des adhésifs ultraperformants utilisés en aéronautique. Précisons que Panoz s'inspire souvent des techniques utilisées en aviation, qui conviennent bien à la fabrication en petite série. C'est ainsi que les panneaux de carrosserie produits par Superform USA, un fournisseur de l'industrie aérospatiale, proviennent de tôles d'aluminium formées sous vide par chauffage jusqu'au point de fusion. Les pièces produites sont d'une telle qualité de surface qu'elles passent directement à l'atelier de peinture, sans nécessiter la préparation habituelle, d'où une économie appréciable de temps et d'argent. Panoz prévoit aussi se servir du procédé de thermoformage pour la production de pièces en plastique à couleur coulée dans la masse, prêtes à être posées.

L'originalité de Panoz ne réside donc pas seulement dans la construction de voitures d'exception, mais aussi dans l'exploration et la mise au point de techniques nouvelles qui pourront être cédées aux grands constructeurs. C'est à cette fin que Panoz a créé Élan Motorsport Technologies, un centre de recherche et de développement au service de la course automobile et, éventuellement, de l'industrie automobile.

Noblesse automobile

Esprit et espoir

Esprit et espoir, tels sont les deux mots qui composent le nom Esperante. À voir les lignes ondulantes de l'Esperante, avec son capot qui plonge entre les deux ailes proéminentes et la prise d'air logée sous la ligne du pare-chocs, on dirait une version moderne de la révolutionnaire Lotus Elite née en 1957. La similitude est aussi frappante à l'arrière ainsi que de profil, surtout lorsque le toit est fermé. Au sujet du toit repliable à commande hydroélectrique, signalons qu'il comporte une section avant rigide qui assure une meilleure étanchéité et atténue les bruits de vent. Une fois replié, le toit s'escamote et assure la netteté visuelle des lignes.

L'habitacle moins classique fait appel à des solutions osées, notamment pour l'emplacement du bloc d'instruments au milieu du tableau de bord. On s'y habitue, paraît-il. N'empêche que l'aménagement luxueux et l'équipement très complet sauront plaire aux quelques élus qui se procureront l'Esperante à 80 000 $US.

Fidèle à Ford

Pour la motorisation, Dan Panoz s'approvisionne sur le marché existant. C'est ainsi que l'on retrouve sous le capot en aluminium le V8 de 4,6 litres signé Ford développant 320 chevaux. Offerte pour le moment avec la boîte manuelle à 5 rapports, l'Esperante recevra éventuellement une boîte séquentielle à 6 rapports. L'option d'un V8 suralimenté est aussi envisagée.

La suspension fait appel à des triangles inégaux superposés à l'avant et à l'arrière, la différence étant qu'à l'arrière, les combinés ressort/amortisseur sont placés à l'horizontale et actionnés par des leviers de renvoi dans le but de dégager l'espace réservé au coffre. Cet ingénieux dispositif témoigne du soin qu'apporte Panoz à la conception de cette voiture.

Avec l'Esperante qui devrait être produite au rythme de 500 voitures par an, Panoz cherche à attirer une clientèle aisée qui s'intéresse aux Porsche 911, Mercedes SL500 et Jaguar XKR. Sachant le sérieux que Panoz présente sur les circuits de courses d'endurance d'Amérique du Nord et d'Europe – et les victoires qu'il y remporte contre une concurrence prestigieuse –, gageons que l'Amérique aura trouvé, chez les descendants de Gene Panunzio, les fondateurs d'une dynastie automobile à la hauteur des plus belles dynasties d'Europe.

Alain Raymond

Panoz AIV Roadster

PANOZ Esperante

▲ POUR

- Données insuffisantes

▼ CONTRE

- Données insuffisantes

CARACTÉRISTIQUES

Prix du modèle à l'essai	80 000 $US
Garantie de base	3 ans / 60 000 km
Type	cabriolet 2 places / propulsion
Empattement / Longueur	271 cm / 447 cm
Largueur / Hauteur	186 cm / 135 cm
Poids	1 454 kg
Coffre / Réservoir	300 litres / 59,7 litres
Coussins de sécurité	frontaux
Suspension av.	indépendante
Suspension arr.	indépendante
Freins av. / arr.	disque ABS
Système antipatinage	oui
Direction	à crémaillère, assistée
Diamètre de braquage	n.d.
Pneus av. / arr.	P255/45ZR17

MOTORISATION ET PERFORMANCES

Moteur	V8 4,6 litres
Transmission	manuelle 5 rapports
Puissance	320 ch à 6 000 tr/min
Couple	317 lb-pi à 4 750 tr/min
Autre(s) moteur(s)	aucun
Autre(s) transmission(s)	aucune
Accélération 0-100 km/h	5,2 secondes
Vitesse maximale	250 km/h
Freinage 100-0 km/h	37,0 mètres
Consommation (100 km)	15,0 litres

MODÈLES CONCURRENTS

- Acura NSX • Jaguar XKR • Mercedes-Benz SL500
- Porsche 911

QUOI DE NEUF ?

- Nouveau modèle

VERDICT

Agrément	n.d.
Confort	n.d.
Fiabilité	n.d.
Habitabilité	n.d.
Hiver	n.d.
Sécurité	n.d.
Valeur de revente	n.d.

PORSCHE 911 Turbo

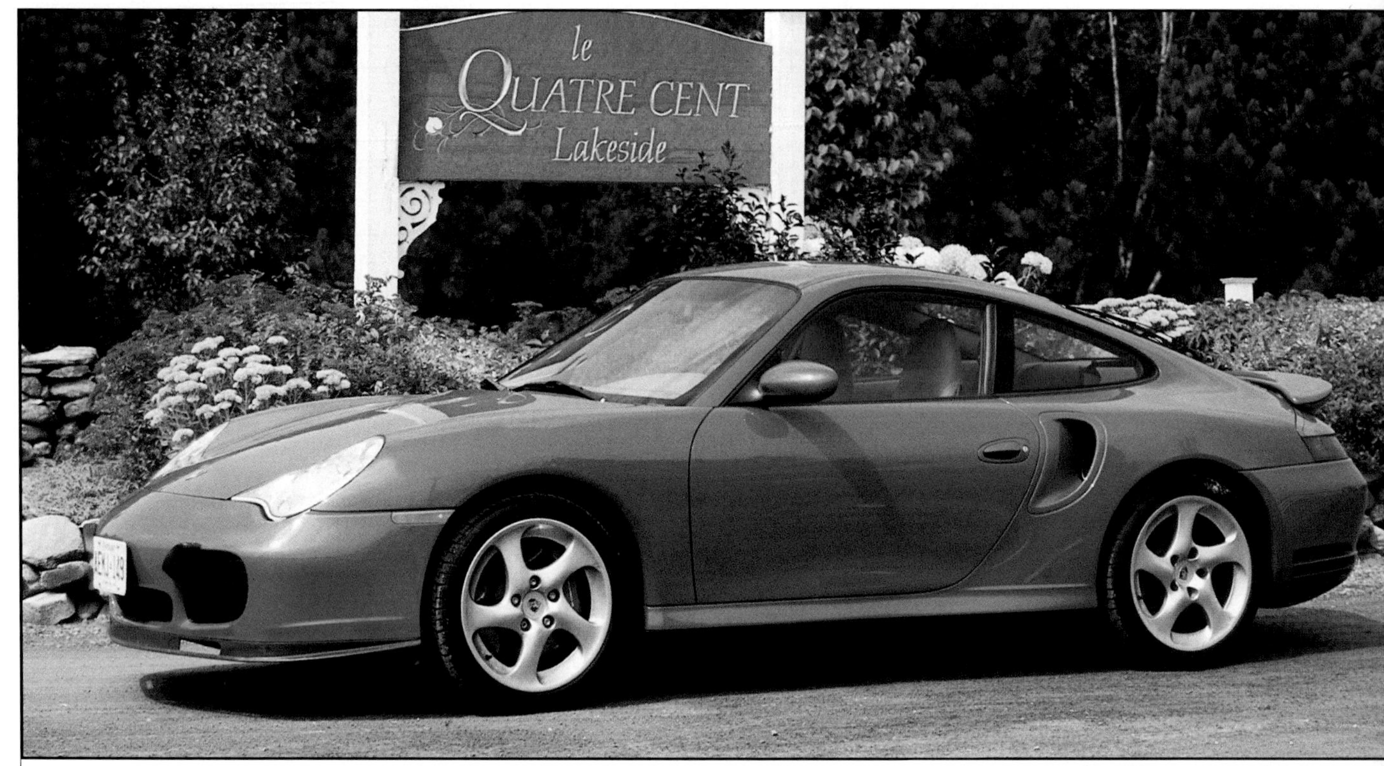

Porsche 911 Turbo

Zone interdite

À 115 km/h, je suis déjà au-dessus de la limite de vitesse autorisée au Québec et, pourtant, je ne suis qu'en 2e vitesse. Imaginez le carnet de contraventions qui m'attend si je décide d'aller voir la vitesse maximale possible sur les autres rapports. Car, à 6600 tr/min, juste au bord de la zone rouge, la Porsche 911 Turbo inscrit des chiffres ahurissants : 172 km/h en 3e, 210 km/h en 4e, 250 km/h en 5e et plus de 300 km/h à fond la caisse !

La première Porsche 911 Turbo, construite en 1975, était une voiture sport à ne pas mettre entre toutes les mains. Son comportement routier de haut calibre s'avérait difficile à exploiter, alors que sa puissance exceptionnelle avait tendance à amplifier les faiblesses inhérentes à son moteur arrière. Bref, elle pouvait vous conduire à l'hôpital en moins de deux si vous n'étiez pas un pilote alerte et expérimenté.

Dans le modèle de cinquième génération qui amène la gamme 996 à son apogée, la 911 Turbo est une voiture non seulement plus facile à prendre en main, mais qui prouve hors de tout doute que la haute performance est souvent une alliée précieuse au chapitre de la sécurité. J'irais même jusqu'à dire qu'elle peut quelquefois jouer un grand rôle dans la prévention des accidents.

Pour le dévoilement à la presse internationale de son porte-étendard, Porsche nous avait conviés dans la région de Séville, en Espagne, à un essai d'environ 350 km sur des routes plus propices à éprouver l'endurance des organes de suspension d'une voiture que les limites

de son adhérence en virage. Pour une fois, le trajet n'avait pas été tracé spécifiquement pour bien faire paraître la voiture. Or, malgré un assortiment de bosses, de lézardes et de pavés dégradés, la dernière 911 Turbo est restée fermement plantée sur ses gros Pirelli P Zéro, aussi imperturbable que les soldats de la garde royale.

En somme, dans des conditions souvent incompatibles avec l'évaluation d'une voiture sport, la plus rapide des Porsche a superbement relevé le défi. Elle a fait preuve d'une robustesse et, surtout, d'une tenue de route que rien ne semble vouloir troubler.

Des appréhensions vite dissipées

Contraint de partager la voiture avec un autre journaliste lors du lancement en Espagne, je m'apprêtais à passer par toute la gamme des émotions et lui aussi sans doute. Rouler avec un collègue étranger dans une voiture hyperrapide sur des routes inconnues n'est pas précisément la recette antistress par excellence. Pourtant, en quelques minutes, la 911 Turbo a rapidement fait la preuve que nous étions très loin des premières versions de ce modèle qui exigeaient beaucoup de doigté et éminemment de respect. Avec son régulateur électronique de stabilité (PSM) qui agit sur le freinage et la puissance du moteur et sa transmission intégrale empruntée à la Carrera 4, la 911 fait la preuve qu'aucune autre voiture ne mérite autant qu'on dise d'elle qu'elle est rivée à la route. Et, croyez-

Dans les rues de Carmona.

moi, elle aurait eu toutes les chances de s'envoler sur les routes cahoteuses de l'Andalousie. Bien sûr, l'avant a tendance à se déporter un peu dans des virages serrés, mais la répartition de la puissance aux 4 roues est telle qu'il demeure possible de faire décrocher le train arrière pour ramener la voiture dans la trajectoire idéale.

En temps normal, seulement 5 % de la motricité est dirigée vers les roues avant par le biais d'un visco-coupleur mais, sur des surfaces glissantes, cela peut atteindre 40 %. Le plus beau de l'histoire, c'est le PSM qui, contrairement à la majeure partie des systèmes de contrôle de traction, donne à la 911 la chance d'exprimer son comportement sportif.

À cause des pneus surdimensionnés, on doit s'inquiéter du confort. À ce chapitre, le terrain d'essai particulièrement rébarbatif où s'est déroulée la conduite de la 911 ne nous a pas fait oublier que cette Porsche possède une suspension ferme qui, par surcroît, a été abaissée de 10 mm dans la Turbo. Et le Québec nous l'a cruellement rappelé par des secousses brutales sur les moindres irrégularités du revêtement et quelques bruits de caisse.

Quel moteur !

La 911 Turbo, c'est d'abord et avant tout un moteur qui, dans le cas présent, atteint un nouveau sommet de souplesse, de linéarité et, bien sûr, de punch. Celui-ci n'est pas une version poussée du moteur de la 911 normale, mais plutôt une version assagie du 6 cylindres à plat utilisé dans les Porsche GT1 de compétition. Cela lui assure d'emblée une meilleure résistance dans des conditions d'utilisation extrêmes. Sur la 911 Turbo, le système de calage des arbres à cames d'admission se voit complété par une levée variable des soupapes d'admission grâce à des cames de profil différent. Porsche appelle ce système «VarioCam Plus». Un tel système permet d'optimiser la puissance et le couple tout en abaissant la consommation. Une moyenne de 12,9 litres aux 100 km est plus souvent celle d'une berline de catégorie moyenne que d'une voiture sport ultraperformante.

Parfaitement servie par la boîte manuelle à 6 rapports, la voiture bondit littéralement d'un virage à l'autre sous la force des 420 chevaux tirés de son moteur biturbo de 3,6 litres à 24 soupapes et 2 refroidisseurs d'air de suralimentation. Le très léger temps de réponse du moteur est un boni, compte tenu qu'il contribue à gérer en souplesse le dosage de l'accélérateur à la mise en route. Vous n'aurez donc pas à subir l'humiliation de caler le moteur. À moins que vous optiez, sacrilège, pour la boîte automatique Tiptronic S offerte pour la première fois sur la nouvelle 911 Turbo. Et puisque les fanatiques de ce type de voiture ne jurent que par les chiffres, précisons que la 911 Turbo s'acquitte du 0-100 km/h en 4,2 secondes et du 0-160 km/h en 9,2 secondes, tout en affichant une vitesse de pointe de 305 km/h.

Des freins inédits

Pour vous ramener sur terre, Porsche a conçu un système de freinage révolutionnaire proposé en option dans toutes les nouvelles 911. Il se distingue par ses disques en composite de céramique, un matériau qui a l'avantage d'être 50 %

plus léger que l'acier. Cela se traduit par une économie de poids assez substantielle de 20 kg. Ces disques de freins résistent mieux aussi à la corrosion, tout en ayant une durée de vie estimée à 300 000 km. Déjà impressionnant, le freinage de la 911 Turbo dépassera ainsi tout ce qui se fait à ce jour dans l'industrie.

Par opposition aux premières 911 Turbo, toujours un peu sournoises, la version 2001 semble anticiper vos intentions et se prête à un style de conduite détendu. On se surprend à freiner toujours de plus en plus tard à l'entrée d'un virage et jamais la voiture ne s'en offusque.

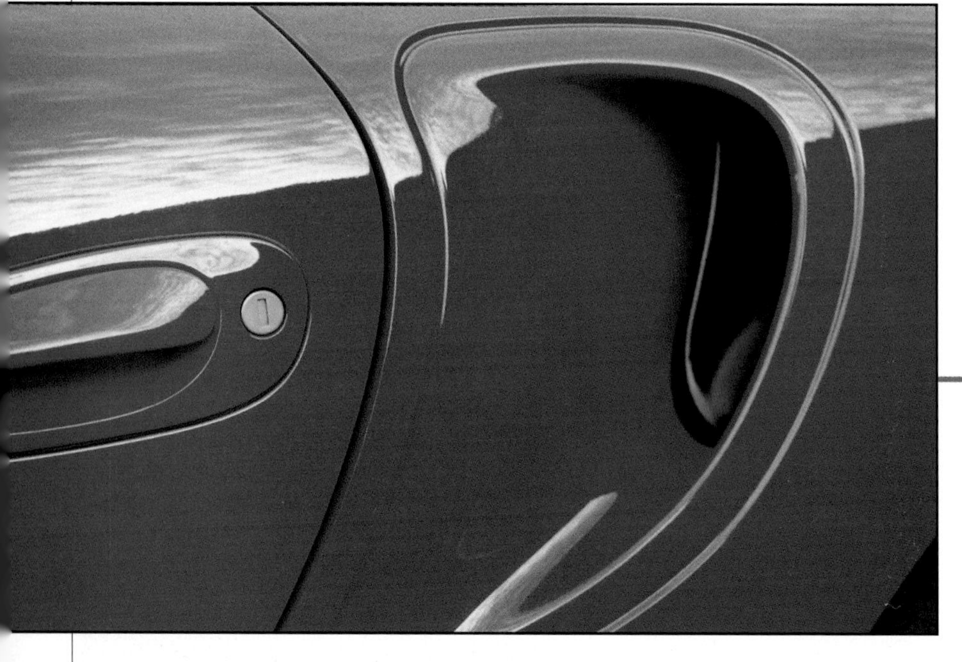

Le faible niveau sonore de la 911 Turbo mérite amplement d'être souligné en gras. Même à 200 km/h, on peut tenir une conversation sans avoir à élever la voix. Il est simplement dommage que les pneus

ÉQUIPEMENTS

DE SÉRIE

- Rétroviseurs extérieurs dégivrants
- Peinture métallisée • Ordinateur de bord
- PSM (Porsche Stability Management)

EN OPTION

- Intérieur personnalisé
- Transmission Tiptronic
- Freins en composite de céramique

soient aussi bruyants sur certaines surfaces.

L'apothéose

Matière de goût

La dernière 911 Turbo est, selon moi, plus élégante que l'ancienne dont l'aileron arrière faisait plutôt grotesque. Cet appendice est désormais mieux intégré et il est fait en deux parties, dont l'une ne se déploie qu'à une vitesse de 120 km/h ou plus.

Malgré cela, certains reprochent à la dernière-née des Porsche ses nombreuses ses prises d'air à l'allure de trous béants. Cette signature visuelle, de toute évidence, ne fait pas l'unanimité, pas plus d'ailleurs que l'aménagement intérieur trop semblable à celui des versions « bon marché » de la 911. L'aérodynamique est néanmoins préservée puisque le Cx se situe à 0,31.

À l'intérieur, l'abondance du cuir (même sur les barrettes des aérateurs), la présence d'alu brossé et le ciel de toit en Alcantara (une sorte d'ultrasuède) ne réussissent pas à faire oublier la banalité du tableau de bord.

En revanche, on trouve rapidement la bonne position de conduite malgré une colonne de direction qui ne se règle qu'en profondeur. Il n'y a toujours pas de coffre à gants et l'espace pour les bagages à l'avant a été amputé au point de ne plus contenir que 100 litres. On devra s'en remettre à la petite tablette se rabattant au-dessus des sièges arrière pour gagner environ 200 litres de rangement.

À un prix (162 000 $) hors de portée du commun des mortels, la Porsche 911 Turbo restera pour la grande majorité d'entre nous une voiture de rêve au même titre que les Ferrari, Lamborghini, Aston Martin et autres « exotiques » de grande lignée. Par rapport à ses distinguées concurrentes, la Porsche a l'avantage d'offrir une fiabilité reconnue mais, comme ses rivales, son terrain de jeu est limité compte tenu que ses performances sont carrément inutilisables sur nos routes défoncées et espionnées.

Cette fabuleuse 911 Turbo est donc condamnée à ne pouvoir utiliser légalement que le tiers de ses capacités alors que tout concourt chez elle à en faire la voiture dont la sécurité active est de loin la meilleure au monde. Notre pauvre vie d'automobiliste est ainsi faite.

Jacques Duval

PORSCHE 911 Turbo

▲ POUR

• Performances étourdissantes • Facilité de conduite en progrès • Sécurité active poussée • Freinage spectaculaire • Éclairage exceptionnel

▼ CONTRE

• Suspension inconfortable • Coffre peu utile • Tableau de bord terne • Transmission automatique superflue • Utilisation limitée

CARACTÉRISTIQUES

Prix du modèle à l'essai	162 500 $
Garantie de base	4 ans / 80 000 km
Type	coupé 2+2, transmission intégrale
Empattement / Longueur	235 cm / 446 cm
Largeur / Hauteur	179 cm / 130 cm
Poids	1 540 kg
Coffre / Réservoir	100 litres / 90 litres
Coussins de sécurité	frontaux et latéraux
Suspension av.	indépendante
Suspension arr.	indépendante
Freins av. / arr.	disque ventilé ABS
Système antipatinage	oui
Direction	à crémaillère, assistée
Diamètre de braquage	11,3 mètres
Pneus av. / arr.	P225/40ZR18 / P295/30ZR18

MOTORISATION ET PERFORMANCES

Moteur	6H 3,6 litres biturbo
Transmission	manuelle 6 rapports
Puissance	420 ch à 6 000 tr/min
Couple	414 lb-pi à 2 700 tr/min
Autre(s) moteur(s)	aucun
Autre(s) transmission(s)	Tiptronic 5 rapports
Accélération 0-100 km/h	4,2 secondes
Vitesse maximale	305 km/h
Freinage 100-0 km/h	38,4 mètres
Consommation (100 km)	12,9 litres

MODÈLES CONCURRENTS

• BMW Z8 • Ferrari 360 Modena • Aston Martin DB7 • Jaguar XKR Silverstone

QUOI DE NEUF ?

• Nouveau modèle

VERDICT

Agrément	★★★★★
Confort	★★
Fiabilité	nouveau modèle
Habitabilité	★★½
Hiver	★★★½
Sécurité	★★★★
Valeur de revente	★★★★★

4 inconnues

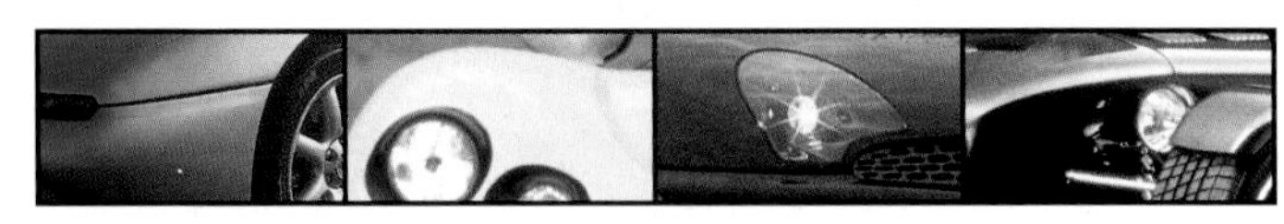

EN MARGE DE LA GRANDE SÉRIE

Malgré les super-alliances et les méga-fusions, il reste dans le merveilleux monde de l'automobile de petits constructeurs artisanaux qui tiennent mordicus à leurs traditions et à leurs méthodes parfois archaïques et qui poursuivent, bon an mal an, leur petit bonhomme de chemin. La très anglaise Lotus Elise, les belles Maserati 3200GT et De Tomaso Mangusta, aussi italiennes que l'huile d'olive, ainsi que la redoutable Panoz Esperante *made in USA* avaient été choisies l'an dernier pour illustrer l'œuvre de quatre ateliers qui, sous le couvert de l'artisanat, construisent souvent des voitures plus perfectionnées et sûrement moins ennuyantes que celles de la plupart des «grands» de ce monde.

Pour l'édition 2001, nous vous présentons quatre autres «inconnues» qui le sont d'autant plus chez nous qu'elles n'y sont pas représentées. Pour assouvir votre curiosité de passionné, voici donc deux françaises, une hollandaise et une italo-américaine d'exception.

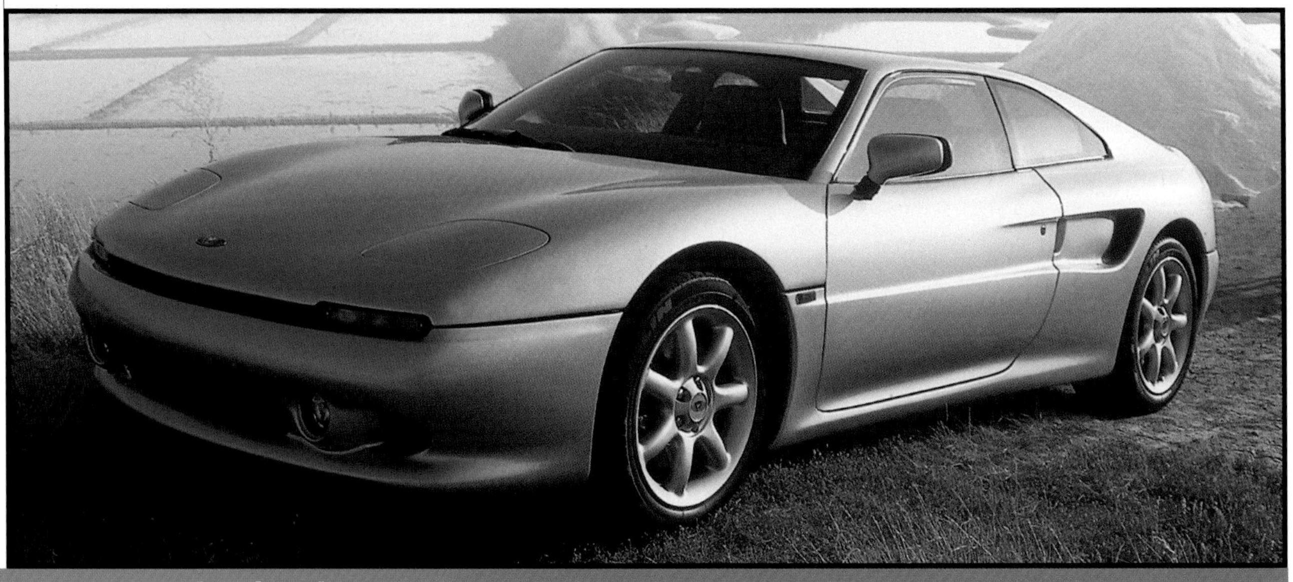

Venturi Atlantique 300

La française d'exception

Eh oui, une voiture sport française! Depuis la disparition de Facel Vega en 1964 et d'Alpine vers la fin des années 70, la France n'avait pas produit de voiture d'exception. Mais voilà qu'en 1984, Claude Poiraud (ex-ingénieur chez Alpine) et Gérard Godfroy (ex-designer chez Peugeot) présentent au Salon de l'auto de Paris le concept d'un coupé sport 2 places. En 1986, toujours au Salon de Paris, le même duo dévoile son premier prototype roulant nommé Venturi, suivi en 1988 du Venturi Cabriolet.

De l'usine située près de Nantes sortent les belles Venturi construites en petite série pour une clientèle de connaisseurs. La participation aux 24 Heures du Mans, dès 1993, attire l'attention sur ce petit constructeur français dont la gamme comprend plusieurs variantes conçues selon la même architecture, celle du coupé 2 places à châssis-poutre avec caissons en tôle d'acier (inspirée des Lotus de Colin Chapman).

210, 310 ou 408 chevaux, à vous de choisir

La Venturi Atlantique est propulsée par le V6 de 3 litres d'origine Peugeot développant 210 chevaux. Logé en position centrale arrière, le V6 procure à l'Atlantique des prestations fort honorables, soit 240 km/h et 7,5 secondes pour le 0-100 km/h. Pour les amateurs de sensations fortes, Venturi propose la 300 dont le V6 est gonflé par 2 turbocompresseurs Aerodyne à basse pression avec échangeur air/eau. Ainsi dopé, le V6 qui affiche 310 chevaux lance la belle Venturi à 275 km/h et lui permet de boucler le 0-100 km/h en 4,9 secondes. Impressionnant! Et ce n'est pas tout: si le portefeuille et le culot le permettent, nos amis européens pourront se gâter avec la Venturi 400 GT dont le V6 biturbo crache 408 chevaux et permet de chatouiller les 300 km/h!

Si les chiffres parviennent à impressionner, il ne faut pas pour autant oublier le visage civilisé des Venturi. L'habitacle tendu de cuir et garni de bois fins ne manquera pas de plaire par sa finition soignée et son niveau d'équipement. En outre, la carrosserie en polyester aux lignes classiques et équilibrées rappelle certaines créations Ferrari (ainsi que l'infatigable Lotus Esprit).

Reste à souhaiter bonne route à ce sympathique et passionné constructeur qui démontre avec élégance et brio qu'il est possible de survivre et d'évoluer sans se trouver sous la houlette d'un grand.

Mega Monte-Carlo

La France se dévergonde

Si vous avcz suivi les 24 Heures sur glace de Sherbrooke, vous connaissez sans doute cette marque qui produit, entre autres, le Mega Glace, un petit monstre à moteur central et transmission intégrale dont les prestations sur la glace du circuit de Sherbrooke ont émerveillé les spectateurs. Mega (plus précisément Groupe Aixam-Mega), c'est aussi un constructeur qui se spécialise dans la conception et la production de micro-voitures «sans permis», de quadricycles légers réservés à l'usage urbain et, tout à fait à l'autre extrême, de deux bolides d'exception, le Mega Track, une sorte de Ferrari du tout-terrain à moteur V12 Mercedes, et son équivalent de route, la superbe Monte-Carlo.

Motorisation Mercedes

À l'instar de la Zonda C12 de Pagani, la Mega Monte-Carlo est propulsée par le V12 Mercedes-Benz de 6 litres développant 395 chevaux logé au centre de la caisse. Le châssis central formé d'une structure composite en carbone/epoxy allie des techniques issues de l'aéronautique et de la Formule 1 qui permettent d'optimiser le rapport résistance/rigidité/poids. La structure tubulaire avant fixée au châssis central reçoit la suspension à bras triangulés, la direction à assistance variable et le système de refroidissement, tandis que la structure arrière supporte le moteur V12, la boîte ZF à 6 rapports et la suspension arrière. Comme il se doit sur une machine de cette classe, une attention particulière a été portée au freinage et il est possible, moyennant supplément, d'opter pour des freins avec disque au carbone qui se distinguent par une stabilité remarquable à très haute température et des caractéristiques mécaniques qui s'améliorent avec la température, contrairement à ce qui est le cas pour les freins en fonte. Roues et pneus Michelin très hautes performances complètent le pedigree technique de la belle française.

Une carrosserie galbée, signée Sylvain Crosnier, du cabinet de design SERA, procure à la Monte-Carlo une image puissante mais souple, sobre et élancée. Malgré la réglementation routière exigeante, on sent dans le dessin de la carrosserie l'influence de la compétition : ouïes, fentes, lames et extracteurs s'intègrent sans difficultés apparentes aux galbes de la voiture.

L'habitacle soigné marie harmonieusement cuir, Alcantara et carbone, et la climatisation automatique assure le confort des deux occupants de cette grand-tourisme pure et dure. Capable d'avaler le 0-100 km/h en 4,5 secondes, la Monte-Carlo peut transporter le pilote et son passager à 300 km/h. Frileux s'abstenir !

Qvale Mangusta

Une exotique italo-américaine

Né en Norvège, Kjell Qvale (prononcer Shell Ka-va-li) arrive aux États-Unis avec sa famille en 1920. Il est alors âgé de 10 ans. En 1947, il devient le premier importateur de voitures sport anglaises puis, quelques années plus tard, le premier importateur de Volkswagen en Californie. Au fil des ans, la famille Qvale s'intéresse à toutes les facettes du monde de l'automobile, y compris la compétition. Aujourd'hui, les fils Qvale, Bruce et Jeff, sont associés à l'Italien De Tomaso pour la construction et la distribution de la Mangusta, un coupé/cabriolet à mécanique Ford. Âgé de 80 ans et toujours aussi passionné, papa Qvale surveille d'un œil alerte l'empire automobile qu'il a créé.

Le concept de la Mangusta est né dans l'esprit de De Tomaso qui cherchait à produire une version italienne de la belle TVR Griffith britannique. C'est Marcello Gandini, auteur des spectaculaires Lamborghini Countach et Diablo, qui dessine la carrosserie de la Mangusta présentée sous forme de prototype (dénommé Bigua) au Salon de Genève en 1996. Les Qvale s'intéressent au projet, s'associent à De Tomaso et construisent à Modène, capitale mondiale de l'automobile mythique, l'usine d'où sortent les belles Mangusta.

Encore Ford

Fidèle à sa tradition (souvenez-vous de la Pantera), De Tomaso se tourne vers Ford pour la motorisation et fixe son choix – comme l'a fait un certain Dan Panoz – sur le moderne V8 en aluminium de 4,6 litres allié à la boîte manuelle à 5 rapports signée Borg Warner, soit le même groupe qui propulse la Ford SVT Cobra. Développant 320 chevaux et 314 lb-pi de couple, le valeureux V8 devrait lancer les 1 500 kg de la Mangusta à 240 km/h et lui permettre de boucler le 0-100 km/h en 5 secondes et des poussières.

Outre ses origines et sa motorisation, la Qvale Mangusta vendue aux États-Unis et en Europe se distingue par son toit Rototop qui lui procure trois personnalités : un coupé à toit rigide, une Targa et un cabriolet. En effet, le panneau central se détache et se range dans le coffre, tandis que l'arceau de type Targa et la lunette en vitre s'escamotent derrière les sièges par commande électrique. Autre particularité de la Mangusta, la très forte rigidité du châssis à poutre centrale (qui équivaut à celle de la BMW M3) et les suspensions dont les bras se prolongent jusqu'à l'intérieur du compartiment moteur.

Cuirs de qualité, bois fins et Kevlar garnissent le cockpit dont la réalisation est confiée à Visteon, filiale de Ford. Légèrement plus imposante qu'une Honda S2000 ou qu'une BMW Z3, la belle italo-américaine prévoit soulager tous les ans quelque 500 acheteurs privilégiés d'une somme d'environ 80 000 $US. Amateurs d'exotisme et d'exclusivité, faites vos jeux.

La symphonie Lotus, interprétée par un orchestre hollandais

Décidément, certains mythes sont difficiles à tuer. La Lotus Super Seven, création typique de Colin Chapman, constitue sans doute, avec la légendaire AC Cobra, la voiture sport la plus imitée de l'histoire. Parmi ses émules les plus célèbres, la Super Seven de Caterham qui a hérité des droits de la Lotus, le Roadster Panoz et aussi la Donkervoort D8, une Super Seven à la sauce hollandaise.

Donkervoort D8

630 kg ! Qui dit mieux ?

Reprenant le principe de la légèreté qui a fait la gloire des constructeurs britanniques de voitures sport et de voitures de course dès le début des années 60, Donkervoort s'est efforcé de pousser le thème aux limites de la technologie moderne, produisant un roadster élémentaire mais ultraperformant ne pesant que 630 kg. Incroyable, mais vrai ! Aluminium, fibre de carbone et fibre de verre se partagent la vedette dans la constitution du châssis et de la carrosserie du roadster D8. Préoccupation tout à fait secondaire à bord des ancêtres Lotus Super Seven, le confort et le bien-être des 2 occupants ont reçu une attention particulière lors de l'élaboration de l'habitacle du D8 qui bénéficie de sièges moulés et – on n'arrête pas le progrès – d'un système de chauffage. L'absence d'insonorisation et de garnitures « inutiles » démontre sans l'ombre d'un doute que le roadster Donkervoort est destiné aux passionnés qui sont prêts à sacrifier presque tout pour le plaisir de faire corps avec leur machine. Sont aussi absents tous les systèmes d'assistance à la conduite, que ce soit la servodirection ou l'ABS. En contrepartie, les « intégristes » de la conduite automobile se réjouiront de la présence d'amortisseurs Koni réglables qui pilotent des suspensions à bras triangulés, dans la plus pure tradition des monoplaces d'antan.

Abandonnant les moteurs 4 cylindres Ford Zetec, Donkervoort s'est tourné en 1999 vers Audi pour adopter le populaire 1,8 litre turbo qui équipe une multitude de modèles chez Volkswagen/Audi. Ce moteur Audi propulse les 630 kg de la Donkervoort jusqu'à 100 km/h en 6 secondes. Pas mal pour un petit 4 cylindres !

Pour le reste, le roadster hollandais reprend les thèmes Lotus : les roues avant découvertes, le long capot se terminant par une prise d'air rectangulaire, le silencieux et les phares extérieurs ainsi que le pare-brise plat. À l'arrière, vient se greffer une suspension indépendante au lieu du pont De Dion cher à Chapman, alors que des ailes proéminentes recouvrent les pneus à taille basse.

Pour Donkervoort, ce n'est pas la puissance ni la vitesse de pointe qui font le plaisir de conduire, mais plutôt la précision de la direction, la tenue de route et l'agilité. Et lorsque le poids est bien contrôlé, les performances seront au rendez-vous même avec un petit moteur. En somme, l'école de pensée qui révolutionna le monde de la Formule 1 dans les années 60. ✪

Fiche technique

	Venturi Atlantique 300	Mega Monte-Carlo	QVale Mangusta	Donkervoort D8
Type	coupé 2 places	coupé 2 places	coupé/roadster 2 places	cabriolet 2 places
Empattement (cm)	250	266	267	230
Longueur / Largeur (cm)	424 / 184	445 / 199	419 / 190	341 / 173
Poids (kg)	1 250	1 500	1 500	630
Moteur	V6 3 litres biturbo	V12 6 litres	V8 4,6 litres	4L 1,8 litre turbo
Puissance (ch à tr/min)	310 à 6 200	395 à 5 200	320 à 6 000	150 à 5 700
Couple (lb-pi à tr/min)	288 à 3 800	420 à 3 800	314 à 4 800	155 à 2000
Transmission	manuelle 5 rapports	manuelle 6 rapports	manuelle 5 rapports	manuelle 5 rapports
0-100 km/h (secondes)	4,9	4,5	5,5	6
Vitesse maximale (km/h)	275	300	240	200

les essais & analyses

ACURA CL ACURA TL

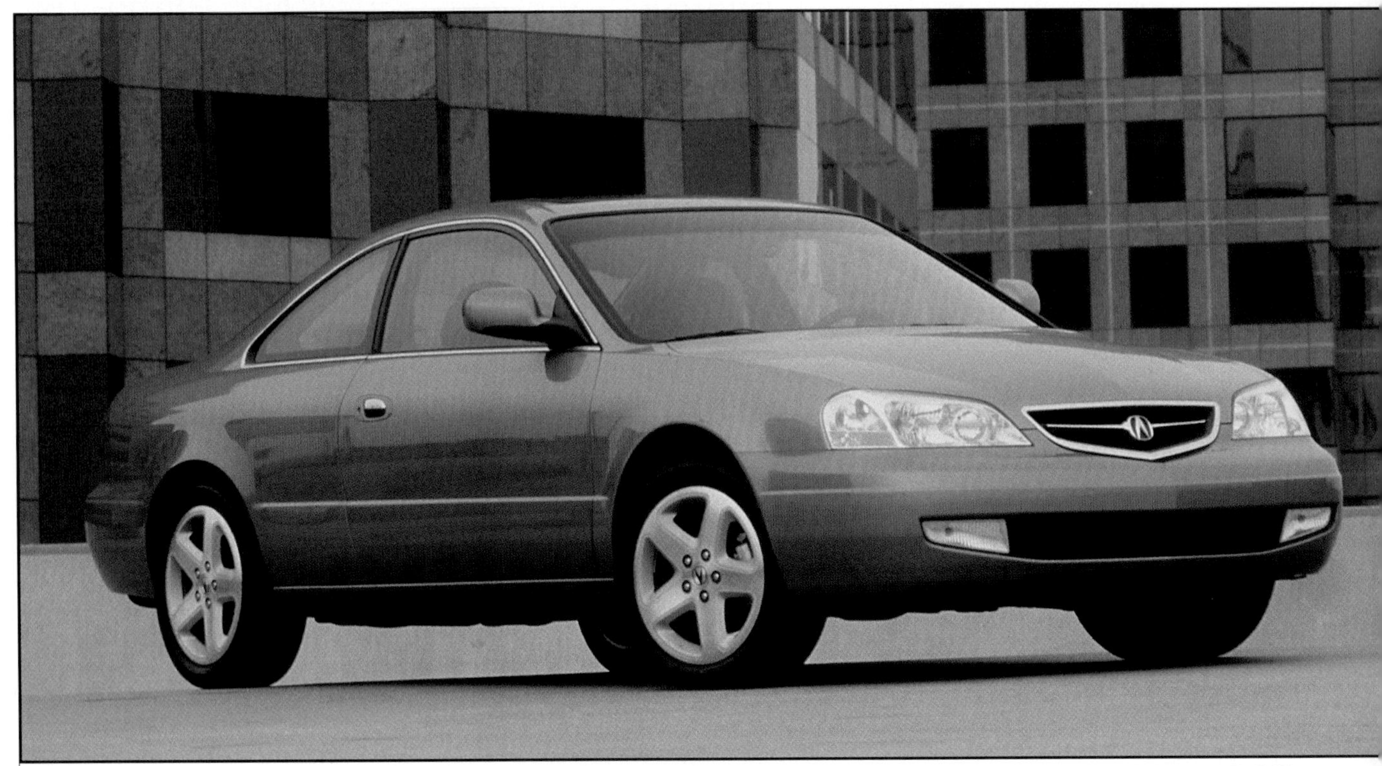

Acura 3,2CL

Les deux font la paire

Pendant quelques années, les modèles Acura TL et CL prouvaient que même le plus futé des manufacturiers japonais pouvait commettre des erreurs. Une moitié du duo s'est réhabilitée de belle façon lorsque la TL a été entièrement transformée en 1999. Ce qui a mis davantage à nu les faiblesses du coupé CL. L'arrivée d'une toute nouvelle version de ce modèle au printemps 2000 est venue partiellement corriger cette lacune.

Comme la TL auparavant, la CL de la première génération ne pouvait pas être considérée comme une mauvaise voiture, mais son caractère étriqué et ses performances très moyennes ne répondaient pas aux attentes des conducteurs sportifs. Heureusement pour nous, les constructeurs japonais apprennent de leurs erreurs. Chez Acura, on a pris note des carences du modèle précédent. Voici donc la toute nouvelle version du coupé 3,2CL, le quatrième modèle Acura dessiné, conçu et assemblé en Amérique du Nord.

Des éléments connus

La première génération de la CL avait des antécédents plutôt modestes avec sa plate-forme empruntée à la Honda Accord. Cette fois, on a puisé à la bonne source puisque c'est la berline TL qui lui prête sa mécanique, y compris son moteur V6 de 3,2 litres décliné en deux versions sur le coupé.

Le premier modèle à faire son entrée au printemps 2000 a été le Type S, dont le V6 développe 260 chevaux grâce à un programme spécial du système VTEC de calage automatique des soupapes, avec admission d'air plus importante et pot d'échappement moins restrictif. La CL, de prix inférieur, n'est pas tellement à la traîne avec son moteur de 225 chevaux. Les deux sont couplés à une boîte automatique à 5 rapports Sportshift de type séquentielle.

La suspension n'a pas été bêtement empruntée à la TL. À l'avant, les ingénieurs ont fignolé le système à double levier triangulé et révisé les réglages. À l'arrière, ils ont fait appel à une unité entièrement nouvelle à liens asymétriques. Comme c'est maintenant la norme, des sous-châssis sont utilisés à l'avant comme à l'arrière pour assurer une meilleure rigidité et une réduction plus efficace des bruits et vibrations. La direction a souvent été critiquée pour son absence de précision et de feed-back. Elle a été modifiée dans le but d'améliorer la sensation de la route. Par ailleurs, les freins à disque sont plus gros qu'auparavant.

Autre détail digne de mention, la 3,2CL roule sur des pneus de 16 pouces tandis que la Type S profite de pneus de 17 pouces associés à une suspension plus ferme.

Une « grand-tourisme »

Les planificateurs de chez Acura ont préféré identifier leur modèle le plus huppé comme étant la Type S, la lettre « S » voulant signifier « Sport ». C'est leur droit, mais ce coupé est davantage un modèle « GT » ou « grand-tourisme », un type de voiture réussissant à associer des performances supérieures à la moyenne à un confort assez élevé pour permettre aux occupants de passer plusieurs heures à bord sans inconfort. Sa silhouette relativement effacée, son habitacle très confortable et une suspension quand même assez souple sont autant d'éléments qui confirment mon opinion. En plus, l'absence d'une boîte de vitesses manuelle est un handicap à ses prétentions sportives.

Dans cette catégorie, l'esthétique joue un rôle important. La première CL n'a convaincu personne et ses ventes en ont souffert. La nouvelle génération est nettement plus jolie. La partie avant est demeurée sensiblement la même, tandis que l'arrière est plus réussi. Quant à l'habitacle, sa présentation est très dépouillée comme l'étaient celles des voitures allemandes il y a quelques années. Bien que l'ergonomie soit excellente en général, il est très facile de heurter le commutateur de la radio en insérant les disques compacts dans la fente d'accès. Acura devrait également réviser ses porte-verres, peu pratiques et mal situés.

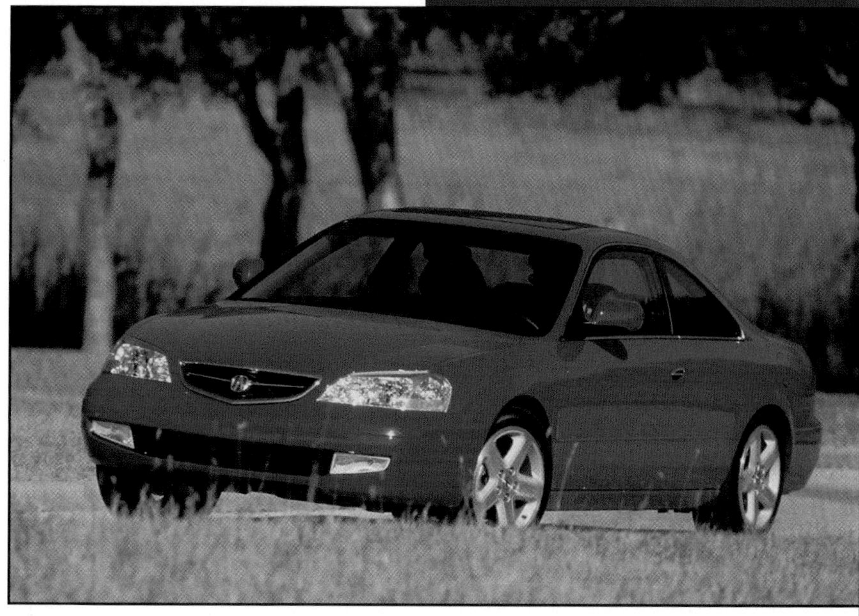

Plus confortable, mieux équipée et plus luxueuse, la 3,2CL Type S est une voiture qui a également progressé en termes de tenue de route et de performances. Son moteur V6 de 3,2 litres est un exemple de douceur. Ses accélérations pourraient être plus incisives, mais chaque fois qu'on accélère à fond, on est impressionné par la linéarité de la puissance et la douceur du passage des rapports de la boîte automatique.

Les pneus de 17 pouces ont un effet bénéfique sur la tenue de route et la précision de la direction, sans pour autant affecter le confort. Par contre, les freins ne répondent pas immédiatement alors que la pédale est quelque peu spongieuse. Ce coupé est à l'aise sur l'autoroute comme sur un chemin de montagne en lacets tandis que ses sièges demeurent confortables même après plusieurs heures de route.

Trop bourgeoise et dépourvue d'une boîte manuelle, la CL Type S mise sur son esthétique et ses performances pour seconder la berline TL dont elle est princi-

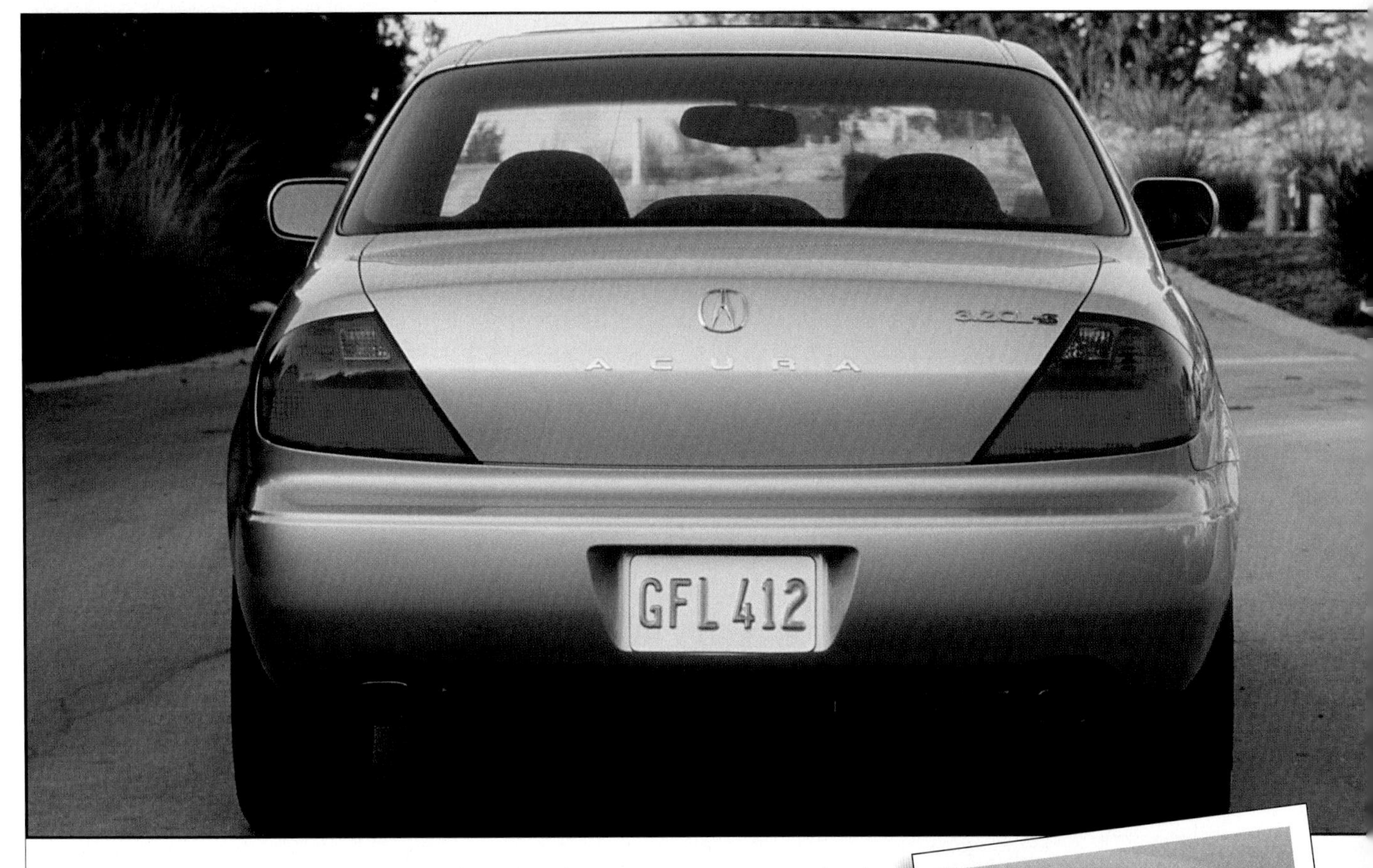

palement une version deux portes plutôt qu'un vrai coupé sport.

Et la TL !

La 3,2TL dévoilée en 1998 en tant que modèle 1999 a été l'une des premières Acura à pouvoir harmoniser le confort, le raffinement, la sophistication technique et le plaisir de la conduite. Cette berline a d'ailleurs été accueillie de façon très positive par le public et demeure l'un des modèles offrant le meilleur rapport qualité/prix

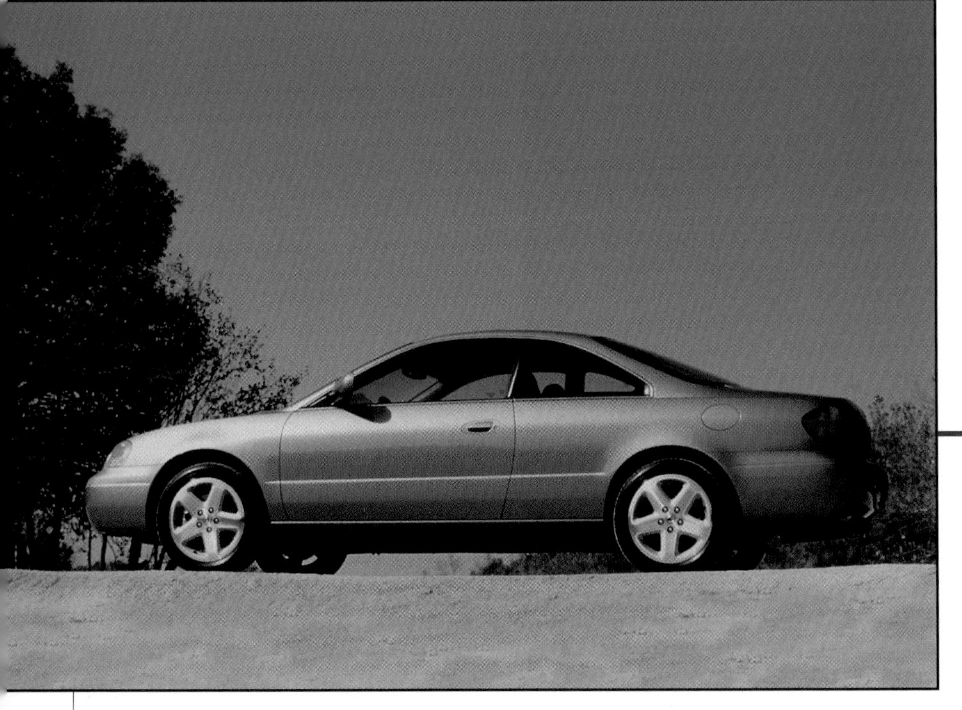

sur le marché. Elle a rapidement fait oublier les 2,5TL et la précédente 3,2TL qui n'offraient pas ce bel équilibre qui est l'apanage des voitures bien nées.

Comme la nouvelle CL, la 3,2TL actuelle a été conçue et développée en Amérique où elle est fabriquée. Et comme le coupé et la berline partagent les mêmes éléments mécaniques, la fiche technique de ces deux modèles est sensiblement la

ÉQUIPEMENTS

DE SÉRIE

• Boîte automatique 5 rapports «SportShift» • Phares au xénon • Sellerie cuir • Climatisation auto. • Rétroviseur mode inclinaison en marche arrière

EN OPTION

• Moteur 260 ch • Roues 17 po • Système de contrôle de stabilité latérale • Sellerie en cuir perforé

même. Par contre, seul le moteur de 225 chevaux est offert dans la berline. Comme il fallait s'y attendre, les suspensions sont à double levier triangulé et on retrouve des sous-châssis à l'avant comme à l'arrière. La suspension arrière est toutefois unique à la berline et on observe la présence de 5 biellettes afin d'assurer un meilleur contrôle de l'essieu indépendant.

Finie la divergence !

Cette fois, les styles extérieurs du coupé et de la berline sont en harmonie. On ne retrouve plus cette discordance des lignes qui détonnaient carrément. Le coupé emprunte donc quelques-uns des éléments stylistiques de modèle 4 portes dont les lignes sont un tantinet plus carrées que la moyenne des voitures de sa génération. C'est juste assez pour donner du caractère à la silhouette. Le coup d'œil est plaisant à défaut d'être inspirant. Et, deux ans après son lancement, la silhouette a bien vieilli.

L'habitacle ne tente pas de nous impressionner par un style trop chargé. C'est sobre, bien agencé et d'une finition impeccable. Il faut de plus accorder de bonnes notes aux commandes de la radio et de la climatisation dont les boutons circulaires s'avèrent faciles d'accès et d'utilisation. Les sièges avant se démarquent également par leur confort. En fait, dans l'habitacle, seul le levier de vitesses avec sa course interrompue par les multiples encoches de la grille de sélection se prête à la critique.

Bonne routière !

Plusieurs berlines fabriquées par Acura affichent une étrange déficience en ce qui concerne l'agrément de conduite. Cette berline, lorsqu'elle est apparue en 1998, a largement contribué à réhabiliter la marque. Cette fois, le moteur, la transmission, la direction et le réglage de la suspension travaillent en harmonie pour nous offrir une voiture équilibrée et agréable à conduire. Il faut nuancer tout de même. C'est bien, mais une Audi A4 ou encore une BMW de Série 3 ont toujours le dessus à cet égard.

Grâce à son moteur dont le rendement est impressionnant à tous les régimes, à son comportement routier très neutre et à une direction à l'assistance bien dosée, la 3,2TL est une voiture qui allie bien le confort à une conduite intéressante. Ajoutez un prix très compétitif, un assemblage impeccable, une fiabilité exemplaire et vous avez une berline qui figure parmi les meilleurs achats de la catégorie.

Ces deux modèles Acura se complètent donc fort bien. À mon avis, seule BMW, avec ses modèles de la Série 3, réussit à proposer un tel tandem dans cette catégorie.

Denis Duquet

ACURA 3,2CL

▲ POUR

• Moteur impeccable • Finition sans faille • Suspension confortable • Tenue de route prévisible • Pneus de 17 pouces

▼ CONTRE

• Absence de boîte manuelle • Pédale de freins spongieuse • Silhouette effacée • Caractère bourgeois • Porte-verres inutile

CARACTÉRISTIQUES

Prix du modèle à l'essai	3,2 CL / XX
Garantie de base	3 ans / 60 000 km
Type	coupé sport / traction
Empattement / Longueur	271 cm / 487 cm
Largeur / Hauteur	179 cm / 140 cm
Poids	1 574 kg
Coffre / Réservoir	385 litres / 65 litres
Coussins de sécurité	frontaux et latéraux
Suspension av.	indépendante
Suspension arr.	indépendante
Freins av. / arr.	disque ABS
Système antipatinage	oui
Direction	à crémaillère, assistance variable
Diamètre de braquage	11,4 mètres
Pneus av. / arr.	P205/60R16

MOTORISATION ET PERFORMANCES

Moteur	V6 3,2 litres
Transmission	automatique 5 rapports
Puissance	225 ch à 5 600 tr/min
Couple	216 lb-pi à 4 700 tr/min
Autre(s) moteur(s)	V6 3,2 litres 260 ch
Autre(s) transmission(s)	aucune
Accélération 0-100 km/h	8 s; 7,2 s (TypeS)
Vitesse maximale	225 km/h
Freinage 100-0 km/h	49,8 mètres
Consommation (100 km)	11,8 litres; 12,7 litres (Type – S)

MODÈLES CONCURRENTS

• BMW Série 3 coupé • Chrysler Sebring • Honda Accord coupé • Saab 9³ coupé • Toyota Solara

QUOI DE NEUF ?

• Nouveau modèle

VERDICT

Agrément	★★★½
Confort	★★★★★
Fiabilité	★★★★★
Habitabilité	★★★
Hiver	★★★½
Sécurité	★★★★
Valeur de revente	nouveau modèle

ACURA EL

Acura 1,7EL

Peaufinée

Au moment de mettre sous presse, l'embargo décrété sur l'Acura 1,7 EL 2001 subsistait encore. Mais on résiste très difficilement à un Jacques Duval qui insiste de tout son poids pour en connaître les caractéristiques. Voici donc un aperçu de cette nouvelle version qui semble peaufinée légèrement par rapport à sa devancière, la 1,6EL. Les impressions de conduite suivront certainement sous peu dans les divers «véhicules» médias empruntés par *Le Guide de l'auto,* mais soulignons que ce qui est vrai pour la Honda Civic l'est aussi pour l'Acura EL, les deux modèles étant similaires.

Les dessinateurs ont voulu donner une allure raffinée et élégante à la nouvelle carrosserie, tout en lui conservant son côté pratique. Un discret déflecteur est intégré dans le couvercle du coffre, et le Cx plus fin évalué à 0,30 devrait réduire les bruits éoliens. L'empattement et la longueur demeurent identiques, mais la partie avant est proportionnellement raccourcie pour offrir un habitacle plus spacieux, et le châssis résiste beaucoup mieux à la torsion. La 1,7EL roule encore sur des roues en alliage de 15 pouces chaussées de pneumatiques au ratio pas très agressif de 65.

Une habitabilité améliorée

À l'intérieur, deux degrés de finition sont offerts, soit le Touring avec des sièges recouverts d'un tissu beige ou noir, et le Premium dont le mobilier est tendu de cuir, offert lui aussi en deux tons différents. L'assise sensiblement plus large et plus haute des sièges devrait améliorer leur confort. Celui du conducteur comporte un appuie-bras rétractable du côté droit. Le volume de l'habitacle est imperceptiblement plus élevé. Les passagers arrière apprécieront le nouveau plancher presque plat. Parlant de plancher, celui du coffre est plus long et plus large ; conséquemment, sa capacité est de 8 % supérieure. Une console centrale se prolonge à partir des instruments et des commandes de la planche de bord, et des appliques de faux bois ont pour mission (très contestable) d'enjoliver la cabine. Le petit volant à quatre branches recouvert de cuir intègre toujours les commandes du régulateur de vitesse.

Les ingénieurs avaient pour mission de donner plus d'agilité et de confort à la 1,7EL, tout en la rendant plus sûre en cas d'accident. Pour ce faire, le groupe motopropulseur est légèrement reculé, les jambes de force MacPherson plus compactes, et le mécanisme pignon/crémaillère soulevé de 22 cm. Conséquemment, la zone d'absorption des chocs est plus longue et mieux dégagée. À l'arrière, on retrouve une nouvelle suspension à double triangle, aux points d'ancrage plus rigides et aux coussinets plus flexibles longitudinalement, ce qui assure un plus grand confort. Le freinage est maintenant confié à 4 disques plutôt qu'au tandem disque/tambour de l'an passé, et finalement, l'ABS est de série sur toute la gamme.

Plus sécuritaire et pratique

Les coussins gonflables frontaux se déploient maintenant en deux phases pour réduire la sévérité de leur intrusion, et un mécanisme pyrotechnique retient les occupants en cas de collision. Les dossiers des sièges avant renferment des sacs gonflables latéraux. Des nouveaux points d'ancrage pour les sièges d'enfants sont fixés aux trois places arrière. Le fait que le système de chauffage/climatisation (plus puissant et moins bruyant même si le ventilateur a 9 vitesses) soit plus compact permet d'augmenter l'espace pour les pieds du passager avant.

On retrouve plusieurs espaces de rangement disséminés un peu partout dans l'habitacle, et la chaîne stéréo comprend radio et lecteur de disques compacts. Sa puissance de 120 watts est répartie entre 4 haut-parleurs plus légers et résistants.

Évolution certaine

Groupe motopropulseur plus souple

Mais on achète surtout une Honda, *a fortiori* une Acura, pour les performances offertes par son groupe motopropulseur. Comme son appellation l'implique, le moteur affiche maintenant une cylindrée de 1,7 litre et il reçoit plusieurs révisions de détails. Ne vous emballez pas trop quand même, car sa puissance demeure la même, mais la courbe de son couple monte maintenant 8 lb-pi plus haut, et elle y arrive 700 tours plus tôt. L'allumage direct élimine le distributeur et des changements aux chambres de combustion ainsi que de nouveaux injecteurs contribuent à une meilleure combustion.

Le système amélioré VTEC-E (*Variable Timing and Lift with Electronic Control*), pour: calage et levée variable électronique des soupapes, confie maintenant à l'ordinateur de bord la décision (vers 2500 tr/min) d'actionner la deuxième soupape d'admission. La boîte manuelle à 5 rapports, plus légère et compacte, renferme un mécanisme de sélection plus facile à utiliser. L'automatique profite de quelques modifications et permet une économie d'essence supplémentaire de 3 %.

J'aimerais bien vous «traduire» cette avalanche de statistiques en impressions de conduite, mais à défaut, je peux tenter une comparaison avec la nouvelle Civic que j'ai eu l'occasion d'essayer. Les améliorations aux performances du moteur demandent à être cautionnées par le chronomètre, tant elles sont imperceptibles par le «fond de culotte», mais on perçoit encore un certain creux à bas régime. Ce que je retiens surtout, c'est le silence de fonctionnement et le confort inconnus jusqu'ici sur une Civic, et il est certain que l'Acura, plus insonorisée, pourra faire mieux. Nulle part, cependant, on ne fait mention du poids ou des performances à l'accélération. Comme les manufacturiers ne ratent jamais une opportunité d'afficher un bon point, il me faut presque conclure que la nouvelle venue conserve le *statu quo.*

Jean-Georges Laliberté

ACURA EL

▲ POUR

• Moteur plus puissant • Insonorisation améliorée • Finition impeccable • Suspension raffinée • Fiabilité assurée

▼ CONTRE

• Performances décevantes • Direction trop légère • Sièges avant trop plats

CARACTÉRISTIQUES

Prix du modèle à l'essai	1,7EL / n.d.
Garantie de base	3 ans / 60 000 km
Type	berline / traction
Empattement / Longueur	262 cm / 448 cm
Largeur / Hauteur	171 cm / 144 cm
Poids	n.d.
Coffre / Réservoir	365 litres / 50 litres
Coussins de sécurité	frontaux et latéraux
Suspension av.	indépendante
Suspension arr.	indépendante
Freins av. / arr.	disque ABS
Système antipatinage	non
Direction	à crémaillère, assistée
Diamètre de braquage	10,4 mètres
Pneus av. / arr.	n.d.

MOTORISATION ET PERFORMANCES

Moteur	4L 1,7 litre SACT 16 soupapes VTEC-E
Transmission	manuelle 5 rapports
Puissance	127 ch à 6600 tr/min
Couple	114 lb-pi à 4800 tr/min
Autre(s) moteur(s)	aucun
Autre(s) transmission(s)	automatique 4 rapports
Accélération 0-100 km/h	8,7 secondes
Vitesse maximale	195 km/h
Freinage 100-0 km/h	43,5 mètres
Consommation (100 km)	6,3 litres

MODÈLES CONCURRENTS

• VW Jetta • Toyota Corolla • Subaru Impreza • Mazda Protegé

QUOI DE NEUF ?

• Nouveau modèle

VERDICT (basé sur la Honda Civic)

Agrément	★★★★
Confort	★★★½
Fiabilité	★★★★★
Habitabilité	★★★½
Hiver	★★★
Sécurité	★★★★
Valeur de revente	★★★★★

ACURA Integra

Acura Integra

Avant de partir

« C'est dans les vieux chaudrons qu'on fait les meilleures soupes », dit l'adage. Placé dans le contexte automobile, ce dicton populaire sied fort bien à l'Integra, un coupé sport qui refuse obstinément de vieillir... tout en continuant de faire le plus grand bonheur de ses propriétaires.

Apparue à l'automne 1993 sous la forme d'un coupé et d'une berline, l'Integra de troisième génération fait montre d'une longévité exceptionnelle, surtout pour un modèle de grande diffusion. L'exploit mérite d'autant plus d'être souligné qu'elle est demeurée inchangée – ou presque – depuis ses débuts, sans pour autant prendre une seule ride.

Les changements apportés en cours de route se résument à l'addition de versions plus musclées (GS-R et Type R) et au retrait de la berline. Mais on a également pris soin de conserver les versions moins puissantes (et moins cossues) parce qu'elles sont plus abordables. Cette orientation a permis à ce coupé sport d'offrir, année après année, l'un des meilleurs rapports qualité/prix de sa catégorie – sinon le meilleur.

Souhaitons que la quatrième génération, dont l'arrivée est prévue pour le printemps prochain, conserve cet esprit. On voit mal, du reste, comment il pourrait en être autrement, cette philosophie ayant valu une fructueuse carrière au modèle actuel. De sa remplaçante, on sait peu de chose, sinon qu'elle sera mue par une nouvelle génération de moteurs VTEC et que les boîtes manuelle et automatique compteront respectivement 6 et 5 rapports. En matière de style, on semble avoir opté pour la continuité, les premières esquisses nous révélant un profil qui reprend les grandes lignes de sa devancière, auquel se greffe une partie avant s'inspirant des Honda Civic.

En attendant la relève

Avant de tirer sa révérence, la cuvée 2001 y va d'une dernière prestation sous sa forme actuelle. Avis aux intéressés en quête d'une sportive à prix d'aubaine, l'achat d'une Integra au cours des prochains mois risque de s'avérer une bonne affaire. Chose certaine, les concessionnaires vont s'empresser d'écouler les stocks afin de faire place aux modèles 2002.

L'achat d'une Integra est d'autant plus recommandé qu'elle n'a rien perdu de ses qualités dynamiques. Agile, maniable et performant juste ce qu'il faut dans sa livrée de base, ce coupé sport peut fièrement porter cette appellation, trop souvent galvaudée. Qu'on se le dise, l'Integra ne fait pas de fausse représentation. Bien qu'une coche trop assistée, sa direction rapide et précise permet de la placer comme on veut dans les virages, qu'elle enfile avec brio. La suspension à bras triangulés, une solution brevetée Honda, y contribue largement, en contrôlant le roulis de belle façon. De plus, sa relative fermeté plaira aux plus exigeants. Les douillets aimeront moins, pas plus qu'ils n'apprécieront d'être assis bas. Mais je m'empresse de leur suggérer l'achat d'une paisible berline, plus appropriée à leurs besoins…

Difficile de faire mieux

Dans les versions plus performantes que sont les GS-R et l'exclusive Type R, on obtient dans l'ordre, 170 et 195 chevaux sous le capot. Ces chiffres sont d'autant plus impressionnants qu'ils sont obtenus par des motorisations atmosphériques à 4 cylindres, sans turbo ni compresseur ! Pour ceux qui ne le sauraient pas, la puissance à haut régime est une spécialité maison chez Honda, comme le démontrent ces deux moteurs de petite cylindrée (1,8 litre, 16 soupapes, DACT), munis de la distribution à calage variable des soupapes (VTEC), une autre technologie brevetée de ce constructeur. Si vous n'avez pas l'oreille pour ce type de musique, passez votre tour, car les hurlements stridents de ces engins à haut rendement peuvent être agressants pour plusieurs.

À défaut d'être agréable à l'œil, l'habitacle s'avère fonctionnel. Avec ses deux cadrans surdimensionnés, où logent le compte-tours et l'indicateur de vitesse, le tableau de bord offre une vue imprenable.

On dénombre quantité d'espaces de rangement, tandis que les commandes sont simples et faciles d'accès. À l'avant, les sièges brillent par leur maintien impeccable, mais il faut considérer les places arrière comme occasionnelles, du moins pour des adultes. Si on ne se formalise guère de ce genre d'inconvénients dans un coupé sport, il convient tout de même de souligner que le coffre à bagages n'est pas chiche en espace et que le hayon arrière compte bon nombre d'adeptes. Le seuil de coffre est toutefois élevé ; rien n'est parfait.

Les fausses notes viennent de la chaîne stéréo, dont le rendement est pitoyable. Et je suis poli.

La fiabilité exemplaire de l'Integra, ainsi que la qualité d'assemblage qui est sienne, contribuent à son excellente réputation, en plus de rehausser sa valeur de revente. Ce qui en fait, encore une fois, un achat des plus sûrs, neuve ou usagée. On en veut encore, des comme ça !

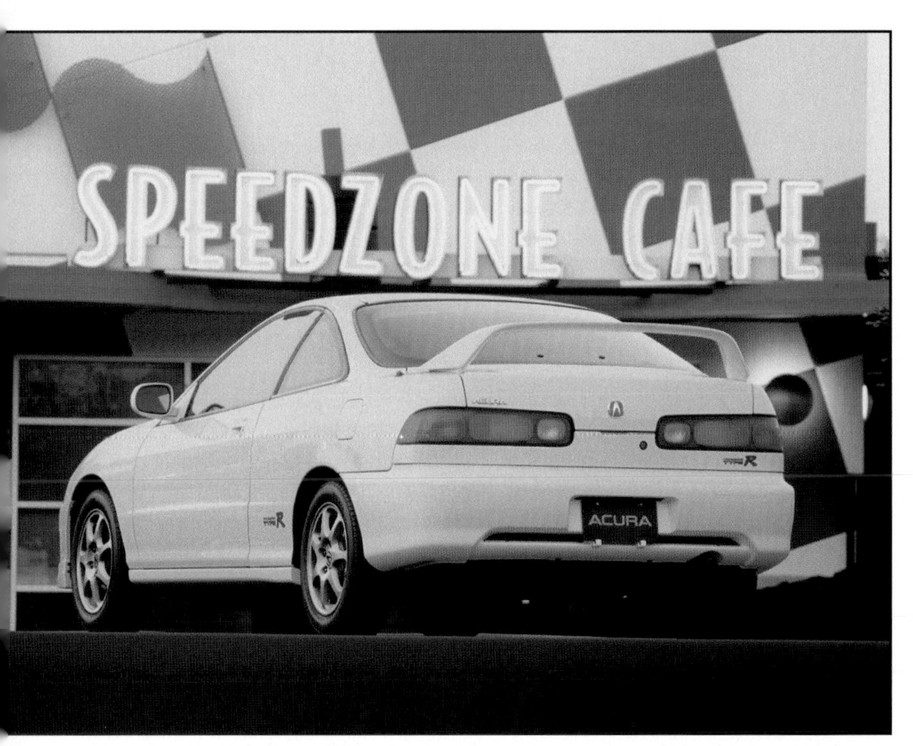

Sportive, mais pratique

Le seul endroit où l'Integra trahit son âge, c'est dans l'habitacle. Et encore, c'est plus austère que vieillot. Il faut dire que la facture bon marché du plastique qui recouvre la planche de bord et la console n'aide pas à rehausser le tout.

Philippe Laguë

ACURA Integra

▲ POUR

• Choix de versions • Comportement sportif • Performances de haut niveau (GS-R et Type R) • Technologie de pointe (GS-R et Type R) • Fiabilité exceptionnelle

▼ CONTRE

• Esthétique discutable • Chaîne stéréo médiocre • Seuil de coffre élevé • Habitacle austère • Moteurs VTEC bruyants

CARACTÉRISTIQUES

Prix du modèle à l'essai	SE / 22 000 $
Garantie de base	3 ans / 60 000 km
Type	coupé 2+2 / traction
Empattement / Longueur	257 cm / 438 cm
Largeur / Hauteur	169 cm / 132 cm
Poids	1 172 kg
Coffre / Réservoir	310 litres / 50 litres
Coussins de sécurité	frontaux
Suspension av.	indépendante
Suspension arr.	indépendante
Freins av. / arr.	disque ABS (sauf SE)
Système antipatinage	non
Direction	à crémaillère, assistance variable
Diamètre de braquage	10,6 mètres
Pneus av. / arr.	P195/55R15

MOTORISATION ET PERFORMANCES

Moteur	4L 1,8 litre VTEC
Transmission	manuelle 5 rapports
Puissance	140 ch à 6 300 tr/min
Couple	127 lb-pi à 5 200 tr/min
Autre(s) moteur(s)	4L 1,8 litre VTEC 170 ch (GS-R) 195 ch (Type R)
Autre(s) transmission(s)	auto. 4 rapports
Accélération 0-100 km/h	8,6 secondes
Vitesse maximale	205 km/h
Freinage 100-0 km/h	40,0 mètres
Consommation (100 km)	8,7 litres

MODÈLES CONCURRENTS

• Ford Focus ZX3 • Hyundai Tiburon • Saturn SC • Toyota Celica

QUOI DE NEUF ?

• Aucun changement majeur • Nouveau modèle en cours d'année

VERDICT

Agrément	★★★★
Confort	★★★
Fiabilité	★★★★½
Habitabilité	★★½
Hiver	★★★★
Sécurité	★★★½
Valeur de revente	★★★★

ACURA MDX

Acura MDX

Enfin !

Après avoir tergiversé pendant des années, la division Acura de Honda s'est finalement décidée à faire le saut dans le secteur des véhicules utilitaires sport. Il y a bien eu sur le marché des États-Unis l'Acura SLX, mais cet Isuzu Trooper vivant sous un nom d'emprunt n'a pas connu de succès et n'a été qu'un intermède plus ou moins heureux. Avec l'arrivée du tout nouveau MDX, Acura a les atouts nécessaires pour inquiéter la concurrence.

Pour expliquer ce retard à entrer en scène dans ce secteur, le plus chaud de l'industrie, on souligne chez Honda que les ingénieurs et stylistes ont dû plancher sur les Honda CR-V et Odyssey de même que sur les modèles Acura CL et TL. Ce n'est pas par ignorance du marché, mais pour une simple question de priorités dans la commercialisation des véhicules. Pourtant, il ne faut pas être un as de la mise en marché pour savoir qu'un véhicule utilitaire sera plus populaire qu'un coupé. Alors, pourquoi le CL avant le MDX ? C'est une question qui demeure sans réponse valable.

Mais, mieux vaut tard que jamais et ce nouvel utilitaire sport fait ses débuts comme modèle 2001. Il est important de souligner qu'il sera assemblé à l'usine Honda située à Alliston, au nord de Toronto. Comme la CL et la TL auparavant, ce nouveau modèle a été conçu et développé en Amérique du Nord.

« Vaincre l'hiver ! »

Ce n'est pas parce que ce 4X4 Acura est assemblé au Canada que ses concepteurs avaient tous la même idée en tête au cours de son développement. Leur leitmotiv était : « Vaincre l'hiver. » Pour plusieurs, cela signifie aller s'étendre sur la plage pour éviter la froidure unifoliée. Pour les ingénieurs d'Acura, l'objectif était de concocter un véhicule dont le propriétaire ne ressentirait aucune angoisse à l'arrivée de l'hiver. Cet Acura des champs et des routes se devait d'être agréable à conduire, tout en étant rassurant lorsque le blizzard se mettrait de la partie ou que la route ferait place à des ornières et à des cailloux.

Ce n'est pas par simple caprice que le MDX est assemblé à Alliston. On a sélectionné cette usine tout simplement parce qu'on y produit la fourgonnette Odyssey et que le 4X4 est monté sur une plate-forme modifiée de celle-ci. Ce qui explique probablement pourquoi cet Acura a une habitabilité supérieure à celle du Lexus RX 300 et surclasse même le BMW X5 à ce chapitre. La voie très large et un centre de gravité bas pour la catégorie en font un véhicule stable sur la route. Et la sensation de stabilité chez le pilote et les occupants est rehaussée par la présence d'une suspension indépendante aux 4 roues. On retrouve des jambes de force à l'avant et une suspension à liens multiples avec bras tiré à l'arrière. On est loin des châssis autonomes et des suspensions à ressorts elliptiques de certains modèles concurrents.

Ingénieuse canadienne

Le moteur est le même V6 3,5 litres qui propulse le coupé CL. Ce moteur développe 240 chevaux et son système VTEC de calage variable des soupapes fait sentir sa présence par l'intermédiaire d'un grognement typique lorsque le tachymètre atteint les 4 100 tr/min. Ce V6 est couplé à une boîte automatique à 5 rapports.

Enfin, l'élément mécanique le plus important de ce véhicule est le système 4 roues motrices de type permanent appelé VTM-4. Les lettres VTM signifient *Variable Torque Management* et le chiffre 4 indique, je vous le donne en mille, que la traction est intégrale. La plupart du temps, ce système applique la plus grande partie du couple aux roues avant pour le transférer aux roues arrière lorsqu'il y a une différence de vitesse de rotation entre l'avant et l'arrière. Toutefois, ce mécanisme diffère des autres, car il anticipe le patinage des roues. Par exemple, lorsque le véhicule amorce un départ arrêté, les 4 roues sont enclenchées afin d'éviter qu'elles patinent sur une chaussée mouillée ou enneigée. Enfin, un troisième mode permet de verrouiller les roues arrière pour se sortir d'une impasse.

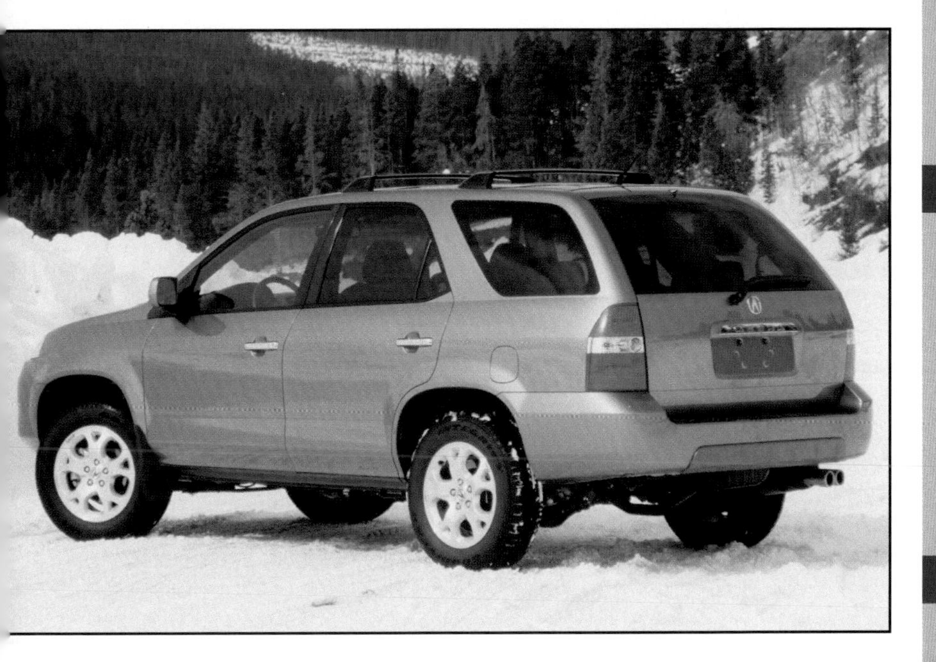

Confort et élégance

Contrairement à ce qu'ils font dans la majorité des autres véhicules de cette catégorie, les stylistes n'ont pas joué la carte de la présentation macho avec des bas de caisse en relief, des pare-chocs agressifs et des tôles aux angles aigus. Leur approche est beaucoup plus subtile et apparaît rafraîchissante parmi un déluge de style ostentatoire. L'habitacle se révèle de la même cuvée : la planche de bord est rectiligne, son uniformité étant interrompue par une console centrale verticale intégrant les buses de ventilation, l'écran LCD, ainsi que les commandes de climatisation et de la radio. Trois cercles abrités sous un rebord ovoïde accueillent les instruments. Comme il faut s'y attendre de tout produit de la marque, la finition et la qualité des matériaux sont impeccables. On peut toutefois s'interroger sur la pertinence de la troisième rangée de sièges, plus symbolique que pratique.

Élégant, spacieux, confortable et offrant un comportement routier s'approchant davantage de celui d'une berline que d'un utilitaire sport traditionnel, l'Acura MDX possède tous les éléments pour se faire une place au soleil sur un marché déjà encombré d'une multitude de modèles. Il regroupe tous les avantages du Lexus RX 300 tout en possédant un moteur plus puissant et un système de traction intégrale plus sophistiqué. À vous de choisir.

Denis Duquet

ACURA MDX

▲ POUR

• Moteur sophistiqué • Traction intégrale efficace • Finition impeccable • Suspension confortable • Bonne habitabilité

▼ CONTRE

• Troisième rangée de sièges • Pas de rapport démultiplié • Moteur bruyant à haut régime • Absence de plaques de protection

CARACTÉRISTIQUES

Prix du modèle à l'essai ....45 000 $ (prix anticipé)
Garantie de base ....3 ans / 60 000 km
Type ....utilitaire sport / traction intégrale
Empattement / Longueur ....270 cm / 479 cm
Largeur / Hauteur ....195 cm / 181 cm
Poids ....1 992 kg
Coffre / Réservoir ....419 l à 1 405 l / 73 l
Coussins de sécurité ....frontaux et latéraux
Suspension av. ....indépendante
Suspension arr. ....indépendante
Freins av. / arr. ....disque ABS
Système antipatinage ....non
Direction ....à crémaillère, assistance variable
Diamètre de braquage ....11,6 mètres
Pneus av. / arr. P235/65R17

MOTORISATION ET PERFORMANCES

Moteur ....V6 3,5 litres VTEC
Transmission ....automatique 5 rapports
Puissance ....240 ch à 5 300 tr/min
Couple ....245 lb-pi à 3 000 – 5 000 tr/min
Autre(s) moteur(s) ....aucun
Autre(s) transmission(s) ....aucune

Accélération 0-100 km/h ....9,1 secondes
Vitesse maximale ....190 km/h
Freinage 100-0 km/h ....n.d.
Consommation (100 km) ....12,8 litres

MODÈLES CONCURRENTS

• Jeep Grand Cherokee • Lexus RX 300
• Mercedes-Benz ML320

QUOI DE NEUF ?

• Nouveau modèle

VERDICT

Agrément ....★★★★
Confort ....★★★★
Fiabilité ....nouveau modèle
Habitabilité ....★★★★
Hiver ....★★★★★
Sécurité ....★★★★½
Valeur de revente ....nouveau modèle

ACURA RL

Acura RL

« Coincée »

L'Acura RL, qui fait figure de vaisseau amiral chez Honda, devrait normalement bénéficier des derniers exploits technologiques de la marque et être en mesure de naviguer aisément en tête de toute sa flotte. Cependant, les performances plus enthousiasmantes des TL et des nouvelles CL la laissent assez loin derrière, et pour des masses de dollars en moins. Sans qu'elle soit bourrée de complexes, disons qu'elle commence à perdre un peu de son aplomb.

Le V6 3,5 litres de la RL accuse maintenant son âge et ses modestes performances surprennent de la part d'un motoriste aussi réputé que Honda. Sa puissance (tout juste 210 chevaux) se situait dans la moyenne au moment de son lancement il y a quelques années, mais elle déçoit maintenant, car elle est largement dépassée entre autres par ses sœurs cadettes (225 chevaux pour 3,2 litres dans la TL, et 260 dans la CL type S) et par la Chrysler 300 M qui offre 43 chevaux de plus à cylindrée égale pour près de 20 000 $ en moins. Insoutenable ! Et comme il se traîne, ce moteur, particulièrement dans les premiers mètres de l'accélération ! Néanmoins, sa douceur et son silence sont dignes d'éloges. La situation s'améliore sur autoroute où son combat contre l'inertie semble plus aisé. Qui plus est, la boîte automatique à 4 rapports apparaît maintenant comme un anachronisme dans ce créneau assez exclusif, et ce malgré son fonctionnement impeccable. La mode est maintenant aux 5 vitesses, et séquentielles de surcroît !

Efficace mais pas sportive

Depuis la dernière révision d'importance en 1999, les suspensions de la RL autorisent un comportement routier beaucoup plus serein, aidées en cela par un châssis qui résiste mieux à la flexion et à la torsion. Si on renonce à la prendre pour une berline sportive, cette voiture se montre efficace et stable dans les grandes courbes. Par contre, lorsque le tracé se fait plus exigeant, elle devient facilement sous-vireuse malgré la présence de pneus de qualité. La direction bien démultipliée est assez précise, mais son assistance est trop forte et elle manque de sensibilité. Un système de stabilité électronique (ASV) et la traction asservie sont constamment postés en sentinelle pour tempérer vos ardeurs, et des coussins gonflables frontaux et latéraux avec capteurs au siège passager avant et déploiement contrôlé interviendront si l'inévitable survient. Les freins de bon calibre ralentissent la masse sans coup férir, et l'ABS entre en jeu juste quand il le faut.

Attention maniaque !

La fluidité des lignes de la carrosserie donne encore l'illusion d'une relative jeunesse. La calandre dépouillée donne le ton au reste de la gamme, et l'arrière constitue encore la plus fidèle imitation de la poupe d'une grosse Mercedes. Les panneaux sont ajustés au millimètre près et la peinture appliquée avec grand soin. On retrouve d'ailleurs cette même attention un peu maniaque dans le montage des éléments de l'habitacle. Franchement, il est difficile de trouver mieux, peu importe la catégorie ou la nationalité. Les matériaux sont de bonne qualité, et même les appliques de bois ne laissent aucun doute quant à leur origine. L'ergonomie apparaît extrêmement poussée et les mécanismes des contrôles semblent empruntés à l'horlogerie tant leur opération s'effectue avec douceur et précision. Seule petite référence à l'âge du design: le réglage unique de la température alors que certaines productions plus humbles en offrent maintenant deux. Le tableau de bord est d'une clarté lumineuse avec ses grands cadrans électroluminescents.

L'amiral perd du galon

« Ambitieuse recherche prestige »

Les fauteuils avant recouverts d'un cuir de bon calibre sont taillés pour les gros postérieurs américains et offrent un confort notable malgré leur apparence toute simple et leur relative platitude. À l'arrière, 2 passagers peuvent « s'ébattre » en tous sens, et un 3e sera assez bien loti. Tous seront en mesure de converser sans élever la voix, car le silence de roulement laisse réellement... sans voix. Les bruits de roulement sont extrêmement ténus et le vent ne semble pas avoir de prise sur la carrosserie. Une petite trappe pratiquée dans le dossier arrière permet de loger des objets encombrants dans le coffre de forme très régulière. La dotation de base ne permet pas de douter des ambitions de la grosse Acura. Sonorisation Bose de 225 watts avec lecteur à 6 disques compacts et 8 haut-parleurs, colonne de direction réglable électriquement dans les 2 axes, sièges et rétroviseurs chauffants, toit ouvrant électrique, tout cet équipement vous évitera une certaine gêne en présence de vos fortunés partenaires de golf au volant de leurs rutilantes allemandes. Aucune option n'est au catalogue et une seule version est offerte. En réalité, ce qui manque à la RL, c'est le pedigree, le prestige, qui permettent justement à ces mêmes allemandes de donner le change en dépit d'une fiabilité plus problématique et de concessionnaires qui pensent encore vous faire une « concession » en vous cédant une voiture à fort prix. Une seule stratégie pour attirer le respect et fidéliser la clientèle: continuer à traiter les consommateurs avec réalisme et compétence, et surtout, en offrir plus pour son argent et plus de puissance que dans les TL et CL.

Sur ce point, il appert qu'une révolution se prépare dans les officines d'Acura. Des rumeurs persistantes veulent en effet qu'un V8 de près de 4 litres fasse son apparition sous le capot l'an prochain et qu'il transmette sa puissance (environ 280 chevaux) aux roues arrière comme il est de bon ton dans cette catégorie huppée. De quoi se guérir de tous ses complexes.

Jean-Georges Laliberté

ACURA RL

▲ POUR

• Fiabilité sans tache • Concessionnaires attentifs • Silence de roulement impressionnant • Confort impeccable • Montage très serré

▼ CONTRE

• Puissance insuffisante • Quelques fautes d'équipement • Boîte automatique 4 rapports • Ligne assez banale • Absence d'un V8

CARACTÉRISTIQUES

Prix du modèle à l'essai	3,5 RL / 53 850 $
Garantie de base	3 ans / 60 000 km
Type	berline / traction
Empattement / Longueur	291 / 499,5 cm
Largeur / Hauteur	182 / 143,5 cm
Poids	1 655 kg
Coffre / Réservoir	419 litres / 68 litres
Coussins de sécurité	frontaux et latéraux
Suspension av.	indépendante, double triangle
Suspension arr.	indépendante, double triangle
Freins av. / arr.	disque ABS
Système antipatinage	oui
Direction	à crémaillère, assistance variable
Diamètre de braquage	11,0 mètres
Pneus av. / arr.	P215/60R16

MOTORISATION ET PERFORMANCES

Moteur	V6 3,5 litres DACT 24 soupapes
Transmission	automatique 4 rapports
Puissance	210 ch à 5 200 tr/min
Couple	224 lb-pi à 2 800 tr/min
Autre(s) moteur(s)	aucun
Autre(s) transmission(s)	aucune
Accélération 0-100 km/h	8,2 secondes
Vitesse maximale	225 km/h
Freinage 100-0 km/h	41,0 mètres
Consommation (100 km)	12,5 litres

MODÈLES CONCURRENTS

• Audi A6 • BMW 528 • Cadillac Seville • Lexus GS300 • Lincoln LS • Mercedes E320 • Volvo S80

QUOI DE NEUF ?

• Deux nouvelles couleurs

VERDICT

Agrément	★★★
Confort	★★★★
Fiabilité	★★★★
Habitabilité	★★★★
Hiver	★★★
Sécurité	★★★★
Valeur de revente	★★★

Audi S4

Le dessert pour la fin

Lancée sur le marché nord-américain à l'automne 1995, l'Audi A4 rempile pour une autre année sous sa forme actuelle. Même si l'heure de la refonte approche, elle vieillit en beauté, grâce aux nombreux raffinements apportés en cours de route. L'an dernier, elle a subi pas moins de 40 modifications, tandis que la très attendue S4 est enfin arrivée chez nous. Pour son dernier tour de piste en 2001, l'Audi A4 pour sa part hérite d'une surdose de vitamines et de nouvelles commandes de boîte de vitesses.

À l'instar de Mercedes-Benz et de BMW, ce constructeur germanique propose lui aussi des versions ultraperformantes, à diffusion limitée évidemment, des modèles qui composent sa gamme. Chez Audi, il suffit de remplacer la lettre A par un S (pour Sport) et le tour est joué : S4, S6 et S8. Cette dernière devrait par ailleurs débarquer en Amérique du Nord au mois de janvier 2001.

La S4, elle, est déjà là, avec tous ses muscles. Et sa boîte à 6 rapports... Et sa puissance de freinage accrue... Et sa suspension en aluminium... Et ses jantes de 17 pouces... Alouette !

Une sportive surdouée

Dire que tout cela fait de la S4 une sportive de haut niveau serait un euphémisme. Vitaminé par deux turbos plutôt qu'un, le V6 de 2,7 litres n'accélère pas, il téléporte ! Ses 250 chevaux propulsent – c'est le mot – cette berline de 0 à 100 km/h en moins de 6 secondes. OK, vous voulez des chiffres précis ? Au chronomètre manuel, nous avons enregistré un temps de 5,7 secondes. Des performances de Porsche et de Ferrari, pour le tiers, sinon le quart, du prix...

La boîte manuelle gère cette puissance avec un certain brio, pour ne pas dire un brio certain. Mais elle n'est pas sans reproches : le premier rapport est vraiment trop court. De plus, le levier pourrait être plus précis, surtout lorsqu'on passe en 3e ou en 5e. Mais il est vrai que les boîtes manuelles Audi demandent une période d'adaptation. Idem pour l'embrayage, dont la fermeté surprend toujours. Quant au freinage, il est à la hauteur de la réputation des meilleures allemandes. C'est tout dire.

Le seul bémol émane de la suspension, qui a tendance à talonner lorsque le revêtement est accidenté. Mais j'ai bien dit un bémol, et non une fausse note. Car elle propose néanmoins un compromis tout ce qu'il y a de plus acceptable entre le confort et le comportement routier.

La tenue de route ? Surréaliste, je ne vois pas d'autre mot. Non seulement la S4 est maniable et agile à souhait, mais elle bénéficie de la motricité exceptionnelle que lui confère le système Quattro. Pour atteindre la limite en virage, il faut attaquer très fort, mais alors là vraiment très fort. Ajoutez à cela une direction d'une précision exemplaire et une caisse dépourvue de roulis et, franchement, il est difficile de faire mieux.

Une berline 2+2...

Après les fleurs, le pot. En matière d'habitabilité, on peut difficilement faire pire. À titre de comparaison, la S4 est plus longue qu'une Toyota Corolla et pourtant, elle est moins spacieuse. Les places arrière sont particulièrement ridicules, ce qui s'inscrit en faux avec la vocation intrinsèque d'une berline. Dans un coupé, passe encore, mais dans une berline! Cet irritant a probablement coûté plus d'une vente à Audi. Toutefois, il dérange moins dans une S4 que dans une A4, pour la bonne et simple raison que la première s'adresse à une clientèle très ciblée, triée sur le volet même. On lui pardonne donc à moitié.

Chez les constructeurs germaniques, Audi s'est toujours distingué par ses superbes tableaux de bord et la qualité de ses chaînes stéréo. Non seulement la S4 demeure fidèle à la tradition, mais elle surpasse les standards déjà établis par la

Vive l'hiver

Après plus de 1000 km au volant de cette voiture d'exception, une conclusion s'impose: les sorciers de la division Audi Sport ont fait de la S4 une véritable sportive, capable de soutenir la comparaison avec ses rivales teutonnes. Ses prestations font d'elle une rivale avouée de la BMW M3, alors que son prix surpasse à peine celui d'une 330 Ci... avec 25 chevaux de plus que cette dernière!

Une A4 énergisée

Quant à l'A4 de M. Tout-le-monde (enfin presque), elle reçoit cette année deux modifications notables en attendant l'arrivée d'une version rajeunie déjà offerte en Europe. Son moteur de base, le 1,8 litre turbo, voit sa puissance croître de 150 à 170 chevaux, tandis que la transmission automatique Tiptronic bénéficie de commandes manuelles désormais placées de chaque côté du volant. Ce petit détail fait toute la différence du monde et rend l'utili-

marque aux quatre anneaux. Autre bon point, les commandes sont moins ésotériques qu'à bord des BMW et Mercedes de même nationalité.

Oublions les places arrière, plus symboliques qu'autre chose; à l'inverse, ceux qui prennent place à l'avant sont gâtés. Comme dans toute bonne allemande qui se respecte, les sièges sont «fermes-mais-confortables» et leur maintien est impeccable, avec un excellent support latéral en sus.

sation du mode manuel de la boîte Tiptronic beaucoup plus intéressante. Moi qui n'ai jamais apprécié les transmissions hybrides, j'avoue que je me suis amusé au volant de la dernière Audi A4. Pour en savoir davantage sur cette version 2001, allez jeter un coup d'œil sur notre match comparatif mettant aux prises l'A4 contre la Passat, la Saab 9³ et la petite dernière, la Volvo S40.

Philippe Laguë / Jacques Duval

AUDI A4

▲ POUR

• Performances électrisantes (S4) • Choix de moteurs • Freinage surpuissant (S4) • Présentation intérieure réussie • Prix concurrentiels

▼ CONTRE

• Piètre habitabilité • Boîte manuelle à améliorer • Suspension qui talonne (S4) • Modèle en fin de carrière

CARACTÉRISTIQUES

Prix du modèle à l'essai	1,8T / 33 785 $
Garantie de base	4 ans / 80 000 km
Type	berline / traction intégrale
Empattement / Longueur	261 cm / 448 cm
Largeur / Hauteur	185 cm / 142 cm
Poids	1 470 kg
Coffre / Réservoir	440 litres / 62 litres
Coussins de sécurité	frontaux, latéraux et tête
Suspension av.	indépendante
Suspension arr.	indépendante
Freins av. / arr.	disque ABS
Système antipatinage	non
Direction	à crémaillère, assistance variable
Diamètre de braquage	11,1 mètres
Pneus av. / arr.	P205/55R16 (optionnels)

MOTORISATION ET PERFORMANCES

Moteur	4L 1,8 turbo
Transmission	automatique 5 rapports Tiptronic
Puissance	170 ch à 5 900 tr/min
Couple	166 lb-pi de 1 950 à 5 000 tr/min
Autre(s) moteur(s)	V6 2,8 litres 193 ch; V6 biturbo 2,7 litres 250 ch
Autre(s) transmission(s)	manuelle 5 rapports
Accélération 0-100 km/h	8,5 s; 8,4 s (1.8T man.); 5,7 s (S4 man.)
Vitesse maximale	209 km/h (limitée)
Freinage 100-0 km/h	41,0 mètres
Consommation (100 km)	10,8 litres

MODÈLES CONCURRENTS

• BMW Série 3 • Infiniti G20 • Lexus IS 300 • Mercedes-Benz Classe C • Saab 9³ • Volvo S40

QUOI DE NEUF ?

• Moteur 1,8T plus puissant (170 ch) • Rideau de sécurité latéral • Tiptronic au volant

VERDICT

Agrément	★★★★
Confort	★★★½
Fiabilité	★★★½
Habitabilité	★★½
Hiver	★★★★½
Sécurité	★★★★★
Valeur de revente	★★★★

AUDI A6 AUDI Avant AUDI 2,7T AUDI 4,2 V8

Audi A6 4,2 V8

En attendant la suite

L'Audi A6 est si belle que les stylistes de la marque n'arrivent pas à dessiner sa remplaçante. Même si elle n'a que quatre ans, la populaire berline allemande doit changer de costume d'ici peu et la haute direction de chez Audi (lire M. Piëch) n'a pas apprécié les premières esquisses du modèle à venir qu'on lui a présentées. À Ingolstadt, on se rappelle trop bien la cuisante défaite encaissée par Ford lorsque la firme américaine a modifié pour la première fois les lignes de son « best-seller », la Taurus. Autrefois louangée pour son joli profil aérodynamique, la Ford de tout un peuple était devenue une voiture banale dont personnne ne voulait. Pas surprenant que M. Piëch ait renvoyé ses designers à leur planche à dessin.

Pour faire patienter la clientèle, Audi ne cesse de multiplier les variantes de l'A6. Après les versions 2,7T et 4,2 V8 de l'an dernier, c'est au tour du modèle Allroad Quattro d'envahir les salles de montre avant de prendre d'assaut les stationnements de tous les centres de ski du Québec. En raison de son exclusivité et de ses nombreuses caractéristiques inédites, nous avons décidé de consacrer une présentation séparée à l'Allroad pour nous concentrer ici sur les autres A6. Ces dernières reçoivent cette année un certain nombre de petites modifications qui permettront d'identifier le millésime 2001.

Propreté et stabilité

Tous les modèles, à l'exception de la 2,7T, possèdent désormais des moteurs répondant à la norme LEV (*Low Emission Vehicle*), ce qui signifie qu'ils sont moins polluants qu'avant. Les berlines et familiales (Avant) à moteur V6 2,8 litres de 200 chevaux peuvent recevoir en option un nouveau système de stabilité à contrôle électronique qui est par ailleurs offert de série sur les 2,7T et 4,2 V8. En plus, les coussins gonflables latéraux en forme de rideaux déjà installés dans les 4,2 font maintenant partie de l'équipement de série des A6 normales (2,8) et biturbo (2,7T). Enfin, un volant à partir duquel on peut contrôler radio et téléphone cellulaire est au programme tandis que les appuie-tête voient leur réglage en hauteur croître de 1,2 cm (!).

Une 4,2 aseptisée

Mon essai de cette année a porté principalement sur la 4,2 V8 et il a confirmé mes impressions initiales selon lesquelles la version 2,7T est la plus intéressante des deux nouveaux modèles dévoilés l'an dernier. L'accueil du public en a aussi fait la preuve et Audi a dû instituer des programmes spéciaux de location pour stimuler les ventes.

Je comprends un peu la clientèle d'avoir fait la moue face à la 4,2. *Primo*, son prix porte à réflexion et, *secundo*, son comportement m'a paru aseptisé, au point où l'on ne reconnaît plus l'A6. Loin de régler tous les maux, le moteur V8 prive la voiture de ce cachet bien particulier qui la distinguait de ses rivales. Elle perd non seulement de sa maniabilité mais aussi de sa précision de conduite. Le moteur n'a cependant rien à se reprocher au point de vue des performances. Il est souple, silencieux et remarquablement économe compte tenu de sa puissance (300 chevaux) et de sa cylindrée. La voiture signe un 0-100 km/h en 7,2 secondes tout en se contentant de 11,5 litres aux 100 km. Et sachez que les performances seraient encore meilleures si la transmission automatique à 5 rapports était moins endormie. On sollicite le *kick down* et on a l'impression que le moteur attend au lendemain matin pour répondre à l'appel.

Miss Hiver

Évidemment, la traction intégrale combinée à de grosses bottines comme les Dunlop 9 000 P255/40ZR17 qui chaussaient notre A6 4,2 sont de valeureuses alliées au poste de la tenue de route. Malgré tout, en conduite rapide sur route sinueuse, l'A6 2,7T est plus à l'aise et surtout beaucoup plus sportive. Bref, le confort et le silence de roulement de la 4,2 ne remplacent pas pour moi l'agrément de conduite que procure une 2,7T. Si le freinage est impressionnant dans les deux cas, la direction de l'Audi à moteur V8 semble lente et moins précise.

Un intérieur qui fait du bruit

Comme toujours chez Audi, le tableau de bord n'attire que des louanges grâce à son élégance et à son raffinement. Cette beauté a malheureusement un prix et j'ai retrouvé au volant de la 4,2 essayée un défaut qui tape sur les nerfs de bien des propriétaires d'Audi. Il s'agit de ces détestables craquements ou frottements, causés de toute évidence par des plastiques mal enlignés ou pas suffisamment isolés les uns des autres. La commande à distance pour l'ouverture du coffre montre aussi un fonctionnement sporadique qui fait jurer à l'occasion.

Pour le reste, toutefois, tout n'est que pur délice : sièges en cuir confortables, un volant (chauffant si on le désire) réglable en hauteur ou en profondeur, des coffrets de rangement extensibles dans les portières, une excellente visibilité sous tous les angles et de spacieuses places arrière combinées à un immense coffre à bagages.

Au sommet de la gamme A6, la 4,2 devait combler le manque de puissance dont se plaignent les propriétaires d'A6 ordinaires qui doivent se contenter de l'archaïque V6 de 200 chevaux. Le but a été atteint, mais il n'en reste pas moins que la 2,7T, malgré un handicap de 50 chevaux, est mon Audi A6 préférée.

Jacques Duval

AUDI A6

▲ POUR

• Bons moteurs (V8/2,7T) • Freinage sûr • Transmission intégrale • Vaste coffre • Sièges splendides • Présentation soignée

▼ CONTRE

• Puissance insuffisante (2,8) • Transmission automatique lente (4,2) • Prix élevé (4,2) • Agrément de conduite diminué (4,2)

CARACTÉRISTIQUES

Prix du modèle à l'essai	4,2 / 70 800 $
Garantie de base	3 ans / 80 000 km
Type	berline / traction intégrale
Empattement / Longueur	276 cm / 488 cm
Largeur / Hauteur	193 cm / 145 cm
Poids	1 825 kg
Coffre / Réservoir	551 litres /82 litres
Coussins de sécurité	front., lat. + écrans
Suspension av.	indépendante
Suspension arr.	indépendante
Freins av. / arr.	disque ABS
Système antipatinage	non
Direction	à crémaillère, assistée
Diamètre de braquage	11,7 mètres
Pneus av. / arr.	P235/50R17

MOTORISATION ET PERFORMANCES

Moteur	V8 4,2 litres
Transmission	Tiptronic 5 rapports
Puissance	300 ch à 6 200 tr/min
Couple	295 lb-pi de 3 000 à 4 000 tr/min
Autre(s) moteur(s)	V6 2,8 litres 200 ch; V6 2,8 litres biturbo 250 ch
Autre(s) transmission(s)	manuelle 5 ou 6 rapports (2,8/2,7T)
Accélération 0-100 km/h	7,2 secondes
Vitesse maximale	210 km/h (limitée)
Freinage 100-0 km/h	37,4 mètres
Consommation (100 km)	11,5 litres

MODÈLES CONCURRENTS

• Jaguar S-Type • Volvo S80 T6 • Lexus GS 430 • Mercedes-Benz E320 4Matic • BMW 540i

QUOI DE NEUF ?

• ESP (stabilité à contrôle électronique) • Commandes audio/tél. au volant • Moteur à faible taux de pollution

VERDICT

Agrément	★★★
Confort	★★★★
Fiabilité	★★★★
Habitabilité	★★★½
Hiver	★★★★½
Sécurité	★★★★★
Valeur de revente	★★★½

AUDI A8

Audi A8

Star de cinéma

Considérée par les spécialistes comme l'une des meilleures voitures au monde – sinon la meilleure –, l'Audi A8 a néanmoins deux prises contre elle : un, sa ligne manque cruellement d'éclat et deux, elle ne possède pas l'aura de ses rivales directes que sont les BMW Série 7 et Mercedes Classe S. Une première incursion au cinéma lui a toutefois donné le genre de visibilité dont elle a grand besoin.

Sorti à l'été 1998, *Ronin*, un film d'espionnage réalisé par John Frankenheimer et ayant pour têtes d'affiche Robert de Niro, Jean Reno et Jonathan Pryce, a surtout fait parler de lui en raison de ses poursuites époustouflantes. Coïncidence ou non, c'est ce même Frankenheimer qui réalisa en 1966 le classique *Grand Prix*, considéré depuis comme le meilleur film sur la course automobile.

Vous ne serez donc pas surpris d'apprendre que ce réalisateur américain a fait appel à des coureurs automobiles professionnels pour chorégraphier ces poursuites sur les boulevards parisiens et, surtout, dans les étroites rues de Nice, où l'ancien pilote de Formule 1 Jean-Pierre Jarier s'en donne à cœur joie au volant d'une Audi. Mais attention, il ne s'agit pas d'une simple A8, mais bien d'une S8, soit la version sportive, revue et corrigée par les sorciers de la branche Audi Sport. Parmi les améliorations apportées, citons la boîte manuelle à 6 rapports, une suspension raffermie ainsi qu'un V8 dont la puissance a été portée à 360 chevaux. Comme si Wagner se mettait au *heavy metal*...

Parce que ces grosses berlines teutonnes ont effectivement quelque chose de wagnérien, et l'A8 ne fait pas exception. On s'imagine très bien enfoncer l'accélérateur au son de *La Walkyrie*, pour atteindre un état se situant à mi-chemin entre la plénitude et la transe. (Pour une balade en S8, Metallica serait plus approprié.)

Si je me permets pareille recommandation musicale, c'est que la S8 s'apprête enfin à débarquer en Amérique du Nord. Avec seulement trois ans de retard, alors que la carrière de l'A8 sous sa forme actuelle tire à sa fin... Le même scénario qu'avec la S4, finalement.

Grosse fatigue

Au Québec, la marque aux quatre anneaux semble laissée à elle-même. J'en tiens pour exemple la gestion et l'entretien de la flotte de presse, confiée à un concessionnaire montréalais qui semble croire que la préparation d'un véhicule se limite à un lavage et un plein d'essence. Du vite fait, quoi.

De ce laxisme résulte des voitures « fatiguées », qui paraissent plus vieilles que leur âge parce qu'elles sont mal entretenues et gardées sur la route trop longtemps. Sans compter que les chroniqueurs automobiles qui les conduisent leur font la vie dure sans toujours savoir ce qu'ils font.

Tout ça pour dire que l'exemplaire que nous avions entre les mains n'avait même pas 10 000 km au compteur et semblait en accuser le triple. Cela se ressentait particulièrement du côté des freins, qui n'avaient ni la vigueur ni la puissance de ceux des A8 que j'avais conduites les années précédentes. Sans parler des vibrations sur la pédale. Quant aux accélérations, je n'ai jamais pu descendre sous la barre des 8 secondes pour effectuer le 0-100 km/h, ce qui est une bonne seconde de plus qu'auparavant. Remarquez, il s'agit d'un chrono tout ce qu'il y a de plus respectable, si l'on tient compte de l'imposante masse à mouvoir.

Quatre saisons de bonheur

Gare aux contraventions... et aux bosses !

De toute façon, cette auguste berline se veut d'abord et avant tout une grande routière. Rapide, certes, mais aussi confortable et luxueuse. Sur l'autoroute, c'est un charme d'enfiler les kilomètres à son bord. Plaquée au sol grâce au travail conjoint du rouage intégral et d'une aérodynamique poussée, elle se montre rassurante, même à des vitesses hautement illégales. Nul doute qu'elle doit être très à l'aise sur l'*Autobahn.*

À cette tenue de cap exceptionnelle s'ajoute une douceur de roulement qui l'est tout autant. Vu le prix demandé, c'est la moindre des choses, direz-vous, et vous avez bien raison. Mais l'A8 sait aussi tirer son épingle du jeu sur un tracé plus sinueux. Bien servie par une direction précise (bien qu'une coche trop assistée), elle enfile les virages avec aisance. Malgré son gabarit, elle est assez maniable et son poids ne se fait pas trop sentir. Il faut dire que, l'aluminium aidant, elle pèse quelques centaines de kilos de moins que ses deux rivales germaniques qui, elles, n'ont pas le rouage intégral. Voilà deux points en sa faveur. Par contre, l'Audi n'aime guère les revêtements inégaux et/ou accidentés. La faute de sa suspension, trop molle, qui talonne à chaque trou, à chaque bosse. C'est non seulement désagréable, mais ça peut aussi coûter un pare-chocs en moins de deux. On vous aura prévenu.

De plus, cette berline de prestige gagnerait à être mieux chaussée. La traction intégrale contribue à rehausser son comportement, mais elle ne peut pas tout faire seule. Et puis, franchement, les Goodyear Eagle LS n'ont pas leur place sur une voiture de cette classe (et de ce prix).

Du reste, ce sont là les seuls reproches qu'on peut adresser à celle qui trône au sommet de la gamme Audi. D'autres lui tiendront rigueur de son allure trop discrète, mais il y a pire, chez les Japonais surtout. Qui plus est, les Audi se démarquent par la décoration de leurs habitacles, qui n'ont pas la froideur de ceux de leurs compatriotes, tout en étant aussi rigoureusement assemblées. Et n'oublions pas le rouage intégral Quattro, une exclusivité toujours appréciée, hiver comme été.

Philippe Laguë

AUDI A8

▲ POUR

- Comportement routier impressionnant
- Présentation intérieure réussie et finition soignée
- Habitacle spacieux

▼ CONTRE

- Silhouette sans éclat
- Freins peu endurants
- Suspension flottante
- Pneus de série décevants
- Faible valeur de revente

CARACTÉRISTIQUES

Prix du modèle à l'essai	Quattro / 94 545 $
Garantie de base	3 ans / 80 000 km
Type	berline / traction intégrale
Empattement / Longueur	288 cm / 503 cm
Largeur / Hauteur	188 cm / 144 cm
Poids	1 845 kg
Coffre / Réservoir	498 litres / 90 litres
Coussins de sécurité	frontaux, latéraux av. et arr.
Suspension av.	indépendante
Suspension arr.	indépendante
Freins av. / arr.	disque ABS
Système antipatinage	non
Direction	à crémaillère, assistance variable
Diamètre de braquage	12,3 mètres
Pneus av. / arr.	P225/55R17 (optionnels)

MOTORISATION ET PERFORMANCES

Moteur	V8 4,2 litres
Transmission	automatique 5 rapports Tiptronic
Puissance	310 ch à 6 200 tr/min
Couple	302 lb-pi entre 3 000 et 4 000 tr/min
Autre(s) moteur(s)	aucun
Autre(s) transmission(s)	aucune
Accélération 0-100 km/h	8,3 secondes
Vitesse maximale	209 km/h (limitée)
Freinage 100-0 km/h	39,7 mètres
Consommation (100 km)	14,3 litres

MODÈLES CONCURRENTS

- BMW Série 7
- Infiniti Q45
- Lexus LS 430
- Mercedes-Benz Classe S

QUOI DE NEUF ?

- Version S8 en cours d'année
- Version moteur V12 (Europe)

VERDICT

Agrément	★★★★
Confort	★★★★★
Fiabilité	★★★★
Habitabilité	★★★★
Hiver	★★★★★
Sécurité	★★★★★
Valeur de revente	★★

AUDI Allroad Quattro

Audi Allroad Quattro

Le meilleur de deux mondes

En toute honnêteté, je ne m'attendais à rien d'autre qu'à une familiale surélevée aux formes athlétiques en allant faire l'essai de la nouvelle Audi Allroad Quattro dans les Tauern, le massif des Alpes autrichiennes situé à proximité de Salzbourg. Après deux jours de conduite autant sur route que sur de petits chemins forestiers et après avoir écouté les arguments des ingénieurs d'Audi, force est d'admettre que ce fameux Allroad à transmission intégrale est beaucoup plus qu'une solution rapide et tardive à l'absence d'un 4X4 traditionnel dans la gamme du constructeur allemand.

De son propre aveu, Audi a voulu, avec ce modèle, créer un véhicule offrant le meilleur de deux mondes, c'est-à-dire le comportement routier d'une berline sport de luxe et les aptitudes d'un authentique tout-terrain. Le grand secret de l'Allroad réside dans sa suspension pneumatique à hauteur variable. Cette astuce technique permet de régler automatiquement la garde au sol à quatre paliers différents selon les besoins et en fonction de la vitesse. Les «Citroënistes» endurcis diront que la marque française utilisait déjà un tel système sur ses DS il y a 40 ans et ils n'auront pas tout à fait tort.

Toujours plus haut

«Comment ça marche?» ai-je entendu. Au fur et à mesure que la vitesse augmente, par exemple, ce système dit «intelligent» abaisse automatiquement la hauteur de caisse. À 120 km/h ou plus, la voiture est à son plus bas niveau, ce qui permet un aérodynamisme optimal et, par conséquent, une plus faible consommation. Dès que la vitesse diminue, les capteurs de hauteur placés sur les jambes de suspension pneumatiques des deux essieux font remonter la garde au sol d'un cran. Avant de s'engager sur des terrains difficiles, on peut utiliser deux autres réglages pour hausser le véhicule jusqu'à 20,8 cm, une hauteur comparable à celle du 4X4 ML de Mercedes-Benz. Par rapport aux 14,2 cm du palier le plus bas, cela couvre une plage de 6,6 cm. Notons qu'un commutateur assorti de diodes lumineuses permet d'activer manuellement les diverses fonctions du système. Interrogés sur le fait que la suspension ne s'abaisse qu'au-delà de la vitesse légale de 100 km/h sur autoroute, les gens d'Audi ont rétorqué que, de toute manière, tout le monde roule plus vite que ça aussi bien aux États-Unis qu'au Canada. Ce qui est vrai!

Si l'on ajoute à cette suspension unique la présence de plaques protectrices sous le véhicule (*skid plates*), de passages de roues élargis, de pneus tout-terrain gravés Allroad conçus spécialement pour ce modèle par Goodyear (les plus beaux) ou Pirelli et, surtout, la possibilité de coupler la boîte de vitesses manuelle à 6 rapports d'une double démultiplication (*low range*), on constate que l'Allroad est équipé pour «la grosse ouvrage».

Dommage que l'on ait réservé cette dernière option exclusivement au marché européen, du moins pour l'instant, tout comme le moteur V6 2,5 litres TDI (turbodiesel) de 180 chevaux. En revanche, au moindre sursaut important du prix de l'essence aux États-Unis, Audi serait fin prête à commercialiser ici ses voitures à moteur diesel.

Plus rapide qu'un X5

Pour l'instant, le moteur de service pour l'Amérique est le V6 biturbo à 3 soupapes par cylindre de 2,7 litres que l'on trouve déjà dans la redoutable Audi S4 et dans l'A6 2,7 t. En compagnie de la boîte automatique Tiptronic à 5 rapports, il se débrouille fort bien merci en permettant à l'Allroad de devancer par un poil (7,3 contre 7,4 secondes) le BMW X5 lors du sprint 0-100 km/h. Et l'on pourra même retrancher une demi-seconde à ce temps en optant pour la boîte manuelle à 6 rapports. Attelé à une caisse qui pèse tout de même près de 2 tonnes, le V6 de 250 chevaux demeure performant en hors route, comme l'a démontré l'escalade d'un pic de 1850 mètres près de Schladming où le seul événement digne de mention fut la frousse de mon passager près d'un ravin abrupt d'au moins 800 mètres. Et sur autoroute, je mets n'importe qui au défi de me trouver un 4X4 pouvant rouler à 220 km/h sans broncher tout en permettant à ses occupants d'entretenir une conversation sur un ton normal. Ce faible niveau sonore n'est perturbé qu'occasionnellement par le bruit des pneus sur certaines surfaces asphaltées.

La stabilité directionnelle de l'Allroad à grande vitesse est une autre qualité qui tend à confirmer que cet hybride offre vraiment tous les avantages d'un 4X4 sans en avoir les inconvénients. Il peut même tracter une remorque de 1 600 kg sans souffrir. La seule réserve que l'on pourrait avoir à propos de sa polyvalence est une propension au sous-virage. Encore une fois, son poids l'empêche de jouer les sportives sur des parcours sinueux même si la direction à l'assistance bien dosée et le freinage puissant invitent aux excès. L'Allroad impressionne aussi par un confort qui va bien au-delà de ce que l'on trouve dans les modèles qu'Audi a pris pour cible (incluant le très coûteux Range Rover).

Son seul handicap pourrait bien être son look qui se rapproche nécessairement de celui de l'Audi A6 Avant dont il est dérivé. Il réussit toutefois à se démarquer par son échappement double, ses pare-chocs imposants, sa plaque protectrice en acier inoxydable à l'arrière, ses grands rétroviseurs, ses bas de caisse aluminisés et ses jantes spéciales de 17 pouces. Non visibles à l'œil nu, la structure renforcée et le plancher plus épais permettent à l'Allroad de se faire secouer dans les pires sentiers hors route sans faire entendre le moindre petit bruit suspect.

Déjà bien nantie en équipement de série, cette familiale unique offrira toute une liste d'options de luxe allant des phares au xénon au volant chauffant en passant par le système de navigation, les coussins gonflables latéraux arrière et même une 3e banquette pouvant en faire une 7 places. Cette dernière option réduit toutefois quasi à néant le volume de chargement. Il faudra alors se rabattre sur le magnifique support à bagages aux rails chromés posé sur le toit. Quant à la roue de secours, elle se retrouve sous le plancher où elle se fait toute petite avec son mini-pneu Vredestein assorti d'un compresseur.

La présentation intérieure est proche de celle d'une A6 Avant normale avec cet élégant tableau de bord où le métal poli et le bois se disputent la contemplation. Les sièges en cuir bicolore sont aussi agréables à regarder qu'à utiliser et le dégage-

ÉQUIPEMENTS

DE SÉRIE

• Climatiseur automatique • Radio 8 haut-parleurs avec lecteur CD • Toit ouvrant vitré • Antivol

EN OPTION

• Téléphone cellulaire mains libres • Banquette supplémentaire pour 2 enfants • Banquette arrière chauffante • Phares au xénon • Chargeur à CD

ment arrière ne fera rouspéter personne. Il ne reste plus qu'à se convaincre que l'on peut aller jouer dans la boue et la poussière avec une si belle voiture.

Apparence trompeuse

Si Audi a tardé à aborder ce marché en pleine floraison, c'est sans doute parce que la marque allemande qui a créé la fameuse transmission intégrale Quattro il y a 20 ans voulait mettre au point un véhicule qui ferait honneur à son expertise. On peut dire mission accomplie.

Jacques Duval

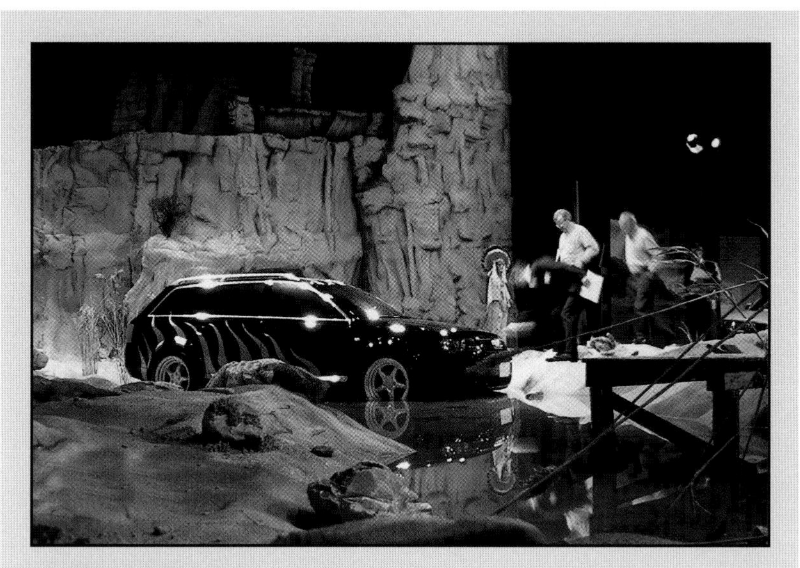

Vedette cinématographique

L'arrivée sur le marché de l'Audi Allroad ne passera pas inaperçue. Ce nouveau modèle fait de fracassants débuts au cinéma à titre de «vedette» de la dernière production IMAX, *Mountain Magic*. Ce coup de chance pour Audi vient de l'admiration du producteur cinématographique Willy Bogner pour les réalisations de la firme allemande. Ce Bogner est un personnage éclectique: c'est un ancien champion de ski, un pilote d'avion acrobatique et un homme d'affaires averti qui a lancé un prestigieux label de vêtements sport portant sa griffe.

Son amour des Audi lui a donné l'idée d'exploiter l'Allroad pour un segment de 9 minutes dans le prochain film IMAX. On y voit la voiture pourchassée par deux vélos de montagne et un avion acrobatique au milieu du désert du Nevada dans une cascade à couper le souffle. Lorsque les deux motocyclistes chutent, l'Allroad s'immobilise pour nous faire découvrir, à son volant, la chanteuse Pink. Elle y va de sa petite ritournelle pendant que l'Audi Allroad se livre à toute une série de cabrioles, se transformant tour à tour en bateau et en motoneige (au Colorado) pour terminer son périple suspendu dans les airs au bout d'un deltaplane de 20 mètres, le plus grand au monde. Spectaculaire au possible sur un écran de 16 mètres par 22 mètres avec 17000 watts de son. Ce que l'histoire ne dit pas, toutefois, c'est que le premier Audi Allroad utilisé a été écrasé en mille miettes lorsque son parachute défectueux l'a précipité vers le sol à la vitesse du son. Certaines des séquences ont d'ailleurs été récupérées dans le bout de film.

Alors, faute de pouvoir vous offrir cette Audi, vous pourrez toujours l'applaudir au cinéma.

Jacques Duval

AUDI Allroad

▲ POUR

• Suspension pneumatique réglable • Rapide et sûre • Confort notable • Excellente insonorisation • Bonnes aptitudes tout-terrain

▼ CONTRE

• Pneus bruyants à l'occasion • Poids élevé • Sous-virage marqué • Carrosserie d'un modèle existant • Prix élevé

CARACTÉRISTIQUES

Prix du modèle à l'essai	60900 $
Garantie de base	3 ans / 80000 km
Type	familiale, traction intégrale
Empattement / Longueur	276 cm / 481 cm
Largeur / Hauteur	185 cm / 153 cm
Poids	1825 kg
Coffre / Réservoir	455 litres / 70 litres
Coussins de sécurité	front., latér. et plafond (option)
Suspension av.	indépendante
Suspension arr.	Indépendante
Freins av. / arr.	disque ventilé ABS/disque ABS
Système antipatinage	oui
Direction	à crémaillère, assistée
Diamètre de braquage	11,7 mètres
Pneus av. / arr.	P225/55R17W

MOTORISATION ET PERFORMANCES

Moteur	V6 2,7 litres biturbo
Transmission	automatique 5 rapports Tiptronic
Puissance	250 ch à 5800 tr/min
Couple	258 lb-pi à 1800 à 4500 tr/min
Autre(s) moteur(s)	aucun
Autre(s) transmission(s)	manuelle 6 rapports
Accélération 0-100 km/h	7,7 secondes
Vitesse maximale	234 km/h
Freinage 100-0 km/h	39,7 mètres
Consommation (100 km)	13,2 litres

MODÈLES CONCURRENTS

• Volvo V70 XC

QUOI DE NEUF?

• Nouveau modèle coûteux

VERDICT

Agrément	★★★★
Confort	★★★★
Fiabilité	nouveau modèle
Habitabilité	★★★
Hiver	★★★★½
Sécurité	★★★★★
Valeur de revente	nouveau modèle

AUDI TT

AUDI
TT Roadster

Audi TT Roadster

Des chevaux qui somnolent

Après avoir fait de solides conquêtes sous la forme d'un mignon petit coupé 2+2, l'Audi TT a salué ses admirateurs l'été dernier en retirant son couvre-chef. Elle abandonne du même coup une partie de ce qui fait son charme, mais ses lignes demeurent uniques et, surtout, les plus beaux éléments du design original restent en place. Pour 2001, coupé et roadster partagent la même mécanique et surtout un petit aileron arrière qui vient corriger une sérieuse lacune.

Rappelons succinctement que la brillante remontée d'Audi a subi l'an dernier un revers gênant lorsque des informations faisant état de graves problèmes de stabilité à haute vitesse sur les modèles TT ont commencé à circuler. Aux vitesses élevées pratiquées en Allemagne, la TT démontrait un manque d'appui du train arrière qui s'allégeait considérablement en raison des turbulences causées par un aérodynamisme déficient. Un coup de frein à grande vitesse pouvait entraîner une perte de contrôle de la voiture. Audi a répondu aux critiques en modifiant la suspension arrière et en installant un petit aileron sur le dos de la TT. Les derniers modèles sont désormais à l'abri de tels incidents. J'ajouterai que mon essai de l'an dernier, avant les modifications, n'avait rien révélé de dramatique dans le comportement à très haute vitesse de la voiture.

Un coup sûr

Quoi qu'il en soit, après ce petit nuage, les amours peuvent reprendre de plus belle. Car la qualité dominante de ces Audi est indéniablement leur profil arqué et la subtilité de leur aménagement intérieur. On ne se lasse pas de prendre place au volant et de contempler ce tableau de bord avec ses garnitures en alu brossé. L'aspect fonctionnel n'a pas été négligé pour autant et il suffit de manipuler les anneaux de métal qui encerclent les aérateurs pour se rendre compte de leur parfaite étanchéité. La TT roadster Quattro mise à l'essai était équipée de confortables sièges en cuir rappelant la couleur et le laçage d'un gant de baseball. On aime ou on n'aime pas, mais je trouve que cette option ajoute une touche spéciale à une présentation intérieure déjà très invitante.

Malgré la présence de petites pastilles en caoutchouc sur le pédalier métallique, celui-ci est toujours un peu glissant (surtout le repose-pied) lorsqu'on monte dans la voiture avec des semelles mouillées. En revanche, le toit plus bas du roadster rend l'accès à la voiture plus facile et on ne risque pas de se retrouver avec une commotion cérébrale comme lorsqu'on monte dans le coupé. Par contre, cette TT décoiffée mérite une capote mieux insonorisée qui, une fois abaissée, pourrait vous épargner la fastidieuse opération de la recouvrir d'une housse peu pratique qui accapare une bonne part du minuscule coffre arrière. Et que dire de cette armature disgracieuse qui s'offre à la vue quand la capote est relevée? Par ailleurs, on peut féliciter Audi pour le pare-vent transparent à commande électrique qui diminue les turbulences dans l'habitacle.

Finalement, toutes les mesures de renforcement de la structure n'ont pas un effet marqué sur mauvaise route où certains bruits de caisse réussissent à faire surface.

Belle et calme

Gardez vos turbos

Les coupés et roadsters TT peuvent recevoir deux versions du même moteur 4 cylindres 1,8 litre turbo, le premier développant 180 chevaux et le second 225 grâce à un turbocompresseur plus costaud et à la présence de deux échangeurs thermiques. Or, même le plus poussé des deux n'arrive pas à se faire justice avec les quelque 1 500 kg qu'il a à déplacer. Rarement une voiture a-t-elle mieux illustré le vieil adage américain qui veut qu'il n'y ait pas de substitut à une grosse cylindrée *(there is no replacement for cubic inches)*. Les 225 chevaux sont durs à réveiller, handicapés de surcroît par la traction intégrale qui prévient tout rééditer. Comptez une grosse seconde de plus, à moins que la voiture mise à ma disposition n'ait pas été très en forme. Avec le même rapport poids/puissance, la Mercedes-Benz SLK320 automatique a battu la petite Audi TT lors d'un essai comparatif. Évidemment, on parle d'un V6 de 3,2 litres contre un miniscule 1,8 litre turbo. J'aurais envie de dire à ces messieurs d'Audi : gardez vos turbos et donnez-nous des chevaux.

Si l'on oublie les chiffres, la TT roadster freine énergiquement quoique l'on souhaiterait une plus grande endurance à l'échauffement en conduite sportive. La tenue de route est quasi irréprochable et, même si la caisse assez lourde manifeste un peu de roulis, l'adhérence est spectaculaire en dépit de pneus plutôt « criards ». Très neutre à la limite, la voiture avale les longues courbes sans broncher et peut dire adieu à toutes ses rivales dès que la route devient glissante. Une direction rapide avec

patinage des roues motrices au départ et par une boîte dont les rapports supérieurs sont bien trop longs. Jugez-en : 170 km/h à 7 000 tours en 4e et 215 au même régime en 5e. Il vous faudra avoir accès à une piste interminable pour voir au compteur les 228 km/h qu'Audi revendique en vitesse de pointe. Idem pour le temps d'accélération de 0-100 km/h de 6,7 secondes annoncé par le constructeur, que j'ai été incapable de moins de trois tours d'une butée à l'autre permet également de guider la voiture avec une grande précision.

Décevante, cette Audi TT Roadster ? Je dirais que oui si l'on cherche une voiture sport performante. En revanche, sa transmission Quattro, son confort, sa finition soignée et son look du tonnerre lui fourniront bien des alliés.

Jacques Duval

AUDI TT

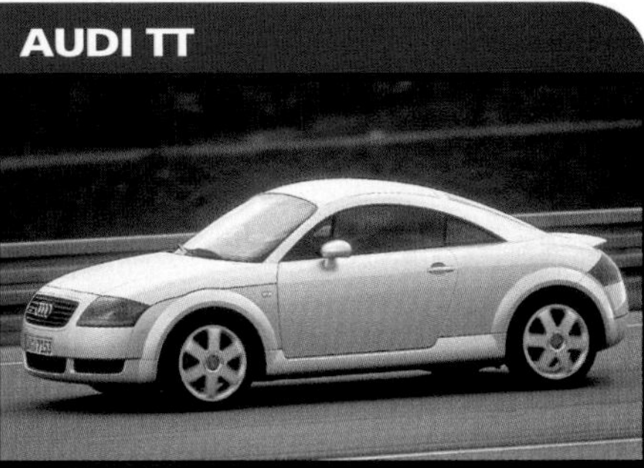

▲ POUR

• Design sublime • Traction intégrale • Comportement routier sûr • Sièges agréables • Pare-vent électrique

▼ CONTRE

• Performances décevantes • Puissance difficile à exploiter • Freinage manquant d'endurance • Capote mal conçue • Bruits de caisse

CARACTÉRISTIQUES

Prix du modèle à l'essai	TT Roadster / 59 000 $
Garantie de base	3 ans / 80 000 km
Type	roadster / traction intégrale
Empattement / Longueur	243 cm /404 cm
Largeur / Hauteur	176 cm /135 cm
Poids	1 460 kg
Coffre / Réservoir	180 litres / 62 litres
Coussins de sécurité	frontaux et latéraux
Suspension av.	indépendante
Suspension arr.	indépendante
Freins av. / arr.	disque ABS
Système antipatinage	non
Direction	à crémaillère, assistée
Diamètre de braquage	10,5 mètres
Pneus av. / arr.	P225/45R17

MOTORISATION ET PERFORMANCES

Moteur	4L 1,8 litre turbo
Transmission	manuelle 6 rapports
Puissance	225 ch à 5 900 tr/min
Couple	207 lb-pi de 2 200 à 5 500 tr/min
Autre (s) moteur (s)	4L 1,8 litre turbo 180 ch
Autre (s) transmission (s)	man. 5 rapports (180 ch)
Accélération 0-100 km/h	7,8 secondes
Vitesse maximale	228 km/h
Freinage 100-0 km/h	31,3 mètres
Consommation (100 km)	11,0 litres

MODÈLES CONCURRENTS

• BMW Z3 • Honda S2000 • Mercedes-Benz SLK320 • Porsche Boxster

QUOI DE NEUF ?

• Moteur LEV (moins polluant) • Nouveaux intervalles de changements d'huile • Ordinateur de bord

VERDICT

Agrément	★★★
Confort	★★★
Fiabilité	★★★★
Habitabilité	★★
Hiver	★★½
Sécurité	★★★★
Valeur de revente	nouveau modèle

BMW C1

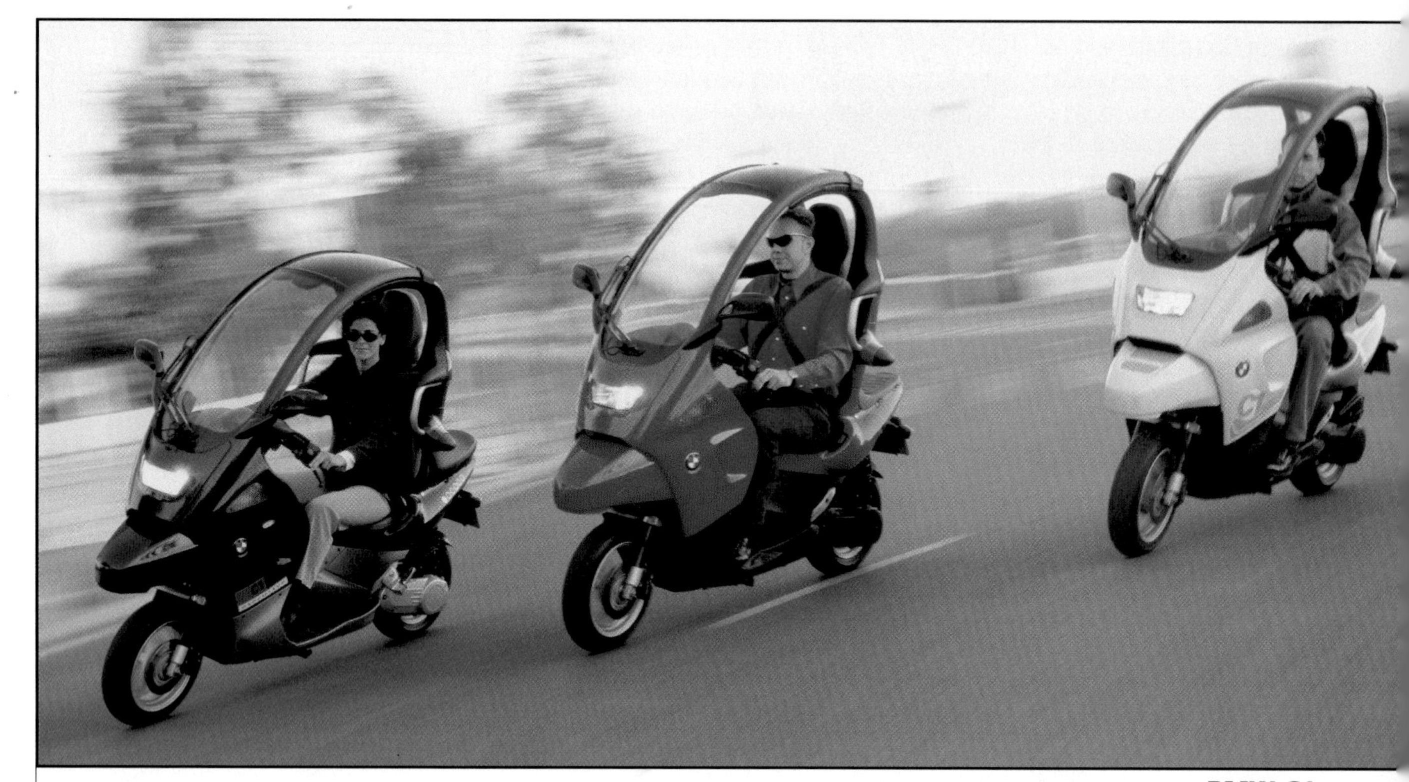

Quand moto et sécurité vont de pair

Le nombre grandissant de BMW qui circulent sur nos routes nous fait parfois oublier que le constructeur bavarois produit des motos depuis 1923 et qu'il a réussi, contrairement à bien d'autres marques européennes, britanniques et américaines, à survivre à la marée de la moto japonaise qui a envahi ce secteur depuis les années 60.

Mais que fait donc un 2 roues dans *Le Guide de l'auto*? À cette question, je répondrai que le passionné d'automobile s'intéresse souvent aux 2 roues, car les liens entre ces deux disciplines sont souvent nombreux.

Moteurs, freins, suspension, confort, design, accessoires. Dans tous ces domaines, la moto a fait des progrès remarquables qui dépassent parfois ceux des machines à 4 roues. Mais s'il y a un domaine où la moto est restée à l'âge de pierre, c'est bien celui de la sécurité passive. À part le casque et la tenue en cuir, rien, pas un seul pas en avant, pas une seule innovation digne de mention, et ce depuis plus de 100 ans!

Un scooter vraiment pas comme les autres

Arrive le BMW C1. Notons qu'il s'agit d'un scooter, engin à 2 petites roues dont raffolent les habitants des villes aux rues étroites construites à un âge où régnaient la charrette et le cheval. Pour la circulation économique en ville, le scooter est roi et dans plusieurs pays, sa conduite ne nécessite qu'un permis préliminaire, accessible dès l'âge de 16 ans.

Pour une fois dans le monde du 2 roues, ce n'est pas la puissance du moteur qui fait les manchettes, ni le look ravageur, ni le nom de guerrier japonais. Non, sur le C1, ce sont les ceintures de sécurité qui sont en vedette. Vous avez bien lu: des ceintures de sécurité, car tout l'intérêt du C1 réside dans son système de sécurité passive.

Comme on le voit sur les photos, le BMW C1 se démarque par sa cage de sécurité dotée d'une paire de ceintures. Les vidéos présentées à la presse lors du dévoilement du C1 en Espagne illustrent fort éloquemment la façon dont le système de sécurité empêche le conducteur de se transformer en projectile.

Légalement sans casque

Ainsi protégé, le conducteur du C1 fait corps avec sa machine, à l'instar de l'automobiliste ayant bouclé sa ceinture. À tel point que BMW a réussi à convaincre les autorités de la plupart des pays d'Europe de permettre au conducteur du C1 de se débarrasser du casque, preuve concrète que l'ingéniosité réussit parfois à contrer la réglementation contraignante.

Le concept de la cage de sécurité a germé dans l'esprit de Bernd Nurtsch, motocycliste acharné et spécialiste de la moto à l'emploi de BMW. Le premier prototype a été présenté au public en 1992 et il aura fallu près de 10 ans et cinq générations de prototypes pour passer du concept à la production.

La redéfinition du 2 roues

La cage en aluminium fait partie intégrante du cadre du scooter. La selle, les ceintures diagonales et sous-abdominales, les petits butoirs latéraux, le garde-boue avant sont quelques-uns des éléments qui interviennent dans ce système de sécurité fort élaboré conçu pour protéger le conducteur dans une collision à une vitesse pouvant atteindre 50 km/h. Jamais auparavant, un 2 roues n'aura permis un tel degré de protection qui équivaut presque à celui d'une automobile. La cage offre en outre une protection partielle contre les éléments.

Assemblage italien, moteur canado-autrichien

Le C1 signé BMW est construit dans les usines de Bertone, en Italie. Outre ses bureaux de design, le carrossier italien, établi depuis 1912, compte aussi des usines de montage, notamment celle de Grugliasno, près de Turin, chargée du projet C1.

Autre partenaire de BMW dans ce projet innovateur : Bombardier et son moteur Rotax construit en Autriche. Ce petit bijou de mécanique de 125 cm^3 refroidi à l'eau développe 15 chevaux et près de 9 lb-pi de couple, chiffres remarquables pour une telle cylindrée. Notons en passant que le Bombardier-Rotax est un moteur propre, alimenté par injection et doté d'un catalyseur.

Pour rendre le C1 encore plus convivial, BMW a mis au point un système de béquillage qui permet au conducteur de lever la machine sur ses béquilles sans quitter la selle. N'oublions pas non plus la transmission automatique à variateur continu, les freins à disque avec ABS, le démarrage électrique, les commandes ergonomiques, le chauffage et les nombreux accessoires qui rendent le C1 pratique et facile à conduire.

Le bref essai effectué au guidon du C1 m'a permis, après une petite période d'accoutumance, d'en constater la facilité de conduite. Certes, le centre de gravité plus haut que la normale et les petites roues dictent une conduite plus « verticale » que sur une moto, mais c'est en observant le cascadeur français engagé par BMW pour la présentation que je me suis rendu compte de l'agilité de l'appareil, une fois placé en bonnes mains.

Malgré son prix élevé et le fait qu'il ne soit pas vendu en Amérique du Nord, le BMW C1 marque une étape importante dans l'histoire centenaire de la moto. Il y a d'ailleurs fort à parier que les imitations surgiront d'un peu partout.

Alain Raymond

BMW C1

▲ POUR

• Sécurité active impressionnante • Conception ingénieuse • Équipement complet • Conduite facile

▼ CONTRE

• Prix élevé • Centre de gravité haut • Pas offert en Amérique du Nord

CARACTÉRISTIQUES

Prix du modèle à l'essai	env. 10 000 $ (Europe)
Garantie de base	n.d.
Type	scooter 1 ou 2 places / propulsion
Empattement / Longueur	149 cm / 207 cm
Largeur / Hauteur	85 cm / 176 cm
Poids	185 kg
Support / Réservoir	20 kg / 9,7 litres
Ceintures de sécurité	oui
Suspension av.	indépendante
Suspension arr.	indépendante
Freins av. / arr.	disque (ABS en option)
Système antipatinage	non
Direction	à crémaillère, assistée
Diamètre de braquage	n.d.
Pneus av. / arr.	120/70 - 13 / 140/70 - 12

MOTORISATION ET PERFORMANCES

Moteur	monocylindre 125 cm^3
Transmission	automatique
Puissance	15 ch à 9 250 tr/min
Couple	8,8 lb-pi à 6 500 tr/min
Autre(s) moteur(s)	aucun
Autre(s) transmission(s)	aucune
Accélération 0-50 km/h	5,9 secondes
Vitesse maximale	103 km/h
Freinage 100-0 km/h	n.d.
Consommation (100 km)	2,9 litres

MODÈLES CONCURRENTS

• Aucun

QUOI DE NEUF ?

• Nouveau modèle

VERDICT

Agrément	★★★★
Confort	★★★★½
Fiabilité	n.d.
Habitabilité	★★★★
Hiver	★
Sécurité	★★★★½
Valeur de revente	n.d.

BMW Série 3

BMW 323Ci Coupé

Encore et toujours la référence

Bayerische Motoren Werke, un pionnier de l'aviation, se spécialisait dès 1917 dans les moteurs d'avion, d'où le symbole de l'hélice en rotation qui garnit aujourd'hui encore le capot des modèles du constructeur bavarois. Mais c'est en 1961 que BMW prend un virage décisif avec le lancement de sa 1500, une berline compacte aux performances de voiture sport. La catégorie des berlines sport était née.

Près de 40 ans plus tard, cette berline compacte et ses dérivés, dénommés Série 3, demeurent le fer de lance de l'entreprise bavaroise. Comme il fallait s'y attendre, la gamme s'est étoffée au fil des ans et compte aujourd'hui un cabriolet, un coupé, une berline et une familiale, tous à propulsion, auxquels on a ajouté récemment une berline et une familiale à 4 roues motrices en permanence.

Très variée en Europe, la motorisation sera limitée sur notre continent à trois 6 cylindres en ligne: 2,2 litres (168 ch), 2,5 litres (184 ch) et 3 litres (225 ch). Malgré la multiplication des variantes, parfois source de confusion, et les modes changeantes auxquelles succombent les constructeurs sans vision claire, BMW est restée fidèle à la berline sport – propulsion, moteur vif, châssis rigide, suspensions indépendantes et dimensions compactes – et à l'agrément de conduite sans lequel le qualificatif «sport» n'est qu'un mot vide de sens.

Le pilier de la marque

Cette fidélité s'étend aussi au 6 cylindres en ligne dont nous retrouvons donc trois variantes pour le millésime 2001, le nouveau 2,2 litres marquant l'entrée de la gamme Série 3 et le tout aussi nouveau 3 litres en marquant le haut. Grâce à cette cascade de moteurs (et de puissances), BMW parvient à élargir vers le bas et vers le haut la gamme de prix de ces modèles et, par conséquent, sa clientèle. Moderne et efficace, ce moteur à distribution à variation continue est un exemple de souplesse, qualité en bonne partie attribuable à l'architecture du 6 cylindres qui jouit d'un excellent équilibre dynamique.

Un beau cabriolet pépère

Si la puissance a augmenté au fil des ans, le poids a aussi évolué, mais dans le mauvais sens, c'est-à-dire vers le haut, même si BMW réussit mieux que d'autres à contenir cet embonpoint et à afficher des performances honnêtes sans augmentation massive de la cylindrée. Cette constatation ne vaut cependant pas pour le nouveau cabriolet 323Ci qui fait basculer la balance à plus de 1600 kg. Il en résulte des performances moyennes, notamment en accélération, qui donnent à la belle bavaroise un caractère de baladeur du dimanche. Certes, la tenue de route est au rendez-vous, les freins sont efficaces, l'aménagement est fort attrayant et la ligne très séduisante, mais il s'agit probablement de la moins «BM» de toutes les BMW qu'il m'a été donné de conduire récemment.

À cette critique, BMW répond en annonçant l'arrivée de la version 330Ci, propulsée par le tout nouveau moteur 3 litres de 225 chevaux! Preuve, s'il en faut une, que BMW ne tolère pas que l'on qualifie ses voitures de pépère.

N'ayant pas conduit le cabriolet 330Ci au moment d'écrire ces lignes, nous ne pouvons pas confirmer l'effet du nouveau moteur sur le comportement de la voiture mais, à en juger par le coupé, la berline et la familiale, il y a fort à parier que la belle décapotable trouvera une place tout à fait honorable parmi la gent BMW. Ajoutons que le cabriolet 323Ci mis à l'essai sous le soleil de l'Espagne nous a impressionnés par la rigidité de sa caisse qui, selon les ingénieurs de la maison, est pratiquement équivalente à celle de l'ancien coupé. Une réalisation fort remarquable qui justifie en partie l'augmentation de poids, l'autre motif étant la multiplication des systèmes d'assistance à la conduite: AST, ABS, ATC, CBC, MSR, DSC, PDC, RDC et AIC, sans oublier le CD-ROM et l'énigmatique GPS... bref, de quoi occuper vos soirées d'hiver à déchiffrer le livret qui meuble la boîte à gants.

Au chapitre des assistances électriques, n'oublions pas la capote que vous pouvez ouvrir et fermer en appuyant sur un seul bouton au tableau de bord. Bien insonorisée, cette capote est aussi dotée d'une lunette en vitre – et non en plastique – avec dégivreur intégré. Si vous êtes du genre frileux (ou qui ne fait pas confiance au toit en toile en hiver), BMW vous livrera, moyennant supplément, un élégant toit en aluminium que vous pourrez entreposer chez le concessionnaire dès le retour des beaux jours.

Rigide à souhait

Dans bien des cabriolets, le plaisir de rouler cheveux au vent est gâché par les vibrations et les déformations de la caisse. Chez BMW, la caisse rigide encaisse bien les inégalités de la chaussée et les suspensions bien amorties assurent un comportement routier sain, tandis que les freins offrent un mordant rassurant. À l'instar de la boîte automatique molle, la direction souffre d'aseptisation, cette sensation d'être trop isolé de la route et de ne pas sentir ce que font les roues. Qualité souhaitable dans un salon roulant pesant 2 tonnes, la direction insensible se transforme en défaut dans une voiture qui est supposée conjuguer « j'aime conduire » à tous les temps.

En somme, un bel exercice de style, un aménagement accueillant, une sécurité active et passive rassurante et une solidité toute germanique pour un cabriolet plutôt sage. Gageons que le 330Ci méritera un autre qualificatif.

Le 3 litres à l'assaut

Lexus doit rager! À peine a-t-elle lancé sa IS 300, « l'anti-BMW », que le rival bavarois lui flanque son nouveau moteur 3 litres dans les jambes. Avec ses 225 chevaux contre les 215 du moteur nippon, le 6 en ligne signé BMW reprend le haut du pavé. Ce nouveau « cœur » d'aluminium permet à la 330Ci d'avaler le 0-100 km/h en 6,5 secondes et de saluer les 250 km/h sur *Autobahn*. Pas mal pour une « berline compacte »! Petit détail: la version nord-américaine sera limitée à 206 km/h, question de limiter le nombre de points de démérite.

Ce même 3 litres qui commence sa vie dans la Série 3 équipe aussi le roadster Z3 ainsi qu'une version plus abordable du tout-terrain X5. Outre l'augmentation de la cylindrée, ce moteur bénéficie d'améliorations importantes aux systèmes d'admission et d'échappement, de l'adoption du papillon des gaz à commande électronique et, évidemment, du fameux double VANOS, système de distribution à variation continue qui agit sur les arbres à cames d'admission et d'échappement pour varier l'ouverture des soupapes en fonction du régime et de la charge. Ces perfectionnements permettent à BMW de nous livrer un 3 litres plus puissant, mais qui ne consomme pas plus que le 2,8 litres qu'il remplace, tout en étant moins polluant et moins coûteux à entretenir. Bref, la nouvelle référence pour les 6 cylindres.

Pour le coupé et la berline 330Ci que nous avons essayés en Bavière ainsi que

ÉQUIPEMENTS

EN SÉRIE

- Sièges avant à réglage électrique
- Roues en alliage de 17 po
- Téléverrouillage des portes

EN OPTION

- Boîte automatique Steptronic à 5 rapports
- Phares au xénon • Peinture métallisée
- Pneus taille basse haute performance

pour le cabriolet à venir, l'augmentation de puissance s'accompagne de raffinements au chapitre des suspensions et des freins qui parviennent collectivement à positionner cette nouvelle version entre l'ancienne 328 et la divine M3. La seule critique que nous pourrions formuler, à part le manque chronique de place à l'arrière, porte sur la direction. Sur route sinueuse et à vive allure, la direction souffre d'une certaine légèreté qui la rend délicate à manier. Il faut doser l'effort au volant pour éviter le braquage excessif. Alors que sur le cabriolet 323Ci, la direction ne transmet pas suffisamment la position des roues, sur les 330, on sent les roues, mais l'assistance est excessive.

Indélogeable, cette Série 3

L'anti A4

Oui, un 4X4 ! Avec la berline 330xi. Et là, la direction plus ferme frise la perfection. Serait-ce la présence des roues motrices à l'avant ou une assistance mieux dosée ? Peu importe. Le résultat est superbe. Ainsi équipée de la transmission intégrale du X5, la petite berline s'agrippe férocement à la chaussée, qu'elle soit de bitume ou de terre battue. Un régal, car BMW a su doser la répartition du couple de façon à favoriser le train arrière. Le sous-virage qui caractérise la plupart des berlines à transmission intégrale cède la place à la glissade de l'arrière si typique de BMW et si essentielle à l'agrément de la conduite sportive. Léger et relativement simple, le système BMW ne nuit presque pas aux performances et n'ajoute que 0,8 l/100 km à la consommation, les seuls signes apparents de la présence de ce système étant le x sur le coffre, les 17 petits millimètres ajoutés à la hauteur de la carrosserie et... j'allais oublier... le supplément quand vous passerez à la caisse.

Parents pauvres ?

Un dernier commentaire avant de terminer ce tour d'horizon de la Série 3 : la familiale 330xi Touring. Une beauté ! Ligne fine et équilibrée, un aménagement élégant et soigné, mais, à l'heure d'écrire ces lignes, la Touring risque d'être exclue du Canada. En effet, les hautes instances bavaroises ayant jugé que nous avions boudé la Touring Série 5 (à plus de 60 000 $, il faut le préciser), nous n'aurons peut-être pas accès à la petite 330 Touring. Suggérons donc à ces mêmes instances de demander à Subaru, VW, Audi et Volvo si nous apprécions les familiales compactes à transmission intégrale et, si vous êtes de mon avis, glissez-en un mot à votre concessionnaire BMW. On finira peut-être par nous entendre.

Alain Raymond

BMW 330xi Touring

BMW Série 3

▲ POUR

• Moteur puissant et souple • Comportement routier de haut niveau • Caractère marqué • Plaisir de conduire sauvegardé

▼ CONTRE

• Direction légère, sauf sur 330xi • Places arrière mesurées • Coffre restreint • Certains équipements complexes

CARACTÉRISTIQUES

Prix du modèle à l'essai	330Ci / 47 900 $
Garantie de base	4 ans / 80 000 km
Type	coupé / propulsion
Empattement / Longueur	272 cm / 449 cm
Largeur / Hauteur	176 cm / 137 cm
Poids	1 505 kg
Coffre / Réservoir	410 litres / 63 litres
Coussins de sécurité	frontaux, latéraux + tête
Suspension av.	indépendante
Suspension arr.	indépendante
Freins av. / arr.	disque
Système antipatinage	oui
Direction	à crémaillère, assistée
Diamètre de braquage	10,5 mètres
Pneus av. / arr.	P205/50R17

MOTORISATION ET PERFORMANCES

Moteur	6L 3 litres 24 soupapes
Transmission	manuelle 5 rapports
Puissance	231 ch à 5900 tr/min
Couple	221 lb-pi à 3500 tr/min
Autre(s) moteur(s)	6L 2,2 litres 168 ch; 6L 2,5 litres 184 ch
Autre(s) transmission(s)	automatique 5 rapports
Accélération 0-100 km/h	6,5 secondes
Vitesse maximale	250 km/h
Freinage 100-0 km/h	n.d.
Consommation (100 km)	9,1 litres

MODÈLES CONCURRENTS

• Acura 3,2 CL • Audi TT • Cadillac Catera • M-B CLK320 • Lexus IS 300 • Saab 93 Viggen

QUOI DE NEUF ?

• Nouveau moteur 3 litres
• Nouvelle version à transmission intégrale

VERDICT

Agrément	★★★★
Confort	★★★½
Fiabilité	★★★★
Habitabilité	★★
Hiver	★★★½
Sécurité	★★★★½
Valeur de revente	★★★★

BMW Série 5

Des retouches avant la retraite

Au sein de la gamme BMW, la Série 5 s'est acquis, au fil des années, une solide réputation. Ces berlines sport se situent parmi les meilleures au monde, rien de moins, et elles ne semblent pas vouloir vieillir. Comme la plupart des manufacturiers germaniques, la firme bavaroise ne change pas ses modèles pour un oui ou pour un non: lancé en 1981, celui-ci n'en est qu'à sa troisième génération. Même si la fin approche pour celle-ci, la cuvée 2001 se distingue par ses nombreuses modifications, les plus importantes depuis la dernière refonte, il y a cinq ans.

Au menu: non pas un, mais deux nouveaux moteurs; des coussins gonflables supplémentaires, ce qui porte leur nombre à 10; un restylage en règle des parties avant et arrière, ainsi que d'autres retouches esthétiques mineures (plus de chrome et de surfaces peintes). Malgré cette visite chez le chirurgien esthétique, le premier coup d'œil ne trompe personne: la Série 5 affiche toujours un air de famille flagrant avec ses sœurs des séries 3 et 7. Qui s'en plaindra?

L'habitacle est tout aussi typé: des cadrans analogiques au levier de vitesses en passant par la superbe sellerie cuir de la 540, on est encore une fois en terrain connu. *New and improved,* comme disent les Américains: nouvelle et améliorée, la Série 5 l'est, mais elle a été concoctée à partir d'ingrédients maison.

On pourrait écrire un texte complet seulement en passant en revue la liste des caractéristiques de série, particulièrement dans le cas de la 540, qui trône au sommet de la Série 5 – si l'on fait exception de la M5, qui est justement une voiture d'exception. Précisons toutefois que le lecteur de disques compacts n'est offert qu'en option (air connu), comme sur la plupart des voitures allemandes de prestige. Injustifiable, d'autant plus que ce peuple réputé mélomane est friand d'opéra et de musique classique. De quoi faire retourner Wagner dans sa tombe.

Orfèvrerie high-tech

Quelle est la principale différence entre une 525i, une 530i et une 540i? Le moteur, bien sûr. Dans les deux premiers cas, on parle des nouveaux 6 cylindres en ligne de 2,5 et 3 litres, qui succèdent au 2,8 litres de la défunte 528i. Si vous pensez que vous venez de trouver l'explication des chiffres qui désignent les modèles de la Série 5, sachez toutefois que la 540 reçoit un V8 de 4,4 litres, comme son nom ne l'indique pas. Il est vrai qu'à l'origine, sa cylindrée était de 4 litres, mais si on suit cette logique, elle devrait s'appeler 544... En tout cas.

La réputation des moteurs BMW n'est plus à faire et ces deux nouveaux engins figurent toujours parmi la crème de l'industrie automobile. Avec 184 et 225 chevaux respectivement, les 6 cylindres apparaissent comme des choix plus cartésiens: compte tenu de notre Code de la route, leur rendement et leurs performances suffisent largement à la tâche.

Dire que ces trois motorisations brillent par leur souplesse ne suffit pas; il convient plutôt de parler d'onctuosité (encore). Les boîtes manuelles (5 rapports pour la 525 et la 530, 6 pour la 540) comme les boîtes automatiques (4 et 5 rapports respectivement) leur sont superbement adaptées et permettent d'en tirer le maximum sans aucune brutalité. Le V8 est d'une rare discrétion, certes, mais le ronronnement des 6 cylindres, surtout lorsqu'ils sont jumelés à une boîte manuelle, est loin d'être désagréable. De toute façon, ce n'est plus de la mécanique, mais de l'orfèvrerie. High-tech, mais du travail d'artiste quand même.

Presque la perfection

Délire au volant

À l'arrière, la Série 5 partage ses trains roulants avec l'opulente Série 7. Baptisée « suspension arrière intégrale à 4 bras », elle emploie, comme son nom l'indique, 4 bras par côté ; l'un d'eux est le bras dit « intégral », qui relie les bras inférieurs et supérieurs. Ce système règle précisément l'angle de pincement afin d'assurer une maniabilité stable mais très réactive, sans effets indésirables, lors des transferts de poids, tel un relâchement de l'accélérateur dans un virage négocié à haute vitesse.

À l'avant, seule la 540 emprunte la suspension de sa grande sœur, vu le poids supérieur de son V8. Moins lourdes, les 525 et 530 reprennent la même architecture, mais les détails et les composantes de ladite suspension diffèrent de ceux de la 540. Autre différence : la 540 conserve sa direction à billes, tandis que les deux autres utilisent la configuration à pignon et crémaillère.

Sur la route, ce délire technologique plonge le conducteur... en plein délire, justement : ça accélère, ça freine, ça tourne et ça colle, mes amis ! Il y a de quoi se faire peur, surtout avec la puissante 540. Inutile d'épiloguer, tout se déroule à la perfection, et ce comportement on ne peut plus sportif n'altère en rien le confort exceptionnel de ces berlines. En fait, le plus difficile, après un long trajet, est de s'arrêter et de stationner le véhicule. Tous les prétextes sont bons pour en prendre le volant, et pour la plus banale course au dépanneur du coin, on doit se retenir pour ne pas faire mille et un détours.

En toute subjectivité, les BMW Série 5 frôlent la perfection. Ma seule réserve, outre la quantité de billets verts qu'il faut débourser pour s'en porter acquéreur, concerne leur fiabilité et le service après-vente douteux de certains concessionnaires de la marque. Dans le premier cas, il s'agit d'un mythe, beaucoup de gens confondant, de toute évidence, fiabilité et durabilité. Les « Béhèmes » durent longtemps, certes, mais elles brisent souvent... Quant au service après-vente, vu le nombre restreint de concessionnaires, il suffit d'un ou deux établissements aux méthodes peu orthodoxes pour entacher la réputation de la marque.

Philippe Laguë

BMW Série 5

▲ POUR

• Routière confortable • Technologie de pointe • Sécurité maximum • Superbe trio de moteurs • Tenue de route exceptionnelle

▼ CONTRE

• Certaines commandes complexes • Lecteur CD optionnel • Places arrière restreintes • Fiabilité moyenne • Service après-vente inégal

CARACTÉRISTIQUES

Prix du modèle à l'essai	540i / 74 200 $
Garantie de base	4 ans / 80 000 km
Type	berline / propulsion
Empattement / Longueur	283 cm / 477 cm
Largeur / Hauteur	180 cm / 142 cm
Poids	1 700 kg
Coffre / Réservoir	460 litres / 70 litres
Coussins de sécurité	frontaux et latéraux
Suspension av.	indépendante
Suspension arr.	indépendante
Freins av. / arr.	disque ventilé ABS
Système antipatinage	oui
Direction	à billes, assistance variable
Diamètre de braquage	11,4 mètres
Pneus av. / arr.	P235/45R17 / P255/40R17

MOTORISATION ET PERFORMANCES

Moteur	V8 4,4 litres
Transmission	manuelle 6 rapports
Puissance	282 ch à 5 400 tr/min
Couple	324 lb-pi à 3 600 tr/min
Autre(s) moteur(s)	6L 2,5 litres 184 ch ; 6L 3 litres 225 ch
Autre(s) transmission(s)	auto. 4 et 5 rapports ; manuelle 5 rapports
Accélération 0-100 km/h	6,2 secondes
Vitesse maximale	250 km/h (limitée)
Freinage 100-0 km/h	41,0 mètres
Consommation (100 km)	13,9 litres

MODÈLES CONCURRENTS

• Acura RL • Audi A6 • Jaguar S-Type • Lincoln LS • Saab 9-5 Aero • Volvo S80

QUOI DE NEUF ?

• Restylage • Coussins protège-tête latéraux • Nouvelles versions (525i et 530i)

VERDICT

Agrément	★★★★★
Confort	★★★★
Fiabilité	★★★
Habitabilité	★★★
Hiver	★★★
Sécurité	★★★★★
Valeur de revente	★★★★

BMW Série 7

BMW 740iS

À bout de souffle ?

Dans la lutte pour la suprématie des berlines de grand luxe, Mercedes a pris toute une avance avec sa nouvelle génération de voitures de la Classe S commercialisées depuis maintenant tout près de deux ans. Les acheteurs de cette catégorie d'automobiles sont toujours à l'affût de la plus récente nouveauté, du moteur le plus puissant et de la toute dernière technologie. Est-ce que cela signifie pour autant que les BMW de Série 7 (740/750) sont à bout de souffle ?

Pas tout à fait ! Mieux encore, elle sont capables de soutenir la comparaison avec l'Audi A8, elle aussi sur le point d'être remplacée, et la Mercedes Classe S. Cette dernière est la plus moderne de ce trio. La berline à l'étoile d'argent est supérieure en ce qui concerne la qualité du châssis, mais sa silhouette est assez banale et son tableau de bord irritant au possible. Par ailleurs, la Jaguar XJ8 est d'une autre époque et vise une autre clientèle.

Revenons donc à notre bavaroise qui souffre d'une carrosserie dont les lignes sont un modèle de discrétion. Ce qui n'a pas aidé, c'est que les stylistes s'étaient contentés de dépoussiérer un peu la silhouette lors de sa dernière refonte en 1994. La Série 7 actuelle paraît donc encore plus vieille que son âge. Cela n'exclut pas une certaine élégance et un petit air vieillot qui fait sans doute son charme. Il est certain que cette situation risque de faire réfléchir certains acheteurs qui sont appelés à débourser plus de 100 000 $ pour se retrouver au volant d'une berline de prestige qui semble avoir été achetée en 1992 !

BMW a toujours été louangée pour la présentation de l'habitacle de ses voitures et l'ergonomie de leur tableau de bord. Cette fois, le résultat est moins bon : on dirait que les stylistes et les concepteurs ont eu une certaine difficulté à intégrer l'écran à cristaux liquides qui permet de vérifier les réglages de la climatisation et du système de sonorisation en plus de la navigation par satellite. Si les contrôles de ce centre de commande et d'information s'avèrent plus conviviaux que celles de la Mercedes Classe S, son fonctionnement est quand même inutilement complexe et mêlant. Et si vous avez l'intention de faire appel au système de navigation pour vous retrouver au Québec et même ailleurs au Canada, vous vous bercez de fausses illusions. C'est à peine si on peut s'y retrouver dans la banlieue de Montréal. Et, selon les informations de navigation de BMW, Chicoutimi « n'est pas encore sur la mappe » !

Heureusement qu'on n'achète pas cette voiture pour faire appel au système de guidage, mais pour la qualité de sa tenue de route, les performances des moteurs et un agrément de conduite nettement supérieur à la moyenne. Sur ces points, cette « Béhème » est capable de donner satisfaction.

La plus sportive du lot

Le profil de l'acheteur d'une BMW 740i est le suivant : une personne à la recherche d'une voiture de grand luxe dont la silhouette très discrète se fond dans la circulation, mais dont la mécanique garantit des performances relevées et une tenue de route quasiment sportive.

Style rétro

Pour l'instant, aucune autre berline de cette catégorie n'est en mesure d'offrir un tel équilibre. Optez pour le groupe sport et la barre est placée encore plus haut. Les roues de 18 pouces travaillent en harmonie avec une suspension modifiée pour améliorer la tenue en virage, la stabilité linéaire et le travail de la direction assistée. Cet ensemble transforme la 740i en voiture sport malgré ses 4 portières et son équipement de grand luxe. Et le meilleur dans cette transformation, c'est que ces améliorations ne sont pas obtenues au détriment du confort de la suspension, qui demeure toujours très satisfaisant.

Il est certain que les prestations du moteur V8 4 litres de 282 chevaux constituent un élément important dans le rapport performances/plaisir de conduire. De plus, la boîte automatique à commande manuelle Steptronic est l'exception qui confirme la règle et nous permet de croire qu'il y a un avenir pour le passage des rapports en mode manuel sur une boîte automatique.

Pourquoi pas un V12 ?

La personne intéressée à conduire une voiture un peu plus bourgeoise avec un habitacle plus grand devra choisir entre la 740iL et la 750iL. Elles partagent la même plate-forme dont l'empattement plus long de 14 cm assure un meilleur confort et des places arrière plus généreuses. Toutefois, on perd en agilité. Il faut également souligner que le principal avantage du moteur 5,3 litres de la 750iL n'est pas nécessairement sa puissance supérieure de 40 chevaux. Ceux-ci sont surtout utilisés pour compenser pour un poids supplémentaire de 150 kg. Le principal avantage de ce V12 est sa grande souplesse et ses accélérations d'une douceur remarquable. D'ailleurs, on n'achète pas une 750iL pour son caractère sportif, mais pour son cachet luxueux, son grand silence et son groupe propulseur dont le comportement s'apparente davantage à celui d'une turbine qu'à un moteur à pistons. Et il faut également souligner que la suspension est à contrôle électronique et la suspension arrière à correction d'assiette automatique.

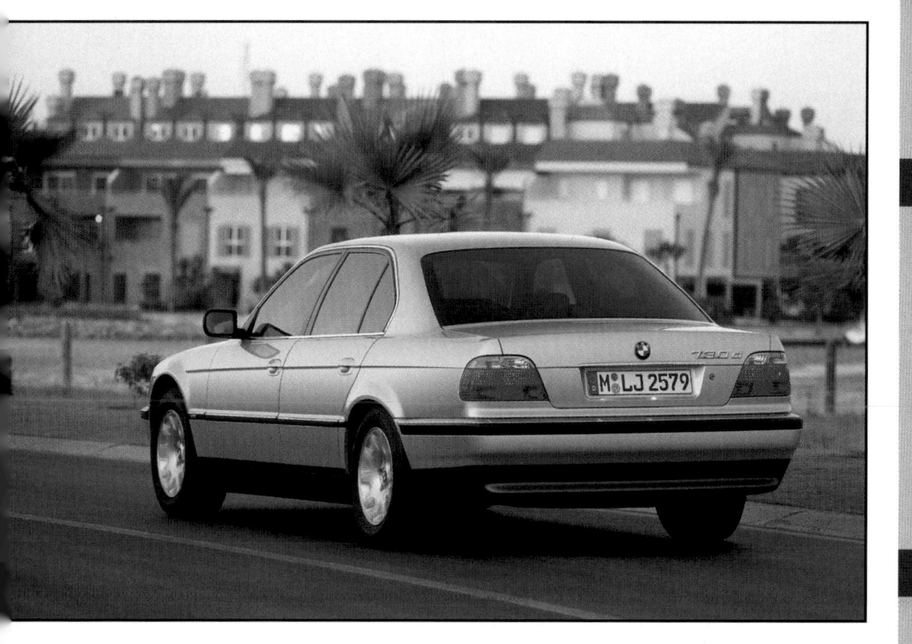

Même à la veille d'être remplacée par une nouvelle génération, la gamme de la Série 7 mérite nos éloges. Les acheteurs potentiels devront toutefois négocier avec une compagnie fortement secouée par le départ de plusieurs de ses meilleurs éléments et dont l'indépendance financière est maintenant remise en doute.

Denis Duquet

BMW Série 7

▲ POUR

• Moteur V8 impeccable • Boîte automatique Steptronic • Modèle Sport dynamique • Équipement plus que complet • Sécurité passive réconfortante

▼ CONTRE

• Stylisme désuet • Écran LCD • Système de navigation trop limité • Modèle en fin de carrière • Entretien onéreux

CARACTÉRISTIQUES

Prix du modèle à l'essai	740i / 91 495 $
Garantie de base	4 ans / 80 000 km
Type	berline / propulsion
Empattement / Longueur	293 cm / 498 cm
Largeur / Hauteur	186 cm / 143 cm
Poids	1 939 kg
Coffre / Réservoir	500 litres / 85 litres
Coussins de sécurité	frontaux et latéraux
Suspension av.	indépendante
Suspension arr.	indépendante
Freins av. / arr.	disque ABS
Système antipatinage	oui
Direction	à billes, assistance variable
Diamètre de braquage	11,6 mètres
Pneus av. / arr.	P235/50R18 (P255/45R18 740iS)

MOTORISATION ET PERFORMANCES

Moteur	V8 4,4 litres
Transmission	automatique 5 rapports
Puissance	282 ch à 5 700 tr/min
Couple	324 lb-pi à 3 700 tr/min
Autre(s) moteur(s)	V12 5,3 litres 322 ch
Autre(s) transmission(s)	Steptronic 5 rapports
Accélération 0-100 km/h	7,4 s ; 6,7 s (V12)
Vitesse maximale	210 km/h (limitée)
Freinage 100-0 km/h	40,1 mètres
Consommation (100 km)	12,7 litres ; 16,5 litres (V12)

MODÈLES CONCURRENTS

• Audi A8 • Mercedes-Benz Classe S
• Lexus LS 430

QUOI DE NEUF ?

• Aucun changement majeur
• Modèle en fin de série

VERDICT

Agrément	★★★★★
Confort	★★★★½
Fiabilité	★★★½
Habitabilité	★★★★
Hiver	★★★½
Sécurité	★★★★★
Valeur de revente	★★★★

BMW X5 4,4i BMW X5 3,0i

BMW X5 4,4i

Un 4X4 à la bavaroise

Après Lexus, Infiniti, Mercedes-Benz, Lincoln, Cadillac et avant Porsche, un autre constructeur automobile cultivant une image de luxe se lance dans l'aventure du 4X4. BMW, symbole absolu de l'agrément de conduite, offre depuis déjà quelques mois son X5, un gros gabarit qui entend concilier les qualités d'une berline sport, d'une familiale de luxe et d'un utilitaire sport. C'est une grande ambition et il reste à voir comment le constructeur allemand a jonglé avec tous ces paramètres.

Chose certaine, j'ai rarement conduit un nouveau véhicule ayant suscité un tel engouement. Non seulement le X5 pique la curiosité mais, en général, tout le monde sait de quoi il s'agit. À tel point que j'ai été pourchassé dans un stationnement souterrain par des gens curieux de découvrir la dernière ponte de BMW.

Tout comme le ML de Mercedes-Benz, son concurrent le plus logique, le X5 est construit aux États-Unis, plus précisément en Caroline du Sud. Et tout comme pour son concurrent à ses débuts, la qualité de sa construction n'est pas encore à la hauteur de la réputation de la marque.

Du sable dans l'engrenage

Dans le véhicule mis à l'essai, le système de navigation par satellite, par ailleurs très impressionnant, a été le premier accessoire à flancher. Il m'a fait faux bond à quelques kilomètres de la destination finale lorsque les informations sur la route à suivre sont disparues de l'écran et que la «madame» qui me donnait ces instructions a probablement décidé d'aller aux toilettes. Quelques heures plus tard, le système d'ouverture à distance des portières a décidé de lever l'ancre sans crier gare et, le lendemain, c'est le témoin lumineux annonçant une défectuosité d'un coussin gonflable qui est resté allumé sans raison. Décidément, il n'est pas facile de transplanter le savoir-faire germanique aux *hillbillies* de la Caroline. Ces petits problèmes sont apparus par intermittence, ce qui les rend d'autant plus difficiles à cerner.

Finissons-en avec le chapitre de la qualité en soulignant que la toile qui sert de rideau cache-bagages à l'arrière fait un peu bric-à-brac et que ni son exécution ni son fonctionnement ne méritent d'éloges.

Un moteur explosif ou très calme

Cela étant dit, le X5 possède de grandes qualités... et de petits défauts. Son moteur V8 explose littéralement sous le pied droit, sa transmission automatique à 5 rapports fonctionne sans bavure, son comportement routier se situe un cran, sinon deux, audessus de la concurrence et la présentation intérieure vous en donne pour votre argent. Les 282 chevaux du V8 de 4,4 litres se réveillent avec une énergie débordante et, malgré ses deux tonnes et quelque, le X5 «déménage» de façon surprenante.

Aidé par une sonorité très sportive, le moteur est à la fois performant et gourmand. Il exige sa ration de 17 litres de super pour chaque 100 km, ce qui explique la présence d'un réservoir de 93 litres et des pleins frôlant les 80 $.

Une motorisation beaucoup plus calme est toutefois offerte depuis peu sous la forme du 6 cylindres 3 litres de 225 chevaux que BMW utilise désormais dans plusieurs de ses modèles depuis la Série 3 jusqu'au petit roadster Z3. Avec ce moteur couplé à la transmission automatique à 5 rapports (une boîte manuelle est aussi proposée), la consommation (13,8 l/100 km) et le prix chutent considérablement (environ 10 000 $), mais il en va de même de l'agrément de conduite. Le X5 3,0i arrive péniblement à 100 km/h en 9,8 secondes et les reprises exigent beaucoup de patience au moment de doubler un autre véhicule.

Avec les immenses roues et pneus de 19 pouces du X5 4,4i, la tenue de cap étonne et la stabilité qui n'est jamais perturbée par les vents latéraux. Le faible niveau sonore dans les mêmes conditions fait aussi partie des « pour » du X5. Mais revenons aux pneus : je n'ose pas imaginer la difficulté de trouver des pneus à neige de cette dimension, ni même leur prix. Il est vrai que c'est un détail qui ne risque pas d'ennuyer la clientèle qui aura déjà déboursé 72 300 $ (avant taxes), le prix du modèle mis à l'essai, pour se pavaner au volant de ce 4X4. Ce prix incluait une option de 3 500 $ couvrant le

BMW Le Mans

système de navigation, la chaîne stéréo dite hi-fi, les sièges électriques, le contrôle de la distance de stationnement et les rétroviseurs pivotants.

Si le X5 3,0i mis à l'essai n'a rien secoué avec son moteur, il a affiché par ailleurs un confort de roulement très supérieur au 4,4i en raison principalement de ses pneus de 17 pouces, des Michelin MXV4 Plus.

Un certain plaisir

J'avoue avoir éprouvé un certain plaisir à conduire le dernier-né de la famille BMW, même si l'on est loin des sensations uniques que procurent les diverses berlines de la marque bavaroise. La tenue de route, entre autres, est impressionnante et pourrait faire honte à bon nombre de berlines dites sportives.

Et quelques irritants

En plus d'un prix difficile à avaler, les deux irritants majeurs du nouveau X5 4,4i sont sa hauteur démesurée qui rend l'accès ardu et une suspension qui ne réagit pas très bien sur des revêtements dégradés. Il est toujours pénible, surtout pour les personnes de petite taille, de prendre place à bord et les mauvaises routes vous font savoir que cet utilitaire sport se situe à mi-chemin entre camion et voiture. Sans mettre en doute l'efficacité du freinage, on pourrait aussi souligner le fait que l'ABS est trop bruyant.

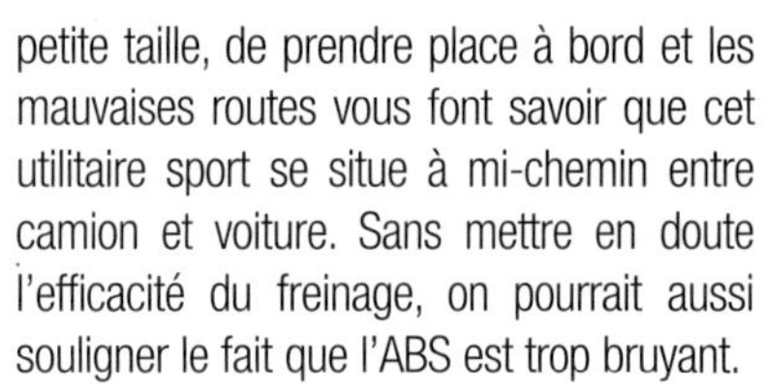

Les pneus d'origine qui équipaient le modèle mis à l'essai ne m'ont pas permis de faire du hors route mais, à part l'absence d'une gamme de vitesses courtes *(low range),* le X5 est rempli d'accessoires à contrôle électronique visant à lui assurer une adhérence optimale dans des

ÉQUIPEMENTS

DE SÉRIE

• Contrôle dynamique de stabilité • Contrôle en pente • Phares au xénon • Jantes de 18 pouces • Sellerie en cuir Montana

EN OPTION

• Jantes de 19 pouces • Essuie-glace à détecteur de pluie • Système de navigation • Pochette à skis • Avertisseur de distance de stationnement

conditions difficiles. Mentionnons notamment le HDC pour *Hill Descent Control* qui, dans des descentes abruptes, ralentit le véhicule sans même exiger l'intervention du conducteur. Très utile sur des pentes glissantes!

Aventure passagère

Le bonheur

À l'intérieur, c'est le bonheur ou presque: les sièges sont un peu trop durs, mais on bénéficie néanmoins d'une excellente position de conduite assortie d'une visibilité sans angle mort important. Hormis la «calotte» inélégante qui abrite le bloc des instruments, la présentation est engageante avec un subtil mélange de bois clair et d'acier brossé. En plus de tout le luxe habituel, le X5 est doté d'un volant chauffant et vous seriez étonné de constater comment on s'habitue vite à ce petit confort que l'on croit superflu de prime abord. La sécurité des occupants est assurée par pas moins de 6 coussins gonflables (conducteur, passager, système de protection de la tête et coussins gonflables latéraux dans les portes avant).

Le X5 propose aussi 3 bonnes places arrière ainsi qu'un coffre à bagages accessible par un abattant en deux sections qui ne fera peut-être pas l'unanimité. Le hayon vitré s'ouvre vers le haut, tandis que la partie inférieure s'ouvre vers le bas.

Terminons cet inventaire en louant la qualité de l'éclairage en conduite de nuit et nous aurons à peu près fait le tour du X5.

Retour à la raison?

Dans une certaine mesure, ce nouvel utilitaire sport signé BMW est fidèle à la réputation de son constructeur. Malgré ses gros sabots, son centre de gravité élevé et son désir de polyvalence, il offre un certain agrément de conduite surtout en version 4,4i.

Et l'on pourrait ajouter en terminant que l'enthousiasme suscité par le X5 à son arrivée sur le marché n'a pas survécu très longtemps. Non pas que ce ne soit pas un véhicule de qualité, mais tout simplement parce que l'on s'attendait sans doute à autre chose de BMW. Dans cet ordre d'idées, il sera intéressant de voir comment la clientèle accueillera le nouvel utilitaire sport qui sera lancé conjointement par Porsche et Volkswagen cette année. Chose certaine, le nom de Cayenne, choisi par Porsche pour son 4X4, est pour le moins baroque, sinon humoristique.

Se pourrait-il que les acheteurs soient en train de revenir à la raison et de constater qu'ils n'ont vraiment pas besoin de ces engins excessifs pour aller faire leurs courses le samedi matin?

Jacques Duval

BMW X5 4,4i

▲ POUR

• Excellentes performances • Silence de roulement • Bonne habitabilité • Tenue de route impressionnante • Aménagement luxueux

▼ CONTRE

• Accès difficile • ABS bruyant • Détérioration du confort sur mauvaise route (roues 19 po) • Faible rapport poids/puissance (6 cyl.)

CARACTÉRISTIQUES

Prix du modèle à l'essai	X5 4,4: 68 800 $
Garantie de base	4 ans / 80 000 km
Type	utilitaire sport / traction intégrale
Empattement / Longueur	282 cm / 447 cm
Largeur / Hauteur	187 cm / 171 cm
Poids	2 175 kg
Coffre / Réservoir	455 litres / 93 litres
Coussins de sécurité	front., lat. av., arr. et plafond
Suspension av.	indépendante
Suspension arr.	indépendante
Freins av. / arr.	disque ventilé ABS / disque ABS
Système antipatinage	oui
Direction	à crémaillère, à assistance variable
Diamètre de braquage	12,1 mètres
Pneus av. / arr.	P255/55R18

MOTORISATION ET PERFORMANCES

Moteur	V8 4,4 litres
Transmission	automatique 5 rapports
Puissance	282 ch à 5 400 tr/min
Couple	324 lb-pi à 3 600 tr/min
Autre(s) moteur(s)	6L 3 litres de 225 ch
Autre(s) transmission(s)	aucune
Accélération 0-100 km/h	7,5 secondes
Vitesse maximale	220 km/h
Freinage 100-0 km/h	38,9 mètres
Consommation (100 km)	17,0 litres

MODÈLES CONCURRENTS

• Audi Allroad • Mercedes-Benz ML430
• Cadillac Escalade • Infiniti QX4 • Volvo V70 XC

QUOI DE NEUF?

• Version 6 cylindres 3 litres (voir texte)

VERDICT

Agrément	★★★½
Confort	★★½
Fiabilité	nouveau modèle
Habitabilité	★★★½
Hiver	★★★★
Sécurité	★★★★
Valeur de revente	nouveau modèle

BMW M Coupé

La valse des 6 cylindres

Depuis ses débuts, il y a cinq ans, la BMW Z3 n'a jamais fait l'unanimité. Du moins au sein de la presse spécialisée, divisée en deux clans à son sujet. Ce qui ne l'a pas empêchée de se maintenir en tête des ventes de sa catégorie, comme quoi il y a une marge entre les goûts des puristes et ceux du grand public. Mais cette année, les violons pourraient finalement s'accorder, grâce à l'arrivée d'un nouveau 6 cylindres qui lui va comme un gant. Enfin!

Ce petit roadster allemand fut incontestablement la vedette de l'été 1996, en grande partie grâce à sa ligne aussi spectaculaire qu'irrésistible, mais le coup de pouce d'un dénommé James Bond contribua également à le mettre au monde. Rappelons que dans le film *Golden Eye,* l'intemporel espion britannique créé par Ian Fleming, naguère fidèle aux voitures sport de son pays, se déplaçait dans une Z3 toute germanique, ce qui fut considéré par certains orthodoxes comme une trahison, sinon une hérésie. *Shocking!*

Et pourtant, s'ils avaient su... Malgré un emballage fort alléchant, cette décapotable bavaroise manquait singulièrement de panache, et ce principalement à cause de son 4 cylindres de 138 chevaux, un moteur timide dont la sonorité évoquait celle d'une tondeuse. Une mécanique tout simplement indigne, tant pour la vocation de cette voiture que pour le célèbre 007, que ses poursuivants pouvaient presque rattraper en mobylette! Rien à voir avec les puissantes Aston Martin et la Lotus Esprit des productions précédentes!

Des chiffres et des lettres

Depuis, Munich a rectifié le tir tant bien que mal. Dans un premier temps, on appela en renfort le 6 cylindres de 2,8 litres des 328 et 528. Ce surplus de couple et, surtout, de puissance (55 chevaux de plus) redonna un semblant de crédibilité à ce roadster. Au chapitre des performances, à tout le moins. Par contre, les qualités de ce superbe moteur, tout en souplesse et en douceur, pouvaient devenir des défauts lorsqu'il se retrouvait sous le capot de la Z3. Comme dirait l'autre, ça manquait de oumph. De mordant, quoi. Quant à l'infâme 4 cylindres, il fut rapidement remplacé par un autre 6 cylindres, de cylindrée (2,3 litres) et de puissance (170 chevaux) moindres.

Cette année, ces deux motorisations cèdent leur place à deux nouveaux 6 cylindres – en ligne, comme le veut la tradition maison. La Z3 2,3 devient la Z3 2,2i; les plus futés auront compris que la cylindrée passe à 2,2 litres. Malgré cette réduction, la puissance reste la même, ou presque (168 chevaux). Un cran plus haut, la cylindrée grimpe à 3 litres, d'où la nouvelle désignation: Z3 3,0i. Là, ça devient intéressant, avec une puissance chiffrée à 225 chevaux. Soit seulement 15 de moins que le 6 cylindres de 3,2 litres de la M Roadster, dégonflé à 240 chevaux pour l'Amérique (contre 321 outre-mer...).

Dans ce contexte, le maintien de l'onéreuse version M au sein de la gamme Z3 perd de sa pertinence. La rumeur veut cependant que les bonzes de BMW en Amérique exerceraient de fortes pressions auprès de la maison-mère pour faire traverser l'océan à la version originale de ce moteur. Ce n'est qu'une rumeur, mais elle va en s'amplifiant. Or, il n'y a pas de fumée sans feu.

Nette amélioration

Et le coupé Z3, là-dedans? Bonne question. Ne reculant devant rien, *Le Guide de l'auto* a embauché un détective privé pour faire la lumière sur cette affaire. Non, mais c'est vrai: en avez-vous déjà aperçu un sur nos routes? Moi non plus. Et je l'ai encore moins conduit, BMW n'ayant pas jugé bon d'en mettre un exemplaire sur la route pour les journalistes du Québec.

À armes égales

À l'intérieur de la Z3 3,0i, les changements sont plus subtils, mais il y en a. D'abord, le lecteur de disques compacts fait enfin partie de l'équipement de série: alléluia! Sinon, on parle d'une présentation légèrement retouchée, avec des appliques de des sièges sport, semblables à ceux de la M Roadster. C'est mieux. LA question, maintenant: le coffre peut-il contenir un sac de golf? Oui. Vous voilà rassuré.

Au milieu de la gamme Z3, la 3,0i est à l'heure actuelle la plus attrayante. Son rapport prix/performances redevient subitement alléchant. Notre premier contact s'est avéré prometteur: 35 chevaux de plus, ce n'est pas de la frime mais surtout, la greffe semble avoir pris, cette fois. Ce nouveau 6 cylindres, emprunté lui aussi à la Série 3, semble tout ce qu'il y a de plus compatible avec la Z3. Sur le strict plan des chiffres, la différence ne paraît pas significative, mais sur le plan du rendement, c'est autre chose. Puissance plus linéaire, couple présent à tous les régimes, l'amélioration ne tarde pas à se faire sentir.

Fort bien chaussé, notre véhicule d'essai montrait aussi un aplomb que nous ne connaissions pas à ce roadster un peu trop

bois d'érable, dont la teinte rougeâtre se mariait très bien avec le rouge de la sellerie cuir et du pommeau du levier de vitesses de notre véhicule d'essai. Ledit pommeau et le volant affichent par ailleurs le M de la division Motorsport. À défaut de s'en payer une, on peut avoir l'illusion d'en conduire une.

Fermes mais peu enveloppants, les baquets montés de série constituent la seule déception digne de mention. On peut toutefois y remédier en optant pour bourgeois à notre goût. Mais pas à celui des acheteurs, qui semblent apprécier davantage le luxe et le confort de la Z3. Qu'importe, puisque l'édition 2001, sans avoir rien perdu de son raffinement, offre un comportement plus aiguisé et une mécanique à la hauteur du potentiel du châssis. De sorte que la «Béhème» dispose désormais de meilleures armes pour affronter des rivales telles la Honda S2000 et la Porsche Boxster.

Philippe Laguë

BMW Z3

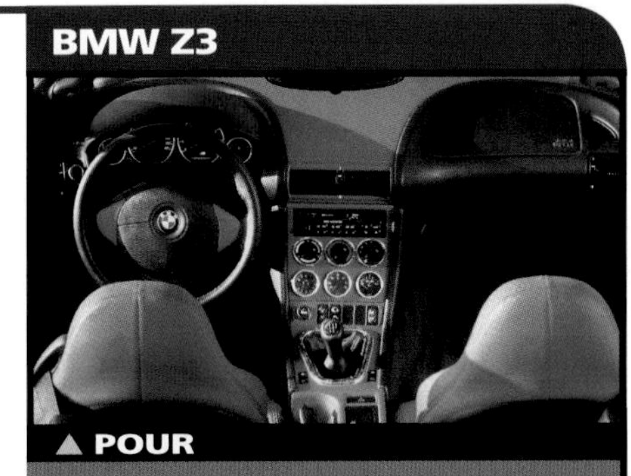

▲ POUR

• Ligne irrésistible • Confort appréciable • Moteur 3 litres bien adapté • Comportement sportif • Rapport prix/performances attrayant (3,0i)

▼ CONTRE

• Sièges de série décevants • Version M dégonflée • Esthétique discutable (coupé) • Côté pratique inexistant • Utilisation restreinte

CARACTÉRISTIQUES

Prix du modèle à l'essai	Z3 3,0i / 55 900 $
Garantie de base	4 ans / 80 000 km
Type	roadster / propulsion
Empattement / Longueur	245 cm / 405 cm
Largeur / Hauteur	174 cm / 129 cm
Poids	1 320 kg
Coffre / Réservoir	165 litres / 51 litres
Coussins de sécurité	frontaux et latéraux
Suspension av.	indépendante
Suspension arr.	indépendante
Freins av. / arr.	disque ventilé ABS
Système antipatinage	oui
Direction	à crémaillère, assistée
Diamètre de braquage	10,0 mètres
Pneus av. / arr.	P225/45ZR17 / P245/40ZR17

MOTORISATION ET PERFORMANCES

Moteur	6L 3 litres
Transmission	manuelle 5 rapports
Puissance	225 ch à 5 500 tr/min
Couple	214 lb-pi à 3 500 tr/min
Autre(s) moteur(s)	6L 2,2 litres 168 ch; 6L 3,2 litres 240 ch (M)
Autre(s) transmission(s)	automatique 5 rapports
Accélération 0-100 km/h	6,8 secondes
Vitesse maximale	240 km/h
Freinage 100-0 km/h	36,2 mètres
Consommation (100 km)	11,2 litres

MODÈLES CONCURRENTS

• Audi TT Roadster • Honda S2000
• Mercedes-Benz SLK • Porsche Boxster

QUOI DE NEUF?

• Nouveaux 6 cylindres (2,2 et 3 litres)
• Boîte automatique 5 rapports Steptronic

VERDICT

Agrément	★★★★
Confort	★★★½
Fiabilité	★★★½
Habitabilité	★★
Hiver	★★
Sécurité	★★★
Valeur de revente	★★★½

BUICK Century BUICK Regal

Buick Century

Le jeu des différences

Les Américains ont toujours eu beaucoup de facilité à produire des modèles différents à partir des mêmes éléments. Les Buick Century et Regal en sont l'exemple parfait. Même si elles partagent la même plate-forme, ces deux voitures ont un caractère diamétralement opposé lié à leur prix et à la clientèle visée.

Que l'on procède par ordre alphabétique ou par ordre de prix, la Century devance la Regal. Il est facile de critiquer cette berline dont la presque totalité des caractéristiques se situe dans la bonne moyenne. En fait, c'est presque la voiture moyenne par excellence. Son prix est moyen, de même que ses performances, son agrément de conduite, sa silhouette et la clientèle visée. En effet, cette Buick cible la famille américaine moyenne qui a probablement deux enfants et demi, un chien et les trois quarts d'un chat en plus d'une maison moyenne avec des mensualités moyennes.

Plus *middle America* que ça, c'est presque impossible à trouver. Malgré ce portrait assez peu flatteur, il ne faut pas éliminer la Century de votre liste si vous êtes à la recherche d'une berline à vocation familiale. Sa silhouette, bien que conservatrice, est assez bien tournée et elle a bien vieilli. Elle affiche la sobre élégance de la voiture qui ne nous fait pas nécessairement craquer pour ses formes, mais qui saura prendre de l'âge avec noblesse. Il faut également souligner que l'habitabilité n'est pas vilaine tandis que le tableau de bord est de présentation correcte pour qui sait apprécier le stylisme de nos voisins du sud. Et, encore mieux, l'équipement de série est relativement complet compte tenu de la catégorie et du prix.

Cette Buick est trahie par son moteur V6 de 3,1 litres, plutôt pantouflard côté performances. Ses 175 chevaux ne sont pas à dédaigner, mais ce moteur à soupapes en tête s'essouffle rapidement et il est davantage à son aise dans le train-train de la circulation de tous les jours que sur l'autoroute ou sur des routes sinueuses. D'ailleurs, sa suspension boulevardière n'est pas de nature à inspirer de grands élans de conduite sportive.

La Century est une honnête voiture familiale qui saura intéresser l'acheteur à la recherche d'une élégante berline dont la présentation générale ne fait pas bon marché comme celle de la Chevrolet Malibu, pourtant dans la même catégorie de prix.

Regal : plus de punch

Les mensurations de la Regal sont presque identiques à celles de la Century et leur présentation extérieure est très semblable. Les stylistes ont quand même réussi à ajouter à la silhouette quelques petites touches permettant de la différencier de sa cadette. Mais la grande différence réside sous le capot et dans les réglages de la suspension. Le moteur de série est l'incontournable et increvable V6 3800 Série II dont les 200 chevaux sont de nature à assurer des accélérations quand même assez musclées. De plus, des amortisseurs de meilleure qualité et une suspension plus ferme sont le remède utilisé pour éradiquer le roulis dans les virages et le tangage sur mauvaise route. Il ne faut pas en conclure pour autant que cette Buick plus musclée est affublée d'une suspension trop ferme qui serait allergique aux nombreux nids-de-poule qu'on trouve sur nos routes. C'est juste ce qu'il faut, pas trop dur, pas trop souple non plus, contrairement à ce qui est le cas dans l'Oldsmobile Intrigue dont la suspension trop ferme devient un irritant lorsque la chaussée est en mauvais état.

Tradition américaine

La GS s'avère encore plus intéressante, du moins pour les gens qui apprécient une voiture plus nerveuse, capable de soutenir un rythme plus rapide sur une route sinueuse. Son moteur V6 de 3,8 litres suralimenté est de série et ses 240 chevaux assurent des accélérations initiales assez impressionnantes. Répétons que la boîte automatique à 4 rapports de GM est toujours considérée comme une valeur sûre. Ajoutez à ce tandem des roues en aluminium de 16 pouces et vous êtes au volant d'une voiture en mesure de plaire aux gens qui privilégient le plaisir de conduire. Comme c'est la norme ou presque pour la catégorie, la traction asservie est en équipement de série. De type « toute vitesse », elle est passablement efficace.

En plus de ses qualités routières plus intéressantes, la GS est truffée d'accessoires en mesure de rendre la vie plus facile à son propriétaire. Le rétroviseur intérieur est à coloration électrochimique et les commandes de la radio au volant. Ces accessoires peuvent également être commandés en option sur les autres modèles Regal et Century. Et, grande nouvelle, en cours d'année, ces deux voitures seront équipées de série d'un dispositif de sortie d'urgence du coffre. Soulignons au passage que GM gagnerait à améliorer la qualité des plastiques de l'habitacle et du fini de la peinture extérieure, entre autres choses.

Ces deux berlines sont des automobiles respectant la plus pure tradition des voitures américaines de catégorie intermédiaire. Et, depuis quelques années, GM a nettement amélioré ses produits. Par contre, ce type de voiture n'est plus aussi populaire que jadis, ce qui explique pourquoi le « General » n'a plus la même emprise sur le marché.

Denis Duquet

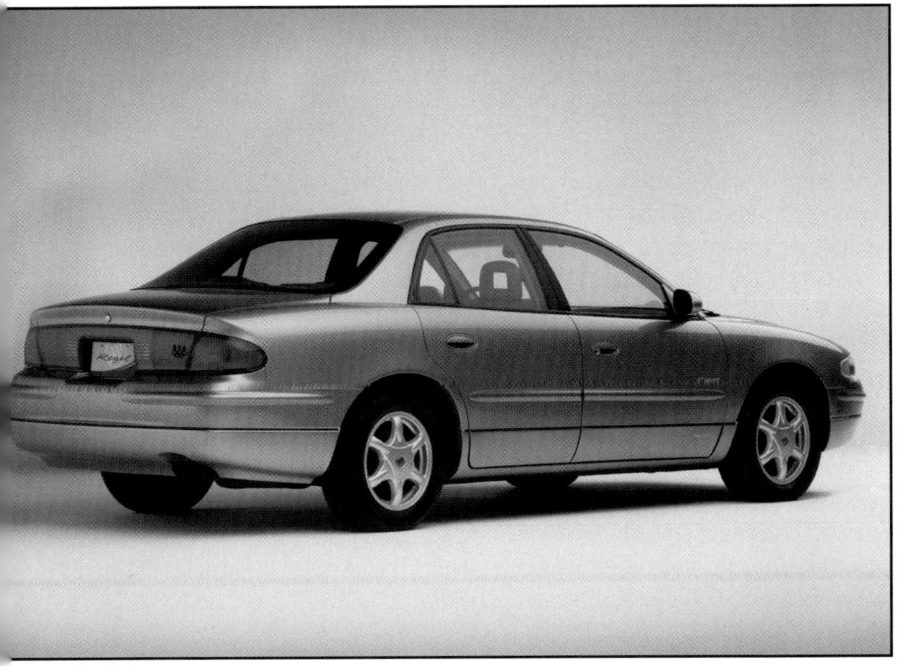

Buick Regal

BUICK Century

▲ POUR

• Silhouettes élégantes • Tableau de bord bien disposé • Prix compétitif • Version Regal GS / Century Limited • Équipement complet

▼ CONTRE

• Roulis en virage (Century) • Moteur V6 3,1 litres (Century) • Finition perfectible • Concept dépassé • Texture des plastiques à revoir

CARACTÉRISTIQUES

Prix du modèle à l'essai	Limited / 29 495 $
Garantie de base	3 ans / 60 000 km
Type	berline / traction
Empattement / Longueur	277 cm / 498 cm
Largeur / Hauteur	185 cm / 144 cm
Poids	1 595 kg
Coffre / Réservoir	473 litres / 64 litres
Coussins de sécurité	frontaux
Suspension av.	indépendante
Suspension arr.	indépendante
Freins av. / arr.	disque / tambour ABS
Système antipatinage	oui
Direction	à crémaillère, assistée
Diamètre de braquage	11,4 mètres
Pneus av. / arr.	P205/70R15

MOTORISATION ET PERFORMANCES

Moteur	V6 3,1 litres
Transmission	automatique 4 rapports
Puissance	175 ch à 5 200 tr/min
Couple	195 lb-pi à 4 000 tr/min
Autre(s) moteur(s)	V6 3,8 litres 200 ch (Regal); V6 3,8 litres 240 ch (Regal)
Autre(s) transmission(s)	aucune
Accélération 0-100 km/h	10,8 s; 6,9 s (Regal GS)
Vitesse maximale	180 km/h
Freinage 100-0 km/h	43,1 mètres
Consommation (100 km)	11,3 l; 12,9 l (Regal GS)

MODÈLES CONCURRENTS

• Ford Taurus • Chrysler Cirrus • Chevrolet Malibu • Oldsmobile Intrigue

QUOI DE NEUF ?

• Système OnStar optionnel sur Custom
• Accoudoir avant remanié

VERDICT

Agrément	★★★
Confort	★★★★
Fiabilité	★★★½
Habitabilité	★★★½
Hiver	★★★½
Sécurité	★★★½
Valeur de revente	★★★

BUICK LeSabre PONTIAC Bonneville

Buick LeSabre

La multiplication des pains

De nos jours, il est courant pour les constructeurs de commercialiser le plus grand nombre de modèles à partir de la même plate-forme. General Motors a été la championne de cette politique il y a plusieurs années, mais a connu des déboires sur le plan commercial pour avoir produit des voitures de marques différentes qui étaient trop semblables. Cette fois, on nous jure que les divisions ont plus d'autonomie à ce chapitre et que leurs voitures ont plus d'individualité même si les éléments mécaniques sont identiques.

Il suffit d'analyser en parallèle les Buick LeSabre et Pontiac Bonneville, deux berlines utilisant la même plate-forme, pour réaliser que les temps ont changé.

LeSabre : la pierre angulaire

Il ne faut pas s'en cacher, il est certain que la division Buick ne serait plus qu'un vague souvenir si la LeSabre n'avait pas été aussi populaire. Ses ventes supérieures à la moyenne ont assuré la survie de la marque. Cette situation a naturellement incité les stylistes à ne pas trop transformer sa silhouette et la nouvelle génération apparue l'an dernier était une évolution, sans plus. L'arrière est plus relevé et la partie avant un peu plus inclinée vers le sol afin de donner plus d'agressivité à l'ensemble. Il faut cependant déplorer la présence de la ligne d'ouverture du capot placée juste au-dessus de la calandre. Elle est vraiment trop perceptible pour ne pas agacer bien des gens. Dans l'habitacle, le tableau de bord a été entièrement transformé dans le cadre de cette révision du modèle 2000. Les cadrans indicateurs sont logés dans trois cercles placés côté à côte. Leurs dimensions généreuses rendent leur consultation facile.

Comme il est de mise sur toute Buick qui se respecte, la suspension est souple, mais pas trop guimauve non plus. Le roulis est bien contrôlé dans les virages et la voiture oscille moins qu'auparavant sur la grand-route lorsqu'elle est soumise à un fort vent latéral. Optez pour la suspension Touring et les pneus de 16 pouces et la conduite devient nettement plus agréable. La LeSabre ne sera jamais une voiture sportive, mais son comportement routier ne crée pas cette sensation d'engourdissement qu'on subit dans la Lincoln Continental.

L'incontournable moteur V6 de 3,8 litres est toujours au rendez-vous. Malgré ses soupapes en tête et des origines quasiment néolithiques, il est bien adapté au caractère de la voiture en plus d'être fiable et assez économe en carburant.

Pour les personnes à la recherche de prestige et de confort à prix abordable, cette Buick n'est pas dépourvue d'arguments. D'autant plus que sa fiabilité l'a toujours placée parmi les meneurs en la matière.

Bonneville : question de style

La plate-forme de la Bonneville est sensiblement la même que celle des Buick

LeSabre, Chevrolet Impala, Cadillac Seville et Oldsmobile Aurora. Toutefois, ses créateurs ont tenté de lui insuffler un caractère plus sportif et plus agressif. Des objectifs quasiment contradictoires sur un véhicule d'une longueur de 514 cm et pesant 1 640 kg.

La nouvelle Bonneville n'a pas une silhouette aussi chargée que la Grand Am, mais elle n'a pas la même pureté de lignes que la Grand Prix, la plus élégante de Pontiac. À l'intérieur, le conducteur est confronté à une multitude de boutons et de commandes qui, s'ils sont faciles d'accès, nécessitent une période d'adaptation et d'orientation. L'énorme pourtour du volant masque aussi la jauge du compresseur et l'odomètre. Il faut également souligner la présence de 8 buses de ventilation plutôt grotesques au tableau de bord, un record en quelque sorte. Les sièges avant sont confortables à défaut d'offrir un support latéral supérieur à la moyenne tandis que

Faux jumeaux

La Bonneville est équipée en version régulière du même moteur V6 de 3,8 litres de 205 chevaux que la Buick LeSabre. Le modèle SSEi profite de 35 chevaux de plus en raison de l'utilisation d'un compresseur.

Le modèle SE est équipé de roues de 16 pouces tandis que les SLE et SSEi roulent sur des pneumatiques de 17 pouces. Enfin, le système de stabilisation latérale Stabilitrack est de série sur la SSEi.

La Bonneville ne déçoit pas au chapitre de la conduite. Sous-vireuse dans l'âme, cette grosse américaine est non seulement agréable à piloter, mais elle est capable de rouler avec aplomb sur des routes dont le revêtement laisse à désirer grâce à un châssis d'une remarquable solidité. Dans la SSEi, la suspension paraîtra trop ferme aux habitués des voitures américaines mais plaira à ceux qui favorisent un amortissement à l'allemande. Dommage toutefois que la direction vienne gommer à ce point la sensation de la route.

les places arrière permettent aux personnes de grande taille de prendre leurs aises. Mentionnons la présence dans notre voiture d'essai du *Heads up Display* qui projette dans le pare brise la lecture de la vitesse, une option à recommander.

Bref, la LeSabre et la Bonneville ont plusieurs éléments mécaniques en commun, mais se différencient complètement de par leur tenue de route et leur caractère général.

Jacques Duval/Denis Duquet

BUICK LeSabre

▲ POUR

• Moteur bien adapté • Tenue de route saine • Bonne habitabilité • Caisse solide • Bon rapport qualité/prix

▼ CONTRE

• Direction gommée • Seuil de coffre haut • Tableau de bord trop chargé • Certains instruments illisibles • Suspension sèche (SSEi)

CARACTÉRISTIQUES

Prix du modèle à l'essai	Limited / 37 565 $
Garantie de base	3 ans / 60 000 km
Type	berline / traction
Empattement / Longueur	285 cm / 508 cm
Largeur / Hauteur	186 cm / 144 cm
Poids	1 630 kg
Coffre / Réservoir	510 litres / 70 litres
Coussins de sécurité	frontaux et latéraux
Suspension av.	indépendante
Suspension arr.	indépendante
Freins av. / arr.	disque ABS
Système antipatinage	oui
Direction	à crémaillère, assistance variable
Diamètre de braquage	12,0 mètres
Pneus av. / arr.	P215/70R15

MOTORISATION ET PERFORMANCES

Moteur	V6 3,8 litres
Transmission	automatique 4 rapports
Puissance	205 ch à 5 200 tr/min
Couple	230 lb-pi à 4 000 tr/min
Autre(s) moteur(s)	V6 3,8 l 240 ch (Bonneville)
Autre(s) transmission(s)	aucune
Accélération 0-100 km/h	9,6 secondes
Vitesse maximale	180 km/h
Freinage 100-0 km/h	39,4 mètres
Consommation (100 km)	12,2 litres

MODÈLES CONCURRENTS

• Chrysler Intrepid • Lincoln Continental • Infiniti I30 • Toyota Avalon

QUOI DE NEUF ?

• Coussins de sécurité à déploiement programmé
• Système OnStar de série sur Limited

VERDICT

Agrément	★★★
Confort	★★★★
Fiabilité	★★★★
Habitabilité	★★★½
Hiver	★★★★
Sécurité	★★★★
Valeur de revente	★★★½

BUICK Park Avenue

Buick Park Avenue

Les eaux qui dorment

De l'injustice, il y en a partout en ce bas monde, et celui de l'automobile ne fait pas exception. Victime de son appartenance à la famille Buick et de l'image dite « pépère » que traîne cette marque comme un boulet, la Park Avenue évolue dans un anonymat qu'elle ne mérite aucunement.

Des deux versions proposées, la livrée haut de gamme (Ultra) est la plus intéressante parce qu'elle est plus cossue, mais aussi plus performante. Fort de ses 240 chevaux, son V6 à compresseur n'a rien à envier aux V8 des grosses berlines de luxe américaines, comme elle, ou japonaises. De plus, elle ne souffre aucunement de la comparaison côté confort, et se classe dans le peloton de tête en ce qui a trait à l'agrément de conduite. Oui, oui, vous avez bien lu, il est bel et bien question d'une Buick !

Et ça ne s'arrête pas là : cette division de General Motors affiche année après année le plus haut taux de satisfaction de ses propriétaires. Aussi fiable que les Acura, Lexus ou Infiniti, cette berline typiquement américaine est, de plus, beaucoup moins chère que ces dernières. Même s'il est difficile de parler d'aubaine à plus ou moins 50 000 $ l'exemplaire, il n'en demeure pas moins qu'une Park Avenue Ultra coûte quelques dizaines de milliers de dollars de moins qu'une Lexus LS 430 ou une Infiniti Q45. Si vous croyez que je compare des pommes avec des oranges, je vous signale que ses dimensions, sa puissance et le niveau de luxe qu'elle offre lui permettent de jouer les trouble-fête dans la catégorie des grandes berlines de luxe.

Une ère révolue... ou presque

Au cours des dernières années, cette marque en perte de vitesse s'est reprise en mains afin de retrouver le prestige qui fut naguère le sien. Oubliez les Buick d'il y a 10 ans et leur décoration intérieure d'un kitsch pour le moins navrant ; la situation a été corrigée depuis. Ce qui signifie que l'ère des affreux panneaux de similibois, des espaces de rangement inexistants et des tableaux de bord à l'instrumentation minimaliste est bel et bien révolue. Qui s'en plaindra ?

La seule lacune qui persiste est l'éloignement de la planche de bord, car il faut avoir de grands bras pour rejoindre les commandes de la climatisation et de la chaîne stéréo (par ailleurs d'excellente qualité). Sinon, la présentation intérieure est relevée et la finition, soignée. Qui plus est, l'aspect fonctionnel n'a pas été négligé. Les multiples rangements du bloc central, par exemple, sont aussi utiles qu'appréciés. Il faut toutefois préciser que ledit bloc loge entre les baquets, et que ceux-ci sont optionnels dans la version de base, qui doit se contenter d'une banquette en équipement de série.

Celle-ci est par ailleurs atroce, il n'y a pas d'autres mots. On s'y enfonce comme dans des sables mouvants et le support latéral demeure une notion abstraite. Un vestige des années 60 et 70, quoi. Pour les places arrière, passe encore ; mais pour la conduite, oubliez ça. Les baquets sont à peine mieux : ils offrent un maintien symbolique. Avec le revêtement en cuir, c'est encore pire parce que ça glisse, de telle sorte qu'il est facile d'adopter une mauvaise posture. Bonjour les maux de dos !

Injustement méconnue

Vu les dimensions du véhicule, vous ne serez aucunement surpris d'apprendre que l'habitacle est spacieux (euphémisme !). Quant au coffre, il est assez vaste pour contenir une piscine creusée ET un terrain de tennis.

Comment ça, j'exagère ?

La revanche de mon oncle

Sous le capot, on retrouve le sempiternel et increvable V6 3 800 qui, on ne le répétera jamais assez, demeure une référence dans l'industrie malgré son âge vénérable. Par contre, dans la version de base, il s'essouffle rapidement dès qu'on dépasse le mollesse à bas régime des motorisations à 4 soupapes par cylindre. Comme quoi les vieilles recettes peuvent encore être efficaces ; il suffit de bien les apprêter.

Même si la Park Avenue est une traction, l'effet de couple que laisse craindre cet ajout de puissance est superbement maîtrisé. La boîte automatique à 4 rapports effectue elle aussi un boulot impeccable, tout comme le freinage. Ce qui, à bien y penser, ne constitue pas une surprise puisqu'il s'agit de deux domaines dans lesquels GM excelle, il faut bien le dire.

Si surprise il y a, c'est dans le comportement de cette volumineuse berline. À côté des ternes et mollassonnes japonaises, la Park Avenue fait presque figure de dévergondée ! Encore une fois, c'est l'Ultra qui impressionne le plus, grâce à sa direction à assistance variable et à sa suspension grand-tourisme. Dire qu'elle est agile serait un peu fort, mais sa maniabilité sur un trajet particulièrement tortueux

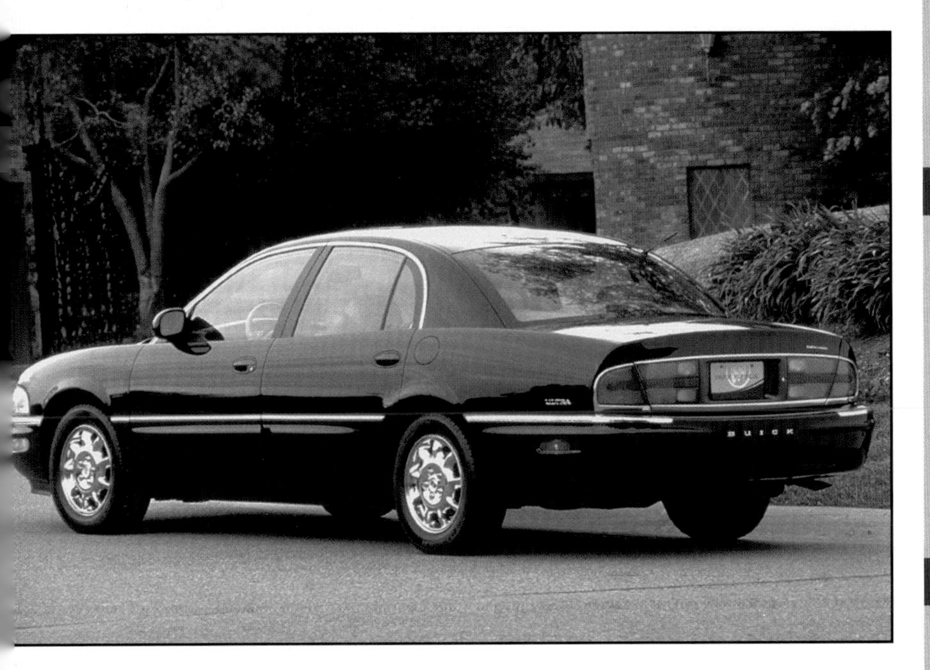

régime des 3 000 tr/min ; 205 chevaux, c'est bien beau, mais pour traîner cette lourde carcasse, c'est un peu juste.

Vitaminé par un compresseur dans la version Ultra, il se métamorphose : cette injection de stéroïdes lui confère 35 chevaux de plus et surtout, un couple phénoménal. Dans ce dernier cas, son architecture, que d'aucuns qualifient de désuète, y contribue directement : on ne retrouve pas cette surprend agréablement. De plus, on sent les réactions de la voiture ; rien à voir avec la conduite aseptisée des grosses Acura, Lexus et Infiniti. Pour ajouter l'injure à l'insulte, la Buick propose une douceur de roulement comparable. Ce n'est pas rien.

Au fait, vous ai-je dit qu'elle coûtait entre 20 000 et 30 000 $ de moins ?

Philippe Laguë

BUICK Park Avenue

▲ POUR

• Habitacle spacieux • Finition soignée • V6 performant (Ultra) • Comportement étonnant (Ultra) • Mécanique éprouvée et compétente • Prix concurrentiel

▼ CONTRE

• Dimensions d'une autre époque • Banquette à éviter (Park Avenue) • Piètre maintien des sièges baquets (Ultra) • Éloignement de certaines commandes

CARACTÉRISTIQUES

Prix du modèle à l'essai	Ultra / 48 310 $
Garantie de base	3 ans / 60 000 km
Type	berline / traction
Empattement / Longueur	289 cm / 525 cm
Largeur / Hauteur	190 cm / 148 cm
Poids	1 790 kg
Coffre / Réservoir	541 litres / 72 litres
Coussins de sécurité	frontaux et latéraux
Suspension av.	indépendante
Suspension arr.	indépendante
Freins av. / arr.	disque ventilé ABS
Système antipatinage	oui
Direction	à crémaillère, assistance variable
Diamètre de braquage	12,2 mètres
Pneus av. / arr.	P225/60R16

MOTORISATION ET PERFORMANCES

Moteur	V6 3,8 litres suralimenté
Transmission	automatique 4 rapports
Puissance	240 ch à 5 200 tr/min
Couple	280 lb-pi à 3 600 tr/min
Autre(s) moteur(s)	V6 3,8 litres 205 ch
Autre(s) transmission(s)	aucune
Accélération 0-100 km/h	9,1 s ; 10,6 s
Vitesse maximale	170 km/h (limitée)
Freinage 100-0 km/h	44,8 mètres
Consommation (100 km)	13,6 litres ; 12,8 litres

MODÈLES CONCURRENTS

• Acura RL • Cadillac DeVille • Chrysler 300 M et LHS • Infiniti Q45 • Lincoln Continental

QUOI DE NEUF ?

• Radar de stationnement arrière (optionnel) • Groupe GT • Sacs gonflables avant à déploiement adapté

VERDICT

Agrément	★★★
Confort	★★★★
Fiabilité	★★★★
Habitabilité	★★★★
Hiver	★★★½
Sécurité	★★★★
Valeur de revente	★★★★½

CADILLAC Catera

Cadillac Catera

La Catera vous parle

Je suis née en Allemagne de parents allemands. Je vis en Amérique depuis quelques années dans une riche famille d'accueil portant un nom français, une famille aux origines aristocratiques mais qui, au fil des ans, a malheureusement perdu de sa superbe. Malgré mon allure assez agréable et mon potentiel d'athlète, je passe souvent inaperçue.

Qui suis-je? Je m'appelle Omega, Opel Omega. En Amérique, on m'a trouvé un nouveau nom que j'aime bien: Cadillac Catera. Mes parents adoptifs souhaitent que je me mesure aux berlines intermédiaires de luxe qui font les beaux jours de plusieurs joueurs nommés BMW, Lexus, Lincoln, Mercedes-Benz, Audi, Acura et Oldsmobile.

Je suis donc parmi vous dans ma robe américaine depuis 1997, mais malgré mes atours, je n'ai pas réussi à m'imposer, au point où on entend encore dire sur mon passage: « Ça, une Cadillac? On dirait une Saturn! » Avouez que c'est vexant! Et pourtant, ceux qui prennent place à bord sont parfois agréablement surpris.

Mon salon

Mon salon est accueillant, sobre à la façon germanique, mais bien aménagé, avec un bel agencement de couleurs. Le tableau de bord bien lisible comporte même un manomètre d'huile qui donne le ton pour ce qui va suivre. Mes fauteuils avant bien galbés vous soutiennent là où il le faut. Touche inhabituelle: vous pouvez allonger l'assise en avançant la partie avant du siège. Pratique pour ceux qui ont de longues jambes. Pour les plus petits, il suffit d'actionner un bouton pour hausser le siège. Mais toutes les autres commandes des sièges sont manuelles, hélas! Je vous avoue que je comprends mal ce choix de mes parents adoptifs. Au prix que je coûte, ils auraient pu prévoir des sièges à commande électrique. Je dirais même que c'est inadmissible!

En échange, mon salon vous propose une banquette arrière très confortable et surtout un espace considérable pour les jambes. Notez aussi que les 2 places arrière sont chauffantes, comme à l'avant. Du vrai luxe!

Les visiteurs se plaignent parfois que mes portes sont difficiles à ouvrir à fond, surtout pour les personnes de petite taille. Il paraît que les crans d'arrêt sont trop durs. Ces mêmes visiteurs apprécient sans doute les petits casiers de rangement pivotants se trouvant sous les accoudoirs, mais le porte-verres sortant de l'accoudoir central, ça, c'est à revoir.

La salle des machines

Passons à l'avant pour vous rappeler que je ne suis pas une traction, mais une propulsion, ce qui est assez rare chez mes parents adoptifs. Pour me propulser, ils ont choisi le V6 de 3 litres d'origine Opel, celui-là même qui équipe les... Saturn Série L. Oui, je comprends les gros yeux que vous faites, mais après tout, il n'est pas mal, mon V6, avec ses 4 arbres à cames en tête et ses 24 soupapes. Et chez moi, il développe 200 chevaux. Ce n'est pas assez pour concurrencer en accélération certaines rivales plus musclées, mais en reprise de 80 à 120 km/h, j'affiche un chrono honorable de 7,8 secondes. Pour ceux qui aiment les gros cubes, sachez que chez moi, en Allemagne, j'ai une sœur équipée du V8 de la Corvette qui crache 315 chevaux. Je vous assure que la petite BMW peut aller se rhabiller !

Toujours en Allemagne, ma jumelle, l'Omega, qui existe aussi en version familiale dénommée Caravan, peut être dotée de la boîte manuelle à 5 rapports. Mais dans mon cas, seule la boîte automatique à 4 rapports est présente au catalogue et le petit S sur le bouton du sélecteur permet d'opter pour le mode « sport ». Pas d'effet notable sur les performances, mais au moins on fait semblant...

Crise d'identité

Jacques Duval s'est écrié : « La meilleure berline au monde pour la tenue de route ! » Il exagérait à peine. Je reste collée à la route avec un équilibre remarquable. Mon antipatinage intervient de façon judicieuse et les Michelin de 17 pouces chaussant mes belles roues en alliage repoussent l'adhérence à des limites difficiles à imaginer. Fidèles à la tradition allemande, les freins sont aussi au rendez-vous, même si, en début de course, la pédale gagnerait à être plus ferme.

Le mot de la fin

Je termine cette petite autobiographie en vous précisant qu'à part l'absence de commandes électriques des sièges, mon équipement pas mal complet comprend une belle chaîne stéréophonique Bose et le fameux système OnStar de communication par satellite – le meilleur antivol au monde. Et ça parle même français – avec un léger accent américain !

La fondation

Les connaisseurs apprécieront mes suspensions indépendantes à correcteur automatique d'assiette et amortisseurs à réglage électronique. Ajoutez-y l'option Groupe Sport et vous allez avoir du mal à trouver un châssis plus efficace. Sincèrement et sans exagération, ma tenue de route est tout simplement extraordinaire. À l'issue d'un essai sur piste à Sanair,

En somme, je ne suis pas Miss Monde, mais je ne suis pas moche non plus, et si mes performances n'égalent pas celles de Bruny Surin, je compense par un luxe peu tapageur et une tenue de route à laquelle peu de rivales peuvent prétendre. Reste à la famille Cadillac à me créer une identité propre. Connaissant leurs antécédents, je risque d'attendre longtemps.

Alain Raymond

CADILLAC Catera

▲ POUR

• Tenue de route remarquable • Sièges et suspension confortables • Places arrière généreuses • Système d'assistance OnStar • Éclairage efficace

▼ CONTRE

• Voiture anonyme • Faibles performances • Pas de boîte manuelle • Sièges à commandes manuelles

CARACTÉRISTIQUES

Prix du modèle à l'essai	Sport / 45 885 $
Garantie de base	4 ans / 80 000 km
Type	berline / propulsion
Empattement / Longueur	273 cm / 488 cm
Largeur / Hauteur	178 cm / 143 cm
Poids	1 710 kg
Coffre / Réservoir	410 litres / 60,5 litres
Coussins de sécurité	frontaux et latéraux
Suspension av.	indépendante
Suspension arr.	indépendante
Freins av. / arr.	disque
Système antipatinage	oui
Direction	à crémaillère, assistée
Diamètre de braquage	10,2 mètres
Pneus av. / arr.	235/45R17

MOTORISATION ET PERFORMANCES

Moteur	V6 3 litres 24 soupapes
Transmission	automatique 4 rapports
Puissance	200 ch à 6 000 tr/min
Couple	192 lb-pi à 3 600 tr/min
Autre(s) moteur(s)	aucun
Autre(s) transmission(s)	aucune
Accélération 0-100 km/h	9,2 secondes
Vitesse maximale	205 km/h
Freinage 100-0 km/h	38,5 mètres
Consommation (100 km)	12,5 litres

MODÈLES CONCURRENTS

• Acura 3,2 TL • Audi A4 2,8 • BMW 330 Ci • Infiniti I30 • Lincoln LS • Lexus ES 300 • M-B C280

QUOI DE NEUF ?

• Système OnStar

VERDICT

Agrément	★★★½
Confort	★★★★
Fiabilité	★★★½
Habitabilité	★★★★
Hiver	★★★½
Sécurité	★★★★
Valeur de revente	★★★

CADILLAC DeVille

Cadillac DeVille DTS

La métamorphose d'un dinosaure

Oubliez toutes vos idées préconçues à propos des Cadillac. La dernière version de la DeVille n'a plus rien à voir avec l'image de voitures un peu pépères qui collait à la marque américaine depuis des lunes. La Seville avait ouvert la voie à des Cadillac d'un genre nouveau, performantes et beaucoup plus en contact avec la route. La dernière DeVille, plus particulièrement la DTS, vient confirmer cette orientation et met un terme aux quolibets du genre « tasse-toi, mon oncle ». On pourrait même aller jusqu'à dire qu'elle est capable de retourner l'impolitesse en clamant « tasse-toi, l'jeune ».

Avec les 300 chevaux de son moteur 32 soupapes Northstar, la version DTS bondit tel un vrai pur-sang à la moindre sollicitation de l'accélérateur. Ce ne sont pas tant les accélérations que les reprises qui sont foudroyantes. Peu de voitures, hormis la Corvette, sont capables de doubler un autre véhicule avec la même facilité. Il faut simplement se méfier de l'effet de couple dans le volant si l'on circule sur une route bosselée, un phénomène qui gêne la stabilité.

Grâce à un châssis rigide qui supprime tout bruit de caisse sur mauvais revêtement, le comportement routier est on ne peut plus honnête pour une voiture d'un tel gabarit. La maniabilité en ville est évidemment handicapée par les dimensions tout de même appréciables de la DeVille et un diamètre de braquage excessif, mais cette Cadillac n'est pas dépourvue de moyens sur un parcours sinueux. Quel changement par rapport aux anciennes grosses barques de ce constructeur qui voulaient chavirer au moindre excès en virage ! Caractéristique pas désagréable, la direction se durcit au fur et à mesure que la vitesse augmente et la stabilité en ligne droite à vive allure est impressionnante.

La sobriété a bien meilleur goût

La présentation intérieure est sobre et de bon goût, ce qui dénote aussi un changement de cap qui tranche avec le passé. Si l'on fait exception d'une lunette arrière étroite qui complique le stationnement en ville et de quelques bricoles comme la trop grande proximité de la poignée de porte du côté du conducteur et du bouton servant à mémoriser la position du siège, il y a peu à reprocher à la Cadillac DeVille 2001. Comme toujours, le luxe règne en maître à bord et on ne peut manquer d'apprécier la qualité de la chaîne stéréo Bose et l'impeccable climatisation, deux accessoires réglables au moyen de touches placées sur le volant.

Pour contrer les difficultés de stationnement, la DeVille peut compter sur un système d'assistance composé de trois petits témoins lumineux placés au-dessus de la lunette arrière, qui s'allument en séquence au fur et à mesure que l'on s'approche d'un obstacle. C'est d'autant plus utile que les rétroviseurs extérieurs concaves ne donnent pas une juste idée de la distance qui vous sépare d'un autre véhicule. On est souvent beaucoup plus près qu'on le croit.

Un centre d'information placé sur le tableau de bord peut afficher pas moins de 50 messages différents, allant d'une tentative de vol du véhicule à une défectuosité mécanique à cause de laquelle il ne faut pas excéder une certaine vitesse. Le conducteur peut même bénéficier d'un capteur solaire qui règle la climatisation en fonction de la température extérieure.

Autres petites gâteries : les 3 passagers à l'arrière n'ont rien à envier à ceux qui prennent place à l'avant puisqu'ils peuvent bénéficier eux aussi de sièges chauffants. Les espaces de rangement sont multiples et le grand coffre à bagages adopte le sac à skis si cher à plusieurs marques européennes.

La silhouette de cette voiture surprenante n'est probablement pas à la hauteur de ses qualités de grande routière. Ce n'est pas un gâchis, mais les jantes en forme de ventilateurs sont vraiment atroces tandis que la grande trappe qui donne accès au réservoir à essence pourrait se faire plus discrète.

Avec un prix de départ de 59 795 $ et une facture de 70 880 $ pour la DTS mise à l'essai, cette Cadillac DeVille remaniée peut désormais supporter la comparaison avec ce qui se fait de mieux dans la catégorie des berlines de luxe.

Jacques Duval

NIGHT VISION
Voir ce que l'œil ne voit pas

Grâce au système Night Vision, une option d'un coût de 2 595 $, le conducteur de la nouvelle Cadillac DeVille peut distinguer la présence de chevreuils ou de piétons sur la route beaucoup plus tôt qu'à l'aide des phares seulement.

High-tech

La nouvelle Cadillac DeVille 2001 est la première voiture au monde équipée du système Night Vision, une option offerte à 2595 $. Développé par la firme Raytheon, du Texas, pour les besoins de l'armée américaine et utilisé lors de la guerre du Golfe, ce système de vision nocturne permet de distinguer des personnes ou des objets que l'œil serait incapable de percevoir avec l'aide des phares de la voiture seulement.

Il fonctionne au moyen de rayons infrarouges et ajoute à la nouvelle DeVille un élément de sécurité additionnel.

J'en ai fait l'expérience au cours de mon essai de cette nouvelle Cadillac et je dois avouer que j'ai été agréablement surpris par les résultats.

Si la valeur du système est discutable en ville ou sur des autoroutes bien éclairées, il suffit de rouler sur un petit chemin de campagne pour se rendre compte qu'il constitue une aide précieuse à la conduite de nuit.

Les images projetées à travers le pare-brise sur un écran situé au ras du capot ressemblent à un négatif noir et blanc. Au début, il faut s'habituer à promener ses yeux de la route à ce petit écran rectangulaire pour y détecter des objets ou des animaux qui seraient sur notre chemin.

Sensible à la chaleur

Night Vision fonctionne au moyen d'images thermiques, partant du principe que n'importe quel objet ou animal dégage une certaine chaleur. La meilleure preuve en est que l'on peut, à une très grande distance, distinguer de quel côté se trouve le tuyau d'échappement du véhicule qui nous précède. Une sorte de bulle blanche se découpe dans l'image sous l'effet d'une source de chaleur plus intense.

Le système est particulièrement utile pour distinguer la silhouette de personnes ou d'animaux qui se seraient aventurés sur la route. Un test au cours duquel nous avions demandé à quelqu'un de se tenir près de son véhicule en simulant le changement d'un pneu crevé a été particulièrement significatif. À l'œil nu, on voyait la voiture (avec ses clignotants allumés), mais rien de la personne qui se trouvait à l'extérieur. En revanche, l'écran Night Vision permettait de distinguer clairement que quelqu'un se trouvait près du véhicule.

En offrant la technologie Night Vision, General Motors a d'abord voulu réduire le nombre d'accidents impliquant des chevreuils errants. Les statistiques démontrent qu'au Michigan seulement, on a rapporté 67 000 incidents du genre au cours d'une seule année. Comme le même fléau sévit au Québec, ce système a une valeur sécuritaire indéniable.

Ses seuls inconvénients sont que la caméra incorporée au système ne suit pas le profil de la route, mais plutôt le nez de la voiture. Ainsi, dans un virage, les yeux suivent le contour de la route, mais l'écran Night Vision nous montre ce qui est juste devant le véhicule.

Aussi, l'écran peut devenir fatigant pour les yeux après une heure ou deux. Finalement, il est utile de rappeler que l'on ne peut pas conduire la Cadillac en regardant uniquement l'écran Night Vision. Il faut y jeter un coup d'œil toutes les 10 ou 15 secondes, c'est tout.

Nonobstant ces petites réserves, cette option vaut pleinement son coût et il faut féliciter Cadillac d'offrir un tel système plutôt que certains gadgets d'une utilité douteuse.

J.D.

CADILLAC DeVille

▲ POUR

• Moteur électrisant • Style épuré • Bon comportement routier • Places arrière spacieuses • Équipement luxueux • Consommation modérée

▼ CONTRE

• Format encombrant • Visibilité réduite vers l'arrière • Volant sensible à la puissance • Jantes atroces

CARACTÉRISTIQUES

Prix du modèle à l'essai	70 880 $
Garantie de base	4 ans / 80 000 km
Type	berline / traction
Empattement / Longueur	293 cm / 509 cm
Largeur / Hauteur	189 cm / 144 cm
Poids	1 843 kg
Coffre / Réservoir	507 litres / 66 litres
Coussins de sécurité	frontaux et latéraux
Suspension av.	indépendante
Suspension arr.	indépendante
Freins av. / arr.	disques ABS
Système antipatinage	oui
Direction	à crémaillère, assistance variable
Diamètre de braquage	11,8 mètres
Pneus av. / arr.	P235/55R17

MOTORISATION ET PERFORMANCES

Moteur	V8 4,6 litres
Transmission	automatique 4 rapports
Puissance	300 ch à 5600 tr/min
Couple	295 lb-pi à 4400 tr/min
Autre(s) moteur(s)	V8 4,6 litres 275 ch
Autre(s) transmission(s)	aucune

Accélération 0-100 km/h	7,5 secondes
Vitesse maximale	210 km/h
Freinage 100-0 km/h	40,7 mètres
Consommation (100 km)	13,7 litres

MODÈLES CONCURRENTS

• Lincoln Town Car • Chrysler LHS • Infiniti Q45 • Lexus LS 430

QUOI DE NEUF ?

• Système audio plus puissant • Indicateur de pression d'air

VERDICT

Agrément	★★★★
Confort	★★★★★
Fiabilité	★★★½
Habitabilité	★★★½
Hiver	★★★★
Sécurité	★★★★½
Valeur de revente	★★

CADILLAC Eldorado CADILLAC Seville

Cadillac Seville

L'une progresse, l'autre s'enlise

Il y a des signes qui ne trompent pas. Lorsqu'une voiture est en fin de carrière et que ses ventes sont quasiment confidentielles, les améliorations et changements qu'on lui apporte sont limités au strict minimum. C'est le cas du coupé Eldorado, appelé à être remplacé d'ici quelques mois par un nouveau modèle dérivé du spectaculaire prototype Evoq. Au contraire, la Seville, plus populaire, bénéficie de plusieurs améliorations en 2001.

L'Eldorado est non seulement peu vendue au Canada, mais n'est guère plus populaire aux États-Unis. Son étrange silhouette ne fait pas courir les acheteurs dans les salles de montre, mais il faut également souligner que les coupés en général, spécialement ces gros modèles de luxe, ne sont plus en demande depuis belle lurette. Ce n'est pas par hasard si Lincoln a décidé d'abandonner son coupé Mark VIII il y a quelques années.

Donc, peu de modifications à l'Eldorado cette année. On peut mentionner le dispositif de sortie d'urgence du coffre qui équipe également plusieurs autres modèles GM et de nouveaux coloris pour la caisse et l'habitacle. Autre indice qui ne ment pas, la version ESC, destinée à un public plus précis, n'est plus vendue au Canada en 2001. On limite l'offre à un seul modèle, dont le prix plus abordable a plus de chances d'intéresser les acheteurs.

Malgré tout, l'Eldorado demeure une voiture qui n'est pas dénuée de qualités. Avec son moteur Northstar de 300 chevaux, sa suspension à bras asymétriques, sa direction à assistance variable magnétique et son système de stabilité latérale StabiliTrak avec suspension à réglage automatique, l'Eldorado est une voiture capable de répondre aux attentes des conducteurs exigeants. Malheureusement, des dimensions hors normes, une silhouette tarabiscotée et une visibilité ¾ arrière à revoir viennent porter ombrage à ces éléments positifs.

Encore plus raffinée

Tandis que l'Eldorado est demeurée inchangée depuis des années, la Seville a connu une refonte en profondeur en 1998. La plate-forme a été changée, l'habitacle a été revu du tout au tout et plusieurs autres raffinements ont été ajoutés à la mécanique. Malgré tout, cette berline bénéficie de plusieurs innovations sur le plan technique. En 2001, il faut mentionner des phares à décharge haute intensité, des jantes de 17 pouces sur le modèle STS, un radar de stationnement et des glaces avant électriques à remontée rapide.

Chez Cadillac, on tient mordicus à ce que ce modèle demeure la voiture dotée de la fiche technique la plus raffinée chez GM et les améliorations se succèdent chaque année. Mais contrairement à ce qui était le cas à une certaine époque où les communiqués vantaient avec force qualificatifs l'arrivée de moquettes plus épaisses ou de sièges aux coussins plus moelleux, cette Seville est une voiture de grande classe qui offre un comportement routier et des performances très impressionnantes.

Duo inégal

Tout n'est pas parfait malgré tout. Par exemple, les piliers A sont tellement gros qu'ils obstruent la vision du conducteur. Et la grande majorité des gens n'apprécient pas tellement cette silhouette à mi-chemin entre le rétro et le rococo. D'ailleurs, plusieurs font remarquer que ces lignes pourraient avoir été dessinées par n'importe quel étudiant en première année de design. On peut toujours se consoler en songeant à la quantité d'espaces de rangement qui truffent l'habitacle.

Et même si la tenue de route en virage est bonne, plusieurs se plaignent de la direction dont l'assistance à action magnétique Magnasteer donne un feed-back très artificiel qui vient gâter la sauce. De plus, le choix des pneumatiques a pour effet de modifier le confort de la suspension et le comportement en ligne droite.

Seville contre Jag

Ceux qui croient que les Cadillac sont encore des voitures de retraités sont dans le cirage. Avec son moteur régulier de 275 chevaux, la SLS boucle le 0-100 km/h en 8,2 secondes et sa tenue de route équivaut à celle de bien des berlines de la catégorie. Je suis prêt à parier que cette Cadillac réussirait à intimider une Jaguar S-Type dont la conduite peut se révéler capricieuse lorsque la voiture est poussée dans ses derniers retranchements. En outre, la sonorité du Northstar est beaucoup plus rassurante que celle du Jag qui semble toujours être à la limite de ses capacités.

Mais le modèle le plus impressionnant est le STS dont le moteur de 300 chevaux associé à une suspension plus ferme et à des roues de 17 pouces assure une tenue de route remarquable. C'est la voiture de luxe d'origine nord-américaine la plus intéressante en ce qui concerne l'agrément de conduite et la tenue de route avec la Lincoln LS.

Adieu Eldorado

Tandis que l'Eldorado s'apprête à tirer sa révérence et à sombrer dans l'oubli pour faire place à un modèle plus moderne et certainement plus performant, la Cadillac Seville devrait continuer pendant encore plusieurs années d'être la berline la plus performante et la plus sportive chez Cadillac.

Denis Duquet

CADILLAC Seville

▲ POUR

• Moteur Northstar • Suspension moderne • Système audio poussé • Équipement ultracomplet • Bonnes performances

▼ CONTRE

• Préjugés défavorables • Pilier A obstrue le champ de vision • Feed-back de la direction à améliorer • Pneumatiques très moyens • Silhouette anonyme

CARACTÉRISTIQUES

Prix du modèle à l'essai	STS / 66 245 $
Garantie de base	4 ans / 80 000 km
Type	berline / traction
Empattement / Longueur	285 cm / 510 cm
Largeur / Hauteur	190 cm / 141 cm
Poids	1 815 kg
Coffre / Réservoir	445 litres / 71 litres
Coussins de sécurité	frontaux et latéraux
Suspension av.	indépendante
Suspension arr.	indépendante
Freins av. / arr.	disque ABS
Système antipatinage	oui
Direction	à crémaillère, assistance variable
Diamètre de braquage	12,3 mètres
Pneus av. / arr.	P235/55ZR17

MOTORISATION ET PERFORMANCES

Moteur	V8 4,6 litres
Transmission	automatique 4 rapports
Puissance	300 ch à 6 000 tr/min
Couple	295 lb-pi à 4 400 tr/min
Autre(s) moteur(s)	V8 4,6 litres 275 ch (SLS)
Autre(s) transmission(s)	aucune
Accélération 0-100 km/h	7,7 s ; 8,2 s (SLS)
Vitesse maximale	240 km/h
Freinage 100-0 km/h	42,4 mètres
Consommation (100 km)	12,5 litres ; 12,1 litres (SLS)

MODÈLES CONCURRENTS

• Audi A6 • BMW 540 • Mercedes-Benz E430 • Jaguar S-Type V8 • Lexus GS 430 • Volvo S80 T6

QUOI DE NEUF ?

• Système audio plus raffiné • Roues chromées 17 po • Phares haute densité (option STS)

VERDICT

Agrément	★★★★
Confort	★★★★
Fiabilité	★★★½
Habitabilité	★★★★
Hiver	★★★½
Sécurité	★★★★
Valeur de revente	★★★½

CADILLAC Escalade

Cadillac Escalade

Une année sabbatique ?

Inutile de chercher le Cadillac Escalade dans le catalogue des modèles 2001. Il termine sa carrière sous sa forme actuelle en tant que modèle 2000 et sera remplacé par une toute nouvelle version qui sera commercialisée dès janvier 2001 en tant que modèle 2002. Cette situation nous en dit long sur le succès de ce Cadillac tout-terrain à ce jour.

Si la demande avait été très forte et les inventaires relativement bas, on aurait probablement étiré la production de quelques semaines afin d'éviter des ruptures de stock et on aurait eu droit au millésime 2001. Mais puisque la demande a été assez faible, il n'était pas nécessaire de se livrer à cet exercice. Pour la première génération de l'Escalade, c'était vraiment trop peu, trop tard. Après avoir nié que le marché des véhicules utilitaires sport allait déborder dans la catégorie des voitures de luxe, la direction de Cadillac a dû réviser sa position en constatant les succès de Lincoln et de Mercedes et passer aux actes.

Il faut savoir qu'il existe aux États-Unis plusieurs concessionnaires qui ne vendent que des voitures de marque Cadillac, contrairement à leurs homologues canadiens qui représentent également les marques Pontiac-Buick ou Chevrolet-Oldsmobile. Ces concessionnaires exclusifs ont beaucoup d'influence et ce sont leurs fortes pressions qui ont poussé la direction de Cadillac à contrer les succès du Lincoln Navigator avec un modèle concurrent. Mais, faute d'avoir planifié cette réplique à long terme, on a agi avec précipitation. Les responsables du développement de ce nouveau modèle ont été pris de court, car ils ne prévoyaient pas commercialiser un tel véhicule avant le début de 2001 en tant que modèle 2002. Ce qui leur aurait donné le temps de modifier « à la Cadillac » la plate-forme du Suburban/Yukon.

La panique n'est pas nécessairement la meilleure méthode de travail. C'est pourtant ce qui semble avoir présidé à la mise au point de ce Caddy des champs et des bois dont on s'est vanté d'avoir complété le développement en quelques mois. Il n'y avait pas de quoi se péter les bretelles puisque l'Escalade n'était rien d'autre qu'un Yukon Denali 1998 affublé de l'écusson Cadillac en plein centre de la calandre et de sièges exclusifs à ce modèle. Il faut d'ailleurs avouer qu'ils sont non seulement d'une facture impeccable, mais d'un grand confort. Si jamais vous hésitez entre plusieurs utilitaires sport d'origine nord-américaine, leur confort pourrait à lui seul être le facteur décisif. Il faut également accorder de bonnes notes au volant muni d'un boudin de bois véritable et partiellement recouvert de cuir.

Pour le reste, on a l'impression d'être au volant d'un Yukon Denali 1998. La plate-forme n'est vraiment plus dans le coup. C'était tout de même potable jusqu'à l'arrivée du Yukon 2000, mais le châssis de ce dernier est tellement plus sophistiqué qu'il n'y a aucune comparaison possible. L'ancien modèle réagissait assez mal aux trous et aux bosses en plus d'être d'un confort se rapprochant davantage de la camionnette de travail que d'un véhicule de luxe. Il faut d'ailleurs se souvenir que ce modèle a été développé au début des années 90 et que la technologie a fortement progressé depuis. D'ailleurs, General Motors, avec son nouveau châssis de type échelle à flexion variable et poutres de suspension formées par pression hydraulique, a un net avantage sur la concurrence. Autant d'éléments qui font partie intégrante de l'Escalade 2002, mais qui ne sont pas inclus dans le modèle qui pourrait toujours être offert à prix réduit chez un concessionnaire. Ce n'est pas un mauvais véhicule, mais mieux vaut opter pour un Yukon ou un Tahoe 2001 tout équipé. Et pour les grosses familles, il y a bien entendu les Chevrolet Suburban et GMC Yukon XL du même millésime.

Comme si cela n'était pas assez comme handicap, on a affublé ce « Caddy » d'un pare-chocs prolongé d'un bouclier protubérant qui vient sérieusement réduire l'angle d'attaque en plus d'être nul sur le plan esthétique.

Second début

Si la silhouette est sans surprise, il faut souligner que la mécanique s'est améliorée. L'élément le plus intéressant est la présence d'un nouveau rouage intégral doté d'une boîte de transfert et d'arbres de couche en aluminium assurant une distribution instantanée du couple dans une répartition optimale de 38 % avant et 62 % arrière. Un différentiel central à glissement limité et un autre aux roues arrière permet d'avaler les courbes sans problème. La version à traction intégrale est dotée d'un moteur V8 de 6 litres d'une puissance de 345 chevaux, soit 90 chevaux de plus que le V8 de 5,7 litres de l'édition 2000.

Même si un modèle deux roues motrices n'est pas tellement un choix éclairé dans notre coin de la planète, il est au catalogue. Il se différencie également par son moteur V8 de 5,3 litres de 285 chevaux. Toujours sur le plan technique, l'Escalade est équipée d'une suspension à commande électronique, du correcteur de stabilité latérale « StabliTrak » et du sonar arrière de stationnement Ultrasonic.

Déjà 2002

Il est certain que la prochaine génération de l'Escalade ne pêche pas de la sorte. En fait, les ingénieurs, stylistes et planificateurs se sont accordés quelques mois de recul afin de s'assurer de ne pas rater la cible. On utilise à nouveau la plate-forme des Yukon et Tahoe, ce qui est loin d'être un défaut puisqu'elle est réputée pour être la meilleure de l'industrie.

La concurrence est la meilleure motivation. Les succès du Lincoln Navigator ont aiguillonné la direction de Cadillac à vouloir faire mieux. La première tentative a donné des résultats plutôt décevants, mais la seconde est nettement mieux réussie aussi bien en raison des qualités dynamiques du châssis que de la valeur du rouage d'entraînement. Il ne reste plus qu'à patienter quelques mois.

Denis Duquet

CADILLAC Escalade (2000)

▲ POUR

• Sièges confortables • Tableau de bord bien conçu Équipement complet • Habitabilité assurée • Mécanique fiable

▼ CONTRE

• Silhouette vétuste • Châssis primitif • Aucun modèle 2001 • Diffusion confidentielle • Valeur de revente aléatoire

CARACTÉRISTIQUES

Prix du modèle à l'essai	63 805 $ (prix 2000)
Garantie de base	4 ans / 80 000 km
Type	utilitaire sport de luxe / traction intégrale
Empattement / Longueur	295 cm / 505 cm
Largeur / Hauteur	200 cm / 188 cm
Poids	3 175 kg
Coffre / Réservoir	1 801 l à 3 064 l / 98 litres
Coussins de sécurité	frontaux
Suspension av.	indépendante
Suspension arr.	essieu rigide
Freins av. / arr.	disque ABS
Système antipatinage	oui
Direction	à billes, assistance variable
Diamètre de braquage	12,7 mètres
Pneus av. / arr.	P265/70R17

MOTORISATION ET PERFORMANCES

Moteur	V8 6 litres
Transmission	automatique 4 rapports
Puissance	345 ch à 5 200 tr/min
Couple	380 lb-pi à 4 000 tr/min
Autre(s) moteur(s)	V8 5,3 litres 285 ch
Autre(s) transmission(s)	aucune
Accélération 0-100 km/h	8,7 s ; 9,8 s (5,3 litres)
Vitesse maximale	175 km/h (limitée)
Freinage 100-0 km/h	49,0 mètres
Consommation (100 km)	15,9 litres

MODÈLES CONCURRENTS

• Lexus LX 470 • Lincoln Navigator • Range Rover

QUOI DE NEUF ?

• Tout nouveau modèle • Moteur 6 litres • Suspension à réglage automatique

VERDICT

Agrément	★★★
Confort	★★★★
Fiabilité	★★★
Habitabilité	★★★★
Hiver	★★★★★
Sécurité	★★★★½
Valeur de revente	★★

Chevrolet Astro

Les vétérans sont de retour

À une époque où les nouveaux modèles se succèdent à un rythme effarant, il est toujours curieux de saluer le retour de deux véhicules qui ont été sur le marché au cours de trois décennies distinctes. En effet, les Chevrolet Astro et Pontiac Safari, qui ont amorcé leur carrière au début des années 80, sont toujours au catalogue en ce début de millénaire.

Les stylistes n'ont fait aucun effort, au cours des dernières années, pour tenter de modifier la silhouette extracarrée de ces deux fourgonnettes intermédiaires. Au fil des années, les tendances en matière de style se sont multipliées et le tandem Astro/Safari les a toutes affrontées sans broncher. Mieux encore, par un curieux retour des choses, les angles prononcés de la caisse sont à nouveau à la mode. Malgré tout, ces deux utilitaires ne sont pas des reines de beauté, mais leurs formes essentiellement dictées par la fonction leur donnent un petit cachet rétro qui n'est pas déplaisant. Du moins, aux yeux de ceux qui apprécient la machinerie industrielle.

Il y a d'ailleurs une très forte affinité entre les véhicules à vocation commerciale et ces deux fourgonnettes. Au début des années 80, on était sincèrement convaincu, chez General Motors, que la popularité de l'Autobeaucoup de Chrysler auprès des familles et des individus n'allait être qu'un feu de paille. Toujours selon les prévisions des planificateurs de GM, les fourgonnettes allaient rapidement retrouver leurs origines commerciales : plus de 75 % d'entre elles seraient achetées par des entrepreneurs, des travailleurs de la construction et d'autres utilisateurs du même genre. General Motors a donc produit un véhicule doté d'un châssis de camionnette, d'une suspension arrière à lames, d'un espace pour les pieds très réduit à l'avant et d'une silhouette ultracarrée.

Le fait que ces véhicules soient toujours sur le marché témoigne de la valeur de leur conception de base auprès d'une certaine partie des acheteurs. Il est en effet certain que les compteurs de haricots chez GM auraient sacrifié ces modèles sans pitié s'ils ne s'étaient pas vendus. Malgré certains handicaps lorqu'on les compare à la multitude de fourgonnettes aux lignes racées et à traction, ce duo s'est fait apprécier au fil des années pour sa robustesse ainsi que pour la possibilité qu'il offre de commander une version à traction intégrale. Pour la majorité des familles, une porte arrière à battants latéraux n'est pas la trouvaille du siècle, mais pour certaines entreprises, c'est un atout qui peut faire toute la différence. Et si ce choix ne plaît pas à l'acheteur, il y a toujours la combinaison demi-hayon surplombant deux portes à battants, une solution astucieuse que plusieurs autres compagnies auraient sans doute intérêt à copier.

Ces véhicules ne sont pas faits pour tout le monde, mais ils possèdent des caractéristiques qui les font apprécier de ceux qui doivent tracter une embarcation ou une remorque ou encore transporter des objets lourds. Et si les occupants des places avant doivent partager l'espace pour les pieds avec des passages de roues qui empiètent dans l'habitacle, les passagers arrière peuvent prendre place dans de confortables sièges de type capitaine, du moins dans les modèles qui en sont équipés.

Deux costauds

Agile malgré tout !

Il suffit de jeter un coup d'œil à la silhouette de costaud des Astro et Safari et ensuite de consulter la fiche technique pour en conclure qu'elles n'offriront pas le même confort qu'une Venture, une Montana ou une Silhouette. Si vous êtes à la recherche d'une fourgonnette affichant un agrément de conduite égal à celui des voitures, ces deux reliquats d'une autre époque ne sont pas tellement compétitifs. Elles ne le sont pas non plus si vous désirez absolument bénéficier de portes latérales motorisées ou d'une portière arrière gauche. En fait, leurs caractéristiques les placent dans une classe à part.

Les capacités du robuste moteur V6 Vortec 4300 de 190 chevaux, associé à une boîte automatique dont la fiabilité n'est plus à démontrer, permettent de tracter une remorque de 2495 kg avec le modèle 2 roues motrices et de 2359 kg avec l'intégrale. Cette seule caractéristique incite plusieurs campeurs ou adeptes du motonautisme à opter pour l'un de ces modèles.

Il ne faut pas non plus en conclure que c'est là la seule qualité de ces véhicules. Malgré leurs apparences un peu frustes, ils se débrouillent fort bien dans la circulation urbaine. Malgré un diamètre de braquage relativement large, ces véhicules sont d'une surprenante maniabilité qui facilite grandement les manœuvres de stationnement. Il faut également ajouter que les rétroviseurs extérieurs sont excellents, un autre atout dans la circulation et les stationnements.

Mais tout n'est pas rose. Le centre de gravité élevé incite à la prudence dans les courbes raides tandis que ces propulsions s'avèrent plus sensibles au vent latéral que les tractions. Et il est certain que l'essieu arrière rigide ne fait pas toujours bon ménage avec les routes en mauvais état. Enfin, par le passé, l'intégrité de la caisse n'était pas parfaite, ce qui se manifestait par des cliquetis et d'autres bruits indésirables.

En dépit de sa conception d'une autre époque, ce duo de fourgonnettes peut donc répondre aux besoins de certains. Et, un peu comme celle des Volvo d'hier, sa silhouette immuable et toute carrée résiste fort bien aux caprices esthétiques du moment.

Denis Duquet

CHEVROLET Astro

▲ POUR

• Moteur V6 robuste • Traction intégrale • Tableau de bord ergonomique • Maniabilité surprenante • Consommation en baisse

▼ CONTRE

• Silhouette rétro • Sensible au vent latéral • Peu de place pour les jambes à l'avant • Centre de gravité élevé • Certains détails d'aménagement à revoir

CARACTÉRISTIQUES

Prix du modèle à l'essai	AWD / 28395 $
Garantie de base	3 ans / 60000 km
Type	fourgonnette compacte / intégrale
Empattement / Longueur	282 cm / 482 cm
Largeur / Hauteur	199 cm / 190 cm
Poids	2083 kg
Coffre / Réservoir	1169 l (banq. en place) / 102 l
Coussins de sécurité	frontaux
Suspension av.	indépendante
Suspension arr.	rigide
Freins av. / arr.	disque / tambour ABS
Système antipatinage	non
Direction	à billes, assistée
Diamètre de braquage	14,8 mètres
Pneus av. / arr.	P215/75R15

MOTORISATION ET PERFORMANCES

Moteur	V6 4,3 litres
Transmission	automatique 4 rapports
Puissance	190 ch à 4400 tr/min
Couple	250 lb-pi à 2800 tr/min
Autre(s) moteur(s)	aucun
Autre(s) transmission(s)	aucune
Accélération 0-100 km/h	11,9 secondes
Vitesse maximale	180 km/h
Freinage 100-0 km/h	44,2 mètres
Consommation (100 km)	13,4 litres

MODÈLES CONCURRENTS

• Dodge Caravan • Ford Windstar

QUOI DE NEUF ?

• Nouveau module de contrôle du moteur
• Alternateur 105 ampères • Nouveaux coloris

VERDICT

Agrément	★★★
Confort	★★★
Fiabilité	★★★
Habitabilité	★★★★
Hiver	★★★½
Sécurité	★★★
Valeur de revente	★★★

Oldsmobile Bravada

Dernier acte

Même si leur dernière refonte date de 1995, le Chevrolet Blazer et son jumeau, le GMC Jimmy, n'en ont pas moins connu quantité d'améliorations depuis. Cette évolution constante tire cependant à sa fin puisque ce tandem entame en 2001 son ultime tour de piste sous sa forme actuelle. En cours d'année s'ajoutera un troisième larron, qui sera commercialisé sous la bannière Oldsmobile : le Bravada.

Attention, il ne s'agit pas d'une nouveauté nord-américaine, mais uniquement canadienne. Ce clone des Blazer et Jimmy est vendu aux États-Unis depuis une quinzaine d'années, mais il n'a jamais traversé la frontière. L'explication tient sans doute, en partie du moins, au jumelage des marques que GM impose à ses concessionnaires canadiens. Ainsi, les établissements Chevrolet/Oldsmobile se seraient retrouvés avec deux modèles, contre un seul pour les établissements Pontiac/Buick/GMC.

Avec l'arrivée prochaine du Buick Rendezvous, il semble toutefois que cet argument ne tienne plus. On reconnaît néanmoins la façon de faire du géant américain, dont la devise pourrait très bien être la suivante : « Pourquoi faire simple quand on peut faire compliqué ? » Plus ça change, plus c'est pareil, chez GM.

Un peu d'histoire

À l'origine, les Blazer et Jimmy étaient des 4X4 grand format, dont la carrosserie reposait sur le châssis des *pick-ups* pleine grandeur Chevrolet et GMC. Il en fut ainsi jusqu'en 1983. Cette année-là, ces deux appellations furent également attribuées à de nouveaux véhicules utilitaires, de format intermédiaire cette fois, dont le mandat était de contrer les visées expansionnistes de Jeep, qui venait de faire de même avec son Cherokee. La popularité de ces utilitaires en format réduit (pour l'époque) fut instantanée, GM réussissant là un de ses bons coups.

Au fil des ans se greffèrent l'injection électronique de carburant, l'ABS (à l'arrière d'abord, puis aux 4 roues), un nouveau moteur et de nouvelles boîtes de transfert, ainsi qu'une version à 4 portes. Ces nombreux raffinements prolongèrent le cycle de la première génération, qui demeura inchangée dans ses grandes lignes jusqu'en 1995 !

La deuxième génération fit ses débuts avec un accessoire qui allait rapidement devenir incontournable : le coussin gonflable. La technique de l'évolution constante ayant prolongé la vie des premiers modèles, on décida en toute logique de conserver cette approche. Entre autres améliorations, la paire Blazer/Jimmy reçut un nouveau système de traction intégrale, une boîte automatique à 4 rapports et des disques de freins aux 4 roues. De plus, la partie avant fit l'objet d'un restylage en cours de route, tout comme le tableau de bord. Finalement, une version plus cossue du Jimmy, appelée Envoy, fut mise sur le marché, mais la production des modèles 2001 a cessé le 30 septembre dernier. Il en sera de même pour les Jimmy 2001 en configuration 4 portes, dont la production cessera en décembre 2000. Dans un cas comme dans l'autre, l'opération vise à entreprendre la production de la troisième génération, qui portera le millésime 2002. On peut d'ores et déjà prévoir la disparition d'une de ces appellations.

La fin est proche

Au tour d'Oldsmobile

Qu'on aime ou qu'on déteste les utilitaires sport, on ne peut nier leur popularité. Du côté d'Oldsmobile, le Bravada, on l'a dit, n'est pas un nouveau venu. Comme c'est le cas de ses futurs clones de chez Chevrolet et GMC, issus de la même plateforme et avec lesquels il partagera des organes mécaniques, une carrosserie et un châssis entièrement nouveaux. Des variations d'ordre esthétique, telles un devant et un derrière spécifiques, lui permettront de se démarquer des deux autres. D'ailleurs, les dirigeants de cette division ont pris bien soin de préciser que 70 % des panneaux de carrosserie du Bravada lui sont exclusifs. Comme le veut la tendance, les nouveaux modèles seront plus longs et plus larges que leurs prédécesseurs, tandis que les coussins gonflables latéraux feront partie de l'équipement de série.

Sous le capot, le vénérable V6 Vortec 4 300 tire sa révérence au profit d'un tout nouveau 6 cylindres en ligne de 4,2 litres. Du moteur précédent, il ne conserve que le nom (Vortec) ; sinon, sa configuration marque le grand retour d'un « 6 en ligne » au sein de la famille GM, qui n'en comptait plus depuis une vingtaine d'années. Mais son architecture est tout ce qu'il y a de plus moderne, avec 2 arbres à cames en tête et 4 soupapes par cylindre. La puissance fait un bond considérable, puisqu'on annonce 260 chevaux, ce qui est supérieur à certains V8 de la concurrence.

Toujours sur le plan technique, mentionnons une toute nouvelle suspension arrière à 5 bras, une direction à crémaillère hydraulique à assistance variable, 4 freins à disque ventilé ainsi que des roues en aluminium de 17 pouces. Quant aux modèles à 2 roues motrices, qui reviennent en 2002, ils seront munis de l'antipatinage en équipement de série.

Ce survol de l'Oldsmobile Bravada permet d'avoir une bonne idée de ce que sera la prochaine génération des Blazer et Jimmy. En attendant la relève, les modèles actuels terminent leur carrière sur une meilleure note qu'ils ne l'ont commencée, leur fiabilité problématique ne leur ayant pas valu la plus envieuse des réputations. Ce n'est d'ailleurs pas la première fois chez GM qu'un véhicule commence à devenir fiable sur ses derniers milles. Pour en savoir plus sur leurs qualités et leurs défauts, consultez la liste des « pour et contre », qui vous donnera l'heure juste.

Philippe Laguë

Chevrolet Blazer

CHEVROLET Blazer

▲ POUR

• V6 souple et silencieux • Suspension confortable • Tableau de bord fonctionnel • Qualité d'assemblage améliorée • Fiabilité en progrès

▼ CONTRE

• Surabondance de plastique à l'intérieur • Banquette arrière exécrable • Direction floue au centre • Réputation peu enviable • Modèle en fin de carrière

CARACTÉRISTIQUES

Prix du modèle à l'essai	SLS / 37 165 $
Garantie de base	3 ans / 60 000 km
Type	utilitaire sport / traction intégrale
Empattement / Longueur	272 cm / 468 cm
Largeur / Hauteur	172 cm / 163 cm
Poids	1 835 kg
Coffre / Réservoir	2 098 litres / 68 litres
Coussins de sécurité	conducteur et passager
Suspension av.	indépendante
Suspension arr.	essieu rigide
Freins av. / arr.	disque ABS
Système antipatinage	non
Direction	à billes, à assistance variable
Diamètre de braquage	12,0 mètres
Pneus av. / arr.	P235/70R15

MOTORISATION ET PERFORMANCES

Moteur	V6 4,3 litres
Transmission	automatique 4 rapports
Puissance	190 ch à 4 400 tr/min
Couple	250 lb-pi à 2 800 tr/min
Autre(s) moteur(s)	aucun
Autre(s) transmission(s)	aucune
Accélération 0-100 km/h	10,7 secondes
Vitesse maximale	160 km/h (limitée)
Freinage 100-0 km/h	40,0 mètres
Consommation (100 km)	14,6 litres

MODÈLES CONCURRENTS

• Ford Explorer • Jeep Grand Cherokee • Nissan Pathfinder • Toyota 4Runner

QUOI DE NEUF ?

• Modèles 2 roues motrices supprimés • Nouveau modèle en cours d'année

VERDICT

Agrément	★★
Confort	★★★★
Fiabilité	★★
Habitabilité	★★★
Hiver	★★★★
Sécurité	★★★
Valeur de revente	★★½

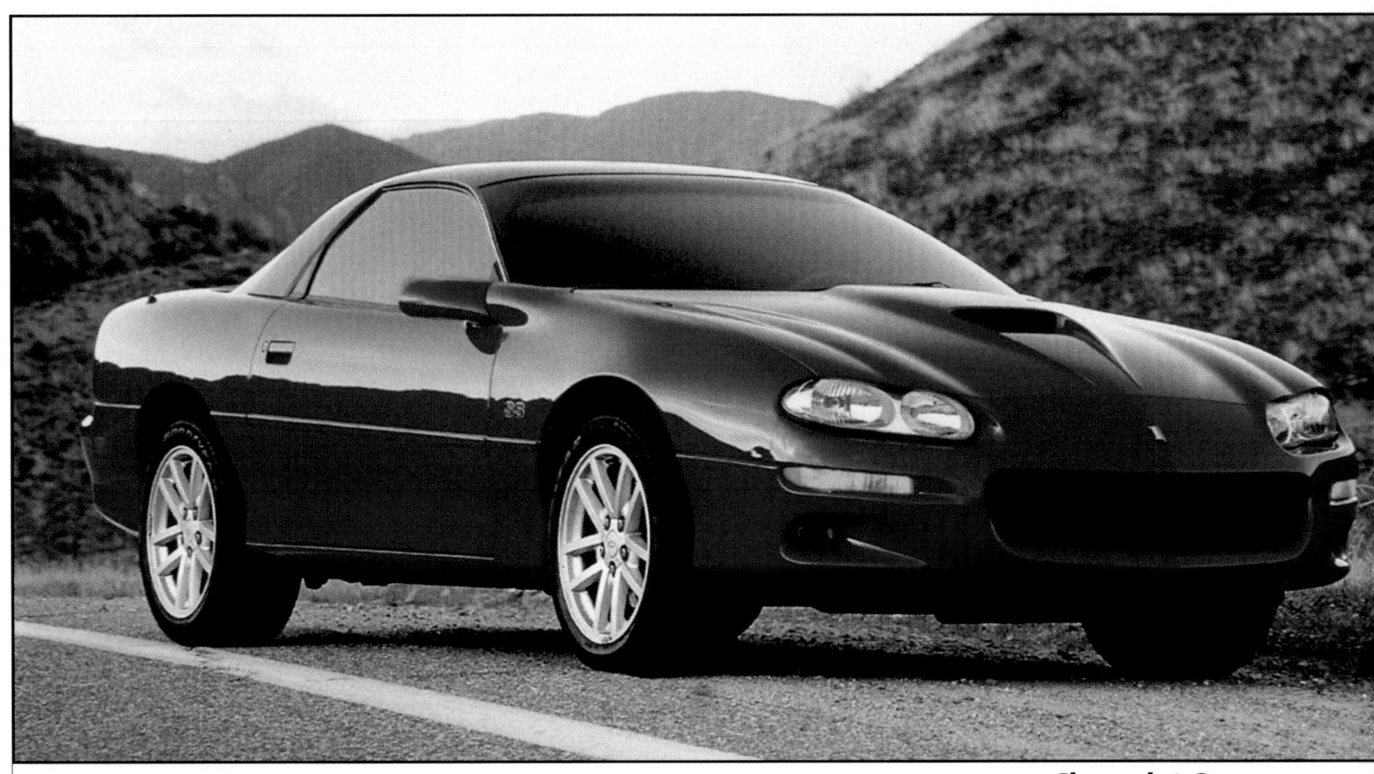

Chevrolet Camaro

Darwin avait raison

Après une lente mais très longue érosion de leur part de marché depuis quelques années, le duo Camaro/Firebird apparaît encore dans le catalogue de GM, mais sa production devrait cesser pour l'année-modèle 2002. Comme leur assemblage est assuré en totalité à l'usine de Boisbriand, nous serons probablement les premiers à en être avertis.

Un bref essai permet de percevoir les raisons de cette interminable agonie. Ces immenses coupés ne sont plus au goût du jour. Prenons par exemple le style de la carrosserie. Celui de la Camaro fait montre d'une espèce de retenue, mais avez-vous vu récemment une Firebird, surtout dans sa livrée WS6? On bascule dans un autre monde. On devrait d'ailleurs l'appeler la «WWFirebird» tant ses prises d'air, jupes et appendices de toutes sortes font immédiatement penser aux gigantesques clowns qui s'agitent en tous sens et en hurlant, sur les arènes de lutte et en dehors.

Habitacle étriqué

À l'intérieur, la situation ne s'améliore pas vraiment. L'espace à l'avant est quand même décent, mais on se sent renfermé par la hauteur de la ceinture de caisse, et les pieds du passager avant buteront sur l'énorme bosse du plancher qui est prévue pour le catalyseur. Dans la WS6 Ram Air décapotable essayée, mon gabarit pourtant assez standard ne m'a pas permis de trouver une bonne relation entre les pédales et le volant malgré le fait que le siège du conducteur soit réglable dans tous les sens. En général, l'ergonomie semble correcte et on apprécie entre autres les contrôles redondants pour la radio sur le moyeu du volant. La qualité des matériaux est de catégorie «Fisher Price», c'est-à-dire moyenne, et d'une apparence très utilitaire.

La visibilité arrière est médiocre malgré le fait que la lunette arrière est en verre avec dégivrage incorporé. À l'arrière, 2 baquets, genre cuvette, attendent de recevoir des enfants en bas âge ou des fakirs. L'opération de la mince capote des cabriolets est assurée électriquement après qu'on a libéré 2 simples attaches, et elle s'effectue rapidement. Refermée, la capote laisse beau jeu à l'intrusion du bruit ambiant. Le coffre est de forme bizarre, car il est très profond mais très court à cause de l'espace occupé par le mécanisme de la capote. Heureusement, le dossier des «culs-de-poule» arrière se replie.

Moteur «coup de trique»

Mais on n'achète pas une Firebird pour faire du transport routier, ce qui m'amène à vous faire un aveu. J'évoquais plus haut les lutteurs de la WWF et leurs prestations d'un goût pour le moins discutable. Eh bien! très loin de moi cependant l'idée de devoir les affronter dans l'arène. C'est exactement la réaction qu'il faut avoir face aux Firebird Trans Am avec le groupe Ram Air et aux Camaro Z28 SS. Malgré un poids presque inavouable, les 320 chevaux du gros V8 de ce vieux couple sont aussi dévastateurs qu'un coup asséné par un géant de 160 kg (350 lb) bien entraîné. Ma Firebird était équipée d'une boîte manuelle 6 rapports Borg Warner, mais le rapport sélectionné n'avait à peu près aucune importance tant la puissance et le couple sont aussi envahissants qu'un méchant percepteur d'impôts. Heureusement d'ailleurs, car le maniement de la boîte exige beaucoup d'efforts et la pédale d'embrayage semble reliée à un exerciseur.

Le bon jus d'un V8

Ajoutons qu'à moins de 3000 tr/min, il est impossible de passer de la première à la deuxième. Vous vous retrouvez plutôt en quatrième pour économiser de l'essence. Absurde et frustrant. La vitesse maximale théorique atteint les 260 km/h et ces grosses lutteuses peuvent y arriver sans beaucoup de provocation. Par contre, à 100 km/h, le régime moteur atteint 2000 tr/min en 5e, et 1400 tr/min en 6e !

de-poule et autres irrégularités risquent de vous faire perdre vos plombages. Les gros pneus optionnels Goodyear F1 en taille P275/40ZR17 suivent les ornières comme un missile américain une cible irakienne, mais procurent une adhérence incroyable sur le sec et dérapent très progressivement sur le mouillé. Le châssis des décapotables se tord légèrement sous l'effort, mais les coupés démontrent une belle rigidité.

Le « dynamique duo » peut aussi recevoir des groupes motopropulseurs moins exubérants. Le moteur de base demeure l'éternel V6 Série II de 3,8 litres. Ses 200 chevaux risquent de décevoir la galerie qui s'attend à un spectacle digne des extravagances de la carrosserie. Heureusement, vous pouvez choisir le même V8 avec bloc en aluminium qui est loin d'être asthmatique même débarrassé de son système d'induction d'air forcé, puisque l'opération le prive de seulement 15 chevaux.

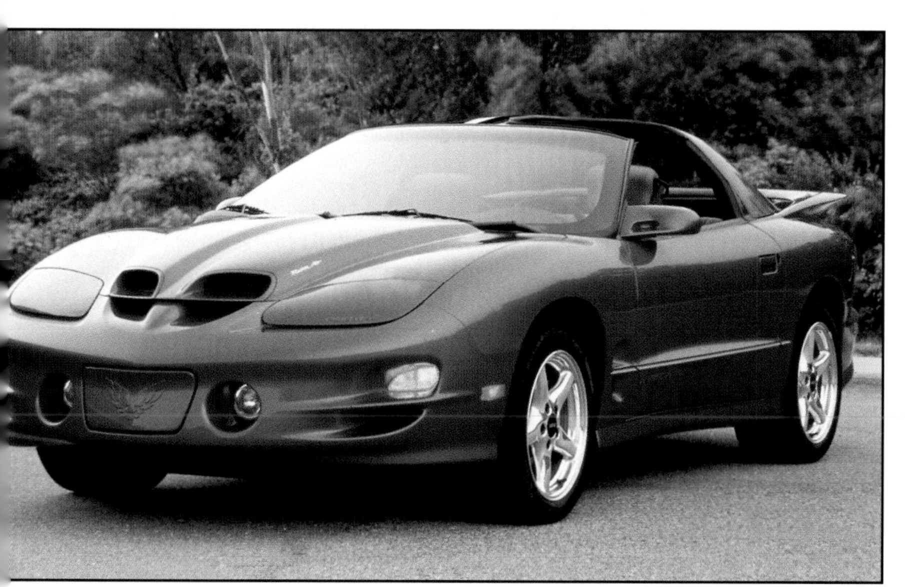

Pontiac Firebird WS6 Ram Air

En toutes circonstances, les 4 gros freins à disque vous donneront l'impression d'être stoppé par des câbles.

Inextricable désuétude

Le châssis et les suspensions remettent les pendules à l'heure de 1970. Leur débattement très limité combiné à la sécheresse des amortisseurs contribue à procurer un confort très spartiate sur une route bien entretenue, alors que les nids-

Ainsi donc, Darwin avait raison. La fin prochaine de ces coupés sport illustre éloquemment sa théorie de la sélection naturelle. Reste à savoir si la compagnie GM a l'intention d'assurer leur descendance par des variations favorables, ou encore tout simplement de laisser la lignée s'éteindre. Il faudrait quand même trouver un autre châssis digne de ces magnifiques V8.

Jean-Georges Laliberté

Pontiac Firebird

▲ POUR

• Moteurs V8 performants • Très bon rapport prix/accélérations • Équipement assez complet • Freinage puissant • Adhérence élevée

▼ CONTRE

• Ligne « Star Wars » • Encombrement incroyable • Habitabilité désespérante • Obésité endémique • Confort très limité

CARACTÉRISTIQUES

Prix du modèle à l'essai	Trans Am / 46680 $
Garantie de base	3 ans / 60000 km
Type	coupé 2+2 cabriolet / propulsion
Empattement / Longueur	257 cm / 492 cm
Largeur / Hauteur	189 cm / 132 cm
Poids	1630 kg
Coffre / Réservoir	215 litres / 63 litres
Coussins de sécurité	frontaux et latéraux
Suspension av.	indépendante
Suspension arr.	essieu rigide
Freins av. / arr.	disque ABS
Système antipatinage	oui
Direction	à crémaillère, assistée
Diamètre de braquage	11,5 mètres
Pneus av. / arr.	P275/40ZR17

MOTORISATION ET PERFORMANCES

Moteur	V8 5,7 litres ACC 16 soupapes
Transmission	manuelle 6 rapports
Puissance	320 ch à 5200 tr/min
Couple	345 lb-pi à 4400 tr/min
Autre(s) moteur(s)	V6 3,8 litres 200 ch; V8 5,7 litres 305 ch
Autre(s) transmission(s)	aut. 4 rapports; man. 5 rapports
Accélération 0-100 km/h	5,5 s; 8,2 s (V6)
Vitesse maximale	260 km/h
Freinage 100-0 km/h	40,0 mètres
Consommation (100 km)	18,5 l; 12 l (V6)

MODÈLES CONCURRENTS

• Ford Mustang

QUOI DE NEUF ?

• Modèle Z28 déséquipé • Nouveau coupé Formula • Cabriolet de base supprimé

VERDICT

Agrément	★★★½
Confort	★★½
Fiabilité	★★½
Habitabilité	★★
Hiver	★★
Sécurité	★★★½
Valeur de revente	★

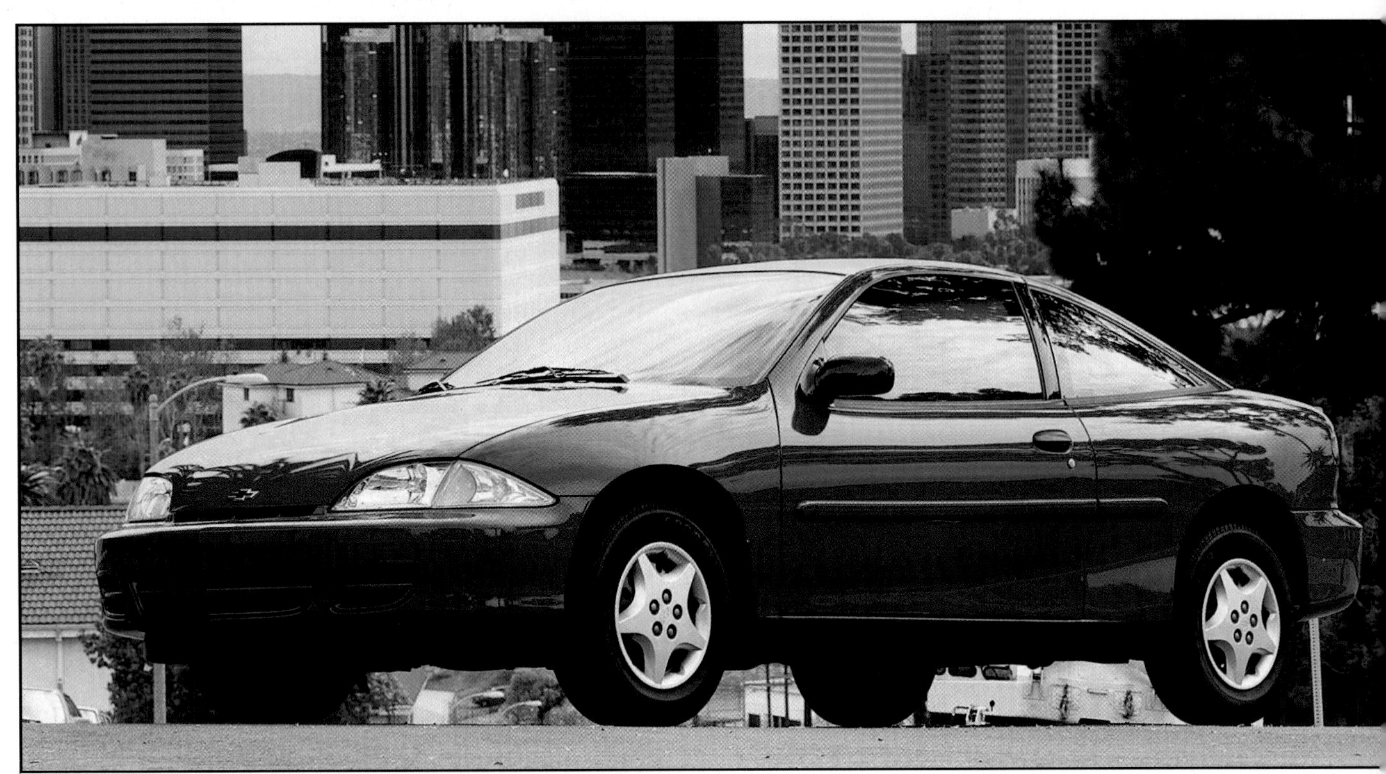

Chevrolet Cavalier

À bout de souffle

Lors de la dernière refonte du tandem Cavalier/Sunfire, en 1995, GM avait décidé de jouer la carte de la continuité, se contentant d'une mise à jour plutôt que d'une révision en profondeur. Mais c'était trop peu, trop tard; dès que la concurrence s'est mise elle aussi à se renouveler, ces deux jumelles identiques sont aussitôt retombées en désuétude.

Certains diront que GM a péché par excès de prudence; d'autres parleront plutôt d'un excès de confiance. À moins qu'on ait tout simplement voulu faire de l'économie de bouts de chandelles? Pour ma part, j'opterais pour un quatrième choix: toutes ces réponses! Ce qui, il faut bien le dire, n'a rien d'étonnant quand on connaît la mentalité qui prévaut chez ce constructeur, dont le titre de n° 1 mondial est de plus en plus menacé.

Machinerie agricole

Malgré leurs lacunes, ces deux voitures continuent de se vendre comme des petits pains chauds — la Cavalier, surtout. C'est d'autant plus difficile à comprendre que le sacro-saint rapport qualité/prix ne leur est pas favorable, mais alors là pas du tout. Enfin, il l'est de prime abord, tant qu'on s'en tient au modèle dit «tout nu». Et quand je dis tout nu, c'est tout nu quelque chose de rare... Par ailleurs, si on se fait prendre au jeu des options, la facture gonfle au point d'égaler, sinon de surpasser, celles des rivales importées, soi-disant beaucoup plus chères. Trouvez l'erreur. Et puis, version de base pour version de base, les importées ne sont pas mieux garnies en équipement de série, c'est vrai, mais leur mécanique est plus raffinée.

C'est particulièrement vrai en ce qui concerne les motorisations. Pour une raison obscure, les constructeurs américains, GM en tête de liste, semblent incapables de concevoir un 4 cylindres qui puisse soutenir la comparaison avec ceux de la concurrence asiatique ou européenne. Pourtant, ce ne sont pas les ressources qui manquent, ni en cerveaux ni en argent... Le mystère reste entier. Le vestige paléontologique qui sévit sous le capot des Cavalier et Sunfire en est le plus bel exemple: véritable fossile mécanique, il est rugueux, bruyant et peu performant. De la machinerie agricole. Lorsqu'il est jumelé à une boîte manuelle, ses lacunes s'amenuisent un brin; enfin, disons qu'elles se situent à la limite de l'acceptable. Mais avec une boîte automatique, oubliez ça. Et n'allez pas croire que les transmissions doivent porter une partie du blâme, car il n'en est rien. Au contraire, elles effectuent toutes deux un boulot honnête.

Bien qu'optionnel, le 4 cylindres de 2,4 litres apparaît incontournable pour quiconque désire un minimum de raffinement. Cette fois, on se rapproche des ligues majeures. Mieux servi par son architecture plus moderne (16 soupapes, DACT), il se tire beaucoup mieux d'affaire que le 2,2 litres offert de série, et ce à tout point de vue. Compte tenu de sa cylindrée, sa puissance semble un peu juste, mais ses 150 chevaux viennent néanmoins insuffler le surplus d'énergie qui manque cruellement à l'autre moteur.

Bonnes pour le musée

Opel à la rescousse

La liste des griefs ne s'arrête pas là: direction, suspension, freinage, aménagement intérieur, tout, ou presque, est à revoir. Sans que cela soit désastreux dans chaque cas, il y a toujours quelque chose qui cloche. Allons-y dans l'ordre: la direction est floue au centre; la suspension occasionne un roulis important en virage; quant au freinage, je serai poli en disant qu'il est moyen. Mais il est affligé d'un système ABS qui ne mérite qu'une seule épithète: pourri! Il entre en action à la moindre secousse, en plus d'occasionner une série de coups sur la pédale qui vous font pester contre ce dispositif. Il a beau être offert de série, tant qu'à offrir une cochonnerie pareille, aussi bien ne rien offrir. Et ne parlons pas des pneus qui, sur les versions de base, consistent en une bande de caoutchouc servant à recouvrir les roues.

Comme c'est encore trop souvent le cas à bord des modèles abordables de GM, l'habitacle est envahi par des matériaux qui font vraiment bon marché et la décoration intérieure passe d'un extrême à l'autre: terne dans la Chevrolet, elle est d'un kitsch hallucinant dans la Pontiac. Mais cette fois, il y a du positif: ces voitures sont spacieuses, les berlines surtout, et l'ergonomie se place à l'abri de toute critique.

Le moins qu'on puisse dire, c'est que le bilan de la paire Cavalier/Sunfire est loin d'être reluisant. Ces sœurs jumelles sont à bout de souffle, c'est l'évidence même, et pour qu'elles le reprennent, il leur faudra attendre la prochaine génération. Qui, cette fois, viendra de l'Europe, plus précisément d'Allemagne. Si le sort de la Sunfire demeure incertain, la prochaine Cavalier sera une version redessinée de l'Opel Astra, dit-on. Mais avant de crier au miracle, rappelez-vous la défunte Optima...

Philippe Laguë

CHEVROLET Cavalier

▲ POUR

• Moteur 2,4 litres plus raffiné • Transmissions efficaces • Habitacle spacieux • Ergonomie sans faille • Routière confortable

▼ CONTRE

• Versions de base dépouillées • Jeu des options trompeur • Finition bon marché • Moteur 2,2 litres préhistorique • Faible valeur de revente

CARACTÉRISTIQUES

Prix du modèle à l'essai	15 765 $
Garantie de base	3 ans / 60 000 km
Type	berline / traction
Empattement / Longueur	264 cm / 459 cm
Largeur / Hauteur	172 cm / 139 cm
Poids	1 215 kg
Coffre / Réservoir	385 litres / 54 litres
Coussins de sécurité	frontaux
Suspension av.	indépendante
Suspension arr.	essieu rigide
Freins av. / arr.	disque ABS / tambour ABS
Système antipatinage	oui (optionnel)
Direction	à crémaillère, assistée
Diamètre de braquage	10,9 mètres
Pneus av. / arr.	P195/70R14

MOTORISATION ET PERFORMANCES

Moteur	4L 2,2 litres
Transmission	automatique 4 rapports
Puissance	115 ch à 5 000 tr/min
Couple	135 lb-pi à 3 600 tr/min
Autre(s) moteur(s)	4L 2,4 litres 150 ch
Autre(s) transmission(s)	manuelle 5 rapports
Accélération 0-100 km/h	12,4 s; 9,1 s (Z24 man.)
Vitesse maximale	160 km/h
Freinage 100-0 km/h	43,5 mètres
Consommation (100 km)	7,0 litres; 8,5 litres (Z-24 manuelle)

MODÈLES CONCURRENTS

• Chrysler Neon • Daewoo Nubira • Ford Focus • Hyundai Elantra • Mazda Protegé • Toyota Corolla

QUOI DE NEUF?

• Nouveaux groupes optionnels
Radio AM/FM stéréo avec lecteur CD de série

VERDICT

Agrément	★
Confort	★★★
Fiabilité	★★
Habitabilité	★★★½
Hiver	★★★½
Sécurité	★★★
Valeur de revente	★

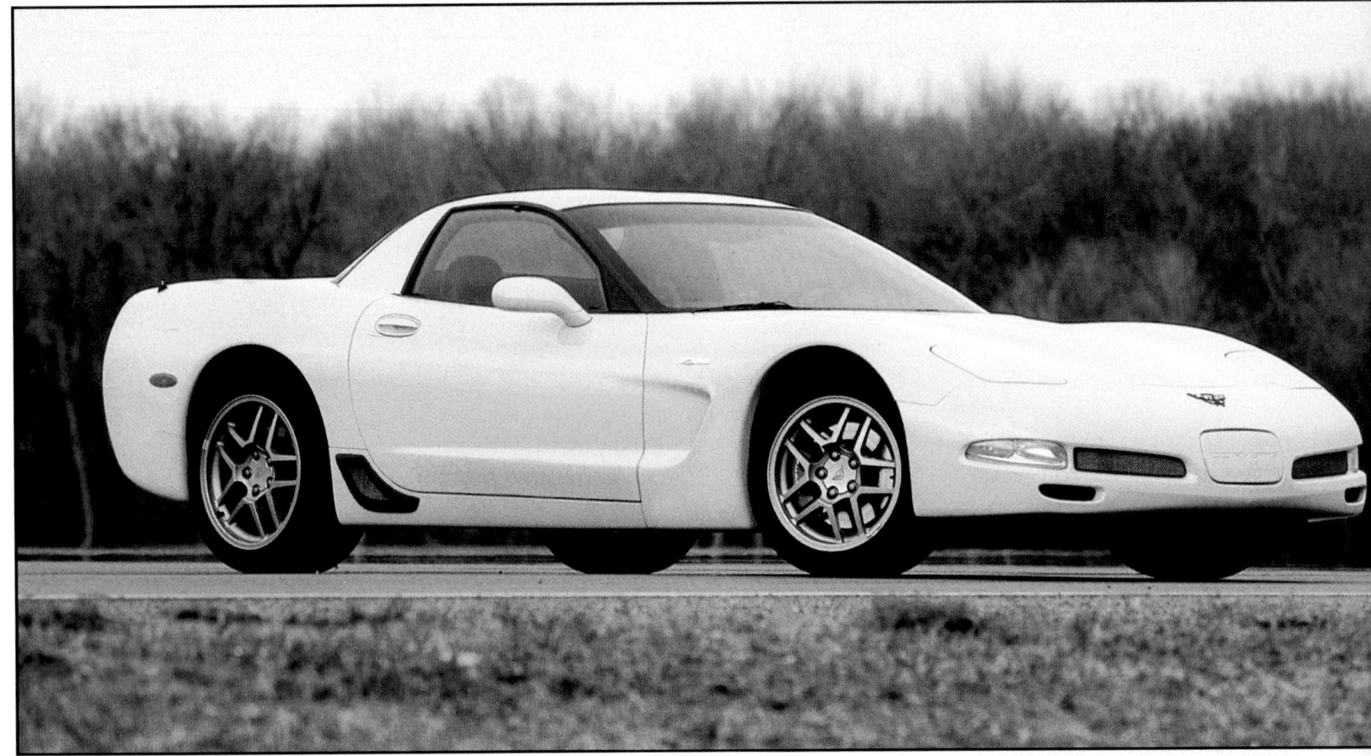

Chevrolet Corvette Z06

La reine du rapport prix/performances

Véritable icône de l'industrie automobile américaine, mythe entre les mythes, légende vivante, la Corvette mérite toutes ces étiquettes. L'arrivée de la quatrième génération, en 1983, aura sonné le début de la renaissance et ce retour vers les sommets n'a connu aucun raté depuis. Au contraire, la « Vette » n'a cessé de se bonifier, au point où la génération suivante, soit le modèle actuel (C5), est considérée comme la plus achevée. Et comme si cela n'était pas suffisant, voici que les magiciens de Bowling Green, au Kentucky, nous ont concocté une mouture encore plus corsée : la Z06. Attachez vos ceintures.

La solution était pourtant bien simple. Pour réaliser la Corvette la plus sportive de l'histoire, et possiblement aussi la meilleure, il suffisait d'avoir recours à la version *hard top* du modèle actuel et de lui greffer un moteur encore plus puissant, le nouveau LS6 de 385 chevaux, exclusif à la Z06. Et pour faire bonne mesure, on a développé une toute nouvelle transmission (M12) manuelle à 6 vitesses dont les rapports de boîte plus serrés permettent de boucler le 0-100 km/h en 4,7 secondes (selon nos propres mesures) et le ¼ mille en 12,6 secondes (données de l'usine). Wow ! Et si les accélérations sont époustouflantes, laissez-nous vous parler du freinage qui nous a notamment permis de mesurer la plus courte distance (34,7 mètres) de toutes les voitures essayées dans ce guide (y compris la Porsche 911 Turbo) au test entre 100 km/h et l'arrêt complet du véhicule. Assise à côté, ma blonde avait tout d'un coup les cheveux par en avant. Bref, ça s'arrête aussi vite qu'un Tomcat sur un porte-avions.

Le respect de la tradition

Voilà donc une sportive qui respecte ses origines. Chez Chevrolet, on s'est inspiré de la première Z06 pour réaliser la présente édition. La première était une voiture hypersportive concoctée en 1963 par le légendaire Zora Arkus-Duntov, le « père spirituel » de la Corvette, pour faire de la Sting-Ray de l'époque une voiture de course en provenance directe de la salle de montre.

Pour tirer profit de cette puissance et de ces performances, les ingénieurs se sont amusés à développer une nouvelle suspension exclusive à la Z06. Une barre stabilisatrice avant plus grosse, des amortisseurs plus fermes, un ressort transversal arrière plus rigide et des roues en aluminium plus larges de 2,5 cm en sont les principaux éléments. Mais la meilleure composante de cette suspension FE4 est la présence de nouveaux pneus Goodyear Eagle SC Supercar de 17 pouces qui collent à la route comme des ventouses. Contrairement à ceux qui équipent les autres « Vettes », ceux-ci ne sont pas de type Mobilité prolongée. Leurs flancs sont plus bas, mais pas nécessairement plus rigides, ce qui a permis aux ingénieurs de raffermir la suspension sans diminuer le confort. Entendons-nous bien, la Z06 ne

De l'hérésie à la rédemption

brille pas par sa douceur de roulement et on se fait encore secouer la cage à son volant, mais ce n'est sûrement pas pire que dans plusieurs autres voitures sport pures et dures. Et c'est certainement mieux que dans la Dodge Viper GTS, croyez-moi. Ah oui, que les anxieux soient rassurés : Chevrolet a équipé la Z06 d'une trousse de gonflage, car cette fusée sur roues n'a toujours pas de pneu de secours.

Avant de l'oublier, soulignons que les autres modèles coupé et cabriolet sont propulsés par le moteur LS1 dont la puissance a été portée à 350 chevaux, une hausse de 5 par rapport à la version 2000. Tous les moteurs sont également plus silencieux au ralenti tandis que le système de stabilité latérale de seconde génération est moins intrusif et ne vient plus saboter les élans des conducteurs sportifs. D'ailleurs, il est possible de désengager le système antipatinage sans pour autant désactiver le système de contrôle de stabilité latérale.

n'évolue pas dans la catégorie des poids plumes. Son important diamètre de braquage laisse également perplexe. Et Dieu qu'elle paraît large !

Au fil des kilomètres, alors que l'apprentissage se poursuit, la confiance s'installe peu à peu. La Corvette aime les grandes courbes et elle se charge de transmettre son plaisir au conducteur : plus on enfonce l'accélérateur, plus elle colle, que dis-je, elle mord ! Vous voilà de plus en plus rassuré, et de plus en plus enthousiaste ; attention, c'est précisément là que ça se corse.

En conduite sportive, il faut la traiter avec déférence. La brute a beau avoir appris quelques bonnes manières avec le temps, elle demeure impulsive et un tantinet vicieuse, de sorte qu'il importe de rester alerte. Et de bien choisir son parcours si on a envie de s'éclater, parce que le train arrière ne demande que ça, lui ! Les dérobades, il adore, et si l'antipatinage effectue du bon travail, il n'en reste pas moins

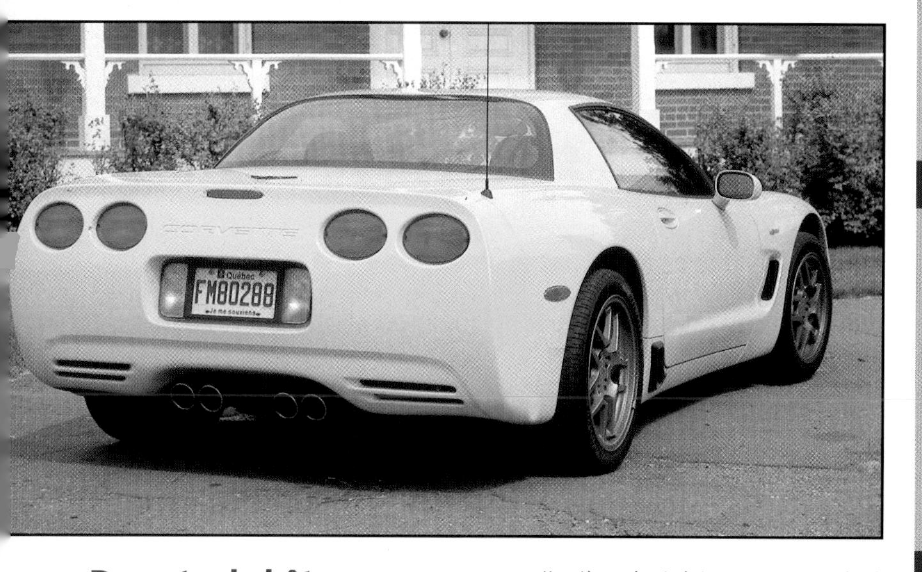

Dompter la bête

On ne monte pas à bord d'une Corvette, on y descend. Des sièges enveloppants et bien rembourrés se chargent de maintenir le, la ou les occupants bien en place, peu importe le rythme et le style de conduite qu'on pratique.

Aux non-initiés, il est fortement recommandé de prendre le temps de dompter la bête avant de se lancer à l'aventure. Après avoir apprivoisé la poussée et les accélérations délirantes du V8, il faut s'habituer à l'impression de lourdeur, car la Corvette que l'arrière réagit à la moindre aspérité de notre magnifique réseau routier. Mettons qu'il est important de garder les deux mains sur le volant…

Mais pour qui sait la piloter, car c'est bien de ça qu'il s'agit, la Corvette offre de grandes sensations. Une tenue de route, un freinage et des performances dignes des meilleures GT du moment, pour une fraction du prix, avouez que ce n'est pas rien. Et le coupé et le cabriolet ne sont pas loin derrière.

P. Laguë/D. Duquet/J. Duval

CHEVROLET Corvette

▲ POUR

• Freinage incomparable • Performances électrisantes • Adhérence exceptionnelle sur bon revêtement • Prix très compétitif • Bon coffre (hard top)

▼ CONTRE

• Faible maniabilité • Dimensions encombrantes • Instabilité sur mauvaise route • Confort limité

CARACTÉRISTIQUES

Prix du modèle à l'essai	Z06 / 67 995 $
Garantie de base	3 ans / 60 000 km
Type	toit rigide / propulsion
Empattement / Longueur	265 cm / 456 cm
Largeur / Hauteur	187 cm / 121 cm
Poids	1 413 kg
Coffre / Réservoir	377 litres / 72 litres
Coussins de sécurité	frontaux
Suspension av.	indépendante
Suspension arr.	indépendante
Freins av. / arr.	disque ABS
Système antipatinage	oui
Direction	à crémaillère, assistance variable
Diamètre de braquage	12,2 mètres
Pneus av. / arr.	P275/60ZR18

MOTORISATION ET PERFORMANCES

Moteur	V8 5,7 litres
Transmission	manuelle 6 rapports
Puissance	385 ch à 6 000 tr/min
Couple	385 lb-pi à 4 800 tr/min
Autre(s) moteur(s)	V8 5,7 litres 350 ch (coupé et cabriolet)
Autre(s) transmission(s)	automatique 4 rapports (coupé et cabriolet)
Accélération 0-100 km/h	4,7 s ; 5,6 s (350 ch)
Vitesse maximale	275 km/h
Freinage 100-0 km/h	34,7 mètres
Consommation (100 km)	12,8 litres

MODÈLES CONCURRENTS

• Acura NSX-T • Dodge Viper • Jaguar XKR • Porsche 911

QUOI DE NEUF ?

• Version Z06 à toit rigide • Commande de dérapage latéral • Traction asservie améliorée • Sièges exclusifs

VERDICT

Agrément	★★★★½
Confort	★★★
Fiabilité	★★★
Habitabilité	★★★
Hiver	★
Sécurité	★★★★
Valeur de revente	★★★★

CHEVROLET Malibu

Chevrolet Malibu

Née pour un p'tit pain

L'an dernier, Chevrolet utilisait le slogan « matière grise » pour faire la promotion de sa Malibu. Il conviendrait plutôt de parler de manière grise, car cette berline manque cruellement d'originalité tout en offrant un agrément de conduite pour le moins mitigé. Pas une mauvaise voiture, loin s'en faut, mais aussi terne à regarder qu'à conduire. Bref, c'est une Chevrolet.

On ne lui en tiendrait pas trop rigueur si ce n'était qu'on nous l'avait présentée, au moment de son lancement, en 1997, comme la plus grande invention depuis la roue. Grands parleurs mais petits faiseurs, les grands bonzes de GM affirmaient avec une conviction belle à voir que cette berline représentait l'arme ultime pour lutter contre des japonaises telles la Honda Accord et la Toyota Camry. C'est ce qui s'appelle placer la barre haute. Trop haute, visiblement, puisqu'il manque à la Malibu ce petit quelque chose qui lui permettrait de rivaliser avec les ténors de sa catégorie. En langage de hockey, on dirait qu'elle n'a pas sa place au sein du premier trio, qu'il s'agit plutôt d'un honnête plombier, qui se présente à tous les matches, mais dont les aptitudes sont limitées.

Il faut dire que les têtes pensantes (*sic*) de Chevrolet ne l'ont pas trop gâtée. Esthétiquement, d'abord, alors qu'il aurait été tellement facile de faire mieux que les ternes japonaises. On s'est plutôt contenté de faire pareil. Résultat, la Malibu n'est pas laide, non, mais qu'est-ce qu'elle est drabe... Pour le reste, on a fait du neuf avec du vieux, dans la plus pure tradition de GM, un constructeur passé maître dans l'économie de bouts de chandelles. Le procédé n'est pas mauvais, mais pour rivaliser avec la Camry et l'Accord, il aurait fallu plus.

Un boulot honnête

Depuis le retrait, l'année dernière, du 4 cylindres offert de série dans la version de base, l'antédiluvien V6 de 3,1 litres, dont la conception remonte à la Guerre de Sécession, reste la seule motorisation offerte. Malgré son âge canonique et son architecture désuète, force est d'admettre que cet engin a de beaux restes. Il fait preuve de souplesse et de discrétion, tout en se montrant performant juste ce qu'il faut. Ce n'est pas la foudre, mais ça fait le travail.

Ce moteur est jumelé à une boîte automatique à 4 rapports, la seule offerte. Chez GM, il y a certaines choses qu'on maîtrise mieux que d'autres, et l'art de la transmission automatique est de celles-là. Son rendement est irréprochable, tout simplement, et les problèmes de fiabilité des premières boîtes à 4 rapports appartiennent au passé.

Le freinage supporte mal un usage intensif, mais on ne demande pas à une Malibu de freiner comme une Corvette. De toute façon, cette combinaison classique (disque/tambour), pourvue de l'ABS, effectue elle aussi un boulot honnête dans des conditions normales. Mention bien, également, pour la direction qui, contrairement à celles de la plupart des japonaises, ne nage pas dans la guimauve. On ne peut en dire autant, hélas ! de la suspension, calibrée avant tout en fonction du confort. Il en découle un comportement acceptable, certes, mais surtout pas sportif, avec un roulis important et une caisse qui valse allègrement. En revanche, plus on accumule les kilomètres à son bord, plus on apprécie sa douceur de roulement. Or, c'est précisément ce que recherchent ceux qui se portent acquéreurs d'une Malibu.

Manière grise

Comme les patates

À l'intérieur, ce n'est pas plus joli qu'à l'extérieur. C'est même pire, avec l'espèce de tissu carreauté psychédélique, très années 70, qui recouvre les sièges. Remarquez, les adeptes du kitsch aimeront, c'est sûr, surtout dans les teintes brunes et beiges de notre véhicule d'essai. À prendre au deuxième degré, donc.

À défaut d'être beaux, les sièges sont confortables, quoiqu'un peu trop mous. Encore là, on se croirait dans une voiture américaine d'une autre époque. Dans le même ordre d'idées, la banquette arrière donne l'impression d'être à bord d'un taxi, mais elle a le mérite d'être confortable. De plus, ce n'est pas l'espace qui manque pour les jambes. Pour la tête, par contre, c'est un peu serré. Restons dans le praticopratique, en soulignant que ladite banquette est munie d'un dossier inclinable, qui permet d'augmenter la capacité d'un coffre déjà généreux en la matière.

Complet et facile à consulter, le tableau de bord est cependant à l'image de la voiture qu'il dessert, c'est-à-dire terne. Regroupées dans la partie centrale, les commandes de la chaîne stéréo et de la climatisation sont simples et bien disposées, mais le levier de vitesses, trop long, gêne l'accès à la radio. Le réceptacle dans la console, ainsi que les vide-poches dans les portières et un coffre à gants logeable, feront le bonheur des traîneux, tel l'auteur de ces lignes, qui trimballent cassettes, disques compacts, verres fumés, sans oublier le désormais incontournable téléphone cellulaire.

Somme toute, la Malibu est avant tout un honnête moyen de transport. Sans plus. Une voiture sans histoire pour les gens sans histoire. Pour la mangeuse de japonaises, on repassera… Sous certains angles, elle est l'illustration d'une conception passéiste de l'automobile. On peut aussi lui reprocher, avec raison, son manque d'éclat, de caractère. Que voulez-vous, c'est une cartésienne… Pour faire une analogie culinaire, on pourrait dire que c'est comme les patates : ça ne goûte rien, mais c'est nourrissant.

Mais, moi, les patates, pas trop souvent, OK ?

Philippe Laguë

CHEVROLET Malibu

▲ POUR

• V6 souple et silencieux • Rendement exemplaire de la boîte automatique • Grande douceur de roulement • Habitacle spacieux • Fiabilité appréciable

▼ CONTRE

• Manque d'originalité à tous les niveaux • Agrément de conduite mitigé • Roulis important • Mécanique d'une autre époque

CARACTÉRISTIQUES

Prix du modèle à l'essai	LS / 24 740 $
Garantie de base	3 ans / 60 000 km
Type	berline / traction
Empattement / Longueur	272 cm / 484 cm
Largeur / Hauteur	176 cm / 143 cm
Poids	1 395 kg
Coffre / Réservoir	464 litres / 54 litres
Coussins de sécurité	frontaux
Suspension av.	indépendante
Suspension arr.	indépendante
Freins av. / arr.	disque ABS / tambour ABS
Système antipatinage	non
Direction	à crémaillère, assistée
Diamètre de braquage	11,0 mètres
Pneus av. / arr.	P205/65R15

MOTORISATION ET PERFORMANCES

Moteur	V6 3,1 litres
Transmission	automatique 4 rapports
Puissance	170 ch à 5 200 tr/min
Couple	190 lb-pi à 4 000 tr/min
Autre(s) moteur(s)	aucun
Autre(s) transmission(s)	aucune
Accélération 0-100 km/h	9,6 secondes
Vitesse maximale	170 km/h (limitée)
Freinage 100-0 km/h	42,0 mètres
Consommation (100 km)	10,5 litres

MODÈLES CONCURRENTS

• Chrysler Sebring • Honda Accord • Hyundai Sonata • Mazda 626 • Nissan Altima • Toyota Camry

QUOI DE NEUF ?

• Roues en aluminium redessinées
• Vide-poches au dos des sièges avant

VERDICT

Agrément	★★
Confort	★★★★
Fiabilité	★★★½
Habitabilité	★★★★
Hiver	★★★½
Sécurité	★★★½
Valeur de revente	★★½

Chevrolet Impala

Tandem nostalgique

Même si on jure chez Chevrolet sur tout ce qu'il y a de sacré que l'utilisation de noms de modèles du passé n'est pas un constat d'échec des stratégies des dernières années, on peut toujours s'interroger. Lorsqu'on est confronté à des parts de marché sans cesse en érosion, la solution la plus facile est de tenter de faire revivre la magie de modèles qui ont connu beaucoup de succès par le passé. Pour beaucoup de gens, les noms Impala et Monte Carlo ne sont pas sans évoquer la « belle époque » des années 60 et 70 alors que ces deux modèles avaient la cote.

Mais si ces deux voitures étaient en demande, c'est qu'elles étaient supérieures à plusieurs concurrentes. Chevrolet aura beau ressortir les anciennes vedettes des placards, cet exercice est futile si le produit n'est pas à la hauteur. Voyons donc de quoi il retourne.

Pour les « Amérecains »

La Monte Carlo est venue remplacer le coupé Lumina en 1994 et les deux ont connu des échecs retentissants. En plus de nous laisser sur notre appétit en raison de performances moyennes et d'une tenue de route incertaine, elles affichaient une silhouette qui n'en a certainement pas convaincu beaucoup. L'an dernier, c'est avec le tandem Dale Ernhard père et fils que la Monte Carlo de l'an 2000 a été dévoilée. Cette fois, les stylistes n'ont pas eu peur de sortir des sentiers battus. Mais en voulant jouer d'originalité, ils semblent avoir pris le chemin du précipice. Nous nous retrouvons avec une voiture dont le gabarit est celui des années 70 et dont la silhouette est également rétro. Il est vrai que ce style est à la mode avec des véhicules comme la P/T Cruiser et la New Beetle, mais ce n'est pas tellement réussi dans le cas de la MC. Il faut cependant nuancer nos propos puisque ce gros coupé intéresse surtout une certaine catégorie d'acheteurs américains friands des courses de la série NASCAR qui jugent souvent la qualité en fonction des mensurations.

Le plumage de ce gros coupé ne convient pas tellement à notre marché. Il est même certain que plusieurs d'entre vous ne prendront pas la peine de se demander comment il se comporte sur la route et si ses performances ont quelque chose en commun avec les Monte Carlo qui tournent sur les circuits ovales de NASCAR.

Si la tenue de route, la transmission et la précision de la direction méritent de bonnes notes, il faut absolument éviter de croire qu'il s'agit d'une sportive. Même la SS avec son moteur de 200 chevaux et ses accessoires spéciaux n'est rien d'autre qu'une américaine moyennement performante et offrant, en fait, peu de plaisir de conduire. Et on se demande bien ce que le V6 de 3,4 litres peut bien faire sur un coupé aux prétentions sportives.

Le « char » à Dale

Impala : trahie par sa silhouette

Si vous recherchez une berline aux dimensions supérieures à la norme, dotée d'un comportement routier sain, de freins puissants et d'une direction précise, l'Impala vous intéressera. En effet, même si elle ne possède pas la silhouette futuriste d'une Chrysler Intrepid ou l'allure branchée de la Pontiac Bonneville, cette Chevy est une voiture bien équilibrée. Malgré son gabarit d'une autre époque qui la rend intéressante pour les corps de police et les flottes de taxi, l'Impala se débrouille assez bien sur une route sinueuse. Son châssis est rigide tandis que sa suspension arrière à liens multiples, sensiblement la même que celle de la Monte Carlo, permet d'offrir un bon compromis entre le confort et la tenue de route. Des freins plus puissants que la moyenne sont à ajouter à la liste des qualités routières. Dans le cadre d'un match comparatif, l'an dernier, une Impala a servi de voiture de tête à une meute de sous-compactes et, même sans forcer, cette grosse berline prenait facilement ses distances devant des voitures moins puissantes, certes, mais dont la tenue de route aurait dû facilement compenser ce handicap.

Toutes ces qualités sont en partie estompées par la présentation intérieure et la silhouette. L'habitacle est de dimensions supérieures à la moyenne et les sièges sont confortables même si leur support latéral n'est pas terrible. Par contre, le tableau de bord fait songer aux Impala des années 70. L'ergonomie est presque sans reproche et les commandes faciles d'accès, mais la présentation fait drôlement rétro.

Lorsqu'on la compare aux autres berlines de sa catégorie, cette grosse Chevrolet met la Taurus dans sa petite poche en fait de tenue de route, de freinage et même de précision de la direction tout en faisant match égal avec la Chrysler Intrepid. Et vous ne serez pas surpris d'apprendre que la Mercury Grand Marquis s'essouffle à suivre le peloton de tête.

Il est vrai que les grosses berlines n'ont pas la cote sur notre marché, mais il faut admettre que l'Impala n'est pas dépourvue de qualités tant par sa tenue de route saine que par son habitabilité et une fabrication soignée. Il faut toutefois se demander si les lignes de la carrosserie sont en mesure de passer le test sur un marché québécois beaucoup plus inspiré par les européennes.

GM nous a démontré que ses ingénieurs sont capables de livrer la marchandise, aux stylistes à faire de même.

Denis Duquet

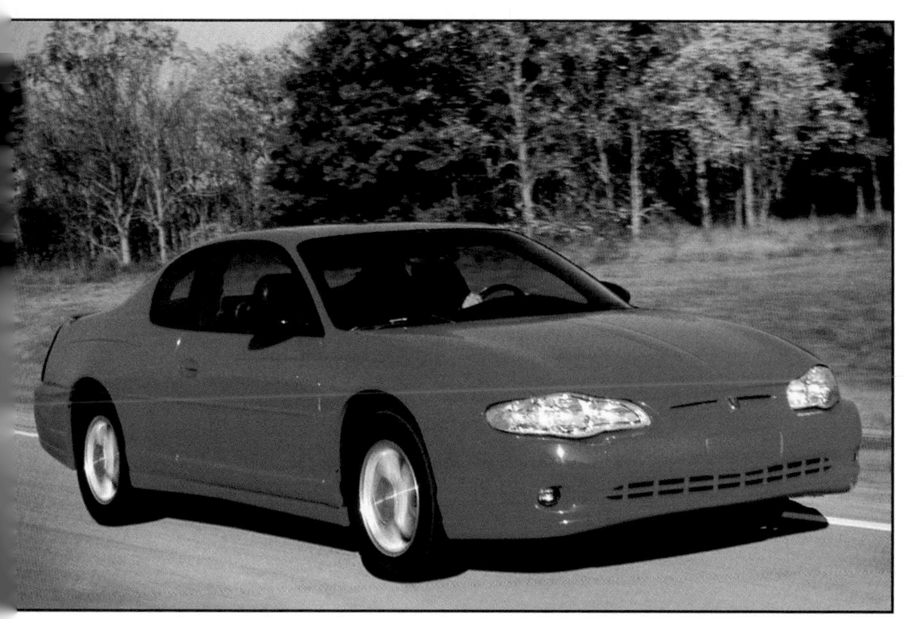

Chevrolet Monte Carlo

CHEVROLET Monte Carlo

▲ POUR

• Châssis rigide • Performances convenables • Freins puissants • Finition en progrès • Un vrai coupé 4 places

▼ CONTRE

• Dimensions encombrantes • Silhouette discutable • Moteur 3,4 litres inapproprié • Roulis en virage • Faible visibilité arrière

CARACTÉRISTIQUES

Prix du modèle à l'essai	SS / 31 995 $
Garantie de base	3 ans / 60 000 km
Type	coupé / traction
Empattement / Longueur	280 cm / 508 cm
Largeur / Hauteur	185 cm / 146 cm
Poids	1 572 kg
Coffre / Réservoir	526 litres / 64 litres
Coussins de sécurité	frontaux et latéraux
Suspension av.	indépendante
Suspension arr.	indépendante
Freins av. / arr.	disque ABS
Système antipatinage	oui
Direction	à crémaillère, assistée
Diamètre de braquage	11,6 mètres
Pneus av. / arr.	P225/60R16

MOTORISATION ET PERFORMANCES

Moteur	V6 3,8 litres
Transmission	automatique 4 rapports
Puissance	200 ch à 5 200 tr/min
Couple	225 lb-pi à 4 000 tr/min
Autre(s) moteur(s)	V6 3,4 litres 180 ch
Autre(s) transmission(s)	aucune
Accélération 0-100 km/h	9,6 secondes
Vitesse maximale	190 km/h
Freinage 100-0 km/h	41,6 mètres
Consommation (100 km)	12,6 litres

MODÈLES CONCURRENTS

• Chrysler Intrepid • Ford Taurus • Mercury Grand Marquis • Toyota Avalon

QUOI DE NEUF ?

• Système OnStar de série sur LS
• Nouveaux coloris

VERDICT

Agrément	★★★½
Confort	★★★★
Fiabilité	★★★½
Habitabilité	★★★★
Hiver	★★★★
Sécurité	★★★★½
Valeur de revente	★★★½

CHEVROLET Tahoe

GMC Yukon / Yukon XL
CHEVROLET Suburban

Chevrolet Tahoe

Les grosses pointures

La popularité des véhicules utilitaires chez nos voisins des États-Unis a été tellement grande au cours des cinq dernières années que toutes les compagnies automobiles impliquées dans la course ont multiplié le nombre de modèles offerts. Devant la popularité des Ford Explorer, Lincoln Navigator et Ford Excursion, GM se devait de répliquer. Tant et si bien que cette compagnie a complètement renouvelé sa gamme de gros 4X4 l'an dernier. Mieux encore, elle a remis ça cette année avec des versions Denali des modèles Yukon et Yukon XL.

Si vous n'avez pas été très attentif au cours des derniers mois, on vous excuse de ne pas avoir remarqué que la division GMC commercialisait une version équivalant au Chevrolet Suburban. Vous l'avez certainement deviné, c'est le Yukon XL, qui a pour mission de concilier luxe, dimensions imposantes et robustesse afin de contrer ses concurrents, le Lincoln Navigator et le Ford Explorer. Il ne faut pas oublier que les produits GMC se démarquent de leurs équivalents chez Chevrolet par un équipement plus complet et une présentation plus luxueuse.

Des valeurs reconnues

La majorité des spécialistes sont d'accord pour souligner que le châssis des camionnettes Silverado et Sierra est le plus sophistiqué de l'industrie. Comme les gros utilitaires sport utilisent une plate-forme de camionnette, les ingénieurs de GM ne pouvaient trouver mieux pour élaborer la nouvelle génération des Tahoe/Yukon et Suburban.

Ce châssis est toujours de type à échelle, mais il est de flexibilité variable afin d'assurer une rigidité sans pareille là ou c'est nécessaire tout en possédant des secteurs plus flexibles afin d'obtenir un niveau de confort supérieur à la moyenne. Cette astuce est rendue encore plus intéressante par l'utilisation d'éléments de suspension façonnés par pression hydraulique. On réalise des pièces très rigides qui sont plus légères et constituées de moins de composantes.

Pour installer ce châssis sur des véhicules utilitaires sport, les ingénieurs ont révisé les paramètres de rigidité des différents éléments afin de les adapter à la présence d'une carrosserie plus rigide et plus longue. Le système d'échappement a également été revu afin d'améliorer l'insonorisation.

La différence entre un Yukon/Tahoe et un Suburban/Yukon XL se situe sur le plan de l'empattement, du moteur de série et de la longueur hors tout. Du point de vue de la présentation et du comportement d'ensemble, les deux sont presque similaires. Un Tahoe a un empattement plus court de 25 cm par rapport à un Suburban et sa longueur hors tout est inférieure de52 cm

Il est tout aussi normal que le duo Yukon/Tahoe soit équipé de série d'un moteur de plus petite cylindrée que les deux autres géants de la famille. Le V8 de

4,8 litres d'une puissance de 275 chevaux est adéquat pour la plupart des occasions. Pour les personnes désireuses d'avoir un moteur au couple plus généreux, le V8 de 5,3 litres est offert en option. En plus d'assurer 10 chevaux supplémentaires, il fournit 35 lb-pi de couple additionnel.

Gros et encore plus gros

Ce même moteur V8 est de série sur le Suburban tandis que le Yukon XL en offre davantage avec le V8 6000 de 300 chevaux. Ce qui explique pourquoi ce dernier modèle possède une capacité de remorquage de 5 443 kg, soit 1 525 kg de plus que le Suburban. Cette situation est quelque peu contradictoire puisque c'est le modèle le plus luxueux qui est en mesure d'assumer les travaux les plus lourds. Il faut également souligner que tous ces gros moteurs V8 consomment beaucoup, mais leur cote de consommation est généralement moins élevée que celle des moteurs des autres marques de la même catégorie. Et les Suburban/Yukon XL peuvent même être équipés du nouveau moteur V8 de 8,1 litres.

Et, j'allais oublier, la transmission automatique à 4 rapports qui est couplée à tous ces moteurs possède un mode remorquage qui désactive la surmultipliée.

La référence !

Même si la compagnie Ford domine présentement le marché des gros mastodontes, ce sont les produits GM qui occupent le haut du pavé en fait de comportement routier et d'agrément de conduite. Cela ne signifie pas qu'un Yukon est capable de tenir tête à une berline BMW sur une route sinueuse, mais la tenue de route est impressionnante compte tenu du gabarit du véhicule et de sa suspension assez élémentaire. D'ailleurs, plusieurs personnes qui étaient peu familières avec de tels véhicules ont été agréablement surprises par sa conduite. Il est en effet surprenant de constater qu'un géant de la sorte puisse afficher une telle agilité.

Ce comportement dynamique compense donc pour une silhouette que plusieurs jugent trop peu transformée par rapport à celle de la génération précédente. De plus, la finition demeure toujours perfectible tandis que certains détails d'aménagement en feront tiquer plusieurs. Enfin, on s'entête chez GM à nous proposer des plastiques dont le grain fait bon marché. C'est probablement par respect de la tradition.

Ces gros 4X4 ne sont pas pour les citadins, mais leur confort et leurs performances sont à considérer pour les gens qui ont vraiment besoin d'un de ces modèles.

Denis Duquet

CHEVROLET Tahoe

▲ POUR

• Châssis sophistiqué • Choix de moteurs • Système 4X4 Autotrac • Tableau de bord pratique • Freins puissants

▼ CONTRE

• Dimensions encombrantes • Finition perfectible • Versions Denali • Style conservateur • Prix élevé

CARACTÉRISTIQUES

Prix du modèle à l'essai	LT / 54 050 $
Garantie de base	3 ans / 60 000 km
Type	utilitaire sport 6/9 places / propulsion
Empattement / Longueur	295 cm / 505 cm
Largeur / Hauteur	200 cm / 194 cm
Poids	2 250 kg
Coffre / Réservoir	461 l (3e banq. en place) / 98 l
Coussins de sécurité	frontaux et latéraux
Suspension av.	indépendante
Suspension arr.	rigide
Freins av. / arr.	disque ABS
Système antipatinage	oui
Direction	à billes, assistée
Diamètre de braquage	11,7 mètres
Pneus av. / arr.	P265/70R16

MOTORISATION ET PERFORMANCES

Moteur	V8 4,8 litres
Transmission	automatique 4 rapports
Puissance	275 ch à 5 200 tr/min
Couple	290 lb-pi à 4 000 tr/min
Autre(s) moteur(s)	V8 5,3 litres 285 ch
Autre(s) transmission(s)	aucune
Accélération 0-100 km/h	12,2 secondes
Vitesse maximale	175 km/h
Freinage 100-0 km/h	46,6 mètres
Consommation (100 km)	14,8 litres

MODÈLES CONCURRENTS

• Ford Expedition • Toyota Sequoia

QUOI DE NEUF ?

• Groupe d'options Z71 • Porte-verres relocalisés dans console centrale

VERDICT

Agrément	★★★½
Confort	★★★★
Fiabilité	★★★★
Habitabilité	★★★★★
Hiver	★★★★
Sécurité	★★★★★
Valeur de revente	★★★½

Oldsmobile Silhouette

Un p'tit tour de magie

La plupart des constructeurs font l'impossible pour cacher ce que l'avenir nous réserve en fait de nouveautés. Chez GM, on semble prendre un malin plaisir à nous les dévoiler plusieurs mois à l'avance. Ses dirigeants ont profité du Salon de l'auto de New York en avril 2000 pour annoncer que les fourgonnettes Chevrolet Venture, Pontiac Montana et Oldsmobile Silhouette pourront être commandées avec le système de traction intégrale Versatrak sur les modèles 2002.

Cette politique a sans doute pour but d'influencer la décision des gens et de les faire patienter. Mais si cette tactique s'avère efficace, elle risque de ralentir les ventes de l'édition 2001 de ce trio qui comporte pourtant plusieurs raffinements, surtout dans l'habitacle. L'innovation la plus spectaculaire pour 2001 est sans contredit la troisième banquette qui se replie complètement contre le plancher pour en faire partie intégrante. Mais contrairement aux produits similaires offerts par la concurrence, cette banquette qui aime jouer les Houdini ne s'escamote pas dans une dépression située dans le plancher. En fait, cette banquette se replie pour réaliser une surface affleurante avec un astucieux espace de rangement boulonné sur le plancher. Au lieu de remodeler toute la plate-forme pour y remiser ce troisième siège dans une dépression, on a fait le contraire. De plus, des espaces de rangement ont été aménagés dans ce module et le dossier du siège arrière comprend plusieurs points d'ancrage une fois en place. Il est donc facile d'y accrocher des sacs d'épicerie, une option qui plaira à bien des gens qui en ont marre d'en repêcher le contenu un peu partout dans l'habitacle après un trajet de retour à la maison trop cahoteux.

Autre raffinement, les sièges capitaines sont dorénavant munis de dossiers pouvant se replier et on les a même équipés d'un porte-verres. Parmi les autres améliorations de détail, la porte coulissante arrière gauche peut dorénavant être commandée avec un système d'ouverture motorisée, comme l'était la portière de droite depuis le lancement de ces modèles en 1997.

Le confort en tête

Toutes trois bénéficient d'un système audiovisuel amélioré. L'écran vidéo à affichage par cristaux liquides est plus grand et les écouteurs des places arrière sont de type sans fil. Initialement commercialisé dans la Silhouette, ce système vidéo a rapidement été adapté sur la Pontiac Montana et la Chevrolet Venture.

Il est facile d'en conclure que c'est le confort et le caractère pratique de la cabine qui ont été la priorité des planificateurs pour 2001. De plus, le système de climatisation est plus puissant tandis qu'il est possible de commander en option un lecteur à 6 disques compacts intégré dans le tableau de bord, une option que plusieurs autres modèles concurrents proposent également.

Au Canada, le marché des fourgonnettes représente plus de 30 % des ventes de GM dans le secteur des utilitaires. Toutes ces petites améliorations et retouches ont pour but de rendre ces modèles encore plus compétitifs, d'autant plus que Chrysler dévoile un tout nouveau modèle cette année.

Histoire de sièges

En attendant le Versatrak

Si GM s'est empressée de dévoiler l'ajout du rouage d'entraînement intégral Versatrak plusieurs mois avant sa commercialisation, c'est qu'on est persuadé d'avoir quelque chose d'unique à proposer. En effet, à la lueur d'essais préliminaires, ce rouage intégral est non seulement efficace mais sophistiqué. Sa simplicité mécanique devrait en faire l'un des plus fiables qui soient et l'utilisation de la pression hydraulique au lieu des freins du système ABS pour assurer

modification majeure n'a été apportée à la mécanique et le moteur V6 3,4 litres de 185 chevaux est le seul au catalogue. Il est associé à une boîte de vitesses automatique à 4 rapports qui est l'une des meilleures de l'industrie. Au fil des ans, cette mécanique a fait ses preuves. Plusieurs corps policiers du Québec utilisent la Chevrolet Venture comme véhicule d'appoint et la fiabilité ne semble pas poser de problème aux utilisateurs.

Lacunes corrigées

Les modèles antérieurs ont été affligés de problèmes de bruits de caisse et d'intégrité sur les versions à empattement long. Les véhicules essayés récemment n'ont pas affiché ces faiblesses. Le moteur et la boîte automatique se sont révélés à la hauteur de la tâche. Le comportement routier est dans la moyenne de la catégorie ; des pneumatiques de meilleure qualité viendraient améliorer la situation.

Chevrolet Venture

la traction est une solution plus attrayante. On vous en reparle d'ici un an.

En attendant, il faudra compter sur le système antipatinage à toutes les vitesses qui est optionnel dans plusieurs modèles et de série dans quelques autres. Particulièrement efficace, il conviendra à la majorité des acheteurs. Cette année, aucune

Dotées d'un habitacle éminemment pratique et d'une suspension assez confortable, ces fourgonnettes ne sont pas en mesure d'inquiéter les leaders de la catégorie que sont les Chrysler et les Honda, mais sont capables de livrer une chaude lutte à la plupart des autres.

Denis Duquet

OLDSMOBILE Silhouette

▲ POUR

- Prix alléchants • Habitacle pratique
- Moteur robuste • Boîte automatique
- Finition en progrès

▼ CONTRE

- Banquette arrière trop basse
- Système Versatrak à venir
- Finition perfectible • Pneumatiques moyens

CARACTÉRISTIQUES

Prix du modèle à l'essai	36 595 $
Garantie de base	3 ans / 60 000 km
Type	fourgonnette empattement long / traction
Empattement / Longueur	304 cm / 510 cm
Largeur / Hauteur	183 cm / 171 cm
Poids	1 760 kg
Coffre / Réservoir	3 582 l (sans banq.) / 76 l
Coussins de sécurité	frontaux et latéraux
Suspension av.	indépendante
Suspension arr.	essieu rigide
Freins av. / arr.	disque / tambour ABS
Système antipatinage	oui
Direction	à crémaillère, assistée
Diamètre de braquage	11,4 mètres
Pneus av. / arr.	P215/70R15

MOTORISATION ET PERFORMANCES

Moteur	V6 3,4 litres
Transmission	automatique 4 rapports
Puissance	185 ch à 5 200 tr/min
Couple	210 lb-pi à 4 000 tr/min
Autre(s) moteur(s)	aucun
Autre(s) transmission(s)	aucune
Accélération 0-100 km/h	12,6 secondes
Vitesse maximale	180 km/h
Freinage 100-0 km/h	43,1 mètres
Consommation (100 km)	13,2 litres

MODÈLES CONCURRENTS

- Nissan Quest • Chrysler Town & Country
- Toyota Sienna • Ford Windstar • Honda Odyssey

QUOI DE NEUF ?

- Écran vidéo plus grand • Porte-verres améliorés
- Radar de stationnement

VERDICT

Agrément	★★★
Confort	★★★
Fiabilité	★★★½
Habitabilité	★★★★
Hiver	★★★
Sécurité	★★★
Valeur de revente	★★★½

CHRYSLER 300 M CHRYSLER LHS

Chrysler LHS

La primauté du style

La compagnie Chrysler nous a tous épatés par le style de ses voitures au cours de la dernière moitié des années 90. La plupart des modèles créés dans ses ateliers de stylisme étaient non seulement d'une grande élégance, mais constituaient ce que l'Amérique avait de mieux à nous offrir.

Les stylistes de la compagnie n'ont pas perdu leur inspiration depuis, mais ils se contentent quand même de nous proposer des concepts plus étroitement dérivés des produits réalisés au cours de cette période assez unique dans l'histoire de l'automobile nord-américaine. Et il est certain que les 300 m et LHS vont contribuer à inspirer les créateurs des années durant, tant leurs silhouettes respectives sont réussies. À partir d'éléments mécaniques similaires, on a réussi à départager ces deux modèles de belle façon.

300 m : vocation internationale

Avec sa partie arrière tronquée et relevée ainsi que son avant plongeant, la 300 m ne cache pas ses ambitions. On a voulu faire de cette dernière une berline de luxe à vocation sportive. Et ses dimensions se doivent d'être plus « internationales » puisqu'elle est vendue sur plusieurs marchés étrangers. Sa largeur et même sa longueur ont été spécialement étudiées afin qu'elle puisse respecter les lois des pays d'Europe et d'Asie en fait de gabarit. Il faut savoir que, dans plusieurs pays du monde, les voitures trop larges et trop longues sont frappées de taxes supplémentaires.

Comme vous le savez probablement, cette berline a été nommée en l'honneur des légendaires Chrysler C-300 des années 50 dont les performances étaient supérieures à toutes les autres. Vous conviendrez toutefois qu'il est quand même curieux d'utiliser une telle appellation pour une voiture destinée aux marchés étrangers. D'ailleurs, la lettre M. est utilisée pour souligner les dimensions métriques de la carrosserie.

Malgré ses allures plus sportives et un moteur V6 de 253 chevaux, cette Chrysler n'est pas pour autant un bolide de course. C'est une voiture dont le caractère américain ne se traduit pas uniquement sur le plan de la silhouette et de l'habitacle. La tenue de route, le freinage et la direction sont dans la moyenne supérieure, mais on se sent plus déconnecté de la route qu'au volant d'une européenne, par exemple. On peut toutefois compenser en choisissant le groupe d'options « Performance et tenue de route » dont la suspension plus ferme et les pneus de meilleure qualité permettent d'obtenir un meilleur agrément de conduite.

LHS : luxe traditionnel

La LHS est la plus grosse et la plus luxueuse de toutes les Chrysler. Contrairement à ce qui est le cas pour la 300 m, ses dimensions ne sont pas régies par les exigences des lois étrangères et elle se démarque de sa petite sœur par une longueur hors tout supérieure de 25 cm. Cela se traduit par des places arrière qui permettent aux occupants de prendre leurs aises sans contrainte. Et la différence ne se limite pas à une histoire de dimensions. La partie arrière arrondie accentue l'impression de longueur de la voiture de même que sa calandre avant plus grande et au ras du pare-chocs.

Grosse mais douée

Comme la 300 m, la LHS étrenne cette année de nouvelles roues de 17 pouces au fini argenté. De plus, il est possible de commander en option, pour les deux voitures, le groupe d'accessoires de luxe comprenant des appliques en bois véritable sur le tableau de bord, un nouveau volant avec boudin garni de bois et un centre d'information monté sur une console située sur la limite du pavillon. Et on offre également un rétroviseur extérieur à verre photochromique du côté du conducteur. Enfin, le rétroviseur du côté droit s'incline automatiquement vers le sol lorsqu'on engage la marche arrière.

Parmi les améliorations apportées à tous les modèles cette année, soulignons l'utilisation de glaces plus épaisses afin de mieux insonoriser l'habitacle tandis que les commandes de la radio sont également placées sur le volant.

Qu'importe si la LHS est propulsée par le moteur V6 de 253 chevaux de la 300 m, les sensations de conduite ne sont pas les mêmes. La différence n'est pas énorme, mais la LHS donne l'impression d'être au volant d'une voiture plus imposante et au tempérament plus bourgeois. On ne sent pas le roulis et le tangage si souvent associés aux grosses américaines, mais le résultat est juste assez mou pour donner cette impression de grand luxe que nos voisins du sud apprécient toujours.

Avec sa silhouette élégante, son tableau de bord d'un design unique et son comportement routier prévisible, on pardonne plus facilement à cette voiture ses dimensions extérieures d'une autre époque. Et si on tient compte de sa facture de beaucoup inférieure à celle de ses rivales chez Buick, Lincoln et Cadillac, on est encore plus tolérant.

Ces deux voitures sont assemblées au Canada à l'usine de Bramalea, à l'ouest de Toronto. À ce jour, elles jouissent d'une excellente réputation en raison d'un assemblage soigné et d'une rassurante fiabilité.

Denis Duquet

CHRYSLER 300 M

▲ POUR

• Silhouette élégante • Tableau de bord réussi • Finition impeccable • Moteur bien adapté • Prix alléchant

▼ CONTRE

• Dimensions encombrantes • Porte-verres mal conçu • Pédale du frein d'urgence minuscule • Direction engourdie • Support latéral moyen

CARACTÉRISTIQUES

Prix du modèle à l'essai	42 495 $
Garantie de base	3 ans / 60 000 km
Type	berline / traction
Empattement / Longueur	287 cm / 502 cm
Largeur / Hauteur	189 cm / 142 cm
Poids	1 629 kg
Coffre / Réservoir	476 litres / 64 litres
Coussins de sécurité	frontaux et latéraux (option)
Suspension av.	indépendante
Suspension arr.	indépendante
Freins av. / arr.	disque ABS
Système antipatinage	oui
Direction	à crémaillère, assistance variable
Diamètre de braquage	11,5 mètres
Pneus av. / arr.	P225/55R17

MOTORISATION ET PERFORMANCES

Moteur	V6 3,5 litres
Transmission	automatique 4 rapports
Puissance	253 ch à 6 400 tr/min
Couple	255 lb-pi à 3 950 tr/min
Autre(s) moteur(s)	aucun
Autre(s) transmission(s)	aucune
Accélération 0-100 km/h	9,2 secondes
Vitesse maximale	190 km/h
Freinage 100-0 km/h	38,5 mètres
Consommation (100 km)	12,0 litres

MODÈLES CONCURRENTS

• Acura TL • Audi A6 • BMW 528 • Cadillac Catera • Infiniti I30 • Lexus ES 300 • Oldsmobile Aurora

QUOI DE NEUF ?

• Coussins de sécurité latéraux optionnels
• Nouvelles jantes 17 pouces • Nouveaux feux arrière

VERDICT

Agrément	★★★½
Confort	★★★★
Fiabilité	★★★★
Habitabilité	★★★★★
Hiver	★★★★
Sécurité	★★★★½
Valeur de revente	★★★½

CHRYSLER Concorde CHRYSLER Intrepid

Chrysler Intrepid

Le gros char américain réinventé

Il y a exactement 10 ans, au moment où « l'effet Taurus » commençait à s'estomper, Chrysler en a profité pour damer le pion à Ford en lançant les Intrepid et Concorde. À leur tour, elles ont donné un souffle nouveau aux grosses berlines américaines. Mieux, elles ont réinventé le genre.

Les gros *chars* américains se portent bien. Les Chrysler Intrepid et Concorde aussi ; leur première refonte, il y a trois ans, a eu des effets bénéfiques. D'abord, il s'agissait d'un remaniement majeur : sur le plan esthétique comme mécanique, la deuxième génération n'a rien à voir avec la précédente. Ensuite, on s'est efforcé de rehausser la qualité d'assemblage et la fiabilité d'un cran. Parmi les doléances, celles qui revenaient le plus souvent touchaient la climatisation, la transmission et le freinage. Depuis, la situation semble s'être améliorée, en ce qui a trait à la fiabilité du moins. D'ailleurs, pour en savoir plus à ce sujet, nous avons soumis une Chrysler Intrepid ES à un essai prolongé de plus de 12 000 km. Les résultats ont été très positifs puisque aucun ennui mécanique mineur ou majeur n'est venu ternir cet essai. Les freins ont même résisté à plusieurs tours de piste dans le cadre du tournage de l'émission *Prenez le volant*. Ils ont surchauffé certes, mais c'était normal compte tenu de la vitesse du véhicule et de sa masse. Et si la pédale des freins est toujours quelque peu spongieuse, cela n'a nullement gêné nos conducteurs tout au long de l'essai. Le freinage est amélioré, mais on pourrait continuer à travailler dans cette voie chez Chrysler.

Confortable sur la grande route, dotée d'une belle habitabilité, son gabarit et la visibilité arrière très limitée en a ennuyé plus d'un en ville, surtout lorsque venait le temps de stationner. Tout comme la boîte de vitesses AutoStick.

Seule l'Intrepid a droit à la boîte bimodale AutoStick, ce qui peut paraître paradoxal puisque la Concorde est plus cossue (donc plus chère). Mais il s'agit d'un mal pour un bien, car l'AutoStick constitue l'une des plus mauvaises exécutions du genre. Les passages sont saccadés, surtout lorsqu'on rétrograde, et il faut manier le levier latéralement plutôt que de bas en haut, ce qui est contre nature. On s'y fait, certes, mais cela ne rend pas la chose plus agréable pour autant. Quant à la boîte conventionnelle, elle ne souffre pas de ces irritants, mais le frein moteur est toujours aussi inefficace.

Belles et fonctionnelles

Si les ingénieurs n'ont pas terminé leurs devoirs, on ne peut en dire autant de leurs confrères stylistes, qui demeurent les premiers de la classe. L'exploit est d'autant plus remarquable venant d'un constructeur qui nous a donné les pires laiderons au cours des années 80 pour devenir l'exemple à suivre dans la décennie suivante.

Comme leurs devancières, les Intrepid et Concorde maintiennent la barre très haute en matière de design. De plus, leurs lignes fluides leur confèrent une efficacité aérodynamique remarquable, comme en témoignent une non moins remarquable tenue de cap et l'absence de bruits éoliens. Qui plus est, l'aspect fonctionnel n'a pas été négligé, puisque l'habitacle est ce qui se fait de plus spacieux dans cette catégorie, tandis que le coffre est assez vaste pour y loger une table de billard, une allée de quilles ou une piscine, au choix. Et j'exagère à peine.

La mesure-étalon

On apprécierait néanmoins une banquette arrière repliable ou, à tout le moins, une trappe pour y glisser des skis. Rien n'est parfait. De plus, ladite banquette est dépourvue d'appuie-tête, en plus d'être trop inclinée vers l'arrière. Par ailleurs, la ceinture de caisse élevée de ces berlines profilées pénalise, et pas qu'un peu, la visibilité 3/4 arrière. Déjà que garer ces gros bateaux n'est pas une sinécure…

Dans une classe à part

En revanche, leur agilité constitue une agréable surprise, comme nous l'a démontré une randonnée sur une route de campagne on ne peut plus sinueuse. Mieux chaussées, les versions ES et R/T de l'Intrepid se distinguent particulièrement, la seconde ayant même droit à des Michelin Pilot montés sur des jantes de 17 pouces. Une direction plus ferme servirait cependant mieux ces berlines qui, autrement, brillent par leur aplomb. Handicapée par une suspension plus souple, la Concorde est toutefois plus à l'aise sur l'autoroute. Mais, bon, la clientèle visée n'est pas la même…

Une motorisation plus puissante (242 chevaux) loge sous le capot de l'Intrepid R/T, qui a fait son apparition l'année dernière. Il s'agit d'une version dégonflée du V6 3,5 litres de la 300 M. Les autres versions (SE et ES) ne sont pas en reste, avec leurs V6 de 2,7 litres (202 chevaux) et 3,5 litres (225 chevaux), qui desservent également la Concorde. Souples, silencieux et performants, dotés d'une architecture moderne, ces trois moteurs se situent dans une classe à part, tant ils surclassent ceux de leurs rivales américaines.

Pour toutes ces raisons, le tandem Intrepid/Concorde représente désormais la mesure-étalon dans ce créneau *all american*. Elles sont l'illustration même de l'adage disant qu'une belle voiture ne peut être mauvaise. Belles, mais aussi performantes, elles brillent également par leurs qualités plus rationnelles telles que l'habitabilité et le confort. Si, en plus, elles deviennent fiables, on pourra dire qu'elles incarnent ce qui se fait de mieux à Detroit.

Philippe Laguë

CHRYSLER Intrepid

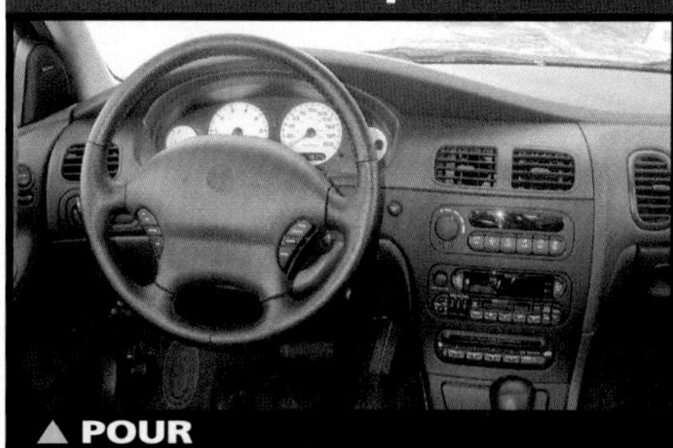

▲ POUR

• Bons moteurs • Excellente habitabilité • Carrosserie solide • Comportement routier étonnant • Qualité de construction en progrès

▼ CONTRE

• Seuil du coffre élevé • Faible visibilité arrière • Bruit de vent • Freinage moyen

CARACTÉRISTIQUES

Prix du modèle à l'essai	R/T / 31 905 $
Garantie de base	3 ans / 60 000 km
Type	berline / traction
Empattement / Longueur	287 cm / 517 cm
Largeur / Hauteur	190 cm / 142 cm
Poids	1 596 kg
Coffre / Réservoir	521 litres / 65 litres
Coussins de sécurité	frontaux et latéraux
Suspension av.	indépendante
Suspension arr.	indépendante
Freins av. / arr.	disque ABS
Système antipatinage	oui
Direction	à crémaillère, assistance variable
Diamètre de braquage	11,5 mètres
Pneus av. / arr.	P225/55R17

MOTORISATION ET PERFORMANCES

Moteur	V6 3,5 litres
Transmission	automatique Autostick 4 rapports
Puissance	242 ch à 6 400 tr/min
Couple	248 lb-pi à 3 950 tr/min
Autre(s) moteur(s)	V6 2,7 litres 200 ch ; V6 3,2 litres 225 ch
Autre(s) transmission(s)	aucune
Accélération 0-100 km/h	8,1 secondes ; 9,0 s (3,2 litres) ; 10,2 s (2,7 litres)
Vitesse maximale	210 km/h
Freinage 100-0 km/h	39,2 mètres
Consommation (100 km)	12,0 litres

MODÈLES CONCURRENTS

• Buick LeSabre • Chevrolet Impala • Pontiac Grand Prix • Ford Taurus

QUOI DE NEUF ?

• Coussins gonflables latéraux en option
• Nouvelles couleurs

VERDICT

Agrément	★★★★
Confort	★★★★½
Fiabilité	★★★
Habitabilité	★★★★★
Hiver	★★★★
Sécurité	★★★★
Valeur de revente	★★½

CHRYSLER Neon

Chrysler Neon R/T

Faute avouée à demi pardonnée

Lorsque la seconde génération de la Chrysler Neon a été dévoilée en janvier 1999 en tant que modèle 2000, on a eu droit aux mêmes discours de circonstances que chez tous les autres manufacturiers. Cette nouvelle venue était, bien entendu, plus confortable, plus silencieuse et on avait corrigé les lacunes du modèle précédent. Un essai nous a permis de constater que les irritants majeurs avaient été éradiqués. Par contre, il fallait attendre afin de savoir si les ingénieurs de DaimlerChrysler avaient réussi à remédier au manque de fiabilité flagrant de la première génération.

L'utilisation de portières dotées d'un cadre pour les glaces a grandement favorisé l'insonorisation de l'habitacle de la Neon. Il en a été de même du châssis plus rigide qui contribue toujours à éliminer les bruits et les vibrations en plus d'assurer un meilleur comportement routier. Le débattement de la suspension a été augmenté, ce qui a eu des effets marqués sur le confort puisque les amortisseurs ne talonnent plus à gogo. Les ingénieurs ont même réussi à assourdir les bruits mécaniques du groupe propulseur. Il est fort déplorable qu'on n'ait pas été en mesure d'ajouter un 4e rapport à la boîte automatique. Il s'agit à notre avis d'une omission impardonnable sur un modèle revu de fond en comble.

15 000 km plus tard !

Si la Neon 2000 s'était quand même assez bien débrouillée lors de notre match comparatif où elle a terminé en milieu de peloton, il nous restait à faire la preuve que sa fragilité mécanique était chose du passé. C'est pourquoi nous avons soumis une Neon à un essai prolongé qui s'est déroulé pendant trois saisons et au cours duquel nous avons parcouru plus de 15 000 km.

Cet exercice nous a permis d'en apprendre davantage sur les qualités et les défauts de cette américaine. En ce qui concerne la fiabilité, elle a été impeccable, rien n'a lâché, même pas la plus petite vis. En plus, aucun cliquetis ou bruit de caisse n'est venu trahir une carrosserie qui aurait été en voie de perdre de sa rigidité.

La fiabilité n'est pas le seul élément positif que cet essai nous a permis de recueillir dans le carnet de notes. Par exemple, tous les utilisateurs ont souligné sa faible consommation de carburant. Malgré son moteur de 132 chevaux qui est l'un des plus puissants de la catégorie, la moyenne de consommation a été de 8,5 litres aux 100 km. Cette moyenne a été affectée à la hausse par l'utilisation très fréquente du climatiseur pendant les mois d'été. Climatiseur en moins, on aurait pu retrancher au moins 1 litre par 100 km. Sa frugalité a été appréciée en cette période d'énormes fluctuations du prix de l'essence. De plus, en raison du confort assuré par les sièges et de son aisance sur l'autoroute, la Neon s'est révélée bien adaptée aux longs trajets.

Notre voiture d'essai était le modèle le plus dépouillé de la gamme. Donc pas de télécommande de verrouillage des portières, pas de glaces à commande électrique et pas de miroir au pare-soleil du côté droit, un détail qu'ont signalé les passagères. De façon unanime, tous ont déploré que le compte-tours ne soit pas de série sur un modèle équipé de la boîte manuelle. Mais ils ont apprécié que la plus modeste des Chrysler soit équipée d'un lecteur de disques compacts, équipement qui n'est pas toujours le lot de voitures allemandes vendues pratiquement cinq fois le prix de celle-ci.

Elle progresse

Pour la famille

À défaut de nous charmer par des performances étourdissantes, un déluge d'accessoires ou une tenue de route extraordinaire, la Neon a plu à tous les essayeurs grâce à son caractère polyvalent. C'est la voiture tout indiquée pour se déplacer sur de courtes distances tout en étant relativement confortable lorsque vient le temps d'aborder l'autoroute et de rouler plusieurs heures d'affilée. Sans être le plus imposant de sa catégorie, le coffre à bagages est spacieux et suffisamment profond pour accepter des bagages encombrants. Le dossier arrière se rabat en partie, ce qui permet de passer des objets dans l'habitacle.

Les places arrière sont dans la bonne moyenne et même une personne de grande taille pourra y prendre place sans trop d'inconfort. Par contre, si vous voulez utiliser le rudimentaire porte-verres destiné aux places arrière, mieux ne vaut pas avoir de passager au centre. En effet, pour économiser, les concepteurs ont placé le porte-verres sur la partie intérieure du couvercle de l'accoudoir central. Celui-ci s'ouvre complètement pour se placer à l'horizontale, permettant ainsi d'utiliser une dépression prévue à cet effet pour y déposer canette ou verre. C'est une solution de compromis qui mériterait d'être revue.

Malgré quelques irritants mineurs et une finition qui demeure toujours perfectible, la Neon est une voiture confortable qui, à défaut de panache, vous mène sans surprise à bon port.

Modèle R/T

Cette année cependant, la pièce de résistance est l'arrivée du modèle R/T non seulement plus puissant, 18 chevaux de plus, mais équipé d'une suspension sport plus rigide et de pneus de 16 pouces. Cet amalgame d'améliorations techniques et mécaniques permet au pilote enthousiaste de pouvoir compter sur un comportement routier plus impressionnant sans devoir crever son budget. Il est certain qu'il faut exclure la boîte automatique à trois rapports de cette équation.

Denis Duquet

CHRYSLER Neon

▲ POUR

• Fiabilité éprouvée • Moteur bien adapté • Consommation raisonnable • Boîte manuelle adéquate • Caisse rigide

▼ CONTRE

• Boîte automatique à 3 rapports • Seuil de coffre élevé • Porte-verres à revoir • Faible support latéral des sièges avant • Finition inégale

CARACTÉRISTIQUES

Prix du modèle à l'essai	LX / 19995 $
Garantie de base	3 ans / 60000 km
Type	berline / traction
Empattement / Longueur	267 cm / 443 cm
Largeur / Hauteur	171 cm / 142 cm
Poids	1163 kg
Coffre / Réservoir	371 litres / 47 litres
Coussins de sécurité	frontaux
Suspension av.	indépendante
Suspension arr.	indépendante
Freins av. / arr.	disque / tambour ABS
Système antipatinage	non
Direction	à crémaillère, assistée
Diamètre de braquage	10,8 mètres
Pneus av. / arr.	P195/50R15

MOTORISATION ET PERFORMANCES

Moteur	4L 2 litres
Transmission	manuelle 5 rapports
Puissance	132 ch à 5600 tr/min
Couple	130 lb-pi à 4600 tr/min
Autre(s) moteur(s)	4L 2 litres 150 ch
Autre(s) transmission(s)	automatique 3 rapports
Accélération 0-100 km/h	10,5 secondes
Vitesse maximale	175 km/h
Freinage 100-0 km/h	41,2 mètres
Consommation (100 km)	8,5 litres

MODÈLES CONCURRENTS

• Daewoo Nubira • Ford focus • Honda Civic • Kia Sephia • Mazda Protegé • Toyota Corolla

QUOI DE NEUF ?

• Retour du moteur de 150 ch • Nouveau choix de couleurs • Groupe d'options «Sport»

VERDICT

Agrément	★★★
Confort	★★★½
Fiabilité	★★★½
Habitabilité	★★★½
Hiver	★★★½
Sécurité	★★★
Valeur de revente	★★★

CHRYSLER PT Cruiser

Chrysler PT Cruiser Limited Edition

« La voiture de l'année »

Génial ! Le terme est peut-être galvaudé, mais je pense qu'il convient parfaitement à la fameuse Chrysler PT Cruiser. Elle est sans doute moins mignonne que celle à laquelle on ne cesse de la comparer, la New Beetle de Volkswagen, mais il suffit de voir les « pouces en l'air » des badauds pour constater qu'elle compte plus d'admirateurs que de détracteurs. Comme pour sa rivale allemande, on ne voit vraiment que des sourires sur son passage. Et grâce à son sens pratique plus développé, le conducteur aussi rit à belles dents. Quel bonheur !

Il n'y a quand même pas une éternité de cela, Lee Iacocca, alors président de Chrysler, avait affirmé que l'âge moyen de la clientèle de sa compagnie se situait entre 70 ans et… la mort. Avec son humour et son franc-parler habituels, il voulait souligner par là l'urgent besoin de rajeunir l'image de marque de Chrysler et du même coup sa clientèle. C'est ce coup de fouet qui a donné naissance à des voitures comme la Dodge Viper, la Plymouth Prowler et aujourd'hui la PT Cruiser. Curieusement, les stylistes se sont inspirés du passé pour créer l'avenir. Et s'il est une voiture qui a un bel avenir, c'est bien ce petit véhicule qui n'est rien et tout à la fois. Tantôt berline, tantôt fourgonnette, tantôt familiale, c'est incontestablement la plus belle invention de Chrysler depuis les célèbres Autobeaucoup (Caravan-Voyager) du milieu des années 80.

L'influence Mercedes

Si le constructeur américain maîtrisait la qualité de construction avec la même aisance que le stylisme, nul doute que Chrysler serait aujourd'hui l'un des trois plus grands constructeurs automobiles au monde. Au lieu de cela, DaimlerChrysler figure au 5e rang grâce à la force de son alliance avec Mercedes-Benz. Toutefois, ce partenariat allemand semble avoir eu de saines répercussions et la robustesse ainsi que la qualité d'assemblage des diverses PT Cruiser mises à ma disposition avaient un petit côté germanique qui ne trompe pas. On devine que la voiture est prête à entreprendre une carrière mondiale, ce que confirme la mise au point de modèles avec conduite à droite.

L'étroite parenté avec la Neon de Chrysler en a porté plusieurs à froncer les sourcils, mais il suffit de 10 minutes au volant pour s'apercevoir que la PT Cruiser a su prendre ses distances par rapport à sa cousine germaine. La plate-forme et certains organes mécaniques sont interchangeables, mais ils ont été suffisamment modifiés pour être méconnaissables.

Au-delà d'un profil qui fait tourner les têtes, la qualité première de cette Chrysler rétro est sa vaste habitabilité par rapport à son faible encombrement. Elle est respectivement 15 et 16 cm plus courte qu'une Neon et qu'une Ford Focus. Un peu à la manière d'un taxi londonien au museau de Plymouth Prowler, elle se faufile partout et peut transporter de 2 à 5 personnes selon l'espace que l'on voudra réserver aux bagages ou autres objets. Comme l'a si bien démontré mon ami Michel Barrette aux émissions *Le Guide de l'auto* (Canal Vox) et *Prenez le volant* (TVA), l'espace intérieur de la PT Cruiser est ouvert à 26 configurations différentes. Sur la banquette arrière, le dégagement pour la tête et les jambes est étonnant ; en escamotant la banquette ou en la retirant complètement, on peut y mettre son vélo comme s'il s'agissait d'une familiale ou d'une fourgonnette. Sans compter les nombreuses autres possibilités offertes. La seule concession à l'espace faite par les ingénieurs a été l'utilisation d'un essieu arrière rigide qui a permis d'aménager une soute à bagages sans l'intrusion des jambes de force de la suspension indépendante.

Clin d'œil rétro

Autant par sa présentation originale que par son volume intérieur, la PT est une voiture dans laquelle on se sent bien. Au tableau de bord, des modules en plastique empruntant la couleur extérieure illuminent le bloc des instruments et le couvercle du coussin gonflable de droite. Des poignées de porte en chrome et un pommeau de levier de vitesses ivoire tout en rondeurs jettent aussi une petite note rétro fort agréable. À l'usage, ce pommeau nous glisse malheureusement des mains trop souvent et complique l'enclenchement du second rapport. Madame m'a aussi fait part de la présence de clignotants rebelles dont il faut pousser le levier avec ardeur pour qu'il fonctionne (avis partagé). La visibilité latérale est aussi un peu quelconque en raison de la largeur des piliers centraux. Et comment, dites-moi, a-t-on pu s'imaginer que personne ne se plaindrait de l'emplacement ridicule des commutateurs de glaces arrière logés sur l'extrémité arrière de la console centrale ? Franchement ! Mais, quand on aime, on pardonne facilement et c'est précisément le cas avec cette PT Cruiser.

Dans la version Limited Edition, un très élégant mélange de cuir et d'Alcantara habille les sièges et les contre-portes. J'ignore si c'est la position de conduite élevée qui est en cause, mais les sièges avant sont un peu trop bombés pour être parfaitement confortables sur de longs trajets. En revanche, ils bénéficient d'accoudoirs qui invitent à la détente sur les interminables rubans d'autoroute.

On constate le soin apporté à l'aménagement intérieur en observant les nombreux espaces de rangement, incluant des bacs de portes à la fois larges et pratiques. Dans les trois voitures mises à l'essai, la finition était sans bavure, une preuve que l'étiquette *made in Mexico* a sans doute été

Prototype Panel Cruiser

injustement décriée au cours des dernières années.

Rouler la tête haute

La première qualité qui se dégage de la PT Cruiser quand on prend le volant, c'est sa robustesse. La rigidité de la structure est indéniable et donne une impression de solidité qui met en confiance. Quel que soit l'état de la route, les bruits de caisse sont inexistants. Même si elle roule la tête haute et qu'elle doit se satisfaire d'un essieu arrière rigide, cette petite Chrysler met à profit toute la rigueur de son châssis pour offrir une tenue de route surprenante, surtout avec la suspension optionnelle Touring accompagnée de roues de 16 pouces. Elle est de nature sous-vireuse comme la plupart des tractions, mais le roulis n'est tout de même pas excessif en virage. On s'attendait pourtant au contraire compte tenu de la hauteur du bonnet qui dépasse d'un bon 15 cm celle des sous-compactes ordinaires. Lancée à grande vitesse, la

Prototype GT Cruiser

ÉQUIPEMENTS

DE SÉRIE

- Climatiseur • Transmission manuelle 5 rapports
- Roues de 15 po • ABS et antipatinage
- Glaces à commandes électriques

EN OPTION

- Modèle Limited Edition (roues 16 po, pneus 205/55, sièges en cuir, coussins gonflables latéraux) • Lecteur CD

PT (pour *Personal Transportation*) n'est pas non plus bruyante outre mesure.

Un coup de maître

Des performances timides

Toute cette solidité a malheureusement son prix et, dans le cas présent, c'est le poids de la voiture qui écope. Cette mini-Chrysler est lourde et cela se ressent à l'étage des performances et de la consommation. Malgré un 4 cylindres 2,4 litres de 150 chevaux, notre PT Cruiser est bien sage et même avec la boîte de vitesses manuelle à 5 rapports, il faudra faire des pieds et des mains pour abaisser le 0-100 km/h sous les 10 secondes. Les deux premiers modèles mis à l'épreuve étaient dotés de la transmission automatique et permettaient de croire que la boîte manuelle pourrait donner un peu de nerf à la voiture. Ce n'est pas le cas et j'ajouterai deux autres bonnes raisons pour choisir l'automatique : le peu de souplesse du levier de vitesses et une direction qui s'anime un peu trop à mon goût en forte accélération. En somme, l'effet de couple est beaucoup moins prononcé avec la transmission automatique.

La PT Cruiser essayée sur circuit possédait l'option ABS avec des freins à disque à l'arrière au lieu des tambours qui se retrouvent sur les modèles de base. Ce n'est pas une nécessité, mais j'avoue que le freinage de la voiture était nettement supérieur à celui de la Ford Focus testée le même jour dans des conditions identiques.

Turbo à l'horizon

Pour raviver un peu la PT Cruiser, on parle déjà d'une version GT à moteur turbo et il est certain que les équipementiers vont faire fortune à habiller et à gonfler ce sympathique engin. Même Chrysler a dévoilé au dernier Salon de Detroit sa GT Cruiser et un petit camion de livraison, ce qui signifie que l'évolution de ce modèle est d'ores et déjà assurée.

Dans la foulée de la New Beetle qui a déjà trois ans, la Chrysler PT Cruiser réinvente le genre. Et elle y parvient non seulement avec originalité, mais avec ce côté ultrapratique qui en fait une voiture polyvalente qui ne se compare à rien d'autre. Je n'hésiterais pas à lui décerner d'emblée le titre de « voiture de l'année ». Il ne reste plus qu'à souhaiter que Chrysler ait vraiment fait ses devoirs et que cette voiture géniale ne nous réserve pas de mauvaises surprises au fil du temps.

Jacques Duval

CHRYSLER PT Cruiser

▲ POUR

- Grande polyvalence • Look unique
- Caisse solide • Bonne finition
- Comportement routier agréable

▼ CONTRE

- Poids élevé • Performances modestes
- Visibilité latérale réduite • Ergonomie perfectible
- Boîte manuelle peu convaincante

CARACTÉRISTIQUES

Prix du modèle à l'essai	27 785 $
Garantie de base	3 ans / 60 000 km
Type	*hatchback* 5 portes / traction
Empattement / Longueur	262 cm / 429 cm
Largeur / Hauteur	170 cm / 160 cm
Poids	1 421 kg
Coffre / Réservoir	538 à 1 812 litres / 57 litres
Coussins de sécurité	frontaux et latéraux (option)
Suspension av.	indépendante
Suspension arr.	essieu rigide
Freins av. / arr.	disque / tambour (disque option)
Système antipatinage	oui (option)
Direction	à crémaillère
Diamètre de braquage	12,1 mètres
Pneus av. / arr.	P205/55R16

MOTORISATION ET PERFORMANCES

Moteur	4L 2,4 litres 16 soupapes
Transmission	manuelle 5 rapports
Puissance	150 ch à 5 600 tr/min
Couple	162 lb-pi à 4 000 tr/min
Autre(s) moteur(s)	aucun
Autre(s) transmission(s)	automatique 4 rapports
Accélération 0-100 km/h	10 secondes
Vitesse maximale	175 km/h
Freinage 100-0 km/h	41,2 mètres
Consommation (100 km)	11,0 litres

MODÈLES CONCURRENTS

- Ford Focus fam. • Mazda MPV • Nissan Quest
- Saturn LW • Subaru Brighton fam. • VW New Beetle

QUOI DE NEUF ?

- Nouveau modèle

VERDICT

Agrément	★★★★
Confort	★★★★
Fiabilité	nouveau modèle
Habitabilité	★★★½
Hiver	★★★½
Sécurité	★★★½
Valeur de revente	★★★★½

CHRYSLER Sebring

Chrysler Sebring Cabriolet

Ménage à trois

Fidèle à la tradition respectée par les manufacturiers américains, la compagnie Chrysler a longtemps été très généreuse de ses modèles. Encore récemment, la même berline intermédiaire se déclinait sous les appellations Chrysler Cirrus, Dodge Stratus et même Plymouth Breeze. Le coupé de la même catégorie pouvait être acheté en tant que Chrysler Sebring ou Dodge Avenger. Et pour compléter cette petite famille, il y avait le cabriolet... Sebring. Mais les choses ont changé.

La rationalisation aidant, la marque Dodge est réservée aux camionnettes et à la Viper sur le marché canadien tandis que la division Plymouth a été reléguée aux oubliettes. Cette orientation a dicté les décisions de la compagnie lorsque le temps est venu de renouveler sa gamme de modèles intermédiaires. Au Canada, la berline et le coupé sont des modèles Chrysler tandis que les Dodge Stratus seront de retour seulement aux États-Unis. Enfin, un seul cabriolet est offert sur les deux marchés et c'est le Chrysler Sebring.

C'est un trio entièrement renouvelé qui fait ses débuts en 2001. Cette fois, le cabriolet et la berline partagent la même plate-forme et le même groupe propulseur. Ils sont tous deux assemblés à l'usine de Sterling Heights au Michigan. Le coupé, une version Chrysler de la Mitsubishi Eclipse, est fabriqué à l'usine Mitsubishi située à Normal, dans l'Illinois.

Le coupé d'abord

Si on procède par ordre chronologique de dévoilement, c'est le coupé qui a fait sa première apparition au Salon de l'auto de Chicago en février 2000. Il s'agissait en fait d'un Dodge Stratus, ce qui a ajouté à la confusion générale. Quoi qu'il en soit, les deux modèles sont virtuellement identiques, mais seul le Chrysler Sebring sera commercialisé au pays de l'unifolié.

Ce modèle arbore la même calandre que celle utilisée sur la berline et le cabriolet, sauf que les phares antibrouillards sont intégrés dans la grille pour faire place à deux prises d'air dans le bouclier inférieur. Pour le reste, c'est sensiblement la même silhouette. Même les phares arrière sont similaires. Par contre, la présentation du tableau de bord est totalement différente.

Comme dans le modèle précédent, les stylistes y sont allés avec moins de retenue dans le dessin du tableau de bord. Des buses de ventilation circulaires avec volets mobiles, un îlot central vertical séparant la planche de bord en deux parties, l'instrumentation abritée par un surplomb plus important, bref, on a mis le paquet. De plus, les cadrans indicateurs sont de couleurs contrastantes. Et pour accentuer davantage le caractère plus « sportif » de ce modèle, le pommeau du levier de vitesses arbore des coutures semblables à celles d'une balle de baseball. Bien entendu, cette panoplie est complétée par un volant gainé de cuir dont le boudin est muni de deux renflements situés à 9 h et 3 h pour faciliter la prise en main. Malheureusement, ce volant est monté sur une très longue colonne de direction qui empiète beaucoup dans l'habitacle. Il risque même d'intimider les conducteurs de petite taille par sa proximité.

Puisqu'il est dérivé de la nouvelle version du Mitsubishi Eclipse, le coupé Sebring ne partage pas les organes mécaniques de la berline et du cabriolet. Il est doté en équipement de série d'un moteur 4 cylindres de 2,4 litres d'une puissance de 147 chevaux. Le moteur V6 voit sa cylindrée portée à 3 litres et sa puissance à 200 chevaux, une hausse de 37 chevaux par rapport au moteur V6 de 2,5 litres utilisé précédemment. Et, fait rarissime pour une voiture distribuée par une compagnie nord-américaine, il est possible de coupler ce moteur V6 à une boîte manuelle à 5 rapports. La transmission automatique de type AutoStick est pourvue d'un levier dont le déplacement n'est pas latéral comme sur la berline, mais d'avant en arrière, un geste beaucoup plus naturel. Contrairement à celle utilisée sur la berline et le cabriolet, cette transmission automatique à commande manuelle demeure toujours à la vitesse sélectionnée, un facteur grandement apprécié en conduite sportive.

Comme il se doit sur tout nouveau modèle, les ingénieurs ont réduit le niveau sonore dans l'habitacle et atténué les bruits du moteur en plus d'améliorer la rigidité de la caisse en flexion et en torsion.

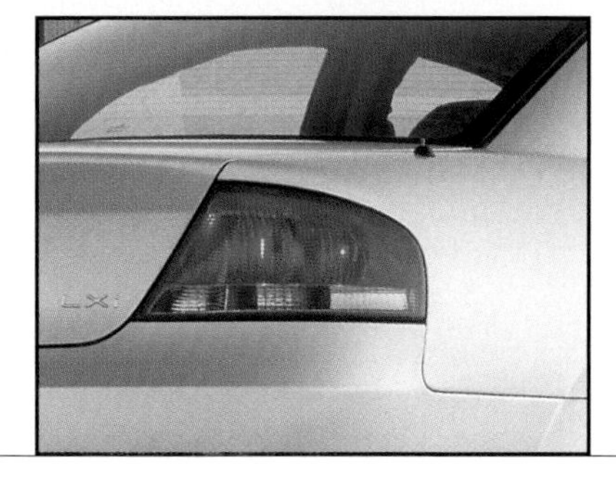

Le nouveau coupé Sebring n'est pas nécessairement destiné à la conduite sportive. En fait, il appartient à la même catégorie que la Camry Solara de Toyota et le coupé Honda Accord. La tenue de route, à défaut d'être ultrasportive, permet de tenir la dragée haute à toutes les concurrentes de la catégorie. Soumise à un essai routier comparatif avec plusieurs autres coupés, cette Chrysler a fort bien tiré son épingle du jeu. À ces qualités routières s'ajoutent le confort des sièges avant, la capacité du coffre à bagages et des places arrière capables d'accommoder deux adultes de taille normale.

Luxe à bas prix

Si vous rêvez d'une marque plus prestigieuse que la moyenne, si vous n'êtes pas insensible à un certain luxe et à une présentation extérieure destinée à s'apparenter à celle de berlines de catégorie supérieure, la nouvelle Chrysler Sebring risque de vous plaire. Sa silhouette ressemble d'assez près à celle de la 300 M et de la Concorde.

La première génération de cette berline se faisait appeler Cirrus, mais on a délaissé les nuages pour la relier à la célèbre piste de course de la Floride. Malgré ce changement de nomenclature, la plate-forme est demeurée la même. Les ingénieurs ont toutefois rendu cette dernière plus rigide, révisé la géométrie de la suspension et peaufiné l'aérodynamique afin de réduire la résistance au vent et d'éliminer les bruits éoliens.

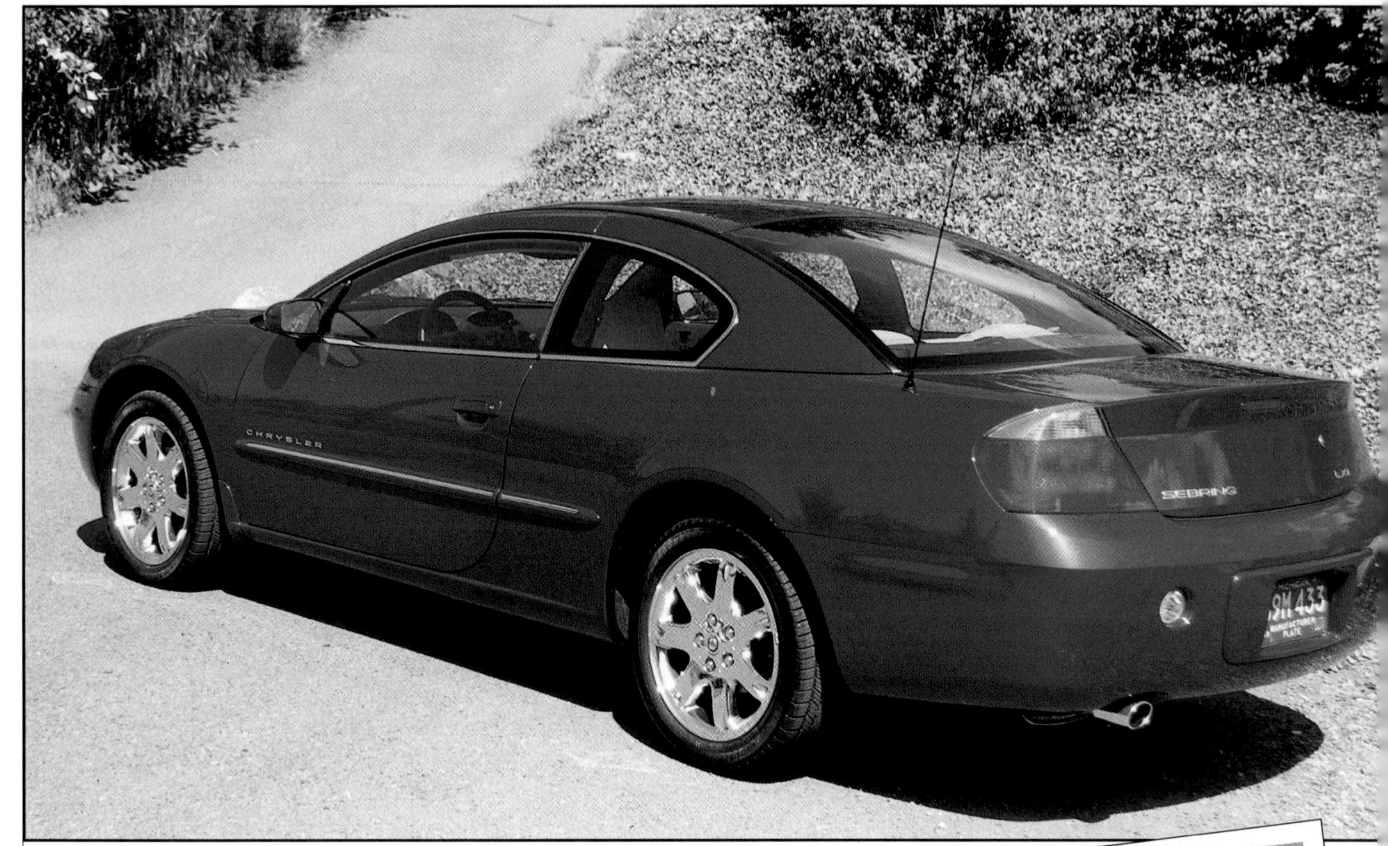

Le moteur V6 optionnel a été gonflé à 2,7 litres, ce qui a permis de porter la puissance à 200 chevaux, un gain de 32 chevaux. Le moteur de série est un 4 cylindres de 2,4 litres et 150 chevaux. Il remplace le moteur de 2 litres utilisé précédemment. Les deux sont associés à une boîte de vitesses automatique à 4 rapports. L'AutoStick à commande manuelle est offerte en option. Toutefois, puisque le passage des rapports demeure toujours en automatique en fonction du

régime et de la charge du moteur, cette option est assez peu utile.

La génération précédente avait innové au chapitre du stylisme. Cette fois, on s'est contenté de raffiner la silhouette et de la rapprocher de celle de la Concorde. La voiture partage la calandre de tous les autres modèles Sebring et il faut se demander si ce n'est pas trop «classique» pour la

ÉQUIPEMENTS

DE SÉRIE

- Climatiseur • Freins à disque aux quatre roues
- Régulateur de vitesse
- Vitres à commande électrique

EN OPTION

- Toit ouvrant • Roues en alliage
- V6 2,7 litres
- Boîte automatique AutoStick

catégorie. Vue de face, cette voiture donne l'impression d'être une grosse berline de luxe. De profil, on découvre qu'il ne s'agit que d'une intermédiaire.

Une famille unie

Si les places arrière sont un peu justes en hauteur pour une personne de grande taille, les places avant ne se prêtent à aucune critique. Le tableau de bord tente de nous faire croire qu'on nage dans le luxe avec ses nombreuses appliques en similibois qui ne convainquent personne. Il faut également s'interroger sur le positionnement du lecteur de disques compacts, tout en bas de la console. Il en est de même de la fiche électrique qui est non seulement très basse, mais en retrait. Il faut se contorsionner pour l'atteindre. Et si Chrysler a joué un rôle de pionnier pour la propagation des porte-verres, elle a perdu du terrain depuis puisque ceux de toutes les Sebring sont mal placés et peu pratiques.

La voiture est nettement mieux insonorisée qu'auparavant et la suspension plus à tout rompre en accélération pleins gaz. Le moteur V6 est suffisamment puissant et son rendement dans la bonne moyenne.

En conduite, cette berline s'avère stable en ligne droite tandis qu'elle demeure passablement neutre en virage serré non sans avoir affiché un sous-virage initial marqué.

Et le cabriolet

Toutes ces remarques s'appliquent d'emblée au cabriolet qui est dérivé cette fois de la plate-forme de la berline et non plus une concoction hybride à partir d'un châssis Mitsubishi. Seul le moteur V6 est au catalogue tandis que toutes les autres caractéristiques sont les mêmes que celles de la berline. Un toit isolé, des places arrière assez spacieuses et un châssis plus rigide assurant une meilleure insonorisation sont les progrès réalisés par rapport au modèle précédent.

avant n'est plus allergique aux trous et aux bosses. On a enfin réussi à tempérer les élans des amortisseurs avant dont les rebonds intempestifs secouaient toute la voiture. De plus, l'assistance de la direction est plus linéaire et le feed-back mieux dosé. Autre progrès important à souligner, le moteur 4 cylindres ne beugle

Ce trio de nouveaux modèles ne bouleverse rien en fait de style, de mécanique et même de performances. Toutefois, leur équilibre d'ensemble, un équipement complet et une présentation BCBG devraient sans aucun doute plaire à la clientèle cible.

Denis Duquet

CHRYSLER Sebring

▲ POUR

- Suspension améliorée • Moteurs moins bruyants
- Tenue de route prévisible • Équipement complet
- Silhouette flatteuse

▼ CONTRE

- Lecteur de disques mal placé • Similibois à revoir
- Faible support latéral des sièges
- AutoStick inutile • Fiche 12 volts difficile d'accès

CARACTÉRISTIQUES

Prix du modèle à l'essai	LX / 23 240 $
Garantie de base	3 ans / 60 000 km
Type	berline / traction
Empattement / Longueur	274 cm / 581 cm
Largeur / Hauteur	179 cm / 139 cm
Poids	1 474 kg
Coffre / Réservoir	610 litres / 61 litres
Coussins de sécurité	frontaux (latéraux option)
Suspension av.	indépendante
Suspension arr.	indépendante
Freins av. / arr.	disque (ABS option)
Système antipatinage	non
Direction	à crémaillère, assistée
Diamètre de braquage	11,2 mètres
Pneus av. / arr.	P205/65TR15

MOTORISATION ET PERFORMANCES

Moteur	4L 2,4 litres
Transmission	automatique 4 rapports
Puissance	150 ch à 5 200 tr/min
Couple	167 lb-pi à 4 000 tr/min
Autre(s) moteur(s)	V6 2,7 litres 200 ch; V6 3 litres, 200 ch (coupé)
Autre(s) transmission(s)	manuelle 5 rapports
Accélération 0-100 km/h	9,9 secondes (4L)
Vitesse maximale	195 km/h
Freinage 100-0 km/h	n.d.
Consommation (100 km)	9,5 litres, 10,7 litres (V6)

MODÈLES CONCURRENTS

- Honda Accord • Toyota Camry
- Ford Taurus • Buick Regal

QUOI DE NEUF ?

- Nouveau modèle

VERDICT

Agrément	★★★★
Confort	★★★★
Fiabilité	nouveau modèle
Habitabilité	★★★½
Hiver	★★★½
Sécurité	★★★★
Valeur de revente	nouveau modèle

 DAEWOO Lanos

Daewoo Lanos

Une première année réussie

À ses débuts sur le marché canadien, la compagnie Daewoo avait plusieurs obstacles à franchir. Non seulement elle était à peu près inconnue au Canada, mais sa gamme de modèles était identifiée par une série de noms tous plus hilarants les uns que les autres. Et lorsque les gens tentaient d'en savoir davantage, ils apprenaient que ce conglomérat était à la dérive sur le plan financier et qu'il avait produit les Pontiac Le Mans et Passeport Optima, deux citrons patentés.

Malgré ces handicaps de taille, les ventes des voitures Daewoo au Québec progressent de belle façon. Et l'un des modèles qui obtiennent la faveur des gens est la Lanos, une sous-compacte sans prétention dont le nom fait penser à quelque maladie tropicale. Mais, identification loufoque ou pas, ces succès ne sont pas le fruit du hasard.

Une élégance discrète

Il est toujours difficile pour une compagnie de s'implanter dans un nouveau marché. Et il est encore plus ardu d'imposer une silhouette pour que les produits soient reconnus au premier coup d'œil. L'enjeu est de taille. Si on joue d'audace, on risque de choquer et d'ostraciser la marque à tout jamais. Si les lignes sont trop sobres, l'anonymat est un sort tout aussi déplorable.

Chez Daewoo, les stylistes de la compagnie Italdesign chargés de concevoir la Lanos ont joué de compromis. Autant le *hatchback* 3 portes que la berline ont une silhouette relativement générique puisque les thèmes visuels sont ceux adoptés par presque toutes les voitures de la catégorie. Il faut toutefois préciser que la présentation extérieure du *hatchback* est vraiment plus originale que celle de la berline. Il s'en dégage un petit look rétro qui la démarque des autres dans la circulation.

Mais l'élément clé de l'impact visuel de ces deux voitures est sans contredit la calandre typique de la marque. Avec leur grille de calandre dominée par une section centrale en forme de trapèze, coincée entre deux autres ouvertures rectangulaires, les Daewoo se font remarquer. À l'arrière, les deux Lanos se distinguent l'une de l'autre par des feux différents, ceux de la berline étant nettement plus gros. Il faut également souligner la présence d'une moulure en relief estampée à même les tôles des portières, un élément que l'on retrouve généralement sur des modèles vendus beaucoup plus cher.

Le tableau de bord ne fait pas dans les fioritures. Les stylistes ont respecté les normes actuelles avec un ovale abritant les cadrans indicateurs qui déborde vers un module central vertical incorporant les commandes de la radio et de la climatisation. Comme ça semble être coutume chez Daewoo, les commandes de la radio sont indéchiffrables. Le reste est sobre tout en étant réalisé avec des matériaux de qualité.

Notons que la finition est supérieure à la moyenne de la catégorie.

Un nouveau nom SVP

Mécanique solide, comportement honnête

Il est évident qu'une personne à la recherche d'une petite économique ne s'attend pas à y retrouver la même sophistication technique que dans une Mercedes ou une Cadillac. Malgré tout, la Lanos n'est pas désavantagée à ce chapitre. La suspension avant est à jambes de force comme dans la majorité des sous-compactes. À l'arrière, une suspension semi-indépendante à liens multiples se révèle être un bon compromis.

Deux moteurs sont au programme. Le premier est un 4 cylindres de 1,5 litre à simple arbre à cames en tête et sa puissance est de 84 chevaux. Il équipe le modèle *hatchback* S, le plus économique de la famille Daewoo. Tous les autres modèles *hatchback* ainsi que la berline sont propulsés par un moteur 4 cylindres de 1,6 litre à double arbre à cames en tête. Il développe 21 chevaux de plus.

Il est évident que les versions équipées du moteur 1,5 litre ne sont pas des foudres de guerre. Mais puisque cette voiture est l'une des plus économiques sur le marché, on peut se consoler en songeant aux économies d'achat et d'utilisation lorsque le moteur peine à la tâche.

Le moteur 1,6 litre est nettement plus musclé. Il est parfois grognon à haut régime, mais pas assez pour que cela devienne un irritant de première. La boîte manuelle qui équipait notre voiture d'essai est dans la bonne moyenne avec une course qui pourrait gagner en précision. Par contre, le 4e rapport est pratiquement une démultipliée et il faut souvent passer en 3e pour doubler.

Des deux modèles, le *hatchback* est celui qui a plus d'impact. Plus léger et plus maniable, il plaira davantage aux conducteurs plus agressifs. Son hayon ajoute à son caractère pratique tandis que les places arrière sont relativement confortables.

La berline est le type même de la petite voiture familiale à vocation économique. Quatre adultes peuvent y prendre place assez confortablement et le comportement routier de cette petite coréenne est sans problème. La tenue de cap est bonne, le roulis en virage bien contrôlé et le sous-virage dans les courbes raides n'est pas trop prononcé. La suspension est cependant un peu trop sèche sur mauvais revêtement et on subit des retours de volant dans les courbes raides négociées à haute vitesse.

La Lanos est donc une voiture du juste milieu dont la mécanique, la tenue de route et le confort sont un compromis en harmonie avec le prix de vente et les besoins des gens qui cherchent une voiture de cette catégorie.

Denis Duquet

DAEWOO Lanos

▲ POUR

• Prix compétitifs • Fabrication soignée • Mécanique solide • Équipement complet • Tenue de route honnête

▼ CONTRE

• Commandes de la radio à revoir • Moteur 1,5 litre • Distribution encore parcimonieuse • Porte-verres peu pratiques • Retour de volant en virage serré

CARACTÉRISTIQUES

Prix du modèle à l'essai	S / 14 895 $
Garantie de base	3 ans / 60 000 km
Type	berline / traction
Empattement / Longueur	252 cm / 423 cm
Largeur / Hauteur	168 cm / 143 cm
Poids	1 145 kg
Coffre / Réservoir	322 litres / 48 litres
Coussins de sécurité	frontaux
Suspension av.	indépendante
Suspension arr.	essieu rigide
Freins av. / arr.	disque / tambour
Système antipatinage	non
Direction	à crémaillère, assistée
Diamètre de braquage	9,8 mètres
Pneus av. / arr.	P185/60R14

MOTORISATION ET PERFORMANCES

Moteur	4L 1,6 litre
Transmission	manuelle 5 rapports
Puissance	105 ch à 5 800 tr/min
Couple	106 lb-pi à 3 400 tr/min
Autre(s) moteur(s)	aucun
Autre(s) transmission(s)	automatique 4 rapports
Accélération 0-100 km/h	11,5 s, 12,9 s (auto)
Vitesse maximale	170 km/h
Freinage 100-0 km/h	39,7 mètres
Consommation (100 km)	6,4 litres, 7,2 litres

MODÈLES CONCURRENTS

• Honda Civic • Hyundai Accent
• Chevrolet Metro/Suzuki Swift

QUOI DE NEUF ?

• Aucun changement majeur
• Équipement de série modifié

VERDICT

Agrément	★★★½
Confort	★★★
Fiabilité	★★★½
Habitabilité	★★★½
Hiver	★★★
Sécurité	★★★★
Valeur de revente	★★★

Daewoo Leganza

Les moyens de ses ambitions

Au sommet de la gamme Daewoo trône la berline Leganza, sur laquelle reposent de grands espoirs. Avec des modèles comme l'Accord, l'Altima et la Camry, le créneau dit des « grandes compactes » est en effet l'un des plus importants sur le marché automobile nord-américain.

La tâche qui attend la Leganza est énorme : non seulement elle doit affronter une concurrence établie et bien affûtée, mais elle représente une marque qui, hier encore, était inconnue (ou presque) sur notre continent.

Consciente de l'ampleur du défi, Daewoo n'a pas commis l'erreur d'aller à la guerre avec un tire-pois. On a confié la conception de la Leganza à quelques spécialistes de renom : Porsche pour le châssis, Lotus pour les suspensions et Italdesign pour la carrosserie. Comme sous-traitants, il y a pire, convenons-en.

Belle partout

Cette coréenne ne se conjugue qu'en une seule configuration, soit une berline, et le modèle actuel a vu le jour en mars 1997. Aux côtés des ternes berlines japonaises, la Leganza se démarque par son physique agréable, avec une silhouette alliant fluidité et élégance, gracieuseté du maître styliste italien Giugiaro. Ce beau travail se poursuit à l'intérieur, où la qualité des matériaux n'a d'égal que le sérieux de l'assemblage. Ceux pour qui coréen rime avec camelote devront revoir leur jugement.

Qui plus est, la présentation intérieure est franchement réussie. Du moins était-ce le cas à bord de notre véhicule d'essai, dans sa tenue haut de gamme (CDX). Étonnamment cossu, généreusement équipé et fort bien insonorisé, l'habitacle brille également par son côté fonctionnel. De toute évidence, l'ergonomie a été soigneusement étudiée, car elle ne démontre aucune faille. Tout est à la portée de la main, le tableau de bord se consulte aisément et on trouve des espaces de rangement là où il en faut.

Mais surtout, l'habitabilité de cette berline la place, sans l'ombre d'un doute, dans le peloton de tête de sa catégorie. Les places arrière sont particulièrement spacieuses, ce qu'apprécieront les passagers de grande taille, qui bénéficieront d'un dégagement plus qu'appréciable pour la tête et les jambes. La banquette arrière assure un confort du même calibre, tandis que les sièges avant, enveloppants et bien rembourrés, combleront les plus exigeants.

Agréable à vivre et à conduire

Le moins qu'on puisse dire, c'est que la Leganza regorge d'agréables surprises. Sa douceur de roulement n'a rien à envier à celle de ses rivales, toutes nationalités confondues. De plus, à moins d'accélérer, on entend à peine le moteur, dont la discrétion est comparable à celle des réputés

4 cylindres japonais. Tout cela fait de la Leganza une berline fort agréable à vivre.

Seule sur son île

Mieux, elle peut aussi se montrer agréable à conduire. Cette fois, il faut lever notre chapeau aux magiciens de Lotus, à qui on a confié l'élaboration des trains roulants. Même si cette berline n'affiche aucune prétention sportive, la tenue de route surprend par son mordant. Bien servie par une direction précise et bien dosée, la Leganza se place aisément en virage, où elle se distingue par son aplomb et sa stabilité. En conduite sportive, ses réactions sont prévisibles, le roulis est joliment maîtrisé et la caisse montre une belle rigidité. Bref, le comportement de la Leganza est tout ce qu'il y a de plus sain, et en plus elle offre un confort de premier ordre. Impressionnant.

Ma principale crainte concernait le moteur, un 4 cylindres de 2,2 litres dont la puissance (131 chevaux) m'apparaissait un peu juste. Alors que la plupart de ses rivales peuvent accueillir un V6, la Leganza n'offre aucune alternative: c'est ça ou rien. Pour un V6, il faudra attendre. Quand? Là est la question…

Dans un tel contexte, on comprend mal l'impossibilité de jumeler ce moteur à une boîte manuelle, qui en tirerait un meilleur profit. En effet, seule la boîte automatique est au menu, ce qui est d'autant plus regrettable que l'agrément de conduite de cette berline au comportement étonnant monterait d'un autre cran avec une boîte manuelle.

Malgré tout, le tandem moteur-transmission démontre une belle compatibilité et le rendement de l'un comme de l'autre s'est avéré impeccable. Le 4 cylindres tourne en douceur et en silence, on vous l'a dit, mais il est aussi très souple.

Un rapport prix/équipement soigné

Ceux qui répliqueront que les produits domestiques sont moins chers ont tout faux: en termes de rapport prix/équipement, cette berline coréenne est toute seule sur son île. Pour moins de 25000 $, la Leganza CDX fournit, en équipement de série, 4 freins à disque munis de l'ABS, un toit ouvrant électrique, un climatiseur automatique, un filtre à pollen, une chaîne stéréo avec lecteur de disques compacts ainsi que des sièges chauffants. Si la fiabilité et la qualité du service après-vente sont au rendez-vous, on voit mal comment Daewoo pourrait rater son coup.

Philippe Laguë

DAEWOO Leganza

▲ POUR

• Assemblage rigoureux • Confort et douceur de roulement remarquables • Moteur bien adapté • Rapport prix/équipement dur à battre

▼ CONTRE

• Une seule motorisation (pas de V6) • Pas de boîte manuelle • Commandes de radio exécrables • Faible valeur de revente

CARACTÉRISTIQUES

Prix du modèle à l'essai	CDX / 24 200 $
Garantie de base	3 ans / 60 000 km
Type	berline / traction
Empattement / Longueur	267 cm / 467 cm
Largeur / Hauteur	178 cm / 144 cm
Poids	1 432 kg
Coffre / Réservoir	400 litres / 60 litres
Coussins de sécurité	frontaux
Suspension av.	indépendante
Suspension arr.	indépendante
Freins av. / arr.	disque ABS
Système antipatinage	oui
Direction	à crémaillère, assistée
Diamètre de braquage	11,0 mètres
Pneus av. / arr.	P205/60R15

MOTORISATION ET PERFORMANCES

Moteur	4L 2,2 litres
Transmission	automatique 4 rapports
Puissance	131 ch à 5200 tr/min
Couple	147 lb-pi à 2800 tr/min
Autre(s) moteur(s)	aucun
Autre(s) transmission(s)	aucune
Accélération 0-100 km/h	10,7 secondes
Vitesse maximale	198 km/h
Freinage 100-0 km/h	43,4 mètres
Consommation (100 km)	12,5 litres

MODÈLES CONCURRENTS

• Chevrolet Malibu • Chrsyler Sebring • Ford Focus ZTS • Honda Accord • Hyundai Sonata • Mazda 626

QUOI DE NEUF?

• Aucun changement

VERDICT

Agrément	★★★½
Confort	★★★★
Fiabilité	★★★½
Habitabilité	★★★★
Hiver	★★★½
Sécurité	★★★½
Valeur de revente	★★

 DAEWOO Nubira

Daewoo Nubira

Un hiver et 10 000 km plus tard

La Nubira représente un double défi pour Daewoo: non seulement il s'agit d'une marque encore peu connue chez nous, mais elle doit s'imposer dans le plus important créneau de l'industrie automobile au Canada, celui des compactes. Ce qui signifie qu'elle affronte des adversaires ayant pour nom Ford Focus, Mazda Protegé et Toyota Corolla, pour ne nommer qu'elles. Pas une mince affaire, en somme.

Mais, c'est bien connu, il n'y a rien comme une concurrence relevée pour mesurer le potentiel d'un produit. Ça, nous l'avions fait l'année dernière, dans le *Guide de l'auto,* avec un match comparatif intitulé «Des aubaines à la douzaine». La Nubira s'était alors classée en milieu de peloton. Ne restait plus qu'à vérifier sa fiabilité, d'où cet essai à long terme, dont le début a coïncidé avec le lancement d'une Nubira «revue et corrigée».

Bien garnie et bien construite

Les impressions qui suivent sont le résultat d'un travail d'équipe puisque depuis janvier, pas moins de cinq essayeurs se sont relayés derrière le volant de celle qui nous a été confiée, soit une version de base (SX) munie d'une boîte manuelle. Le strict minimum, quoi. Ce qui, du reste, permet d'avoir l'heure juste. Quoique, comme strict minimum, on a déjà vu pire. Chapeau à Daewoo, qui n'a pas lésiné sur l'équipement de série. Dans cette catégorie, version de base rime plus souvent qu'autrement avec dénuement, voire ascétisme. La Nubira se situe à l'autre extrême, avec deux coussins gonflables, une colonne de direction inclinable, la climatisation, les accessoires électriques (lève-glaces, rétroviseurs, verrouillage central), les miroirs extérieurs chauffants et un compte-tours.

Et il ne s'agit là que des principales caractéristiques, auxquelles il faut ajouter une chaîne stéréo avec lecteur de disques compacts et 6 haut-parleurs, dont le rendement a ravi les oreilles de notre quintette d'essayeurs, l'auteur de ces lignes y compris. Les minuscules commutateurs de ladite radio ont aussi fait l'unanimité, mais d'une tout autre façon... Quand changer de poste devient un exercice de haute précision, il y a un problème. Surtout lorsqu'on est au volant!

Les automobiles coréennes, il faut bien le dire, n'ont pas la plus enviable des réputations en ce qui concerne la qualité d'assemblage. Les Daewoo constituent cependant une heureuse surprise. À bord de la Nubira, l'allure bon marché de certains matériaux n'inspire guère confiance au premier coup d'œil, mais un examen plus approfondi révèle une construction rigoureuse, qui se rapproche des standards japonais. Une impression renforcée par l'absence de bruits de caisse dans l'habitacle, même après une utilisation intensive de plusieurs mois. Ce qui augure très bien.

Si la décoration intérieure ne paie pas de mine, l'habitacle a au moins le mérite d'être spacieux, fonctionnel et pourvu de sièges confortables – à l'avant surtout, bien que la banquette arrière soit acceptable. De plus, elle peut se replier en deux sections (40/60), ce qui permet d'augmenter la capacité d'un coffre déjà généreux en volume.

Douée, mais pas surdouée

Sage ? oui, parfaite ? non !

Dans la catégorie des compactes, rares sont celles qui offrent un agrément de conduite digne de ce nom. On préfère miser sur des qualités plus rationnelles, disons, telles que le confort et la douceur de roulement. La plupart des japonaises, par exemple, semblent coulées dans le même moule. Il faut croire que la recette s'est rendue jusqu'en Corée, car la Nubira est sage comme une image.

certains désagréments, surtout avec des bottes d'hiver.

En matière d'isolation et d'insonorisation, les japonaises s'imposent encore une fois comme la mesure-étalon. Et encore une fois, la Nubira se défend honorablement, sans toutefois se situer au même niveau. Le bruit de roulement, par exemple, est bien perceptible. Plus dérangeant est le grondement du moteur, performant certes, mais dont la discrétion n'est pas la qualité première. Et ce, malgré les supposées améliorations et autres raffinements inclus dans le processus de refonte. Dans le même ordre d'idées, on aurait souhaité une révision de la boîte manuelle, toujours aussi désagréable parce qu'imprécise et handicapée par une course du levier trop longue.

Malgré quelques irritants bien sentis, le bilan de cet essai de longue haleine est, dans l'ensemble, positif, et laisse entrevoir de belles choses pour

Très souple (trop ?), la suspension procure un roulement confortable, mais le débattement important des amortisseurs, conjugué à des pneumatiques de piètre qualité, a tôt fait de refréner les débordements d'enthousiasme. Une coche trop assistée, la direction n'est guère douée elle non plus pour la conduite sportive. Quant au freinage, il est honnête, sans plus. Par contre, les pédales trop rapprochées les unes des autres peuvent causer

ce constructeur coréen. Comme sa devancière, la Nubira revue et corrigée se classe au milieu du peloton. Compte tenu de la qualité de celui-ci, on peut parler d'une entrée en matière réussie, d'autant plus qu'aucun pépin mécanique ne s'est manifesté. Finalement, en bonne coréenne qu'elle est, elle assure un rapport qualité/prix dont l'attrait est indiscutable.

Philippe Laguë

DAEWOO Nubira

▲ POUR

• Équipement complet • Habitacle spacieux • Assemblage rigoureux • Routière confortable • Rapport qualité/prix • Version familiale

▼ CONTRE

• Commandes de la radio minuscules • Pneus bas de gamme • Suspension trop souple • Moteur bruyant • Boîte manuelle imprécise

CARACTÉRISTIQUES

Prix du modèle à l'essai	SX / 16 700 $
Garantie de base	3 ans / 60 000 km
Type	berline / traction
Empattement / Longueur	257 cm / 449 cm
Largeur / Hauteur	170 cm / 143 cm
Poids	1 242 kg
Coffre / Réservoir	370 litres / 52 litres
Coussins de sécurité	frontaux
Suspension av.	indépendante
Suspension arr.	indépendante
Freins av. / arr.	disque / tambour (ABS optionnel)
Système antipatinage	non
Direction	à crémaillère, assistée
Diamètre de braquage	10,6 mètres
Pneus av. / arr.	P185/65R14

MOTORISATION ET PERFORMANCES

Moteur	4L 2 litres
Transmission	manuelle 5 rapports
Puissance	129 ch à 5 400 tr/min
Couple	136 lb-pi à 4 400 tr/min
Autre(s) moteur(s)	aucun
Autre(s) transmission(s)	automatique 4 rapports
Accélération 0-100 km/h	9,5 s; 10,1 s (aut.)
Vitesse maximale	190 km/h
Freinage 100-0 km/h	44,2 mètres
Consommation (100 km)	9,0 litres

MODÈLES CONCURRENTS

• Chrysler Neon • Ford Focus • Hyundai Elantra • Kia Sephia • Nissan Sentra • Mazda Protegé

QUOI DE NEUF ?

• Partie arrière redessinée (familiale seulement)

VERDICT

Agrément	★★½
Confort	★★★½
Fiabilité	★★★½
Habitabilité	★★★½
Hiver	★★★½
Sécurité	★★★
Valeur de revente	★★

 DODGE Caravan CHRYSLER Town & Country

Dodge Grand Caravan

De retour au sommet

Les automobilistes qui se seraient aventurés sur cette route pratiquement déserte, pas très loin de Phoenix, en Arizona, au début de décembre 1999, auraient pu apercevoir un étrange quatuor de véhicules aux allures d'extraterrestres. Enveloppés dans des housses de vinyle dissimulant leurs formes, des prototypes de la future fourgonnette de Chrysler ont été soumis à une série d'essais comparatifs par un petit groupe de journalistes automobiles venus des quatre coins du monde. J'y étais et j'ai pu conduire ces précieux véhicules assemblés à la main par le département d'ingénierie de Chrysler.

Pour que l'expérience soit encore plus concluante, les responsables de la compagnie avaient réuni les concurrentes de leur fourgonnette, une Honda Odyssey, une Ford Windstar, une Toyota Sienna, une Chevrolet Venture et une Mazda MPV.

Chrysler, rappelons-le, a vendu la moitié de toutes les fourgonnettes actuellement en circulation dans le monde, soit 8 millions, et détient aux États-Unis rien de moins que 40 % de ce marché fort lucratif.

La formule gagnante

Devant de telles statistiques, il faut évidemment se montrer prudent pour ne pas saboter un produit déjà très populaire. C'est ce qui explique que la fourgonnette Chrysler cuvée 2001 diffère très peu de l'ancienne sur le plan visuel. On s'est plutôt contenté de raffiner le design dans le but avoué de rester en avance sur la concurrence.

À l'œil nu, il faut être un fin observateur pour noter que le pare-chocs avant a été redessiné, que les blocs optiques ont été agrandis de 50 % et que le capot a été haussé d'environ 2 cm. À l'arrière, le feu de freinage central a été repositionné sur le petit aileron en haut du hayon. En somme, c'est une ligne située sous la ceinture de caisse, tout le long de la carrosserie, qui constitue l'élément visuel le plus marquant des fourgonnettes Chrysler 2001. Il faut également ajouter que le capot est sillonné de chaque côté de lignes tangentes afin de donner plus de relief à l'ensemble.

C'est surtout ce qui ne saute pas aux yeux qui a fait l'objet des plus importants changements. Côté confort, on s'est penché sur la réduction du bruit dans l'habitacle afin de faciliter la conversation entre les occupants du véhicule. Et, effectivement, il est beaucoup plus facile pour un passager assis à l'avant d'entendre quelqu'un prenant place sur la troisième banquette dans une Town & Country 2001 que dans une Honda Odyssey, notamment. Les ingénieurs de Honda ont opté pour un plancher arrière creux pouvant recevoir la banquette arrière. C'est astucieux, mais l'inconvénient d'une telle solution est que les bruits de la route sont moins bien filtrés.

D'ingénieuses innovations

Parmi les autres innovations dont Chrysler sera le pionnier dans ce type de véhicule, on peut mentionner le nouveau système d'activation électrique des portières coulissantes latérales. En plaçant le moteur dans la porte elle-même, on offre la possibilité d'une utilisation électrique ou manuelle. On a aussi doté les nouvelles fourgonnettes d'un abattant arrière à commande électrique fort pratique muni d'un détecteur de présence pour éviter les blessures. Une autre astuce est cette tablette arrière escamotable que l'on peut transformer en une boîte très utile pour ranger certains objets plus délicats. Finalement, l'aménagement intérieur bénéficie également d'une console centrale amovible qui peut être placée entre les 2 sièges baquets de la seconde rangée ou encore à l'avant. Il est même possible de commander une console additionnelle pour que les 2 rangées de sièges en soient munies. Le système de climatisation est à trois zones, ce qui signifie que l'on peut opter pour des températures différentes pour le conducteur, le passager avant ou les occupants des places arrière.

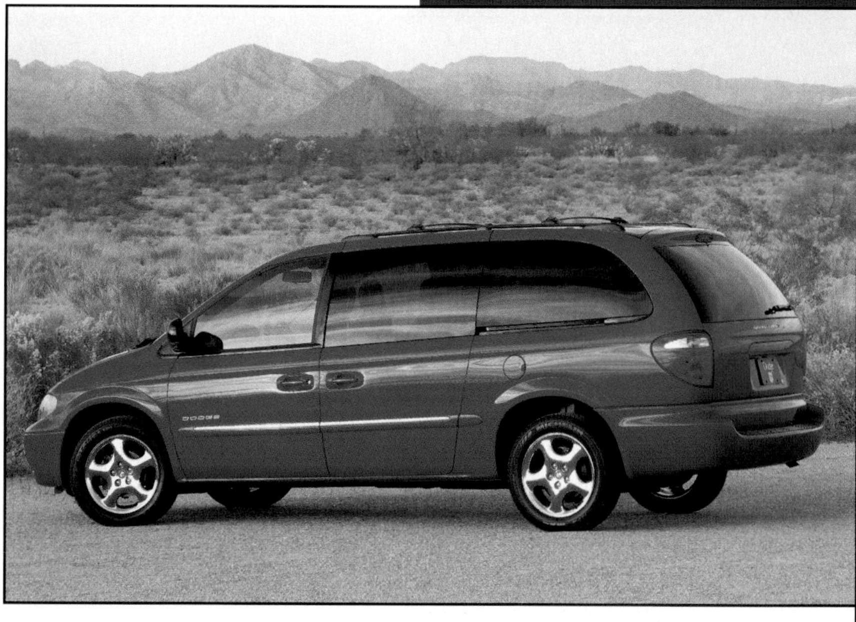

Les modifications mécaniques sont aussi importantes. Les exigences du marché européen ont notamment dicté l'utilisation de freins plus costauds testés dans les mêmes conditions que ceux des produits Mercedes-Benz, dans les Alpes autrichiennes. Les étriers de freins, entre autres, ont une surface 20 % plus grande que dans les anciennes versions.

Chrysler s'est aussi longtemps attardée à la sécurité de manière que les fourgonnettes 2001 puissent respecter les normes européennes sur les impacts avant en diagonale et sur la protection pour la tête.

En plus d'une sécurité accrue, les nouvelles fourgonnettes de Chrysler ont été élaborées pour offrir un agrément de conduite supérieur. À cette fin, l'angle de chasse de la suspension avant a été augmenté de 2° et la direction a été rendue plus précise. La structure offre aussi une meilleure résistance à la torsion et les points d'ancrage de la suspension arrière sont 8 fois plus rigides afin de diminuer la transmission des bruits de la route.

Sous le capot, la plus grande nouvelle c'est qu'on peut opter pour le moteur V6 de 3,5 litres et 230 chevaux provenant de la Chrysler 300 M, ces fourgonnettes devenant ainsi les plus puissantes sur le marché. Ce moteur ne sera commercialisé qu'en cours d'année. Au lancement de cette nouvelle cuvée de fourgonnettes, deux moteurs seront au catalogue. Ce sont des valeurs connues, car ils étaient déjà offerts sur les modèles 2000. Le V6 de 3,3 litres voit sa puissance grimper de 140 à 180 chevaux, tandis que le V6 de 3,8 litres produit maintenant 215 chevaux au lieu de 180. Et si les publications éditées aux États-Unis font mention d'un mo teur 4 cylindres, celui-ci n'est pas offert au Canada.

Des prototypes aux modèles de série

Des essais plus poussés réalisés avec des modèles de série des Dodge Caravan et Chrysler Town & Country ont aisément fait la preuve que Chrysler demeurait le maître incontesté de ce type de véhicule. La Honda Odyssey, qui avait légèrement devancé ces véhicules depuis son appari-

tion sur le marché il y a deux ans, est recalée à la deuxième position. Quant aux autres, ils cherchent toujours la recette pour battre Chrysler à son propre jeu.

Pour en arriver à cette conclusion, nous avons roulé plusieurs centaines de kilomètres sur une multitude de routes très variées en banlieue de Seattle, dans l'État de Washington, dans le cadre de la présentation du modèle de production. La prise de contact ne devrait pas dérouter la personne habituée à conduire une T&C ou une

Caravan. Il faut souligner au passage que toutes les Chrysler Town & Country sont à empattement allongé tandis que la Caravan est à empattement court et la Grand Caravan, je vous le donne en mille, est un modèle allongé.

La plupart des caractéristiques de confort, de tenue de route et de polyvalence qui ont fait la renommée de ces modèles sont de retour. Toutefois, tout est beaucoup

ÉQUIPEMENTS

DE SÉRIE

- Climatisation • Moteur V6 3,3 litres
- Console mobile
- Vitres électriques

EN OPTION

- Moteurs V6 3,8 litres / V6 3,5 litres
- Sièges chauffants • Antipatinage • Traction intégrale • Coussins de sécurité latéraux

mieux dans l'ensemble. Il y a bien ce module des commutateurs des glaces électriques qui vient se frotter contre la cuisse du chauffeur et ce levier de vitesses dont la course n'est pas linéaire, mais les irritants sont de cette nature, donc passablement mineurs.

Premières de classe

Les qualités routières et dynamiques de ces nouvelles fourgonnettes leur permettent donc de tenir la dragée haute à toutes leurs concurrentes. Mais, à l'usage, ce sont les portières coulissantes motorisées qui seront les plus appréciées. Plus besoin de tenter d'accélérer la fermeture ou l'ouverture de ces portes motorisées qui, bien que très pratiques, prennent souvent une éternité à s'ouvrir ou à se fermer. Chacune d'entre elles est munie d'un système qui détecte la tentative de les ouvrir ou de les fermer de façon manuelle et désengage la motorisation. C'est simple et drôlement efficace. Enfin, au tout début, j'étais persuadé qu'un hayon arrière motorisé n'était qu'une autre trouvaille issue des cerveaux fiévreux du département de mise en marché de la compagnie afin d'offrir une autre exclusivité sur ce véhicule. Mais non seulement ce mécanisme fonctionne simplement et rapidement, mais on ne veut plus s'en passer une fois qu'on y a goûté.

Le simple fait de pouvoir appuyer sur le bouton de la télécommande pour avoir accès comme par magie à la soute à bagages est un élément fort pratique.

Au risque de se répéter, comme sur tous les nouveaux modèles Chrysler dévoilés récemment, la suspension avant est beaucoup plus confortable et le mouvement vertical des roues beaucoup mieux contrôlé. On ne ressent plus dans le volant les secousses des pneus au contact d'un trou ou d'une bosse. De plus, la géométrie de la timonerie ayant été révisée, la stabilité en ligne droite est meilleure que jamais.

Un autre élément digne de mention est le fait que les grognements typiques des moteurs de ces deux fourgonnettes et le niveau sonore élevé de l'admission d'air dans le collecteur d'échappement ont été atténués.

Il ne faut donc pas conclure que cette nouvelle génération de fourgonnettes Dodge et Chrysler se résume à un léger remaniement de la carrosserie et à la motorisation des portes latérales et du hayon arrière. En dépit des apparences, ces nouveaux modèles sont transformés du tout au tout. À tel point qu'ils sont à nouveau la référence de la catégorie.

Jacques Duval / Denis Duquet

CHRYSLER Town & Country

▲ POUR

• Moteurs plus puissants • Insonorisation améliorée • Moteurs incorporés dans les portières latérales • Hayon motorisé • Suspension avant plus adoucie

▼ CONTRE

• Restylage trop discret • Alignement du levier de vitesses • Sièges amovibles relativement lourds • Prix corsé de la T&C

CARACTÉRISTIQUES

Prix du modèle à l'essai	LXi / 42 150 $
Garantie de base	3 ans / 60 000 km
Type	fourgonnette, empattement long / traction
Empattement / Longueur	303 cm / 509 cm
Largeur / Hauteur	199 cm / 175 cm
Poids	1 959 kg
Coffre / Réservoir	566 litres / 75 litres
Coussins de sécurité	frontaux et latéraux
Suspension av.	indépendante
Suspension arr.	poutre déformante
Freins av. / arr.	disque ABS
Système antipatinage	oui
Direction	à crémaillère, assistée
Diamètre de braquage	12,0 mètres
Pneus av. / arr.	P215/70R15

MOTORISATION ET PERFORMANCES

Moteur	V6 3,3 litres
Transmission	automatique 4 rapports
Puissance	180 ch à 5 000 tr/min
Couple	210 lb-pi à 4 000 tr/min
Autre(s) moteur(s)	V6 3,8 litres 215 ch; V6 3,5 litres 230 ch
Autre(s) transmission(s)	aucune
Accélération 0-100 km/h	10,9 s ; 9,8 s (3,8 litres)
Vitesse maximale	180 km/h
Freinage 100-0 km/h	43,0 mètres
Consommation (100 km)	10,2 litres

MODÈLES CONCURRENTS

• Ford Windstar • Honda Odyssey • Toyota Sienna • Oldsmobile Silhouette/Pontiac Montana

QUOI DE NEUF ?

• Nouveau modèle

VERDICT

Agrément	★★★★
Confort	★★★★
Fiabilité	nouveau modèle
Habitabilité	★★★★
Hiver	★★★★
Sécurité	★★★★★
Valeur de revente	★★★★

DODGE Durango

Dodge Durango

Macho Man

De par son format, le Dodge Durango se situe à mi-chemin entre les utilitaires sport intermédiaires (Jeep Grand Cherokee, Ford Explorer et cie) et les gros formats (GMC Yukon/Chevrolet Tahoe, Ford Expedition/Lincoln Navigator). On évite ainsi, chez DaimlerChrysler, la cannibalisation avec les produits Jeep. Comme quoi les meilleures idées sont souvent les plus simples.

Sans rien enlever aux créateurs du Durango, il convient cependant de préciser que la même recette avait été utilisée 13 ans plus tôt, pour concevoir la camionnette Dakota. C'est d'ailleurs cette plate-forme qui fut retenue pour la conception du Durango.

Non seulement le Dakota a fait don de ses organes (mécaniques) à son frérot, mais il lui a également servi de modèle. À l'intérieur comme à l'extérieur, puisque l'habitacle comme les ailes bombées et la partie frontale du Durango sont empruntées au Dakota, qui lui-même s'inspirait largement de son grand frère, le Dodge Ram. La ressemblance frappante entre ces trois modèles ne trompera d'ailleurs personne quant à leurs liens de sang, si j'ose dire.

Encore là, l'idée est loin d'être mauvaise puisque tant le Ram que le Dakota en ont conquis plus d'un par leur allure on ne peut plus distincte. Viril, pour ne pas dire macho, leur dessin original est un joli clin d'œil aux camions poids lourds, objets de culte auprès d'une large portion de la gent masculine.

Le souci du détail

La présentation intérieure fait l'objet d'une révision complète en 2001. Parmi les principaux réaménagements, citons le tableau de bord, les sièges, les panneaux de garnissage des portes, le revêtement de pavillon, les poignées de maintien, les sacs gonflables et les prises d'alimentation. Tout ça est nouveau, ce à quoi il faut ajouter des modifications apportées au système de chauffage et climatisation afin de le rendre plus silencieux et d'améliorer la répartition de l'air. Ce n'est pas tout : le levier de commande de la boîte de transfert électronique est désormais intégré au tableau de bord, tandis que les commandes audio sont montées sur le volant. Autant de solutions pratiques qui démontrent le souci du détail qui prévaut chez ce constructeur. Naguère le talon d'Achille des produits Chrysler, la qualité d'assemblage est un net progrès ; la finition impeccable de notre véhicule d'essai méritait d'être soulignée. C'est fait.

Mais l'un des points forts du Durango est sans nul doute son habitabilité, combinée à l'ingéniosité de sa cabine. Celle-ci peut en effet accueillir 8 passagers, grâce à la présence d'une troisième banquette. De plus, les deux banquettes arrière sont, comme il se doit, repliables. Mais encore une fois, on s'est efforcé de faire mieux : d'abord, l'opération est fort simple, et ensuite, une fois rabattues, ces banquettes dotent le véhicule d'une surface de chargement parfaitement plane.

Ce beau travail ne s'arrête pas là : ces deux rangées de sièges sont surélevées, comme dans une salle de spectacle, notamment afin d'offrir une meilleure vue à leurs occupants. Plus haute de 5 cm, la partie arrière du toit leur permet de ne pas se retrouver la tête collée au plafond. Voilà ce qu'on appelle, encore une fois, le souci du détail.

Champion des mi-lourds

Bon pour « la grosse ouvrage »

En plus de partager sa plate-forme avec le Dakota, le Durango lui emprunte la presque totalité de sa mécanique, notamment les deux motorisations proposées (des V8 de 4,7 et 5,9 litres). Le plus petit des deux – on devrait plutôt dire le moins gros – apparaît comme le meilleur compromis. S'il n'arrache pas le bitume, il brille cependant par son couple généreux autant que par sa douceur, et ses 235 chevaux ne peinent pas à la tâche. Sa capacité de remorquage (2 019 ou 2 609 kg, selon le ratio du différentiel) n'est pas à dédaigner non plus ; elle grimpe à 3 331 kg avec le V8 de 5,9 litres (et l'équipement approprié, qui exige notamment l'ensemble R/T Sport et l'utilisation de carburant de type Super). Bref, ces deux moteurs ne craignent pas « la grosse ouvrage ».

Une bonne surprise, elle aussi digne de mention : le freinage, plus souvent qu'autrement exécrable dans les véhicules de la grande famille Chrysler, s'est montré tout à fait correct chez le Durango. Pour une fois, la pédale n'est pas trop spongieuse, ce qui facilite les manœuvres de freinage, le dosage en tête de liste. Les distances d'arrêt sont dans la bonne moyenne, tout comme la puissance.

Grâce à sa garde au sol, à ses pneus surdimensionnés et à sa puissance, le Durango, on s'en doute, se débrouille fort bien lorsque vient le temps de s'aventurer hors des sentiers battus. Mais l'autre bonne surprise réside dans ses aptitudes routières : la tenue de route n'est pas vilaine du tout et l'aplomb du gros utilitaire, dans les virages serrés comme dans les grandes courbes, a de quoi étonner.

Le bilan du Dodge Durango est donc, dans l'ensemble, positif. Saluons l'intelligence de Chrysler qui, plutôt que d'en faire un rival du Grand Cherokee de la même famille, en a plutôt fait un complément. Avec les trois modèles de la gamme Jeep, les Mercedes de Classe M et le Durango, le groupe DaimlerChrysler est d'ailleurs plutôt bien nanti en utilitaires sport de tout poil. Souhaitons seulement que la fiabilité soit au rendez-vous, tel que promis, car s'il est un domaine où Chrysler a encore du progrès à faire, c'est bien celui-là. Mais, bon, Rome ne s'est pas bâtie en un jour, et le Durango donne une nouvelle preuve des pas de géants qu'a effectués ce constructeur depuis le début des années 90.

Philippe Laguë

DODGE Durango

▲ POUR

• Look ravageur • Finition et qualité d'assemblage en progrès • Habitabilité exceptionnelle • Comportement routier étonnant • Freinage efficace

▼ CONTRE

• Places arrière peu confortables • Poids élevé • Véhicule encombrant • Consommation gargantuesque des V8 • Fiabilité à surveiller

CARACTÉRISTIQUES

Prix du modèle à l'essai	SLT (R/T Sport) / 45 120 $
Garantie de base	3 ans / 60 000 km
Type	utilitaire sport / 4X4
Empattement / Longueur	295 cm / 491 cm
Largeur / Hauteur	182 cm / 183 cm
Poids	2 086 kg
Coffre / Réservoir	1 453 litres / 95 litres
Coussins de sécurité	frontaux
Suspension av.	indépendante
Suspension arr.	essieu rigide
Freins av. / arr.	disque / tambour ABS
Système antipatinage	non
Direction	à crémaillère, assistée
Diamètre de braquage	11,9 mètres
Pneus av. / arr.	P275/60R17

MOTORISATION ET PERFORMANCES

Moteur	V8 5,9 litres
Transmission	automatique 4 rapports
Puissance	250 ch à 4 200 tr/min
Couple	350 lb-pi à 3 000 tr/min
Autre(s) moteur(s)	V8 4,7 litres 235 ch ; V8 5,9 litres 245 ch
Autre(s) transmission(s)	aucune
Accélération 0-100 km/h	8,1 s / 9,0 s (235 ch)
Vitesse maximale	185 km/h (limitée)
Freinage 100-0 km/h	41,6 mètres
Consommation (100 km)	14,6 litres

MODÈLES CONCURRENTS

• Chevrolet Tahoe/GMC Yukon • Ford Expedition • Toyota Sequoia

QUOI DE NEUF ?

• Système de chauffage et climatisation plus silencieux • Commandes audio sur volant

VERDICT

Agrément	★★★
Confort	★★★
Fiabilité	★★★
Habitabilité	★★★★★
Hiver	★★★★
Sécurité	★★★★
Valeur de revente	★★★★½

DODGE Viper

Dodge Viper GTS ACR

Belle brute

La dernière fois que j'ai fait l'essai de la Viper GTS, la madame était pas contente. C'était bien avant que l'hypersportive du groupe DaimlerChrysler soit dotée de freins ABS, une innovation qu'on aura dû attendre jusqu'à cette année sur les méchants coupés et roadsters de Dodge. Ignorant que la voiture ne possédait pas de système antiblocage, un membre de notre équipe avait malencontreusement fait un plat sur les Michelin Pilot en simulant un arrêt d'urgence à partir de 100 km/h.

Cet incident n'avait pas eu l'heur de plaire à la représentante des relations publiques de Chrysler, Jody Ness, qui avait piqué une sainte colère et décidé de plier bagages avec son précieux butin. Sa crise de nerfs s'inscrira d'ailleurs à tout jamais dans le *vade-mecum* du parfait relationniste à la colonne des choses à ne pas faire. Fort heureusement, cette énergumène a depuis été placée hors d'état de nuire par la compagnie Chrysler.

Nos lecteurs les plus attentifs se souviendront que cet épisode date du *Guide de l'auto 1998* et qu'il s'est déroulé sur les pistes du Centre d'essais de Blainville où j'avais fracassé le record de vitesse en atteignant 299,7 km/h, un chiffre dûment homologué et encore non battu.

Une GTS très spéciale

Cette année, c'est au circuit de Sanair que j'ai renoué avec la Viper GTS, mais pas avec n'importe laquelle. Il s'agissait de la version ACR de l'édition 2000, un modèle à faible tirage élaboré pour souligner les succès en course de la voiture. Ses deux victoires en classe GT aux 24 Heures du Mans ne me surprennent pas du tout, compte tenu que la Viper m'apparaît beaucoup plus près d'un engin de compétition que d'un confortable coupé grand-tourisme.

La raideur de la suspension, l'exiguïté de l'habitacle (ou du cockpit) et les ruades du gros V10 de 8 litres qui hurle sous le capot avant sont autant de traits de caractère qui démontrent que l'on a intérêt à être masochiste sur les bords pour rouler en Viper. Mais quelle gueule, quel son et quelles accélérations quand on libère les 460 chevaux de ce redoutable engin ! Oui, j'ai bien dit 460 chevaux, soit 10 de plus que dans la version ordinaire de la GTS, gracieuseté d'un filtre à air K & N moins restrictif. En plus de ce minime gain de puissance, le couple a aussi fait un léger bond, passant de 490 à 500 lb-pi. Les spécificités du modèle ACR comprennent aussi des jantes spéciales BBS, des amortisseurs réglables Koni, des ressorts Meritor et quelques autres menus détails.

Sur l'anneau de vitesse de Blainville, il est plausible de croire que cette Viper aurait pu atteindre les 304,6 km/h annoncés comme vitesse de pointe. Car, malgré un espace restreint, la voiture essayée « tapait » les 250 km/h sans effort.

Si cette voiture impose certains sacrifices, elle offre en échange de belles émotions, tant par sa force brutale que par son look unique. Pour le tape-à-l'œil, elle figure tout en haut du palmarès à côté du Hummer et de n'importe quoi arborant l'emblème Ferrari.

Vroum ! Vroum !

Pas d'antipatinage

Les chiffres d'accélération de la Dodge Viper GTS sont étroitement reliés à l'habileté du conducteur à bien doser le déploiement de la puissance et la limite d'adhérence des pneus. L'exercice peut paraître simple en soi, mais les temps peuvent varier considérablement d'un test à l'autre selon que les roues patinent trop ou trop peu, compte tenu que la voiture ne possède pas de système antipatinage. Il n'est pas facile de trouver le juste milieu qui se traduira par le meilleur chrono possible. Je me suis contenté d'un 4,4 secondes entre 0 et 100 km/h, mais je suis prêt à admettre qu'il est possible de faire mieux.

Si j'insiste tellement sur les performances, c'est que la Viper GTS n'a pas grand-chose d'autre à offrir. La tenue de route est spectaculaire, le freinage adéquat et la direction assez communicative, mais, pour le reste, l'achat d'une telle voiture relève du coup de cœur, rien d'autre. En revanche, on éprouve beaucoup de plaisir à la conduire « à l'accélérateur », ce qui signifie que la puissance du moteur est pratiquement aussi utile que le volant pour orienter la Viper dans la bonne direction.

Je suis surpris que Chrysler n'ait pas encore trouvé le moyen de doter la voiture d'un appuie-pied à gauche de l'embrayage. Cela peut sembler anodin, mais sur n'importe quel trajet de plus d'une heure, le fait de n'avoir aucun endroit pour appuyer son pied gauche devient vite fatigant. Toutefois, la Viper s'offre un luxe intéressant sous la forme d'un pédalier ajustable qui permet de mieux dénicher la bonne position de conduite. Finalement, attention de ne pas vous frotter aux bas de caisse en sortant de la voiture. Car, même si le tuyau d'échappement latéral a été recouvert d'un panneau de carrosserie, on peut, sinon se brûler, à tout le moins se rendre compte qu'il fait très chaud dans le coin.

En consultant la liste des nouveautés de l'année, on constate que les seuls changements au catalogue pour 2001 se limitent à l'apparition d'un système de freins antiblocage ABS, d'un nouveau rétroviseur intérieur et de deux nouvelles couleurs, le jaune vif et le bleu saphir en remplacement du gris acier et du noir. Ces modifications s'appliquent aussi bien au coupé qu'au roadster R/T 10 qui est toujours offert.

La Dodge Viper, que ce soit le roadster ou le coupé, ne fait pas dans la dentelle et s'adresse à cette clientèle qui est restée accrochée aux gros cubes des années 60-70 (j'allais écrire les Michel Barrette de ce monde). Rien de tel pour noircir un peu de bitume. Certes, c'est tout ce qu'il y a de plus politiquement incorrect, mais quelle belle brute que cette GTS !

Jacques Duval

DODGE Viper

▲ POUR

• Puissance à revendre • Tape-à-l'œil garanti • Conduite enivrante • Finition moins artisanale • Ajout de l'ABS

▼ CONTRE

• Mauvaise étanchéité des glaces à haute vitesse • Confort médiocre • Pas de repose-pied • Habitacle étroit • Utilisation limitée

CARACTÉRISTIQUES

Prix du modèle à l'essai	GTS ACR / 125 000 $
Garantie de base	3 ans / 60 000 km
Type	coupé GT 2 places / propulsion
Empattement / Longueur	244 cm / 449 cm
Largeur / Hauteur	192 cm / 122 cm
Poids	1 569 kg
Coffre / Réservoir	260 litres / 70 litres
Coussins de sécurité	frontaux
Suspension av.	indépendante
Suspension arr.	indépendante
Freins av. / arr.	disque ventilé ABS
Système antipatinage	non
Direction	à crémaillère, assistée
Diamètre de braquage	12,3 mètres
Pneus av. / arr.	P275/35ZR18 / P335/30ZR18

MOTORISATION ET PERFORMANCES

Moteur	V10 8 litres
Transmission	manuelle 6 rapports
Puissance	460 ch à 5 200 tr/min
Couple	500 lb-pi à 3 700 tr/min
Autre(s) moteur(s)	V10 8 litres 450 ch
Autre(s) transmission(s)	aucune
Accélération 0-100 km/h	4,4 secondes
Vitesse maximale	304,6 km/h
Freinage 100-0 km/h	49,3 mètres (sans ABS)
Consommation (100 km)	18 litres

MODÈLES CONCURRENTS

• Chevrolet Corvette Z06
• Callaway C12

QUOI DE NEUF ?

• Freins antiblocage ABS avec témoin lumineux au tableau de bord • Rétroviseur plus grand

VERDICT

Agrément	★★★½
Confort	★
Fiabilité	★★★
Habitabilité	★★
Hiver	nul
Sécurité	★★★
Valeur de revente	★★★★

 **FORD** Escape

Ford Escape

Dearborn se raisonne

L'an dernier, la compagnie Ford soulevait la controverse en dévoilant l'Excursion, un gargantuesque véhicule utilitaire sport. Ce mastodonte représentait le point culminant d'une escalade vers des véhicules de plus en plus gros. Cette année, on assiste à un retour à la logique puisque l'Escape est un tout-terrain aux dimensions compactes, davantage en harmonie avec les besoins de la majorité.

Si les ingénieurs de Dearborn semblent à l'aise lorsqu'il s'agit des gros gabarits, c'est l'expertise de leurs homologues chez Mazda à Hiroshima qui a été sollicitée lorsqu'on a pris la décision de développer un modèle compact. Il ne faut donc pas se surprendre si le Mazda Tribute et le Ford Escape sont pratiquement des frères jumeaux. Ils ont été créés par les mêmes personnes, leurs groupes propulseurs sont identiques et ils sont assemblés à la même usine, située à Claycomo, en banlieue de Kansas City, dans le Missouri.

Une surprenante habitabilité

Une balade au volant de ce nouveau véhicule fournit la preuve qu'il n'est pas nécessaire de se procurer un mastodonte pour pouvoir profiter d'une habitabilité plus qu'adéquate et d'un coffre à bagages en mesure de répondre aux besoins de la majorité des gens. L'Escape peut accommoder 4 adultes et tous leurs bagages sans aucun problème. Et même si sa longueur hors tout est inférieure à celle d'une Subaru Forester, le coffre à bagages est pratiquement identique à celui de cette dernière et plus spacieux que celui d'un Jeep Cherokee. Même si l'Escape est un peu moins large que le Tribute, l'espace disponible pour le dégagement des jambes, des épaules et de la tête est semblable dans ces deux utilitaires sport.

Il faut également souligner que les portières arrière sont plus larges que la moyenne, ce qui facilite l'accès. Enfin, la lunette arrière peut s'ouvrir indépendamment du hayon, un avantage fort apprécié en certaines circonstances. Détail intéressant, autant dans le Tribute que dans l'Escape, les dossiers 60/40 de la banquette arrière peuvent s'incliner afin d'assurer un meilleur confort aux occupants.

Mécanique similaire, terminologie différente

Ces deux modèles jumeaux sont propulsés par les mêmes moteurs. Le 4 cylindres Zetec 2 litres développe 130 chevaux et est couplé à une boîte manuelle à 5 rapports fournie par Mazda. Le V6 Duratec 3 litres produit 200 chevaux et ne peut être livré qu'avec une boîte automatique à 4 rapports. Ces deux moteurs sont également utilisés sur plusieurs autres modèles et leur fiabilité n'est pas remise en question.

Mais, mise en marché oblige, le système de traction intégrale offert sur l'Escape est appelé Control-Trac II chez

Ford et RBC chez Mazda. Mais il s'agit exactement de la même chose : un mécanisme placé entre les essieux arrière comprend une chambre de pression remplie d'une huile spéciale qui engage des disques d'embrayage lorsqu'une ou plusieurs roues patinent. Le couple est alors réparti automatiquement vers les roues qui ont le plus d'adhérence. Contrairement aux boîtes de transfert à visco-coupleur, celle-ci assure une réponse plus progressive et plus rapide. Et on a eu la bonne idée d'installer sur le tableau de bord un commutateur qui permet de verrouiller le système et de répartir le couple en mode 50/50 aux roues avant et arrière.

Place à la logique

Enfin, contrairement aux modèles des catégories supérieures généralement dérivés d'un châssis de camion, l'Escape a une suspension arrière indépendante et une direction à crémaillère.

L'Escape, tout comme le Mazda Tribute, enfile les courbes avec aplomb. La direction se révèle aussi précise que celle d'une berline de même catégorie. Le moteur V6 n'est peut-être pas un foudre de guerre, mais il permet tout de même des accélérations et des reprises dans la bonne moyenne. Par contre, en altitude, il a peiné à gravir de longues pentes fortement inclinées. Malheureusement, notre essai était limité aux modèles à moteur V6. Mais, compte tenu de nos impressions de conduite, il est certain que le déficit de 70 chevaux du moteur 2 litres risque de se faire sentir une fois le véhicule lourdement chargé.

En comparaison avec le Mazda Tribute, l'Escape se distingue par une suspension plus souple, une direction plus assistée et une présentation extérieure un peu plus « macho ». Pour le reste, c'est sensiblement la même chose. Tous les deux offrent presque tout ce que les acheteurs recherchent dans un utilitaire sport sans nécessairement en posséder les inconvénients.

Un heureux compromis

En général, les véhicules utilitaires sport sont capables de se défendre de façon très honorable lorsque la route se transforme en sentier ou même en champ. Ils sont toutefois handicapés sur le chemin pavé en raison d'une tenue de cap aléatoire, d'un fort roulis dans les courbes et d'une faible adhérence des pneus en virage.

Denis Duquet

FORD Escape

▲ POUR

- Rouage intégral • Choix de moteurs
- Prix compétitifs • Bonne habitabilité
- Comportement routier sain

▼ CONTRE

- Moteur 4 cylindres • Porte-verres mal placés
- Accoudoir central encombrant • Direction trop légère • Absence de boîte manuelle avec V6

CARACTÉRISTIQUES

Prix du modèle à l'essai	XLS / 24 595 $
Garantie de base	3 ans / 60 000 km
Type	utilitaire sport compact / traction intégrale
Empattement / Longueur	212 cm / 439 cm
Largeur / Hauteur	178 cm / 170 cm
Poids	1 475 kg
Coffre / Réservoir	937 litres / 58 litres
Coussins de sécurité	frontaux et latéraux (option)
Suspension av.	indépendante
Suspension arr.	indépendante
Freins av. / arr.	disque / tambour ABS (option)
Système antipatinage	non
Direction	à crémaillère, assistée
Diamètre de braquage	10,8 mètres
Pneus av. / arr.	P225/70R15

MOTORISATION ET PERFORMANCES

Moteur	4L 2 litres Zetec
Transmission	manuelle 5 rapports
Puissance	130 ch à 5 400 tr/min
Couple	135 lb-pi à 4 500 tr/min
Autre(s) moteur(s)	V6 3 litres Duratec 200 ch
Autre(s) transmission(s)	automatique 4 rapports
Accélération 0-100 km/h	12,8 s ; 11,4 s (V6)
Vitesse maximale	180 km/h
Freinage 100-0 km/h	43,6 mètres
Consommation (100 km)	10,3 litres ; 12, 8 litres (V6)

MODÈLES CONCURRENTS

- Honda CR-V • Subaru Forester • Toyota RAV4
- Suzuki Vitara/Grand Vitara/Chevrolet Tracker

QUOI DE NEUF ?

- Nouveau modèle

VERDICT

Agrément	★★★
Confort	★★★½
Fiabilité	nouveau modèle
Habitabilité	★★★★
Hiver	★★★★
Sécurité	★★★½
Valeur de revente	nouveau modèle

FORD Excursion

Ford Excursion

Si vous voyez grand

Même si les Américains font souvent l'erreur de croire que plus c'est gros, meilleur c'est, il s'en est trouvé pas mal pour trouver que Ford avait dépassé la mesure avec l'Excursion qui a été lancé l'an dernier. En fait, ses dimensions sont tellement hors normes qu'elles ne sont même pas réglementées par les lois régissant la moyenne corporative de consommation d'essence (CAFE). En clair, ce véhicule peut consommer tant qu'il veut, il ne viendra pas handicaper la moyenne corporative.

Voilà un moyen astucieux de déjouer les règles. On n'a qu'à fabriquer quelque chose de tellement gros que même les législateurs n'ont pas prévu la chose. En fait, l'Excursion a soulevé un tel tollé que Ford a cru bon de dessiner une barre antichevauchement dans le but d'éviter que ce gros mastodonte n'escalade les véhicules plus petits en cas d'accident. De plus, pour calmer les environnementalistes, on a même utilisé des moteurs polluant moins. Vaine tentative puisque ce gros utilitaire sport demeure toujours la cible préférée des adversaires de ce type de véhicule.

S'il est facile de critiquer la compagnie pour avoir commis cette grosse pointure sur 4 roues, il faut ajouter que si ce n'était de l'engouement du public pour les gros véhicules utilitaires sport, on n'aurait jamais entendu parler de l'Excursion qui aurait été traité pour ce qu'il est: un véhicule à vocation presque exclusivement commerciale capable de remorquer de lourdes charges tout en accommodant 8 occupants avec armes et bagages. Mais puisque l'Amérique craque pour tout ce qui est 4X4, il a eu droit à la même attention qu'un véhicule de tourisme. Et on ne peut blâmer le constructeur de répondre aux demandes du marché, si exagérées soient-elles.

Un Super Duty modifié

Compte tenu de l'usage anticipé, les ingénieurs ont fait appel à ce que Ford avait de plus robuste en fait de châssis: le camion Super Duty. En gros, l'Excursion est un camion Super Duty affublé d'une cabine pleine grandeur plus luxueuse. C'est simplifier pas mal, mais cela représente quand même ce qu'est la dynamique mécanique de ce véhicule. La suspension avant est donc à poutre parallèle double sur le modèle à 2 roues motrices tandis que les 4X4 sont à essieu rigide avant et lames transversales. Bien entendu, on a adapté la géométrie de la suspension, modifié la rigidité des amortisseurs et utilisé davantage de pastilles en néoprène afin d'assurer une suspension plus confortable et une meilleure insonorisation.

Puisque la capacité de remorquage la plus modeste dans la gamme dépasse les 3000 kg, il n'est pas surprenant qu'une brochette de gros moteurs soit au catalogue. Le « petit » de la famille est un

V8 Triton de 5,4 litres d'une puissance de 255 chevaux. Si vous prévoyez devoir transporter une lourde remorque ou encore une roulotte tout équipée, il serait sans doute plus sage d'opter pour le V10 de 6,8 litres dont la puissance est de 310 chevaux et le couple de 450 lb-pi. Des chiffres qui devraient vous rassurer quant aux aptitudes de travail de ce colosse. Enfin, pour les cas extrêmes et les amateurs du genre, il y a le réputé moteur V8 de 7,3 litres turbodiesel Power Stroke à injection directe. Un mot à propos de ce moteur : il est l'un des plus bruyants qui soient à froid. Il est recommandé de ne pas démarrer votre camion avant l'aube si vous voulez conserver la paix avec vos voisins. Enfin, chaque membre de cette troïka est livré avec une transmission automatique à 4 rapports. Et pour freiner le tout, on a eu la sage idée d'installer des freins à disque aux 4 roues.

La démesure

rangée de sièges est décidément trop plat, 3 adultes peuvent l'occuper pendant quelques heures sans trop souffrir. Avec une telle débauche d'espace, on peut prendre ses aises dans cette salle de rencontre sur 4 roues. Il faut également souligner la présence de multiples poignées de retenue.

Malgré un châssis initialement conçu pour les travaux industriels, l'Excursion surprend tant par le confort qu'il assure que par son comportement routier. On n'a pas affaire à une voiture sport, mais on peut facilement rouler au-delà des limites légales sans devoir se préoccuper du pilotage. Mais il faut quand même être prudent et prévoir plus d'espace pour le freinage, compte tenu du poids à immobiliser. Et si vous êtes de ceux qui apprécient la précision de conduite, vous n'aimerez pas conduire le modèle 4 roues motrices dont le train avant a tendance à sautiller sur mauvais revêtement. Malgré

Confort et encombrement

En dépit des origines industrielles de ce gros tout-terrain, l'habitacle est tout aussi luxueux que celui d'un Expedition, voire d'un Lincoln Navigator. Les sièges sont confortables, le tableau de bord pratique et ergonomique tandis que la banquette arrière est de type 60/40 afin de permettre le passage des occupants des places arrière. Même si le dossier de la troisième

tout, compte tenu des origines, le résultat est quand même bien ficelé.

À cause de sa démesure, l'Excursion est réservé à une minorité qui connaît ses besoins et qui ne rechigne pas devant des factures de carburant assez salées. Si vous ne faites pas partie de ce groupe, mieux vaut considérer autre chose. Il faut vraiment avoir des besoins très précis pour rationaliser un tel achat.

Denis Duquet

FORD Excursion

▲ POUR

- Habitabilité sans égale • Hayon arrière astucieux • Habitacle confortable • Choix de moteurs • Capacité de remorquage supérieure

▼ CONTRE

- Dimensions hors normes • Consommation élevée • Usage urbain limité • Distance de freinage longue • Suspension avant du modèle 4X4

CARACTÉRISTIQUES

Prix du modèle à l'essai	LTD / 56 895 $
Garantie de base	3 ans / 60 000 km
Type	utilitaire sport / 4X4
Empattement / Longueur	348 cm / 576 cm
Largeur / Hauteur	203 cm / 202 cm
Poids	3 270 kg
Coffre / Réservoir	1 360 l ou 4 145 l / 166 l
Coussins de sécurité	frontaux
Suspension av.	indépendante
Suspension arr.	essieu rigide
Freins av. / arr.	disque ABS
Système antipatinage	non
Direction	à billes, assistée
Diamètre de braquage	14,2 mètres
Pneus av. / arr.	LT265/75R16

MOTORISATION ET PERFORMANCES

Moteur	V8 5,4 litres
Transmission	automatique 4 rapports
Puissance	255 ch à 4 500 tr/min
Couple	350 lb-pi à 2 500 tr/min
Autre(s) moteur(s)	V10 6,8 litres 310 ch; V8 7,3 TDI 250 ch
Autre(s) transmission(s)	aucune
Accélération 0-100 km/h	14,8 s; 12,7 s (V10)
Vitesse maximale	165 km/h
Freinage 100-0 km/h	53 mètres
Consommation (100 km)	14,8 litres; 17,8 litres (V10)

MODÈLES CONCURRENTS

- Chevrolet Suburban/GMC Yukon XL

QUOI DE NEUF ?

- Puissance du moteur 7,3 litres portée à 250 ch
- Boîte de transfert mieux protégée

VERDICT

Agrément	★★½
Confort	★★★½
Fiabilité	★★★★
Habitabilité	★★★★★
Hiver	★★★½
Sécurité	★★★★
Valeur de revente	★★★

FORD Expedition LINCOLN Navigator

Lincoln Navigator

La qualité dans la démesure

Après avoir lancé l'Expedition en 1997, Ford récidivait l'année suivante avec un clone de luxe de cet utilitaire gros format, rebaptisé Lincoln Navigator. Ceux qui se demandaient ce que cette marque de prestige avait à gagner d'une telle opération ont rapidement eu leur réponse : le premier camion à porter le label Lincoln est rapidement devenu le best-seller de cette division. Signe des temps…

Le succès du Navigator fut tel qu'il a littéralement pris de court les dirigeants de la marque rivale Cadillac, qui durent réagir en catastrophe en maquillant un GMC Denali en fin de carrière, après avoir juré que leur division ne produirait jamais de camion… Ils auraient dû savoir qu'il ne faut jamais dire jamais.

Pendant ce temps, la marque de prestige de Ford amorçait son rétablissement, après une longue agonie au cours de laquelle elle fut maintenue en vie artificiellement. Comme un malade qui prend du mieux après avoir reçu l'extrême-onction, la division Lincoln respire la santé après avoir frôlé la mort. Et elle peut dire un gros merci au Navigator pour cette guérison miracle.

Cet utilitaire des grands boulevards est l'exemple même d'un clonage réussi, puisqu'il reprend la plate-forme et la carrosserie de l'Expedition, lui-même dérivé de la camionnette F-150. Mais attention, on a fait de réels efforts pour distinguer le clone de son géniteur : après tout, il fallait justifier un écart de prix de plus de 10 000 $.

Gros biceps, gros appétit

Noblesse oblige, le Navigator a droit à une motorisation plus puissante, soit la version Intech du V8 de 5,4 litres, à double arbre à cames en tête et 4 soupapes par cylindre, qui génère 300 chevaux. Soit 40 de plus que le V8 de même cylindrée de l'Expedition dans sa livrée haut de gamme (Eddie Bauer), la version de base (XLT) ayant pour sa part droit au V8 de 4,6 litres (240 chevaux). Si les accélérations ne sont pas électrisantes, compte tenu de la masse à déplacer, il en va tout autrement pour le couple, impressionnant, surtout à bas régime. Si l'envie vous prend, un bon matin, de tracter un porte-avions, le Navigator est le véhicule qu'il vous faut.

Prévoyez cependant de vous faire accompagner par un camion-citerne parce que, même sans charge à tirer, ce V8 consomme de façon démesurée, que dis-je, surréaliste ! Personnellement, j'ai dû aller voir mon gérant de banque au terme de ma période d'essai (une semaine). Mais comme dirait le bon peuple, ceux qui ont les moyens de se payer un tel véhicule ont les moyens de payer l'essence qui va dedans. Fin de la discussion.

Compte tenu de sa vocation boulevardière, cet utilitaire désireux de jouer les limousines est d'abord offert en version deux roues motrices. Ce qui est le comble de l'illogisme, voire de l'absurde, puisqu'en plus d'être assoiffé et encombrant, il devient hasardeux à conduire l'hiver! Parions qu'il s'en vend plus en Floride que chez nous... Mieux adaptée à notre dure réalité, la version à quatre roues motrices dispose du système Control Trac, qui permet de rouler en mode intégral ou de choisir les modes 4Hi et 4Lo par le biais d'un commutateur qui loge dans le tableau de bord. Autre particularité du modèle 4X4 : à l'arrêt, il s'abaisse automatiquement de 5 cm pour faciliter la descente ou l'accès à bord.

Elvis en 4X4

Le Navigator se démarque également de l'Expedition par sa suspension plus souple et sa direction plus assistée. Ceux qui savent lire entre les lignes auront compris que ça nage dans la guimauve, la direction surtout. Était-ce vraiment nécessaire? Pour la suspension, c'est l'inverse : la différence va dans le bon sens, puisque la douceur de roulement y gagne. Quant au comportement routier, disons seulement que ces gros lourdauds proposent une tenue de route correcte, sans surprise, pour peu qu'on se serve de son jugement. S'il y a un zouave qui décide de jouer au pilote de course avec ce type de véhicule, il aura ce qu'il mérite, car l'expérience risque de tourner court.

Ford Expedition

Le King des 4X4

S'il est toujours vivant, comme le veut la rumeur, Elvis se promène sans doute dans un de ces immenses 4X4 de luxe. Avec sa calandre dominante et sa décoration ostentatoire, le Navigator a tout pour plaire à ce chantre du bon goût qu'est le King. Son élégance est celle du parvenu qui affiche sa réussite avec des bagues à chaque doigt et une grosse chaîne en or dans le cou. « C't'un genre », comme dirait l'autre.

À l'intérieur, c'est un peu mieux – enfin, moins pire. C'est tout sauf sobre, avec les incontournables panneaux de bois et la non moins incontournable sellerie cuir qui règnent en maître. Mais l'assemblage est rigoureux et les matériaux respirent la qualité. Et surtout, le confort et le niveau d'équipement correspondent à ce qu'on attend d'un véhicule de ce prix.

Le tableau de bord, emprunté à l'Expedition, est un modèle du genre, avec son instrumentation complète et bien agencée. Le soin apporté à l'aspect pratique et à l'ergonomie est d'ailleurs flagrant : les commandes sont simples et accessibles, tandis que les rangements sont aussi nombreux que vastes. Quant à l'habitabilité, elle est directement proportionnelle aux dimensions de ce titan.

Qu'on aime ou qu'on déteste ces utilitaires géants, on ne peut nier leur popularité. Tant qu'à dépenser une telle somme d'argent pour ce genre de véhicule, aussi bien prendre ce qui se fait de mieux; or, la réputation des camions Ford n'est plus à faire. Solides, fiables, mais aussi confortables et bien conçus, l'Expedition et son clone pour les grandes occasions, le Navigator, confirment que cette réputation n'est pas surfaite.

Philippe Laguë

LINCOLN Navigator

▲ POUR

• Habitacle spacieux • Atmosphère luxueuse • Moteurs modernes • Confort correct • Rouage d'entraînement pratique et résistant

▼ CONTRE

• Gabarit démesuré • Consommation démesurée • Prix démesuré • Réactions démesurées • Utilité très mesurée

CARACTÉRISTIQUES

Prix du modèle à l'essai	Navigator / 69 795 $
Garantie de base	4 ans / 80 000 km
Type	utilitaire sport / traction intégrale
Empattement / Longueur	302 cm / 520 cm
Largeur / Hauteur	195 cm / 203 cm
Poids	2 571 kg
Coffre / Réservoir	280 l à 740 l / 113 l
Coussins de sécurité	frontaux et latéraux
Suspension av.	indépendante
Suspension arr.	essieu rigide
Freins av. / arr.	disque ABS
Système antipatinage	non
Direction	à crémaillère, assistance variable
Diamètre de braquage	12,3 mètres
Pneus av. / arr.	P245/75R16

MOTORISATION ET PERFORMANCES

Moteur	V8 5,4 litres DACT 32 soupapes
Transmission	automatique 4 rapports
Puissance	300 ch à 5 000 tr/min
Couple	335 lb-pi à 2 750 tr/min
Autre(s) moteur(s)	V8 4,6 litres 240 ch; V8 5,4 litres 260 ch
Autre(s) transmission(s)	aucune
Accélération 0-100 km/h	7,9 secondes
Vitesse maximale	180 km/h
Freinage 100-0 km/h	44 mètres
Consommation (100 km)	19 litres

MODÈLES CONCURRENTS

• BMW X5 • Chevrolet Suburban
• Cadillac Escalade • Lexus LX 470

QUOI DE NEUF?

• Ensemble de remorquage de catégorie III de série
• Rétroviseurs à signaux chauffants (Eddie Bauer)

VERDICT

Agrément	★★★
Confort	★★★½
Fiabilité	★★★½
Habitabilité	★★★★
Hiver	★★★★½
Sécurité	★★★★½
Valeur de revente	★★★

FORD Explorer

Ford Explorer

Nouveau ! Amélioré !

Comme le veut une coutume bizarre, le Ford Explorer 2002 a été dévoilé en août 2000, même si sa commercialisation n'est prévue que pour le début de 2001. Mais il ne serait pas surprenant que la compagnie accélère l'entrée en scène de ce nouveau modèle, entièrement transformé, afin de faire oublier le plus rapidement la débâcle du rappel de certains pneus Firestone Wilderness. Ce qui serait fort logique compte tenu que la mouture 2002 de l'Explorer n'a presque rien en commun avec le modèle qu'il remplace.

La transformation s'applique aussi bien aux organes mécaniques qu'à l'habitacle et à la carrosserie. Tout est neuf des pneus aux tôles du pavillon. Chez Ford, on s'intéresse de près aux destinées de cet utilitaire sport, le plus vendu au monde. En effet, depuis son arrivée sur le marché il y a 10 ans, il se vend plus de 400 000 unités de ce modèle chaque année.

Comme c'est généralement le cas pour les leaders de chaque catégorie, la grande popularité de l'Explorer restreint la marge de manœuvre des stylistes qui doivent respecter les éléments esthétiques qui ont contribué à son succès. Contrairement aux modèles Sport et Sportrac dont les angles sont plus aigus, ceux de cette nouvelle génération sont plus arrondis, en conformité avec le feed-back des propriétaires des versions antérieures et compte tenu de la clientèle envisagée. On a tenté de donner une impression de qualité d'ensemble plus élevée au véhicule, dont la longueur est demeurée la même. En revanche, l'empattement a été allongé de 66 cm, ce qui permet de réduire considérablement le porte-à-faux avant tout en améliorant l'habitabilité.

La présentation générale, plus subtile qu'auparavant, ressemble à une version plus civilisée du nouvel Escape plutôt qu'à un dérivé des autres Explorer. Le tableau de bord, avec son centre de contrôle vertical, est également inspiré de celui de l'Escape. Cette fois, il est possible de commander en option une troisième banquette qui est relativement facile d'accès puisque les sièges intermédiaires basculent complètement pour y accéder. Cette banquette ne peut être enlevée, mais elle se replie à plat dans le plancher. Enfin, le hayon arrière est doté d'une ouverture vitrée indépendante de très grande dimension qui facilite le chargement des objets. Cette configuration est de loin la plus ingénieuse sur le marché et est 100 fois supérieure aux modèles 2 portes constitués d'un battant inférieur et d'un hayon comme sur la BMW X5, qui se fait damer le pion à ce chapitre par Ford. Ajoutons la Pontiac Aztek dans cette catégorie des hayons 2 pièces indésirables.

Suspension indépendante arrière !

La version précédente de l'Explorer était d'une habitabilité supérieure à la moyenne et offrait un comportement routier adéquat. Malheureusement, le train avant sautillait sur les mauvaises routes tandis que l'essieu rigide arrière avait du mal à contrôler les dérobades lorsque la route était en mauvais état. Les ingénieurs ont pris les choses en main. Les barres de torsion de la suspension avant ont été remplacées par des ressorts hélicoïdaux afin d'obtenir plus de flexibilité latérale. À l'arrière, pour réussir l'effet contraire, on a utilisé une suspension indépendante fort ingénieuse : les arbres de couche traversent les longerons du châssis tandis que le différentiel est boulonné à une traverse. Les bras supérieurs sont en aluminium.

Surprise !

Non seulement cette configuration est très efficace, mais elle empiète peu dans l'espace arrière, ce qui permet d'offrir une troisième banquette et un coffre à bagages plus haut qu'auparavant. Soulignons au passage que le châssis proprement dit est rendu plus rigide par l'utilisation de poutres fermées.

Les groupes propulseurs sont nouveaux. Les transmissions manuelle – moteur V6 seulement – et automatique à 5 rapports sont nouvelles tandis que le moteur V6 4 litres produit maintenant 210 chevaux. Le vétuste moteur V8 5 litres est remplacé par le 4,6 litres de 240 chevaux à arbres à cames en tête et bloc en aluminium.

On a poursuivi le raffinement de l'Explorer avec le développement d'un système à 4 roues motrices Control Trac réglable en position « Auto », « 4Hi » et « 4Lo ». Plus tard en cours d'année, il sera possible de commander l'option « Chapiteau de protection » comprenant des rideaux latéraux, des coussins latéraux et un détecteur de capotage qui permettra de gonfler prématurément ces coussins si les capteurs détectent une inclinaison latérale trop importante.

Il semble peu probable que vous vous retrouviez dans cette situation si vous équipez votre Explorer du système de stabilité latérale Advance Trac qui sera offert au cours de 2001. À noter qu'au moment de rédiger ces lignes, le nouvel Explorer est toujours équipé de pneus Firestone en dépit du fiasco médiatique qui a entouré le rappel des Wilderness AT. Mais il ne faudrait pas se surprendre si d'autres marques apparaissent sur la liste des pneus disponibles.

Le Ford Explorer était un véhicule de compromis qui a toujours été très populaire, plus grâce à son habitabilité et à son confort relatif que grâce à ses performances en conduite hors route. Cette fois, on a accompli d'importants progrès au chapitre de la suspension, du rouage d'entraînement, de la sécurité et de la tenue de route.

On semble croire chez Ford que l'évolution du marché va exiger un véhicule tout-terrain plus confortable, plus luxueux et davantage en mesure d'offrir un comportement routier semblable à celui d'une automobile. La concurrence est de plus en plus féroce, mais Ford s'est donné les moyens de continuer à dominer ce marché.

Denis Duquet

FORD Explorer

▲ POUR

• Châssis sophistiqué • Moteurs plus performants • Sécurité passive accrue • Hayon arrière ultrapratique • Tenue de route améliorée

▼ CONTRE

• Silhouette trop générique • Pneumatiques suspects • Troisième banquette optionnelle peu utile • Prix élevé • Dimensions toujours encombrantes

CARACTÉRISTIQUES

Prix du modèle à l'essai	Limited / 48 995 $
Garantie de base	3 ans / 60 000 km
Type	utilitaire sport / intégrale
Empattement / Longueur	289 cm / 481 cm
Largeur / Hauteur	183 cm / 182 cm
Poids	1 975 kg
Coffre / Réservoir	1 319 litres / 85 litres
Coussins de sécurité	frontaux et latéraux
Suspension av.	indépendante
Suspension arr.	indépendante
Freins av. / arr.	disque ABS
Système antipatinage	non
Direction	à crémaillère, assistée
Diamètre de braquage	11,2 mètres
Pneus av. / arr.	P255/70R16

MOTORISATION ET PERFORMANCES

Moteur	V6 4 litres
Transmission	automatique 5 rapports
Puissance	210 ch à 5 250 tr/min
Couple	250 lb-pi à 4 000 tr/min
Autre(s) moteur(s)	V8 4,6 litres 240 chevaux
Autre(s) transmission(s)	man. 5 rapports (V6)
Accélération 0-100 km/h	8,9 secondes
Vitesse maximale	190 km/h
Freinage 100-0 km/h	42,4 mètres
Consommation (100 km)	13,6 litre

MODÈLES CONCURRENTS

• Chevrolet Blazer/GMC Jimmy • Jeep Grand Cherokee • Nissan Pathfinder • Toyota 4Runner

QUOI DE NEUF ?

• Nouveau modèle

VERDICT

Agrément	★★★★
Confort	★★★★
Fiabilité	nouveau modèle
Habitabilité	★★★★
Hiver	★★★★
Sécurité	★★★★½
Valeur de revente	★★★½

FORD Explorer Sport

Ford Explorer Sport Trac

Le premier « tout usage »

Malgré une situation fort embarrassante pour la compagnie Ford, ses véhicules utilitaires sport continuent d'être en demande. D'ailleurs, pour mieux répondre aux aspirations d'une clientèle tout de même très diversifiée, les décideurs de Dearborn ont scindé la gamme Explorer. C'est ainsi qu'on retrouvera au printemps prochain un modèle 2002 entièrement révisé de l'Explorer quatre portes. Tout est nouveau sur ce modèle, même la suspension arrière qui est dorénavant indépendante.

Par contre, la gamme 2001 nous propose un tout nouvel Explorer deux portes qui reprend la plate-forme à essieu arrière rigide et qui devient le modèle « Sport ». Mais, la trouvaille de l'année dans la catégorie est le Sport Trac qui réunit les attributs d'un utilitaire sport et d'une camionnette. Voilà un véhicule qui est une agréable surprise.

Une boîte en composite

Ce nouveau véhicule est étroitement dérivé de l'Explorer 4 portes 2001, dont il emprunte plus de 70 % des éléments. Les stylistes ont toutefois résisté à la tentation de simplement greffer une boîte courte de camionnette à ce modèle. Ils ont pris soin de modifier la calandre, le capot et les ailes avant afin de démarquer cet hybride des autres membres de la famille. Les prises d'air verticales emprisonnant la grille de calandre, les gros crochets de remorquage se montrant le bout du nez sous l'échancrure pratiquée dans le pare-chocs, les phares antibrouillards intégrés, les passages de roues élargis, tout cela contribue à lui donner un air costaud. Les supports de toit de série mettent également l'accent sur la longueur de la cabine.

Toutes ces modifications à la silhouette de l'Explorer conventionnelle se marient très bien avec la présence d'une boîte de chargement relativement courte, mais quand même capable de transporter des objets de plus de 3 m de long. Cette boîte est réalisée en matériau composite constitué de feuilles de fibre de verre et d'ester moulées. Il est non seulement plus léger que l'acier, mais il est plus solide et, bien entendu, à l'épreuve de la rouille. Six points d'ancrage sont placés sur le pourtour extérieur de la caisse et quatre autres dans la caisse elle-même. Cette boîte peut être équipée du Cargo Keeper, une clôture ajourée en forme de U qui est ancrée sur les montants de l'ouverture arrière. En le basculant sur le panneau, on allonge ainsi la longueur de la boîte. Ford offre également en option un tonneau rigide qui se verrouille avec la clé de contact et qui protège les objets placés dans la boîte de chargement.

Confortable et pratique

Chaque fois que je fais l'essai d'un quelconque utilitaire sport, je suis généralement désappointé par la fermeté de la suspension, le manque d'espace de la cabine ou encore le caractère assez élémentaire de la tenue de route et de l'agrément de conduite. Le Sport Trac n'est pas totalement dépourvu de ces irritants, mais on a réussi à les atténuer de façon appréciable. La première chose qui nous frappe est la douceur relative de la suspension. Au lieu de sautiller à la rencontre de la moindre aspérité sur la chaussée, l'essieu arrière absorbe beaucoup mieux les chocs que celui d'un Ranger ou même d'un Explorer. L'explication de ce comportement est facile : l'empattement a été allongé de 36 cm par rapport à celui d'un Explorer et la suspension calibrée de façon différente.

Une bonne idée !

Cet empattement allongé permet d'obtenir des places arrière plus que décentes qui n'ont rien en commun avec l'espace limité qu'on trouve dans le Nissan Frontier à cabine multiplace. Cette banquette est de type 70/30 et peut se rabattre en tout ou en partie pour créer une soute à bagages verrouillée. La lunette arrière est à commande électrique. Il suffit de tourner un bouton vers la gauche pour l'abaisser ou vers la droite pour la remonter. On appuie sur ce bouton et la glace descend de quelques centimètres pour faciliter la ventilation. Il faut également souligner que le marchepied est recouvert d'un matériau antidérapant efficace, contrairement aux marchepieds des camions F-150 qui sont de véritables patinoires une fois mouillés.

L'habitacle n'est pas identique à celui d'un Explorer. Par exemple, les sièges baquets avant sont exclusifs au Sport Trac. Leur confort est bon même si leur assise semble toujours un peu haute. Parmi les touches de présentation intéressantes, il faut mentionner la poignée intérieure de la portière. De forme cylindrique, elle se prend bien en main.

Seul le moteur V6 4 litres à SACT est offert. Il peut être couplé à une boîte de vitesses automatique ou manuelle à 5 rapports. Même si sa consommation de carburant pourrait être plus raisonnable, c'est l'un des meilleurs groupes propulseurs chez Ford. Le système 4X4 est à temps partiel et est commandé à l'aide d'un commutateur circulaire placé près du volant.

Le Sport Trac, malgré son nom, n'a rien de bien sportif. En revanche, c'est un compromis fort intéressant pour l'utilisateur qui a besoin d'un véhicule polyvalent capable de se transformer en camionnette ou en utilitaire sport de temps à autre.

Quant à l'Explorer Sport 2 portes, il a progressé par rapport à la version précédente, mais son empattement plus court en limite le confort de façon assez marquée.

Denis Duquet

FORD Explorer Sport Trac

▲ POUR

• Silhouette élégante • Suspension confortable • Banquette arrière pratique • Moteur performant • Boîte de chargement en composite

▼ CONTRE

• Solution de compromis • Prix élevé • Supports de toit peu pratiques • Pneus glissants sous la pluie • Position de conduite à revoir

CARACTÉRISTIQUES

Prix du modèle à l'essai	42 595 $
Garantie de base	3 ans / 60 000 km
Type	hybride util. sport – camionnette / 4X4
Empattement / Longueur	320 cm / 523 cm
Largeur / Hauteur	182 cm / 178 cm
Poids	1 995 kg
Coffre / Réservoir	838 litres / 77 litres
Coussins de sécurité	frontaux
Suspension av.	indépendante
Suspension arr.	essieu rigide
Freins av. / arr.	disque / tambour ABS
Système antipatinage	non
Direction	à crémaillère, assistée
Diamètre de braquage	13,1 mètres
Pneus av. / arr.	P255/70R16

MOTORISATION ET PERFORMANCES

Moteur	V6 4 litres
Transmission	automatique 4 rapports
Puissance	205 ch à 5 250 tr/min
Couple	240 lb-pi à 3 750 tr/min
Autre(s) moteur(s)	aucun
Autre(s) transmission(s)	manuelle 5 rapports
Accélération 0-100 km/h	9,1 secondes
Vitesse maximale	190 km/h
Freinage 100-0 km/h	43,7 mètres
Consommation (100 km)	12,8 litres

MODÈLES CONCURRENTS

• Nissan Frontier • Toyota Tacoma

QUOI DE NEUF ?

• Boîte en composite • Cabine multiplace • Nouvelle boîte manuelle

VERDICT

Agrément	★★★½
Confort	★★★★
Fiabilité	★★★★
Habitabilité	★★★★
Hiver	★★★★
Sécurité	★★★★
Valeur de revente	★★★★

FORD Focus

Ford Focus ZX3

La magie du look

Si quelqu'un vous dit que l'automobiliste d'aujourd'hui est beaucoup plus raisonnable qu'avant et que le succès d'une voiture n'a plus rien à voir avec son apparence, demandez-lui alors de vous expliquer l'incroyable popularité de la Ford Focus. Ce n'est sûrement pas sa devancière, l'Escort, qui avait préparé la scène à une telle ovation. Et si la Focus n'est pas une mauvaise voiture, ce n'est pas non plus la fin du monde. Bref, le look est toujours aussi bon vendeur.

Pour renforcer l'argument précédent, il suffit de prendre le cas de la Toyota Echo, une petite voiture immensément plus rassurante que la Ford en matière de fiabilité. Or, son horrible petit cul retroussé a refoulé la clientèle vers toutes les salles de ventes rivales. Pendant que Toyota expie ses fautes, Ford triomphe avec au moins deux des trois versions de sa Focus, la berline et la familiale. Curieusement, la plus mignonne des trois, la *hatchback,* n'arrive pas à ravir des ventes aux modèles similaires de Volkswagen (Golf) et Honda (Civic). Mais cessons de parler de goûts pour nous attarder à la voiture elle-même, lauréate du titre de « voiture de l'année » d'abord en Europe puis en Amérique.

Une publicité insultante

Nonobstant ses lignes réussies, la Focus plaît encore par une judicieuse utilisation de l'espace intérieur, attribuable en grande partie à sa hauteur. À tel point que la familiale, surtout, donne l'impression qu'on se trouve dans une fourgonnette.

Même le coupé 3 portes sur lequel a porté mon essai de cette année n'est pas avare d'espace. On y trouve 3 bonnes places arrière et un immense coffre à bagages modulable grâce à la présence d'un dossier repliable pour la banquette arrière. De là à dire toutefois qu'il s'agit d'une « 5 passagers », comme le proclame la publicité bâtarde de Ford, il y a une marge. Ou bien on nous ment effrontément ou bien les rédacteurs publicitaires de Ford ne connaissent pas le français, car n'importe quel dictionnaire vous dira que le mot « passager » exclut le conducteur du véhicule. Or, je ne vois pas très bien 6 personnes s'engouffrer dans une Focus.

La voiture étant mieux faite que la publicité qui en vante les mérites, on pourra bénéficier de grands bacs de rangement aménagés dans les contre-portes. Un soin particulier a également été apporté à la ventilation avec 4 grands diffuseurs contrôlés par des molettes pratiques. Le dessin de la poupe du modèle *hatchback* permet quant à lui une meilleure visibilité dans cette direction que dans la berline, dont la lunette arrière est trop élevée.

Certains petits détails font aussi partie des meilleures idées de Ford, notamment un siège du conducteur réglable en hauteur (de série) et le déclencheur de la trappe du réservoir à essence qui vous saute en pleine face depuis sa commode position au tableau de bord.

C'est parti... lentement

Le look de la Focus ZX3 met en appétit, mais ses performances permettent difficilement de se rassasier. Même le moteur optionnel de 2 litres et 130 chevaux est d'un calme plat en accélération. Ford a voulu faire taire son grondement à haut régime et privilégier l'économie d'essence en optant pour des rapports de boîte manuelle très longs. On récolte un régime de 2500 tr/min en 5e vitesse à 100 km/h et de bons résultats à la pompe (8 litres aux 100 km). Pour la conduite sportive, toutefois, il faudra repasser et on aura besoin d'un miracle pour boucler le 0-100 km/h en moins de 9,9 secondes. Le 0-60 mph de 8,6 secondes est plus impressionnant, puisqu'on peut le chronométrer sans avoir à enclencher le 3e rapport. Poussé à fond, le moteur transforme l'accélérateur en vibrateur et le déplacement du levier de vitesses s'accompagne d'un couic-couic déplaisant, du moins dans la ZX3 mise à l'essai. De toute manière, la suspension trop flasque incite à une conduite réservée, surtout si le revêtement est un peu bosselé.

Beau coup

Dans de telles conditions, la voiture décolle facilement et perd sa motricité si l'on va le moindrement vite. Les nids-de-poule ne sont pas tendres non plus pour la suspension qui tape dur si le choc est un tant soit peu violent. Sur bon revêtement, la tenue de route est cependant immensément prévisible et même assez neutre comme l'a démontré une petite sortie sur le circuit routier de Sanair. Par contre, l'absence d'ABS (une option) sur la voiture essayée rend les freinages d'urgence plus délicats.

Un modèle du genre

De toute évidence, Ford a sculpté sa Focus pour le marché américain où la notion de confort s'identifie à la souplesse et à la douceur de roulement. La plus grande réussite des ingénieurs est d'avoir parfaitement réussi l'équation NVH (*noise, vibration, harshness*). On devine aisément qu'on leur avait confié le mandat d'obtenir un score élevé dans la diminution du bruit, des vibrations et de la dureté. Sous ce rapport, la Ford Focus est sans doute l'une des meilleures voitures de sa catégorie, sinon la meilleure. Contrairement à beaucoup de ses concurrentes qui gémissent, grincent et s'agitent à la moindre secousse, cette petite voiture roule comme une grande.

Si l'on ajoute à cela sa jolie frimousse, son habitabilité et, surtout, son prix très attirant, on comprend aisément que la Ford Focus soit devenue la voiture la plus vendue au monde. Seuls sa fiabilité et son rendement à long terme soulèvent encore des questions.

Jacques Duval

FORD Focus

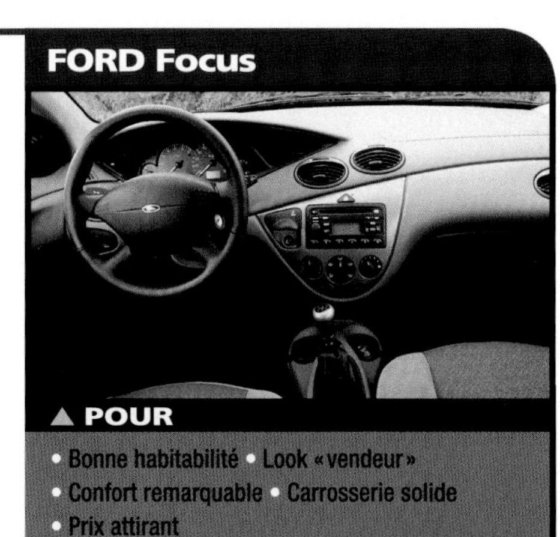

▲ POUR

• Bonne habitabilité • Look « vendeur » • Confort remarquable • Carrosserie solide • Prix attirant

▼ CONTRE

• Faibles performances • Moteur grognon • Sensibilité au vent • Visibilité arrière problématique (berline) • Suspension trop molle

CARACTÉRISTIQUES

Prix du modèle à l'essai	ZX3 / 16 595 $
Garantie de base	3 ans / 60 000 km
Type	coupé *hatchback* / traction
Empattement / Longueur	262 cm / 421 cm
Largeur / Hauteur	170 cm / 143 cm
Poids	1 090 kg
Coffre / Réservoir	de 350 à 1205 litres / 50 litres
Coussins de sécurité	frontaux (latéraux, option)
Suspension av.	indépendante
Suspension arr.	indépendante
Freins av. / arr.	disque ABS (option)
Système antipatinage	oui (option)
Direction	à crémaillère, assistée
Diamètre de braquage	10,9 mètres
Pneus av. / arr.	P195/60R15

MOTORISATION ET PERFORMANCES

Moteur	4L 2 litres Zetec
Transmission	manuelle 5 rapports
Puissance	130 ch à 5 300 tr/min
Couple	135 lb-pi à 4 500 tr/min
Autre(s) moteur(s)	4L 2 litres 110 ch
Autre(s) transmission(s)	automatique 4 rapports
Accélération 0-100 km/h	9,9 secondes
Vitesse maximale	185 km/h
Freinage 100-0 km/h	40,7 mètres
Consommation (100 km)	8,0 litres

MODÈLES CONCURRENTS

• Chevrolet Cavalier/Pontiac Sunfire • Honda Civic • Toyota Corolla • Mazda Protegé • VW Golf

QUOI DE NEUF ?

• Antipatinage optionnel (ZX3 et ZTS)
• Antibrouillards et jantes 16 po de série sur ZTS

VERDICT

Agrément	★★★½
Confort	★★★
Fiabilité	★★★
Habitabilité	★★★★
Hiver	★★★½
Sécurité	★★★½
Valeur de revente	★★★

FORD Mustang

Ford Mustang Saleen S281 SC

Économique et performante

Malgré ses 36 ans, la Mustang est une voiture culte. Fière de ses origines de voiture d'allure sportive à prix abordable, elle demeure toujours fidèle à sa silhouette originale. Mieux encore, la révision de ses formes à l'automne 1998 en fait l'un des modèles les mieux réussis à ce chapitre. Mais si les stylistes sont en mesure d'effacer les affres du temps d'un coup de crayon, la partie n'est pas aussi facile pour les ingénieurs affectés au développement de la mécanique.

En effet, sous cette robe de métal façonnée au goût du jour se trouve une plate-forme dont les origines remontent pratiquement aux années 70. Au fil des modèles évolutifs, les ingénieurs ont réussi à améliorer la tenue de route et la qualité de la suspension, mais on est certainement au bout du rouleau sur ce plan. En 1998, on a quand même beaucoup progressé en révisant la géométrie de la suspension et en adoptant des amortisseurs moins fermes et des ressorts à progression simple. Le confort a été amélioré du même coup ainsi que la tenue de route. Ces modifications, pourtant bien simples, ont permis de diminuer fortement les ruades du train arrière sur mauvaise route et les impressionnantes vibrations du capot du cabriolet.

Cela dit, le résultat n'est pas encore parfait. La plate-forme n'a pas été renouvelée en trois décennies et cela se fait sentir sous certaines conditions. Vous avez tout intérêt à être très attentif et à bien tenir le volant lorsque vous abordez une courbe à vive allure et qu'une bosse se trouve sur votre parcours. La voiture va se déhancher allègrement pour effectuer un sautillement latéral qui fera monter votre pression artérielle à coup sûr.

Un V8 moderne

L'incontournable et vétuste essieu arrière rigide associé à une rigidité latérale et longitudinale en retrait explique en grande partie ce comportement. On a beau offrir des freins à disque aux 4 roues de même que le système antipatinage de série sur la version GT, on ne peut pas compenser pour tout.

D'autant plus que les groupes propulseurs sont beaucoup plus modernes que l'ensemble de la voiture. Il en résulte un déséquilibre qui demeure difficile à corriger, surtout avec le moteur V8 de 4,6 litres. Ce moteur tout en aluminium n'a rien à voir avec les anciens V8 à soupapes en tête des années glorieuses de la Mustang. Avec son système de gestion électronique sophistiqué, son double arbre à cames en tête et une puissance de 260 chevaux, il nécessite une bonne dose de dextérité de la part du pilote qui veut tirer le maximum de la voiture. D'ailleurs, cette année, la tâche sera facilitée par la présence de pneus de 17 pouces montés de série sur le modèle GT. Malgré cela, sur pavé humide, il est recommandé de ne pas avoir l'étourderie de débrancher l'antipatinage si on a le pied droit un peu trop nerveux. Faute de quoi, les frissons sont garantis.

Au risque d'offenser les amateurs de conduite sportive qui ne jurent que par le modèle GT, ajoutons qu'il ne faut pas négliger la version propulsée par le moteur V6 de 3,8 litres. Il est vrai que nous avons souvent ridiculisé ce moteur aux origines assez modestes. Et nous avions raison de le critiquer lorsqu'il développait 150 chevaux et que l'aiguille du compte-tours avait de la difficulté à atteindre un régime supérieur à celui d'un moteur diesel. Avec sa puissance de 190 chevaux et un régime moteur un peu plus normal, ce n'est pas une mauvaise combinaison pour la personne qui recherche un coupé qui fait toujours tourner les têtes sans pour autant vouloir se donner des émotions fortes en conduite rapide.

Auto nostalgie

Cette Mustang pour le moins spéciale est propulsée par un moteur V8 5,4 litres de 385 chevaux et couplé à une boîte manuelle à 6 rapports. Une suspension arrière indépendante, des ressorts Eibach, des roues de 18 pouces et des freins Brembo ne sont que quelques-unes des modifications apportées à cette voiture.

Pour les inconditionnels

Pour ceux qui cherchent des performances encore supérieures, la division SVT de Ford a concocté une version Cobra R en 2000 dont les caractéristiques en font la plus rapide Mustang de l'histoire. Il s'agit en fait de voitures de course fabriquées à seulement 300 exemplaires et qui ont été livrées à quelques heureux élus par l'intermédiaire des concessionnaires Ford SVT.

Une GT aux hormones

Certains préparateurs indépendants comme Saleen nous proposent également des versions plus poussées de la GT. Conduit en Floride, son modèle S281 SC ne nous a pas impressionnés outre mesure malgré les 350 chevaux annoncés de son moteur suralimenté de 4,6 litres. La version Cobra la distance à tous les chapitres. En dépit d'une présentation qui nous permet de croire à des accélérations époustouflantes et une tenue de route impressionnante, cette Mustang est tout simplement une version trop fardée qui nous a grandement déçus.

À bien y penser, la Mustang GT est sans doute le meilleur compromis dans cette catégorie.

Denis Duquet

FORD Mustang

▲ POUR

- Bon rapport prix/performances
- Moteur V8 moderne
- Places arrière utiles
- Finition en progrès

▼ CONTRE

- Sièges inconfortables
- Essieu arrière rigide
- Freingae inadéquat en conduite sportive
- Châssis vétuste

CARACTÉRISTIQUES

Prix du modèle à l'essai	Coupé V6 / 24 495 $
Garantie de base	3 ans / 60 000 km
Type	coupé / propulsion
Empattement / Longueur	257 cm / 465 cm
Largeur / Hauteur	186 cm / 135 cm
Poids	1 435 kg
Coffre / Réservoir	308 litres / 59 litres
Coussins de sécurité	frontaux
Suspension av.	indépendante
Suspension arr.	essieu rigide
Freins av. / arr.	disque (ABS sur GT)
Système antipatinage	oui
Direction	à crémaillère, assistée
Diamètre de braquage	11,7 mètres
Pneus av. / arr.	P205/65R15

MOTORISATION ET PERFORMANCES

Moteur	V6 3,8 litres
Transmission	manuelle 5 rapports
Puissance	190 ch à 5 200 tr/min
Couple	220 lb-pi à 3 000 tr/min
Autre(s) moteur(s)	V8 4,6 litres 260 ch
Autre(s) transmission(s)	automatique 4 rapports
Accélération 0-100 km/h	7,6 secondes
Vitesse maximale	180 km/h (limitée)
Freinage 100-0 km/h	41,6 mètres
Consommation (100 km)	10,5 litres

MODÈLES CONCURRENTS

- Chevrolet Camaro/Pontiac Firebird

QUOI DE NEUF ?

- Nouveaux sièges sur modèle V6
- Jantes 17 po et becquet de série sur GT
- Chaîne audio plus puissante

VERDICT

Agrément	★★★★
Confort	★★★
Fiabilité	★★★
Habitabilité	★★★
Hiver	★★½
Sécurité	★★★
Valeur de revente	★★★

FORD Taurus

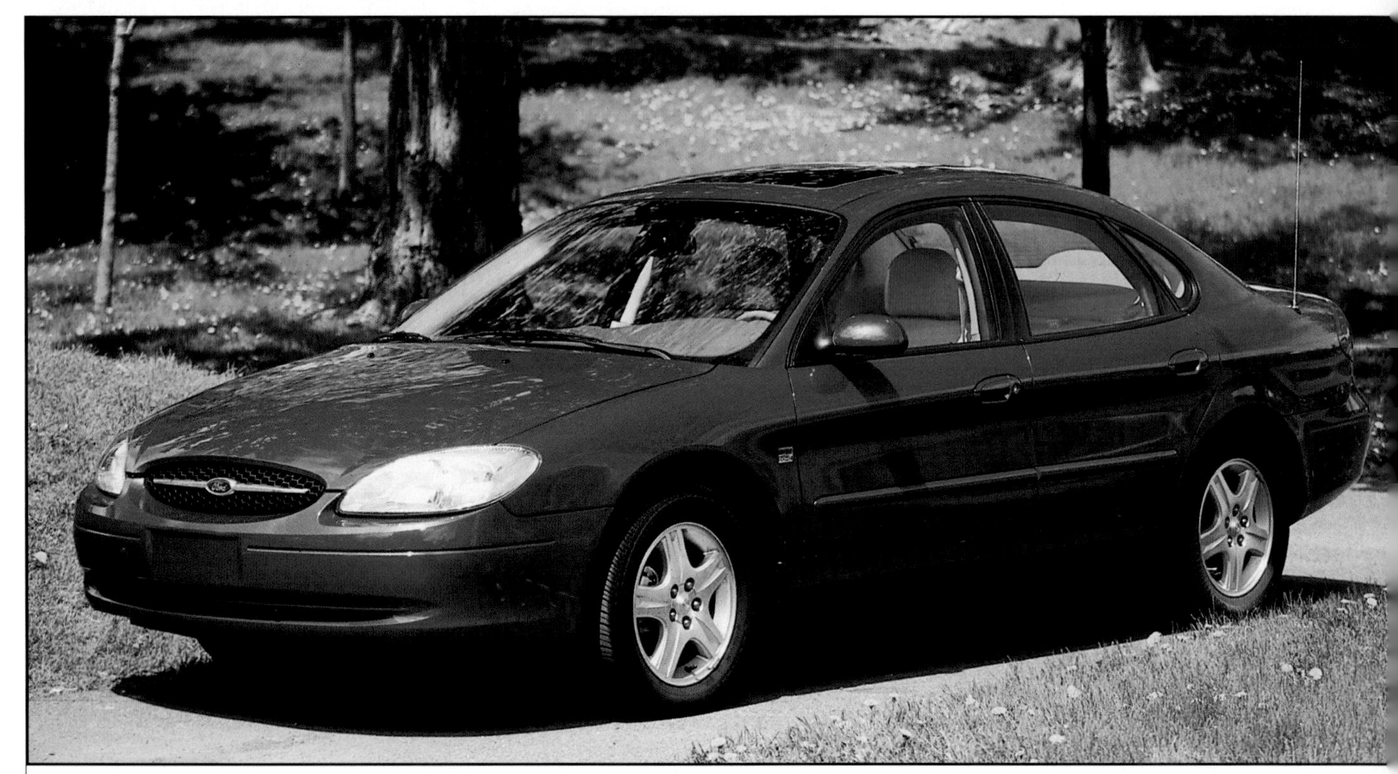

Ford Taurus

La difficile réhabilitation

Avec les camionnettes F-150 et, à l'autre extrême, les petites Focus, la Taurus est un des piliers de la marque Ford. Dévoilée en 1986, cette berline «intermédiaire grand format» a rien de moins que redonné leurs lettres de noblesse aux grosses voitures américaines, bien avant la Chrysler Intrepid et ses clones.

Ce fut à tout le moins le cas pour les deux premières générations, qui ont fait de la Taurus une des voitures les plus vendues en Amérique du Nord. C'est à la troisième que les choses se sont gâtées... Parler de déclin serait exagéré, mais il y a néanmoins eu un passage à vide, qui s'est notamment traduit par la perte de son trône de reine des ventes. Il est vrai qu'avec des rivales comme l'Accord et la Camry, la partie n'est jamais gagnée d'avance.

Mais la qualité de ses opposantes n'est pas la seule explication aux difficultés de la Taurus. Parmi les principales causes, ses formes tourmentées ont souvent été invoquées, mais n'oublions pas sa fiabilité qui, sans être désastreuse, a connu quelques ratés. Quant au design, d'inspiration européenne comme à l'habitude, il était loin d'afficher l'élégance des générations précédentes, qui faisaient l'unanimité ou presque. Qui a dit que l'esthétique avait peu ou pas d'incidence sur les ventes?

Améliorations tangibles

Coïncidence ou non, une Taurus «revue et corrigée» est apparue l'année dernière. Il fallait essuyer les plâtres, et vite. Mais les stylistes n'étaient pas les seuls coupables, de sorte que tout le monde a dû se retrousser les manches afin d'apporter les correctifs nécessaires.

Les résultats sont, disons-le, significatifs. Et pas seulement à l'œil. La boîte automatique a été revue et ses passages sont désormais plus fluides. De point faible, elle est même devenue l'un des points forts, ce qui n'est pas rien. La même observation s'applique mot pour mot au freinage; du moins était-ce le cas sur notre véhicule d'essai, muni de l'ABS. Celui-ci accomplit un boulot impeccable, confirmant ainsi que, chez les Américains, c'est vraiment Ford qui maîtrise le mieux cette technologie. En usage normal, on apprécie la progressivité des freins, ainsi que leur puissance lors d'un arrêt brusque. Auquel cas la voiture garde sa trajectoire, sans trop plonger de l'avant.

La suspension a, de son côté, gagné en souplesse, sans que cela pénalise trop le comportement. Oh! celui-ci n'a rien de sportif, loin s'en faut, mais il est honnête. Même que, pour une voiture de ce gabarit, la tenue de route surprend par son aplomb. Soulignons toutefois la contribution à ce chapitre de pneumatiques de qualité supérieure. Mais il y a un prix à payer: plus performants, ces pneus sont aussi plus bruyants. La direction n'est pas à l'abri des critiques elle non plus: la précision n'est pas sa qualité première et elle gagnerait en fermeté qu'on ne s'en plaindrait pas non plus. On a vu pire et pas seulement du côté américain, mais on a vu mieux aussi.

Améliorée, mais pas donnée !

Des fausses notes, aussi

Depuis une quinzaine d'années, Ford s'est démarquée des autres constructeurs américains par la qualité d'assemblage supérieure de ses véhicules. Celle de notre exemplaire n'était cependant pas sans reproche. Rien de catastrophique, encore une fois, mais je m'en voudrais de passer sous silence la console centrale mal fixée et les bruits de caisse – intermittents – venant de deux endroits différents dans l'habitacle.

Des reproches également pour la banquette arrière, qui gagnerait à être mieux sculptée, car elle n'offre aucun soutien, ni lombaire ni latéral. Qui plus est, la sellerie cuir (optionnelle) exacerbe cette lacune. Et pour couronner le tout, ladite banquette est dépourvue d'appuie-tête… C'est vrai qu'il faut en avoir une pour penser à ce genre de détail !

À l'avant, c'est moins pire : on aimerait des baquets plus enveloppants, mais ils ont le mérite d'être confortables. Mention bien pour la position de conduite, également, d'autant plus que les conducteurs de petite taille apprécieront le pédalier réglable, exclusif à la Taurus.

Côté apparence, la présentation intérieure a pris du mieux, avec la disparition du controversé panneau de forme ovale qui regroupait les commandes de la chaîne stéréo et du système de chauffage/climatisation. On est revenu à une planche de bord plus conventionnelle. Le tout est sobre, sans verser dans l'excès comme les ternes habitacles des japonaises de même catégorie. De plus, le soin apporté à l'ergonomie est évident. Terminons avec les espaces de rangement, nombreux, bien situés et fonctionnels. Autre point, et non le moindre, la Taurus est la seule de sa catégorie à offrir une version familiale.

Après les fleurs, le pot : les incontournables options faisaient grimper la facture de notre véhicule d'essai à près de 33 000 $. Pour l'aubaine, on repassera, d'autant plus qu'à ce prix, la Taurus SE dont nous disposions n'avait même pas droit à un lecteur de disques compacts. Un accessoire qui fait partie de l'équipement de série de voitures beaucoup moins chères, dois-je le souligner. De plus, dans cette fourchette de prix, on retrouve des premières de classe comme la Toyota Camry V6, la Honda Accord V6 et la Nissan Maxima, pour ne nommer qu'elles. Un pensez-y bien, dites-vous ?

Philippe Laguë

FORD Taurus

▲ POUR

• Transmission améliorée • Freinage efficace • Habitacle spacieux et fonctionnel • Confort et douceur de roulement • Version familiale

▼ CONTRE

• Pneus bruyants • Direction imprécise • Qualité d'assemblage perfectible • Banquette arrière exécrable • Addition salée

CARACTÉRISTIQUES

Prix du modèle à l'essai	SE / 32 396 $
Garantie de base	3 ans / 60 000 km
Type	berline / traction
Empattement / Longueur	275 cm / 502 cm
Largeur / Hauteur	185 cm / 142 cm
Poids	1 520 kg
Coffre / Réservoir	481 litres / 60 litres
Coussins de sécurité	frontaux et latéraux
Suspension av.	indépendante
Suspension arr.	indépendante
Freins av. / arr.	disque ABS / tambour ABS
Système antipatinage	oui
Direction	à crémaillère, assistance variable
Diamètre de braquage	12,1 mètres
Pneus av. / arr.	P215/60R16

MOTORISATION ET PERFORMANCES

Moteur	V6 3 litres
Transmission	automatique 4 rapports
Puissance	200 ch à 5750 tr/min
Couple	200 lb-pi à 4500 tr/min
Autre(s) moteur(s)	V6 3 litres 153 ch
Autre(s) transmission(s)	aucune
Accélération 0-100 km/h	9,2 secondes
Vitesse maximale	175 km/h (limitée)
Freinage 100-0 km/h	43,7 mètres
Consommation (100 km)	12,5 litres; 11,7 litres (V6 153 ch)

MODÈLES CONCURRENTS

• Buick Regal • Chevrolet Impala • Chrysler Intrepid • Oldsmobile Intrigue • Pontiac Grand Prix

QUOI DE NEUF ?

• Moteur V6 3 litres bicarburant (option) • Verrouillage électrique des portes • Régulateur de vitesse

VERDICT

Agrément	★★
Confort	★★★½
Fiabilité	★★★
Habitabilité	★★★★
Hiver	★★★½
Sécurité	★★★★½
Valeur de revente	★★

FORD Windstar

Ford Windstar

5 étoiles mais pas partout

Depuis plusieurs années, l'équipe chargée du développement et de la mise au point de la Windstar se fait un point d'honneur d'en faire la fourgonnette la plus politiquement correcte sur le marché. Non seulement elle obtient année après année la cote 5 étoiles du gouvernement fédéral américain en matière de sécurité, mais on a encore raffiné cet élément sur le modèle 2001.

Cette fois, on a développé des coussins gonflables adaptatifs dont le déploiement s'effectue en fonction du poids des occupants des places avant et même de la distance du conducteur par rapport au volant. De plus, pour accentuer l'efficacité du système, les sièges avant sont équipés d'une ceinture de sécurité avec prétensionneurs et rétracteurs à tension constante. Toujours afin d'améliorer la sécurité, on a installé de série un système de détection de sous-pression des pneus. Enfin, le pédalier réglable est de retour cette année, permettant aux conducteurs de plus petite taille de pouvoir joindre les pédales sans devoir trop se rapprocher du volant, un facteur important pour éviter des blessures en cas de déploiement du coussin gonflable.

Les modèles SEL et Limited sont équipés de série de coussins de sécurité latéraux protégeant simultanément le torse et la tête. Ces coussins placés dans le dossier du siège sont de forme allongée afin de protéger la tête en cas d'impact. On peut commander un système de détection d'objets et d'obstacles à l'arrière du véhicule. Tout objet ou toute personne située à moins de 1,8 mètre est détectée par une batterie de 4 rayons ultrasoniques balayant l'arrière et les côtés des pare-chocs; le conducteur est averti par une succession de «bips» sonores dont la fréquence s'accentue au fur et à mesure qu'on s'approche de l'obstacle. Cet accessoire sera fort apprécié au cours des manœuvres de stationnement.

Mais je suis prêt à parier gros que, pour la majorité des gens, c'est surtout le nouveau système audiovisuel familial offert en option qui influencera le plus les acheteurs, même si la sécurité demeure un critère important à leurs yeux. Après que General Motors a équipé une Oldsmobile Silhouette d'un écran relié à un lecteur de cassettes VHS, l'idée a fait boule de neige: Ford et Chrysler font de même. Pour les parents, c'est la garantie de longues randonnées sans histoire alors que les jeunes écouteront paisiblement un film ou joueront à leurs jeux vidéo favoris.

Depuis l'an dernier, seul le moteur V6 de 3,8 litres est offert. Le V6 de 3 litres avec ses 150 chevaux n'était plus en mesure de faire la lutte à ce que proposaient les modèles concurrents. Et il est toujours mieux d'avoir une cinquantaine de chevaux de plus sous le pied pour assurer des dépassements plus francs et moins risqués. De plus, le 3,8 litres est classé comme étant un groupe propulseur ULEV (*Ultra Low Emission Vehicle*) selon les normes californiennes en matière d'environnement, ce qui signifie que ses gaz d'échappement sont plus propres de 65 % par rapport aux normes. Toujours pour se montrer politiquement correcte, cette fourgonnette comprend plusieurs morceaux fabriqués à partir d'éléments recyclés. C'est ainsi que les feux arrière sont issus de pièces d'ordinateurs recyclés.

À mi-chemin

Plus utile qu'agréable

Bref, si vous faites partie des gens qui sont préoccupés par leur sécurité et celle des occupants du véhicule, cette Windstar a de fortes chances de vous intéresser, d'autant plus que son moteur pollue moins que la moyenne. Par contre, tout ce beau pedigree est quelque peu occulté par un comportement routier et un agrément de conduite qui se situent dans la bonne moyenne, sans plus. Si les ingénieurs responsables du développement avaient réussi à obtenir une cote 5 étoiles à ce chapitre, ce serait le bonheur parfait.

Ce n'est pas le cas. Lorsqu'on la confronte à ses concurrentes, ce sont généralement les fourgonnettes de Chrysler ou encore la Honda Odyssey qui se disputent les places d'honneur. Malgré d'indéniables qualités, la Windstar ne semble jamais être en mesure de les surpasser même si elle est plus élégante, plus raffinée et plus confortable que jamais. Il est cependant très facile d'expliquer ces classements de milieu de grille.

En dépit de son moteur de 200 chevaux et d'un aménagement intérieur luxueux, la Windstar ne produit pas cette petite étincelle qui fait la différence au chapitre de l'agrément de conduite. À son volant, on va du point A au point B en bénéficiant d'un bon confort, d'une tenue de route saine et d'un moteur tout ce qu'il y a de plus correct. Mais voilà, c'est ça le problème! À trop vouloir produire une fourgonnette politiquement correcte et offrant une sécurité sans égale, les ingénieurs ont gommé les émotions de conduite. Ils se sont fait prendre à leur propre jeu et ont oublié que plusieurs personnes apprécient une conduite plus agréable.

À défaut d'être très intéressante à conduire, la Windstar a la robustesse nécessaire pour ne pas être affectée par les routes en mauvaise condition qui sont légion au Québec. Il faut de plus accorder de bonnes notes au V6 de 3,8 litres qui est costaud et dont la fiabilité n'a jamais été problématique.

Denis Duquet

FORD Windstar

▲ POUR

• Habitacle convivial • Moteur 3,8 litres fiable • Sécurité garantie • Construction soignée • Système audiovisuel

▼ CONTRE

• Instrumentation à revoir • Portes coulissantes automatiques lentes • Moteur bruyant • Agrément de conduite mitigé

CARACTÉRISTIQUES

Prix du modèle à l'essai	LX / 29 895 $
Garantie de base	3 ans / 60 000 km
Type	familiale / traction
Empattement / Longueur	306 cm / 510 cm
Largeur / Hauteur	191 cm / 173 cm
Poids	1 875 kg
Coffre / Réservoir	646 l ou 4 025 l / 98 litres
Coussins de sécurité	frontaux et latéraux
Suspension av.	indépendante
Suspension arr.	essieu rigide
Freins av. / arr.	disque / tambour ABS
Système antipatinage	oui
Direction	à crémaillère, assistée
Diamètre de braquage	12,3 mètres
Pneus av. / arr.	P215/70R15

MOTORISATION ET PERFORMANCES

Moteur	V6 3,8 litres
Transmission	automatique 4 rapports
Puissance	200 ch à 4 900 tr/min
Couple	240 lb-pi à 3 600 tr/min
Autre(s) moteur(s)	aucun
Autre(s) transmission(s)	aucune
Accélération 0-100 km/h	9,6 secondes
Vitesse maximale	180 km/h
Freinage 100-0 km/h	42,3 mètres
Consommation (100 km)	12,1 litres

MODÈLES CONCURRENTS

• Chevrolet Venture • Chrysler Caravan • Honda Odyssey • Mazda MPV • Nissan Quest • Toyota Sienna

QUOI DE NEUF ?

• Nouveaux coussins de sécurité • Nouveau modèle sport • Système audiovisuel

VERDICT

Agrément	★★★
Confort	★★★★
Fiabilité	★★★½
Habitabilité	★★★★½
Hiver	★★★★
Sécurité	★★★★★
Valeur de revente	★★★

HONDA Accord

Honda Accord

Une révision à mi-course

Il était temps, après un peu plus de trois ans, de dépoussiérer l'apparence de l'Accord. Rien de bien révolutionnaire, mais des changements assez significatifs pour débarrasser cette voiture de son côté tristounet. Et pour accompagner ces changements esthétiques, Honda Canada présente une nouvelle version: la berline LX V6. Mais parlons donc des changements extérieurs.

Les modifications les plus marquantes se situent à l'avant alors que la grille de calandre comprend maintenant deux barres transversales au lieu d'une seule. De plus, le pare-chocs des deux modèles est un peu plus haut et moins arrondi que précédemment. Le coupé se démarque davantage avec un grillage en partie centrale du pare-chocs.

La berline est la plus transformée des deux avec des feux arrière tout nouveaux et un dessus du coffre redessiné. Quant au coupé, un pare-chocs arrière plus stylisé enlève une certaine lourdeur à la silhouette, Les stylistes ont toutefois conservé les feux triangulaires, la signature visuelle de ce coupé.

Il faut également souligner l'influence du style *New Edge* alors que les angles aigus alternent avec des rondeurs placées stratégiquement.

On a profité de ces changements à la carrosserie pour modifier légèrement l'habitacle. On a droit à une nouvelle présentation des cadrans à cercle argenté, à un nouvel agencement de couleurs, à de nouveaux tissus et à d'autres changements mineurs. En outre, l'insonorisation a été améliorée et plusieurs éléments du moteur ont été modifiés afin de réduire le niveau sonore, même si nous sommes toujours à quelques décibels de la perfection. À ce chapitre, il y a toujours place pour du progrès.

Des coussins frontaux à double étape de déploiement assurent une meilleure protection des occupants, Cette année, les coussins gonflables latéraux sont dorénavant de série sur toutes les versions EX V6 et 4 cylindres. Ce coussin latéral comprend un système de désactivation qui l'empêche de se déployer si un enfant ou un adulte de petite taille est dans la trajectoire de déploiement.

Moteur à la carte

Même si la gamme Accord comprend une berline et un coupé, leur comportement routier est très semblable. Sauf que le coupé possède une suspension un peu plus sportive ainsi qu'un centre de gravité plus bas qui le rendent plus agile et plus maniable. Pour le reste, la différence est assez minime. En fait, si vous recherchez un coupé sport au tempérament sportif chez Honda, seule la Prelude est en mesure de satisfaire vos attentes.

Cette année encore, trois moteurs sont au catalogue. Le premier est un 4 cylindres 2,3 litres dont les 135 chevaux nécessitent une utilisation assez importante de la boîte manuelle. Il n'équipe que la berline la moins coûteuse et

Une référence

même s'il s'avère impressionnant, il ne fait quand même pas le poids par rapport à un autre moteur de 2,3 litres dont le système VTEC de calage variable des soupapes permet d'obtenir 15 chevaux de plus. Mais il ne faut pas uniquement s'en tenir aux chiffres puisque le rendement de ce moteur dépasse de beaucoup les simples statistiques. La conjugaison de la courbe de puissance et de couple permet à ce 4 cylindres aux données pourtant assez modestes d'offrir un rendement capable de consoler ceux qui ne peuvent se payer le moteur V6 3 litres de 200 chevaux.

La douceur du V6

D'une douceur hors du commun, ce V6 ne craint pas les régimes élevés et sera apprécié des amateurs de belle mécanique. Comme tous les autres VTEC, il émet un grognement caractéristique lorsque le système de calage variable

des soupapes entre en action. Il est dommage que ce V6 ne soit livré qu'avec une boîte automatique. À part un certain temps de réponse dans le passage des rapports, cette boîte est excellente, mais elle prive certains mordus du plaisir de contrôler les élans de ce moteur par l'intermédiaire d'une boîte manuelle. Toujours dans la famille V6, Honda nous propose un nouveau modèle équipé de ce moteur. Il s'agit du LX V6 dont le prix plus abordable devrait permettre à plus de gens de pouvoir profiter de ce moteur d'anthologie.

La finition de toutes les Accord est impeccable, mais on apprécierait un habitacle moins dépouillé et un tableau de bord à la présentation un peu plus imaginative. La situation est encore plus aiguë sur la DX qui fait vraiment minimaliste. On oublie ces déceptions lorsqu'on prend le volant. Après quelques kilomètres, on est impressionné par l'homogénéité de la tenue de route aussi bien en ligne droite qu'en virage. L'assistance de la direction est moins importante qu'auparavant, mais il n'est toujours pas facile de détecter les conditions d'adhérence de la chaussée.

Un succès justifié

La berline est une voiture familiale sobre, pratique et agréable à piloter. Le coupé a plus de panache grâce à sa silhouette plus percutante. Par contre, elle est sensible au choix de couleurs. Trouvez le bon colori et ce coupé change de personnalité.

Sous leurs robes plutôt effacées, ces deux Accord montrent un très bon équilibre. Ce qui explique pourquoi leurs propriétaires en sont tellement entichés.

Denis Duquet

HONDA Accord

▲ POUR

• Assemblage impeccable • Moteurs brillants • Tenue de route saine • Valeur de revente supérieure • Équipement en progrès

▼ CONTRE

• Modèle DX dépouillé • Direction surassistée • Pneumatiques moyens • Coupé bourgeois • Insonorisation encore perfectible

CARACTÉRISTIQUES

Prix du modèle à l'essai	LX V6 / 29 900 $
Garantie de base	3 ans / 60 000 km
Type	berline intermédiaire / traction
Empattement / Longueur	271 cm / 479 cm
Largeur / Hauteur	178 cm / 144 cm
Poids	1 490 kg
Coffre / Réservoir	399 litres / 65 litres
Coussins de sécurité	frontaux et latéraux
Suspension av.	indépendante
Suspension arr.	indépendante
Freins av. / arr.	disque ABS
Système antipatinage	oui
Direction	à crémaillère, assistance variable
Diamètre de braquage	11,8 : mètres
Pneus av. / arr.	P205/65R15

MOTORISATION ET PERFORMANCES

Moteur	V6 3 litres VTEC
Transmission	automatique 4 rapports
Puissance	200 ch à 5 500 tr/min
Couple	195 lb-pi à 4 700 tr/min
Autre(s) moteur(s)	4L 2,3 litres 150 ch VTEC; 4L 2,3 litres 139 ch
Autre(s) transmission(s)	manuelle 5 rapports
Accélération 0-100 km/h	8,5 secondes
Vitesse maximale	210 km/h
Freinage 100-0 km/h	39 mètres
Consommation (100 km)	11,4 litres

MODÈLES CONCURRENTS

• Chevrolet Malibu • Chrysler Sebring • Mazda 626 • Subaru Legacy • Saturn Série L • Toyota Camry

QUOI DE NEUF ?

• Version LX V6 • Lecteur CD de série sur LX • Nouveaux enjoliveurs • Tableau de bord modifié

VERDICT

Agrément	★★★★
Confort	★★★★
Fiabilité	★★★★★
Habitabilité	★★★★
Hiver	★★★½
Sécurité	★★★★
Valeur de revente	★★★★★

HONDA Civic

Honda Civic

La fin d'une époque

La Civic fait peau neuve. Mais, pour la première fois depuis 1974, elle ne sera pas commercialisée en version *hatchback*. Oui ! Je sais ! Ce modèle est une voiture culte au Québec et sa popularité y est toujours très grande, mais les dirigeants de Honda Canada ont dû se rendre à l'évidence. Ce véhicule 3 portes n'était plus rentable sur le marché nord-américain. En fait, seul le marché européen verra un *hatchback* 3 portes faire partie de la famille Civic. Au Japon, un *hatchback* 5 portes est le seul modèle à hayon à porter l'écusson Civic.

Voilà pour la mauvaise nouvelle. En revanche, la berline et le coupé ont été modifiés du tout au tout avec une nouvelle plateforme, des suspensions avant et arrière révisées et un habitacle beaucoup plus spacieux. D'ailleurs, la Civic 2001 est dorénavant cataloguée parmi les compactes, si on se fie aux normes américaines en fait de classement des voitures par volume de leur habitacle. Et, fidèle à son habitude, la compagnie nous a concocté des moteurs plus puissants, mais dont la consommation de carburant est moindre tout en polluant moins. D'ailleurs, la Civic 2001 est homologuée comme étant une voiture ULEV ou « véhicule à émissions ultrabasses ».

Malgré tous ces changements, le coupé et la berline ont de nombreuses affinités sur le plan visuel avec les modèles qu'ils remplacent. Encore une fois, Honda demeure fidèle à sa philosophie de conception évolutive. Et si cette politique est toujours viable, c'est que le modèle antérieur était l'une des références de la catégorie. Après tout, la Civic a été la voiture la plus vendue au Canada au cours des trois dernières années.

Plus courte mais plus spacieuse

L'équipe chargée du développement de ce nouveau modèle a défini ses objectifs avant de se mettre en branle. Tout d'abord, le but final était identifié comme étant « Q10 », soit de multiplier la qualité par 10 sur tous les aspects, que ce soit au chapitre de la qualité générale, des performances, de l'économie de carburant, etc. De plus, on a voulu produire une voiture plus courte tout en ayant un habitacle plus spacieux. Et cet objectif a été atteint puisque le volume intérieur a été augmenté de 71 litres (2,5 pi^3).

Un autre objectif confié aux responsables de l'équipe de la nouvelle Civic était d'assurer une différenciation plus poussée entre la berline et le coupé. Pour ce faire, la berline a été développée au Japon tandis que le coupé a été pensé aux États-Unis. Cette politique a porté fruit au moment de la mise au point de l'Accord et on a récidivé pour la Civic. Mais, dans les deux cas, on a voulu que ces deux compactes aient une silhouette qui s'apparente davantage à celle d'une voiture de prix plus élevé.

Alors, on a mis au point de nouvelles techniques de fabrication de ce modèle dans toutes les usines de Honda à travers le monde dans le but d'accélérer l'assemblage tout en améliorant la qualité générale. Par exemple, les interstices de la carrosserie ont été considérablement réduits : l'espace entre les pare-chocs et la caisse est de moins d'un millimètre. Celui entre la portière et la carrosserie est passé de 5,0 mm à 3,5 mm tandis que l'interstice entre le couvercle du coffre et la caisse est maintenant de 1 mm, une réduction de 2 mm.

L'apparence de ces nouvelles Civic est sobre bien que plus relevée que précédemment. Cette fois, les stylistes ont dessiné une partie avant plus courte et un pare-brise plus avancé afin d'optimiser l'espace dans l'habitacle. En revanche, l'arrière est plus long pour bénéficier d'un coffre à bagages plus important de même que de plus d'espace pour les occupants des places arrière.

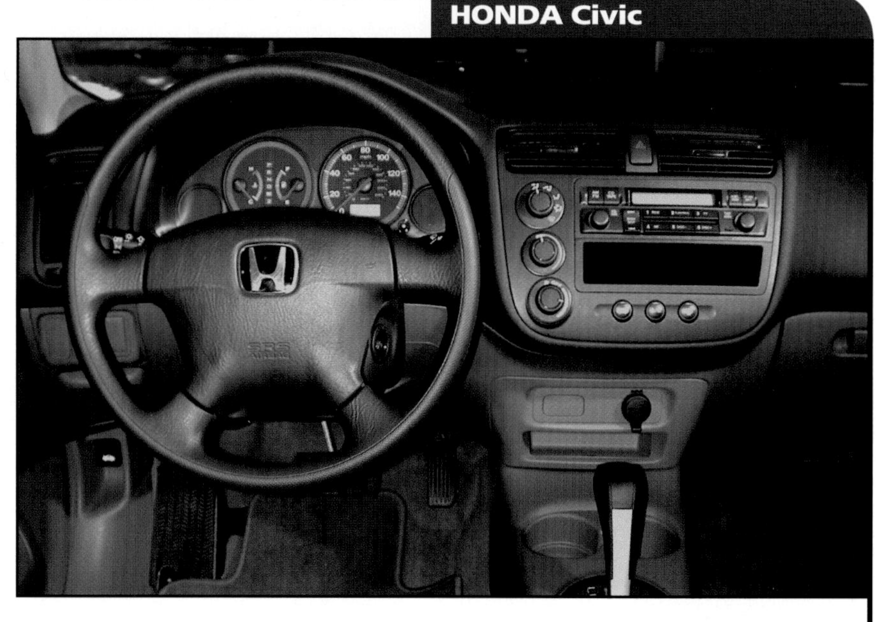

Nouveau moteur, nouvelles suspensions

Les ingénieurs qui ont travaillé au développement des nouvelles Civic ne se sont pas tourné les pouces. Il leur fallait répondre aux commandes de beaucoup de gens. Il y avait tout d'abord les stylistes qui réclamaient un moteur plus compact, une suspension avant plus courte et des tours de suspension arrière n'obstruant pas le coffre à bagages. Les propriétaires de Civic souhaitaient pour leur part plus de puissance et une consommation de carburant à la baisse. Bien entendu, les écologistes réclamaient une voiture polluant moins et pouvant être recyclée plus facilement.

Malgré cette longue liste d'exigences de toutes sortes, les ingénieurs ont été à la hauteur de la tâche. Pour raccourcir l'avant de la voiture, ils ont révisé la suspension avant à jambes de force MacPherson en plus de placer la crémaillère de la direction le long de la cloison pare-feu. Mieux encore, cette direction est à assistance variable en fonction de la vitesse.

Pour obtenir plus de couple et de puissance, la cylindrée du moteur a été portée à 1,7 litre. Malgré tout, ce moteur est plus petit et plus léger que celui qu'il remplace. La puissance est de 115 chevaux, ce qui permet aux coupés DX et LX ainsi qu'à la berline DX de connaître un gain de puissance de 9 chevaux. Les modèles coupé Si et berline LX sont propulsés par un moteur de même cylindrée dont le système VTEC porte la puissance à 127 chevaux.

La boîte de vitesses manuelle à 5 rapports est toute nouvelle. La course du levier

est plus précise tandis que le carter est plus compact. L'automatique est d'une nouvelle facture également. Très petite, elle est à commande électronique, possède un système de logique de pente et son système de convertisseur de couple est de type à blocage actif comme sur les voitures de grand luxe équipées d'une automatique à 5 rapports. Aux États-Unis, une transmission continuellement variable est commercialisée, mais elle n'est pas offerte au Canada.

Le châssis est plus rigide de 53 % en torsion et de 19 % en flexion. Cela a permis aux ingénieurs d'assouplir quelque peu le tarage des suspensions afin d'améliorer le confort et d'atténuer les vibrations sans pour autant affecter la tenue de route. Dans la même veine, l'insonorisation est nettement plus poussée tandis que plusieurs astuces aérodynamiques atténuent la résistance à l'air. On a même développé un déflecteur des pièces de la suspension arrière afin d'éliminer les turbulences de l'air.

La seule nomenclature des astuces techniques apportées à ces deux voitures prendrait plusieurs pages. La plus importante est la présence d'un plancher arrière plat afin d'optimiser le confort. Pour ce faire, on a déplacé le silencieux à côté du réservoir de carburant en plus de placer des renforts spéciaux sous la caisse.

Presque une grosse voiture

La Civic de la 6e génération a longtemps été considérée comme la référence dans sa catégorie, ce qui ne l'empêchait pas d'être relativement bruyante et d'être dotée d'un habitacle d'un dépouillement à faire peur. La relève ne se contente pas d'afficher une présentation extérieure plus stylisée pour nous amadouer. En fait, tout dans cette nouvelle génération est en progrès. La silhouette de la berline est nettement plus élégante que sa devancière même si le résultat est plutôt sobre, voire trop sobre. Mais c'est une voiture qui a du coffre et qui saura bien vieillir sur le plan esthétique. Le coupé, malgré l'optimisme des communiqués de presse, ressemble davantage à une berline 2 portes qu'à une sportive, malgré que son apparence soit mieux réussie que celle de la berline. À nouveau, le bureau de stylisme américain de Honda se montre plus imaginatif que son vis-à-vis japonais.

L'habitacle de ces deux voitures est plus ou moins de même présentation. Les cadrans indicateurs du coupé sont de couleur plus pâle tandis que le pourtour du levier de vitesses de la boîte automatique est doré sur la berline et argent sur le coupé. Il faut également ajouter que le dossier des sièges avant offre un meilleur support latéral en raison de bourrelets plus gros. Malheureusement, le siège est toujours trop plat et le support pour les cuisses est très moyen même s'il est meilleur qu'auparavant. L'appuie-tête du coupé se différencie par un orifice en sa partie centrale. Ce n'est pas génial, c'est juste pour distinguer un modèle de l'autre.

Le tableau de bord est en harmonie avec celui de l'Accord. Le résultat est moins dépouillé que dans la Civic précédente, mais on est loin de la présentation excentrique de la Ford Focus ou de celle, très stylisée, de la Volkswagen Jetta.

Enfin silencieuse

C'est donc assis dans un habitacle plus convivial et plus cossu que nous avons mis à l'essai ces nouvelles Civic sur les routes du sud de la Californie. Dès les premiers tours de roues, nous avons constaté un net progrès en ce qui a trait au silence de l'habitacle, à la douceur de roulement et au confort général de la suspension. On a vrai-

ÉQUIPEMENTS

DE SÉRIE

- Direction assistée • Serrures électriques
- Climatisation (groupe DX)
- Siège arrière 60/40 • Lecteur CD

EN OPTION

- Boîte automatique • Groupe LX avec ABS
- Déflecteurs (LX) • Télécommande (LX)

ment l'impression de piloter une voiture beaucoup plus grosse. Il ne faut pas en conclure que l'agrément de conduite des Civic a été saboté par une suspension trop molle. Un peu comme dans les modèles de Série 3 de BMW, le confort a progressé, mais pas nécessairement au détriment de la tenue de route. En fait, ces nouvelles Civic ont négocié avec aplomb toutes les courbes qui se sont dressées sur leur passage. La suspension est souple, mais le roulis se révèle bien contrôlé. Il faut également ajouter que les freins sont plus efficaces qu'auparavant. Malheureusement, les freins ABS ne sont même pas offerts en option sur plusieurs modèles. En fait, seul le Coupé Si et la berline LX l'offrent en équipement de série.

La 7e génération

Un moteur paisible

La tenue de route et le rendement ne sont pas très différents de la berline au coupé. Ces voitures sont toujours agréables à piloter et leur confort a progressé, surtout le niveau sonore dans la cabine. Cependant, les 115 chevaux offerts dans la majorité des modèles ont été à peine suffisants pour grimper certaines côtes en altitude de l'arrière-pays. Il fallait jouer du levier de vitesses pour maintenir l'allure. En certaines circonstances, le modèle équipé de la boîte automatique était mieux approprié au profil des routes empruntées. Il faut également souligner que l'étagement des rapports de la boîte de vitesses manuelle a été choisi en fonction de l'économie de carburant et que ceux-ci sont très longs. Compte tenu de l'incertitude du marché de l'essence, plusieurs vont endurer sans se plaindre en songeant que cette Honda demeure une championne de l'économie de carburant. Malgré tout, les progrès en fait de performances sont à souligner puisque le couple plus élevé à bas régime fait sentir sa présence dans les accélérations.

L'assistance de la direction varie en fonction de la vitesse et son dosage est assez bien calibré. Cependant, c'est parfois trop léger, surtout en entrée de virage, et il est facile de dévier de la trajectoire pour corriger par la suite. Un peu plus de feed-back de la route, à la Volkswagen Golf, serait apprécié.

En conclusion, ces nouvelles Civic représentent une évolution positive. Elles font moins «p'tit char économique», leur habitacle est plus spacieux, plus confortable et beaucoup mieux insonorisé tandis que le comportement routier a également progressé. Et si la puissance du moteur des modèles de grande diffusion ne possède pas toute la fougue désirée, on peut toujours se consoler en songeant que ces Honda sont parmi les moins assoiffées en hydrocarbures tout en ayant un habitacle assez vaste pour être classées parmi les compactes.

Denis Duquet

HONDA Civic

▲ POUR

• Moteur plus puissant • Insonorisation améliorée • Finition impeccable • Suspension raffinée • Fiabilité assurée

▼ CONTRE

• Disparition du *hatchback* • Performances décevantes • Direction trop légère • Sièges avant trop plats • Coussins de sécurité latéraux non offerts

CARACTÉRISTIQUES

Prix du modèle à l'essai	DX / 17 500 $
Garantie de base	3 ans / 60 000 km
Type	berline / traction
Empattement / Longueur	262 cm / 443 cm
Largeur / Hauteur	171 cm / 144 cm
Poids	1 100 kg
Coffre / Réservoir	365 litres / 50 litres
Coussins de sécurité	frontaux
Suspension av.	indépendante
Suspension arr.	indépendante
Freins av. / arr.	disque / tambour (ABS sur LXI)
Système antipatinage	non
Direction	à crémaillère, assistée
Diamètre de braquage	10,4 mètres
Pneus av. / arr.	P185/70R14

MOTORISATION ET PERFORMANCES

Moteur	4L 1,7 litre
Transmission	manuelle 5 rapports
Puissance	115 ch à 6100 tr/min
Couple	110 lb-pi à 4500 tr/min
Autre(s) moteur(s)	4L 1,7 litre 127 chevaux
Autre(s) transmission(s)	automatique 4 rapports
Accélération 0-100 km/h	9,2 s, 8,7 s (127 ch)
Vitesse maximale	195 km/h
Freinage 100-0 km/h	43,5 mètres
Consommation (100 km)	6,3 litres

MODÈLES CONCURRENTS

• Daewoo Nubira • Ford Focus • Hyundai Elantra • Mazda Protegé • Nissan Sentra • Toyota Corolla

QUOI DE NEUF ?

• Tout nouveau modèle • Moteur plus puissant • Insonorisation améliorée • Habitabilité en progrès

VERDICT

Agrément	★★★★
Confort	★★★½
Fiabilité	★★★★★
Habitabilité	★★★½
Hiver	★★★
Sécurité	★★★★
Valeur de revente	★★★★★

HONDA CR-V

Honda CR-V

Juste ce qu'il faut

Même si certaines décisions des gens de Honda nous semblent incompréhensibles de prime abord, le temps leur donne souvent raison. Le cas de la CR-V en est le plus bel exemple. Alors que l'industrie se précipitait pour réaliser et produire des véhicules utilitaires sport de plus en plus gros et toujours plus puissants, Honda a répliqué avec le CR-V.

Ce que certains trouvaient trop petit, trop cher et trop peu puissant pour réussir sur notre marché a connu et connaît toujours un succès considérable. En fait, ce CR-V est juste ce qu'il faut aux yeux de milliers d'automobilistes québécois. Il faut par contre ajouter que Honda ne s'est pas contentée de cet utilitaire compact pour affronter le marché des États-Unis où l'on retrouve l'Isuzu Rodeo commercialisé en tant que Honda Passeport. Curieusement, ce Honda fabriqué par Isuzu a obtenu des commentaires bien plus positifs que l'original. C'est un fait connu que la présence d'un écusson Honda au milieu d'une grille de calandre a des effets miraculeux sur le comportement routier et les performances aux yeux de certains journalistes américains obnubilés par tout ce qui est produit au pays du soleil levant.

Revenons à notre CR-V qui n'a pas connu, au cours du match comparatif de la catégorie réalisé l'an dernier, un classement à la hauteur de ses succès sur le marché. Il a été devancé par des modèles plus agiles et plus à l'aise en conduite tout-terrain qui sont propulsés par des moteurs plus puissants. Ce match qui comportait à juste titre une section conduite hors route assez éprouvante a mis à nu les limites de ce Honda hors des sentiers battus. Mais ce n'est certainement pas sa vocation première, loin de là. Les 147 chevaux de son moteur 2 litres sont à peine suffisants pour franchir certains obstacles majeurs. De plus, son couple est produit à un régime assez élevé, ce qui n'est pas tellement en harmonie avec les exigences de ce genre de conduite alors qu'il faut une impulsion initiale rapide pour traverser un étang boueux ou un raidillon escarpé. Le CR-V s'est tiré d'affaire dans ce match uniquement parce qu'il était piloté par un vieil habitué du *Guide* et un spécialiste du tout-terrain.

Donc, aux mains d'un expert, cette Honda des routes et des champs peut s'en sortir, mais la marge de manœuvre est plutôt faible. D'autant plus que le rouage d'entraînement intégral est davantage conçu pour rouler sur les routes que pour affronter mares de boues et ornières dans la forêt laurentienne.

Ville, banlieue, campagne

Si le CR-V remporte du succès sur notre marché, c'est qu'il possède un ensemble de caractéristiques qui conviennent aux besoins des gens. Il est vrai que son moteur 4 cylindres est un peu juste lorsqu'on doit circuler en montagne ou dans la neige profonde, mais il consomme peu. Voilà une qualité fort appréciée des automobilistes qui sont souvent découragés par l'appétit vorace en hydrocarbures des gros 4X4. Sur la route, les courbes de puissance et de couple conviennent quand même tout en assurant des reprises intéressantes compte tenu de la cylindrée.

Sur mesure

En fait, ce Honda n'est jamais pris au dépourvu dans la conduite de tous les jours. En ville, ses dimensions raisonnables permettent de se faufiler dans la circulation sans trop de problèmes et la position de conduite plus élevée que la moyenne de mieux voir. De plus, il est passablement maniable, ce qui facilite les manœuvres de stationnement. Il ne faut pas croire pour autant que ses dimensions soient très petites. En fait, grâce à sa silhouette tout en rondeurs, le CR-V paraît plus petit qu'il ne l'est. Plus long en réalité qu'un Jeep Cherokee, il est capable d'accommoder facilement 5 adultes et leurs bagages. Et, toujours par rapport au Jeep, les portières arrière sont plus larges, ce qui facilite l'accès à bord. Et si la banquette est garnie de coussins un peu trop minces, l'espace pour les jambes et la tête ne fait pas défaut.

Agile dans la circulation dense, ce véhicule convient également aux déplacements des banlieusards. Sa consommation de carburant est plutôt faible tandis que son rouage intégral permet de se rendre au travail sans trop d'inquiétude lorsque la nature se déchaîne. Et toute la petite famille appréciera son habitabilité, ainsi que le confort des sièges et de la suspension arrière. Il faut toutefois déplorer que l'accès à la soute à bagages soit assez pénible puisqu'il faut tout d'abord soulever la partie vitrée du hayon, pour ensuite ouvrir le panneau arrière ancré sur la droite. On aurait dû trouver une solution moins complexe et plus efficace. Pour se faire pardonner, les concepteurs se sont amusés à réaliser un couvercle de roue de secours qui se transforme en table à pique-nique. C'est amusant, mais il faut vider le coffre avant d'y accéder.

D'une finition impeccable, ce Honda est capable de se tirer d'affaire dans presque toutes les circonstances. Il rencontre également les attentes de la majorité en étant un véhicule élégant, capable de jouer les tout-terrains sans pour autant avoir la robustesse des « vrais de vrais » et leur consommation élevée.

Une fois de plus, Honda a réussi à réunir dans un même véhicule les caractéristiques les plus appréciées du public.

Denis Duquet

HONDA CR-V

▲ POUR

• Habitabilité surprenante • Finition impeccable • Silhouette élégante • Commandes de climatisation • Suspension confortable

▼ CONTRE

• Faible puissance du moteur • Hayon arrière peu pratique • Direction lente • Insonorisation perfectible • Rouage intégral élémentaire

CARACTÉRISTIQUES

Prix du modèle à l'essai	LX / 27 695 $
Garantie de base	3 ans / 60 000 km
Type	utilitaire sport compact / traction intégrale
Empattement / Longueur	262 cm / 451 cm
Largeur / Hauteur	175 cm / 167 cm
Poids	1 398 kg
Coffre / Réservoir	837 litres / 59 litres
Coussins de sécurité	frontaux
Suspension av.	indépendante
Suspension arr.	indépendante
Freins av. / arr.	disque ABS / tambour ABS
Système antipatinage	non
Direction	à crémaillère, assistance variable
Diamètre de braquage	10,6 mètres
Pneus av. / arr.	P205/70R15

MOTORISATION ET PERFORMANCES

Moteur	4L 2 litres
Transmission	automatique 4 rapports
Puissance	147 ch à 5 400 tr/min
Couple	165 lb-pi à 4 700 tr/min
Autre(s) moteur(s)	aucun
Autre(s) transmission(s)	manuelle 5 rapports
Accélération 0-100 km/h	10,7 secondes
Vitesse maximale	175 km/h
Freinage 100-0 km/h	43,6 mètres
Consommation (100 km)	11,8 litres

MODÈLES CONCURRENTS

• Toyota RAV4 • Subaru Forester • Jeep Cherokee • Suzuki Vitara/Chevrolet Tracker

QUOI DE NEUF ?

• Modifications de détail • Ancrage pour sièges de bébé • Nouveau volant • Nouvelles moquettes

VERDICT

Agrément	★★★½
Confort	★★★
Fiabilité	★★★★
Habitabilité	★★★½
Hiver	★★★★½
Sécurité	★★★
Valeur de revente	★★★★

HONDA Insight

Honda Insight

La CRX des écolos

Curieux mélange de CRX et de Citroën, la Honda Insight, première voiture hybride (essence-électricité) à faire son apparition sur le marché nord-américain, est étonnante à plus d'un point de vue. On s'attendait d'abord que cet exercice de haute technologie soit d'un ennui consommé, ce qui est loin d'être le cas. L'économie à tout prix et la propreté de ce petit engin réussissent à s'accorder avec un certain agrément de conduite. Encore une fois, les magiciens de Honda ont réalisé un véritable exploit et l'Insight m'a fort agréablement surpris.

En la voyant passer, les gens évoquent l'ancien coupé sport de Honda, le CRX, qui a tant fait plaisir à toute une génération de jeunes conducteurs. D'autres, plus âgés, lui trouvent des airs de Citroën SM et ils n'ont pas tort, surtout en raison de ces jupes latérales ou cache-roues arrière qui ont pour but de peaufiner l'aérodynamisme. Ce n'est ni très joli ni très pratique en hiver mais, chez Honda, on affirme que 100 000 km d'essais hivernaux n'ont fait surgir aucun problème de neige accumulée dans les puits de roue. Quant au coefficient de traînée, il y gagne énormément avec un Cx de 0,25, l'un des trois facteurs qui font de la Honda Insight la voiture la plus économique sur le marché. Et on ne parle pas ici de 5 ou 6 litres aux 100 km mais bien de 3,4, une cote encore plus impressionnante quand on la transforme en 84 milles au gallon. Toutefois, pour obtenir de tels chiffres, il faut conduire comme si l'on participait à une épreuve d'économie. En conduite normale, il faudrait plutôt parler d'environ 5 litres aux 100 km.

En plus de son aérodynamisme, ce coupé écolo mise sur sa légèreté. Faisant largement usage de l'aluminium autant pour le moteur et pour le châssis que pour la carrosserie, l'Insight ne fait osciller la balance qu'à 852 kg. Il suffit de soulever le capot avant (léger comme une feuille de papier) pour se rendre compte que la voiture ne souffre pas d'embonpoint.

Unique au monde

Le dernier élément qui fait de cette Honda une voiture unique au monde est son groupe motopropulseur se composant d'un petit moteur 3 cylindres VTEC à essence (un peu grognon) à mélange pauvre de 1 litre et 67 chevaux. Celui-ci travaille en parallèle avec un moteur/génératrice électrique ultramince à aimant permanent développant 6 chevaux. La puissance est transmise aux roues avant motrices par le biais d'une boîte de vitesses manuelle à 5 rapports. Toutefois, ce n'est pas tant de la puissance dont il faut parler, mais du couple qui est fortement influencé par le moteur électrique. Limité à 66 lb-pi à 4 800 tr/min avec le seul apport du 3 cylindres à essence, il bondit à 91 lb-pi à seulement 2 000 tr/min avec l'appoint du moteur électrique. Ce phénomène est

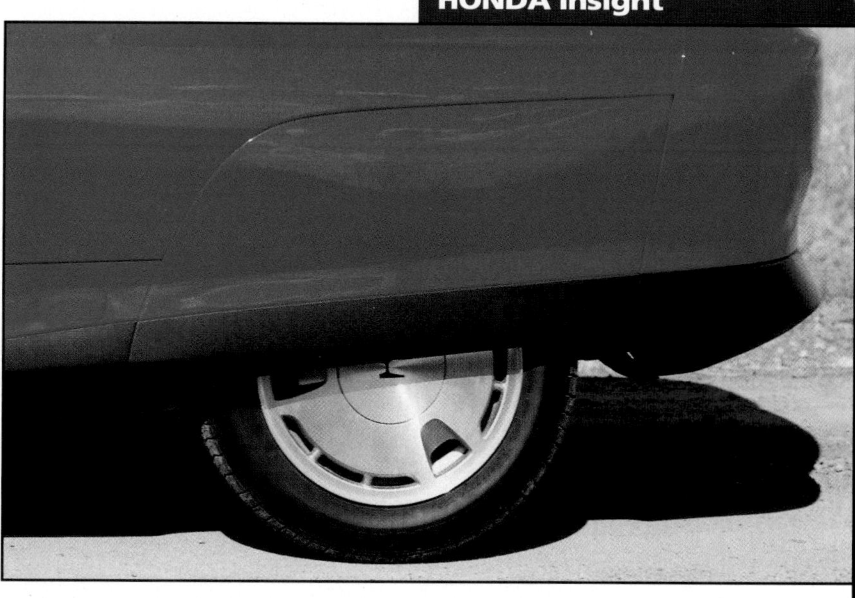

d'ailleurs parfaitement ressenti sur route avec un surcroît de puissance quasi instantané lorsqu'on enfonce l'accélérateur, à la condition que le moteur tourne allègrement. À bas régime, le couple fait grandement défaut et on peine à atteindre sa vitesse de croisière. Et si l'on insiste un peu trop à l'accélération, la jauge indiquant la consommation instantanée se retrouve dans les hauteurs. En somme, les performances sont honnêtes sans plus, quoique les contrevenants aux limites de vitesse pourront même dépasser les 160 km/h, ce qui est étonnant pour ce type de voiture.

Un autre élément qui contribue à la faible consommation en ville est l'arrêt automatique du moteur lorsque la voiture est immobilisée. Dès que l'on débraye et que l'on place le levier de vitesses de la boîte manuelle au point mort, le moteur se tait. Il se relance tout seul sans aucun délai gênant dès que l'on passe la première. Toutefois, cela ne se produit pas si le climatiseur est en marche.

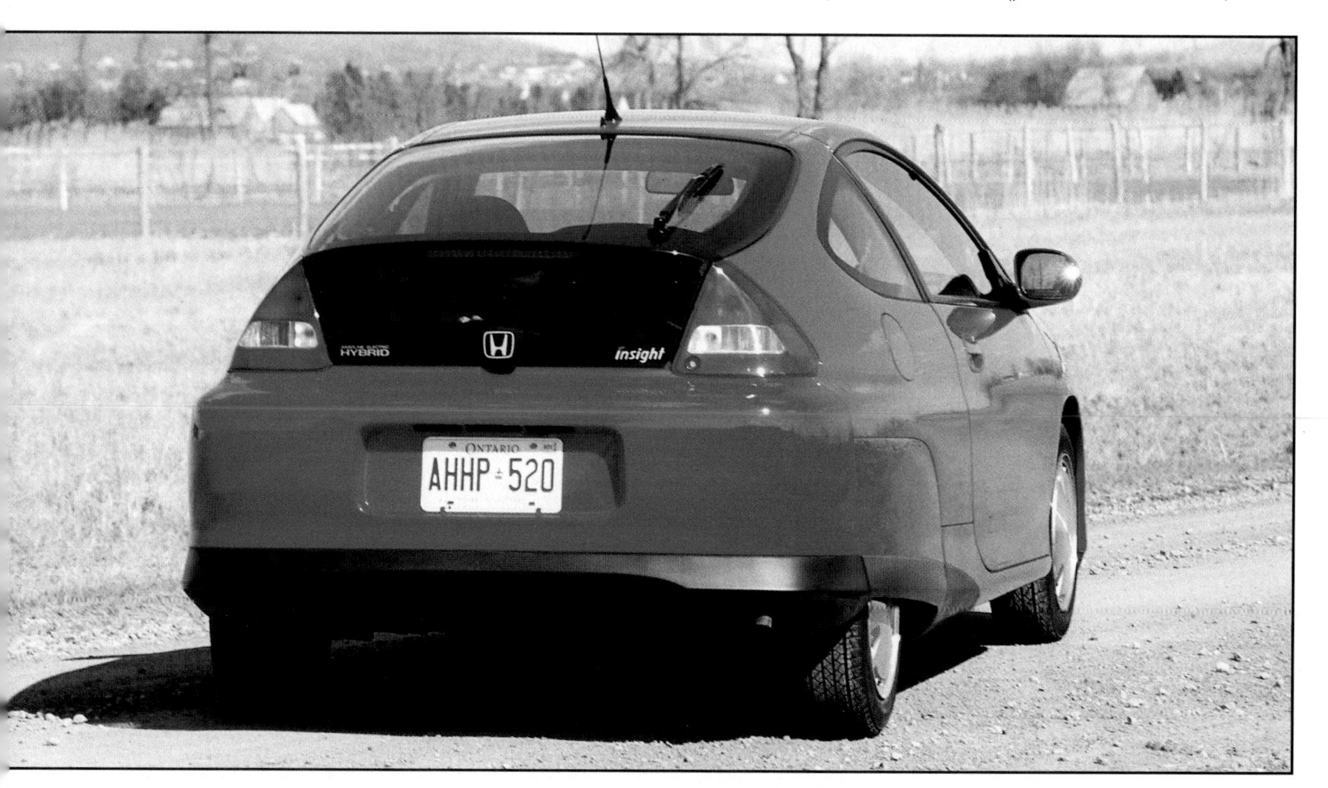

Sixteen pack

L'ensemble de 16 petites batteries logé sous le plancher arrière, sous l'espace réservé aux bagages, n'exige pas de recharge puisque celle-ci est assurée par le moteur à essence et par le freinage régénérateur. Au volant, on note à l'occasion une brève sensation de « freins collés » attribuable à cet effet de génératrice, mais cela n'est jamais ennuyeux.

Les férus de haute technologie seront fascinés par certaines autres caractéristiques de ce coupé, entre autres par un collecteur d'échappement intégré à la culasse, une première sur un moteur de série. En plus, un système de contrôle gère efficacement la puissance du moteur, son assistance électrique, le processus de charge et les batteries à l'hydrure métallique de nickel. C'est ce qui fait qu'aucune source extérieure n'est requise pour charger les batteries.

L'aluminium est omniprésent dans la construction de l'Insight. Le châssis, les étriers de freins, la suspension et la carrosserie (panneaux de custode, toit et portières) font largement appel à ce métal à la fois léger et rigide.

De la colline à Sanair

Si mon essai a débuté sur la colline parlementaire à Ottawa, c'est parce que le

coupé Insight est sans l'ombre d'un doute le véhicule le plus politiquement correct à être mis en vente au Canada. Dans ce contexte, le tout premier exemplaire a été présenté par Honda Canada au ministre fédéral des Transports, M. David Collenette. Écologique, archipropre, verte (pas seulement par sa couleur), la Honda Insight pollue à peine et pratique l'économie de carburant sur une grande échelle. Mais à quoi doit-on s'attendre d'un tel engin?

D'abord, son prix et son peu de polyvalence font réfléchir, car l'Insight s'amène sous la forme d'un petit *hatchback* 2 places et son prix a été fixé à 26 400 $. C'est un petit prix si l'on tient compte du fait que la production totale se limitera à quelques milliers d'exemplaires et que nous sommes en présence d'une voiture à l'avant-garde de la technologie. Par contre, c'est beaucoup pour l'usager moyen qui aimerait bien conduire une voiture aussi économique mais qui, dans ce cas, n'en a peut-être pas les moyens. Car, avec 2 places seulement, l'Insight ne peut en aucun cas être considérée comme une voiture familiale, contrairement à la berline Prius, l'hybride de Toyota qui fait son apparition sur le marché cette année.

Qui alors achètera cette nouvelle Honda? À cette question, le porte-parole de Honda, Bill Bunting, répond que l'Insight plaira à ceux qui veulent toujours le dernier cri en matière de technologie, aux écolos qui ont autant d'argent que de principes (*put your money where your mouth is,* selon l'expression américaine) et, possiblement, aux familles possédant déjà un 4X4 et une berline et qui cherchent un troisième véhicule économique pour les enfants. Ça ne fait pas grand monde, entre vous et moi, mais avec seulement 300 Insight pour l'ensemble du Canada, on ne devrait pas avoir de problèmes à trouver preneurs.

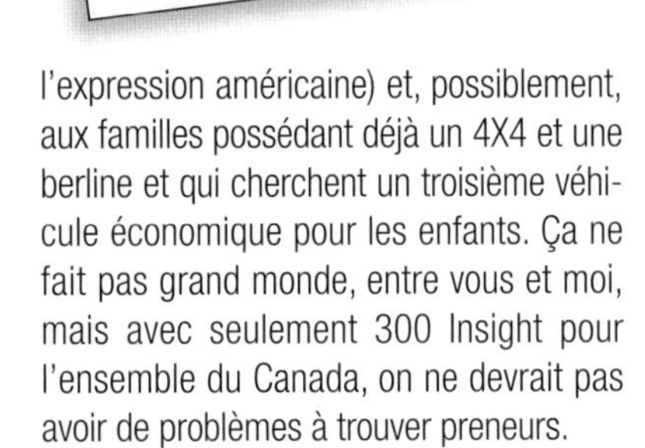

Le faible poids de l'Insight (852 kg) tient non seulement à l'aluminium, mais aussi à des plastiques moulables utilisés pour certaines pièces de la carrosserie. La légèreté a cependant son prix et comme beaucoup de voitures Honda, l'insonorisation aux bruits de la route n'est pas terrible. Dans le cas présent toutefois, la fin justifie les moyens.

ÉQUIPEMENTS

DE SÉRIE

- Climatiseur • Verrouillage électrique des portes
- Radio avec lecteur de cassette

EN OPTION

- Lecteur CD • Tapis

Montréal-Toronto-Montréal avec un plein

Frugale, propre et amusante

Pour bien comprendre la faible consommation de l'Insight, faites votre choix. Elle peut franchir 31 km avec un seul litre d'essence ou encore faire les quelque 1 000 km de l'aller-retour Montréal-Toronto avec un réservoir. Il faut savoir toutefois qu'en ville ou en conduite sans égard à l'économie, l'affichage électronique risque de vous renvoyer des moyennes moins impressionnantes. Encore là, Honda a su se montrer habile en installant dans la voiture un bloc d'instruments qui est pratiquement un jeu vidéo. C'est ainsi qu'un compteur numérique vous tient constamment au courant de la consommation du véhicule. Bien sûr, on se laisse prendre au jeu et on veut toujours améliorer son score. Les meilleurs (joueurs ou conducteurs) ont réussi à abaisser la consommation autour de 2,7 litres aux 100 km (plus de 100 milles au gallon). Qui dit mieux?

Y a-t-il un prix à payer pour le frugal appétit du coupé Insight, demanderez-vous? Pas vraiment, à mon avis. Un essai en ville assorti de plusieurs tours de piste sur le petit circuit utilisé pour le tournage de la série «Prenez le volant» à Sanair ont fait ressortir le bon côté de cette Honda pas comme les autres.

Si le moteur 3 cylindres grogne un peu, la grande douceur de la boîte manuelle à 5 rapports fait oublier ses intonations. Malgré des pneus qui semblent perdus dans les ailes de l'Insight, la tenue de route n'est pas vilaine et la limite d'adhérence se repère assez facilement pour ne pas causer de mauvaises surprises. Lancée à bride abattue sur piste, l'Insight s'est montrée facile à conduire grâce à sa direction à assistance électrique d'une précision chirurgicale et à sa grande maniabilité. À la limite, je dirais qu'elle se compare avantageusement au coupé CRX qui était pourtant un engin très sportif. La suspension joue bien son rôle sur le plan du confort et la présentation intérieure est à la hauteur des normes de qualité Honda avec un joli petit volant «volé» à la S2000 et un équipement fort complet incluant la climatisation et des glaces à commande électrique. Incidemment, l'Insight est construite dans la même usine que le roadster de Honda et la sportive haut de gamme NSX.

Contrairement à ce que je craignais, la Honda Insight est beaucoup mieux qu'une voiture politiquement correcte. Si le premier hybride à faire son entrée sur le marché donne un avant-goût de l'avenir, on ne risque pas de s'ennuyer mortellement au volant. Et l'on pourra tirer plaisir à conduire une Insight tout en sachant que l'on consomme de l'essence au compte-gouttes et que l'on pollue moins.

Jacques Duval

HONDA Insight

▲ POUR

• Consommation microscopique • Faible taux de pollution • Direction superbe • Comportement routier semi-sportif • Performances intéressantes

▼ CONTRE

• Deux places seulement • Prix élevé • Mauvaise insonorisation • Réparations complexes • Aptitudes hivernales incertaines • Faible couple moteur

CARACTÉRISTIQUES

Prix du modèle à l'essai	26 795 $
Garantie de base	3 ans / 60 000 km
Type	coupé 2 places / traction
Empattement / Longueur	240 cm / 394 cm
Largeur / Hauteur	135,5 cm / 169,5 cm
Poids	852 kg
Coffre / Réservoir	142 litres / 40 litres
Coussins de sécurité	frontaux
Suspension av.	jambes de force MacPherson
Suspension arr.	poutrelle de torsion
Freins av. / arr.	disque / tambour avec ABS
Système antipatinage	non
Direction	crémaillère, assistance électrique
Diamètre de braquage	9,6 mètres
Pneus av. / arr.	P165/65R14

MOTORISATION ET PERFORMANCES

Moteur	3L 1 litre + électrique à aimant permanent
Transmission	manuelle 5 rapports
Puissance	67 ch à 5700 tr/min + 6 ch (élec.)
Couple	66 lb-pi à 4 800 tr/min (91 lb-pi à 2000 tr/min avec moteur électrique)
Autre(s) moteur(s)	aucun
Autre(s) transmission(s)	aucune
Accélération 0-100 km/h	12 secondes
Vitesse maximale	175 km/h
Freinage 100-0 km/h	n.d.
Consommation (100 km)	ville: 3,9 litres; route: 3,2 litres; moyenne: 4 litres

MODÈLES CONCURRENTS

• Toyota Prius

QUOI DE NEUF?

• Nouveau modèle

VERDICT

Agrément	★★★
Confort	★★★
Fiabilité	nouveau modèle
Habitabilité	★★
Hiver	non vérifiée
Sécurité	aucune statistique
Valeur de revente	nouveau modèle

HONDA Odyssey

Honda Odyssey

Lutte en tête

Il faut rendre hommage à la compagnie Honda de toujours être capable de reconnaître ses erreurs et de les corriger de fort belle façon. L'histoire de l'Odyssey en est un exemple parfait. La première génération était un véhicule hybride à mi-chemin entre une familiale et une fourgonnette. Les ingénieurs nippons étaient convaincus que leur création possédait toutes les qualités d'une automobile et le caractère pratique d'une fourgonnette.

Malheureusement, il s'est révélé utopique de tenter de convaincre les acheteurs nord-américains de se procurer un véhicule de dimensions plus petites que la moyenne de la catégorie. Et on avait même eu l'impudence de demander un prix relativement élevé pour un modèle équipé d'un moteur 4 cylindres. En fait, Honda avait réalisé un modèle hybride avant le temps puisque plusieurs modèles plus ou moins similaires sont censés venir révolutionner la catégorie d'ici 2005. Encore une fois, on avait le bon produit au mauvais moment.

On a reconnu avoir fait fausse route chez Honda et on a planché très fort pour concocter une fourgonnette répondant aux besoins des automobilistes nord-américains. Cette fois, on a respecté les goûts et les attentes de l'*« homo vanus »* américain.

Un gros gabarit

Plusieurs ingénieurs de chez Honda ont dû avoir des boutons lorsqu'on a élaboré les devis de ce nouveau véhicule. Habitués à concevoir des véhicules d'une grande habitabilité en dépit de petites dimensions extérieures, voilà qu'ils recevaient l'ordre de dessiner la plus grosse Honda de l'histoire de la compagnie. Et ces anciens champions des petits moteurs 4 cylindres se sont même attaqués à la création d'un moteur V6 de 3,5 litres. Mais puisque l'Odyssey II était destinée au marché nord-américain, elle a été développée dans les bureaux de recherche et développement de la compagnie en Californie.

Le résultat final est une fourgonnette d'une longueur identique à celle d'une Ford Windstar (511 cm) tout en étant plus haute de quelques centimètres. On ne s'est pas contenté de faire plus gros, on y est également allé de quelques astuces dans l'aménagement qui ont déjà été récupérées par certains concurrents. Comme dans le modèle de la première génération, la banquette arrière s'escamote dans le plancher tandis que le siège central est monté sur des glissières afin qu'on puisse distancer ou rapprocher les deux éléments. Il est donc possible d'en faire 1 banquette ou 2 sièges individuels. Enfin, la roue de secours est dissimulée dans le plancher et on y accède par une trappe.

Comme sur toute Honda qui se respecte, la finition est impeccable, tout comme la qualité des matériaux. Par contre, plusieurs lecteurs nous ont rapporté que leur Odyssey souffrait de bruits de caisse et de cliquetis. Curieusement, la

Toyota Sienna est affligée des mêmes ennuis. La présentation intérieure est dépouillée, comme dans toutes les voitures Honda. On y retrouve les mêmes tissus anonymes et un tableau de bord d'une grande simplicité. Si vous aimez les présentations à la Pontiac, l'Odyssey risque de vous décevoir. En revanche, l'ergonomie est impeccable. Malheureusement, un espace de rangement placé en bas de la console est difficile d'accès et les porte-verres sont plus symboliques que pratiques.

Le conducteur s'amuse

Dans bien des véhicules à vocation pratique, les passagers se prélassent et prennent leurs aises tandis que le pilote doit se concentrer pour négocier les virages rendus difficiles par une suspension plus ou moins prévue pour la conduite rapide. De plus, il doit planifier ses dépassements avec soin puisque le moteur ne dispose pas des chevaux nécessaires.

Moteur sophistiqué

Honda. Malgré tout, la distance de freinage se situe dans la bonne moyenne.

Le moteur V6 3,5 litres de 210 chevaux n'a aucune difficulté à déplacer cette grosse caisse avec une certaine célérité.

Par contre, il est assez grognon en accélération. L'engagement du système VTEC aux alentours de 3 500 tr/min est perceptible. Malgré un certain temps de réponse de la boîte automatique à 4 rapports, les reprises et les accélérations permettent d'assurer une bonne marge de sécurité.

Si vous ajoutez à cette équation la fiabilité légendaire de la marque et une valeur de revente supérieure à la moyenne, il n'est pas surprenant que cette fourgonnette américano-nippone connaisse tant de succès autant auprès des essayeurs que des consommateurs. Si on pouvait mieux insonoriser l'habitacle, améliorer la qualité des pneumatiques et mieux doser l'assistance à la direction,

Dans l'Odyssey, le pilote s'amuse lui aussi puisque la suspension indépendante aux 4 roues assure une tenue de route pratiquement semblable à celle d'une grosse berline de luxe. La direction est peut-être trop engourdie, mais ce n'est pas dramatique. Et la pédale de freins est spongieuse comme sur bien d'autres cette Honda à vocation familiale serait encore plus désirable.

La nouvelle fourgonnette de Chrysler fera une très chaude lutte à l'Odyssey pour remporter la suprématie de la catégorie, mais cette Honda ne sera pas larguée par ce nouvel adversaire revu et corrigé.

Denis Duquet

HONDA Odyssey

▲ POUR

- Finition impeccable • Banquettes magiques
- Tenue de route saine
- Habitacle très confortable

▼ CONTRE

- Prix corsé • Moteur bruyant à certains régimes
- Boîte paresseuse • Intérieur ultrasobre
- Insonorisation toujours perfectible

CARACTÉRISTIQUES

Prix du modèle à l'essai	EX / 34 950 $
Garantie de base	3 ans / 60 000 km
Type	fourgonnette / traction
Empattement / Longueur	300 cm / 511 cm
Largeur / Hauteur	192 cm / 177 cm
Poids	1 945 kg
Coffre / Réservoir	711 litres / 76 litres
Coussins de sécurité	frontaux
Suspension av.	indépendante
Suspension arr.	indépendante
Freins av. / arr.	disque / tambour ABS
Système antipatinage	à crémaillère, assistée
Direction	oui (EX)
Diamètre de braquage	11,7 mètres
Pneus av. / arr.	P215/65R16

MOTORISATION ET PERFORMANCES

Moteur	V6 3,5 litres
Transmission	automatique 4 rapports
Puissance	210 ch à 5 200 tr/min
Couple	229 lb-pi à 4 300 tr/min
Autre(s) moteur(s)	aucun
Autre(s) transmission(s)	aucune
Accélération 0-100 km/h	10,4 secondes
Vitesse maximale	190 km/h
Freinage 100-0 km/h	42,4 mètres
Consommation (100 km)	10,8 litres

MODÈLES CONCURRENTS

- Chevrolet Venture • Dodge Caravan
- Ford Windstar • Toyota Sienna • VW EuroVan

QUOI DE NEUF ?

- Essuie-glace arrière intermittent • Ancrage sièges de bébé • Haut-parleurs de meilleure qualité

VERDICT

Agrément	★★★
Confort	★★★★
Fiabilité	★★★★
Habitabilité	★★★★½
Hiver	★★★½
Sécurité	★★★★
Valeur de revente	★★★★

HONDA Prelude

Honda Prelude

Au sommet de sa forme

***Statu quo* pour la Prelude en 2001, ce qui est loin d'être une mauvaise nouvelle. En effet, le coupé sport de Honda ne s'est jamais si bien porté depuis son arrivée sur le marché canadien, au printemps de 1979. Depuis l'an dernier, celle qui faisait office de vitrine technologique de la marque doit cependant vivre dans l'ombre de la S2000, qui monopolise les feux de la rampe. Pas facile de garder deux stars au sein de la même famille...**

Et encore, ladite famille est scindée en deux clans sur le continent nord-américain, la division Acura ayant été créée exclusivement pour cet important marché. Ailleurs dans le monde, les Prelude et S2000 doivent partager l'affiche avec les Integra et NSX, vendues comme elles sous la bannière Honda.

Il est cohérent pour ce constructeur nippon de compter sur un tel quatuor de sportives dans sa gamme, compte tenu de son implication en course automobile, et cela dans les deux plus prestigieux championnats que sont la Formule 1 et son pendant américain, la série CART.

En F1, Honda a effectué son grand retour l'an dernier, après avoir été le motoriste dominant au cours des années 80. Et depuis cinq ans, les moteurs Honda écument la série CART. Bref, quand cette firme se lance dans quelque chose, c'est pour gagner, pas pour figurer.

Dans les grandes ligues

Ce constat s'applique à la Prelude, qui constitue l'un des meilleurs achats de sa catégorie. Cohérence, disions-nous... N'empêche que beaucoup d'eau a coulé sous les ponts depuis la naissance de ce coupé, dont le premier moteur, un 4 cylindres de 1,6 litre, générait 73 petits chevaux. Contre 200 pour le modèle actuel ! Mais cette montée en puissance s'est accompagnée d'une montée en grade, le prix suivant lui aussi une courbe ascendante. L'édition 1980 du *Guide de l'auto* révèle qu'une Prelude commandait un déboursé de 7 745 $, ce qui en faisait un coupé sport abordable à l'époque. Une vingtaine d'années plus tard, on dépasse la barre des 30 000 $, comme quoi on ne joue plus dans les mêmes ligues.

Ce qui n'a pas changé, toutefois, c'est le rapport qualité/prix. Abordable, elle ne l'est plus, mais sa fiche technique, ses performances et son comportement routier n'ont rien à envier à des sportives évoluant dans des catégories supérieures et dont la fiabilité laisse quelquefois à désirer.

Les amateurs de technologie seront comblés par une fiche technique étoffée, dont la pièce maîtresse est le moteur. Ce 4 cylindres atmosphérique de 2,2 litres brille autant par sa sophistication que par son rendement. Sa faible cylindrée annonce les couleurs : cet engin raffole des hauts régimes, ce que confirme une zone rouge débutant à plus de 7 000 tr/min. Ce trait de caractère est propre aux moteurs à calage variable des soupapes (VTEC) de

Honda, qui revendique la paternité dudit système.

Bonne, à défaut d'être belle

Cette belle mécanique peut être jumelée, au choix, à une boîte manuelle à 5 rapports ou à la boîte automatique bimodale Sportshift à 4 rapports, un des innombrables dérivés du système Tiptronic de Porsche. Mais chez Honda, on innove plus qu'on copie ; le VTEC en est une preuve, tout comme l'ATTS (*Active Torque Transfer System*). Ce système, exclusif à la Prelude, entre en action dans les virages, où il gère la puissance aux roues motrices. La roue extérieure peut ainsi tourner plus rapidement que l'autre, ce qui permet une meilleure sortie en virage. Les puristes maudissent ces aides au pilotage parce qu'ils n'ont pas le plein contrôle ; mais entre vous et moi, c'est le genre de dispositif qui aide à bien faire paraître M. et Mme Tout-le-monde.

Plus nuancée

Avec ou sans ATTS, la Prelude brille de tous ses feux au chapitre du comportement routier. Sa tenue de route est phénoménale, je ne vois pas d'autres mots. Le sous-virage est tellement atténué qu'on en vient à oublier que cette sportive est bel et bien une traction, et non une propulsion. Agile comme un kart, elle est magnifiquement servie par une direction rapide et ultraprécise, dont on perçoit le travail de l'assistance variable à haute vitesse et dans les courbes plus prononcées. La note serait parfaite si ce n'était d'un diamètre de braquage trop grand.

Alors que la S2000 et les versions GS-R et Type R de l'Acura Integra jouent la carte de la sportive pure et dure, la Prelude se montre plus nuancée. Tout est affaire d'équilibre, ce dont fait montre la suspension à double levier triangulé (une autre solution brevetée Honda). En clair, cela signifie que cette tenue de route exceptionnelle n'a pas été obtenue au détriment du confort.

Ce coupé sport offre un certain luxe, rehaussé par un équipement de série pléthorique. Qui plus est, il est plus fonctionnel et plus spacieux que ses prédécesseurs. Les places arrière demeurent tout de même celles d'un coupé sport. Adultes s'abstenir, donc. Mais au moins, on n'est plus contraint de voyager léger, le coffre s'acquittant désormais de sa tâche. De plus, la banquette arrière se replie.

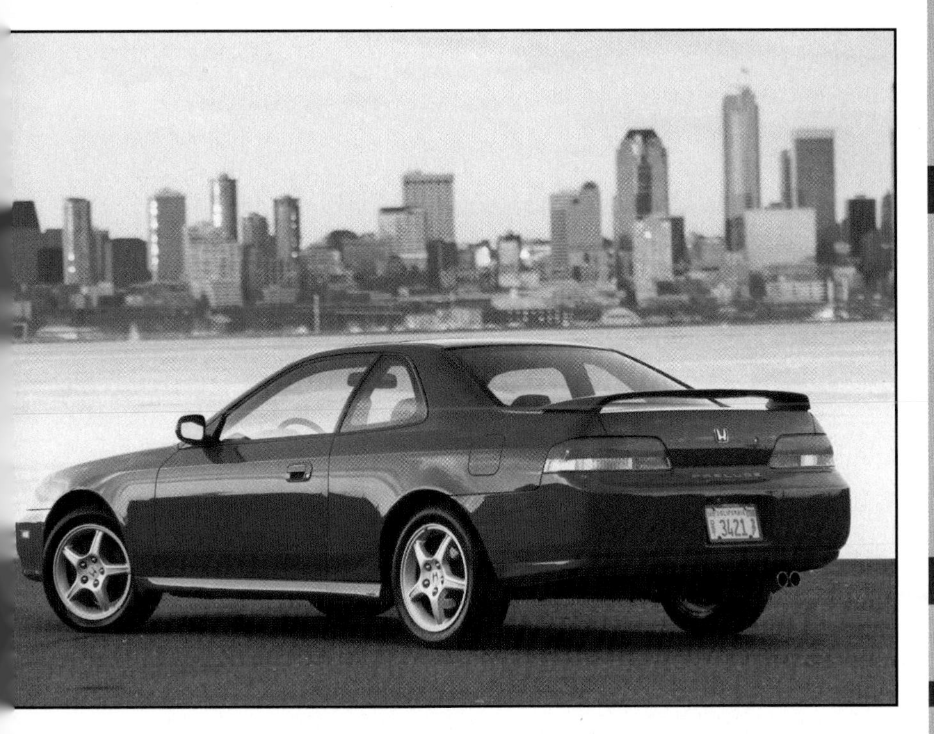

Ce qui est plus désolant, c'est le manque criant d'imagination des stylistes de Honda, qui ont accouché d'une ligne banale et d'une décoration intérieure qui l'est autant. Cette athlète de haut niveau, au sommet de sa forme, aurait certes mérité mieux.

Philippe Laguë

HONDA Prelude

▲ POUR

• Technologie de pointe • Tenue de route exceptionnelle • Performances de haut niveau • Rapport prix/performances intéressant • Fiabilité

▼ CONTRE

• Places arrière étriquées • Présentation intérieure terne • Ligne banale • Important diamètre de braquage

CARACTÉRISTIQUES

Prix du modèle à l'essai	Type SH / 31 800 $
Garantie de base	3 ans / 60 000 km
Type	coupé / traction
Empattement / Longueur	258 cm / 452 cm
Largeur / Hauteur	175 cm / 131 cm
Poids	1 380 kg
Coffre / Réservoir	246 litres / 60 litres
Coussins de sécurité	frontaux
Suspension av.	indépendante
Suspension arr.	indépendante
Freins av. / arr.	disque ABS
Système antipatinage	oui
Direction	à crémaillère, assistance variable
Diamètre de braquage	11,0 mètres
Pneus av. / arr.	P205/50R16

MOTORISATION ET PERFORMANCES

Moteur	4L 2,2 litres VTEC
Transmission	manuelle 5 rapports
Puissance	200 ch à 7 000 tr/min
Couple	156 lb-pi à 5 250 tr/min
Autre(s) moteur(s)	aucun
Autre(s) transmission(s)	automatique Sportshift 4 rapports
Accélération 0-100 km/h	7,2 s ; 7,6 s (Sportshift)
Vitesse maximale	220 km/h
Freinage 100-0 km/h	37,2 mètres
Consommation (100 km)	10,8 litres

MODÈLES CONCURRENTS

• Acura Integra Type R • Audi TT • Mercury Cougar • Saab 9³ Viggen • Toyota Celica

QUOI DE NEUF ?

• Aucun changement majeur

VERDICT

Agrément	★★★★★
Confort	★★★
Fiabilité	★★★★
Habitabilité	★★½
Hiver	★★★
Sécurité	★★★★
Valeur de revente	★★★

HONDA S2000

Honda S2000

Sport extrême

Moto à 4 roues, Formule 1 carrossée… Tout a été dit sur la S2000 depuis son lancement, l'année dernière. Et tout cela est vrai. Si l'on pense automatiquement à l'Allemagne ou à l'Italie lorsqu'il est question de sportives de haut niveau, il faudra désormais inclure le Japon dans le lot, car le roadster de Honda a tout ce qu'il faut pour combler plus d'un puriste.

Car c'est bien de cela dont il est question : d'une sportive pure et dure. Sans concessions (pas d'ABS ni d'antipatinage). Ou si peu, puisque son confort est tout ce qu'il y a de plus acceptable, surprenant même. Sinon, pour l'usage toutes saisons, l'aspect pratique, l'insonorisation et les autres éléments dont n'ont que faire les puristes en question, il faut vraiment regarder ailleurs. Vous voilà prévenu.

Dans le même ordre d'idées, l'auteur de ces lignes aimerait vous prévenir que le texte qui suit, éminemment subjectif, risque d'être truffé de superlatifs. Que voulez-vous, tout bon passionné d'automobile qui se respecte a un penchant, que je qualifierais de naturel, pour les sportives. Or, il est difficile, pour ce type d'individu, de ne pas tomber sous le charme dévastateur de ce roadster aux yeux bridés, qui déclenche les passions les plus extrêmes. Avec la S2000, c'est le coup de foudre ou la haine viscérale ; entre les deux, rien. Et c'est très bien ainsi.

Le moteur avant tout

Moteur avant, roues motrices arrière, toit rétractable, silhouette à faire craquer, aucun des ingrédients de base d'un roadster n'a été oublié. Mais la cuisine japonaise a ses particularités, qui varient d'un constructeur à l'autre. C'est plus souvent qu'autrement fade, il faut bien le dire, mais pour peu qu'on relâche la bride des créateurs, il peut se passer des choses intéressantes. Et s'il est une marque qui a acquis ses lettres de noblesse en matière de performances et d'agrément de conduite, c'est bien Honda, dont le palmarès sportif est sans égal chez les constructeurs asiatiques. Sans parler de son expertise en matière de motocyclettes, couronnée elle aussi de succès en compétition.

De ce savoir-faire découle la pièce maîtresse de la S2000, qui la distingue du reste du peloton : son moteur. Alors que la concurrence – exclusivement germanique (Porsche Boxster, Audi TT Roadster, BMW Z3, Mercedes SLK) – joue la carte du 6 cylindres ou du turbocompresseur, l'insolente petite nippone débarque avec son 4 cylindres à aspiration de 2 litres, à double arbre à cames en tête et 4 soupapes par cylindres. Pas de turbo, pas de compresseur, rien. Puissance annoncée : 240 chevaux. Et vlan ! Avec une zone rouge qui débute à 9 000 tr/min : re-vlan ! Ne cherchez pas un meilleur rapport de puissance au litre dans l'industrie automobile, il n'y en a pas. Même le V8 de la Ferrari 360 Modena (3,6 litres, 400 chevaux) ne fait pas mieux.

S'il cache bien son jeu de prime abord, ce bouillant petit moteur se déchaîne dès qu'on dépasse la barre des 6 000 tr/min. Les montées en régime ne semblent pas avoir de fin ; mieux, il en redemande ! Hallucinant. L'envers de la médaille, c'est la plainte stridente qui accompagne ces envolées dans les hauts régimes. Même à une vitesse de croisière, ce 4 cylindres tourne plus vite que la moyenne, ce qui risque d'irriter ceux qui n'ont pas l'oreille musicale. Ou plutôt, ceux qui n'aiment pas le *heavy metal*...

Heavy metal

Évidemment, le côté pratique n'est pas le point fort d'une sportive, encore moins d'un roadster, vu les dimensions et le nombre de places. Parmi les principales lacunes de la S2000, citons l'absence d'un coffre à gants, des espaces de rangement mal situés ainsi qu'une vulgaire lunette arrière en plastique, sans dégivreur, ce qui est une aberration dans un véhicule de ce prix. Tout comme la chaîne stéréo, affligée d'une piètre qualité sonore et pas assez puissante pour couvrir le bruit du moteur.

Malgré ces irritants, l'habitacle a ses charmes. Le tableau de bord plaira aux fanas de F1, avec son instrumentation qui ressemble à celle qu'on voit dans les cockpits de ces bolides et son bouton de démarrage situé à gauche du volant. Si la capote est repliée, il faut cependant faire avec les reflets du soleil, qui ne font pas bon ménage avec l'instrumentation digitale. La position de conduite pourrait difficilement être meilleure, tout comme la disposition des commandes.

Athlète de haut niveau

Réputés pour leur discrétion, les Orientaux construisent des voitures à leur image, et la S2000 est l'exception qui confirme la règle. Il n'y a rien de zen dans le comportement de ce fauve, croyez-moi. Le bruit, on l'a dit, mais aussi les performances, le freinage et la tenue de route, rien de moins qu'athlétiques. Ce petit roadster nippon possède des aptitudes de sprinter, comme en fait foi un chrono de 7,5 secondes pour l'exercice du 0-100 km/h, mais il tire aussi fort bien son épingle du jeu dans des épreuves de longue haleine, avec une vitesse de pointe de 240 km/h. Et agile avec ça : plus le tracé est sinueux, plus la Honda s'amuse.

Une direction aussi précise, aussi incisive et aussi rapide, combinée à la rigidité exceptionnelle du châssis ainsi qu'à un aplomb hors du commun en virage, on ne voit pas ça tous les jours. Et que dire de la boîte manuelle, dont le levier brille autant, lui aussi, par sa précision que par sa course ultracourte.

Le pédalier en aluminium perforé et de superbes baquets contribuent eux aussi à l'ambiance « course » qui règne à bord. De plus, ces sièges ont conquis ma conjointe et moi au cours de nos interminables randonnées, pendant lesquelles nous avons pu également découvrir que la douceur de roulement ne relevait pas du domaine de l'abstrait dans une S2000.

En toute honnêteté, le plus dur, c'était de s'arrêter ; c'est tout juste si je n'ai pas dormi dedans...

Philippe Laguë

HONDA S2000

▲ POUR

• Confort surprenant • Ambiance course à l'intérieur • Moteur électrisant • Boîte manuelle sans égale • Sportive sans concessions

▼ CONTRE

• Chaîne stéréo médiocre • Lunette arrière en plastique • Usage limité • Moteur bruyant

CARACTÉRISTIQUES

Prix du modèle à l'essai	48 500 $
Garantie de base	3 ans / 60 000 km
Type	roadster / propulsion
Empattement / Longueur	240 cm / 412 cm
Largeur / Hauteur	175 cm / 128 cm
Poids	1 274 kg
Coffre / Réservoir	153 litres / 50 litres
Coussins de sécurité	frontaux
Suspension av.	indépendante
Suspension arr.	indépendante
Freins av. / arr.	disque
Système antipatinage	non
Direction	à crémaillère, assistée
Diamètre de braquage	10,8 mètres
Pneus av. / arr.	P205/55R16 / P225/50R16

MOTORISATION ET PERFORMANCES

Moteur	4L 2 litres
Transmission	manuelle 6 rapports
Puissance	240 ch à 8 300 tr/min
Couple	153 lb-pi à 7 500 tr/min
Autre(s) moteur(s)	aucun
Autre(s) transmission(s)	aucune
Accélération 0-100 km/h	7,5 secondes
Vitesse maximale	240 km/h
Freinage 100-0 km/h	36,9 mètres
Consommation (100 km)	10,7 litres

MODÈLES CONCURRENTS

• Audi TT Roadster • BMW M Roadster
• Mercedes-Benz SLK320 • Porsche Boxster

QUOI DE NEUF ?

• Aucun changement majeur

VERDICT

Agrément	★★★★½
Confort	★★★
Fiabilité	n.d.
Habitabilité	★★
Hiver	★
Sécurité	★★★½
Valeur de revente	★★★★

HYUNDAI Accent

Hyundai Accent

En constante progression

Malgré l'incurie de certains de ses dirigeants, particulièrement au Québec, le premier constructeur coréen à s'être implanté au pays continue sa belle progression. Celle-ci est d'autant plus méritoire que les débuts, faut-il le rappeler, furent catastrophiques. Morale de l'histoire: rehausser la qualité du produit est encore la meilleure façon de se refaire une image.

Modèle d'entrée de la gamme Hyundai, la petite Accent illustre parfaitement l'importance de la qualité. Apparue en 1995, elle succédait à l'Excel, qui avait elle-même pris le relais de la Pony. C'est dire si on partait de loin... Or, à chaque étape, la finition et la fiabilité de cette sous-compacte ont été améliorées. S'il est vrai que d'importantes lacunes persistaient, il n'en demeurait pas moins qu'on pouvait constater les progrès à chaque changement de modèle. L'histoire s'est répétée l'an dernier, avec l'arrivée d'une Accent renouvelée, dont la qualité se rapproche de plus en plus de celle de ses rivales nippones. C'est tout dire.

Plutôt charmante

Dès qu'on prend place à bord, on constate une nette amélioration par rapport au modèle précédent. Fini le règne de la camelote: les matériaux bon marché ont laissé la place à des plastiques de meilleure qualité, et la finition a pris du galon. Il se dégage une impression de solidité à laquelle Hyundai ne nous a guère habitués; seul le temps confirmera – ou infirmera – cette impression.

Les sièges ont eux aussi pris du mieux. Plus confortables parce que mieux rembourrés, ils offrent un support latéral appréciable et celui qui prend place derrière le volant n'aura aucune peine à trouver une bonne position de conduite. À l'arrière, l'espace pour les jambes est cependant inversement proportionnel au format de la personne qui est assise devant.

Même si le contenu prime sur l'apparence, un physique agréable n'a jamais fait de tort à personne. Contrairement à l'Accent de première génération, qui n'était pas très gâtée sur ce plan, sa remplaçante n'est pas dénuée de charme. Qu'il s'agisse des versions à 3 ou à 4 portes, elles ont une bouille sympathique, avec une présentation intérieure qui l'est tout autant. L'habitacle est joliment décoré, avec des tissus colorés qui plairont à une clientèle jeune. Le tableau de bord se distingue par son instrumentation complète, qui comprend notamment un compte-tours en équipement de série. Il convient de le souligner car, dans ce créneau, c'est l'exception plutôt que la règle, surtout dans les versions de base. La GSi a, pour sa part, droit à des cadrans à fond blanc éclairés par une lumière verdâtre. Le soir venu, l'effet est garanti.

Tout cela est bien joli, mais également fonctionnel, ce qui est encore mieux. L'ergonomie ne montre aucune faille et les « traîneux » de mon espèce apprécieront les vide-poches grand format, un coffre à gants logeable et autres réceptacles très pratiques.

On y arrive

Un nouveau moteur à la rescousse

Si l'amélioration est indéniable, il y a aussi des défauts qui persistent. Le moteur, par exemple. Oh! rien de bien grave, il est vrai, mais d'un engin que Hyundai dit avoir revu de A à Z, on s'attendait à plus. D'abord, sa puissance n'a pas été augmentée, de sorte qu'il est toujours aussi faiblard. Enfin, entendons-nous: pour une Accent de base (GS), munie d'une boîte manuelle, cela suffit amplement. Mais dès qu'on l'accouple à une boîte automatique, ce petit 4 cylindres de 1,5 litre en prend pour son rhume. Faute avouée est à moitié pardonnée, dit l'adage, et Hyundai vient de remédier à la situation en dotant, pour 2001, les versions GL (à 4 portes seulement) et GSi d'une motorisation avec plus de tonus. La cylindrée passe à 1,6 litre et la puissance grimpe à 106 chevaux. C'est plus convenable, surtout pour la GSi, vu ses prétentions sportives.

mieux à une sous-compacte, et l'Accent ne fait pas exception. Quant à la direction, rapide et précise, elle permet d'exploiter l'agilité de l'Accent. Bien servie par un châssis très sain, qui a gagné en rigidité, cette voiture mériterait cependant d'être mieux chaussée. Surtout la GSi, compte tenu de ses prétentions; mais le potentiel est là. Le roulis en virage est toutefois trop prononcé pour que le comportement puisse être qualifié de sportif. Du reste, il ne s'agit pas d'une priorité pour la majorité des propriétaires d'Accent.

C'est au niveau du freinage qu'on remarque l'amélioration la plus significative. Sans conteste l'un des points faibles de la génération précédente, il répond avec beaucoup plus de mordant. Toujours pas de trace de l'ABS, cependant, même dans la liste des options.

Mais ce qui fait le succès de l'Accent, c'est son prix. Dans cette catégorie, il n'y a que la Daewoo Lanos qui puisse faire jeu égal avec elle, mais cette marque ne

La transmission automatique a ses petits bobos elle aussi. Bien qu'on la dise de type adaptatif, elle n'en est pas moins lente lors de certains passages. En revanche, ceux-ci se font en douceur et le frein moteur est efficace. Il n'en demeure pas moins que la boîte manuelle convient compte que deux années d'ancienneté sur le marché, contre plus d'une quinzaine pour Hyundai, qui a eu le temps de se faire un nom. Ainsi qu'une réputation de plus en plus enviable. Et de plus en plus méritée.

Philippe Laguë

HYUNDAI Accent

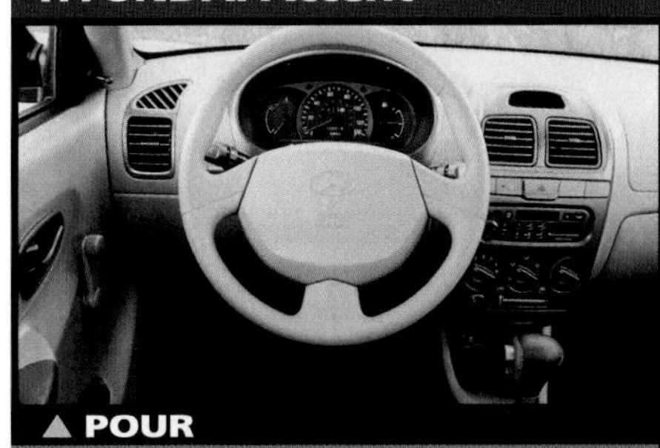

▲ POUR

- Habitacle fonctionnel et bien décoré
- Finition en progrès
- Direction nerveuse et précise
- Freinage amélioré
- Rapport qualité/prix alléchant

▼ CONTRE

- Moteur faiblard (GS)
- Boîte automatique lente
- Pneus quelconques
- Valeur de revente incertaine
- Dégagement limité pour les jambes à l'arrière

CARACTÉRISTIQUES

Prix du modèle à l'essai	GL / 14 245 $
Garantie de base	3 ans / 60 000 km
Type	berline / traction
Empattement / Longueur	240 cm / 420 cm
Largeur / Hauteur	167 cm / 139 cm
Poids	992 kg
Coffre / Réservoir	485 litres / 45 litres
Coussins de sécurité	frontaux
Suspension av.	indépendante
Suspension arr.	indépendante
Freins av. / arr.	disque / tambour
Système antipatinage	non
Direction	à crémaillère, assistée
Diamètre de braquage	9,7 mètres
Pneus av. / arr.	P185/60R14

MOTORISATION ET PERFORMANCES

Moteur	4L 1,5 litre
Transmission	automatique 4 rapports
Puissance	92 ch à 5 500 tr/min
Couple	97 lb-pi à 4 000 tr/min
Autre(s) moteur(s)	4L 1,6 litre 106 ch
Autre(s) transmission(s)	manuelle 5 rapports
Accélération 0-100 km/h	12,2 secondes
Vitesse maximale	165 km/h
Freinage 100-0 km/h	n.d.
Consommation (100 km)	7,9 litres

MODÈLES CONCURRENTS

- Daewoo Lanos • Honda Civic • Kia Sephia
- Toyota Echo

QUOI DE NEUF ?

- Moteur 1,6 litre (GL berline et GSi)

VERDICT

Agrément	★★
Confort	★★★
Fiabilité	★★★
Habitabilité	★★★
Hiver	★★★½
Sécurité	★★★
Valeur de revente	★★½

HYUNDAI Elantra

Hyundai Elantra

Vraiment sérieuse

L'Elantra revêt une grande importance pour Hyundai au Québec, puisqu'elle compte pour près de 40 % de ses ventes. Il fallait donc s'attendre à une révision en profondeur, même si l'ancienne version présentait des qualités indéniables pour une voiture d'aussi bas prix. La nouvelle venue devrait encore mieux paraître sur le marché, car sa conception plus moderne et sa facture plus rigoureuse lui permettront de se poser comme une option alternative sérieuse à plusieurs concurrentes.

Contrairement à sa devancière dont les lignes étaient assez banales et arrondies (sauf pour la familiale, plus originale), le style de l'édition 2001 apparaît plus distinctif. Le coefficient de traînée a été réduit de 12 %, mais il affiche encore un très ordinaire 0,33, et les dimensions extérieures demeurent à peu près identiques. L'ajustement des panneaux apparaît plus serré, les pare-chocs et les poignées des portières sont peints comme la carrosserie, et l'ensemble a plus fière allure.

Un habitacle accueillant

L'habitacle se révèle un des plus spacieux de la catégorie. Sa présentation enregistre des progrès considérables, car des plastiques plus doux et de meilleure qualité garnissent la cabine, et ils reçoivent un rembourrage en plusieurs endroits. La finition se compare favorablement à la plus grande partie de la concurrence domestique, sans atteindre les très hauts standards fixés par les japonaises. Le tableau de bord est aisé à consulter, mais on est étonné de voir la planche de bord de la VE laisser apparaître au moins cinq espaces vides prévus pour d'autres interrupteurs, alors que tout l'équipement est à bord. L'assise des baquets à l'avant offre un bon niveau de confort malgré une forme assez plate. Impossible cependant de l'ajuster en hauteur. À l'arrière, l'espace ne manque pas pour les genoux, on peut facilement glisser les pieds sous les sièges avant et le coussin de la banquette assure un confort encore très correct après plusieurs kilomètres. Les tissus sont de meilleure qualité et semblent plus résistants que dans la précédente version. Les espaces de rangement ne sont pas très nombreux, mais ceux des contre-portes offrent beaucoup d'espace. L'ergonomie place tous les contrôles à portée de la main, mais ceux de la radio à façade détachable doivent être manipulés avec la pointe d'un cure-dent. Le coffre, de forme régulière et de bonne dimension, peut être agrandi en rabattant le dossier de la banquette. Cette année, les acheteurs devront se contenter d'une berline, car la très pratique familiale disparaît de la gamme. Les représentants de Hyundai chuchotent cependant qu'une version *hatchback* serait prévue pour l'an prochain.

La nouvelle Elantra se présente en deux versions, soit une GL et une VE. La dotation de base offerte sur la GL a de quoi surprendre pour une voiture de ce prix. On y retrouve en effet un volant inclinable, un tachymètre, des pneus de 15 pouces (bravo!) et une radio avec lecteur de disques compacts. Les glaces assistées, le régulateur de vitesse, le verrouillage central des portières et les rétroviseurs chauffants sont réservés à la VE, qui comprend aussi l'air climatisé fixé en usine et la boîte automatique. Conséquemment, impossible de vous offrir une manuelle avec les assistances électriques, mais vous pouvez y faire installer l'air climatisé par le concessionnaire.

Japonaises dans la mire

Des performances intéressantes

Les deux versions demeurent fidèles au 4 cylindres 2 litres de 140 chevaux. Sans vouloir faire un mauvais jeu de mots, je maintiens ma position à l'effet que les chevaux coréens s'apparentent davantage à des *ponies,* mais malgré cela, le moteur de l'Elantra donne satisfaction. Avec ses culasses améliorées et son vilebrequin à 8 contrepoids mieux équilibré, il tourne en douceur sans faire d'éclat ni beaucoup de bruit, et la courbe de son couple apparaît substantielle et très linéaire. Il bénéficie aussi de supports hydrauliques qui l'isolent mieux du châssis, et se passe maintenant d'un distributeur pour l'allumage. La boîte manuelle reçoit quant à elle des modifications qui améliorent grandement la sélection des vitesses, et l'automatique à 4 rapports comprend une gestion électronique des changements de vitesse. Les suspensions indépendantes demeurent pratiquement inchangées, sauf que les amortisseurs sont maintenant à gaz sous pression. Les freins assistés à disque/tambour ne peuvent recevoir l'ABS.

L'Elantra nouvelle mouture affiche un comportement routier très sain et les pneus de 15 pouces, malgré leur origine coréenne, assurent un roulement silencieux et s'accrochent avec assez de ténacité à la route. La direction semble un peu paresseuse, et la voiture démontre une certaine tendance à suivre les ornières, mais l'Elantra reste normalement fidèle au cap imposé et avale les courbes avec efficacité, sans trop rouler. Le silence de fonctionnement impressionne à 100 km/h, car l'air glisse silencieusement sur la carrosserie, et le moteur murmure doucement à 2 200 tr/min. Le levier de la boîte de vitesses manuelle se manie bien, et l'embrayage progressif facilite les départs, même en pente… L'automatique constitue une révélation par rapport à sa devancière, car elle effectue maintenant avec plus de douceur et sans hésitation les changements de rapport. Le freinage ralentit la berline avec aplomb, mais la pédale pourrait être plus dure.

En somme, la nouvelle Elantra remonte en force le peloton des compactes pour se rapprocher des meilleures, toutes origines confondues. Et si on considère que le prix suggéré de la GL frôle les 15 000 $ et que la VE sort de chez le concessionnaire pour à peu près 17 000 $, elle mérite que vous la considériez très sérieusement.

Jean-Georges Laliberté

HYUNDAI Elantra

▲ POUR

• Conception plus moderne • Style plus distinctif • Habitacle spacieux • Rapport prix/équipement intéressant • Transmission automatique en progrès

▼ CONTRE

• Planche de bord incomplète • Disparition de la familiale • Pas d'ABS disponible • Pas de version VE manuelle • Contrôles de la radio minuscules

CARACTÉRISTIQUES

Prix du modèle à l'essai	VE / 17 057 $
Garantie de base	3 ans / 60 000 km
Type	berline / traction
Empattement / Longueur	261 cm / 449,5 cm
Largeur / Hauteur	172 cm / 142,5 cm
Poids	1 241 kg
Coffre / Réservoir	311 litres / 55 litres
Coussins de sécurité	frontaux
Suspension av.	indépendante
Suspension arr.	indépendante
Freins av. / arr.	disque / tambour
Système antipatinage	non
Direction	à crémaillère, assistée
Diamètre de braquage	n.d.
Pneus av. / arr.	P195/60R15

MOTORISATION ET PERFORMANCES

Moteur	4L 2 litres DACT 16 soupapes
Transmission	automatique 4 rapports
Puissance	140 ch à 6 000 tr/min
Couple	133 lb-pi à 4 800 tr/min
Autre(s) moteur(s)	aucun
Autre(s) transmission(s)	manuelle 5 rapports (GS)
Accélération 0-100 km/h	10,5 secondes (estimée)
Vitesse maximale	185 km/h (estimée)
Freinage 100-0 km/h	n.d.
Consommation (100 km)	8,2 litres

MODÈLES CONCURRENTS

• Chevrolet Cavalier • Ford Focus • Honda Civic • Kia Sephia • Mazda Protegé • Nissan Sentra

QUOI DE NEUF ?

• Nouveau modèle

VERDICT

Agrément	★★★½
Confort	★★★½
Fiabilité	nouveau modèle
Habitabilité	★★★½
Hiver	★★★
Sécurité	★★★
Valeur de revente	nouveau modèle

HYUNDAI Santa Fe

Hyundai Santa Fe GLS

Le premier Hyundai tout-terrain

Les choses ont bien changé chez le plus important constructeur automobile coréen depuis les premières Pony: augmentation notable de la qualité et de la fiabilité, réseau de concessionnaires bien établi, gamme de produits plus étoffée. Et, pour 2001, le premier VLT (véhicule loisirs-travail) signé Hyundai: le Santa Fe.

C'est au Québec que le succès de Hyundai est le plus marquant au pays (plus de la moitié de la totalité des ventes). Avec plus de 3 % du marché canadien et une gamme qui gagne en qualité et en variété, Hyundai prévoit vendre au total près de 40 000 véhicules du millésime 2000. Parmi les stratégies mises en œuvre pour réaliser cet objectif figure un tout nouveau produit qui fait l'objet du présent essai: le Santa Fe, un VLT compact (sans être mini) qui compte bien trouver sur sa route les Honda CR-V, Toyota RAV4, Suzuki Grand Vitara, Mazda Tribute et Ford Escape. Spécifiquement conçu pour le marché nord-américain, friand consommateur de VLT, le Santa Fe, œuvre du Hyundai California Design Center, a été élaboré avec la collaboration des studios allemands, japonais et coréens du constructeur asiatique.

Joli nom et coup de crayon réussi

Si le prototype qu'on nous avait présenté nous promettait une allure osée, la version production que nous avons mise à l'essai dans la région de San Diego prend un visage plus posé mais non moins attrayant. Sans adopter la ligne torturée du coupé Tiburon, le Santa Fe (joli nom) rappelle quand même son cousin le squale espagnol et la berline Sonata, notamment de l'avant. Le pare-chocs massif, agrémenté de deux antibrouillards circulaires, est surmonté d'une calandre rectangulaire de couleur contrastante, flanquée des deux grands phares trapézoïdaux.

Pour le profil, Hyundai a opté pour un style « musclé », marqué par des passages de roue bien soulignés et une grosse moulure latérale. La ligne tout en rondeurs, qui contraste avec celle de certains VLT plus angulaires, se poursuit à l'arrière et procure au nouveau-né de la marque coréenne un bel équilibre visuel. En somme, un exercice de style réussi qui permettra au Santa Fe de franchir la première porte menant au succès: celle de l'attrait visuel.

Sur route et hors route

Deuxième « porte »: la route. Plus encore que l'attrait visuel, c'est le comportement routier de ce « gros petit VLT » qui surprend... agréablement. Vous avez sans doute souvent entendu les constructeurs automobiles se vanter que leur VLT se comporte comme une voiture, espérant vous faire oublier le sautillement des suspensions et la tenue de route de camion. Mais avec le Santa Fe, aucun doute sur les origines de la plate-forme: celle de la berline Sonata amplement modifiée. Le tan-

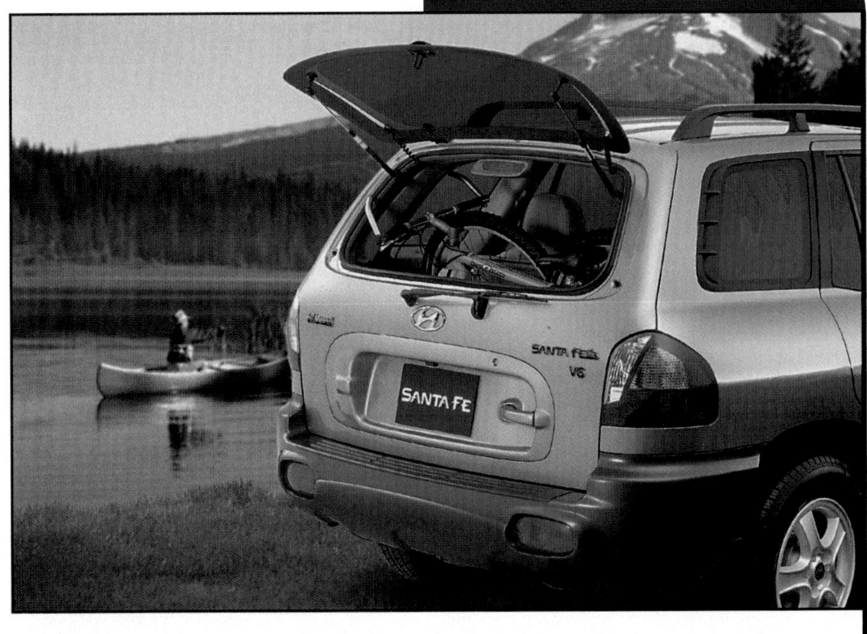

gage et le roulis « normaux » qui ne ressemblent en rien aux incessants mouvements de caisse des « vrais 4X4 » distinguent le comportement routier du Santa Fe de celui des autres VLT.

Même commentaire pour la tenue en virage sur chaussée dégradée qui, grâce aux suspensions entièrement indépendantes, n'est heureusement pas affublée des sautillements caractéristiques des 4X4 traditionnels. Quant au freinage, il est confié à 4 disques doublés de l'ABS dans la version GLS. La pédale agréablement ferme et le freinage progressif et suffisamment puissant ne prêtent pas le flanc à la critique.

Plus traction que 4X4

Et puisqu'il est question de 4X4, précisons que le Santa Fe est d'abord et surtout une traction car, en temps normal, 100 % du couple moteur se dirige vers les roues avant. Ce n'est que lorsque les conditions se gâtent (chaussée glissante) que le système de transmission intégrale se charge automatiquement – sans intervention du conducteur – de transférer un maximum de 40 % du couple aux roues arrière. Notons enfin, comme dans le cas des autres 4X4 de ville, l'absence de boîte de transfert avec sélection d'un rapport inférieur. Absente aussi la commande qui permet, comme dans le Mazda Tribute, de solidariser les essieux avant et arrière pour favoriser la motricité sur revêtement glissant. D'ailleurs, la vocation routière plutôt que tout-terrain du Santa Fe se confirme par la présence, sur le marché américain seulement, d'une version traction et moteur 4 cylindres. Chez nous, une seule motorisation est prévue pour les deux versions GL et GLS.

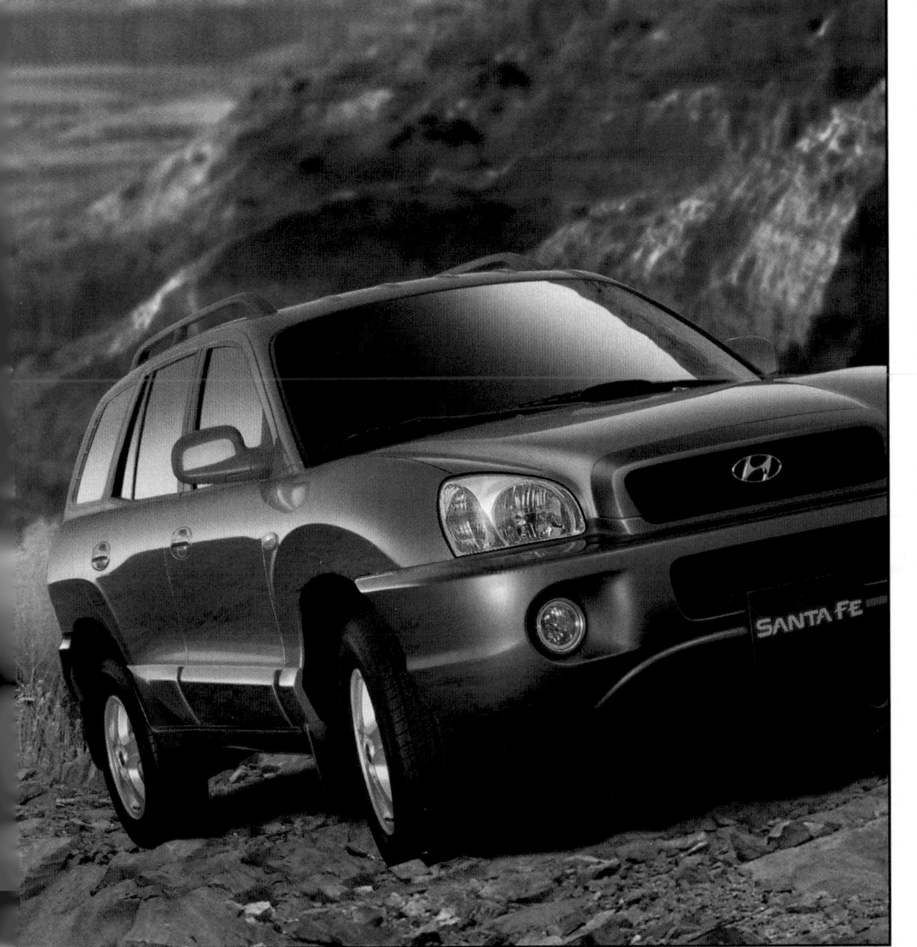

Le Santa Fe présente quand même de belles aptitudes hors route, comme nous avons pu le constater au cours d'une brève excursion sur des pistes de motocross. La garde au sol respectable, les suspensions indépendantes à grand débattement, le transfert du couple aux roues arrière, la boîte automatique Sportshift à sélection manuelle et la position de conduite haute permettent au dernier-né de Hyundai de passer sans difficulté là où n'oserait jamais s'aventurer une Tiburon, par exemple.

En somme, sur nos routes de campagne non asphaltées qui mènent au chalet l'été et nos autoroutes enneigées qui ne mènent parfois nulle part l'hiver, le Santa Fe ne devrait pas rougir devant ses rivaux à vocation mi-urbaine, mi-campagnarde. Restera à confirmer cette impression par un essai hivernal.

Équipement abondant

Autre attrait non négligeable du Santa Fe : l'équipement. L'habitacle au design soigné ne déborde pas d'originalité, malgré les perspectives plus colorées que laissait

entrevoir le prototype. Radio et lecteur de disques compacts, climatisation, régulateur de vitesse, rétroviseurs chauffants, glaces et verrouillage électriques, habillage en cuir, télécommande pour les portes et le système antivol, roues en aluminium, freins à disque aux 4 roues avec ABS et antibrouillards figurent sur la liste des accessoires qui équipent le GLS haut de gamme. Pour moins de 30 000 $, avec moteur V6 et boîte automatique à 4 rapports, le Santa Fe affiche un rapport équipement/prix fort attrayant qui ne manquera pas de séduire les fervents de ce type de véhicule, la concurrence étant parfois démunie à ce chapitre.

L'habitacle soigneusement aménagé présente un dessin agréable qui se distingue des designs classiques. La console centrale tout en hauteur abrite des commandes bien

ÉQUIPEMENTS

DE SÉRIE

• Glaces, verrouillage et rétroviseurs extérieurs chauffants à commande électrique • Roues en alliage de 16 po • Lecteur CD

(version GLS)

• Habillage en cuir • Sièges chauffants • Climatisation • Antivol • Antibrouillards

placées, bien identifiées et surtout de bonnes dimensions. Le volant gainé de cuir sur la version GLS porte les commandes du régulateur de vitesse qui équipe d'ailleurs les deux versions. Les sièges tendus de cuir sur notre modèle d'essai sont confortables, mais à l'avant, l'assise gagnerait à être plus longue. À noter que la version GLS bénéficie de sièges avant chauffants et que les deux versions du Santa Fe reçoivent des rétroviseurs extérieurs chauffants et à commande électrique. Les concurrents sont-ils à l'écoute?

Un concurrent sérieux

À l'arrière, la banquette à dossiers rabattables 60/40 présente un confort convenable et les portes de bonnes dimensions permettent un accès plus facile que chez certains rivaux. Le hayon qui s'ouvre grand comporte une lunette qui pivote vers le haut, dotée d'un dégivreur et d'essuie-glaces/lave-glaces. Sur le toit trône un porte-bagages de série avec traverses coulissantes. Les grands optiques arrière renferment les clignotants, les feux de freinage et les phares de recul. C'est net, c'est clair, c'est agréablement dessiné.

Un moteur réservé

Côté mécanique, le Santa Fe fait appel au V6 à 2 arbres à cames en tête et 24 soupapes issu du V6 qui anime la Sonata, mais dont la cylindrée a été portée à 2,7 litres. Avec près de 1 700 kg, le Santa Fe n'est pas tout à fait un poids plume et, malgré ses 181 chevaux, le V6 procure à cette caisse généreuse des reprises plutôt timides. Souple et silencieux, le moteur roule sans problème sur autoroute, mais en montagne, vous aurez avantage à manier le sélecteur Sportshift pour faire monter le régime. Notez d'ailleurs que le couple maximal, comme chez bien des moteurs multisoupapes, se manifeste au régime assez élevé de 4 000 tr/min.

Sans parler de handicap, cette caractéristique représente le point faible du dernier-né de Hyundai qui saura autrement plaire à une clientèle sensible au niveau d'équipement, à l'allure agréable, à l'habitabilité et au sérieux de la finition, le tout à un prix concurrentiel.

La mode des VLT compte déjà plusieurs années, mais le Santa Fe arrive quand même à un moment opportun, car l'augmentation du prix du carburant fera sans doute réfléchir les amateurs de ce type de véhicule et les portera à favoriser les versions plus compactes et moins énergivores. Dans un tel contexte et compte tenu de son niveau d'équipement, du sérieux de sa finition et de son prix, le Santa Fe semble voué à un bel avenir.

Alain Raymond

HYUNDAI Santa Fe

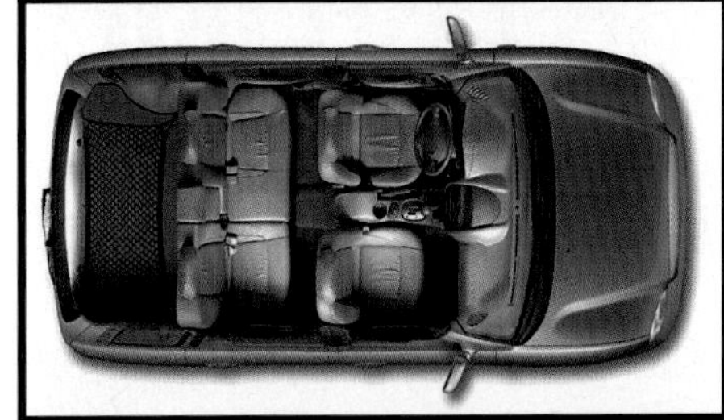

▲ POUR

• Équipement complet • Comportement routier d'une voiture • Bonne habitabilité • Design agréable • Prix abordable

▼ CONTRE

• Reprises moyennes • Poids élevé • Pas de verrouillage des essieux • Direction légère • Fiabilité inconnue

CARACTÉRISTIQUES

Prix du modèle à l'essai	GLS / env. 30 000 $
Garantie de base	3 ans / 60 000 km
Type	VLT compact / traction intégrale
Empattement / Longueur	262 cm / 450 cm
Largeur / Hauteur	182 cm / 167 cm
Poids	1 687 kg
Coffre / Réservoir	864 litres / 65 litres
Coussins de sécurité	frontaux
Suspension av.	indépendante
Suspension arr.	indépendante
Freins av. / arr.	disque (ABS sur GLS)
Système antipatinage	non
Direction	à crémaillère assistée
Diamètre de braquage	n.d.
Pneus av. / arr.	P225/70R16

MOTORISATION ET PERFORMANCES

Moteur	V6 2,7 litres
Transmission	automatique 4 rapports
Puissance	181 ch à 6 000 tr/min
Couple	177 lb-pi à 4 000 tr/min
Autre(s) moteur(s)	aucun
Autre(s) transmission(s)	aucune
Accélération 0-100 km/h	n.d.
Vitesse maximale	n.d.
Freinage 100-0 km/h	37,0 mètres
Consommation (100 km)	12 litres

MODÈLES CONCURRENTS

• Honda CR-V • Toyota RAV4 • Suzuki Grand Vitara • Mazda Tribute • Ford Escape

QUOI DE NEUF?

• Nouveau modèle

VERDICT

Agrément	★★★★
Confort	★★★½
Fiabilité	nouveau modèle
Habitabilité	★★★★½
Hiver	★★★★
Sécurité	★★★½
Valeur de revente	nouveau modèle

HYUNDAI Sonata

Hyundai Sonata

12 000 kilomètres sans pépins

La Sonata est sans aucun doute ce que Hyundai fait de mieux. Ça tombe bien, puisqu'elle trône au sommet de la gamme de ce constructeur. Introduite à l'automne 1988, elle continue, trois générations plus tard, de faire le bonheur de ses propriétaires. Un essai prolongé, effectué en partie l'hiver, nous a permis de confirmer tout le bien qu'on en dit.

Depuis la dernière refonte, il y a deux ans, le V6 n'est plus l'apanage exclusif de la version de luxe de la Sonata (GLS, rebaptisée GLX en 2001). Moyennant supplément, la version de base (GL) peut désormais recevoir cette motorisation et c'est d'une Sonata ainsi parée dont nous avons pu disposer pendant plus de six mois, au cours desquels nous avons accumulé exactement 12 000 km. Disons-le tout de suite : des pépins, il n'y en eut aucun, de quelque nature que ce soit.

Dans un premier temps, cette berline coréenne a su en charmer plus d'un par son apparence. Que voulez-vous, c'est ce qu'on remarque en premier ; de plus, c'est comme en amour, ça compte bien plus qu'on ne veut l'admettre... Cela dit, la Sonata jouit d'un physique agréable, ce qui lui confère un avantage sur ses fades rivales nippones que sont les Accord, Camry, Mazda 626 et Cie. Non pas qu'il s'agisse de mauvaises voitures, loin s'en faut, mais leurs robes sans éclat ne les mettent pas en valeur. La Sonata a une allure cossue qui plaît, tout en inspirant le respect.

Le rationnel l'emporte

Avant de clore le volet esthétique, je me dois cependant de souligner que la grisaille qui règne à bord contraste avec les formes harmonieuses de la carrosserie. Ce n'est pas très gai là-dedans, mais je m'empresse de préciser que la concurrence, peu importe son origine, ne fait guère mieux dans ses versions de base.

Sur une note plus rationnelle, l'habitacle de la Sonata ne porte guère flanc à la critique. À l'avant, les baquets moelleux ne se sont fait que des amis : en plus d'être confortables, ils procurent un support latéral appréciable. Grâce au volant réglable en hauteur (offert de série), on trouve rapidement la bonne position de conduite et l'accessibilité aux diverses commandes ne pose aucun problème. À cette ergonomie sans faille s'ajoutent des espaces de rangement aussi nombreux qu'ingénieux.

À l'arrière, cette berline se montre généreuse en ce qui a trait au dégagement pour la tête et les jambes, tandis que la banquette n'a rien à envier aux sièges avant, côté confort. De plus, elle est inclinable, ce qui est toujours pratique. Quant au coffre, il est vaste et facile d'accès.

Pour couronner le tout, notre véhicule d'essai inspirait la solidité, et cette impression ne s'est jamais démentie au fil des mois (et des kilomètres). Aucun bruit de caisse, aucun craquement suspect, des garnitures qui restent en place, bref, on est loin des Hyundai d'il y a 15 ans. Qui s'en plaindra?

Chapeau Hyundai

Spacieux, confortable et fonctionnel, l'habitacle parvient donc à se faire pardonner sa décoration pour le moins austère. Il mériterait une note parfaite si ce n'était de deux irritants, soit une chaîne stéréo de qualité (très) moyenne et un climatiseur qui semblait manquer de souffle. En revanche, le système de chauffage s'est montré à la hauteur de la situation. Chez nous, c'est l'essentiel.

Tout en douceur

Chaque Sonata propose, en équipement de série, la climatisation, les accessoires électriques (vitres, rétroviseurs), le verrouillage central des portes, un régulateur de vitesse ainsi qu'une boîte automatique. On a encore le choix entre un 4 cylindres et un V6, mais la dernière génération nous est arrivée avec de nouveaux moteurs, entièrement conçus par Hyundai cette fois (et non d'origine Mitsubishi).

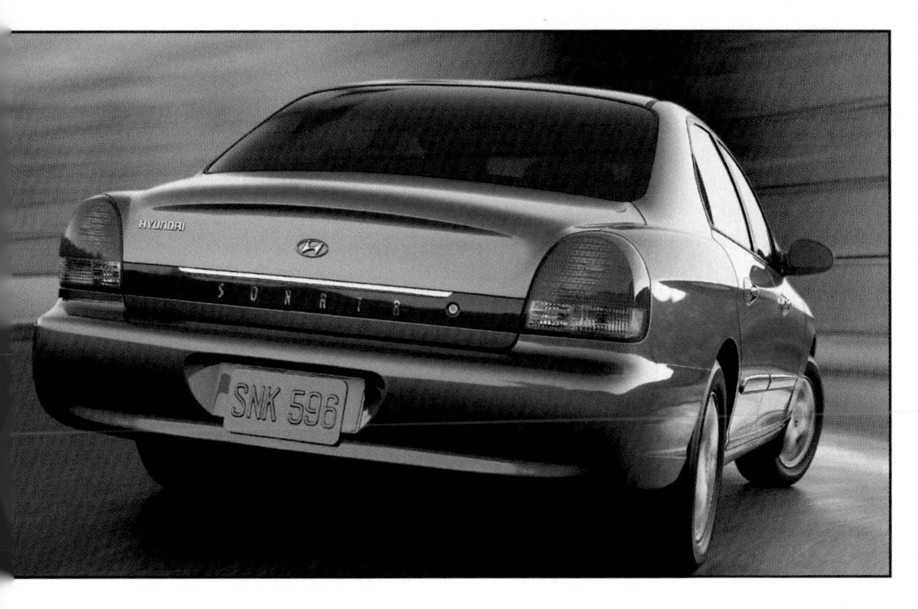

La Sonata de base est mue par un 4 cylindres de 2,4 litres à double arbre à cames en tête, bon pour 149 chevaux, ce qui en fait l'un des plus puissants de sa catégorie. Étrangement, il se montre plus rapide que le V6 pour passer de 0 à 100 km/h : 9,8 secondes. C'est 0,3 seconde de moins que le V6 de 2,5 litres (170 chevaux), mais celui-ci se rachète, si on peut dire, par son couple supérieur. À bas régime, surtout, mais comme la plupart des engins à 4 soupapes par cylindre, il s'essouffle rapidement. À sa décharge, disons qu'il n'est guère aidé par une boîte automatique dont la rapidité d'exécution n'est pas la qualité première.

La douceur semble avoir été le mot d'ordre dans la conception de la Sonata de troisième génération. Elle est l'apanage des deux motorisations, mais aussi de la suspension, qui brille par son confort de roulement. L'envers de la médaille, c'est le roulis qui se manifeste en virage, mais il est prévisible et, de ce fait, facile à contrôler. Sans être sportive, cette berline est loin de démériter au chapitre du comportement, tout ce qu'il y a de plus honnête.

Il en va de même pour la direction et le freinage, mais il convient, dans un cas comme dans l'autre, de mettre deux bémols. Un important diamètre de braquage pénalise la première, tandis que l'ABS ne fait pas partie de l'équipement de série. Quant aux pneus de notre véhicule d'essai, ils contribuaient à la douceur de roulement, mais leur limite d'adhérence était rapidement atteinte.

À la lumière de cet essai prolongé, le moins qu'on puisse dire, c'est que la Sonata a réussi son examen. Avec plus qu'une simple note de passage, faut-il le préciser? De plus, cette coréenne, comme ses compatriotes d'ailleurs, continue de se démarquer par un prix des plus compétitifs. Maintenant que la qualité est au rendez-vous, on ne peut que lever notre chapeau.

Philippe Laguë

HYUNDAI Sonata

▲ POUR

• Habitacle spacieux et fonctionnel • Moteurs compétents • Qualité d'assemblage en progrès • Taux de satisfaction des propriétaires

▼ CONTRE

• Présentation intérieure terne • Diamètre de braquage important • Roulis en virage • Pneus de série quelconques • Pas de boîte manuelle

CARACTÉRISTIQUES

Prix du modèle à l'essai	GL / 21 995 $
Garantie de base	3 ans / 60 000 km
Type	berline / traction
Empattement / Longueur	270 cm / 471 cm
Largeur / Hauteur	182 cm / 141 cm
Poids	1 409 kg
Coffre / Réservoir	377 litres / 65 litres
Coussins de sécurité	frontaux (latéraux option)
Suspension av.	indépendante
Suspension arr.	indépendante
Freins av. / arr.	disque / tambour (ABS optionnel)
Système antipatinage	oui (optionnel)
Direction	à crémaillère, assistée
Diamètre de braquage	10,5 mètres
Pneus av. / arr.	P195/70R14

MOTORISATION ET PERFORMANCES

Moteur	V6 2,5 litres
Transmission	automatique 4 rapports
Puissance	170 ch à 6 000 tr/min
Couple	166 lb-pi à 4 000 tr/min
Autre(s) moteur(s)	4L 2,4 litres 149 ch
Autre(s) transmission(s)	aucune
Accélération 0-100 km/h	10,1 secondes
Vitesse maximale	190 km/h
Freinage 100-0 km/h	41,3 mètres
Consommation (100 km)	8,5 litres

MODÈLES CONCURRENTS

• Chevrolet Malibu • Daewoo Leganza • Mazda 626 • Nissan Altima • Oldsmobile Alero • Toyota Camry

QUOI DE NEUF?

• Version GLS remplacée par GL Luxury Edition
• Lecteur CD de série sur toutes les versions

VERDICT

Agrément	★★★
Confort	★★★★
Fiabilité	★★★
Habitabilité	★★★★
Hiver	★★★½
Sécurité	★★★
Valeur de revente	★

HYUNDAI Tiburon

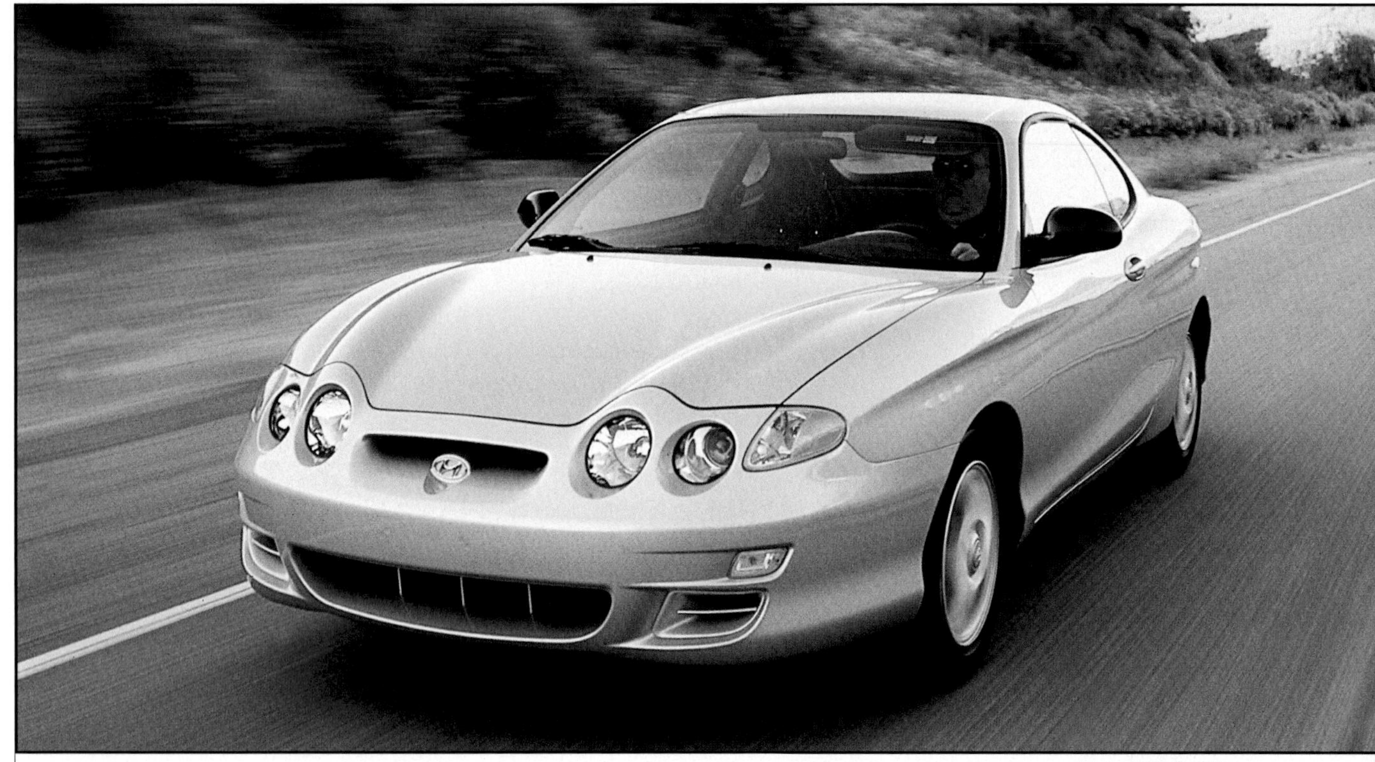

Hyundai Tiburon

Style baroque, mécanique robuste

À son arrivée sur le marché en 1996, la Tiburon a rapidement fait oublier le modèle Scoupe, l'une des pires voitures sur le marché. Mais elle a réussi quelque chose de plus difficile. Ce fut le premier modèle Hyundai à s'affirmer en matière de style, en plus de se tailler une réputation fort enviable en piste. La seconde génération, dévoilée à l'automne 1999, poursuit sur cette lancée.

L'élément le plus caractéristique de cette coréenne est sa silhouette qui n'est pas sans connaître sa part de détracteurs qui lui reprochent un manque flagrant de subtilité. Pourtant, ces rondeurs trop prononcées, la partie arrière biscornue et l'avant trop pointu plaisent aux jeunes acheteurs, la clientèle cible. Le modèle renouvelé en 2000 reprend ces caractéristiques en les accentuant. Les passages des ailes sont bombés davantage tandis que l'arrière se caractérise par des feux plus grands et des évents placés dans le pare-chocs. C'est toutefois l'avant qui a connu les modifications les plus importantes avec un tout nouveau carénage intégrant une prise d'air inférieure et un déflecteur avec phares antibrouillards. Autre signature visuelle: les 4 phares circulaires dont la partie supérieure se prolonge sur le capot.

Puisque le style était à l'ordre du jour, le tableau de bord a également été transformé du tout au tout. L'indicateur de vitesse, de forme ovoïde, est flanqué d'un compte-tours à gauche et d'un cadran multifonction à droite. Le fond est de couleur contrastante, ce qui facilite la lecture. Il faut toutefois décrier l'idée d'utiliser des commandes de ventilation de forme circulaire et protester contre l'anneau de retenue de la gaine de cuir du levier de vitesses en plastique de couleur grise. Si on a voulu imiter l'Audi TT, c'est complètement raté. Un autre irritant majeur est la radio avec sa télécommande visant à compenser pour la petitesse des commandes manuelles. C'est un bide total.

Mécaniquement correcte

Il n'y a pas si longtemps, les voitures Hyundai étaient affublées de moteurs fabriqués sous licence et d'éléments mécaniques quelconques. Cette période est bel et bien révolue. La Tiburon est propulsée par un moteur maison, un 4 cylindres 2 litres à double arbre à cames en tête, portant le nom de code Bêta, conçu et fabriqué par Hyundai. Sa puissance est de 140 chevaux et ses succès en course ont prouvé sa fiabilité sans l'ombre d'un doute. Depuis l'an dernier, il est boulonné sur des supports de moteur hydrauliques afin d'en réduire les vibrations.

Hyundai n'a ménagé aucun effort pour étoffer la fiche technique de son coupé. La suspension est indépendante aux 4 roues et on utilise même des amortisseurs monotubes à gaz sous pression semblables à ceux installés sur des automobiles beaucoup plus exotiques. Des freins à disque à l'avant comme à l'arrière, une direction assistée et des roues en alliage sont de série. Voilà qui vient ficeler un ensemble de caractéristiques qui ne sont pas à dédaigner en vertu du prix demandé.

Place aux jeunes

Même le modèle le plus économique comprend des glaces à commande électrique, des phares antibrouillards et un aileron arrière de série. Ceux qui optent pour le modèle SE peuvent pavoiser davantage grâce à la présence d'un aileron de plus grandes dimensions, l'un des plus agressifs sur le marché, pas nécessairement élégant. Mais, standing oblige, ça fait «plus sport».

Un comportement plus homogène

La première génération de la Tiburon a connu du succès aussi bien en raison de sa silhouette que de sa mécanique fiable

et de son comportement routier correct. Malgré tout, il fallait se battre avec une direction qui devenait de plus en plus rétive au fur et à mesure que les virages se succédaient. Chaque bosse était accompagnée d'un retour de volant intempestif. En plus, son assistance était mal dosée. Et, comportement agaçant pour une voiture au caractère sportif, elle était affublée d'un sous-virage très prononcé à haute vitesse, ce qui avait pour but de la ralentir et d'obliger le pilote à corriger sa trajectoire.

Même si la suspension est demeurée plus ou moins la même depuis les tout débuts, une révision de sa géométrie a permis d'améliorer la tenue de route. La voiture sous-vire moins et maintient une trajectoire plus neutre. De plus, la direction est beaucoup moins rétive. Le 4 cylindres 2 litres s'est taillé une enviable réputation pour sa robustesse. Autrefois bruyant et rugueux, il a gagné en douceur et son rendement est légèrement supérieur à la moyenne. Malheureusement, la boîte de vitesses manuelle a encore besoin de raffinements. La course du levier reste imprécise et la marche arrière est souvent très difficile à trouver. Quant à l'automatique, comme dans la plupart des véhicules Hyundai, le passage des rapports est sec et la boîte passe trop souvent d'un rapport à l'autre inutilement.

Malgré ces quelques bémols, la Tiburon est un coupé sport dont les performances, le prix et la silhouette très moderne sont de nature à plaire aux amateurs du genre. Et il est certain que les multiples succès en course ainsi que la fiabilité du moteur sont deux autres arguments qui font pencher la balance en sa faveur.

Denis Duquet

HYUNDAI Tiburon

▲ POUR

• Silhouette plus raffinée • Mécanique fiable • Prix compétitif • Tenue de route adéquate • Équipement complet

▼ CONTRE

• Commandes circulaires en plastique • Places arrière difficiles d'accès • Levier de vitesses imprécis • Absence de freins ABS • Radio à télécommande

CARACTÉRISTIQUES

Prix du modèle à l'essai	SE / 22 895 $
Garantie de base	3 ans / 60 000 km
Type	coupé sport / traction
Empattement / Longueur	247 cm / 434 cm
Largeur / Hauteur	173 cm / 131 cm
Poids	1 173 kg
Coffre / Réservoir	362 litres / 55 litres
Coussins de sécurité	frontaux
Suspension av.	indépendante
Suspension arr.	indépendante
Freins av. / arr.	disque
Système antipatinage	non
Direction	à crémaillère, assistée
Diamètre de braquage	10,4 mètres
Pneus av. / arr.	P205/50VR15

MOTORISATION ET PERFORMANCES

Moteur	4L 2 litres
Transmission	manuelle 5 rapports
Puissance	140 ch à 6 000 tr/min
Couple	133 lb-pi à 4 800 tr/min
Autre(s) moteur(s)	aucun
Autre(s) transmission(s)	automatique 4 rapports
Accélération 0-100 km/h	9,5 secondes
Vitesse maximale	205 km/h
Freinage 100-0 km/h	44 mètres
Consommation (100 km)	10,8 litres

MODÈLES CONCURRENTS

• Acura Integra • Honda Civic • Saturn SC • Ford Focus

QUOI DE NEUF?

• Aucun changement majeur

VERDICT

Agrément	★★★½
Confort	★★★
Fiabilité	★★★
Habitabilité	★★
Hiver	★★★
Sécurité	★★★½
Valeur de revente	★★½

HYUNDAI XG300

Hyundai XG300

Incursion chez les grandes

La Hyundai XG300 représente la première incursion de ce manufacturier dans le créneau des intermédiaires luxueuses. Élaborée à partir de la XG Grandeur coréenne (comprenez-vous pourquoi le nom est changé ?), elle se targue d'offrir, à meilleur prix, un équipement et des performances équivalentes à ceux des Honda Accord et Toyota Camry V6, Nissan Maxima et Oldsmobile Intrigue, pour ne nommer que celles-là. On ne manque pas d'ambition chez Hyundai.

Pour ce faire, la mécanique de cette imposante berline se drape d'une carrosserie assez austère, dont la partie arrière évoque certaines anciennes berlines protocolaires nippones. En outre, les voies relativement étroites et une calandre aussi « distinctive » (soyons polis) que celle de l'Infiniti Q45 donnent à l'ensemble un air à la fois vieillot et pataud. Heureusement, les designers de l'habitacle ne semblent pas avoir puisé aux mêmes sources, car son apparence paraît beaucoup plus occidentalisée. D'ailleurs, les disparités culturelles nous réservent quelquefois d'hilarantes surprises, à preuve, le dépliant d'invitation reçu par la presse automobile pour le dévoilement des nouvelles Elantra et XG300. On pouvait y lire : « 2001 Elantra and XG300 Press Event » que l'on traduisait par : « 2001 Elantra et XG300 Appuient sur Événement ».

Un équipement exhaustif

Le tableau de bord renferme des instruments classiques de bon format et très lisibles dans une nacelle bien placée sous les yeux du conducteur, et l'îlot central regroupant les contrôles de la sono et du conditionnement d'air semble copié sans vergogne sur une Toyota ou une Lexus. Beau coup de chapeau, mais tant qu'à se donner toute cette peine, pourquoi ne pas se laisser aller à un peu d'originalité ? Peu importe la teinte de la carrosserie, la planche de bord, les contre-portes et le mobilier demeurent uniformément noirs. Les fauteuils avant chauffants tendus d'un cuir particulièrement épais et souple procurent un bon confort au pilote et à son voisin, et ils s'ajustent électriquement. L'ergonomie respecte les règles de l'art, mais les boutons pour l'élémentaire ordinateur de bord placé au centre avec la radio devraient à mon avis se retrouver à gauche, au bout du levier des essuie-glaces. La grille de sélection du levier de la boîte automatique est d'une remarquable simplicité : pour avancer, on choisit entre la position « D » ou une fente à droite pour passer les vitesses manuellement. Les matériaux utilisés reflètent la constante préoccupation de Hyundai de se hisser au niveau des meilleures de la classe. Les plastiques sont doux et bien rembourrés, leur ajustement précis, et même le similibois libéralement (trop) appliqué dans la cabine est assez convaincant. L'espace pour les occupants ne manque pas, et la banquette arrière posée à bonne hauteur accueille ses visiteurs avec prévenance. Le coffre de dimension généreuse peut s'agrandir en fractionnant le dossier, mais gare aux grosses charnières qui compriment les bagages.

Débonnaire débutante

On ne s'étendra pas longtemps sur l'équipement de cette grosse Hyundai, car elle arrive vraiment bien garnie. Le cuir, l'ABS, l'antipatinage, les coussins gonflables latéraux et les jantes en alliage se retrouvent dans toutes les berlines de ce créneau. Mais la XG300 ajoute le toit ouvrant électriquement, la régulation de la température par thermostat, et une boîte automatique séquentielle à 5 rapports. En fait, aucune option n'est offerte par le manufacturier, mais parions que certains concessionnaires trouveront bien quelque « nanane » à vous vendre en surplus.

Groupe motopropulseur exaspérant

Qu'en est-il maintenant du groupe motopropulseur? La fiche technique laisse entrevoir des performances au moins égales à celles de la concurrence, mais dans les faits, le tableau apparaît moins flatteur. Le moteur ultramoderne entre dans la lutte avec une cylindrée similaire à la majorité des asiatiques, mais ses performances déçoivent. La GX300 accélère paresseusement, comme si elle courait toujours un peu après son souffle. Les reprises en 5e n'existent pas, et celles en 4e ne sont pas vraiment plus toniques. Est-ce à cause du couple maximum qui arrive à 4000 tr/min? ou du poids très considérable (une Maxima de même longueur pèse 150 kg de moins)? Quoi qu'il en soit, planifiez vos dépassements. La boîte de vitesses fonctionne tout doucement, tellement que l'on voudrait qu'elle se presse un peu. Les changements de rapport arrivent sans conviction, sans ardeur, même en mode manuel. Heureusement, le châssis semble bien rigide, les suspensions confortables se comportent bien dans les courbes et vous pourrez tenir un bon rythme. Les Michelin MXV4 font honneur à leur réputation malgré leur modeste taille de 15 pouces et ils procurent des sensations rassurantes au volant. Je n'ai pu mettre le freinage à très rude épreuve, mais les 4 disques et l'ABS à 4 canaux devraient suffire à la tâche si on considère les performances exaspérantes de l'ensemble boîte-moteur.

La XG300 se présente donc avec certains bons arguments, tels que son équipement très étoffé et un prix étudié. Néanmoins, elle laisse apparaître des déficiences, comme son esthétique discutable, sa modeste puissance et un poids extrêmement gênant. Cette première apparition en « vedette américaine » parmi les nombreux ténors internationaux bien établis ne laisse pas un souvenir impérissable. Mais si je me fie à l'exemple de l'Elantra, la XG300 devrait à moyen terme voir son nom grimper au « palmarès ».

Jean-Georges Laliberté

HYUNDAI XG300

▲ POUR

- Sièges confortables • Équipement complet
- Habitacle spacieux • Prix attractif
- Matériaux de bonne qualité

▼ CONTRE

- Poids excessif • Ligne austère et vieillotte
- Moteur paresseux • Boîte de vitesses lente
- Fiabilité inconnue

CARACTÉRISTIQUES

Prix du modèle à l'essai	31 995 $
Garantie de base	3 ans / 60 000 km
Type	berline / traction
Empattement / Longueur	275 cm / 486,5 cm
Largeur / Hauteur	182,5 cm / 142 cm
Poids	1 633 kg
Coffre / Réservoir	410 litres / 70 litres
Coussins de sécurité	frontaux et latéraux
Suspension av.	indépendante
Suspension arr.	indépendante
Freins av. / arr.	disque ABS
Système antipatinage	oui (optionnel)
Direction	à crémaillère, assistée
Diamètre de braquage	n.d.
Pneus av. / arr.	P205/65R15

MOTORISATION ET PERFORMANCES

Moteur	V6 3 litres DACT 24 soupapes
Transmission	automatique séquent. 5 rapports
Puissance	190 ch à 6000 tr/min
Couple	192 lb-pi à 4000 tr/min
Autre(s) moteur(s)	aucun
Autre(s) transmission(s)	aucune
Accélération 0-100 km/h	10,5 (estimation)
Vitesse maximale	185 km/h (estimation)
Freinage 100-0 km/h	n.d.
Consommation (100 km)	12,5 litres

MODÈLES CONCURRENTS

- Acura TL • Buick Century/Regal • Honda Accord V6
- Oldsmobile Intrigue • Toyota Camry V6

QUOI DE NEUF ?

- Nouveau modèle

VERDICT

Agrément	★★★
Confort	★★★½
Fiabilité	nouveau modèle
Habitabilité	★★★½
Hiver	★★★½
Sécurité	★★★★
Valeur de revente	nouveau modèle

INFINITI G20 INFINITI G20t

Infiniti G20

Autopsie d'un échec

Même si Renault est venue sauver la compagnie Nissan de la honte d'une débandade financière, la partie n'est pas gagnée pour autant. Le manufacturier nippon a cumulé les bourdes et les erreurs de jugement au fil des ans et doit payer pour son manque de clairvoyance. Plusieurs décisions dictées par des raisons économiques sont venues aggraver les choses et c'est justement ce qui s'est passé pour la G20.

L'Infiniti G20 offre un exemple presque parfait des péripéties d'un modèle mal né dont la seule raison d'être sur notre continent était qu'il ne nécessitait pratiquement pas d'investissements pour son développement puisqu'on a modifié tant bien que mal la Nissan Primera, un modèle vendu exclusivement en Europe. En injectant quelques millions de dollars, on l'a adaptée à la sauce nord-américaine pour permettre à la division Infiniti d'avoir un nouveau modèle dans sa gamme. Mais ce qui est bon pour le Vieux Continent ne l'est pas toujours pour nous. Ce n'est pas par hasard si les ventes de la G20 ont été désastreuses au moment de son entrée en scène en 1991.

Mal adaptée, trop peu puissante et trop chère, cette petite berline n'a jamais réussi à se démarquer. Tant et si bien qu'elle a tiré sa révérence dans l'indifférence totale à la fin de 1996. Elle n'avait pas les éléments nécessaires pour livrer une lutte à armes égales avec les autres berlines compactes de luxe.

Cet échec n'a pas été assez cuisant, puisqu'on est revenu à la charge en 1999 avec une nouvelle version. Le marché des voitures de luxe de prix moyen ayant doublé depuis 1996, on croyait que la conjoncture était idéale pour la relance de ce modèle. D'autant plus que la Nissan Primera avait connu plusieurs améliorations au cours de cette période. Plus raffinée, plus spacieuse et plus silencieuse, elle était supposée avoir les atouts pour réussir. Voyons donc pourquoi elle a été boudée une fois de plus.

Une concurrence corsée

La G20 actuelle n'a plus le caractère mal dégrossi de la première version, sa tenue de route est supérieure à la moyenne et les clients d'Infiniti sont parmi les mieux traités de l'industrie. Malgré tout, ça coince quelque part. Et la raison est bien simple.

Il est plus que difficile de convaincre les acheteurs de débourser entre 32 000 $ et 35 000 $ pour une voiture dont la silhouette s'apparente à une compacte économique ne possédant aucun caractère de voiture de luxe. Et, pire encore, les modestes 145 chevaux du moteur 2 litres n'impressionnent absolument pas. Il est certain qu'un moteur un peu plus musclé donnerait des arguments plus convaincants aux représentants des ventes. L'Audi A4, la Saab 9³ et la Volvo S40 sont dotées d'un moteur 4 cylindres, mais leur puissance et leurs performances sont supérieures à ce que nous offre cette Infiniti.

Les responsables de cette marque se seraient évité bien des tracas de mise en marché s'ils avaient réussi à convaincre la direction de leur fournir davantage de munitions. Prenez par exemple l'acheteur invétéré de voiture japonaise ayant un peu plus de 30 000 $ à sa disposition. Il peut acheter une Honda Accord V6 pour le même prix ou presque qu'une Infiniti G20 et bénéficier d'un moteur 3,0 litres de 200 chevaux !

Constat d'impuissance

Il est certain qu'une G20 propulsée par un moteur de tout près de 200 chevaux permettrait de mieux souligner le caractère sportif de cette traction et viendrait en aide à la mise en marché en renforçant son image de berline sportive. Pour l'instant, les concessionnaires doivent se rabattre sur la version Touring, qui se différencie par une suspension renforcée, un aileron arrière et des jantes sport garnies de pneus à profil bas.

comportement routier est impeccable et sa finition sans faille. Son moteur manque de puissance, mais il est increvable et peut tourner à plein régime sans s'essouffler. Il travaille de concert avec une boîte manuelle qui n'a pas la précision dans l'engagement des rapports qu'on s'attend à obtenir à ce prix et dans cette catégorie. Et il est presque utopique de commander la boîte automatique qui rend encore plus évident le caractère paresseux du moteur. La suspension est calibrée en fonction de la tenue de route sans pour autant négliger le confort.

Comme toute « européenne » qui se respecte, la G20 est à l'aise sur un chemin tortueux et il est pratiquement impossible de lui faire perdre son assurance dans les courbes les plus raides. Ses freins résistent fort bien à l'échauffement.

Malheureusement, c'est trop peu pour cette catégorie et le prestige de la division

Pourtant !

Il est décevant de devoir établir un constat d'échec à propos d'une automobile qui n'est pas dépourvue de qualités. Sa caisse est d'une solidité à toute épreuve, son

Infiniti n'est pas assez élevé pour compenser les lacunes au chapitre de la puissance du moteur, de la présentation de l'habitacle et de la silhouette.

Denis Duquet

INFINITI G20

▲ POUR

• Tenue de route agile • Freins puissants • Direction précise • Finition impeccable • Sièges confortables

▼ CONTRE

• Un seul moteur disponible • Silhouette anonyme • Pneumatiques modestes • Performances moyennes • Faible diffusion

CARACTÉRISTIQUES

Prix du modèle à l'essai	G20 / 34 595 $
Garantie de base	4 ans / 100 000 km
Type	berline / traction
Empattement / Longueur	260 cm / 451 cm
Largeur / Hauteur	169 cm / 140 cm
Poids	1 335 kg
Coffre / Réservoir	382 litres / 60 litres
Coussins de sécurité	frontaux et latéraux
Suspension av.	indépendante
Suspension arr.	indépendante
Freins av. / arr.	disque ABS
Système antipatinage	non
Direction	à crémaillère, assistée
Diamètre de braquage	11,4 mètres
Pneus av. / arr.	P195/60HR15

MOTORISATION ET PERFORMANCES

Moteur	4L 2 litres
Transmission	manuelle 5 rapports
Puissance	145 ch à 6 000 tr/min
Couple	136 lb-pi à 4 800 tr/min
Autre(s) moteur(s)	aucun
Autre(s) transmission(s)	automatique 4 rapports
Accélération 0-100 km/h	9,2 secondes
Vitesse maximale	200 km/h
Freinage 100-0 km/h	38,6 mètres
Consommation (100 km)	9 litres

MODÈLES CONCURRENTS

• Audi A4 1,8T • BMW Série 3 • Saab 9[3] • Volvo S40 • VW Passat

QUOI DE NEUF ?

• Aucun changement

VERDICT

Agrément	★★★½
Confort	★★★½
Fiabilité	★★★★★
Habitabilité	★★★½
Hiver	★★★½
Sécurité	★★★★
Valeur de revente	★★

INFINITI I30

Infiniti I30

Miroir, dis-moi qui est la plus belle...

Même si elle a fait peau neuve l'an dernier, l'Infiniti I30 ne peut renier son affiliation avec la Nissan Maxima, dont elle reprend d'ailleurs les grandes lignes ainsi que la mécanique. Résultat, on continue de lui reprocher de n'être qu'une Maxima en tenue de soirée. Et alors ? Qu'y a-t-il de mal à cloner une des meilleures voitures sur le marché à l'heure actuelle ? Poser la question, c'est y répondre.

La vraie question, c'est plutôt de savoir si cela vaut vraiment la peine d'allonger quelques liasses de billets verts supplémentaires. Pour les acheteurs plus pragmatiques, la question ne se pose même pas : une Maxima toute garnie, dans sa livrée haut de gamme (GLE), coûte environ 6500 $ de moins qu'une I30t. Mais il y a d'autres facteurs à prendre en considération. Dans un quartier huppé, certains préféreront s'afficher au volant d'une Infiniti. Pourquoi pas ? C'est comme un vêtement griffé : on paye pour le nom, c'est vrai, mais on se fait plaisir. Si, en plus, on en a les moyens, tant mieux !

Cela dit, la jumelle guindée de la Maxima se différencie de cette dernière par un visage et un arrière-train qui lui sont propres. Mais le profil ne trompera personne, même les moins physionomistes. Chez Nissan – pardon, Infiniti –, on parle de « design plus agressif ». Ah oui ? Où ça ?

Plus bourgeois m'apparaît davantage approprié. Il en va de même pour l'habitacle, rehaussé par une présentation plus cossue mais qui trahit, encore une fois, ses origines. Et puisqu'on est dans le vif du sujet, je me serais bien passé des appliques de bois, qui sentent l'imitation à plein nez. Parlons plutôt de plastique... Était-ce vraiment nécessaire ?

Même si le passage de la Nissan à l'Infiniti n'a rien de dépaysant, la deuxième se distingue néanmoins par sa chaîne stéréo, dont le rendement est nettement supérieur à celui de la chaîne offerte de série dans la Maxima, et par son tableau de bord, dont les cadrans électroluminescents facilitent la consultation. Qui plus est, l'effet est garanti auprès des non-initiés.

L'I30 est aussi plus large, plus longue et plus haute que vous-savez-qui. Ce qui se traduit par des places arrière offrant un bon dégagement pour la tête et les jambes. À vrai dire, cette berline intermédiaire de luxe se montre généreuse en matière d'espace et de confort, à l'avant comme à l'arrière. On apprécie les sièges, fermes mais bien rembourrés, à la sauce allemande. C'est un compliment, n'en doutez pas. Un bémol, quand même : à l'avant, les baquets pourraient offrir un meilleur maintien, d'autant plus que la sellerie cuir les rend encore plus glissants.

Dans la plus pure tradition japonaise, la finition et l'ergonomie se placent à l'abri de toute critique. Les espaces de rangement sont aussi pratiques que nombreux, tandis que l'ouverture du coffre arrière grand format descend jusqu'au parechocs, ce qui en facilite l'accès. Bref, tout ça sent le travail bien fait.

Compétente ? Oui. Sportive ? Non.

Un clonage réussi

Sous le capot, on retrouve avec bonheur le V6 de 3 litres, dont la puissance a été portée à 227 chevaux, soit 37 de plus que dans l'ancienne I30. C'est aussi 5 petits chevaux de plus que dans la Maxima, si vous voulez vraiment tout savoir. L'écart est non seulement minime, mais il est annihilé par le poids supérieur de l'Infiniti. Pour le reste, c'est un moteur typiquement japonais, avec tout ce que cela implique. Par exemple, les performances ne sont pas à la hauteur de la puissance annoncée, de sorte qu'on se demande si les chiffres ne sont pas gonflés. Entre vous et moi, ce n'est pas la première fois que j'ai cette impression avec une voiture d'origine nippone.

Tout ça pour dire qu'il faut compter 9 secondes et des poussières pour effectuer le 0-100 km/h, et encore, il m'a fallu enlever la surmultiplication et le climatiseur pour retrancher de précieux dixièmes.

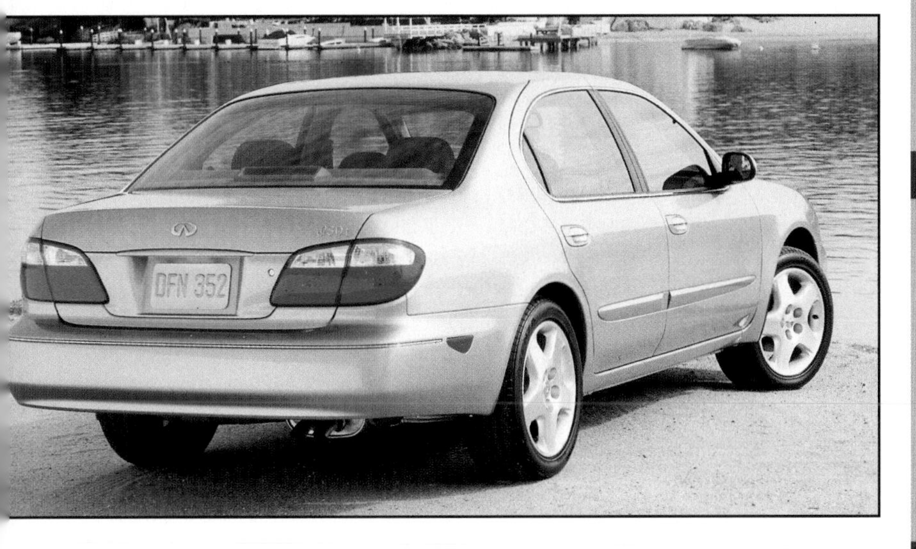

Quant aux reprises, on est en droit de s'attendre à plus de mordant d'un V6 de cette cylindrée. Cependant, on ne lui en tiendra pas trop rigueur, parce qu'il brille par sa douceur et sa discrétion, en plus d'être fiable comme... un moteur japonais. C'est tout dire.

Les puristes qui ne jurent que par une boîte manuelle seront déçus d'apprendre que l'I30t (pour Touring), à l'image plus sportive avec sa suspension raffermie et ses jantes de 17 pouces, doit se contenter d'une boîte automatique à 4 rapports. S'il est vrai que d'autres voitures de cette catégorie privilégient la même approche, il est aussi vrai qu'un cran plus bas, la Maxima propose, elle, une boîte manuelle dans sa version dite sportive (SE). Voilà qui rend la chose plus difficile à avaler. Et puis, version sportive pour version sportive, la Maxima SE montre plus d'aplomb que l'I30t, décidément trop bourgeoise. Ainsi, pour cette dernière, on nous promettait une direction et une suspension plus fermes, mais je ne les ai jamais senties, alors que la différence entre une Maxima SE et les autres versions saute aux yeux.

En revanche, je dois préciser, en toute honnêteté, que le comportement de l'Infiniti m'a séduit par son équilibre. Même que je confesse avoir eu un certain plaisir (pour ne pas dire un plaisir certain) au volant de cette berline. Malgré un roulis apparent, sa tenue de route n'est pas vilaine, loin s'en faut, tandis que la douceur de roulement impressionne. Pour résumer, confort et agrément de conduite sont au rendez-vous ; c'est juste que j'aurais aimé une I30t plus pointue, plus affûtée.

Sinon, cette voiture traite ses occupants aux petits oignons. Tout comme les concessionnaires de la marque, qui jouissent d'une réputation enviable. Sans parler de la garantie de base, plus longue chez Infiniti que chez Nissan. Pour certains consommateurs, de tels arguments suffisent à justifier l'écart de prix entre une Maxima et une I30.

Philippe Laguë

INFINITI I30

▲ POUR

• Habitacle très spacieux • V6 onctueux et silencieux • Roulement doux • Comportement équilibré • Fiabilité établie • Service après-vente exemplaire

▼ CONTRE

• Similibois qui détonne • Performances moyennes Pas de boîte manuelle • Version Touring décevante • Jumelle identique de la Nissan Maxima

CARACTÉRISTIQUES

Prix du modèle à l'essai	I30t / 41 500 $
Garantie de base	4 ans / 80 000 km
Type	berline / traction
Empattement / Longueur	275 cm / 492 cm
Largeur / Hauteur	178 cm / 143 cm
Poids	1 531 kg
Coffre / Réservoir	422 litres / 70 litres
Coussins de sécurité	frontaux et latéraux
Suspension av.	indépendante
Suspension arr.	essieu rigide
Freins av. / arr.	disque ABS
Système antipatinage	oui
Direction	à crémaillère, assistance variable
Diamètre de braquage	10,8 mètres
Pneus av. / arr.	P225/50R17

MOTORISATION ET PERFORMANCES

Moteur	V6 3 litres
Transmission	automatique 4 rapports
Puissance	227 ch à 6 400 tr/min
Couple	217 lb-pi à 4 000 tr/min
Autre(s) moteur(s)	aucun
Autre(s) transmission(s)	aucune
Accélération 0-100 km/h	9,6 secondes
Vitesse maximale	195 km/h
Freinage 100-0 km/h	38,2 mètres
Consommation (100 km)	10,8 litres

MODÈLES CONCURRENTS

• Acura TL • Cadillac Catera • Chrysler 300 M • Lexus ES 300 • Lincoln LS V6 • Mazda Millenia • Volvo S60

QUOI DE NEUF ?

• Ajout d'un chauffe moteur • Phares au xenon • Commandes audio au volant

VERDICT

Agrément	★★★
Confort	★★★★★
Fiabilité	★★★★★
Habitabilité	★★★★
Hiver	★★★★
Sécurité	★★★★
Valeur de revente	★★★

INFINITI Q45 INFINITI Q45t

Infiniti Q45t 2002

Paso doble

Vous connaissez le *paso doble*? Vous avancez d'un pas, vous reculez de deux. Ou serait-ce le tango? Peu importe, dans la mesure où vous comprenez que l'on tourne sur place, comme Infiniti avec sa triste Q45t. « Un an de plus, nous dit-on chez Nissan, et nous vous promettons du neuf pour 2002. » Question de redorer le blason de cette pauvre voiture dont on ne sait plus très bien qui elle est, ni pourquoi elle est.

Le millésime 2001 marque le 10e anniversaire de la marque Infiniti au Canada. À cette occasion, le constructeur japonais offre – vous l'avez deviné – une version 10e anniversaire dont les seules distinctions consistent en des garnitures en bois véritable, un volant gainé de cuir avec garniture de bois et des poignées de portes de couleur assortie à la carrosserie, sans oublier l'inévitable emblème « exclusif » *Anniversary Edition*. Mieux qu'une cravate, direz-vous, mais c'est quand même un peu faiblard...

Pour le reste, la Q45t n'apporte rien de nouveau. Même V8 de 4,1 litres, même ligne peu inspirante, mêmes qualités, mêmes défauts. Mais, attendez ! Je vois une 2002 se dessiner à l'horizon, un horizon pas trop lointain, puisqu'on nous parle d'avril 2001.

Un cadeau plus digne pour 2002

Dévoilée au Salon de New York en avril dernier, la troisième génération de la berline haut de gamme d'Infiniti pourrait, si l'on se fie aux informations fournies, nous réconcilier avec la Q45. À vrai dire, le fait que cette voiture ait vogué à la dérive incombe au manque de vision des stratégistes de la marque qui n'ont pas su en définir le mandat ni le caractère. Mais l'optimisme étant revenu chez Nissan – sous l'impulsion de Renault –, les choses risquent fort bien de changer avec le millésime 2002 qui annonce une redéfinition du créneau que vise la nouvelle Q45 : performances et luxe. Autrement dit, on abandonne le territoire d'Oldsmobile, de Cadillac et de Lincoln pour s'attaquer à celui de BMW, de Mercedes et de Jaguar, sans oublier le grand rival, Lexus.

Premier geste concret de cette redéfinition : le retour à la cylindrée de 4,5 litres pour le V8 revu et corrigé. Avec 340 chevaux qui dorment sous le capot, le conducteur de la future Q45 aura quelque chose à se mettre sous le pied droit. Moins de 6 secondes pour le 0 à 100 km/h nous promet-on chez Infiniti grâce aux nombreux raffinements techniques dont bénéficie ce nouveau moteur 25 % plus puissant que l'actuel 4,1 litres, mais plus léger et pas plus gourmand.

Autre preuve du sérieux des intentions d'Infiniti, l'adoption d'une boîte automatique à 5 vitesses avec sélection manuelle des rapports, la présence d'une suspension indépendante à éléments en aluminium et roues de 18 pouces en option, de freins à assistance automatique et d'un système antidérapage. Pour accompagner ces perfectionnements mécaniques, Infiniti a réussi à rigidifier de 40 % la caisse de la Q45 tout en augmentant l'empattement à 287 cm.

Vivement 2002

Haute technologie et agrément de conduite

Plus profilée, plus arrondie, plus moderne, plus logeable, surtout à l'arrière, la Q45 2002 reçoit une toute nouvelle carrosserie qui se distingue par les gros phares enveloppants qui renferment de puissantes ampoules à décharge haute intensité. « Les plus puissants jamais mis au point dans une automobile de série, clame Infiniti, et plus besoin d'antibrouillards ».

Le thème agrément de conduite continue d'être développé à l'intérieur où le conducteur bénéficie d'une attention particulière. Les rétroviseurs extérieurs chauffants qui deviennent aussi clignotants, à la mode Mercedes-Benz, s'inclinent en marche arrière pour mieux montrer les côtés de la voiture. Le régulateur de vitesse est devenu intelligent grâce à la présence d'un radar qui ajuste automatiquement la vitesse du véhicule selon la distance qui vous sépare du véhicule qui vous précède. Autre manifestation de haute technologie, l'écran à commandes tactiles logé au centre du tableau de bord à partir duquel on accède à plusieurs données et fonctions, la plus *cool* étant celle du moniteur de marche arrière dont la mini-caméra logée près de la plaque d'immatriculation balaye l'arrière de la voiture pour vous informer de ce qui se passe derrière, question de ne plus renverser les poubelles quand vous sortez de chez vous.

En attendant l'essai routier

N'ayant pu conduire le millésime 2002 au moment d'écrire ces lignes, nous allons nous contenter de supposer, à la lecture des informations fournies par Infiniti, que cette troisième génération de la Q45 pourra renouer avec le succès si elle parvient à séduire les amateurs de berlines sport de luxe non pas par sa ligne qui nous paraît relativement neutre, mais par ses prestations, tant sur le plan du luxe que sur ceux de la sécurité active et passive et de la performance. Sur papier, la future Q45 présente des atouts non négligeables en matière de motorisation, de suspension et de freinage. Cette troisième tentative d'Infiniti pour percer sur le marché lucratif de la grande voiture de luxe devrait être la bonne.

Alain Raymond

INFINITI Q45t

▲ POUR

- Fiabilité éprouvée • Équipement complet
- Finition de haut niveau
- Service après-vente de qualité

▼ CONTRE

- Ligne banale • Performances moyennes
- Faible valeur de revente
- Modèle en fin de carrière

CARACTÉRISTIQUES

Prix du modèle à l'essai	70 000 $
Garantie de base	4 ans / 100 000 km
Type	berline / propulsion
Empattement / Longueur	283 cm / 506 cm
Largeur / Hauteur	182 cm / 144 cm
Poids	1 761 kg
Coffre / Réservoir	303 litres / 85 litres
Coussins de sécurité	frontaux et latéraux
Suspension av.	indépendante
Suspension arr.	indépendante
Freins av. / arr.	disque
Système antipatinage	oui
Direction	à crémaillère, assistée
Diamètre de braquage	11,3 mètres
Pneus av. / arr.	P225/50R17

MOTORISATION ET PERFORMANCES

Moteur	V8 4,1 litres 32 soupapes
Transmission	automatique 4 rapports
Puissance	266 ch à 5 600 tr/min
Couple	278 lb-pi à 4 000 tr/min
Autre(s) moteur(s)	aucun
Autre(s) transmission(s)	aucune
Accélération 0-100 km/h	8,9 secondes
Vitesse maximale	225 km/h
Freinage 100-0 km/h	39,9 mètres
Consommation (100 km)	13,5 litres

MODÈLES CONCURRENTS

• Acura RL • Audi A6 • Cadillac Seville • Lexus LS 400 • Lincoln Town Car • M-B E320 • Volvo S80

QUOI DE NEUF ?

• Version 10e anniversaire

VERDICT

Agrément	★★★½
Confort	★★★★
Fiabilité	★★★★★
Habitabilité	★★★½
Hiver	★★★½
Sécurité	★★★½
Valeur de revente	★★½

ISUZU Rodeo ISUZU Trooper

Isuzu Rodeo

Anonymat assuré

Si vous faites partie des milliers de Québécois qui vont faire un tour chez nos voisins du sud de temps à autre, vous n'êtes pas sans remarquer le nombre important de véhicules utilitaires sport de marque Isuzu qui y circulent sur les routes. En effet, surtout dans certains États de la Nouvelle-Angleterre, le Rodeo et, dans une moindre mesure, le Trooper font partie intégrante du paysage.

Pourtant, au Canada et au Québec, de telles apparitions sont rarissimes. En fait, chaque fois que je croise l'un ou l'autre de ces véhicules, je regarde le conducteur, persuadé qu'il s'agit d'un collègue effectuant un essai routier ! Pourtant, ces deux gros gabarits méritent un bien meilleur sort, car ils ne sont pas dépourvus de qualités et sont même en mesure de se tailler une place au soleil. Il semble que les responsables de la mise en marché de la division Saab-Saturn-Isuzu n'ont pas pris les moyens nécessaires pour faire connaître ce duo, même si on constate une amélioration depuis quelques mois. D'ailleurs, les concessionnaires disposent enfin d'un inventaire sérieux qui leur permet de servir une clientèle plus nombreuse.

Rodeo : la jeunesse

Pour citer le communiqué de presse d'Isuzu, le Rodeo est un tout-terrain destiné « au jeune acheteur urbain ayant une vie active et à la recherche d'un véhicule polyvalent ». Pour répondre aux attentes de cette clientèle, les stylistes ont réalisé une carrosserie aux lignes assez agressives qui permettent à ce tout-terrain de se démarquer de plusieurs de ses concurrents. Bien entendu, l'incontournable roue de secours accrochée au hayon arrière vient donner du caractère au véhicule. Même chose pour la grille pare-obstacles et les phares d'appoint avant qui ornent plusieurs modèles en vente chez les concessionnaires. Cela permet au propriétaire de l'Isuzu d'afficher son caractère aventureux, même s'il se contente d'aller à son travail et au centre commercial au volant de son 4X4.

Isuzu a bien le droit de cibler les rêveurs urbains ou les aventuriers de salon avec le Rodeo, mais ce véhicule est un authentique tout-terrain qui peut se débrouiller avec aisance dans des conditions difficiles. D'ailleurs, des plaques de protection placées en des endroits stratégiques sous le véhicule en équipement de série permettent de rouler hors route sans problème. De plus, le moteur V6 de 205 chevaux à double arbre à cames en tête ne se fait pas prier pour faire étalage de ses capacités et il peut être couplé à une boîte manuelle à 5 rapports, une autre caractéristique assez exclusive de nos jours alors que la plupart des concurrents se contentent de la boîte automatique ou offrent la transmission manuelle avec un moteur 4 cylindres.

Avec sa silhouette dans le ton, un habitacle moderne quelque peu handicapé par une finition un peu légère et un rendement intéressant sur la route, le Rodeo n'est pas dépourvu de qualités. D'autant plus que son système 4 roues motrices à temps partiel est tout aussi efficace que celui de ses concurrents. Son comportement routier en général est également sain.

À découvrir

Malheureusement, le Rodeo n'a jamais connu une distribution d'importance et trop de gens l'ignorent parce qu'ils ne veulent pas faire les premiers pas, préférant opter pour les vedettes du marché.

Luxueux et costaud, mais...

Le Trooper est encore moins populaire que son petit frère, le Rodeo. Plus gros, plus luxueux, plus à l'aise dans la boue que sur la route, ce véhicule est un anachronisme sur roues. Il offre un habitacle somptueux

Sans vouloir remonter trop loin dans le temps, rappelons que cet Isuzu était à l'origine un tout-terrain fruste et robuste qui s'est métamorphosé en véhicule semi-luxueux au fur et à mesure que la demande du public pour les tout-terrains de luxe augmentait.

Comme le Rodeo, il est doté d'un rouage 4 roues motrices à temps partiel. Donc, pas besoin d'immobiliser le véhicule pour enclencher un mode ou l'autre. Mais ce qui est unique aux Isuzu tout-terrains, c'est leur système de répartition du couple qui permet, selon la compagnie du moins, de combiner les avantages d'un mécanisme à temps partiel et ceux d'une intégrale. D'ailleurs, à l'usage, le Trooper s'avère d'une excellente agilité malgré son encombrement. Sur la route, cependant, son centre de gravité plus élevé oblige à se montrer plus prudent dans les courbes. De plus, l'agrément de conduite n'est pas sa principale qualité.

Isuzu Trooper

et d'une finition soignée, mais son comportement sur la route nous permet de découvrir très rapidement les limites du châssis. Compte tenu du caractère plus « jeune » du Rodeo et de son utilisation anticipée, on est enclin à pardonner à ce dernier. Mais on est plus intransigeant pour le Trooper.

Bien que peu populaires sur notre marché, ces deux utilitaires sport ont un châssis solide et une mécanique fiable associée à un rouage d'entraînement 4X4 efficace. Une politique de mise en marché révisée et un peu plus d'agressivité dans la distribution permettraient sans doute à ce duo de se faire justice.

Denis Duquet

ISUZU Rodeo

▲ POUR

• Moteur bien adapté • Système 4X4 efficace • Comportement routier équilibré • Équipement complet • Bonne habitabilité

▼ CONTRE

• Moteur assoiffé • Plastiques intérieurs bon marché • Tableau de bord quelconque • Faible diffusion • Suspension moyennement confortable

CARACTÉRISTIQUES

Prix du modèle à l'essai	LSE / 41 310 $
Garantie de base	3 ans / 60 000 km
Type	utilitaire sport / propulsion ou 4X4
Empattement / Longueur	270 cm / 451 cm
Largeur / Hauteur	179 cm/ 176 cm
Poids	1 890 kg
Coffre / Réservoir	933 litres / 76 litres
Coussins de sécurité	frontaux
Suspension av.	indépendante
Suspension arr.	essieu rigide
Freins av. / arr.	disque ABS
Système antipatinage	non
Direction	à crémaillère, assistance variable
Diamètre de braquage	11,7 mètres
Pneus av. / arr.	P245/70R16

MOTORISATION ET PERFORMANCES

Moteur	V6 3,2 litres
Transmission	automatique 4 rapports
Puissance	205 ch à 5 400 tr/min
Couple	214 lb-pi à 3 000 tr/min
Autre(s) moteur(s)	aucun
Autre(s) transmission(s)	manuelle 5 rapports
Accélération 0-100 km/h	9,2 secondes
Vitesse maximale	180 km/h (limitée)
Freinage 100-0 km/h	43,2 mètres
Consommation (100 km)	13,2 litres

MODÈLES CONCURRENTS

• Chevrolet Blazer • Ford Explorer
• Jeep Cherokee • Nissan Pathfinder • Toyota 4Runner

QUOI DE NEUF ?

• Réservoir de carburant en plastique
• Vitres et serrures électriques de série sur « S »

VERDICT

Agrément	★★★½
Confort	★★★½
Fiabilité	★★★★
Habitabilité	★★★½
Hiver	★★★★★
Sécurité	★★★½
Valeur de revente	★★½

JAGUAR S-Type

Jaguar S-Type

Plaisir éphémère

Les voitures de très grand luxe n'ont plus tout à fait la cote, même chez les clients très riches. Dans le créneau des berlines haut de gamme, ce sont plutôt les modèles de taille moyenne qui connaissent actuellement le plus de succès. Et malgré les efforts de Saab, de Volvo, de Cadillac, de Lincoln et, bien sûr, de Jaguar, cette catégorie demeure la chasse gardée du trio allemand composé de Mercedes-Benz (Classe E), BMW (Série 5) et Audi (A6). La Jaguar S-Type qui devait venir jouer dans ce groupe sélect a raté le coche. Pourquoi ?

Trois raisons semblent à l'origine de ce désintéressement de la clientèle. À part son bec pincé qui lui donne une certaine allure, la Jaguar S-Type affiche un look d'une banalité déconcertante. Par ailleurs, les fanatiques purs et durs de la marque britannique n'ont pas vu d'un très bon œil son évidente filiation avec certains produits Ford. Encore moins le fait que la marque américaine, propriétaire de Jaguar, ait concocté sa propre version de la S-Type sous l'appellation de Lincoln LS. Et pour ajouter l'injure à l'insulte, on l'a proposée à un prix inférieur de 15 000 $ à 20 000 $ à la noble anglaise. De là à conclure que cette américaine offrait un meilleur rapport qualité/prix que sa rivale du Royaume-Uni, il n'y avait qu'un pas que la presse automobile s'est empressée de franchir.

Questions de qualité

Ce serait encore beau si l'on pouvait s'arrêter là, mais plusieurs autres raisons expliquent l'insuccès de la S-Type. Contrairement à bien des voitures que l'on apprécie toujours davantage à l'usage, il est difficile de tomber amoureux de cette Jaguar. C'est malheureusement le constat auquel je suis parvenu après un troisième essai de cette berline britannique assaisonnée à l'américaine. De prime abord, j'avais apprécié son format, son comportement routier et son apparente qualité de construction. Au second essai, les choses ont commencé à se gâter et mon dernier contact avec la voiture m'a fait déchanter.

Serions-nous revenus à l'époque où le propriétaire d'une Jaguar devait obligatoirement épouser un mécanicien et profiter de sa voiture une semaine sur deux, en garde partagée ? Pas tout à fait, je le concède, car l'apparition de Ford dans le décor, n'en déplaise aux puristes, a permis d'améliorer les mécaniques. L'assemblage, par contre, souffre encore de certaines failles. Sur la dernière S-Type mise à l'essai, la lunette du feu de position gauche ne tenait qu'à un fil et le système de lave-phares fonctionnait de façon sporadique. Bref, il reste encore un petit bout de chemin à faire avant que vous puissiez divorcer de votre mécanicien.

Mésentente sous le capot

J'hésite avant de confirmer l'étiquette de berline sport initialement dévolue à cette Jaguar. Elle est carrément trop difficile à conduire sportivement pour endosser ce rôle. Les 281 chevaux du V8 de 4 litres, malgré toute la bonne volonté du monde, n'arrivent pas à s'exprimer librement à travers la transmission automatique à 5 rapports. Elle est tellement lente à réagir qu'on a l'impression que la puissance arrive aux roues motrices dans le style « 30 minutes plus tard dans les Maritimes ». En plus, son levier de vitesses crochu n'est pas facile à manipuler. Et aux dernières nouvelles, il n'y avait pas de boîte manuelle à l'horizon alors que Lincoln en offre une sur la LS. Quant au 6 cylindres Ford Duratec de 3 litres et 240 chevaux qui est également offert dans la S-Type, nul besoin de vous dire qu'il n'améliore pas les prestations sportives de la petite Jaguar.

Mi figue, mi raisin

Tant qu'elle peut compter sur l'antipatinage, la tenue de route est brillante. Mais si, pour avoir l'air d'un champion et lancer la voiture dans de belles glissades du train arrière, vous décidez de passer outre au système, vous devrez vous montrer alerte

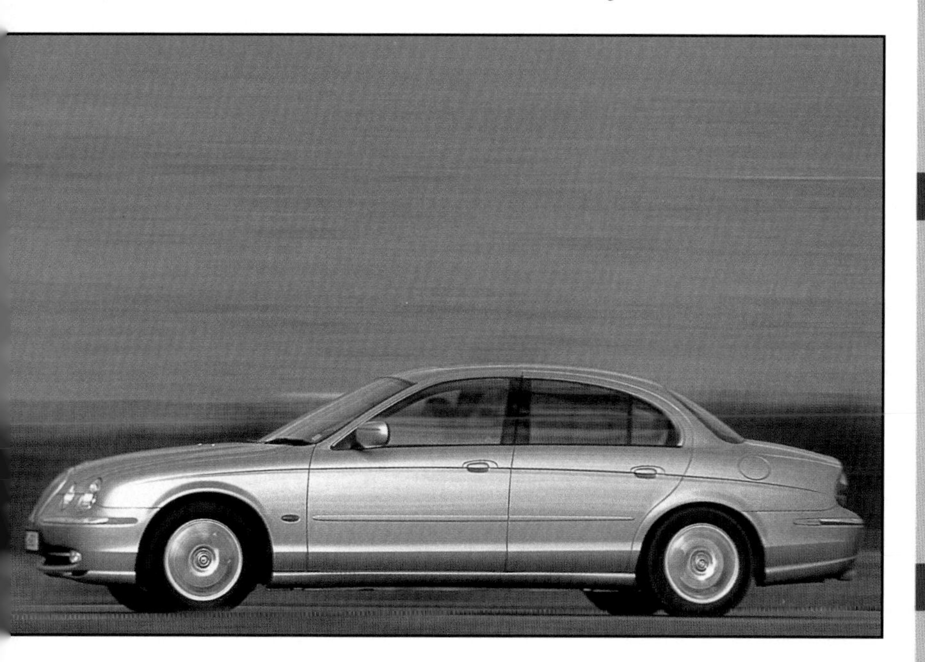

pour la ramener dans le droit chemin. Parlez-en à Michel Barrette. Pourtant, cette Jaguar bénéficie d'une excellente répartition des masses avec un poids quasi égal sur chacun des essieux en plus d'une suspension dite « adaptative » et de pneus Pirelli P Zéro de 17 pouces.

Fort heureusement, le roulis en virage est minimal et la direction d'une grande rapidité d'intervention. Là où elle brille de tous ses feux, toutefois, c'est au chapitre de l'insonorisation. J'ai rarement conduit une voiture aussi silencieuse et il m'est même arrivé de vouloir mettre le moteur en marche alors qu'il tournait déjà, tellement il est d'une grande discrétion. De l'extérieur, par contre, c'est une tout autre histoire et le bruit de l'échappement est d'une désolante pauvreté. On a l'impression que le silencieux a été fabriqué à même une boîte de conserve et ce n'est pas joli du tout.

Oui à l'espace, non au rangement

Même si elle est beaucoup plus menue que les grandes Jaguar traditionnelles, la S-Type profite de sa conception plus moderne pour offrir des places arrière dignes de ce nom. Elle boude par ailleurs les espaces de rangement quoique l'on ait eu la bonne idée de déplacer le chargeur de disques compacts du coffre à gants au coffre arrière.

Le tableau de bord est recouvert d'un bois d'érable pâle qui ressemble à du faux et est déparé par des boutons ou commutateurs qui semblent provenir tout droit d'un stock de pièces Ford. Il faut croire que cette uniformité est la conséquence des fusions et de la globalisation. En revanche, on peut difficilement blâmer Ford, qui a au moins le mérite d'avoir mis de l'ordre dans le capharnaüm de Jaguar.

Jacques Duval

JAGUAR S-Type

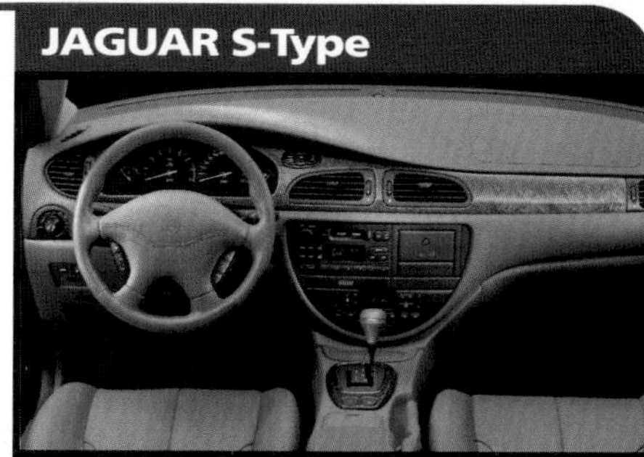

▲ POUR

• Superbe insonorisation • Bon confort • Direction agréable • Performances adéquates • Bonnes places arrière

▼ CONTRE

• Qualité de construction perfectible • Transmission automatique décevante • Peu de rangement • Pas de boîte manuelle

CARACTÉRISTIQUES

Prix du modèle à l'essai	V8 4,0 / 70 950 $
Garantie de base	4 ans / 80 000 km
Type	berline / propulsion
Empattement / Longueur	291 cm / 486 cm
Largeur / Hauteur	182 cm / 142 cm
Poids	1 710 kg
Coffre / Réservoir	370 litres / 69,5 litres
Coussins de sécurité	frontaux et latéraux
Suspension av.	indépendante
Suspension arr.	indépendante
Freins av. / arr.	disque ABS
Système antipatinage	oui
Direction	à crémaillère, assistée
Diamètre de braquage	11,4 mètres
Pneus av. / arr.	P225/55HR16

MOTORISATION ET PERFORMANCES

Moteur	V8 4 litres
Transmission	automatique 5 rapports
Puissance	281 ch à 6 100 tr/min
Couple	287 lb-pi à 4 300 tr/min
Autre(s) moteur(s)	V6 3 litres 240 ch
Autre(s) transmission(s)	aucune
Accélération 0-100 km/h	7,0 s ; 9,0 s (V6)
Vitesse maximale	210 km/h (limitée)
Freinage 100-0 km/h	38,5 mètres
Consommation (100 km)	12,0 litres

MODÈLES CONCURRENTS

• Lincoln LS • Mercedes-Benz E430 • BMW Série 5 • Audi A6 4,2 • Saab 95 • Lexus GS 430 • Volvo S80

QUOI DE NEUF ?

• Nouvelles jantes à 10 rayons • Chargeur de CD relocalisé dans le coffre • Avertisseur de marche arrière

VERDICT

Agrément	★★★
Confort	★★★★½
Fiabilité	★★★
Habitabilité	★★★
Hiver	★★★★
Sécurité	★★★½
Valeur de revente	★★★

JAGUAR XJ8 JAGUAR Vanden Plas JAGUAR XJR

Jaguar Vanden Plas

Les gardiennes de la tradition

Rares sont les marques qui possèdent l'aura de Jaguar. Comme Ferrari, Porsche ou Mercedes, ce nom évoque à lui seul une tradition et un passé glorieux, sur la route comme sur la piste. Plus que du charme, ces belles anglaises ont une âme, qu'elles ont su conserver malgré des années de crise et un mariage de raison avec le géant Ford. Les berlines XJ incarnent à merveille l'esprit de Jaguar, avec leurs qualités et leurs défauts. Ce qui, du reste, est le propre des fortes personnalités.

En attendant une refonte en bonne et due forme, prévue pour l'année prochaine, la gamme XJ continue de se décliner en quatre versions: XJ8, Vanden Plas, XJR et Vanden Plas Supercharged. Pour vous situer, précisons que les deux premières sont mues par un V8 de 4 litres, bon pour 290 chevaux, tandis que les deux autres reçoivent le même moteur mais muni d'un compresseur, qui fait grimper la puissance à 370 chevaux. Quant aux modèles portant la griffe Vanden Plas, du nom du célèbre carrossier, ils incarnent le summum du luxe, en plus de voir leur empattement allongé d'une douzaine de centimètres. Vocation de limousine oblige, ce sont les occupants de la banquette arrière qui bénéficient de ce surplus d'espace, qui se traduit par un dégagement supérieur pour les jambes. Bonne chose, puisque les XJ8 et XJR ne sont pas les plus généreuses en la matière.

En revanche, elles ne lésinent pas sur le confort, ni sur l'apparat. L'équipement de série est tout simplement pléthorique; contrairement à ce qui est le cas dans les allemandes de même catégorie, le lecteur de disques compacts n'est pas optionnel dans une Jaguar... De plus, la sonorité de l'ensemble audio ravira le plus averti des mélomanes, surtout s'il conduisait une Mercedes ou une BMW auparavant. Vous aurez compris que ce n'est pas le point fort des limousines teutonnes. La froideur de celles-ci offre également un joli contraste avec l'ambiance qui règne à bord de ces aristocratiques anglaises. Richement garni de superbes boiseries et d'une non moins superbe sellerie cuir de la célèbre maison Connolly, l'habitacle d'une «Jag» possède, on ne le dira jamais assez, un cachet incomparable. C'est cossu sans être ostentatoire, opulent sans être kitsch; en un mot, c'est noble. *Very British, indeed.*

Si cette noblesse a toujours été l'apanage des créations de la firme de Coventry, il fut un temps où elle n'arrivait pas à masquer l'assemblage pour le moins artisanal qui les affligeait. Cette époque est révolue. Irréprochable, soignée même, la finition est celle qu'on attend d'une voiture de ce prix. Il en va de même pour le confort, exceptionnel sur tous les plans. En matière d'insonorisation et de douceur de roulement, il n'y a que la Lexus LS 430 qui puisse faire jeu égal avec les Jaguar. Et que dire des sièges, sinon qu'ils feront le bonheur des plus exigeants?

Mais une Jaguar ne serait pas une Jaguar s'il n'y avait pas une bizarrerie ou deux dans la conception. À l'avant, les occupants doivent composer avec une console centrale particulièrement volumineuse, qui empiète sur la largeur et qui risque de déplaire à ceux qui n'aiment pas se sentir à l'étroit. Le coffre arrière tronqué est un autre irritant, d'autant plus que les dimensions du véhicule laissent croire à une bonne capacité de chargement; or, il n'en est rien. Évidemment, la banquette arrière ne se replie pas, mais on aurait au moins apprécié une trappe pour les skis. Il faut croire que le protocole stipule qu'une limousine ne doit pas s'abaisser à ce genre d'usage.

Au sommet de leur art

Dr Jekyll et M. Hyde

De génération en génération, le style de la XJ a su évoluer tout en demeurant fidèle à la première du nom, lancée à la fin des années 60. Au cours des trois décennies qui ont suivi, les modèles reposant sur cette plate-forme se sont toujours distingués par leurs lignes fluides et épurées, dominées par les courbes. Il en résulte une allure intemporelle mais néanmoins racée, ainsi qu'une élégance qui a forgé le mythe Jaguar.

Cette grâce toute féline, on la retrouve également dans le comportement de ces berlines. La très grande souplesse de la suspension ne la prédispose pas aux débordements d'enthousiasme, pas plus que son format, qui la restreint côté maniabilité. Pour une conduite plus sportive, il faut se tourner vers la XJR et son diabolique V8 à compresseur, qui transforme cette paisible routière en véritable bombe. Mais attention, il n'y a jamais rien de brutal dans une Jaguar, aussi ce fabuleux moteur se comporte-t-il avec le plus grand civisme, même lorsqu'on écrase la pédale au fond. Mais le verdict du chronomètre a tôt fait de rappeler qu'il y a bel et bien 370 chevaux sous le capot, et qu'ils ne dorment pas, non monsieur!

Mais surtout, ces deux motorisations sont à l'image des voitures qu'elles desservent: performantes, certes, mais tout en douceur et en souplesse. Des qualités qu'on retrouve également dans la direction, précise et superbement dosée. Seul le freinage manque un peu de mordant, mais la puissance est là.

Tout ça pour dire que les pessimistes – nombreux – qui craignaient que l'arrivée de Ford dénature ces belles anglaises ont dû se raviser. Les Jaguar n'ont cessé de s'améliorer, au point d'enrichir le vocabulaire de cette marque de termes dont on ne connaissait pas la signification à Coventry: qualité et fiabilité. Avec le renouvellement imminent de la XJ et l'ajout d'un nouveau modèle, connu sous le nom de code X400, qui se mesurera à la BMW Série 3, cette marque sera à surveiller au cours des prochaines années.

Philippe Laguë

JAGUAR XJ8

▲ POUR

• Superbes moteurs • Confort princier • Cachet unique à l'intérieur • Finition soignée • Chaîne stéréo de haut calibre

▼ CONTRE

• Console centrale imposante • Malle arrière tronquée • Pas de trappe pour les skis • Encombrement • Suspension trop souple

CARACTÉRISTIQUES

Prix du modèle à l'essai	Vanden Plas / 91 500 $
Garantie de base	4 ans / 80 000 km
Type	berline / propulsion
Empattement / Longueur	299,5 cm / 515 cm
Largeur / Hauteur	180 cm / 135 cm
Poids	1 819 kg
Coffre / Réservoir	360 litres / 87 litres
Coussins de sécurité	frontaux et latéraux
Suspension av.	indépendante
Suspension arr.	indépendante
Freins av. / arr.	disque ABS
Système antipatinage	oui
Direction	à crémaillère, assistance variable
Diamètre de braquage	12,4 mètres
Pneus av. / arr.	P225/60ZR16

MOTORISATION ET PERFORMANCES

Moteur	V8 4 litres
Transmission	automatique 5 rapports
Puissance	290 ch à 6 100 tr/min
Couple	290 lb-pi à 4 250 tr/min
Autre(s) moteur(s)	V8 4 litres 370 ch (XJR)
Autre(s) transmission(s)	aucune
Accélération 0-100 km/h	8,0 secondes
Vitesse maximale	241 km/h
Freinage 100-0 km/h	38,2 mètres
Consommation (100 km)	16,0 litres

MODÈLES CONCURRENTS

• Audi A8 • BMW Série 7 • Infiniti Q45 • Lexus LS 430 • Mercedes-Benz Classe S

QUOI DE NEUF?

• Pneus Pirelli P6000 remplacent P4000 • Radar de stationnement arrière • 2 nouvelles couleurs

VERDICT

Agrément	★★★½
Confort	★★★★★
Fiabilité	★★★
Habitabilité	★★★★
Hiver	★★½
Sécurité	★★★★
Valeur de revente	★★½

JAGUAR XK8 JAGUAR XKR

Jaguar XK8

Quand le félin rugit

Membre à part entière du groupe PAG (*Premier Automotive Group*) réunissant les diverses marques contrôlées par Ford, Jaguar est un des noms les plus réputés du monde automobile. Cette notoriété n'a pas toujours donné d'excellentes voitures, tant s'en faut, mais cette firme a su préserver son auréole de prestige en dépit d'une réputation souvent malmenée par une qualité de construction déplorable. Initialement dévoilés en 1997, les coupés et cabriolets XK8 ont reçu du renfort en 2000 avec l'apparition d'une version encore plus musclée, la XKR à compresseur, secondée cette année par l'édition Silverstone caractérisée par ses roues BBS de 20 pouces et ses freins Brembo. Eh oui, ces Jag commencent à prendre du poil de la bête.

Avant l'arrivée des nouvelles XK, la XKS avait survécu 21 ans à sa ligne atroce et à son embonpoint notoire. Sa remplaçante a conservé son titre de poids lourd, mais se pare d'une robe fort élégante qui montre ses plus beaux contours dans la version coupé. Le cabriolet a lui aussi fière allure, mais la satanée bosse causée par la présence de la capote en position ouverte vient briser l'harmonie des lignes.

De 290 à 370 chevaux

Avec un V8 4 litres de 290 chevaux, les XK8 ne sont pas paresseuses pour deux sous, mais les enragés d'automobile en veulent toujours un peu plus. Jaguar a donc transplanté sous le capot du coupé et du cabriolet le moteur à compresseur volumétrique qui fait fureur dans la berline XJR, créant *ipso facto* la XKR. Ses 80 chevaux supplémentaires sont suffisants pour transformer un modèle déjà passablement rapide en une supervoiture capable de tenir sa place parmi des sportives aussi titrées que la Porsche 911 Turbo ou la BMW Z8. Notre match comparatif (*Sommet Mondial de l'automobile*) en a d'ailleurs fait éloquemment la preuve.

Bien sûr, la transmission automatique à 5 rapports de la Jag (la seule au catalogue) la fait démériter un peu et elle n'a pas la prétention d'essayer de suivre une Porsche 911 Turbo sur un petit chemin tout croche. En performance pure, cependant, le cabriolet XKR a suffisamment de puissance pour ne pas mordre la poussière lamentablement dans un face à face (ou devrais-je dire un porte à porte?) sur une piste d'accélération. Un 0-100 km/h sous les 6 secondes vous place automatiquement dans les ligues majeures en matière de performance. Le moteur n'est pas pointu pour autant et fait preuve d'un couple abondant disponible en tout temps. On voudra toutefois laisser l'automatique faire son travail plutôt que de perdre temps et patience à jouer avec le levier de vitesses pour passer les rapports manuellement.

Si la puissance est une alliée de taille pour la XKR, la voiture n'a hélas! pas le comportement routier qui lui permettrait de s'afficher comme une authentique voiture sport. Elle est d'abord trop lourde pour se moquer des virages et même ses nouveaux pneus Continental ContiSportContact de 18 pouces n'arrivent pas à stopper le survirage brutal qui se manifeste dès que l'on débranche l'antipatinage. À grande vitesse, on ressent aussi un flottement qui affecte la stabilité en ligne droite tandis que les freins se chargent de laisser sentir que la masse à stopper est considérable. Nul doute que la nouvelle version Silverstone permettra d'atténuer les quelques lacunes de la XKR en matière de comportement routier. Dommage qu'elle n'ait pas été disponible pour notre match au sommet.

Beaux gros gabarits

En revanche, la suspension assez souple de la XKR essayée s'entend bien avec les ravages du réseau routier québécois. Le confort est appréciable et la robustesse de la caisse sur mauvaise route donne à croire que l'on roule dans une voiture allemande.

De splendides cabriolets

Les coupés Jaguar sont sans doute plus racés, mais comme cabriolet il est difficile de trouver mieux que le XKR ou le XK8. La firme Karman, qui a la responsabilité de ces modèles, est de loin la meilleure au monde dans le domaine et en a déjà fait la preuve avec le Cabrio de Volkswagen. Les cabriolets signés Karman sont supérieurs à ce qui se fait aussi bien chez Mercedes que chez BMW. Les capotes sont notamment mieux insonorisées et on a droit à de vraies lunettes arrière dégivrantes en verre, un luxe auquel même une Z8 n'a pas droit. La capote du cabriolet Jaguar est aussi la seule que l'on peut abaisser ou remonter en roulant, à condition de ne pas excéder 15 km/h. Lorsque le toit est ouvert, il n'y a pas de pare-vent pour réduire la turbulence dans l'habitacle, mais l'aérodynamique de la voiture est telle que cet accessoire serait superflu. Le seul hic, c'est que la housse qui recouvre la capote est fastidieuse à installer tout en ayant une propension à jouer les cerfs-volants à grande vitesse.

À l'intérieur, le bois, le cuir et des matériaux de belle qualité contribuent à rehausser la finition. La visibilité est acceptable pour un cabriolet et le coffre à bagages fait partie lui aussi des bonnes surprises. Par contre, les rangements ne sont pas légion et je me demande à quoi peut bien servir la minuscule banquette arrière. Il m'a semblé aussi que la XKR aurait pu bénéficier de sièges offrant un meilleur appui en conduite sportive et d'une poignée de maintien pour le passager.

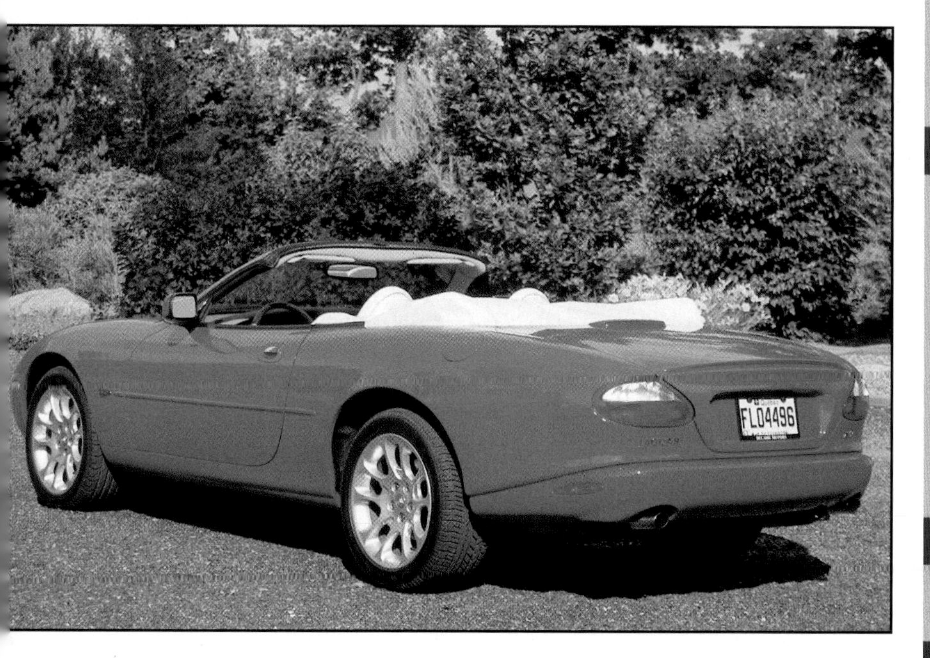

Ce ne sont toutefois pas ces petits détails qui feront changer d'avis ceux qui tombent en pâmoison devant ces coupés et cabriolets Jaguar. Et croyez-moi, ils sont nombreux si j'en juge par les commentaires flatteurs des badauds au passage de cette ravissante anglaise.

Jacques Duval

JAGUAR XKR

▲ POUR

• Moteur éloquent (XKR) • Cabriolet bien conçu • Bon coffre • Confort soigné • Caisse solide

▼ CONTRE

• Instabilité à haute vitesse • Transmission automatique seulement • Housse de toit déplaisante • Direction peu communicative

CARACTÉRISTIQUES

Prix du modèle à l'essai	XKR cabriolet / 113 500 $
Garantie de base	4 ans / 80 000 km
Type	cabriolet 2 places / propulsion
Empattement / Longueur	258 cm / 476 cm
Largeur / Hauteur	183 cm / 129 cm
Poids	1 824 kg
Coffre / Réservoir	310 litres / 75 litres
Coussins de sécurité	frontaux et latéraux
Suspension av.	indépendante
Suspension arr.	indépendante
Freins av. / arr.	disque ABS
Système antipatinage	oui
Direction	à crémaillère, assistée
Diamètre de braquage	11,0 mètres
Pneus av. / arr.	P225/40ZR18 / P295/30ZR18

MOTORISATION ET PERFORMANCES

Moteur	V8 4 litres à compresseur
Transmission	automatique 5 rapports
Puissance	370 ch à 6 150 tr/min
Couple	387 lb-pi à 3 600 tr/min
Autre(s) moteur(s)	V8 4 litres 290 ch
Autre(s) transmission(s)	aucune
Accélération 0-100 km/h	5,48 secondes
Vitesse maximale	250 km/h (limitée)
Freinage 100-0 km/h	38,7 mètres
Consommation (100 km)	14,0 litres

MODÈLES CONCURRENTS

• Mercedes-Benz CL • BMW Z8
• Porsche 911 Turbo

QUOI DE NEUF ?

• Pare-chocs avant retouché • Nouveaux sièges perforés • Pneus Continental au lieu de Pirelli

VERDICT

Agrément	★★★½
Confort	★★★★
Fiabilité	★★★★
Habitabilité	★
Hiver	★★★
Sécurité	★★★
Valeur de revente	★★★

JEEP Cherokee

Jeep Cherokee

En attendant la relève

Lancé en 1984 dans sa version actuelle, le Cherokee a connu un tel succès qu'il a incité les autres manufacturiers à emboîter le pas et à créer toute une fournée de véhicules utilitaires sport 4 portes. C'est ce modèle qui a provoqué cet engouement quasiment maladif de l'Amérique pour les tout-terrains. Mieux encore, le Cherokee a dépassé toutes les attentes et même déjoué les plans des dirigeants de la compagnie.

Ce modèle devait céder sa place au Grand Cherokee en 1993 lorsque ce dernier est apparu sur le marché. On devait continuer de vendre le Cherokee pendant quelques mois afin d'équilibrer les inventaires en attendant que la production du «Grand» s'accélère. Mais, surprise, les ventes ont continué à grimper et la direction de Chrysler n'a eu d'autre choix que de prolonger sa carrière. Mais ce condamné en sursis avait de plus en plus de difficulté à se faire justice sur un marché très compétitif où fourmillaient une multitude de nouveaux modèles tous plus modernes, plus confortables et mieux assemblés que lui. En 1997, on a donc révisé le Cherokee pour la première fois en 13 ans.

Les modifications d'ordre esthétique toutefois n'étaient pas tellement apparentes. Les angles étaient moins aigus afin de respecter les goûts du jour tandis que la grille de calandre avait un air plus agressif, mais il fallait avoir l'œil averti pour faire la différence. Par contre, des changements majeurs ont été effectués dans l'habitacle: le tableau de bord était plus ou moins copié sur celui du Grand Cherokee. Ce seul changement donnait à ses occupants l'impression de rouler dans un véhicule de conception plus moderne même si le rouage d'entraînement datait des années 80. Mais les modifications les plus importantes ont été appliquées à l'intégrité de la caisse et à la rigidité de la plate-forme. En modernisant les machines-outils de l'usine d'assemblage de Toledo dans l'Ohio, on a été en mesure de resserrer les standards de qualité en fait d'assemblage. Les incroyables interstices entre les pièces de la carrosserie sont disparus de même que les cliquetis et bruits de caisse, jadis incontournables.

L'histoire se répète

Une fois de plus, les jours du Cherokee sont comptés. Mais le scénario est différent cette fois puisque les planificateurs n'entendent pas l'éliminer de la gamme de modèles. Au contraire, on veut profiter de son incroyable réputation et de sa grande popularité pour en dévoiler une toute nouvelle version dans le cadre du Salon de l'auto de Detroit en janvier 2001.

Malgré sa disparition imminente sous sa forme actuelle, le Cherokee est plus populaire que jamais. En fait, on a battu des records de ventes au début de l'année. Tant et si bien que sa production a été prolongée jusqu'en novembre 2000 et qu'il figure à nouveau dans le catalogue de ce manufacturier.

Comme pour tout modèle en sursis, les modifications sont pratiquement inexistantes. Sauf que le moteur 6 cylindres en ligne de 4 litres a encore été rajeuni et qu'il est couplé à une toute nouvelle transmission manuelle à 5 rapports ! En outre, le moteur 4 cylindres a été éliminé. Une décision qui risque d'en décevoir plusieurs à la suite de la hausse du prix de l'essence au cours des derniers mois. Mais ceux qui croyaient économiser en choisissant ce moteur se fourvoyaient puisqu'il était toujours très sollicité ; par conséquent, les économies de carburant n'étaient pas tellement impressionnantes. De plus, les accélérations étaient parfois dangereusement lentes lorsque venait le temps de dépasser.

L'aventure économique

En attendant, le « vieux » modèle poursuivra sa carrière pendant plusieurs mois. Et il mérite toujours considération, car c'est une véritable chèvre de montagne lorsque vient le temps de franchir les obstacles qui se dressent sur le parcours. Même si son moteur 6 cylindres est passablement gourmand en hydrocarbures, sa puissance est appréciée lorsqu'on doit négocier des sentiers boueux. De plus, son couple élevé permet de tracter des remorques de près de 2 250 kg avec la boîte automatique.

Comme le Cherokee est demeuré semblable au modèle initial pendant toutes ces années, les portes arrière très étroites, un seuil de porte élevé et une suspension qui ne fait pas tellement bon ménage avec les routes bosselées sont toujours de la partie. D'ailleurs, le Cherokee a perdu bien des points pour le confort de sa suspension lorsqu'il a été confronté à ses semblables dans notre match des véhicules 4X4 publié dans l'édition de l'an dernier.

Ce modèle en sursis est toujours aussi fort en conduite hors route et le catalogue des accessoires vous permet de le configurer selon vos besoins. De plus, son prix très compétitif nous pousse à lui pardonner son côté vétuste.

Que réserve l'avenir ?

S'il faut se fier aux prototypes camouflés par des bâches greffées à la carrosserie, le nouveau Cherokee aura quelque peu l'apparence du prototype Dakar dévoilé au Salon de Detroit en 1998. La réaction du public avait été excellente et les stylistes de Jeep semblent avoir concocté un modèle dérivé de ce prototype mais doté d'angles plus obtus.

Denis Duquet

JEEP Cherokee

▲ POUR

• Nouvelle boîte manuelle • Exceptionnel en conduite hors route • Finition en progrès • Prix compétitif • Moteur 6 cylindres raffiné

▼ CONTRE

• Modèle en sursis • Portes arrière étroites • Suspension ferme • Consommation élevée

CARACTÉRISTIQUES

Prix du modèle à l'essai	Sport 4X4 / 29 995 $
Garantie de base	3 ans / 60 000 km
Type	utilitaire sport / 4X4
Empattement / Longueur	258 cm / 425 cm
Largeur / Hauteur	176 cm / 163 cm
Poids	1 520 kg
Coffre / Réservoir	932 litres / 76 litres
Coussins de sécurité	frontaux
Suspension av.	essieu rigide
Suspension arr.	essieu rigide
Freins av. / arr.	disque / tambour (ABS optionnel)
Système antipatinage	non
Direction	à billes, assistée
Diamètre de braquage	10,9 mètres
Pneus av. / arr.	P225/75R15

MOTORISATION ET PERFORMANCES

Moteur	6L 4 litres
Transmission	automatique 4 rapports
Puissance	190 ch à 4 600 tr/min
Couple	225 lb-pi à 3 000 tr/min
Autre(s) moteur(s)	aucun
Autre(s) transmission(s)	manuelle 5 rapports
Accélération 0-100 km/h	9,7 s ; 8,9 s (man.)
Vitesse maximale	180 km/h
Freinage 100-0 km/h	49,8 mètres
Consommation (100 km)	15,2 litres ; 13,7 litres (manuelle)

MODÈLES CONCURRENTS

• Nissan Xterra • Suzuki Grand Vitara
• Nissan Pathfinder • Chevrolet Blazer

QUOI DE NEUF ?

• Modèle en sursis • Moteur 4 cylindres éliminé
• Remplacé au printemps 2001

VERDICT

Agrément	★★★
Confort	★★½
Fiabilité	★★½
Habitabilité	★★★
Hiver	★★★★½
Sécurité	★★★
Valeur de revente	★★★

JEEP Grand Cherokee

Jeep Grand Cherokee Limited

Toujours dans le coup

Même si les adversaires des utilitaires sport se réjouissent de la légère stabilisation de la courbe de leurs ventes, leur popularité est toujours importante, ce qui incite tous les manufacturiers à diversifier leur offre dans ce segment fort lucratif. Le Grand Cherokee est donc soumis à une concurrence plus forte que jamais alors que les nouveaux modèles fusent de toutes parts.

Dans un marché aussi compétitif, un véhicule qui entame sa troisième année est confronté à des concurrents aux lignes plus modernes, au moteur plus puissant et dotés de systèmes de traction intégrale toujours plus sophistiqués. Pour le Grand Cherokee, la position est encore plus délicate puisque son prix de vente le place à la frontière des modèles de grand luxe. Le plus huppé des Jeep est-il toujours dans le coup?

Une silhouette du tonnerre !

Malgré les efforts des stylistes de toutes les compagnies, aucun n'a encore réussi à concilier aussi bien que ceux de Jeep la silhouette macho de la catégorie et l'élégance mondaine nécessaire pour rouler dans les quartiers chic des grandes banlieues. L'édition actuelle a été largement révisée en 1999 et elle se défend fort bien face à des modèles plus nouveaux, théoriquement plus en harmonie avec les dernières tendances de style.

L'habitacle du premier Grand Cherokee était assez rustique, une lacune corrigée avec éclat depuis. Pourtant, le tableau de bord aurait déjà besoin de quelques retouches. Les cadrans indicateurs semblent quelque peu isolés au centre de leur module. Leur simplicité en facilite la consultation, mais elle leur donne en même temps un petit air vieillot. Il en est de même du levier de vitesses et de la commande de l'intégrale. Non seulement le panneau noir qui recouvre cette console fait bon marché, mais la typographie des commandes est trop rétro. Ce sont des détails, me direz-vous. Mais c'est ce qui permet aux gens de se faire une opinion au premier contact. À quelques détails près, la finition, les commandes et les matériaux utilisés sont de qualité.

Une mécanique sans compromis

Même si plusieurs compagnies ont raffiné la mécanique de leur tout-terrain, de nombreux modèles conservent toujours des éléments empruntés à des camions ou à des fourgonnettes, ce qui a des effets plus ou moins heureux sur le comportement routier. Et puisque pas moins de 90 % des utilisateurs ne conduisent jamais en hors route, cet élément est à prendre en considération.

Le Grand Cherokee représente un bon compromis puisque son châssis est intégré dans une carrosserie autoporteuse. On bénéficie ainsi de la robustesse d'un authentique tout-terrain tout en profitant d'un seuil de chargement relativement bas. En fait, le seul élément archaïque de la fiche technique est son essieu arrière rigide. On a beau l'identifier comme étant un essieu Hotchkiss et avoir réussi à atténuer l'inconfort notoire qu'il entraînait, c'est un élément qui limite quelque peu les qualités routières de ce Jeep.

Une valeur sûre

Le moteur V8 de 4,7 litres et 230 chevaux se situe dans la bonne moyenne en fait de puissance et de rendement. Il est couplé à une boîte automatique à 4 rapports spécialement développée pour ce moteur. Cette combinaison s'avère impeccable. On a pourtant trop tendance à oublier que le Grand Cherokee peut également être équipé du moteur 6 cylindres en ligne Power Tech de 4 litres d'une puissance de 195 chevaux. De conception plus ancienne, celui-ci a toutefois été modernisé en 1998.

Puisque c'est Jeep qui a littéralement créé cette catégorie, il ne faut pas se surprendre si trois systèmes de traction intégrale sont au programme. Le plus sophistiqué est sans aucun doute le Quadra-Trac qui rassemble l'intégrale Quadra-Trac II, le premier différentiel central doté d'un raccord hydromécanique de transfert de couple proportionnel à la vitesse et les essieux Vari-Lok qui sont en fait un système antipatinage à contrôle hydraulique. Il est également possible de ne commander que le système Quadra-Trac II ou encore le Select-Trac, le système d'intégrale à viscocoupleur central.

La fiche technique du Grand Cherokee n'est nullement inférieure à celle de ses concurrents les plus modernes.

Lorsque les conditions se détériorent et que la route disparaît, ce Jeep est capable de négocier les parcours les plus difficiles sans problème. Son essieu rigide arrière devient alors un atout important en optimisant la traction en sol accidenté. Avec le très efficace système Quadra-Drive, il suffit qu'une roue ait un peu d'adhérence pour continuer d'avancer, et ce sur des kilomètres dans les pires conditions. Le système hydraulique de Jeep est nettement supérieur à ceux faisant appel aux freins pour l'antipatinage.

Les incontournables qualités de tout-terrain de ce modèle sont la résultante d'une configuration mécanique qui pénalise quelque peu le comportement routier. La suspension est sèche et on dénote un louvoiement à peine perceptible du véhicule en ligne droite, ce qui irrite certaines personnes. Malgré tout, le Grand Cherokee est encore l'un des modèles les plus homogènes, les plus costauds et les plus civilisés qu'on puisse trouver dans cette catégorie.

Denis Duquet

JEEP Grand Cherokee

▲ POUR

• Système Quadra-Trac • Choix de moteurs • Équipement complet • Faible diamètre de braquage • Suspension robuste

▼ CONTRE

• Sifflements du différentiel • Léger louvoiement en ligne droite • Amortisseurs fermes • Consommation élevée • Banquette arrière peu confortable

CARACTÉRISTIQUES

Prix du modèle à l'essai	Limited / 46 795 $
Garantie de base	3 ans / 60 000 km
Type	utilitaire sport / traction intégrale
Empattement / Longueur	269 cm / 461 cm
Largeur / Hauteur	184 cm / 176 cm
Poids	1 890 kg
Coffre / Réservoir	1 104 litres / 78 litres
Coussins de sécurité	frontaux
Suspension av.	essieu rigide
Suspension arr.	essieu rigide
Freins av. / arr.	disque ABS
Système antipatinage	non
Direction	à billes, assistée
Diamètre de braquage	11,4 mètres
Pneus av. / arr.	P235/70R17

MOTORISATION ET PERFORMANCES

Moteur	V8 4,7 litres
Transmission	automatique 5 rapports
Puissance	235 ch à 4 800 tr/min
Couple	295 lb-pi à 3 200 tr/min
Autre(s) moteur(s)	6L 4 litres 195 ch
Autre(s) transmission(s)	automatique 4 rapports
Accélération 0-100 km/h	8,5 secondes
Vitesse maximale	185 km/h
Freinage 100-0 km/h	40,2 mètres
Consommation (100 km)	16,5 litres

MODÈLES CONCURRENTS

• Dodge Durango • Ford Explorer • Infiniti QX4 • Mercedes-Benz ML320 • Toyota 4Runner

QUOI DE NEUF ?

• Nouvelle boîte automatique 5 rapports
• Nouvelle grille de calandre sur Laredo

VERDICT

Agrément	★★★½
Confort	★★★½
Fiabilité	★★★
Habitabilité	★★★
Hiver	★★★★★
Sécurité	★★★★½
Valeur de revente	★★★★

JEEP TJ

Jeep TJ

Pour les puristes

Les utilitaires sport sont toujours très en demande. Malheureusement, la majorité des acheteurs les acquièrent tout simplement parce que c'est bien vu de rouler au volant d'un modèle qui a la cote. Ces gens se fichent éperdument du potentiel du véhicule à rouler hors piste ou à affronter les déserts. En fait, plus de 90 % d'entre eux n'envisagent même pas de circuler sur un terre-plein ou sur la pelouse du voisin. Ce qui explique pourquoi un véhicule authentique comme le TJ n'est pas populaire, la plupart des acheteurs désirant uniquement épater la galerie.

Il serait difficile de blâmer les gens qui boudent le TJ. Ce tout-terrain est presque exclusivement conçu pour rouler hors route et ses prestations sur le bitume sont pratiquement inversement proportionnelles à sa démoniaque agilité dans les champs et les ornières. Il est certain que le TJ n'est pas pour vous si vous roulez la plupart du temps sur les autoroutes et devez effectuer de longs trajets. On a amélioré le confort au fil des années, mais le résultat est quand même relativement sommaire. Il ne faut pas oublier que ce Jeep est conçu pour rouler la capote baissée sous toutes les conditions. Il est également prévu que les utilisateurs puissent avoir les pieds boueux. Les garnitures de l'habitacle sont donc assez sommaires et mieux vaut en tenir compte si on envisage de tenter l'aventure pendant quelques années au volant de ce Jeep.

Ceux qui ont déjà vécu l'expérience d'un longue randonnée dans la version cabriolet seront heureux d'apprendre que ce modèle est dorénavant doté d'un toit souple revu et corrigé afin de diminuer le niveau sonore. Une toile mieux tendue grâce à une révision de la disposition des panneaux la constituant ainsi qu'une texture du tissu offrant moins de résistance au vent ont pour effet d'atténuer le tintamarre qui accompagnait d'office toute randonnée à haute vitesse à son volant. Ce n'est pas le silence d'une berline, mais l'amélioration est marquée. Par contre, enlever ce toit nécessite toute une gymnastique, ainsi qu'une poigne d'acier et une bonne dose de patience. En revanche, le modèle à toit rigide est non seulement mieux adapté à notre climat, mais le silence dans l'habitacle y est supérieur. De plus, il est possible d'y installer un toit souple pour l'été, ce qui en fait un choix tout naturel pour nos conditions d'utilisation. Les belles images du TJ décapotable sur une plage de la Californie impressionnent dans les publicités, mais cette option est beaucoup moins intéressante par un triste jour de novembre lorsque le temps est très maussade.

Cette année, il est possible de commander une nouvelle version de l'accessoire Add-a-TrunK qui permet de protéger les objets qu'on transporte contre la convoitise des cambrioleurs même une fois la capote abaissée. Il s'agit d'un petit compartiment placé à l'arrière dont le couvercle ne peut être ouvert par le dessus. On y accède en ouvrant le panneau d'accès arrière, qui peut être verrouillé. Cette année, ce gadget est réalisé en matière plastique et le couvercle peut servir de porte-verres en position ouverte.

Rudimentaire, mais efficace

Ça peut vous paraître peu important comme gadget, mais les propriétaires de TJ ne jurent que par cet accessoire.

Pour les purs et durs

La concurrence a beau multiplier les nouveaux modèles, le TJ demeure la référence en fait de conduite tout-terrain. Après tout, c'est le véhicule qui a servi de modèle à tous les autres. Placez un spécialiste derrière son volant et le TJ démontre l'agilité d'une chèvre de montagne et la robustesse d'un bison lorsque les conditions se détériorent. Son rouage d'entraînement 4X4 à temps partiel Command Trac a fait ses preuves. Il est certain qu'une intégrale en permanence faciliterait la tâche à plusieurs, mais les puristes déclarent que les systèmes à enclenchement par le pilote offrent plus de contrôle. Et comme ce véhicule intéresse surtout les purs et durs de la pratique du tout-terrain, on leur donne raison. Ceux-ci seront également heureux d'apprendre que la plaque de protection placée sous le réservoir de carburant est renforcée cette année.

Le moteur 4 cylindres 2,5 litres de 120 chevaux convient bien à une utilisation presque exclusivement sur la route. Lorsqu'il est couplé à une boîte manuelle à 5 rapports, sa consommation de carburant est raisonnable et ses performances pas trop essoufflées. Malheureusement, le 5e rapport est inutilement long tandis que la puissance se révèle carrément déficiente lorsqu'on roule sur des surfaces meubles. Quant à la boîte automatique à 3 rapports, elle ne fait qu'aggraver la situation.

Le meilleur choix est le moteur 6 cylindres en ligne de 4 litres d'une puissance de 190 chevaux. Transformé il y a deux ans, il est plus moderne, plus fiable et plus silencieux. Les ingénieurs n'ont toutefois pas réussi à apaiser sa soif de carburant ; par conséquent, lui associer la boîte manuelle est une option à envisager.

La conduite d'un TJ sur la route doit toujours être accompagnée d'une bonne dose de gros bon sens. Un empattement court, un centre de gravité élevé et une direction légère sont autant d'ingrédients susceptibles de placer le conducteur trop audacieux dans une situation embarrassante, sinon les 4 fers en l'air. Et si le dépouillement de l'habitacle de même que l'aspect sommaire de sa présentation peuvent dérouter le conducteur citadin, celui des forêts et des champs appréciera cette simplicité.

Denis Duquet

JEEP TJ

▲ POUR

• Cabriolet plus silencieux • Un vrai passe-partout • Choix de moteurs • Suspension à ressorts hélicoïdaux • Catalogue d'options étoffé

▼ CONTRE

• Suspension peu confortable • Places arrière exiguës • Peu d'espaces de rangement • Version cabriolet moins confortable • Finition perfectible

CARACTÉRISTIQUES

Prix du modèle à l'essai	Sahara / 27 695 $
Garantie de base	3 ans / 60 000 km
Type	utilitaire / propulsion ou 4X4
Empattement / Longueur	237 cm / 381 cm
Largeur / Hauteur	169 cm / 180 cm
Poids	1 482 kg
Coffre / Réservoir	326 litres / 72 litres
Coussins de sécurité	frontaux
Suspension av.	essieu rigide
Suspension arr.	
Freins av. / arr.	disque / tambour (ABS optionnel)
Système antipatinage	non
Direction	à billes, assistée
Diamètre de braquage	10,2 mètres
Pneus av. / arr.	P225/70R16

MOTORISATION ET PERFORMANCES

Moteur	6L 4 litres
Transmission	manuelle 5 rapports
Puissance	181 ch à 4 600 tr/min
Couple	222 lb-pi à 2 800 tr/min
Autre(s) moteur(s)	4L 2,5 litres ; 120 ch
Autre(s) transmission(s)	automatique 3 rapports
Accélération 0-100 km/h	10,8 secondes
Vitesse maximale	165 km/h
Freinage 100-0 km/h	42,3 mètres
Consommation (100 km)	14,7 litres 13,0 litres (4L)

MODÈLES CONCURRENTS

• Chevrolet Tracker/Suzuki Vitara

QUOI DE NEUF ?

• Nouveau toit souple moins bruyant
• Nouveau système de freins ABS

VERDICT

Agrément	★★
Confort	★★
Fiabilité	★★½
Habitabilité	★★
Hiver	★★★½
Sécurité	★★★
Valeur de revente	★★½

Kia Rio

La voiture générique

Vous connaissez certainement les produits sans nom. On les retrouve partout sur les tablettes des détaillants et leur présentation très discrète est révélatrice d'une qualité correcte, sans plus. Leur argument? C'est le prix. Ils se targuent d'offrir une qualité égale ou supérieure aux grandes marques connues mais nous savons tous, finalement, qu'on en a exactement pour son argent.

La nouvelle Rio de Kia obéit à mon avis aux mêmes impératifs commerciaux. Cette sous-compacte revêt une carrosserie assez banale ressemblant énormément à la précédente génération de la Hyundai Accent, et ce n'est pas le fruit du hasard puisque ce manufacturier coréen contrôle pratiquement son concitoyen Kia. L'assemblage des panneaux extérieurs est perfectible, mais les américaines nous ont habitués à pire. On remarque immédiatement la bizarre découpe du couvercle du coffre qui s'étend sur les côtés, et les minuscules pneus Hankook en taille 13 pouces. Il me semble avoir déjà joué au hockey intérieur avec des rondelles de ce genre.

Avec simplicité

À l'intérieur, la même simplicité prévaut. Les plastiques beiges sont durs, la planche de bord d'une triste banalité, et le tableau de bord correct et bien lisible. Rien à redire contre l'ergonomie, mais les contrôles sont si peu nombreux qu'il aurait vraiment fallu faire exprès. Les espaces de rangement sont peu abondants et de faible capacité, mais le coffre à gants contient plus que la moyenne. Le tissu qui recouvre les places assises semble contenir une très forte proportion de nylon assez rêche. L'assise assez longue du baquet du pilote s'ajuste en hauteur avec deux grosses molettes sur la LS essayée, et je m'y sentais encore relativement confortable après une traite de 200 km. Il comporte aussi un petit appuie-bras escamotable du côté droit. À l'arrière, la banquette semble posée bien bas, et je devais en plus m'écarter les genoux pour réussir à m'asseoir derrière le siège du conducteur, après l'avoir réglé pour mon gabarit. L'espace pour la tête suffit amplement, cependant, à la plupart des adultes de taille normale. La capacité du coffre est réduite, on ne peut l'agrandir en pliant le dossier de la banquette, et son ouverture est vraiment insuffisante.

Sous le capot, les interventions semblent faciles, car les éléments mécaniques sont bien ordonnés, et la batterie est de bonne taille pour nos démarrages en hiver. Tous les éléments sont d'origine coréenne, et croisons-nous les doigts pour les pièces détachées. Il me semble entendre le commis au comptoir vous répondre : « Votre filtre à air? Il faut le commander en Corée, mon p'tit monsieur. » Le petit moteur avec son bloc en fonte et sa culasse en aluminium à double arbre à cames en tête offre une puissance acceptable de 96 chevaux, et ne se manifeste pas outre mesure jusqu'à 4 000 tr/min. Son couple maximum arrive cependant 500 tours plus haut et vous devez alors choisir entre perdre quelques dizaines de secondes à l'accélération ou vous faire emplir les oreilles de grondements sourds. Avec deux personnes à bord, vous pouvez facilement adopter un rythme assez soutenu, mais le rapport poids/puissance se dégrade rapidement avec quelques jeunes adultes de 1,80 m. Malheureusement, la boîte de vitesses manuelle ne vous aide pas vraiment à extraire les derniers chevaux, car on a l'impression d'agiter le levier dans un seau rempli de balles de caoutchouc. Je n'ai pas eu le loisir d'essayer l'automatique, mais on peut déconnecter la surmultiplication avec un interrupteur. La consommation reste dans les normes pour une voiture de cette catégorie.

Je n'irai pas à la Rio

Pneus et équipement à revoir

Les suspensions sont aussi d'une grande simplicité avec les classiques tours MacPherson à l'avant et un essieu déformable assez rudimentaire à l'arrière. La Kia offre un confort de bon niveau, mais les amortisseurs sont trop mous et la caisse se balance assez mollement lorsque vous rencontrez des obstacles. Elle roule exagérément aussi dans les virages, mais c'est sans danger, car les pneus perdront leur adhérence avant que vous puissiez capoter. Ils sont d'ailleurs responsables des distances de freinage longuettes, surprenantes de la part d'une voiture d'une telle légèreté, et cela même si les disques et tambours ne donnent pas signe d'échauffement.

Kia offre la Rio en trois versions, une S, une RS, et une LS, peut-être comme dans: simple, relativement simple, et légèrement moins simple. Toutes incluent les accessoires de sécurité normaux comme les deux coussins gonflables, mais, comme le dit candidement la brochure de présentation, la S a 4 pneus, un volant et des sièges. Plus sérieusement, il lui manque une direction assistée, des enjoliveurs pleine roue, des rétroviseurs électriques, le réglage en hauteur pour le siège du conducteur, un compte-tours, et tellement d'assistances électriques qu'on se demande si le ventilateur du chauffage doit être actionné à la main. La LS obtient tous ces équipements, et vous coupez la poire à peu près en deux pour la RS. La climatisation et la boîte automatique sont à la carte.

Ainsi parée, ou désemparée, c'est selon, la Rio risque de s'empoussiérer longtemps dans l'étalage des produits génériques. Et ce n'est pas son prix qui poussera les clients à se précipiter chez les concessionnaires. Une S se vend 11 995 $, et une LS «full au bouchon» s'annonce pour la coquette somme de 15 895 $. Si vous avez 16 000 $ à dépenser pour une automobile, plusieurs manufacturiers bien établis offrent des petites voitures intéressantes. Je pense entre autres à la Ford Focus, à la Saturn, à la Toyota Echo, et pourquoi pas à la Hyundai Accent qui se présente maintenant comme une valeur plus sérieuse. En vérité, les concessionnaires devront brader leur inventaire ou avoir un produit plus distinctif à offrir à leur clientèle si Kia veut vraiment se «faire un nom» chez nous.

Jean-Georges Laliberté

KIA Rio

▲ POUR

• Moteur moderne • Puissance correcte • Ergonomie satisfaisante • Suspensions assez confortables • Consommation raisonnable

▼ CONTRE

• Prix à revoir • Pneus à remplacer • Suspensions trop molles • Coffre trop petit • Fiabilité inconnue

CARACTÉRISTIQUES

Prix du modèle à l'essai	LS / 14 895 $
Garantie de base	3 ans / 60 000 km
Type	berline / traction
Empattement / Longueur	241 cm / 421,5 cm
Largeur / Hauteur	167,5 cm / 144 cm
Poids	944 kg
Coffre / Réservoir	290 litres / 45 litres
Coussins de sécurité	frontaux
Suspension av.	indépendante, tours MacPherson
Suspension arr.	essieu déformable
Freins av. / arr.	disque / tambour
Système antipatinage	non
Direction	à crémaillère, assistée (sauf S)
Diamètre de braquage	n.d.
Pneus av. / arr.	P175/70R13

MOTORISATION ET PERFORMANCES

Moteur	4L 1,5 litre, DACT 16 soupapes
Transmission	automatique 5 rapports
Puissance	96 ch à 5 800 tr/min
Couple	98 lb-pi à 4 500 tr/min
Autre(s) moteur(s)	aucun
Autre(s) transmission(s)	automatique 4 rapports
Accélération 0-100 km/h	11,9 secondes
Vitesse maximale	165 km/h
Freinage 100-0 km/h	45 mètres (estimation)
Consommation (100 km)	6,8 litres; 7,2 litres (aut.)

MODÈLES CONCURRENTS

• Daewoo Lanos • Hyundai Accent • Saturn SL1 • Toyota Echo

QUOI DE NEUF?

• Nouveau modèle

VERDICT

Agrément	★★½
Confort	★★★
Fiabilité	nouveau modèle
Habitabilité	★★★
Hiver	★★★
Sécurité	★★★
Valeur de revente	nouveau modèle

KIA Sephia

La première impression était la bonne

Au moment du dévoilement de la gamme Kia, à l'été 1999, la petite Sephia n'avait pas impressionné grand monde, si vous me permettez l'euphémisme. Mais, après tout, il s'agissait d'une première impression. Un essai prolongé de 20 000 km n'aura pas réussi à nous ramener à de meilleurs sentiments; au contraire, il est venu confirmer le jugement de première instance. Et ce, même si aucun ennui mécanique n'est venu perturber notre expérience.

Dans la précédente édition du *Guide de l'auto,* une douzaine de berlines compactes s'étaient mesurées dans un match comparatif, à l'issue duquel la coréenne Kia Sephia s'était retrouvée en queue de peloton. Mais comme il s'agissait d'une nouvelle venue sur le marché canadien, nous avons décidé de la soumettre à un essai à long terme, histoire d'avoir une meilleure idée de sa présumée fiabilité, sur laquelle les dirigeants canadiens de Kia insistent beaucoup.

La Sephia s'est effectivement avérée fiable, ce qui n'en fait pas une meilleure voiture pour autant, ou si peu. Les cinq essayeurs (dont l'auteur de ces lignes) qui furent appelés à conduire la Daewoo Nubira et la Kia Sephia ont non seulement préféré la première, mais lapidé la deuxième... Voici un résumé de leurs observations.

Des qualités, tout de même

Même s'il s'agissait d'une version « toute garnie », soit une LS avec le groupe d'options Puissance (*sic*), la présentation intérieure faisait le même effet qu'un spleen de dimanche après-midi pluvieux. Terne, le mot est faible, mais surtout bon marché. Et pour l'assemblage rigoureux, on repassera : au fil des mois, ça devenait de plus en plus bringuebalant là-dedans. Ça se voyait et ça s'entendait, avec l'apparition de craquements et de bruits de caisse çà et là. Pour atténuer, il y a toujours la radio, d'autant plus que sa qualité sonore a constitué une agréable surprise pour trois de nos essayeurs, audiophiles de leur état. Voilà bien le seul aspect sur lequel la Sephia se montre supérieure à ses rivales japonaises.

Toujours dans la colonne des plus, car il y en a, mentionnons un équipement relevé et une instrumentation plus complète avec le Groupe Puissance (climatisation, régulateur de vitesse, verrouillage central, lecteur de disques compacts à 6 haut-parleurs, commandes électriques et compte-tours) ainsi qu'une ergonomie irréprochable, rehaussée par de nombreux espaces de rangement. De plus, les sièges, bien qu'un peu trop fermes au goût de certains, offrent un support latéral digne de ce nom et procurent un confort que n'ont pas démenti de longues randonnées. À l'arrière, seul le dégagement pour la tête est un peu juste ; sinon, la banquette est confortable et surtout, elle est repliable, ce qui ne fait qu'augmenter la capacité de chargement d'un coffre de bonne contenance.

Ça se gâte...

Canard boiteux

À défaut d'être exceptionnelles, les prestations de la seule motorisation offerte sont honnêtes. La bonne surprise est venue de ses performances, et ce, même avec la boîte automatique. À bas régime, ce vaillant petit 4 cylindres répond à la moindre sollicitation de l'accélérateur, ce qui est très apprécié en usage urbain. À l'autre extrême, si on adopte un rythme soutenu au-delà des limites permises sur autoroute, il s'en accommode sans peine.

C'est dans les régimes intermédiaires qu'il semble moins à l'aise: il s'essouffle rapidement et les reprises manquent de punch. Il convient cependant de préciser que si on enlève la surmultiplication, l'amélioration est notable. Par contre, c'est tout ce que cette satanée boîte automatique réussit à faire comme il faut; sinon, on pourrait la qualifier de caractérielle tant ses réactions sont aussi inexplicables qu'imprévisibles. Résumons: elle fait ce qu'elle veut, et elle est à peine mieux suspendue. Comme le faisait remarquer un de nos essayeurs: « elle aurait besoin d'une barre transversale entre les deux amortisseurs pour solidifier l'arrière; elle serait alors plus neutre en virage. C'est à croire que les pseudo-ingénieurs n'en ont pas fait l'essai avant de la commercialiser. » Et vlan!

Dire que chez Kia, on se pète les bretelles parce que Lotus a participé à l'élaboration de cette suspension. Ils ont dû fournir les vis...

Restons dans le rayon de la médiocrité avec le freinage, qui mérite à peine la note de passage. En plus, l'ABS n'est pas disponible, pas même avec le soi-disant Groupe Puissance. Et que dire de la direction, trop peu assistée et tellement engourdie qu'elle ne transmet aucune sensation de la route?

Pour couronner le tout, l'hiver et la Sephia n'ont pas semblé des plus compatibles. À -10 °C, la mise en marche était

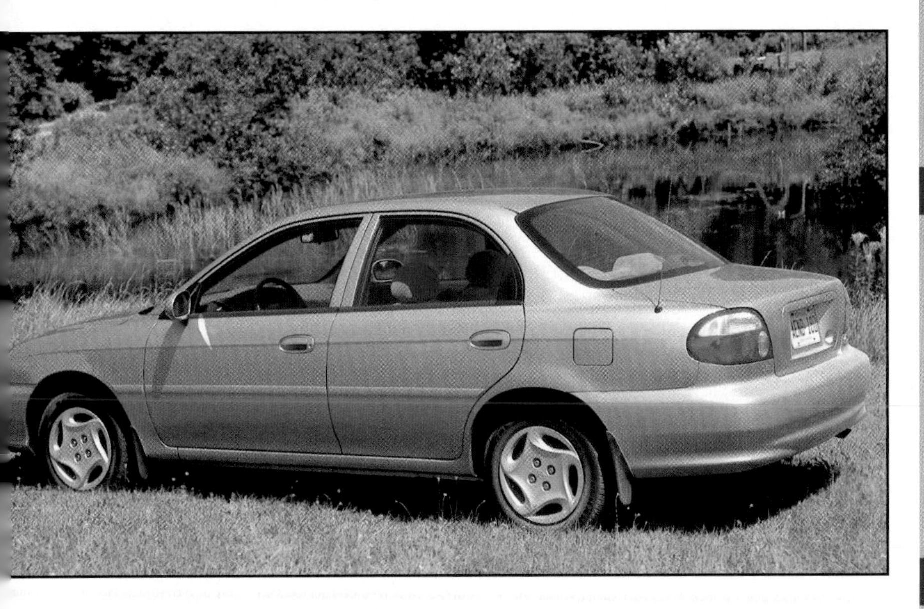

comme elle veut, quand elle veut. Dans le genre, on ne saurait faire pire, d'autant plus qu'elle contribue à transformer cette berline à vocation économique en un petit boit-sans-soif de la pire espèce.

Un châssis bien rigide et une bonne tenue de cap laissaient entrevoir de belles choses en matière de comportement routier. Hélas! trois fois hélas, la Sephia est épouvantablement mal chaussée, ce qui exacerbe sa tendance au sous-virage en plus de lui conférer une piètre adhérence, souvent laborieuse et plus d'une fois, par temps froid, le verrouillage central a cessé de fonctionner.

N'en jetons plus, la cour est pleine

D'accord, nous n'avons pas eu d'ennuis mécaniques, mais à 17 000 $ l'exemplaire (options incluses), c'est bien cher payé pour une voiture qui semble bien née, mais dont l'exécution est on ne peut plus bâclée.

Philippe Laguë

KIA Sephia

▲ POUR

• Chaîne stéréo de qualité • Ergonomie irréprochable • Sièges confortables • Coffre logeable • Moteur honnête

▼ CONTRE

• Piètre qualité d'assemblage • Boîte automatique caractérielle • Pneus bas de gamme • Consommation élevée • Sensible au froid

CARACTÉRISTIQUES

Prix du modèle à l'essai	LS / 16 795 $
Garantie de base	3 ans / 60 000 km
Type	berline / traction
Empattement / Longueur	256 cm / 443 cm
Largeur / Hauteur	170 cm / 141 cm
Poids	1 182 kg
Coffre / Réservoir	295 litres / 50 litres
Coussins de sécurité	frontaux
Suspension av.	indépendante
Suspension arr.	indépendante
Freins av. / arr.	disque / tambour
Système antipatinage	non
Direction	à crémaillère, assistance variable
Diamètre de braquage	n.d.
Pneus av. / arr.	P185/65HR14

MOTORISATION ET PERFORMANCES

Moteur	4L 2 litres
Transmission	automatique 4 rapports
Puissance	125 ch à 6 000 tr/min
Couple	108 lb-pi à 4 500 tr/min
Autre(s) moteur(s)	aucun
Autre(s) transmission(s)	manuelle 5 rapports
Accélération 0-100 km/h	11,4 secondes
Vitesse maximale	160 km/h
Freinage 100-0 km/h	42,4 mètres
Consommation (100 km)	10,3 litres

MODÈLES CONCURRENTS

• Chevrolet Cavalier • Chrysler Neon • Daewoo Nubira • Ford Focus • Hyundai Elantra • Suzuki Esteem

QUOI DE NEUF?

• Aucun changement majeur

VERDICT

Agrément	★★
Confort	★★★
Fiabilité	n.d.
Habitabilité	★★★
Hiver	★★
Sécurité	★★
Valeur de revente	★

KIA Sportage

Kia Sportage

Mieux que rien?

Si vous êtes comme moi, il est certain que la silhouette du Kia Sportage vous a titillé lorsque les premiers exemplaires ont circulé sur nos routes à l'été 1999. Ses lignes dégagent un je ne sais quoi qui nous incite à craquer pour ce véhicule utilitaire sport coréen. Et il faut également ajouter que la publicité télévisée et imprimée contribue à nous donner une image positive de ce 4X4.

Bref, avant de prendre place derrière le volant, on s'attend à être conquis par un petit Vitara à la sauce coréenne. La table est donc mise pour que ce véhicule connaisse les mêmes succès que les Honda CR-V, Toyota RAV4, Suzuki Vitara et Subaru Forester. D'ailleurs, Kia cible les acheteurs désireux de suivre les dernières tendances et voulant débourser moins que la moyenne pour un véhicule neuf. Trop beau pour être vrai? Voyons-y de plus près.

Un look ravageur

Force est d'admettre que cette coréenne tout-terrain est élégante avec sa calandre avant inclinée vers l'arrière, ses angles arrondis et une répartition équilibrée des masses. Certains lui trouvent même une ressemblance avec la Mercedes de Classe M. C'est tout dire. Et il est vrai qu'un modèle EX avec ses roues en alliage à larges rayons, ses moulures de bas de caisse et ses marchepieds de couleur harmonisée aux pare-chocs a de la gueule. Et c'est la même chose dans l'habitacle puisque le tableau de bord est moderne et bien agencé. Des appliques en imitation de bois ajoutent une petite touche britannique à la présentation générale.

Par contre, certains détails de finition nous font vite déchanter. Par exemple, il ne faut pas s'appuyer trop fort sur la console centrale qui semble vouloir nous rester entre les mains à la moindre pression. Et cette finition quelque peu légère se fait également entendre: notre randonnée d'essai a été ponctuée de bruits de caisse et de cliquetis. Pourtant, aucune des routes empruntées n'était très cahoteuse. C'est à se demander quelle sera l'intégrité de la caisse après trois ans à barouder sur routes et sentiers. Comme le soulignait un collègue qui en a pourtant vu d'autres: «Il s'agit du pire véhicule que j'ai conduit en 20 ans de métier.»

Les réputations s'estompent

Lorsque la nouvelle Mercedes ML320 est apparue, certains loustics ont trouvé une ressemblance entre la silhouette de cette germano-américaine et celle de la Kia Sportage. À vous de décider s'ils hallucinaient ou pas. D'ailleurs, c'est à peu près la seule chose que ces deux utilitaires sport peuvent avoir en commun. À une exception près, puisque les deux ont un châssis autonome de type échelle afin de pouvoir assurer la robustesse voulue dans des conditions difficiles.

Pour le reste, c'est une autre histoire. Le Sportage est propulsé par un moteur

4 cylindres de 2 litres d'une puissance de 130 chevaux. La boîte manuelle à 5 rapports est fabriquée par la maison Getrag; l'automatique à 4 rapports à commande électronique est optionnelle. Et si vous vous étonnez qu'une compagnie comme Getrag puisse être impliquée dans une telle aventure, dites-vous que ce fournisseur allemand n'est pas le seul dans cette galère.

À oublier !

Il suffit d'ailleurs de lire les communiqués de presse émis par la compagnie pour apprendre que Kia a fait appel aux grands noms de l'industrie tels Lotus, Getrag, Kelsey-Hayes et Bosch, pour ne nommer que les plus connus, afin de contribuer au développement technique ou à la fourniture des pièces. Il faut souhaiter que ces fournisseurs aient été bien payés pour leurs services, car le Sportage ne fait rien pour améliorer leur réputation, bien au contraire.

À quoi bon se gargariser de ces noms prestigieux si le résultat final est désolant, vable, mais son niveau sonore est assourdissant. Si au moins, on avait du plaisir à conduire! Le levier de vitesses semble être déconnecté tant il est vague et le choix des rapports est à revoir. Si c'est Getrag qui fournit la boîte, les ouvriers de Kia doivent utiliser des méthodes vraiment hors du commun pour saboter le travail des ouvriers allemands. En effet, ce fournisseur est le même qui produit les boîtes de vitesses manuelles de BMW et d'autres marques de prestige. Celle qui équipe le Sportage n'est vraiment pas à ajouter à son palmarès. Pour l'automatique, c'est du pareil au même alors que chaque passage d'un rapport est associé à une violente secousse.

Le Sportage est reconnu pour être un véhicule tout-terrain robuste et efficace. Mais puisque plus de 90 % des gens ne roulent jamais hors route, il est quelque peu futile de pouvoir compter sur ces qualités quand toute randonnée de plus d'une demi-heure

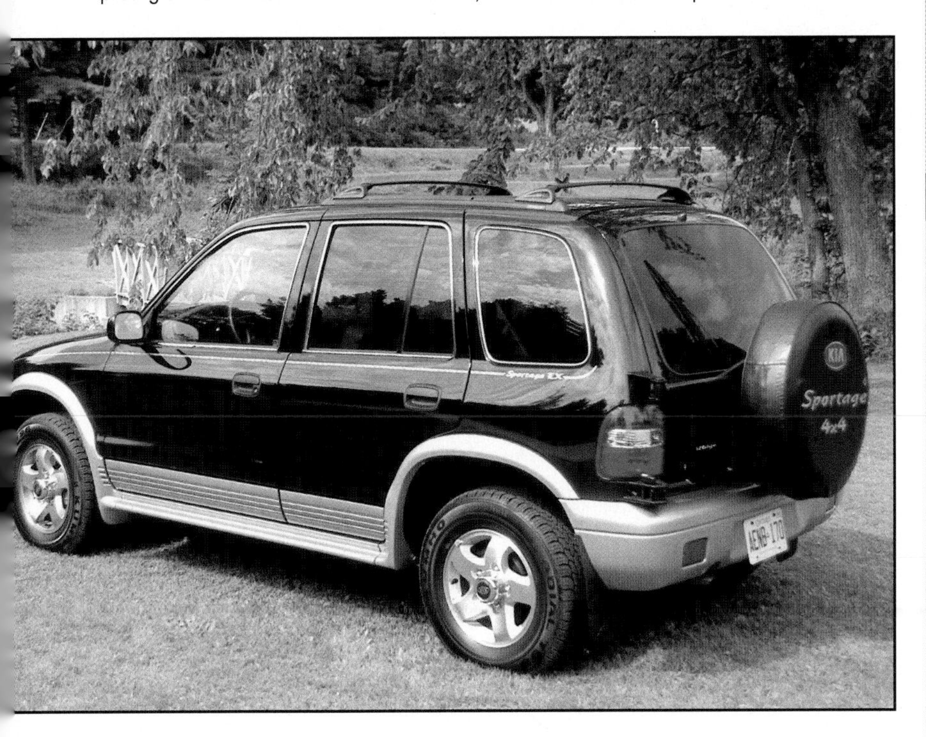

ce qui est certainement le cas? Après quelques kilomètres au volant de ce 4X4, on est abasourdi par le tintamarre du moteur qui semble tourner à fond et être prêt à rendre l'âme même si on circule paisiblement sur un grand boulevard. Ce groupe propulseur est suffisamment puissant pour la catégorie et il a la réputation d'être incre- nous permet de croire que les transports en commun offrent de nets avantages.

Compte tenu que le marché fourmille d'autres modèles plus modernes, plus confortables et plus fiables, vous ne risquez pas de commettre une erreur en optant pour un produit concurrent.

Denis Duquet

KIA Sportage

▲ POUR

- Silhouette flatteuse • Équipement complet
- Réseau de concessionnaires plus étendu
- Châssis robuste • Bonne habitabilité

▼ CONTRE

- Boîtes de vitesses atroces • Direction imprécise
- Moteur très bruyant • Finition sommaire
- Bruits de caisse

CARACTÉRISTIQUES

Prix du modèle à l'essai	EX / 24 695 $
Garantie de base	3 ans / 60 000 km
Type	utilitaire sport compact / 4X4
Empattement / Longueur	264 cm / 432 cm
Largeur / Hauteur	173 cm / 165 cm
Poids	1 530 kg
Coffre / Réservoir	761 litres / 60 litres
Coussins de sécurité	frontaux
Suspension av.	indépendante
Suspension arr.	essieu rigide
Freins av. / arr.	disque / tambour (ABS optionnel)
Système antipatinage	non
Direction	à billes, assistée
Diamètre de braquage	n.d.
Pneus av. / arr.	P205/75R15

MOTORISATION ET PERFORMANCES

Moteur	4L 2 litres
Transmission	manuelle 5 rapports
Puissance	130 ch à 5 500 tr/min
Couple	127 lb-pi à 4 000 tr/min
Autre(s) moteur(s)	aucun
Autre(s) transmission(s)	automatique 4 rapports
Accélération 0-100 km/h	14,0 secondes
Vitesse maximale	175 km/h
Freinage 100-0 km/h	43,7 mètres
Consommation (100 km)	11,2 litres

MODÈLES CONCURRENTS

- Ford Escape • Honda CR-V • Mazda Tribute
- Suzuki Vitara/Chevrolet Tracker • Toyota RAV4

QUOI DE NEUF ?

- Modifications de détail • Finition améliorée
- Nouveaux agencements de couleurs

VERDICT

Agrément	★★
Confort	★★★
Fiabilité	★★★
Habitabilité	★★★½
Hiver	★★★★½
Sécurité	★★★★
Valeur de revente	★★★

LAND ROVER Discovery II

Land Rover Discovery II

Le désagrément de conduite

Jusqu'à il y a quelques mois, avant que Ford se porte acquéreur de la montagne de problèmes que constitue la marque Land Rover, cette firme britannique était l'épine au pied du groupe allemand BMW. Celui-ci avait alors la discutable distinction de pouvoir offrir en même temps à sa clientèle, d'une part, des véhicules représentant ce qui se fait de mieux en matière d'agrément de conduite et, d'autre part, des engins au comportement préhistorique qui étaient la parfaite illustration du *désagrément de conduite.* Il m'a suffi de subir pendant une semaine un Land Rover Discovery II pour en venir à cette conclusion.

Je vous ferai remarquer d'abord que j'ai attendu plus de trois mois après avoir conduit le Discovery pour rendre compte de mes impressions de conduite. Je voulais laisser retomber la vapeur et retrouver mon calme avant d'écrire ce que je pense de ce membre inutile de la production automobile mondiale. Or, on constatera que même après tant de temps, je n'ai pas encore réussi à comprendre le phénomène Land Rover et à me réconcilier avec un modèle que j'ai profondément haï pendant chaque minute de chaque heure où je me suis retrouvé à son volant. Mais pourquoi cet acharnement contre une marque anglaise qui fait tant saliver la bourgeoisie?

D'abord parce que j'aime conduire et que le Discovery, par sa gaucherie, me prive de ce plaisir. On m'a même raconté qu'une femme a voulu divorcer de son mari parce qu'il lui avait acheté un Land Rover en pensant lui faire plaisir. « Le Land Rover s'en va ou c'est moi qui pars », a-t-elle lancé à son époux abasourdi. Bravo à cette dame qui en avait assez de souffrir en faisant semblant d'être contente.

La rage au volant

Le Discovery est le genre de véhicule qui, par sa maladresse, vous met littéralement en colère. Oui, la rage au volant, c'est lui... Quelques exemples? Avec trois tours et demi d'une butée à l'autre, la direction est si démultipliée que toute manœuvre de stationnement devient un cauchemar. L'ergonomie pour sa part est à l'anglaise, c'est-à-dire que tout est à l'envers ou contraire aux usages courants. C'est ainsi que les boutons servant au réglage des sièges sont à droite près de la boucle de la ceinture de sécurité. Bref, on cherche constamment où se cache telle ou telle commande ou accessoire. Tiens, voilà l'horloge de bord tout là-bas à droite près du coffre à gants. Pour ce qui est du levier des essuie-glaces, il se dérobe à votre regard en se cachant derrière un gros volant agréable à prendre en main (tiens, un premier compliment). Rajoutons-en un autre (compliment) en vantant la beauté de la présentation intérieure et l'abondance des espaces de rangement. Les sièges, en cuir s'il vous plaît, ont bonne mine, mais le coussin horizontal est beaucoup trop court pour être confortable. Mais c'est pire à l'arrière où la banquette, à laquelle on accède péniblement à cause d'une ouverture trop étroite, vous oblige à vous asseoir le corps droit et les oreilles molles comme des enfants en pénitence.

Pénible

valser le véhicule comme une vraie chaloupe, au point de vous donner le mal de mer.

Un moteur invalide

Si au moins le Discovery II était capable de mouvoir sa carcasse avec aisance, on pourrait lui pardonner d'exister mais, hélas ! il ne se passe pas grand-chose sous le capot. Pourtant, on y trouve un V8 de 4 litres dont on n'a malheureusement pas pu extraire plus de 188 chevaux, soit 32 de moins que le V6 3 litres du Lexus RX 300. Quand on sait que ce moteur à culbuteurs date des années 60 et qu'il a été cédé par General Motors dans une vente de débarras, on comprend un peu mieux sa vétusté. Avec plus de 2 tonnes à traîner, pas étonnant qu'il émette un son plaintif, un peu comme un vieux cheval auquel on demanderait de déplacer une montagne.

Après avoir patienté près de 12 secondes, vous atteindrez finalement les 100 km/h, une vitesse sage qui sied bien au Land Rover Discovery II. Le véhicule est relativement stable sur autoroute et d'un confort appréciable sur de petites routes cahoteuses. Sa suspension à vérins hydrauliques appelée ACE (pour *Active Cornering Enhancement*) y est pour beaucoup, quoique cette médaille a un revers. Les trous et les bosses font

Le roi de la brousse

J'entends d'ici les défenseurs du Land Rover vanter ses talents de baroudeur en terrain difficile. Ils ont raison et à condition qu'aucun incident mécanique ne vienne interrompre sa course, le Discovery II est sans conteste le roi de la brousse. Avec sa symphonie de mécanismes électroniques, dont un antipatinage sophistiqué dit 4ETC, il peut passer presque partout comme l'a démontré une sortie hors route dans la région de Haliburton, au nord de Toronto. Par contre, sa hauteur démesurée risque de l'immobiliser dans la plupart des garages souterrains comme j'en ai fait la pénible expérience.

Personne ne songerait à contester les vertus du Land Rover Discovery II dans les méandres du désert ou au fond d'une forêt ontarienne, mais la question qu'il faut se poser est la suivante : est-on prêt à endurer toutes les facéties journalières de cet engin rustique juste pour ses prouesses dans des conditions qu'on ne rencontrera probablement jamais ? À vous de répondre à cette pertinente question.

Jacques Duval

LAND ROVER Discovery

▲ POUR

- Suspension souple
- Belle finition
- Tout-terrain efficace

▼ CONTRE

- Direction lente • Hauteur gênante • Moteur archaïque • Piètre visibilité • Banquette arrière inconfortable • Bruits de caisse

CARACTÉRISTIQUES

Prix du modèle à l'essai	46 900 $
Garantie de base	4 ans / 80 000 km
Type	utilitaire sport, traction intégrale
Empattement / Longueur	254 cm / 470,5 cm
Largeur / Hauteur	189 cm / 194 cm
Poids	2 075 kg
Coffre / Réservoir	1 735 litres / 93 litres
Coussins de sécurité	frontaux
Suspension av.	essieu rigide
Suspension arr.	essieu rigide
Freins av. / arr.	disque ABS
Système antipatinage	oui
Direction	à vis et galet, assistée
Diamètre de braquage	11,9 mètres
Pneus av. / arr.	P255/65HR16

MOTORISATION ET PERFORMANCES

Moteur	V8 4,2 litres
Transmission	automatique 4 rapports
Puissance	188 ch à 4 750 tr/min
Couple	250 lb-pi à 2 600 tr/min
Autre(s) moteur(s)	aucun
Autre(s) transmission(s)	aucune
Accélération 0-100 km/h	11,8 secondes
Vitesse maximale	170 km/h
Freinage 100-0 km/h	45,8 mètres
Consommation (100 km)	15 litres

MODÈLES CONCURRENTS

- Mercedes-Benz M 430 • BMW X5 3,0 • Lexus RX 300 • Infiniti QX4 • Cadillac Escalade • Ford Expedition

QUOI DE NEUF ?

- Retour des groupes d'option SD, SE, LE
- Nouvelle option 7 places

VERDICT

Agrément	nul
Confort	★★★
Fiabilité	★★½
Habitabilité	★★★½
Hiver	★★★★★
Sécurité	★★★★
Valeur de revente	★★

LAND ROVER RANGE ROVER 4,6 HSE

Land Rover Range Rover 4,6 HSE

Sa Majesté très britannique

Le Range Rover trône au sommet de la famille Land Rover comme Elisabeth II sur la famille royale d'Angleterre. Et, sans vouloir me compromettre politiquement, ajoutons qu'il peut se targuer d'être aussi onéreux à entretenir, aussi inutile en certaines circonstances et certainement aussi attachant auprès d'un certain public.

Si sa silhouette vous apparaît semblable à celle d'autres véhicules de ce type, sachez que ce sont les autres qui se sont inspirés de son dessin fonctionnel et classique. Les dessinateurs de l'actuelle carrosserie reçoivent d'ailleurs nos félicitations pour avoir su la rajeunir tout en lui conservant un air de famille sans équivoque. Les panneaux sont en grande partie estampés dans un alliage d'aluminium pour plus de légèreté et une meilleure résistance à la corrosion. On peut y attacher plusieurs accessoires, tels des supports à bagages ou à équipement de sport, ainsi qu'une très pratique grille de protection contre les antilopes et autres ongulés moins exotiques. Très chic aussi pour parader au milieu de la foule en délire.

À l'intérieur, on se croirait dans le palais de Westminster. Les passagers peuvent déposer leurs peut-être royaux postérieurs (tout le monde sait que la reine se rend à ses écuries en Range) sur des trônes tendus de cuir Connolly d'un confort remarquable. La prise en main d'un tel véhicule s'accompagne toujours d'une certaine appréhension, mais dans ce cas, c'est davantage le dépaysement qui vous surprend d'emblée. L'instrumentation est complète et lisible, mais certains contrôles et autres pictogrammes relèvent de l'ésotérisme le plus complet, à moins qu'on fasse appel au manuel du propriétaire. Il ne faut pas confondre exotisme avec hermétisme. La liste d'équipement se lit à peu près comme le menu du banquet du centenaire de la reine-mère, mais qu'il me suffise de soumettre à votre appréciation les sièges avant avec ajustements électriques pour l'assise, le dossier, l'appuie-tête et le support lombaire, heureusement avec deux mémoires, la climatisation à thermostat en deux zones, quelques mètres carrés de superbe loupe de noyer, un centre de messages avec 150 fonctions, des jets de lave-glaces chauffants, et j'en passe et des meilleures.

L'examen de la fiche technique du Range vous permet de suivre un cours de mécanique et d'électronique avancé, et les nombreux acronymes que l'on y retrouve feront de vous un champion incontesté de Scrabble. Commençons par le 4ETC pour : *4 Wheel Electronic Traction Control* ou antipatinage électronique aux 4 roues. Ce système compare continuellement la vitesse de rotation de chaque roue et la différence de rotation entre les essieux arrière et avant. Si une roue glisse, le système actionne le frein qui la ralentit, et répartit le couple à l'autre qui a plus de traction. À l'intérieur de la boîte de transfert à deux ratios « Hi » et « Lo », le VCU, pour *Viscous Coupling Unit* ou visco-coupleur, répartit la puissance sur l'essieu qui adhère le mieux au sol. Ainsi, vous pouvez vous tirer d'une délicate situation même si un seul des pneus roule sur du solide. La grille de sélection de vitesse en U permet de sauter facilement du « Hi » au « Lo ». Passons maintenant au EAS, pour *Electronic Air Suspension,* ou suspension pneumatique électronique. Comme son nom l'indique, ce système ajuste automatiquement, via un petit compresseur d'air, des sacs gonflables reliés à la suspension. Car « Madame » peut chausser ses talons hauts au passage de terrains difficiles, abaisser son centre de gravité pour la « course » sur l'autoroute (80 km/h ou plus) et, comportement rarissime de la part d'une reine, faire la révérence en s'écrasant davantage pour permettre à ses passagers de monter plus facilement avec leurs robes de bal ou leurs minijupes.

« Snob-appeal »

blement discrets. Les freins se comportent honorablement et les réactions de l'ABS sont programmées pour un usage tout-terrain.

Là où ça se gâte

Jusqu'ici, si vous suivez bien, le portrait est assez flatteur. Mais les choses se gâtent sous le capot, plus précisément à cause du sempiternel V8 aluminium qu'il abrite. Croirez-vous qu'il a été racheté de GM en 1966 et qu'il tourne depuis 1970 dans les produits Land Rover? D'une cylindrée de 4,6 litres (l'humiliant 4 litres n'a plus cours cette année sur le Range), il actionne ses soupapes à l'aide d'un archaïque arbre à cames central et il libère, presque par dépit, seulement 222 chevaux. Les accélérations embarrasseront leur conducteur qui devra se draper dans sa dignité au feu vert, et la consommation relève de l'absurde. J'espérais d'ailleurs qu'on trouverait un jour dans le Range un V8 de BMW, l'ancien propriétaire de la marque, mais je souhaite maintenant, depuis le rachat

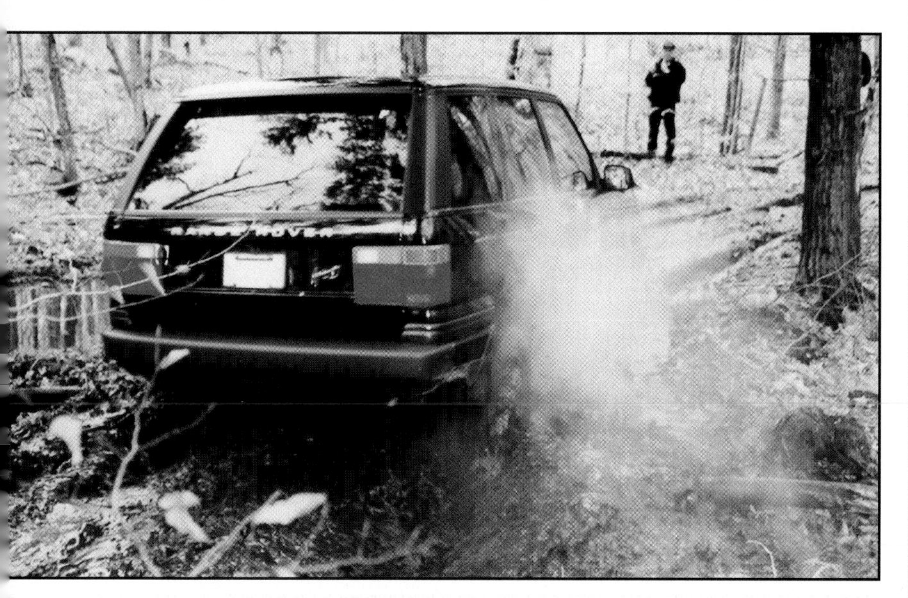

Le comportement routier a de quoi surprendre, car les places assises relevées donnent l'impression que la caisse penche exagérément, alors qu'il n'en est rien. Les deux essieux rigides se font oublier sauf au passage de joints de dilatation où les énormes pneus avant télescopent leur poids non suspendu dans le volant. La direction est assez précise, mais sa démultiplication s'avère trop longue. Le confort est de très bon niveau pour un véhicule aussi polyvalent, et les bruits éoliens se font remarqua-

par Ford, qu'on confie cette tâche au 5,4 litres DACT du Navigator.

On ne peut passer sous silence, quand on a pris conscience de l'énorme complexité de l'ensemble, la fragilité proverbiale des automobiles britanniques, royales ou non. Les Land Rover ne font malheureusement pas exception et il faut jouir d'un budget royal pour suivre le train de vie de cette « reine ». Quant à moi, je me contenterai de la voir parader dignement.

Jean-Georges Laliberté

RANGE ROVER

▲ POUR

- Grand style • Confort appréciable
- Équipement pléthorique
- Capacité de franchissement élevée

▼ CONTRE

- Moteur archaïque • Consommation incroyable
- Prix rédhibitoire • Fragilité déconcertante
- Certains contrôles ésotériques

CARACTÉRISTIQUES

Prix du modèle à l'essai	4,6 HSE / 98 250 $
Garantie de base	4 ans / 80 000 km
Type	utilitaire sport / traction intégrale
Empattement / Longueur	275 cm / 471 cm
Largeur / Hauteur	189 cm / 182 cm
Poids	2 252 kg
Coffre / Réservoir	552 litres-1 640 litres / 93 litres
Coussins de sécurité	frontaux et latéraux
Suspension av.	essieu rigide
Suspension arr.	essieu rigide
Freins av. / arr.	disque ABS
Système antipatinage	oui
Direction	à billes, assistée
Diamètre de braquage	11,9 mètres
Pneus av. / arr.	P255/55HR18

MOTORISATION ET PERFORMANCES

Moteur	V8, 4,6 litres, ACC 16 soupapes
Transmission	automatique 4 rapports
Puissance	222 ch à 4 750 tr/min
Couple	300 lb-pi à 2 600 tr/min
Autre(s) moteur(s)	aucun
Autre(s) transmission(s)	aucune
Accélération 0-100 km/h	10,5 secondes
Vitesse maximale	175 km/h
Freinage 100-0 km/h	48 mètres
Consommation (100 km)	18 litres

MODÈLES CONCURRENTS

- BMW X5 • Cadillac Escalade • Lexus LX 470
- Mercedes Classe M • Lincoln Navigator

QUOI DE NEUF ?

- Version 30e anniversaire limitée à 15 exemplaires au Canada • Disparition du moteur 4 litres

VERDICT

Agrément	★★★½
Confort	★★★½
Fiabilité	★★½
Habitabilité	★★★½
Hiver	★★★★★
Sécurité	★★★★
Valeur de revente	★

LEXUS ES 300

Lexus ES 300

Discrète, mais non sans atouts

Surnommée la « petite » Lexus, la berline ES 300 a cédé ce vocable à la nouvelle et sportive IS 300. N'empêche qu'elle occupe toujours le bas de la gamme du premier constructeur japonais de voitures de luxe, et ce, depuis 1992.

Chez Lexus, comme chez les autres marques de voitures de luxe, l'expression « entrée de gamme » serait sans doute plus appropriée que « bas de gamme », car la facture s'élève quand même à près de 50 000 $. Voyons donc ce que Lexus nous propose pour cette somme rondelette.

La Camry de luxe

Ce n'est pas la première fois que l'on associe l'ES 300 à la Toyota Camry et avec raison : elles partagent la même plate-forme et pratiquement la même motorisation. Rien de mal à cela à condition que le résultat en vaille le déguisement.

Et le déguisement commence par la robe. Banale ou trop effacée pour certains, discrètement élégante pour d'autres, cette carrosserie, je vous l'avoue, me laisse tout à fait indifférent. L'avant en lame de chasse-neige, les flancs à la Mercedes et l'arrière absolument anonyme ne m'inspirent aucun élan de passion.

Mais ouvrons la porte (démunie de cadre de vitre) pour prendre place à l'intérieur. Sobre, net, équilibré, classique, tendu de cuir et minutieusement fini, l'habitacle est nettement plus accueillant que ne le laisse supposer le parfait anonymat du dessin de la carrosserie. L'instrumentation bien lisible reste éclairée en permanence et la chaîne stéréophonique Lexus/Pioneer vous enveloppe d'un son riche. La banquette arrière reçoit confortablement 2 occupants – et un 3e au milieu si vous insistez – et l'accoudoir central s'ouvre sur le coffre pour laisser passer des skis. Les sièges avant chauffants présentent un confort convenable et les commandes électriques accessibles et faciles à manipuler vous permettent de trouver rapidement la bonne position de conduite et de la garder, grâce à la mémoire à deux positions. Mais où est donc le réglage lombaire et pourquoi le volant réglable en hauteur cache-t-il les commandes sur la colonne ? Et la pédale pour le frein de stationnement dénote-t-elle l'âge avancé des acheteurs de cette Lexus ?

Confort étant synonyme de luxe en matière d'automobile, la climatisation se doit d'être efficace et facile à régler. À ce chapitre, Lexus n'a de leçon à prendre de personne, car la climatisation automatique constitue un exemple de simplicité et d'efficacité dont pourraient s'inspirer plusieurs constructeurs. Même verdict de simplicité salutaire pour la commande de la chaîne stéréophonique dotée d'un chargeur à 6 disques compacts logé dans le tableau de bord.

Silence, on tourne !

Dès les premiers tours de roue, le silence qui règne à bord surprend. L'ES 300 bénéficie d'une pureté aérodynamique fort honorable (Cx de 0,29), ce qui explique en partie l'absence de bruit. Quant à la mécanique, elle est efficacement isolée de l'habitacle et seuls les Michelin MXV4 hautes performances font encore entendre leurs clapotis, notamment sur revêtement en ciment. Cette maîtrise du bruit semble d'ailleurs être une caractéristique qui distingue tous les produits de l'empire Toyota.

Pour gens posés

Autre constatation immédiate sur route : les accélérations anémiques. Malgré le chrono de 8,3 secondes avancé par le constructeur, nous n'avons pas réussi à descendre sous les 10 secondes pour le 0-100 km/h. En revanche, en reprise de 80 à 120 km/h, le temps de 8 secondes se situe dans une moyenne plus acceptable. Il faut dire que les 210 chevaux du V6 de 3 litres doivent quand même déplacer plus de 1 500 kg, ce qui limite certainement les prétentions sportives de ce modèle.

souhait à la position *comfort* (pour ne pas dire nausée), l'ES 300 se raffermit sensiblement à la position *sport*. La tenue de route sur surface ondulée et sur route sinueuse s'en ressent immédiatement : débattements mieux contrôlés, roulis moins prononcé en virage et, par conséquent, une plus grande sensation de sécurité et une meilleure maîtrise du volant.

Justement, à propos du volant (joliment gainé de cuir, comme il se doit), si les suspensions sont fort heureusement modulables, la direction, elle, ne l'est pas et sa légèreté (ou l'assistance excessive, si vous préférez) nuit à l'agrément de conduite. Quant aux freins, la mollesse (décidément, encore ce mot) en début de course de la pédale fait place à une fermeté réconfortante en fin de course. L'ABS de série, doublé de l'antipatinage, fait partie de l'arsenal et, en option, vous pourrez bénéficier d'un système antidérapage.

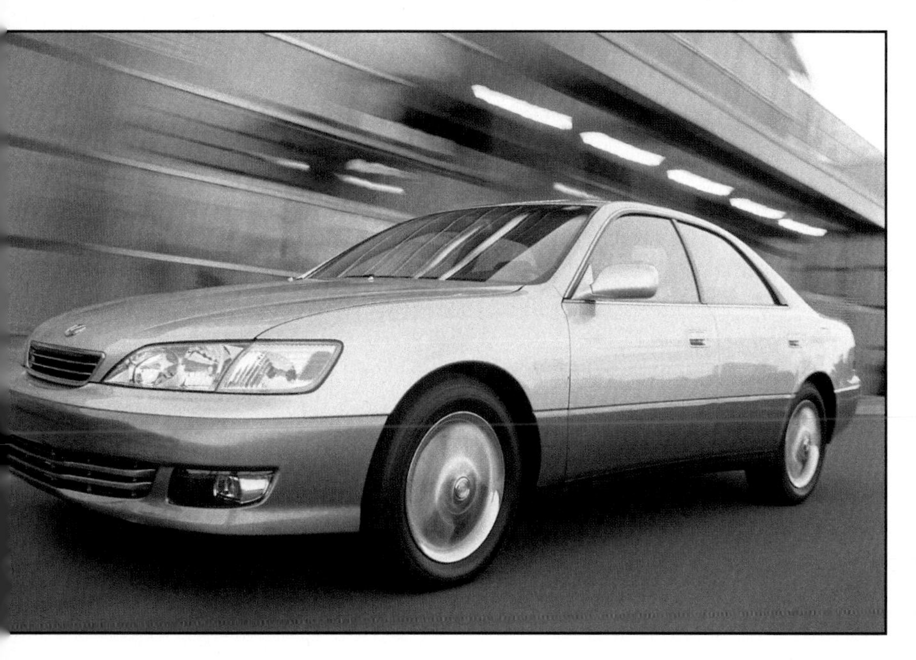

Je module, tu modules

Une agréable surprise vous attend du côté des suspensions. Sans doute pour faire taire les nombreuses critiques relatives à la mollesse des suspensions, Lexus a opté l'an dernier pour la solution de la suspension « modulable » (appelée AVS) ; il s'agit essentiellement d'une suspension dont la fermeté est contrôlée par le conducteur qui agit sur une petite molette. Molle à

Voiture sans histoires, comme toutes les Lexus, l'ES 300 sera une compagne fidèle dont le confort et la qualité d'assemblage compenseront, pour certains, le manque de pétillant. Pour les autres, ceux qui privilégient le design et la verve, l'autre Lexus 300, l'IS, les satisfera pleinement et procurera des sensations d'un autre registre.

Alain Raymond

LEXUS ES 300

▲ POUR

- Excellente insonorisation • Habitacle confortable • Finition irréprochable • Fiabilité enviable • Suspension améliorée (AVS)

▼ CONTRE

- Accélérations anémiques
- Direction trop assistée
- Allure quelconque

CARACTÉRISTIQUES

Prix du modèle à l'essai	44 000 $
Garantie de base	4 ans / 80 000 km
Type	berline / traction
Empattement / Longueur	267 cm / 483 cm
Largeur / Hauteur	179 cm / 139 cm
Poids	1 505 kg
Coffre / Réservoir	367 litres / 70 litres
Coussins de sécurité	frontaux et latéraux
Suspension av.	indépendante
Suspension arr.	Indépendante
Freins av. / arr.	disque
Système antipatinage	oui
Direction	à crémaillère, assistée
Diamètre de braquage	11,2 mètres
Pneus av. / arr.	P205/60R16

MOTORISATION ET PERFORMANCES

Moteur	V6 3 litres 24 soupapes
Transmission	automatique 4 rapports
Puissance	210 ch à 5 800 tr/min
Couple	220 lb-pi à 4 400 tr/min
Autre(s) moteur(s)	aucun
Autre(s) transmission(s)	aucune
Accélération 0-100 km/h	10,1 secondes
Vitesse maximale	215 km/h
Freinage 100-0 km/h	38 mètres
Consommation (100 km)	10,7 litres

MODÈLES CONCURRENTS

- Acura 3,2TL • Audi A6 • Cadillac Catera
- Chrysler 300 M • Infiniti I30 • Lincoln LS • Saab 9³

QUOI DE NEUF ?

- Aucun changement majeur

VERDICT

Agrément	★★★½
Confort	★★★★
Fiabilité	★★★★★
Habitabilité	★★★½
Hiver	★★★★
Sécurité	★★★★
Valeur de revente	★★★★

LEXUS GS 300 LEXUS GS 430

Lexus GS 430

Le temps des retouches

De tous les modèles Lexus sur le marché, le tandem GS 300/GS 430 est sans contredit le plus intéressant et le moins tarabiscoté. Jusqu'à l'arrivée de l'IS 300, les GS étaient les seules options alternatives intéressantes entre la bourgeoise LS et la timide ES. De plus, la silhouette de la GS témoignait d'un minimum d'imagination. Tandis que la LS s'entête à vouloir ressembler à une Mercedes et que l'ES s'apparente trop à la Camry, les GS affichent un petit quelque chose qui ne ressemble à rien d'autre. D'ailleurs, les stylistes responsables de l'IS ont eu la bonne idée de s'en inspirer.

Cette année, sans doute pour faire bonne mesure avec l'arrivée des nouvelles LS 430 et de l'IS 300, les modèles GS ont droit à de nombreuses retouches tandis que la GS 400 devient la GS 430. En effet, puisque ce modèle emprunte son moteur à la LS, il n'est que logique de l'utiliser en 2001. Malgré une augmentation de la cylindrée à 4,3 litres, la puissance demeure la même qu'auparavant, soit 300 chevaux. Par contre, le couple est non seulement plus important, 320 lb-pi contre 310 lb-pi, mais il se manifeste à un régime inférieur en plus d'avoir une courbe de rendement plus uniforme. Outre de nombreux raffinements apportés aux organes internes, il pollue moins tandis que la consommation de carburant est légèrement inférieure. Le fait de positionner le pot catalytique tout près du collecteur d'échappement permet un réchauffement plus rapide du catalyseur et une diminution du niveau de pollution.

La GS 300 est toujours propulsée par le moteur 6 cylindres en ligne de 3 litres. Sa puissance est la même que l'an dernier, soit 225 chevaux. Ce 6 cylindres n'a rien à envier aux moteurs allemands de même configuration. Il est couplé à une boîte de vitesses automatique à 5 rapports qui peut être contrôlée à l'aide de boutons montés en périphérie du moyeu du volant. Curieusement, la GS 430, avec son moteur plus puissant, ses pneus à taille ultrabasse et ses performances plus élevées, n'offre plus ce dispositif en 2001. On a préféré lui substituer les commandes de la radio et du téléphone cellulaire mains libres. D'ailleurs, le volant de la GS 300 est gainé de cuir tandis que celui de la GS 430 est en bois avec garniture de cuir. Il semble que le conducteur de la GS 300 soit de tempérament plus sportif que son vis-à-vis au volant de la GS 430 pourtant plus rapide. C'est du moins la perception des décideurs chez Lexus.

Mais justement, il n'y a pas que les temps d'accélération qui comptent. L'équilibre général de la voiture est tout aussi important.

Agile ou musclée ?

Cette année, les modèles GS font l'objet d'une multitude de changements mineurs au chapitre de la présentation intérieure et extérieure. On a beau avoir modifié les phares avant, révisé l'aspect de la calandre, agrandi l'écusson Lexus et s'être attardé à changer les couleurs de plusieurs éléments du tableau de bord et de la console centrale, rien n'a été fait pour modifier le comportement général de ces deux voitures.

Deux visions

Pas celle que vous croyez

Et, je vous le donne en mille, ce n'est pas le plus puissant des deux modèles qui est le plus équilibré. Il est vrai que les 300 chevaux du moteur V8 font sentir leur présence et que les temps d'accélération se situent dans la même classe que ceux de bien des voitures sport, mais il devrait y avoir plus que cela. La suspension est sèche et ce ne sont pas les pneus à profil bas qui viennent aider les choses. De plus, on sent toujours une certaine imprécision de la suspension arrière qui semble vouloir suivre son propre chemin. C'est une simple impression, mais avouez que ce n'est pas rassurant compte tenu de la puissance de cette voiture. Sous plusieurs aspects, elle me rappelle la défunte Mercedes C43 qui se comportait elle aussi comme un petit *hot-rod* de luxe. Toutefois, la GS 430 est moins allergique aux chaussées en mauvais état que la Mercedes, qui a tiré sa révérence l'an dernier.

En résumé, si vous voulez une voiture rapide au détriment du confort et de l'équilibre général, la GS 430 a de bonnes chances de vous plaire. D'autant plus que son habitacle est d'une finition impeccable et les sièges avant confortables. Le tableau de bord est légèrement modifié cette année, mais on a conservé les attrayants cadrans indicateurs à éclairage par électroluminescence, tout aussi élégants que pratiques.

Justement, on retrouve tous ces éléments dans la GS 300, qui coûte plusieurs milliers de dollars de moins tout en offrant une conduite beaucoup plus homogène. Il est vrai qu'elle n'assure pas les mêmes performances et qu'il faut patienter une seconde de plus pour boucler le 0-100 km/h, mais les accélérations à l'emporte-pièce ne sont pas nécessairement l'élément clé de cette catégorie. À mon avis, il doit y avoir un équilibre entre les performances, la tenue de route et l'agrément de conduite. Et sur ces points, la GS 300 l'emporte sur sa grande sœur.

Elle n'est pas sans faute cependant. Les commandes de la transmission sur le volant ne font pas l'unanimité, le passage des rapports est parfois saccadé et le châssis ne semble pas toujours d'une rigidité exemplaire. Malgré tout, c'est un des modèles les plus intéressants de la gamme Lexus.

Denis Duquet

LEXUS GS 300

▲ POUR

• Moteur plus sophistiqué (V8) • Présentation révisée • Bonne tenue de route • Finition sérieuse • Silhouette originale

▼ CONTRE

• Capacité moyenne du coffre • Pneus mal adaptés à nos routes • Voiture 4 places • Transmission parfois brutale • Levier de vitesses irritant

CARACTÉRISTIQUES

Prix du modèle à l'essai	GS 300 / 60 700 $
Garantie de base	4 ans / 80 000 km
Type	berline / propulsion
Empattement / Longueur	280 cm / 481 cm
Largeur / Hauteur	180 cm / 144 cm
Poids	1 665 kg
Coffre / Réservoir	419 litres / 80 litres
Coussins de sécurité	frontaux et latéraux
Suspension av.	indépendante
Suspension arr.	indépendante
Freins av. / arr.	disque ABS
Système antipatinage	oui
Direction	à crémaillère, assistance variable
Diamètre de braquage	11 mètres
Pneus av. / arr.	P225/55R16

MOTORISATION ET PERFORMANCES

Moteur	6L 3 litres
Transmission	automatique 5 rapports
Puissance	225 ch à 5 800 tr/min
Couple	220 lb-pi à 3 800 tr/min
Autre(s) moteur(s)	V8 4,3 litres 300 ch
Autre(s) transmission(s)	aucune
Accélération 0-100 km/h	7,9 s ; 6,9 s (GS 430)
Vitesse maximale	212 km/h ; 250 km/h (GS 430)
Freinage 100-0 km/h	39,4 mètres
Consommation (100 km)	11 litres ; 13,8 litres (GS 430)

MODÈLES CONCURRENTS

• BMW 528 • Mercedes-Benz Classe E • Infiniti Q45 • Cadillac Seville STS • Jaguar S-Type • Acura RL

QUOI DE NEUF ?

• Moteur V8 de 4,3 litres • Nouvelle grille de calandre • Nouveaux phares avant • Tableau de bord modifié

VERDICT

Agrément	★★★★
Confort	★★★½
Fiabilité	★★★★
Habitabilité	★★★½
Hiver	★★★
Sécurité	★★★★
Valeur de revente	★★★½

LEXUS IS 300

Lexus IS 300

À la poursuite de BMW

Serait-ce comme le secret de la Labatt Bleue ? La concurrence le cherche, mais personne ne le trouve. Dans le cas qui nous intéresse, c'est le secret de BMW que Lexus voudrait bien élucider. La marque de luxe de Toyota aimerait bien se donner une image moins vieillotte en commercialisant des voitures au tempérament sportif comme les BMW et, particulièrement, comme les modèles de Série 3 de la marque bavaroise. C'est la mission de la nouvelle IS 300 qui s'attaque de plein fouet à la 330i (anciennement 328i) de BMW.

L'histoire se résume en un seul mot : jaune. C'est en effet la couleur choc que Lexus a pris soin d'inclure dans l'éventail de coloris de l'IS 300 qui a fait ses débuts l'été dernier comme modèle 2001 après avoir roulé en Europe pendant au moins un an. Utilisé pour la première fois sur une Lexus, le jaune proclame clairement l'orientation de ce modèle.

On veut d'abord démontrer que l'IS 300 entend séduire une clientèle plus jeune en misant sur des attributs qui sont habituellement l'apanage de BMW. Les gens de Lexus l'ont clamé bien haut et n'ont pas ménagé les tableaux comparatifs pour prouver que l'IS est une berline sport de luxe qui vise la Série 3 de BMW, l'Audi A4 et, par ricochet, les petites Mercedes-Benz de la Classe C.

Une voiture jeune, enfin

A-t-elle les atouts nécessaires pour viser si haut et surtout pour attirer chez Lexus cette clientèle de moins de 40 ans qu'elle poursuit inlassablement, mais sans grand succès jusqu'à maintenant ?

En sus d'une palette de couleurs plus éclectique, cette IS adopte également un profil que l'on a voulu plus « européen ». Les lignes sont agréables et la ceinture de caisse élevée ne gêne nullement la visibilité. Des phares à haute intensité au xénon font partie de l'équipement de série tout comme les coussins gonflables latéraux montés dans le dossier des sièges. Beaucoup d'efforts ont été mis sur la présentation intérieure qui attire l'attention par son pédalier en aluminium perforé, un beau volant à trois branches et un tableau de bord où le cadran central ressemble à une montre chronographe.

Si l'originalité y est, les résultats sont moins heureux sur le plan fonctionnel. Le cadran en question abritant l'indicateur de vitesse et trois petits instruments circulaires n'est pas très facile à lire avec ses nombreux chiffres, repères et fioritures. En revanche, les pédales ne posent pas de problème grâce à l'insertion de pastilles en caoutchouc qui empêchent les pieds de glisser sur le métal. Les sièges, mi-cuir, mi-suède (une option), sont d'une rare élégance tout en offrant un meilleur maintien en virage. Par contre, l'ensemble manque d'homogénéité en raison de l'utilisation abusive du plastique et du manque de coordination entre les matériaux. Bref, l'opulence du bois cloche un peu à côté de la froideur du métal brossé et le moins que l'on puisse dire est que ces deux finitions ne vont pas ensemble.

À propos des options, la version de base doit se contenter de sièges en tissu et de jantes de 16 pouces enveloppées de pneus quatre saisons. Le groupe « apparence » permet d'obtenir en supplément des roues en alliage de 17 pouces avec des pneus haute performance, un différentiel à glissement limité et un toit ouvrant. Pour obtenir les sièges en cuir/suède, il faut accéder à un groupe supérieur et plonger un peu plus la main dans sa poche. Qu'importe la version choisie toutefois, l'habitabilité reste toujours la même et la nouvelle petite Lexus offre des places arrière où l'espace pour les jambes est nettement meilleur que chez ses principales rivales, l'Audi A4 et la BMW de Série 3. L'inconfort de la place centrale arrière (un défaut partagé avec un grand nombre de voitures) condamne l'IS 300 au statut de voiture 4 places.

La propulsion au service de 215 chevaux

Pour affirmer sa vocation sportive, l'IS 300 emprunte l'architecture la plus favorable dans les circonstances, soit la propulsion, imitant en cela ses rivales allemandes. Les roues arrière motrices reçoivent 215 chevaux en provenance d'un 6 cylindres en ligne de 3 litres de type VVT-I (*Variable Valve Timing* ou Distribution Variable). Ce moteur est, pour le moment, le plus puissant de la catégorie, avec 22 chevaux de plus que celui de la BMW 328i. Cet avantage ne saurait durer cependant puisque la marque allemande offre désormais un 6 cylindres de 3 litres plus puissant. Quant à la nouvelle Mercedes-Benz Classe C, elle peut être équipée d'un 6 cylindres de 3,2 litres.

De toute manière, notre Lexus IS 300 est sérieusement handicapée par sa transmission automatique qui, malgré ses 5 rapports et son mode manuel, n'arrive pas à égaler les performances d'une boîte mécanique. La manipulation des boutons logés sur et sous les branches du volant prête à confusion. En plus, la transmission automatique donne lieu quelquefois à des à-coups désagréables en reprise d'accélération. J'avais noté il y a deux ans, sur une Lexus LS 400, ce problème qui résulte d'un cafouillage momentané dans les données reçues par la transmission automatique de type adaptative. Elle est conçue pour s'adapter à votre style de conduite, mais il arrive que l'électronique ne sache plus très bien sur quel pied danser, d'où son comportement quelquefois brutal.

Heureusement, on nous promet une boîte de vitesses manuelle (possiblement à 6 rapports) pour l'an prochain. Ironiquement, l'ingénieur Nobuaki Katayama qui a assuré la mise au point de l'IS 300 a longtemps été en charge des boîtes de vitesses manuelles chez Toyota. Dans l'état actuel des choses, l'IS 300 ne montrera pas son joli derrière à bien des voitures puisqu'il est impossible de descendre sous la barre des 8 secondes dans le sprint 0-100 km/h. L'agréable sonorité du moteur compense un peu la modicité des performances.

Agile comme pas une

L'IS peut compter sur un châssis rigide qui, combiné à la compacité de la carrosserie et à sa suspension rigide, donne à la voi-

ture une agilité remarquable en virage. Antipatinage ou pas (on peut le débrancher), l'IS aborde les parcours les plus sinueux avec l'aisance d'un bon slalomeur. Rapide et précise, la direction à crémaillère permet de placer la voiture au centimètre près. On souhaiterait tout de même que le volant nous donne une meilleure sensation de la route.

ÉQUIPEMENTS

DE SÉRIE

- Régulateur de traction
- Lecteur CD avec chargeur à 6 disques
- Roues de 16 pouces

EN OPTION

• Roues de 17 pouces • Garnitures de cuir et ultra suède • Lave-phares • Toit ouvrant transparent

Selon les gens de Lexus, le comportement routier de l'IS a bénéficié d'une mise au point qui a mené les ingénieurs sur le long circuit du Nürburgring en Allemagne, sur les petites routes du sud de la France ainsi que sur les pavés belges. La tenue de route de la voiture tend à leur donner raison.

Près du but

La suspension a toutefois plus de mal à assurer le confort. À basse vitesse, les trous et les bosses sont durement ressentis tandis qu'à grande vitesse, l'amortissement apparaît trop souple. La voiture s'affaisse et va même jusqu'à râper le sol au passage de certaines cuvettes lorsque trois personnes prennent place à bord. Or, c'est l'inverse qui devrait normalement se produire. En conduite sportive, les 4 freins à disque ne m'ont pas semblé à la hauteur des nombreux ralentissements exigés par les virages. Grâce à l'EBC (*Electronic Brake Control*) qui procure une excellente chauffe lorsqu'on exploite à fond les performances de l'IS.

Finalement, grâce à un Cx de seulement 0,29, la Lexus IS 300 s'avère relativement silencieuse à une vitesse de croisière.

Somme toute, la nouvelle Lexus IS 300 contribuera sans doute à rajeunir l'image de la marque en offrant un plaisir de conduire autrefois absent dans les modèles plutôt aseptisés de ce constructeur. Par contre, si cette IS répond assez bien à la définition d'une berline sport, son tableau de bord désordonné et bardé de plastique ainsi que son comportement général n'ont rien à voir avec le luxe.

Malgré une bonne motorisation et un comportement routier assez soigné, la nouvelle petite Lexus n'arrivera sans doute pas à déloger la Série 3 de BMW de son piédestal. En revanche, son prix relativement abordable par rapport à la concurrence et le sceau de qualité rattaché à la marque

répartition du freinage, la voiture demeure toujours très stable, mais les plaquettes ne sont pas à l'abri de la sur-

japonaise devraient être suffisants pour lui assurer une honorable carrière.

Jacques Duval

LEXUS IS 300

▲ POUR

• Adhérence remarquable en virage • Moteur agréable • Caisse solide • Excellents sièges • Bonnes places arrière

▼ CONTRE

• Pas de boîte manuelle • À-coups de la transmission automatique • Tableau de bord désordonné • Mauvais amortisseurs • Freinage moyen

CARACTÉRISTIQUES

Prix du modèle à l'essai	47 025 $
Garantie de base	4 ans / 80 000 km
Type	berline / propulsion
Empattement / Longueur	267 cm / 448,5 cm
Largeur / Hauteur	172 cm / 141 cm
Poids	1 485 kg
Coffre / Réservoir	390 litres / 68 litres
Coussins de sécurité	frontaux et latéraux
Suspension av.	indépendante
Suspension arr.	indépendante
Freins av. / arr.	disque ventilé ABS / disque ABS
Système antipatinage	oui
Direction	à crémaillère à assistance variable
Diamètre de braquage	11,4 mètres
Pneus av. / arr.	P215/45R17 (optionnels)

MOTORISATION ET PERFORMANCES

Moteur	6L 3 litres
Transmission	automatique à 5 rapports (E-Shift)
Puissance	215 ch à 5 800 tr/min
Couple	215 lb-pi à 3 800 tr/min
Autre(s) moteur(s)	aucun
Autre(s) transmission(s)	aucune
Accélération 0-100 km/h	8,0 secondes
Vitesse maximale	230 km/h
Freinage 100-0 km/h	36,8 mètres
Consommation (100 km)	11,9 litres

MODÈLES CONCURRENTS

• BMW Série 3 • Audi A4 2,8 • M-B C240 • Volvo S60 • Saab 9³ Viggen

QUOI DE NEUF ?

• Nouveau modèle

VERDICT

Agrément	★★★½
Confort	★★½
Fiabilité	nouveau modèle
Habitabilité	★★★½
Hiver	★★★½
Sécurité	★★★★
Valeur de revente	★★★

LEXUS LS 430 LEXUS SC 430

Lexus LS 430

Troisième génération !

Cela fait maintenant 11 ans que la marque Lexus existe en Amérique du Nord. La première salve a été lancée au printemps 1989 à Elkart Lake, dans le Wisconsin, alors que les journalistes avaient été conviés à faire l'essai de la gamme Lexus sur les routes de la région et le légendaire circuit routier Road America. Deux modèles étaient au programme, la LS 400 qui a connu beaucoup de succès et l'ES 250, une berline compacte qui a été rapidement remplacée par l'ES 300, la Lexus la plus vendue.

Je faisais partie des six chroniqueurs canadiens présents à cet événement assez unique. Il était alors difficile de prédire l'avenir de cette marque. En revanche, il était très facile de faire la différence entre la LS 400 et l'ES 250. Cette dernière n'était rien d'autre qu'une Toyota rapidement habillée en voiture de luxe. Elle n'en avait ni le panache ni les attributs. Elle n'a servi qu'à étoffer quelque peu la gamme en attendant l'arrivée de l'ES 300 et de la SC 400. Si la LS 400 avait été du même acabit, l'aventure de la division Lexus aurait rapidement tourné au vinaigre.

Heureusement, cette dernière était une berline de luxe à part entière. Parmi les qualités de cette représentante de la première génération, on pouvait souligner une finition à nulle autre pareille, des cadrans indicateurs électroluminescents, un moteur V8 4 litres d'une grande douceur et un silence de roulement sans égal. Par contre, cette japonaise haut de gamme était handicapée par un sous-virage prononcé, une suspension trop molle et une direction vraiment très sensible.

Voyons donc ce que nous réserve la troisième génération de la Lexus LS.

Gadgets à gogo

Si ce n'était de l'équipement plus sophistiqué et parfois exclusif livré sur toutes les berlines de luxe, il est certain que beaucoup de gens riches et célèbres ne voudraient pas se faire voir à leur bord. Le prix de ces « bébelles sophistiquées » ne justifie absolument pas la facture totale de la voiture, mais elles accordent au propriétaire une certaine exclusivité qui vaut son pesant d'or. Chez Lexus, on a compris cette loi depuis longtemps et la LS a toujours été truffée de ces accessoires.

Cette fois, c'est surtout aux places arrière que les nouveautés se retrouvent. D'abord, on peut avancer le siège et régler la hauteur de l'appuie-tête par simple commande électrique. Mais ce n'est qu'un début. Grâce au catalogue des options, on peut également faire installer un système de massage incorporé au siège. Au simple toucher d'un bouton, les deux passagers des places arrière peuvent transformer la banquette en siège vibromasseur à intensité variable et à commande individuelle. Naturellement, en hiver, des éléments chauffants contribuent à rehausser le niveau de confort. Enfin, la chaîne stéréo et la température de la cabine peuvent être réglées par les passagers arrière tandis que des boutons placés sur le côté gauche du siège du passager avant permettent de régler ce siège de l'arrière.

Le fait d'avoir allongé l'empattement de 7,6 cm permet d'obtenir plus d'espace pour les jambes à l'arrière. Enfin, juste derrière l'appuie-bras, un compartiment refroidi par le flot d'air de la climatisation permet de conserver les boissons au frais.

Les occupants des places avant ne sont pas négligés pour autant. En plus d'être confortablement assis dans des sièges dont le support latéral a été amélioré, ils peuvent bénéficier d'un système de climatisation incorporé dans le dossier et le coussin inférieur. La disposition des trous d'aérations est beaucoup mieux répartie que dans les Saab, dont le système semble avoir été conçu pour vous envoyer de l'air frais dans le bas du dos, une sensation plus déplaisante qu'agréable.

Depuis des années, la chaîne audio Nakamishi de la LS s'était attiré des éloges de la majorité même si, à mon avis, le son n'était pas aussi extraordinaire qu'on le disait. Cette fois, c'est beaucoup mieux puisqu'on retrouve une chaîne stéréo Mark Levinson, une marque vraiment haut de gamme qui fera rapidement oublier l'ancienne qui était minimaliste dans le rendement des notes aiguës et trop généreuse dans les graves. Chez Mark Levinson, on a concocté quelque chose de nettement plus équilibré.

Il est impossible de terminer ce tour de l'habitacle sans faire mention de l'écran à affichage par cristaux liquides. Il n'est pas plus réussi, ni mieux situé que chez la concurrence, mais il faut accorder à cette Lexus de bonnes notes pour la facilité d'utilisation des commandes de la climatisation et du système de navigation par satellite. Et il ne faut pas oublier de mentionner que les buses de ventilation oscillantes sont programmées pour varier leur vitesse de balayage de gauche à droite en fonction de la température de l'habitacle.

On raffine la mécanique

Tout ingénieur œuvrant dans le secteur de l'automobile ne peut s'empêcher de vouloir raffiner, améliorer et modifier la mécanique d'une voiture, même s'il s'agit d'éléments reconnus pour être parmi les meilleurs. La nouvelle Lexus LS 430 nous en fournit un bel exemple.

La cylindrée du moteur V8 a été portée de 4 litres à 4,3 litres. Mais, surprise, la puissance est la même que sur le modèle précédent. Cette fois, c'est le couple qui est légèrement plus élevé. Mais ce qu'il faut souligner, c'est que celui-ci est mieux réparti et permet des accélérations plus linéaires et des reprises plus nerveuses. De plus, l'accélérateur, de type électronique, est relié à un collecteur d'admission d'air dont les papillons de répartition du flot d'air sont à gestion électronique. La boîte automatique à 5 rapports est sensiblement la même qu'auparavant. Elle est équipée en plus d'un système de gestion de passage des rapports programmé pour assurer un fonctionnement plus homogène dans les côtes et les descentes.

Les éléments de suspension avant et arrière sont à doubles leviers triangulés comme auparavant. Par contre, leur géométrie a été révisée et on utilise dorénavant plusieurs pièces en aluminium forgé afin d'alléger le poids et d'améliorer la rigidité de l'ensemble. En plus de la suspension à ressorts hélicoïdaux qui est offerte

Lexus SC 430

en réglage régulier et sport, il est possible de commander une suspension pneumatique constamment variable à commande électronique. Les ressorts sont des chambres à air dont la pression varie constamment en fonction des conditions ; le réglage des amortisseurs, également infiniment variable, est contrôlé par un module de commande électronique.

Il est d'ailleurs possible de commander trois versions distinctes, chacune étant axée autour d'un type de suspension; soit régulier, sport et pneumatique. Enfin, dernier raffinement technologique, la LS 430 peut être équipée d'un régulateur de vitesse au laser. Comme son nom l'indique, un projecteur de rayons lasers est placé dans la grille d'entrée d'air du pare-chocs et projette les rayons vers l'avant. Semblable au Distronic des grandes Mercedes, l'ordinateur du système vérifie alors la distance entre le véhicule et ceux qui le précèdent pour ensuite ajuster la vitesse en fonction de l'écart programmé au départ. Les ingénieurs ont même prévu les manœuvres de dépassement et les changements de voie.

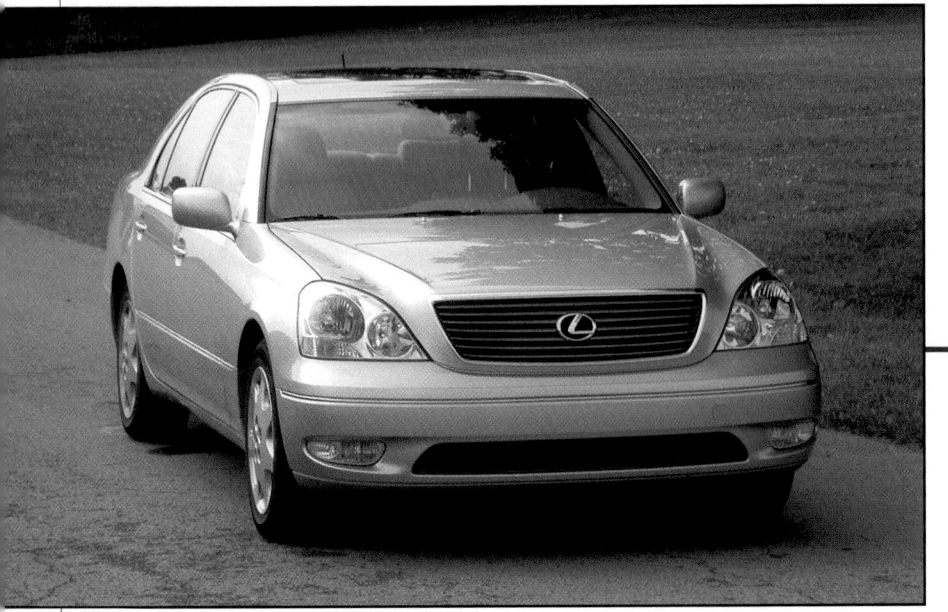

Comme toutes les autres berlines de cette catégorie, la LS 430 est équipée de freins ABS, d'un système antipatinage et de sta-

ÉQUIPEMENTS

DE SÉRIE

- Verre hydrofuge antireflet aux portières avant
- Coussins latéraux de type rideau • Dispositif de contrôle du dérapage

EN OPTION

- Essuie-glaces activés par la pluie
- Suspension sport • Suspension pneumatique
- Sièges arrière chauffants à action massante

bilité latérale ainsi que d'un répartiteur électronique de freinage.

Enfin de bonnes manières !

Jusqu'à l'arrivée de cette génération, conduire une LS 400 n'était pas une expérience gratifiante pour le conducteur sportif. On avait l'impression d'être au volant d'une coquille insonorisée et confortable montée sur des amortisseurs remplis de guimauve. Une direction ultrasensible, un système antipatinage vraiment trop hâtif et un roulis prononcé en virage étaient les autres irritants majeurs.

La LS 430 n'est plus affligée de ces tares qui ont handicapé les deux générations précédentes. Elle ne possède pas une dynamique aussi exceptionnelle que celle de la Mercedes de Classe S ou encore l'agilité sportive de la BMW 740i, mais c'est une berline de luxe capable de rouler avec assurance sous toutes les conditions et dont le comportement routier est certainement plus impressionnant qu'auparavant.

Plus près du but

Lors de la présentation de la LS 430 sur le circuit de Road America à Elkart Lake, des orages violents sont survenus en plein milieu des essais sur piste. Les caprices de Dame Nature nous ont permis de démontrer l'efficacité des freins ABS, de l'antipatinage et du contrôle de stabilité latérale. Les pneumatiques se sont révélés corrects, mais sans plus. Et une fois la piste asséchée, on a pu découvrir une berline dont le comportement routier à haute vitesse est sécurisant à défaut d'être excitant. Pour se sentir en plein contrôle, la suspension sport est un choix incontournable.

Un coupé à l'horizon

Malgré une silhouette assez peu excitante dont les lignes ressemblent trop à celles d'une ancienne Mercedes, cette nouvelle génération de la LS 430 marque un progrès énorme. On peut toujours lui reprocher sa silhouette vraiment trop carrée, mais les aérodynamiciens ont réussi à obtenir un coefficient de traînée de 0, 26 de ce gros cube aux angles à peine obtus. Impressionnant ! Et le nouveau coupé SC 430 qui sera dévoilé plus tard en cours d'année devrait partager les qualités et la plupart des éléments mécaniques de la berline. Et on peut s'aventurer à prédire que ce nouveau roadster dont le toit rigide imite celui de la Mercedes SLK nous fera vite oublier la SC 400/SC 300 qui a connu une carrière décevante sur le marché canadien.

Lexus SC 430

La suspension régulière est sans doute trop souple pour le conducteur qui aime la conduite sportive. En revanche, vous pouvez opter pour le groupe d'option sport avec des amortisseurs plus fermes et des pneus plus accrocheurs pour être en mesure de tirer tout le potentiel de ce châssis qui ne manque pas de qualités. Il est certain que la suspension pneumatique n'est pas aussi performante, mais elle réussit à offrir un bon compromis entre le confort et la tenue de route.

Denis Duquet

LEXUS LS 430

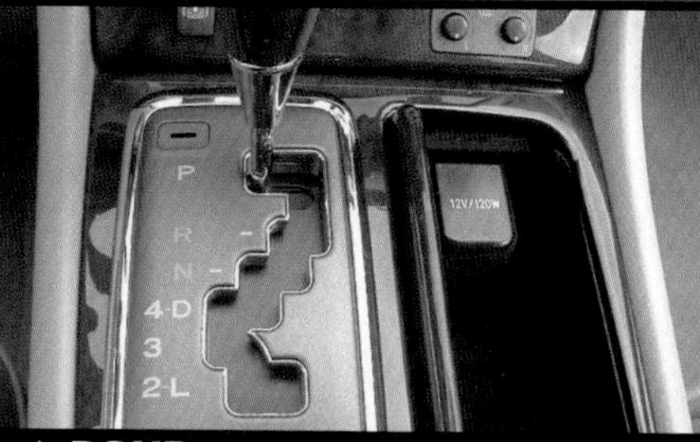

▲ POUR

• Conduite plus agréable • Meilleures reprises • Habitabilité en progrès • Suspension sport • Accessoires inédits

▼ CONTRE

• Silhouette navrante • Suspension régulière trop souple • Pneumatiques quelconques • Boîte automatique paresseuse

CARACTÉRISTIQUES

Prix du modèle à l'essai	LS 430 / 80 000 $
Garantie de base	4 ans / 80 000 km
Type	berline / propulsion
Empattement / Longueur	292 cm / 499 cm
Largeur / Hauteur	183 cm / 149 cm
Poids	1 795 kg
Coffre / Réservoir	453 litres / 84 litres
Coussins de sécurité	frontaux et latéraux
Suspension av.	indépendante
Suspension arr.	indépendante
Freins av. / arr.	disque ABS
Système antipatinage	oui
Direction	à crémaillère, assistance variable
Diamètre de braquage	10,6 mètres
Pneus av. / arr.	P225/60R16

MOTORISATION ET PERFORMANCES

Moteur	V8 4,3 litres
Transmission	automatique 5 rapports
Puissance	290 ch à 5 600 tr/min
Couple	320 lb-pi à 3 400 tr/min
Autre(s) moteur(s)	aucun
Autre(s) transmission(s)	aucune
Accélération 0-100 km/h	6,3 secondes
Vitesse maximale	250 km/h
Freinage 100-0 km/h	39 mètres
Consommation (100 km)	12,2 litres

MODÈLES CONCURRENTS

• Audi A8 • BMW 740i • Infiniti Q45
• Lincoln Town Car • Mercedes S500

QUOI DE NEUF ?

• Nouveau modèle

VERDICT

Agrément	★★★½
Confort	★★★★★
Fiabilité	★★★★★
Habitabilité	★★★★
Hiver	★★★½
Sécurité	★★★★★
Valeur de revente	★★★★½

LEXUS LX 470

Lexus LX 470

Le moindre mal

Les Lexus LX 470 ne courent pas les rues, ce qui n'a rien d'étonnant compte tenu du prix demandé pour cet utilitaire de grand luxe. Mais il mérite néanmoins considération à cause de son raffinement et de sa fiabilité, des qualités qui ne sont pas le propre de ses rivaux. Ceux qui ont vu là une allusion au Range Rover méritent des félicitations pour leur perspicacité.

Fragile comme du verre, l'aristocrate 4X4 britannique coûte de surcroît plusieurs milllers de dollars de plus que le Lexus, ce qui est non pas ridicule mais démentiel. De toute façon, même si mes revenus décuplaient, je voudrais être pendu si je flambais un tel montant pour un utilitaire, aussi luxueux soit-il. Vous aurez compris que je m'explique mal l'engouement pour ces pachydermes énergivores, peu sécuritaires et hors de prix. Mais si vous y tenez tant que ça, soyez au moins logique dans votre illogisme, prenez celui qui est de meilleure qualité ; après tout, entre deux maux, on choisit le moindre…

Or, la qualité, ce n'est pas ce qui fait défaut au plus onéreux des utilitaires sport japonais. D'abord, précisons qu'il ne s'agit pas de rapiéçage, cette fois. Son prédécesseur, le LX 450, n'était rien d'autre qu'un Toyota Land Cruiser qu'on avait déguisé un tant soit peu (et en 4e vitesse) en 4X4 de salon. Le hic, c'est qu'on essayait de faire avaler aux consommateurs qu'il s'agissait d'un tout nouveau modèle ; or, cette génération de Land Cruiser était sur le point de terminer son cycle. D'habitude, ce sont les Américains qui excellent dans ce genre de mascarade mais cette fois, c'est un constructeur nippon, et pas le moins réputé, qui a bâclé son travail. Chose certaine, la division de prestige de Toyota ne s'est pas grandie en se laissant aller de la sorte.

Mais au moins, elle n'a pas fait la même erreur deux fois. Certes, le LX 470 demeure un Land Cruiser embourgeoisé, sauf que ce dernier a été renouvelé depuis, de sorte que ça goûte moins le réchauffé, si vous me permettez l'expression. Et comme l'original portant l'emblème Toyota n'est pas vendu au Canada, cela confère une petite touche d'exclusivité à son clone. Exclusivité qui dure depuis sa sortie, mais qui s'apprête toutefois à en prendre pour son rhume avec l'arrivée du nouveau Toyota Sequoia, dont le format se rapproche du LX 470, et qui recourt en plus à la même motorisation.

Les boulevards plutôt que le Paris-Dakar

Disons-le tout de suite, c'est le jour et la nuit entre le modèle que nous connaissons depuis deux ans et son prédécesseur. Le constat n'a rien de désolant, bien au contraire. Le LX 450, de triste mémoire, ne brillait pas par ses bonnes manières, affligé qu'il était par sa suspension revêche, son freinage déficient, son moteur poussif et son niveau sonore élevé. La barre n'était pas très haute, c'est le moins qu'on puisse dire.

Remarquez, il y en a qui n'apprennent jamais, mais chez Lexus, on a retenu la leçon et apporté les correctifs nécessaires. Cette fois, le confort, l'insonorisation et la douceur de roulement atteignent les standards de cette marque, dont la réputation n'est plus à faire malgré son jeune âge. Tellement qu'on a l'impression de rouler sur un parquet ciré, un exploit d'autant plus remarquable qu'on parle ici d'un véhicule utilitaire, donc haut sur pattes et chaussé de gros pneus.

La logique dans l'absurde

Par contre, la garde au sol peut être diminuée grâce à la suspension à hauteur variable, qui permet d'abaisser le véhicule de 5 cm pour faciliter l'accès à bord. Qui plus est, ladite suspension est de type adaptatif, c'est-à-dire que la fermeté des amortisseurs peut être réglée en fonction des besoins et/ou des préférences du conducteur. Tout cela se fait automatiquement ou sur la simple pression d'un commutateur, au choix. Quant au rouage intégral, il est permanent, mais un levier placé sur la console permet... de passer au neutre ou en mode *lo* – « sur le *beu* », comme disent les adeptes du 4X4. Mais, bon, ne rêvez pas au Paris-Dakar avec un tel véhicule : les conditions extrêmes, ce n'est pas sa tasse de thé. Et puis, qui a envie d'aller se perdre dans le bois avec un bibelot de ce prix, je vous le demande ?

Imposture

Là où ce pseudo-utilitaire surprend agréablement, c'est au chapitre du comportement routier qui, encore une fois, se situe à des années-lumière de celui du LX 450. La tenue de cap comme la tenue de route impressionnent, surtout pour un véhicule dont la vocation et le format ne favorisent guère les aptitudes routières. Son court diamètre de braquage est également apprécié.

Mais le point fort du LX 470, c'est son raffinement. Les V8 à double arbre à cames en tête et 4 soupapes par cylindre se font rares dans cette catégorie et cette sophistication se traduit par une souplesse et une douceur encore plus rares. Le Range Rover et ses consorts peuvent aller se rhabiller : aucun, je dis bien aucun, d'entre eux n'offre une combinaison moteur-transmission dont le rendement est si doux. Tout comme ils n'approchent pas leur rival nippon en matière de luxe et de finition à l'intérieur. L'assemblage est rigoureux, la décoration, cossue, et l'équipement de série, pléthorique. Sans parler de l'habitabilité, directement proportionnelle aux dimensions du véhicule.

Inutile, le LX 470 ? Oui, tout à fait. J'irais jusqu'à dire absurde, ne serait-ce qu'en raison de l'addition qu'il commande. Sans compter qu'il se fait passer pour ce qu'il n'est pas, c'est-à-dire un utilitaire. Mais ses adversaires sont des imposteurs eux aussi et ils ne disposent pas des mêmes ressources que le Lexus pour se faire pardonner un tant soit peu leurs excès.

Philippe Laguë

LEXUS LX 470

▲ POUR

• Superbe V8 • Assemblage rigoureux • Habitacle cossu • Douceur de roulement • Tenue de route surprenante • Fiabilité exemplaire

▼ CONTRE

• Véhicule coûteux et inutile • Aptitudes hors route limitées • Banquette arrière inconfortable • Encombrement • Consommation élevée

CARACTÉRISTIQUES

Prix du modèle à l'essai	83 650 $
Garantie de base	4 ans / 80 000 km
Type	utilitaire sport / traction intégrale
Empattement / Longueur	285 cm / 489 cm
Largeur / Hauteur	194 cm / 185 cm
Poids	2 450 kg
Coffre / Réservoir	de 830 à 1 370 litres / 96 litres
Coussins de sécurité	frontaux
Suspension av.	indépendante
Suspension arr.	essieu rigide
Freins av. / arr.	disque ventilé ABS
Système antipatinage	non
Direction	à crémaillère, assistance variable
Diamètre de braquage	12,1 mètres
Pneus av. / arr.	P275/70R16

MOTORISATION ET PERFORMANCES

Moteur	V8 4,7 litres
Transmission	automatique 4 rapports
Puissance	230 ch à 4 800 tr/min
Couple	320 lb-pi à 3 400 tr/min
Autre(s) moteur(s)	aucun
Autre(s) transmission(s)	aucune
Accélération 0-100 km/h	10,4 secondes
Vitesse maximale	180 km/h (limitée)
Freinage 100-0 km/h	44,0 mètres
Consommation (100 km)	18,5 litres

MODÈLES CONCURRENTS

• BMW X5 • Cadillac Escalade • Lincoln Navigator • Mercedes-Benz ML430 • Range Rover

QUOI DE NEUF ?

• Nouvelles roues en aluminium • Chaîne audio Mark Levinson • Système de navigation

VERDICT

Agrément	★★
Confort	★★★★
Fiabilité	★★★★½
Habitabilité	★★★★
Hiver	★★★★★
Sécurité	★★★★
Valeur de revente	★★★★½

LEXUS RX 300

Lexus RX 300

Bison futé

L'engouement pour les utilitaires sport ayant secoué de fond en comble l'industrie automobile nord-américaine, tous les grands constructeurs se sont intéressés à cette catégorie. Certains se sont contentés de copier les modèles déjà répandus, d'autres ont tenté de les améliorer, mais ceux qui ont vraiment innové ne sont pas légion. La division Lexus fait partie de cette dernière catégorie et force est d'admettre que le RX 300 est une belle réussite.

On retrouve dans le RX 300 différents éléments qui demeurent toujours innovateurs quelques années après son lancement et son exécution s'avère pratiquement sans faille. Tant et si bien que ce Lexus est devenu un modèle ou un élément de comparaison pour bien des concurrents. En effet, on a réussi la très difficile mission de lui donner une silhouette de robuste tout en étant suffisamment raffinée pour la faire passer pour une grosse familiale hybride. Si les stylistes de chez Lexus n'ont pas toujours été très créatifs, ils se sont surpassés avec le RX 300 qui demeure la perle de la famille.

Et ce qui est encore plus impressionnant, c'est qu'ils ont réussi à cibler parfaitement la configuration de ce véhicule afin de répondre aux désirs d'une clientèle qui rêve de piloter un 4X4 et d'aller un jour se perdre en forêt, mais qui se contente la plupart du temps de circuler en ville, en banlieue ou sur les autoroutes. Le véhicule doit avoir les allures et les caractéristiques du 4X4, mais pas nécessairement les irritants et les inconvénients.

Cherchez la différence

Cette silhouette assez unique en son genre connaît plusieurs changements en 2001. Ils ne sont pas nécessairement évidents pour le non-initié, mais suffisamment importants pour différencier ce modèle des autres qui l'ont précédé. À l'avant, la grille de calandre est dorénavant constituée de rayons verticaux plus gros, les phares de route sont nouveaux et l'écusson Lexus plus imposant. Les feux arrière sont également nouveaux afin d'équilibrer cette section avec l'avant qui a été passablement modifié sur le plan esthétique. L'habitacle a également fait l'objet d'innombrables retouches tant au tableau de bord que dans les garnitures des portières et les sièges. Il faut souligner la présence de nouveaux porte-verres intégrés à la partie inférieure du module central de la banquette arrière 60/40. Ces sections du siège peuvent être avancées ou reculées individuellement tandis que les dossiers peuvent être inclinés.

D'ailleurs, si la présentation extérieure mérite des éloges, l'habitacle convient encore mieux à la vocation de ce véhicule. Mi-utilitaire, mi-familiale, il est pourvu d'un tableau de bord dont la partie centrale se prolonge sur une vaste console. Même le levier de vitesses de la boîte automatique à 4 rapports fait partie de cet ensemble en étant placé plus haut et donc près de la planche de bord comme sur certains véhicules commerciaux. Le reste de la présentation et des commandes est tout ce qu'il y a de plus BCBG. Finalement, soulignons que la console centrale est modulaire et peut être configurée de diverses manières.

La référence

Génétique partagée

Encore plus élégante qu'auparavant, cette carrosserie abrite les organes mécaniques et la plate-forme de la Lexus ES 300, elle-même cousine fortunée de la Toyota Camry. Et quand on apprend que le nouveau Toyota Highlander est lui aussi dérivé de la Camry, on vient de boucler la boucle. Mais il ne faut pas en conclure que le RX 300 n'est qu'une berline déguisée de peine et de misère en utilitaire sport hybride. Il a toute la solidité et la robustesse nécessaires pour exécuter le travail qui lui est demandé. Et contrairement à certains autres véhicules de cette catégorie empruntant leur châssis à une camionnette, ce Lexus assure un confort et une tenue de route qui ne sont pas trop différents de ceux de la berline possédant les mêmes éléments de base.

Le moteur V6 3 litres, qui développe 220 chevaux, permet de remorquer une charge de 1 587 kg, ce qui est fort adéquat pour la grande majorité des utilisateurs. On peut tracter une remorque chargée de deux motoneiges ou de deux motomarines sans problème, ou même une embarcation à moteur.

Sans être d'un grand raffinement, le système de traction intégrale est adéquat pour la plupart des conditions anticipées. L'acheteur potentiel du RX 300 n'a certainement pas envie d'aller se promener dans la jungle équatoriale ou dans les toundras balayées par le vent. Pour cela, le RX 470 convient beaucoup mieux. Le mécanisme de répartition du couple par un viscocoupleur central est surtout conçu pour des routes enneigées ou glacées et des voies secondaires en mauvais état. Aux mains d'un expert, ce véhicule peut surprendre et se tirer d'affaire avec honneur dans des conditions assez difficiles.

Une position de conduite plus élevée que dans une automobile, une direction plutôt engourdie et un certain roulis en virage sont quelques indices qui nous informent que ce Lexus a quelque chose de particulier. Mais c'est juste assez bien dosé pour ne pas devenir un irritant majeur. Bref, un 4X4 que même Jacques Duval pourrait aimer.

Denis Duquet

LEXUS RX 300

▲ POUR

• Mécanique fiable • Silhouette originale • Habitacle confortable • Dimensions «songées» • Compromis intéressant

▼ CONTRE

• Intégrale simpliste • Direction engourdie • Prix élevé • Lent passage des rapports

CARACTÉRISTIQUES

Prix du modèle à l'essai	RX 300 / 47 280 $
Garantie de base	4 ans / 80 000 km
Type	utilitaire sport / traction intégrale
Empattement / Longueur	262 cm / 457 cm
Largeur / Hauteur	181 cm / 167 cm
Poids	1 770 kg
Coffre / Réservoir	869 ou 1 127 litres / 65 litres
Coussins de sécurité	frontaux et latéraux
Suspension av.	indépendante
Suspension arr.	indépendante
Freins av. / arr.	disque ABS
Système antipatinage	oui
Direction	à crémaillère, assistance variable
Diamètre de braquage	12,6 mètres
Pneus av. / arr.	P225/70R16

MOTORISATION ET PERFORMANCES

Moteur	V6 3 litres
Transmission	automatique 4 rapports
Puissance	220 ch à 5 800 tr/min
Couple	222 lb-pi à 4 400 tr/min
Autre(s) moteur(s)	aucun
Autre(s) transmission(s)	aucune
Accélération 0-100 km/h	9,1 secondes
Vitesse maximale	180 km/h (limitée)
Freinage 100-0 km/h	40,0 mètres
Consommation (100 km)	12,7 litres

MODÈLES CONCURRENTS

• Infiniti QX4 • Isuzu Trooper • Mercedes ML320 • Ford Explorer • GMC Envoy • Jeep Grand Cherokee

QUOI DE NEUF ?

• Nouvelle grille de calandre • Feux arrière nouveaux • Porte-verres sous banquette arrière

VERDICT

Agrément	★★★½
Confort	★★★★½
Fiabilité	★★★★
Habitabilité	★★★★
Hiver	★★★★★
Sécurité	★★★★½
Valeur de revente	★★★★★

LINCOLN Continental

Lincoln Continental

Une contradiction sur roues

La Lincoln Continental est une berline de luxe qui permet de découvrir pourquoi les constructeurs nord-américains n'ont jamais été en mesure de se ménager une réputation enviable dans la catégorie des voitures de luxe. Les concepteurs de ces voitures tentent de répondre aux attentes des acheteurs de ce type de modèle catégorie. Et c'est justement là que le bât blesse.

Il est vrai que des millions d'Américains sont en mesure d'apprécier une voiture dont l'équilibre général implique une tenue de route supérieure à la moyenne, une direction précise et un ensemble d'éléments similaires qui permettent au pilote de faire corps avec la voiture. Malheureusement, la majorité de nos voisins du sud associent toujours le luxe à une suspension guimauve, à des sièges inspirés des fauteuils de salon et aux incontournables gadgets destinés à rendre la conduite encore plus soporifique.

La Continental semble malheureusement avoir été créée pour ce type de clients, en opposition à la LS qui réussit à lutter à armes égales avec les meilleures berlines sportives sur le marché. La Continental n'est pas une mauvaise voiture par accident, elle a été conçue de la sorte afin de plaire à un certain public qui ne veut pas apprécier le pilotage d'une automobile, mais se faire dorloter dans un cocon ouaté déconnecté de l'environnement.

Une Grand Marquis de luxe?

Même si la Continental est une traction et si son équipement est l'un des plus complets de l'industrie, on peut se demander s'il ne serait pas plus économique de se tourner vers une Mercury Grand Marquis, toujours en vente sur notre marché. Vous pouvez vous élever contre cette idée en soulignant les grandes disparités entre ces deux modèles. La Lincoln est bâtie sur une plate-forme monocoque tandis que l'autre offre toujours le fameux châssis autonome qui a connu ses heures de gloire dans les années 50. De plus, la silhouette de la Mercury est beaucoup plus rétro que celle de la Continental qui s'est raffinée au cours des dernières années. Malgré cela, cette grosse berline circule dans nos rues dans l'anonymat le plus complet, contrairement aux Buick Park Avenue et Cadillac Seville dont la silhouette est nettement plus distincte. Par ailleurs, la Continental et l'Acura RL font match nul en fait d'anonymat.

Si on revient à notre comparaison avec la Grand Marquis, il est certain que la fiche technique de la Lincoln est nettement plus impressionnante. Son moteur V8 de 4,6 litres à double arbre à cames en tête développe 45 chevaux de plus que celui de même cylindrée placé sous le capot de la Mercury. De plus, il est équipé de série d'un antipatinage à toutes les vitesses, de freins ABS plus perfectionnés et d'une foule d'autres accessoires. Parmi ceux-ci, il faut mentionner la possibilité pour le conducteur de régler l'assistance de la direction selon son bon vouloir. Si cette astuce semble intéressante de prime abord, la réalité est tout autre. En effet, le résultat est soit trop ferme, soit trop mou, et seul le réglage normal risque de satisfaire la majorité.

Décevante !

Dans la même veine, le pilote peut régler la fermeté des amortisseurs et la suspension est semi-active. Il est également possible de modifier plusieurs réglages et commandes en fonction de ses besoins ou de ses caprices. Si cette possibilité semble attrayante, son utilisation vient gâcher la sauce. En effet, après qu'on a joué une ou deux fois avec ces réglages, on réalise que ceux choisis à l'usine sont les plus sensés et on ne touche plus à rien par la suite.

Pour les grands boulevards

Traditionnellement, les grosses berlines de luxe américaines étaient conçues pour rouler à des vitesses légales sur de grands boulevards ou des autoroutes dénuées de tout virage prononcé. Des amortisseurs remplis de guimauve et des sièges avant n'offrant aucun support latéral faisaient également partie de l'équation.

Cette Lincoln respecte la tradition à plus d'un point de vue. Malgré toutes les astuces électroniques dont est truffée cette voiture, elle se montre toujours récalcitrante à enchaîner les virages serrés à vive allure. D'ailleurs, c'est une bonne chose pour le pilote parce que le manque absolu de support de son siège l'oblige à s'agripper au volant s'il ne veut pas être déporté. Mieux vaut rouler paisiblement et se laisser bercer par le son de la musique, d'autant plus que la chaîne stéréophonique qui équipe cette voiture est de qualité supérieure, tout comme le climatiseur à réglage automatique.

La Continental s'adresse à une clientèle beaucoup plus excitée à l'idée d'ouvrir la porte de garage grâce à l'ouvre-porte universel de série qu'intéressée à connaître la distance de freinage de la voiture et tout son pedigree sur le plan mécanique.

Si le luxe à l'américaine avec tout ce que cela signifie vous intéresse, cette Lincoln est peut-être pour vous. Mais si vous ne cherchez qu'une grosse berline sans vouloir trop dépenser, la Grand Marquis n'est pas une vilaine option, d'autant plus que la Continental n'est guère plus excitante à conduire malgré des éléments mécaniques beaucoup plus sophistiqués.

Denis Duquet

LINCOLN Continental

▲ POUR

• Mécanique sophistiquée • Finition soignée • Moteur V8 puissant • Banquette arrière confortable • Chaîne stéréo puissante

▼ CONTRE

• Agrément de conduite nul • Habitabilité moyenne • Sièges avant à revoir • Sous-virage chronique • Nombreux accessoires inutiles

CARACTÉRISTIQUES

Prix du modèle à l'essai	54 895 $
Garantie de base	4 ans / 80 000 km
Type	berline / traction
Empattement / Longueur	277 cm / 530 cm
Largeur / Hauteur	187 cm / 142 cm
Poids	1 785 kg
Coffre / Réservoir	521 litres / 75 litres
Coussins de sécurité	frontaux et latéraux
Suspension av.	indépendante
Suspension arr.	indépendante
Freins av. / arr.	disque ABS
Système antipatinage	oui
Direction	à crémaillère, assistance variable
Diamètre de braquage	12,5 mètres
Pneus av. / arr.	P225/60R16

MOTORISATION ET PERFORMANCES

Moteur	V6 4,6 litres
Transmission	automatique 4 rapports
Puissance	260 ch à 5500 tr/min
Couple	270 lb-pi à 4500 tr/min
Autre(s) moteur(s)	aucun
Autre(s) transmission(s)	aucune
Accélération 0-100 km/h	8,3 secondes
Vitesse maximale	215 km/h
Freinage 100-0 km/h	41,5 mètres
Consommation (100 km)	13,9 litres

MODÈLES CONCURRENTS

• Acura RL • Buick Park Avenue
• Cadillac Seville

QUOI DE NEUF ?

• Sacs gonflables latéraux de série • Configuration 5 places • Ouvre-porte de garage de série

VERDICT

Agrément	★★½
Confort	★★★★
Fiabilité	★★★½
Habitabilité	★★★★
Hiver	★★★★
Sécurité	★★★★
Valeur de revente	★★

LINCOLN LS

Lincoln LS

Mieux que la Jaguar du pauvre

À la lumière du passé récent de la marque de prestige américaine, on pouvait s'attendre que la nouvelle Lincoln LS ne soit qu'une version édulcorée de la Jaguar S-Type avec laquelle elle partage sa plate-forme et de nombreux éléments mécaniques. Or, heureuse surprise, cette LS est beaucoup mieux que la Jaguar du pauvre. Sous certains aspects, elle arrive même à devancer sa digne rivale britannique. Dès lors, on comprend parfaitement qu'elle ait réussi à se retrouver parmi les finalistes au titre de « voiture de l'année » au scrutin de la presse automobile nord-américaine l'an dernier.

Lors d'une confrontation sur le circuit routier de Sanair à l'automne 1999, j'ai notamment découvert que le groupe moteur/transmission de la LS se prêtait mieux que celui de la petite Jaguar à la conduite en Amérique. Même s'il doit concéder 29 chevaux au V8 de la S-Type (281 chevaux contre 252), le V8 de 4 litres de la Lincoln est plus performant dans la plage de régime la plus couramment utilisée chez nous. Certes, la Jaguar serait plus performante sur des autoroutes sans limite de vitesse mais, pour nos conditions routières, la LS se débrouille mieux. Son moteur répond illico aux commandes de l'accélérateur et assure de meilleures accélérations initiales.

Si les reprises sont quasi instantanées, c'est en grande partie à cause d'une excellente transmission automatique dont les changements de rapport s'effectuent à la vitesse de l'éclair, ce qui se solde par un 0-100 km/h de 7,8 secondes. On ne s'en surprend pas outre mesure quand on découvre que les ingénieurs affectés au développement de la petite Lincoln ont déjà œuvré en Formule 1 chez Benetton.

Le monde à l'envers

À propos de transmission, le tandem Jaguar/Lincoln nous présente le paradoxe de l'année. La première, de souche européenne et donc de culture plus sportive, ne propose pas de boîte de vitesses manuelle alors que Lincoln, qui passe pour une marque pépère profondément enracinée dans la tradition américaine, en offre une. Bref, le monde à l'envers. Par contre, le pauvre petit V6 de 3 litres qui est jumelé à cette boîte à 5 rapports n'a vraiment pas suffisamment de tonus pour bénéficier d'un tel équipement. Il manque de nerf à basse vitesse et les montées en régime sont pénibles, pour ne pas dire inquiétantes quand vient le moment de doubler une autre voiture. Et comme si cela n'était pas suffisant, la course de l'embrayage est trop longue, ce qui provoque souvent le calage du moteur. On s'attendait pourtant à beaucoup de ce V6 à boîte manuelle, surtout jumelé au groupe sport qui comprend notamment une suspension raffermie.

Pour ce qui est du comportement routier, la Lincoln LS accuse un léger recul par rapport à la S-Type, mais la tenue de route n'en demeure pas moins largement supérieure à celle de n'importe quelle Lincoln construite à ce jour et cela sans que le confort en souffre de façon notable. Le freinage est rassurant et la voiture n'a pas tendance à piquer du nez lors d'arrêts subits. Quant à la direction, elle est dépourvue d'effet de couple et sa démultiplication n'est pas exagérée.

Éminemment respectable

Des lignes anonymes

Le côté le moins réjouissant de la Lincoln LS est fort probablement son apparence, tant extérieure qu'intérieure. Son allure anonyme et banale a toutefois l'avantage d'être discrète, ce que plusieurs apprécient. Malheureusement, le faux bois et le plastique omniprésents du tableau de bord de la Lincoln lui donnent des airs de grande série. Mais plusieurs diront que la S-Type fait payer cher ses lignes plus originales et on ne peut les contredire quand on sait que la belle anglaise coûte environ 20 000 $ de place. Les places arrière sont non seulement spacieuses, mais très confortables en raison de l'inclinaison adéquate du coussin de la banquette. Le coffre, déjà très vaste, le serait encore plus si l'on avait opté pour un mini-pneu en lieu et place de l'énorme jante de 17 pouces avec son pneu 235/50. On pourra toutefois récupérer de l'espace en escamotant le dossier de la banquette arrière.

Dans la voiture mise à ma disposition, la finition ne souffrait d'aucune anicroche, mais quelques propriétaires nous ont fait part de leur insatisfaction sur la résistance de certains accessoires en plastique. Malgré tout, si l'on en juge par l'absence de bruits de caisse sur mauvaise route, on peut dire que la qualité de construction semble bonne.

Laquelle choisir ?

Je devine maintenant votre question : « Entre une Jaguar S-Type et une Lincoln LS, laquelle choisir ? » Chacune d'entre elles possède un argument majeur en sa faveur, c'est-à-dire un prix inférieur d'environ 20 000 $ dans le cas de la Lincoln et une silhouette plus distinctive (surtout à l'avant) pour ce qui est de la Jaguar. À vous de résoudre le dilemme, mais sachez que la Lincoln LS est plus qu'une Jaguar bon marché.

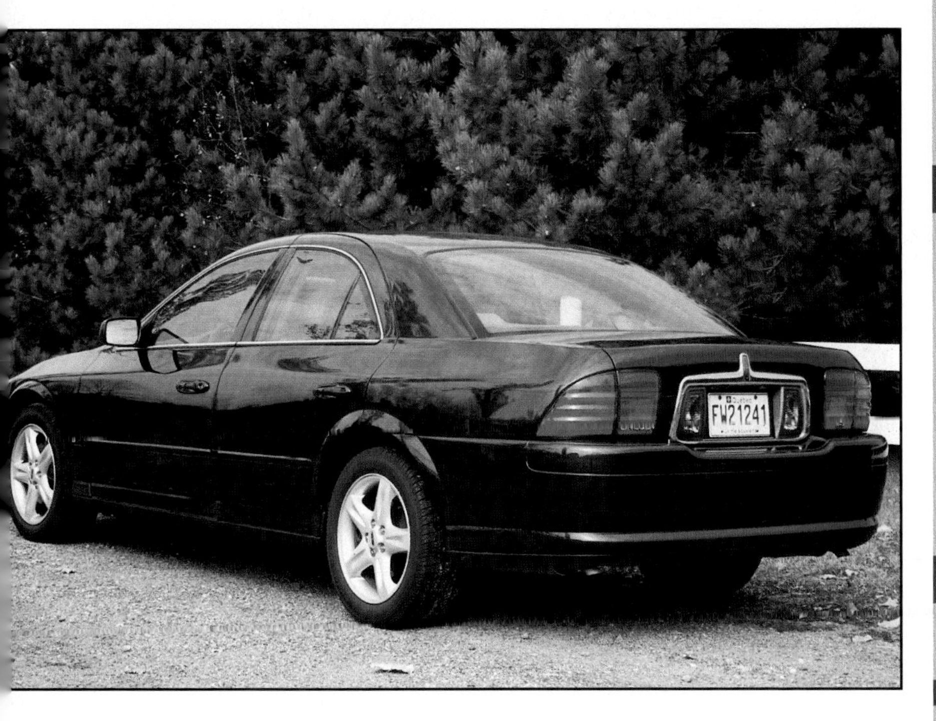

plus que l'américaine. Petit détail anecdotique, la LS est sans doute la première Lincoln depuis des lunes à offrir un levier de frein d'urgence monté sur la console centrale. La voiture avoue encore sa parenté avec la Jaguar en partageant avec cette dernière un coffre à gants où le chargeur de disques compacts occupe toute la

Jacques Duval

LINCOLN LS

▲ POUR

• Excellent groupe motopropulseur (V8/automatique) • Bonne tenue de route (Suspension Sport) • Prix raisonnable • Confort soigné

▼ CONTRE

• Apparence anodine • Boîte manuelle décevante • Moteur V6 inepte • Pas d'espace de rangement

CARACTÉRISTIQUES

Prix du modèle à l'essai	46 709 $
Garantie de base	4 ans, 80 000 km
Type	berline, propulsion
Empattement / Longueur	290 cm / 492 cm
Largeur / Hauteur	186 cm / 145 cm
Poids	1 675 kg
Coffre / Réservoir	431 litres / 68 litres
Coussins de sécurité	frontaux et latéraux
Suspension av.	indépendante
Suspension arr.	indépendante
Freins av. / arr.	disque ABS
Système antipatinage	oui
Direction	à crémaillère, à assistance variable
Diamètre de braquage	11,5 mètres
Pneus av. / arr.	P235/50R17

MOTORISATION ET PERFORMANCES

Moteur	V8 3,9 litres
Transmission	automatique 5 rapports
Puissance	252 ch à 6 100 tr/min
Couple	267 lb-pi à 4 300 tr/min
Autre(s) moteur(s)	V6 3 litres 210 chevaux
Autre(s) transmission(s)	manuelle 5 rapports
Accélération 0-100 km/h	7,8 secondes
Vitesse maximale	220 km/h
Freinage 100-0 km/h	39,7 mètres
Consommation (100 km)	14,0 litres

MODÈLES CONCURRENTS

• Jaguar S-Type 3,0 • Cadillac Catera • Chrysler 300 M • Mercedes-Benz C320 • Volvo S60

QUOI DE NEUF ?

• Dispositif Advance Trac en option pour le V6 manuel
• Nouveaux points d'ancrage pour siège d'enfant

VERDICT

Agrément	★★★★
Confort	★★★★
Fiabilité	★★★½
Habitabilité	★★★½
Hiver	★★★½
Sécurité	★★★★
Valeur de revente	★★★½

LINCOLN Town Car

Lincoln Town Car

Une vocation de limousine ?

La Lincoln Town Car a toujours été le souffre-douleur des chroniqueurs automobiles vraiment plus intéressés par des berlines sportives que par ce véhicule aux dimensions de pachyderme et à la suspension trop molle. Heureusement, la division Lincoln a dépoussiéré de belle manière cette barge de la route en 1998. La silhouette s'est arrondie et, c'est là le meilleur, la tenue de route s'est transformée du tout au tout.

Avant ces changements, il fallait avoir une bonne dose d'audace pour négocier un virage serré à vive allure avec la Town Car. Un sous-virage prononcé accentué d'un roulis de caisse impressionnant provoquait un dérapage spectaculaire tandis que les pneus roulaient sur leurs flancs, ne permettant aucune adhérence. Dans l'habitacle, les passagers tentaient de se cramponner tandis que le pilote avait au moins le volant pour se tenir. Pas surprenant que la majorité des Town Car étaient utilisées comme taxi de luxe ou transformées en limousines.

Les ingénieurs ont donc accompli de l'excellent travail en modernisant la plateforme et en développant une suspension moderne en mesure de tirer profit de la puissance du moteur. Malheureusement, ce même moteur est l'un des points faibles de cette grosse Lincoln. En effet, pour des raisons qui m'apparaissent toujours obscures, les ingénieurs ont opté pour la version à simple arbre à cames en tête du moteur V8 de 4,6 litres. Ce dernier est donc moins puissant que celui de la Continental et il doit également concéder des dizaines de chevaux au moteur Northstar de la Cadillac DeVille. Les ingénieurs de Lincoln tentent de justifier ce choix en raison du couple supérieur du moteur 4,6 litres à simple arbre à cames en tête. Une réponse qui nous permet de croire que la vocation première de cette voiture est plutôt commerciale.

Et c'est là la grande contradiction de cette grosse américaine. On a beau nous l'offrir dans la version grand luxe Cartier et tenter de nous faire croire que c'est la voiture du jet-set, il faut bien se rendre à l'évidence. Les seules fois où les gens riches et célèbres roulent en Town Car, c'est lorsqu'ils prennent place à bord d'une limousine pour se rendre à l'hôtel ou retourner à l'aéroport. Il est plutôt rare qu'un amateur de conduite sportive au volant d'une berline de luxe soit attiré par la TC, une voiture surtout conçue pour répondre aux demandes des constructeurs de limousines.

Ce n'est certainement pas par simple coïncidence que le styliste qui a présidé à la conception de la silhouette a été mis à la retraite quelques mois avant le dévoilement de la voiture. Les goûts ne se discutent pas, mais la présente Town Car semble avoir été réalisée pour Batman qui aurait eu besoin d'une limousine pour circuler dans Gotham City. Détail intéressant, il semble que le dessin extérieur ait été approuvé parce qu'il se prêtait bien à une substantielle augmentation de la longueur lorsque cette Lincoln est modifiée par les carrossiers indépendants.

Hop ! Taxi !

Le tableau de bord est en harmonie avec l'extérieur puisque ses concepteurs ont adopté la présentation à l'américaine avec une planche de bord rectangulaire parsemée de boutons de toutes sortes. Si cette configuration peut dérouter au départ, elle s'avère assez simple à l'usage. Encore une fois, les stylistes ont dû respecter des exigences d'une autre époque puisque la Town Car est toujours produite en modèle 6 places avec banquette à l'avant comme à l'arrière. Il était donc impensable d'installer une console au plancher sur tous les modèles. Il faut commander la Signature Grande Routière pour profiter de sièges baquets avant et d'une console centrale. Malheureusement, les planificateurs n'ont pas été capables de résister à la tentation de placer des garnitures en similibois dans l'habitacle.

Et le modèle Executive ?

La Town Car n'est pas une mauvaise voiture puisque son comportement routier est équilibré et ses organes mécaniques aussi modernes que ceux de la concurrence. Par contre, sa silhouette, la présentation de l'habitacle et les réglages de la suspension, tout a été choisi en fonction du marché principal pour cette voiture, soit celui de voiture taxi. Et il est presque assuré que le nouveau modèle Executive, dont l'empattement a été allongé de 15 cm, connaîtra le même sort.

S'il faut croire les déclarations de la division Lincoln, cette berline allongée vise une clientèle voulant bénéficier de plus de confort et d'opulence. On tente même de la comparer aux versions allongées des BMW 740i et Jaguar XJ8. Il est permis d'être sceptique puisque les acheteurs potentiels qui ont les moyens de se payer une telle voiture ne verront certainement pas d'un bon œil l'achat d'un modèle qui a de bonnes chances d'être très populaire comme limousine. On peut croire que Lincoln en vendra beaucoup puisque cette longueur additionnelle a pour effet d'augmenter l'espace disponible à l'arrière, une caractéristique qui sera appréciée des propriétaires de flottes de taxis et de limousines.

La Town Car se vend bien, mais pas nécessairement comme voiture de tourisme. Sa popularité de véhicule à usage commercial a dicté ses formes et ses caractéristiques, autant de facteurs qui limitent son attrait en tant que véhicule personnel.

Denis Duquet

LINCOLN Town Car

▲ POUR

• Châssis costaud • Version allongée • Mécanique fiable • Tenue de route saine • Habitacle confortable

▼ CONTRE

• Silhouette étrange • Tableau de bord rétro • Coffre arrière à revoir • Train arrière parfois instable • Vocation très commerciale

CARACTÉRISTIQUES

Prix du modèle à l'essai	Cartier / 56 495 $
Garantie de base	4 ans / 80 000 km
Type	berline / propulsion
Empattement / Longueur	299 cm / 547 cm
Largeur / Hauteur	199 cm / 147 cm
Poids	1 835 kg
Coffre / Réservoir	583 litres / 71 litres
Coussins de sécurité	frontaux et latéraux
Suspension av.	indépendante
Suspension arr.	essieu rigide
Freins av. / arr.	disque ABS
Système antipatinage	oui
Direction	à billes, assistance variable
Diamètre de braquage	12,9 mètres
Pneus av. / arr.	P225/60R16

MOTORISATION ET PERFORMANCES

Moteur	V8 4,6 litres
Transmission	automatique 4 rapports
Puissance	225 ch à 4 500 tr/min
Couple	290 lb-pi à 3 500 tr/min
Autre(s) moteur(s)	aucun
Autre(s) transmission(s)	aucune
Accélération 0-100 km/h	9,2 secondes
Vitesse maximale	172 km/h (limitée)
Freinage 100-0 km/h	39,4 mètres
Consommation (100 km)	14,6 litres

MODÈLES CONCURRENTS

• Acura RL • Buick Park Avenue • Cadillac DeVille • Infiniti Q45 • Lexus LS400

QUOI DE NEUF ?

• Moteur 4,6 litres plus puissant • Nouvelles pédales réglables • Modèle Signature « Grande routière »

VERDICT

Agrément	★★½
Confort	★★★★★
Fiabilité	★★★★
Habitabilité	★★★★½
Hiver	★★½
Sécurité	★★★★½
Valeur de revente	★★½

MAZDA 626

Mazda 626

Apparence trompeuse

Chez Mazda, on gère serré par les temps qui courent. Aussi ne fallait-il pas s'attendre à des changements spectaculaires pour la berline 626, lorsqu'elle fit l'objet d'une refonte pour l'année-modèle 1998 – refonte qui fut suivie d'une mise à jour l'année dernière. Telle que nous la connaissons depuis, c'est une voiture bien de son époque, celle de la rationalisation, où le mot d'ordre consiste à faire mieux avec peu.

Ce constructeur japonais, faut-il le rappeler, a connu des moments difficiles ces dernières années, essuyant d'importantes pertes financières. Une reprise des ventes significative, gracieuseté des nouvelles MPV et Protegé, ainsi que la participation accrue de Ford ($) ont permis de redresser la barre, mais il n'y a pas de folies à faire pour autant. On a donc fait du neuf avec du vieux et cette recette, si elle est apprêtée avec doigté, peut donner de bons résultats. Reste à voir s'il y a de bons chefs chez Mazda…

Banale mais efficace

Chose certaine, on est allé mollo sur les épices, car son apparence manque cruellement de piquant. Tel un verre d'eau, elle se veut inodore, incolore et sans saveur, un air connu chez les berlines japonaises de cette catégorie. Au départ, il faut avoir l'œil aiguisé pour la différencier de sa devancière; de plus, cette dernière avait une petite touche distinctive qui est disparue dans le processus d'aseptisation de sa remplaçante.

Heureusement, les qualités (nombreuses) de l'habitacle viennent améliorer les choses. Il mériterait une note parfaite si la décoration était un peu moins conventionnelle, mais depuis les retouches apportées l'an dernier, il y a néanmoins eu progrès dans ce domaine.

Le tableau de bord a été complètement redessiné et le résultat, à défaut d'être spectaculaire, est appréciable. L'instrumentation se consulte aisément et les diverses commandes sont à la portée de la main, contribuant ainsi à la réussite ergonomique de l'ensemble. Bref, à défaut d'être original, c'est efficace. Et confortable avec ça: la banquette arrière, entre autres, ne mérite que des compliments, tout comme l'habitabilité qui, à n'en pas douter, place cette berline parmi les ténors de sa catégorie. Tout ce qui manque, c'est un peu plus de support latéral pour les baquets du conducteur et du passager, à l'avant.

L'excellente réputation des véhicules nippons n'est plus à faire en matière de finition et de qualité d'assemblage, et la Mazda 626, même si elle est assemblée aux États-Unis, ne fait pas exception. Mentionnons en terminant le rendement de la chaîne stéréo, en nette amélioration depuis l'année dernière. Somme toute, les principaux reproches qu'on peut adresser à la robe et à l'habitacle de la nouvelle 626 sont avant tout d'ordre esthétique. Un effort sur ce point aurait été apprécié, un soupçon d'originalité n'ayant jamais tué personne ; mais, bon, les esprits pratico-pratiques diront que l'essentiel est sauf.

Mine de rien

ait oublié d'inclure la boîte manuelle sur la liste des améliorations de l'année dernière. La servodirection, elle, a bel et bien été revue, mais pas nécessairement pour le mieux. On lui reprochait d'être engourdie ; elle est maintenant trop légère...

Cette paisible berline se montre malgré tout plus inspirante à conduire que la plupart de ses ennuyantes concurrentes, américaines comme japonaises. Le comportement routier surprend agréablement, tenue de route et tenue de cap se distinguant, l'une par son aplomb, l'autre par sa stabilité. Et que les douillets se rassurent, le confort ne s'en trouve nullement pénalisé. Cette fois, l'équilibre a été atteint.

Pour toutes ces raisons, la 626 représente un achat hautement défendable, et ce même si, chez Mazda, on a joué la carte de la prudence lorsque est venu le temps de la renouveler. Les deux versions proposées (LX et ES), ainsi que le choix de motorisations et de transmissions, permettent à l'acheteur de s'en concocter une à son goût, selon l'aspect qu'il privilégie : l'économie, le comportement routier et/ou les performances. Et attention, sous des dehors paisibles, cette berline est capable de vous surprendre.

V6 et boîte manuelle

Outre une cabine plus spacieuse et un empattement allongé, la 626 de cinquième génération a vu ses motorisations prendre du galon. Le 4 cylindres et le V6 ont été maintenus et leurs cylindrées, inchangées (2 et 2,5 litres), mais ils avaient reçu en 1998 une injection de puissance : 15 chevaux de plus pour le 4 cylindres, 6 pour le V6. Des deux, c'est le premier qui en avait le plus besoin, sauf qu'il aurait fallu en rajouter le double : à 130 chevaux, il demeure le moins puissant de sa catégorie.

Vu leur faible cylindrée, ces deux moteurs subissent une baisse marquée de leurs performances lorsqu'ils sont jumelés à une boîte automatique. Parmi le peloton

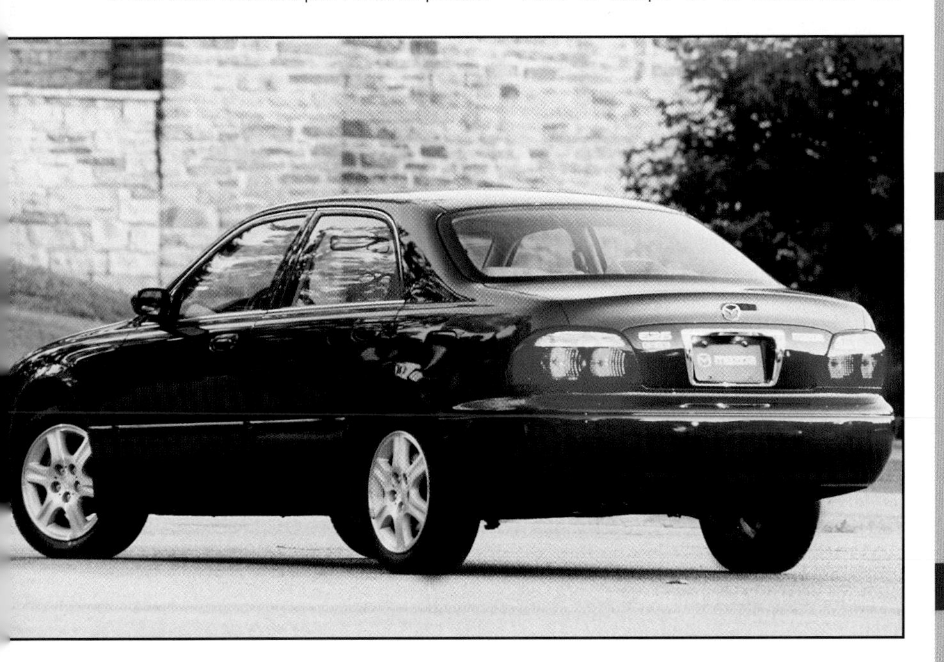

des grandes compactes (Accord, Camry et cie), seule la Mazda offre la boîte manuelle avec le V6. On ne s'en plaindra pas puisque cette combinaison galvanise un moteur qui, autrement, manque de souffle, tout en rehaussant l'agrément de conduite. Mais cette transmission n'est pas sans reproches : pour la précision du levier comme pour l'étagement des rapports, on peut facilement faire mieux. Dommage qu'on

Philippe Laguë

MAZDA 626

▲ POUR

• Construction soignée • Habitacle spacieux • Routière confortable • Jumelage V6/boîte manuelle • Comportement relevé

▼ CONTRE

• Silhouette anonyme • Motorisations timides • Direction légère • Manque de personnalité • Modèle en fin de carrière

CARACTÉRISTIQUES

Prix du modèle à l'essai	ES / 30 360 $
Garantie de base	3 ans / 80 000 km
Type	berline / traction
Empattement / Longueur	267 cm / 476 cm
Largeur / Hauteur	176 cm / 140 cm
Poids	1 371 kg
Coffre / Réservoir	402 litres / 64 litres
Coussins de sécurité	frontaux et latéraux
Suspension av.	indépendante
Suspension arr.	indépendante
Freins av. / arr.	disque ABS
Système antipatinage	oui
Direction	à crémaillère, assistance variable
Diamètre de braquage	11,0 mètres
Pneus av. / arr.	P205/55R16

MOTORISATION ET PERFORMANCES

Moteur	V6 2,5 litres
Transmission	manuelle 5 rapports
Puissance	170 ch à 6 000 tr/min
Couple	163 lb-pi à 5 000 tr/min
Autre(s) moteur(s)	4L 2litres 130 ch
Autre(s) transmission(s)	automatique 4 rapports
Accélération 0-100 km/h	8,6 secondes
Vitesse maximale	210 km/h
Freinage 100-0 km/h	42,0 mètres
Consommation (100 km)	11,0 litres

MODÈLES CONCURRENTS

• Daewoo Leganza • Honda Accord • Hyundai Sonata • Nissan Altima • Toyota Camry

QUOI DE NEUF ?

• Nouveaux ancrages pour sièges d'enfants
• Nouvelle chaîne audio modulaire

VERDICT

Agrément	★★★½
Confort	★★★★
Fiabilité	★★★
Habitabilité	★★★★
Hiver	★★★★
Sécurité	★★★★
Valeur de revente	★★½

MAZDA Miata

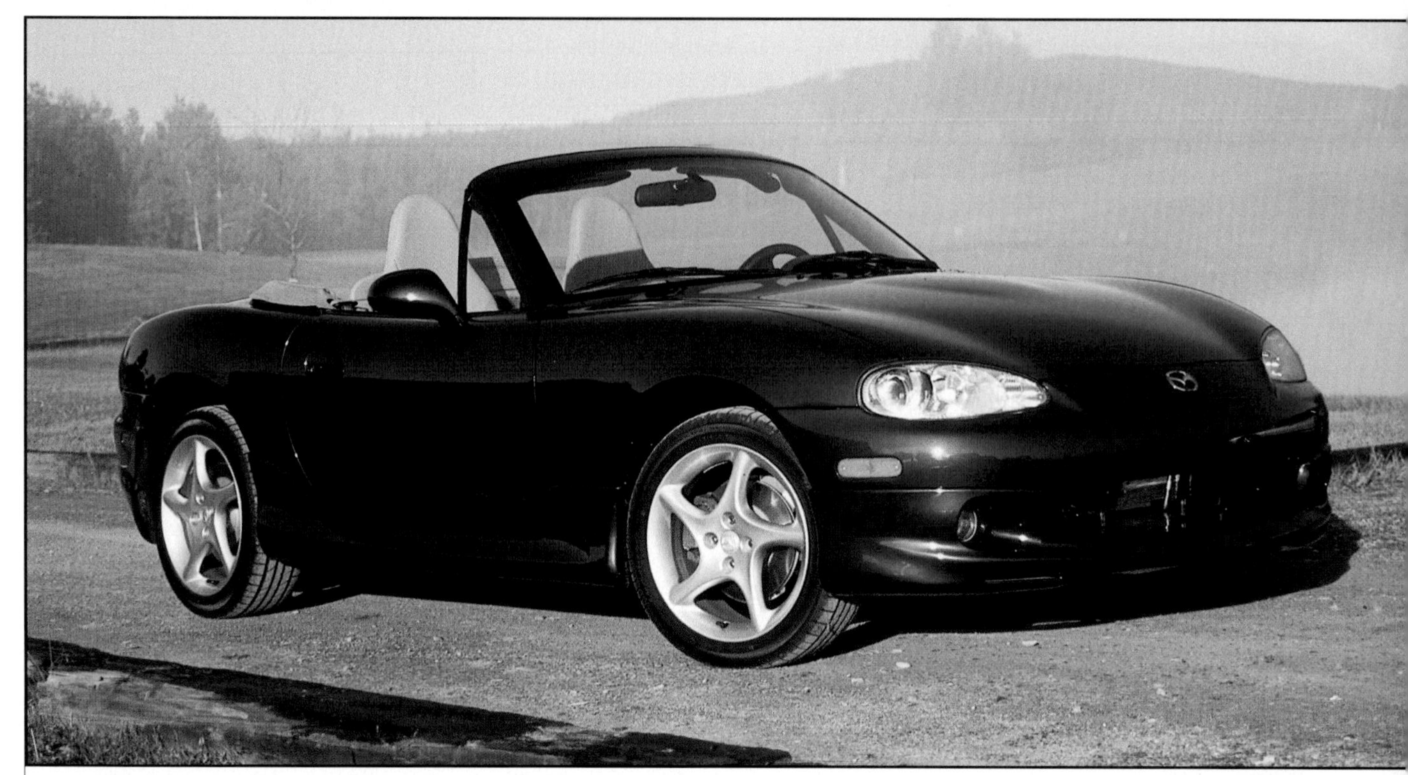

Mazda Miata

Tu me fais tourner la tête...

Mon manège à moi, c'est toi. Hommes, femmes et enfants se retournent encore au passage d'une Miata. Surtout quand elle est rutilante et que le toit est ouvert. L'histoire d'amour se poursuit donc avec la voiture de la bonne humeur.

Depuis 11 ans, la Miata défie les statistiques et les probabilités qui régissent le monde de l'automobile et poursuit paisiblement sa route après nous avoir redonné le plaisir de conduire à ciel ouvert. Ce succès et cette endurance posent d'ailleurs aux créateurs du roadster « anglais » moderne un dilemme difficile à résoudre. Comment faire évoluer cette voiture pour entretenir l'intérêt du public acheteur sans en détruire l'âme ?

Pour le malheur de Mazda – ou pour son bonheur –, la première cuvée de la Miata était si proche de la perfection dans ce créneau bien défini et l'attrait qu'elle exerce encore sur le public est si fort que la marge de manœuvre n'est plus très grande. Sans doute aussi que Mazda se souvient encore de la leçon de la RX7, punie à mort par un public impitoyable pour être passée de la voiture sport abordable à la supervoiture inabordable. Ne voulant surtout pas répéter la bévue, Mazda « bricole » la Miata à petits coups de crayon et petits coups de clé... anglaise. À titre d'exemple, notons pour 2001 l'ajout d'une barre antirapprochement reliant les deux montants de suspension avant qui rigidifie la caisse et améliore le confort, la tenue de route et le silence de fonctionnement.

Une courbe ascendante

Le point marquant du millésime 2001, c'est l'augmentation de puissance qui devrait contenter les amateurs qui souhaitent que la Miata se rapproche des Porsche Boxster et BMW Z3 de ce monde, sans avoir à payer le gros prix, évidemment.

Propulsée depuis des lunes par le 4 cylindres de 1,8 litre développant 140 chevaux, la Miata se met à la page pour 2001 en adoptant un système de distribution variable qui permet, en modifiant le degré d'ouverture des soupapes, d'aller chercher 15 chevaux de plus (10 %) et un tout petit 6 lb-pi (5 %) de couple. Cette injection de puissance s'accompagne d'une plus grande souplesse à tous les régimes, qualité qui se remarque en premier, car l'augmentation des performances est plus subtile, notamment à cause du couple encore relativement faible.

Le confort au détriment de la sonorité

Il faut dire que la plupart des acheteurs de Miata se fichent pas mal des dixièmes de seconde grignotés ici ou là. Ce qui compte pour eux, c'est le plaisir de rouler en campagne les cheveux au vent en solo ou en groupe à la façon des irréductibles adeptes de Harley-Davidson. C'est d'ailleurs peut-être pour eux que Mazda s'est penché sur l'habitacle afin d'en rehausser le confort et l'agrément.

Immuable, sauf pour le prix

Avec de nouveaux sièges à dossier haut et arrondi qui, de concours avec le coupe-vent, vous protègent bien la nuque et, grâce au cuir perforé, vous chauffent moins le postérieur lorsque vous laissez la voiture au soleil. Bien galbés et offrant un meilleur soutien aux cuisses, ces sièges rehaussent le confort au volant, volant qui n'est d'ailleurs toujours pas réglable.

Quant à la sonorité du moteur, elle devient plus discrète, plus feutrée, perdant un peu son caractère rauque qui faisait le charme « vieille anglaise » des premières versions. Sur route, la Miata devient plus silencieuse, ce qui vous permet de mieux apprécier les qualités de la chaîne stéréophonique Bose à lecteur de disques compacts intégré. Rétroviseurs et lève-glaces électriques (ouverture monotouche côté conducteur), régulateur de vitesse, lunette à vitre chauffante, vide-poches dans les portes et petits compartiments dans la console centrale complètent les accessoires de la Miata 2001.

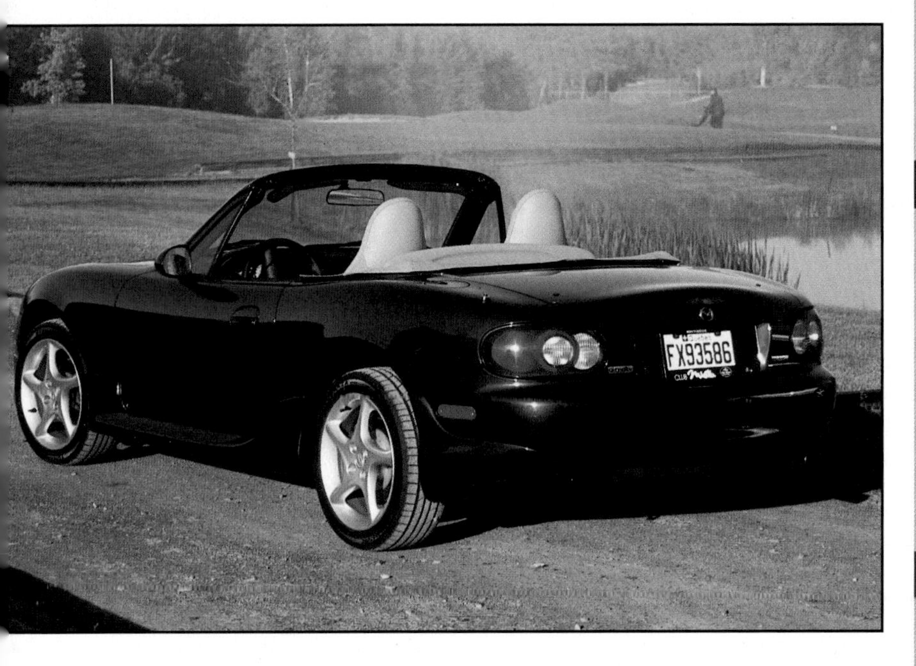

La version Sport et ses appendices

Si le gabarit et la forme générale de la Miata restent inchangés, le millésime 2001 apporte quelques modifications de détail, notamment à l'avant où la grande prise d'air ovoïde adopte une forme plus trapézoïdale, à l'instar des autres modèles de la marque. En outre, le groupe Aéro-Sport composé de bas de caisse centraux et arrière en plastique et d'un museau modifié donne à la Miata des allures de mini-Batmobile qui plairont peut-être à certains mais qui, je l'avoue, me font regretter la finesse des lignes originales.

Évidemment, vous n'êtes pas obligé d'opter pour cet accessoire, sauf si vous choisissez le nouveau Groupe Sport – nouveauté pour 2001 – qui s'accompagne d'une paire d'antibrouillards, de la suspension à amortisseurs Bilstein, de belles roues de 16 pouces en alliage, d'un différentiel autobloquant et de la boîte à 6 rapports. Quant au Groupe Cuir, il vous donne l'habillage en peau de Madame-la-Vache, la climatisation, le téléverrouillage, les antibrouillards, la boîte 6 rapports, l'ABS et les roues de 16 pouces. Dommage que cette caisse plus sportive ne puisse pas se démarquer par un moteur encore plus corsé, à la manière de l'Acura Type R de 190 chevaux dont le prix équivaut d'ailleurs à celui du célèbre roadster.

Nouvelle version Sport, puissance, rigidité et confort en hausse, la Miata, moyennant hélas ! quelques centaines de dollars de plus, se dirige allègrement vers son 15e anniversaire sans avoir pris une ride. Souhaitons-lui bonne route – de campagne de préférence.

Alain Raymond

MAZDA Miata

▲ POUR

• Agrément de conduite intact • Confort et consommation en progrès • Freins puissants • Fiabilité enviable • Excellente valeur de revente • Ligne intemporelle

▼ CONTRE

• Accessoire Aéro-Sport envahissant • Prix en hausse • Augmentation timide des performances

CARACTÉRISTIQUES

Prix du modèle à l'essai	Aéro-Sport / 35 035 $
Garantie de base	3 ans / 80 000 km
Type	roadster / propulsion
Empattement / Longueur	226 cm / 395 cm
Largeur / Hauteur	168 cm / 123 cm
Poids	1 066 kg
Coffre / Réservoir	144 litres / 48 litres
Coussins de sécurité	frontaux
Suspension av.	indépendante
Suspension arr.	indépendante
Freins av. / arr.	disque
Système antipatinage	oui
Direction	à crémaillère, assistée
Diamètre de braquage	9,2 mètres
Pneus av. / arr.	P205/45R16

MOTORISATION ET PERFORMANCES

Moteur	4L 1,8 litre 16 soupapes
Transmission	manuelle 6 rapports
Puissance	155 ch à 7 000 tr/min
Couple	125 lb-pi à 5 500 tr/min
Autre(s) moteur(s)	aucun
Autre(s) transmission(s)	manuelle 5 rapports
Accélération 0-100 km/h	8 secondes
Vitesse maximale	205 km/h
Freinage 100-0 km/h	38 mètres
Consommation (100 km)	9 litres

MODÈLES CONCURRENTS

• Ford Mustang
• Chevrolet Camaro/Pontiac Firebird

QUOI DE NEUF ?

• Version Sport • Moteur plus puissant
• Boîte 6 rapports • Nouvelles couleurs

VERDICT

Agrément	★★★★
Confort	★★★
Fiabilité	★★★★★
Habitabilité	★½
Hiver	★★★
Sécurité	★★★½
Valeur de revente	★★★★★

MAZDA Millenia

Mazda Millenia 2001

Un virage dans la bonne direction

La dernière Millenia mise à l'essai m'avait déçu. Le modèle haut de gamme de Mazda semblait avoir été concocté pour une clientèle américaine plus soucieuse de confort et de douceur de roulement que d'agrément de conduite. Le constructeur japonais s'est toutefois vite rendu compte de son erreur et tente cette année de remettre la Millenia dans le droit chemin. Le virage est timide et certes insuffisant pour transformer cette berline de luxe en une grande routière aguerrie, mais on a tout de même fait des progrès notables. C'est du moins ce que j'ai pu constater en prenant le volant de la dernière Millenia.

Précisons en premier lieu que cette Mazda 2001 n'est pas une voiture entièrement nouvelle. Elle bénéficie plutôt de ce que l'on appelle dans le milieu automobile un *facelift*. La pratique courante dans l'industrie consiste à remanier légèrement un modèle lorsqu'il arrive en milieu de carrière, soit deux ou trois ans après son introduction et avant l'arrivée d'une version complètement différente. Les changements sont ordinairement assez mineurs et touchent principalement l'aspect esthétique. Chez Mazda toutefois, on y a vu l'occasion de transformer le caractère de la Millenia qui était devenue une berline assez fade et inintéressante à conduire. On admet d'ailleurs avoir fait fausse route avec les anciens réglages de suspension qui avaient transformé ce modèle en une sorte de boulevardière qui se cabrait comme un cheval rétif à l'approche du premier virage en épingle.

L'an dernier déjà, on avait retravaillé la direction et revu les tarages d'amortisseurs afin de lui donner un comportement moins bourgeois. Cette année, Mazda a fait appel à sa technique du design triple H initialement utilisé dans les Protegé de dernière génération. Des longerons et poutrelles en forme de H ont été incorporés au plancher, au pavillon et de chaque côté de la voiture afin de lui offrir une plus grande résistance en cas d'impact. La Millenia y gagne en rigidité tout en bénéficiant d'une légère amélioration de sa tenue de route. Cette Mazda cultive toujours une image de luxe, mais elle semble s'être départie de ce petit côté pépère qui affligeait les anciennes versions. N'empêche qu'elle reste encore une voiture de Père Tranquille.

Un luxe qui s'entend

Parlons-en du luxe justement, puisque la nomenclature des nouveaux éléments de la Millenia 2001 fait largement état de petits ajouts axés sur le bien-être des occupants. C'est ainsi que la chaîne audio signée Bose est désormais dotée de 9 haut-parleurs et d'un chargeur à 6 disques compacts en plus de pouvoir être contrôlée à partir de petites touches disposées du côté gauche de la partie inférieure du volant. Sur la droite, des touches identiques servent à régler le régulateur de vitesse. Ajoutons à cela des coussins gonflables latéraux, une console centrale dissimulant deux espaces de rangement, un peu plus de cuir ici et là (sur le pommeau de levier de vitesses notamment), un support lombaire à contrôle électrique, un meilleur éclairage intérieur, et on aura à peu près fait le tour des caractéristiques de la Millenia 2001.

Entre deux chaises

Sous le capot, le V6 conventionnel de 2,5 litres a disparu et c'est le fameux V6 2,3 litres à cycle Miller développant 210 chevaux qui occupe désormais les lieux. La transmission automatique à 4 rapports seulement est aussi reconduite, ce qui est dommage. Un 5e rapport serait le bienvenu, tout comme l'offre d'une boîte manuelle.

Le verdict

Me suis-je réconcilié avec la Mazda Millenia après avoir conduit la version 2001? Chose certaine, la voiture est moins pataude qu'elle ne l'était, mais sa personnalité reste mal définie. Elle n'a pas la

rigueur d'une allemande ou même d'une suédoise et s'inscrit dans le même créneau que bien des créations japonaises, à mi-chemin entre le désir de satisfaire une clientèle en quête de douceur de roulement et des acheteurs férus de berlines sportives. La direction, par exemple, est moins vague qu'auparavant et plus rapide, mais le volant «passe-bédaine» qui s'escamote pour faciliter le mouvement des ventripotents m'apparaît comme une anomalie.

Le moteur V6 à cycle Miller est fidèle à lui-même, ce qui signifie qu'il est relativement performant pour sa cylindrée (2,3 litres), mais un brin gourmand avec une moyenne de 12 litres aux 100 km. S'il hésite un peu à lancer la voiture, il se reprend par de bonnes reprises et un 0-100 km/h, sinon à mettre au livre des records, du moins honnête. Le confort reste toujours l'un des points forts de la Millenia, bien que la tenue de route soit un peu gênée par la trop grande souplesse des amortisseurs. En deçà des vitesses maximum permises sur nos routes, tout se passe bien mais dès que l'aiguille du compteur frôle les hauteurs, la voiture accuse un flottement qui montre bien qu'elle est plus à l'aise sur les *turnpikes* que sur les *Autobahnen.* Chapeau au freinage, néanmoins, qui inspire une grande confiance.

Même si la Millenia accuse de légers progrès çà et là, bien des lacunes persistent. Il est toujours aussi difficile de rejoindre les boutons servant au réglage du siège du conducteur, l'accès aux places arrière est gêné par la courbure du toit, et comment peut-on doter une voiture de cette classe d'un capot aussi pénible à soulever ou retenu par une simple béquille au lieu de supports hydrauliques?

Mazda propose toute une gamme de voitures parfaitement réussies, dont l'une des meilleures sous-compactes sur le marché, la Protegé. Au sein de cette belle famille, la Millenia tire de l'arrière. Elle peut compter sur une remarquable fiabilité et un confort louable, mais elle a rudement besoin d'une mise à jour encore plus complète que celle de cette année avant d'espérer obtenir sa place au soleil.

Jacques Duval

MAZDA Millenia

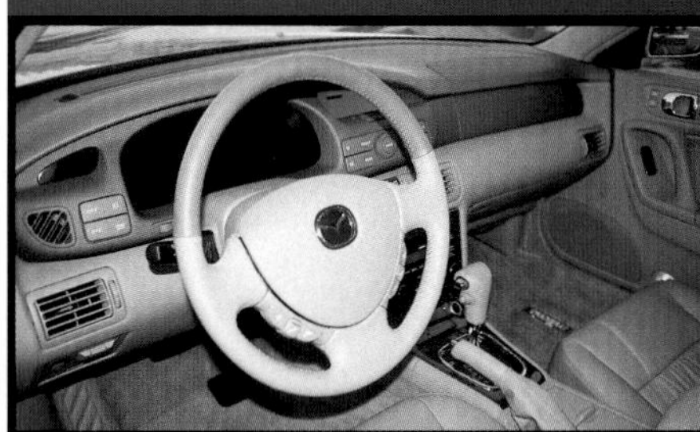

▲ POUR

• Fiabilité rassurante • Confort soigné • Bonnes reprises • Freinage sûr • Système audio agréable

▼ CONTRE

• Comportement routier décevant • Accès arrière difficile • Transmission à 4 rapports seulement • Effet de couple dans le volant

CARACTÉRISTIQUES

Prix du modèle à l'essai	41 450 $
Garantie de base	3 ans / 80 000 km
Type	berline / traction
Empattement / Longueur	275 cm / 487 cm
Largeur / Hauteur	177 cm / 139 cm
Poids	1 582 kg
Coffre / Réservoir	377 litres / 68 litres
Coussins de sécurité	frontaux et latéraux
Suspension av.	indépendante
Suspension arr.	indépendante
Freins av. / arr.	disque ABS
Système antipatinage	oui
Direction	à crémaillère, assistance variable
Diamètre de braquage	11,4 mètres
Pneus av. / arr.	P215/50VR17

MOTORISATION ET PERFORMANCES

Moteur	V6 2,3 litres à cycle Miller
Transmission	automatique 4 rapports
Puissance	210 ch à 5 300 tr/min
Couple	210 lb-pi à 3 500 tr/min
Autre(s) moteur(s)	aucun
Autre(s) transmission(s)	aucune
Accélération 0-100 km/h	8,8 secondes
Vitesse maximale	230 km/h
Freinage 100-0 km/h	43 mètres
Consommation (100 km)	12 litres

MODÈLES CONCURRENTS

• Toyota Avalon • Infiniti I30 • Lexus ES 300 • Acura 3,2 TL • Volvo S60 • VW Passat • M-B C240

QUOI DE NEUF?

• Avant et arrière redessinés • Coussins gonflables latéraux • Abandon du V6 2,5 litres

VERDICT

Agrément	★★★
Confort	★★★½
Fiabilité	★★★★
Habitabilité	★★★
Hiver	★★★½
Sécurité	★★★★
Valeur de revente	★★

MAZDA MPV

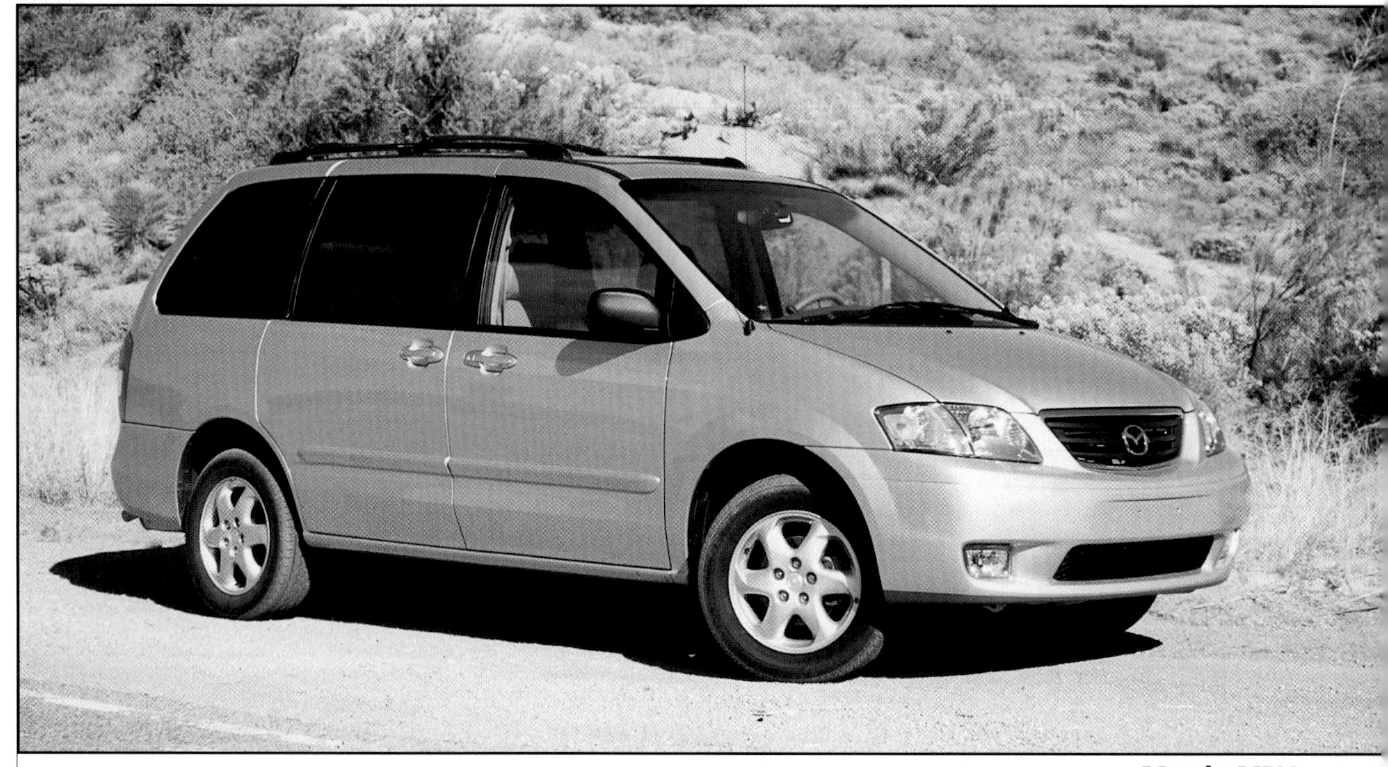

Mazda MPV

La voie du milieu

Malgré une approche plus conventionnelle que l'ancienne génération (à propulsion et châssis de camionnette), la MPV actuelle n'en continue pas moins de s'adresser à une clientèle plus restreinte que la concurrence.

En effet, alors que certaines fourgonnettes offrent un éventail assez large de configurations et de groupes motopropulseurs, les gens de Mazda ont choisi de ne retenir qu'un seul empattement, un seul moteur et une boîte de vitesses unique. Si on examine attentivement les dimensions de la carrosserie, on s'aperçoit qu'elle est la fourgonnette la plus courte du marché, que son empattement est aussi réduit, mais que sa hauteur surpasse toutes les autres productions du genre, sauf la Chrysler Town & Country. Ce petit tour de passe-passe permet au manufacturier d'afficher des cotes d'habitabilité supérieures à celles des autres fourgonnettes courtes, mais il ne faut pas se laisser leurrer par de savants calculs qui profitent d'une garde au toit élevée pour jouer les grandes. Quoi qu'il en soit, cette cabine renferme quand même assez de trouvailles pour plaire à une clientèle raisonnable qui n'a pas besoin d'une carrosserie de plus de 5 m de long pour promener son golden retriever.

Modularité et distinction

On y retrouve en effet des sièges modulables de plusieurs façons. Ceux de la rangée médiane se déplacent longitudinalement (sauf dans la DX) ou latéralement et s'enlèvent complètement pour augmenter la capacité de chargement. La banquette arrière à 3 places s'escamote complètement dans le plancher comme dans la Honda Odyssey, et peut aussi basculer pour faire face à l'arrière. Les boit-sans-soif seront heureux d'apprendre qu'on y retrouve plus de porte-verres que de places assises. Les passagers avant disposent de 10 casiers de rangement et les autres sont presque aussi bien lotis. La MPV rentre bien sagement dans le rang en proposant deux portes latérales coulissantes, mais se distingue des autres en faisant en sorte que leurs glaces se baissent pour laisser entrer l'air frais à l'arrière.

Elle se décline en trois versions: DX, LX et ES. La DX apparaît assez dépouillée puisqu'elle vous prive de toutes les assistances électriques, incluant celle pour les rétroviseurs, du régulateur de vitesse et des vitres teintées. À l'autre bout de l'échelle, l'ES vous donne droit à l'ABS, des roues de 16 pouces (au moins, la DX roule sur des 15 pouces), à un toit ouvrant à commande électrique, à une chaîne stéréo avec chargeur de 6 disques compacts, au cuir pour les sièges et le volant, à l'inévitable similibois et aux coussins gonflables latéraux. Avec le groupe d'options GFX qui orne la carrosserie de déflecteurs, de jupes et d'antibrouillards, cette Mazda fait monter l'addition à plus de 35000 $. Entre les deux, l'équipement de la LX conviendra à la plupart des conducteurs puisqu'il comprend lui aussi les principales assistances électriques, l'ABS et le climatiseur arrière.

J'ai eu l'occasion de conduire une ES avec la fiche d'options bien remplie et j'avoue qu'elle se distingue de la concurrence à plus d'un titre. D'abord, sa carrosserie de couleur « blanc chaste » (quand même !) affiche des lignes distinctives, presque délicates, et plus dynamiques que celles de la concurrence, à l'exception peut-être des produits de DaimlerChrysler. Son encombrement mesuré la rend facilement manœuvrable sans sonar, et sans se tordre le cou dans les stationnements. Sur la route, ses réactions plus vives que la moyenne donnent une impression de légèreté renforcée par un bon contrôle des mouvements de la caisse. La tenue de cap est tenace, le confort appréciable, et on a l'impression de conduire une voiture bien équilibrée. La direction bien dosée permet d'inscrire facilement les roues dans les courbes et sa précision rassure en toutes circonstances. Le dessin de l'habitacle assez original est réalisé avec un goût très sûr, et l'ergonomie place tous les contrôles sous la main. La planche de bord regroupe plusieurs commandes au centre dans un ensemble très stylisé. Les matériaux de bonne qualité sont montés avec attention. L'assise des sièges en cuir de ma monture était trop courte, mais la position de conduite très correcte offrait une visibilité sans faille. L'espace disponible convient bien à 4 passagers ; seuls des enfants se contenteront de la banquette arrière pour de longs voyages.

Compacte, compétente et conviviale

Moteur peinard

Le V6 2,5 litres d'origine Ford ne manque pas d'arguments, car il fait montre de beaucoup de douceur et de discrétion, sauf à pleine charge. Malheureusement, sa puissance assez limitée le prédispose à tourner plus rapidement que la moyenne lorsque vous transportez plusieurs passagers avec leurs bagages. Il semble alors peiner à la tâche, obligeant la boîte de vitesses à rétrograder fréquemment (opération qu'elle effectue servilement mais doucement) et donne l'impression qu'il serait plus à son aise avec 30 chevaux supplémentaires et plus de couple. Sa consommation en souffre d'ailleurs, puisqu'elle atteint le niveau des cylindrées plus importantes. Le freinage affiche une bonne résistance malgré l'absence de disques à l'arrière et l'ABS intervient toujours au bon moment.

La MPV convient à l'acheteur recherchant des sensations de conduite agréables, et dont le comportement routier assez pataud des autres fourgonnettes rebute. Il devra cependant s'attendre à un habitacle relativement restreint, mais offrant une ambiance originale et sophistiquée. Les performances limitées du groupe motopropulseur empêcheront aussi les grosses familles de rouler avec sérénité, sinon en gardant la voie du milieu.

Jean-Georges Laliberté

MAZDA MPV

▲ POUR

• Ligne flatteuse • Comportement routier compétent • Habitacle attrayant • Cabine pratique • Bonne maniabilité en ville

▼ CONTRE

• Moteur un peu faiblard • 3e banquette inconfortable • Version DX dénudée • Petit format • Rapport consommation/puissance à revoir

CARACTÉRISTIQUES

Prix du modèle à l'essai	ES / 35 100 $
Garantie de base	3 ans / 80 000 km
Type	fourgonnette / traction
Empattement / Longueur	284 cm / 475 cm
Largeur / Hauteur	183 cm / 174,5 cm
Poids	1 665 kg
Coffre / Réservoir	405 litres / 70 litres
Coussins de sécurité	frontaux et latéraux
Suspension av.	indépendante
Suspension arr.	essieu déformable
Freins av. / arr.	disque / tambour ABS (sauf DX)
Système antipatinage	non
Direction	à crémaillère, assistance variable
Diamètre de braquage	11,4 mètres
Pneus av. / arr.	P215/60R16

MOTORISATION ET PERFORMANCES

Moteur	V6 2,5 litres DACT 24 soupapes
Transmission	automatique 4 rapports
Puissance	170 ch à 6 250 tr/min
Couple	165 lb-pi à 4 250 tr/min
Autre(s) moteur(s)	aucun
Autre(s) transmission(s)	aucune
Accélération 0-100 km/h	11,1 secondes
Vitesse maximale	165 km/h
Freinage 100-0 km/h	43 mètres
Consommation (100 km)	12,7 litres

MODÈLES CONCURRENTS

• Chevrolet Venture • Dodge Caravan • Nissan Quest • Toyota Sienna

QUOI DE NEUF ?

• Phares antibrouillards de série sur ES • Filtre à pollen sur toutes les versions • Nouvelles couleurs

VERDICT

Agrément	★★★½
Confort	★★★½
Fiabilité	★★★★
Habitabilité	★★★
Hiver	★★★
Sécurité	★★★½
Valeur de revente	★★★½

MAZDA Protegé

Mazda Protegé LX

Une voiture joyeuse

Oui, joyeuse la petite Mazda. Mais que faut-il pour qu'une voiture soit «joyeuse»? Un rien des fois. Ornée d'une face agréable ou d'un comportement pétillant, l'automobile acquiert parfois une «personnalité» qui la rend sympathique. Le parfait exemple d'une voiture joyeuse devenue sérieuse est celui de la Chrysler Neon qui, en prenant de l'embonpoint, a perdu son caractère coquin, du moins sur le plan visuel. Avec sa Protegé, Mazda a parcouru le chemin inverse.

Lancée en 1989, la Protegé portait sur ses épaules la survie de Mazda. Les chiffres du constructeur nippon (pratiquement passé dans l'empire Ford) confirment qu'avec la Protegé, la mission est accomplie, particulièrement au Québec où elle occupe la première place dans la catégorie des berlines sous-compactes. Mais d'où provient ce succès à part le titre de meilleur achat de sa catégorie que lui decernait l'an dernier *Le Guide de l'auto*? Notre essai au volant de la version LX et les nouveautés promises par Mazda pour 2001 et 2002 nous ont permis de répondre à la question.

Équilibre et sobriété

Le premier contact avec la Protegé laisse une impression favorable. Sans être original à la manière d'une Audi TT, le dessin de la petite Mazda n'en demeure pas moins agréable. Bien équilibrée et sans fioritures, la Protegé semble s'inspirer, sous certains angles, de la petite BMW.

L'intérieur sobre se démarque par un tableau de bord où domine le bloc central agrémenté d'une garniture à surface mouchetée de couleur contrastante. La Protegé marque des points avec la bonne disposition des commandes. Les fantaisies «techno» qui font la fierté de certaines marques par leur enrageante complexité sont heureusement absentes dans la Mazda, mais un peu plus de couleur ne ferait pas de tort. La radio AM/FM placée haut, doublée d'un lecteur de disques compacts intégré, équipe de série les versions SE et LX. Malgré les 4 haut-parleurs, la sonorité reste cependant moyenne.

Côté pratique, la Protegé LX ne manque pas d'espaces de rangement. Assis relativement haut, le conducteur jouit d'une bonne visibilité gênée légèrement vers l'arrière par la présence de l'aileron, cet insipide appendice que plusieurs constructeurs, y compris Mazda, semblent préférer aux freins ABS...

Mais revenons à nos moutons pour préciser que les sièges avant de la Protegé, réglables en hauteur sur la version LX, jumelés au volant ajustable, permettent de trouver la bonne position de conduite. A + pour l'aspect pratique, mais C seulement pour le confort. À l'arrière, la note est moins joyeuse, car la banquette ne brille pas par sa générosité, mais la Protegé se rachète grâce à ses dossiers arrière rabattables. L'espace ainsi dégagé augmente la contenance du coffre, de quoi satisfaire les petites familles en vacances.

Le vénérable 1,8 litre

La Miata des petites berlines – presque

Increvable engin que ce fidèle 4 cylindres qui anime la Protegé LX. Ayant fait ses preuves de robustesse depuis des lunes, le 1,8 litre signé Mazda, couplé à la boîte manuelle fort bien étagée, est au cœur de l'agrément de conduite de la Protegé. Préférant privilégier les reprises, Mazda a dit non aux rapports de vitesses extralongs qui caractérisent certaines rivales. À 100 km/h, le compte-tours marque 3000 tr/min, permettant des reprises convenables en 5e et vigoureuses en 4e (80 à 120 km/h en 8 secondes). Précisons que des reprises franches sont synonymes de sécurité, car elles permettent de réduire la durée – donc les risques – des dépassements.

Plus d'insonorisation, s.v.p.

Au chapitre des désagréments, puisqu'il faut bien y arriver, la Protegé pèche par

excès de bruit. Bruits de roulement d'abord qui sont peut-être attribuables aux pneumatiques, mais aussi certains bruits de vent, qui semblent provenir de l'arrière (serait-ce ce sacré aileron?). Face à une concurrence mieux insonorisée, Mazda aurait intérêt à se pencher sur cet aspect si elle veut conserver sa place de choix au palmarès des voitures économiques.

À l'instar du groupe motopropulseur, la tenue de route participe à l'agrément de conduite. Ferme mais confortable, sans roulis ni sous-virage excessif, elle permet à la Protegé de se promener joyeusement sur les routes de campagne. Note moins positive cependant pour l'effet de couple dans le volant en forte accélération et pour les freins qui n'offrent pas la fermeté ni le mordant souhaités, les tambours arrière contribuant sans doute à ce bilan médiocre.

Janvier, puis mai 2001

La version mise à l'essai sera en vente jusqu'à la fin de décembre 2000, l'arrivée du millésime 2001 étant prévue pour janvier. Avant et arrière retouchés, nouveau moteur 2 litres (130 chevaux et 135 lb-pi de couple) et une nouvelle version ES seront au catalogue. Mazda nous promet une meilleure insonorisation et des freins améliorés (heureuse nouvelle), des roues de 15 pouces sur les SE et LX et de 16 pouces sur l'ES.

Dès mai 2001, cette version de transition sera remplacée par le millésime 2002 dont on ne sait pas encore grand-chose, sauf qu'on y verra une nouvelle familiale 5 portes dotée d'une ligne fort attrayante rappelant – une fois de plus – la BMW Série 3 Touring. La nouvelle venue aux allures sportives portera le nom de Protegé 5. À quand le coupé et la transmission intégrale?

Alain Raymond

MAZDA Protegé LX

▲ POUR

• Moteur pétillant • Boîte bien étagée • Tenue de route saine • Équipement complet (LX) • Fiabilité éprouvée

▼ CONTRE

• Insonorisation insuffisante • Places arrière restreintes • Aileron inutile • Effet de couple dans le volant

CARACTÉRISTIQUES

Prix du modèle à l'essai	LX / 17590 $
Garantie de base	3 ans / 80000 km
Type	berline / traction
Empattement / Longueur	261 cm / 442 cm
Largeur / Hauteur	170,5 cm / 141 cm
Poids	1142 kg
Coffre / Réservoir	364 litres / 50 litres
Coussins de sécurité	frontaux
Suspension av.	indépendante
Suspension arr.	indépendante
Freins av. / arr.	disque / tambour
Système antipatinage	oui
Direction	à crémaillère, assistée
Diamètre de braquage	10,4 mètres
Pneus av. / arr.	P195/55R15

MOTORISATION ET PERFORMANCES

Moteur	4L 1,8 litre 16 soupapes
Transmission	manuelle 5 rapports
Puissance	122 ch à 6000 tr/min
Couple	120 lb-pi à 4000 tr/min
Autre(s) moteur(s)	4L 1,6 litre 105 ch; 4L 2 litres 130 ch (2001)
Autre(s) transmission(s)	manuelle 5 rapports
Accélération 0-100 km/h	10,3 secondes
Vitesse maximale	190 km/h
Freinage 100-0 km/h	43,8 mètres
Consommation (100 km)	8,8 litres

MODÈLES CONCURRENTS

• Chrysler Neon • Ford Focus • Honda Civic • Hyundai Elantra • Kia Sephia • Toyota Corolla

QUOI DE NEUF?

• Nouvelle Protegé 5 2002 (familiale) dès juin 2001

VERDICT

Agrément	★★★★
Confort	★★★½
Fiabilité	★★★★½
Habitabilité	★★★
Hiver	★★★½
Sécurité	★★★½
Valeur de revente	★★★½

MAZDA Tribute

Mazda Tribute

Le bon sens prévaut

Les véhicules utilitaires sport jouissent d'une très grande popularité depuis des années. Mazda était le seul parmi les constructeurs japonais à ne pas en posséder un dans sa gamme de modèles. On a tenté avec plus ou moins de succès de transformer la fourgonnette MPV en utilitaire sport hybride, mais le résultat était assez peu convaincant. En pleine remontée sur tous les marchés, Mazda a donc développé, de concert avec Ford, un tout nouveau véhicule qui risque d'être la solution du juste milieu.

Jusqu'à tout récemment, ce segment du marché était carrément orienté vers les mastodontes. Le client en redemandait et exigeait toujours quelque chose de plus gros, de plus cher et de plus gourmand en hydrocarbures. Voilà autant d'exigences qui n'étaient pas tellement en accord avec l'expertise de Mazda. Mais le vent semble tourner et le gros bon sens pourrait reprendre sa place sur ce marché toujours en pleine croissance. Et, cette fois, la conjoncture est idéale pour permettre au constructeur nippon d'utiliser le talent de ses ingénieurs à bon escient.

Tous les sondages auprès de la clientèle le prouvent, une bonne partie de celle-ci désire conserver certains des attributs des tout-terrains, mais ne veut plus conduire un véhicule encombrant, qui consomme beaucoup d'essence et dont la tenue de route est aléatoire.

Ces critères ont facilité la tâche des concepteurs de Mazda. Au lieu de modifier un châssis de camionnette pour le transformer en utilitaire sport, ils ont développé une carrosserie autoporteuse associée à une suspension indépendante aux 4 roues et à liens multiples à l'arrière. Tous ces éléments ont été dessinés en fonction de l'utilisation anticipée du véhicule. Le confort assuré se rapproche de celui d'une automobile, mais l'ensemble est assez costaud pour résister aux secousses et aux impacts de la conduite hors route.

Pour l'économie d'essence

Puisque les acheteurs visés recherchent l'économie de carburant, pas question d'installer un gros V8 sous le capot. On a sagement décidé à Hiroshima d'opter pour le 4 cylindres de 2 litres d'une puissance de 130 chevaux pour équiper le modèle DX, le plus économique de la gamme Tribute. Le V6 de 3 litres produisant 200 chevaux est optionnel sur le DX et de série sur les versions LX et ES. Le moteur 4 cylindres est livré de série avec une boîte manuelle à 5 rapports tandis que l'automatique à 4 rapports est optionnelle. Les modèles à moteur V6 ne sont livrés qu'avec la boîte automatique.

Afin de pouvoir offrir le prix de vente le plus bas possible, les gourous de la mise en marché ont choisi d'offrir une version à traction du Tribute. On semble convaincu chez Mazda que plusieurs acheteurs se tournent vers les utilitaires sport pour leur type de carrosserie plutôt que leur rouage d'entraînement. Et cette évaluation n'est certainement pas farfelue compte tenu du fait que plus de 90 % des gens ne conduisent jamais leur tout-terrain hors route.

Dans le mille

Les modèles à traction intégrale sont équipés d'un nouveau mécanisme à lames rotatives qui permet une répartition du couple aux 4 roues motrices de façon très rapide tout en éliminant l'engagement brusque des roues motrices arrière. De plus, les ingénieurs ont eu la bonne idée d'ajouter un bouton de verrouillage 50/50 au tableau de bord. Il permet de répartir automatiquement le couple de façon égale aux roues avant et arrière. Par contre, il n'y a pas de démultiplication « Lo ».

Une quasi-familiale

Les stylistes affectés au développement du Tribute ont tellement voulu le rapprocher d'une automobile que la silhouette en souffre. Le résultat est élégant, mais manque tout de même de piquant. On a voulu respecter le principe du contraste et de l'harmonie, mais ce n'est pas assez contrasté et trop harmonieux. Le Tribute ressemble trop à une familiale et pas assez à un utilitaire sport. À mon avis, le Ford Escape est mieux réussi à ce chapitre.

Comme dans toute Mazda qui se respecte, l'habitacle est conçu selon les règles du design OptiSpace qui permet d'obtenir une habitabilité surprenante compte tenu des dimensions extérieures. Le tableau de bord bénéficie de commandes bien agencées et bien placées. Toutefois, il est impossible de lire la bande d'affichage LCD de la radio lorsque les rayons du soleil la frappent.

Dans le cadre de la présentation du véhicule, j'ai conduit le Tribute sur différentes routes, sur un sentier forestier enneigé, grimpé des montagnes et même roulé à très haute vitesse sur les routes secondaires de l'Utah. La suspension très ferme s'accommode assez mal des dos d'ânes et des bosses, mais c'est le seul défaut majeur du comportement routier. Pour le reste, le Tribute s'acquitte fort bien de sa tâche. La tenue en virage est bonne, la stabilité directionnelle sans surprise et j'ai même été étonné de la faible sensibilité au vent latéral. Hors route, l'absence de plaques de protection sous le véhicule devra inciter les gens à une certaine prudence. C'est dommage puisque la garde au sol est supérieure à la moyenne et le rouage intégral transparent et efficace.

En résumé, le Mazda Tribute est un véhicule polyvalent qui devrait livrer une chaude lutte aux meilleurs de la catégorie.

Denis Duquet

MAZDA Tribute

▲ POUR

• Suspension arrière indépendante • Bonne habitabilité • Rouage intégral efficace • Prix • Bonne tenue de route

▼ CONTRE

• Suspension parfois sèche • Absence de boîte manuelle avec moteur V6 • Moteur 4 cylindres un peu juste • Silhouette trop timide

CARACTÉRISTIQUES

Prix du modèle à l'essai	LX / 29 995 $
Garantie de base	3 ans / 80 000 km
Type	utilitaire sport compact / traction intégrale
Empattement / Longueur	262 cm / 439 cm
Largeur / Hauteur	180 cm / 170 cm
Poids	1 567 kg
Coffre / Réservoir	937 litres / 61 litres (V6)
Coussins de sécurité	frontaux et latéraux
Suspension av.	indépendante
Suspension arr.	indépendante
Freins av. / arr.	disque / tambour (ABS option sur DX)
Système antipatinage	non
Direction	à crémaillère, assistée
Diamètre de braquage	10,8 mètres
Pneus av. / arr.	P235/70R16

MOTORISATION ET PERFORMANCES

Moteur	V6 3 litres
Transmission	automatique 4 rapports
Puissance	200 ch à 6 000 tr/min
Couple	200 lb-pi à 4 750 tr/min
Autre(s) moteur(s)	4L 2 litres 130 ch
Autre(s) transmission(s)	manuelle 5 rapports (4L seulement)
Accélération 0-100 km/h	11,4 s (V6) 12,8 s (4L)
Vitesse maximale	180 km/h
Freinage 100-0 km/h	42,9 mètres
Consommation (100 km)	12,8 litres, 10,3 litres (4L)

MODÈLES CONCURRENTS

• Ford Escape • Honda CR-V • Suzuki Vitara/Grand Vitara/Chev. Tracker • Toyota RAV4 • Subaru Forester

QUOI DE NEUF ?

• Antibrouillards de série sur ES • Filtre à pollen de série • Système de retenue pour siège d'enfant ajouté

VERDICT

Agrément	★★★½
Confort	★★★
Fiabilité	nouveau modèle
Habitabilité	★★★★
Hiver	★★★★
Sécurité	★★★½
Valeur de revente	nouveau modèle

MERCEDES-BENZ Classe C

Mercedes-Benz C320

L'héritière de la Classe S

Ne serait-ce que par sa ligne fortement apparentée à celle des berlines haut de gamme de la Classe S, la toute nouvelle «petite» Mercedes de Classe C n'est plus la parente pauvre de la prestigieuse famille allemande. Elle abandonne sa sévérité d'antan en empruntant aussi aux modèles de catégorie supérieure une vingtaine de leurs caractéristiques d'avant-garde.

Vus de près, les modèles 2001 de la Classe C ressemblent à s'y méprendre aux grandes limousines Mercedes S430 ou S500. Ce n'est qu'avec un peu de recul qu'on finit par se rendre compte que l'une est beaucoup plus petite que l'autre. La similitude pourrait s'arrêter là, sauf que la branche allemande de DaimlerChrysler est allée piger dans la boîte à idées de la Classe S pas moins de 20 accessoires ou équipements destinés à améliorer aussi bien le comportement routier des nouvelles venues que le confort qu'elles offrent. Cet héritage lui était dû, car la Classe C avait commencé à perdre un peu de son lustre, ce qui n'est que normal quand on sait qu'il s'agissait de la dernière berline de la gamme à ne pas avoir subi de cure de rajeunissement au cours des dernières années.

Non seulement la nouvelle silhouette est agréable à l'œil, mais elle fend l'air avec beaucoup d'aisance si l'on se fie à son Cx (cote d'aérodynamisme) qui, à 0,26, est l'un des meilleurs de la production automobile mondiale.

Née en 1983 sous l'appellation numérique 190, celle qui était à l'époque la plus petite des Mercedes-Benz est vite devenue un best-seller. Il s'en est vendu environ 1 800 000 exemplaires au cours de ses 10 années de carrière. Sa remplaçante, la Classe C, apparue en 1993, a connu tout autant de succès avec ses 1 600 000 acheteurs en sept ans seulement. La troisième génération, qui prend le départ en 2001, ne devrait avoir aucun mal à maintenir le rythme.

Une grande famille

Des sept versions disponibles en Europe, trois sont vendues au Canada depuis septembre dernier. Le modèle «Classic» C240 remplace la C230 Special Edition comme modèle d'accès à la gamme. Il est doté d'un moteur V6 d'une cylindrée supérieure (2,6 litres) à sa dénomination, une mauvaise habitude propagée par BMW avec ses 323 à moteur 2,5 litres. Ce modèle de base peut être équipé d'une nouvelle boîte de vitesses manuelle à 6 rapports qui marque un léger progrès par rapport à la déplaisante 5 rapports qui affligeait notamment la SLK jusqu'à l'an dernier. Une version plus cossue, la C240 Elegance, est aussi commercialisée, mais elle conserve la même motorisation que la première avec une transmission automatique à 5 rapports. Finalement, l'ancienne C280 devient la C320 pour souligner la présence sous son capot d'un V6 de 3,2 litres et 218 chevaux, soit 48 de plus que le V6 des 240. Dès l'an prochain, Mercedes proposera une version coupé de la Classe C. Ce nouveau modèle dévoilé au récent Salon de Paris sera animé par le moteur 2,3 litres suralimenté de la SLK et pourra être doté d'un toit vitré coulissant semblable à celui de la Porsche Targa.

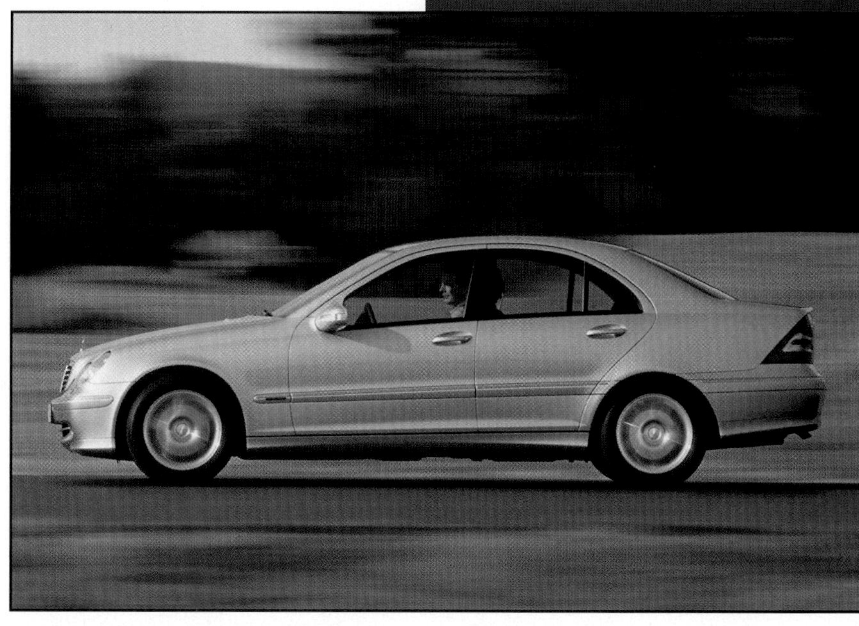

Ces nouvelles Mercedes reprennent les principaux éléments chers à la marque germanique et misent sur le confort, la sécurité et la robustesse. Toutefois, la description de la nouvelle berline fait souvent appel à l'agrément de conduite comme référence, ce qui laisse croire que BMW est de plus en plus dans la ligne de mire de Mercedes-Benz. Après tout, on ne gagne pas des championnats du monde en Formule 1 sans que cela ne se reflète, ne serait-ce que de lointaine façon, dans les voitures de série d'un constructeur.

En plus d'une boîte de vitesses manuelle à 6 rapports, la Classe C des années 2000 étrenne des trains roulants améliorés qui rendent la tenue de route difficile à prendre en défaut. Les non-initiés trouveront sans doute que ces berlines sont durement suspendues, mais c'est un trait de caractère aussi propre à la marque que l'étoile à trois pointes qui trône sur le capot avant des berlines de Stuttgart.

Même si la Classe C retient peu de chose de ses devancières et que les responsables des services de presse ont réussi à noircir une dizaine de cahiers de presse pour vanter ses mérites, la voiture demeure une évolution du modèle précédent. Tout a été revu, corrigé et peaufiné, mais rien ne vient révolutionner ce qu'on connaît déjà de ces voitures. Bref, quand on a atteint un tel niveau de mise au point, il est difficile d'avancer autrement qu'à petits pas.

Chercher la bête noire

N'empêche qu'il faut vraiment chercher la bête noire pour trouver à redire des dernières petites Mercedes. En grattant très fort, on peut leur reprocher un habitacle un brin étroit à l'avant (surtout pour les jambes du conducteur), un coffre qui malgré son volume de 480 litres m'est apparu très moyen et une transmission automatique un peu paresseuse à répondre au *kick down*. Certains prétendent qu'il y a un monde de différence entre la C240 et la C320, mais je ne partage pas cet avis. Bien sûr, le déficit de 48 chevaux se ressent avec le moteur de 170 chevaux; il faut notamment 1,7 seconde de plus pour réaliser le 0-100 km/h (9,5 secondes contre 7,8 secondes dans une 320). Les reprises n'ont pas non plus la même vigueur, mais pour ceux qui font surtout de l'autoroute, la C240 convient parfaitement. Il est vrai par contre que le V6 de 3,2 litres fait mieux paraître la Classe C qui adopte un comportement

plus enveloppé. La direction est un peu moins légère et l'insonorisation apparaît aussi plus poussée. Moi qui n'ai jamais eu de très bons mots pour les transmissions dites « Tiptronic » (le levier de vitesses de la boîte automatique permet de contrôler les changements de rapports manuellement), je dois avouer que le système adopté par Mercedes m'a beaucoup plu. Il suffit d'imprimer de légères impulsions au levier de vitesses pour changer les rapports. C'est rapide et efficace.

Sans être de vraies berlines sport, les nouveaux modèles de Classe C ne sont pas dépourvus d'agrément de conduite. En virage, le roulis est bien contrôlé et la stabilité à vive allure montre bien que ces « allemandes » sont conçues en fonction des vitesses illimitées en vigueur dans leur pays d'origine.

ÉQUIPEMENTS

DE SÉRIE

• 4 coussins gonflables latéraux • Rideau de pour la tête • Système de stabilité (ESP) • Boîte manuelle 6 rapports (C240)

EN OPTION

• Système de navigation • Rideau arrière pare-soleil • Groupe sport (pneus de 16 po, suspension renforcée, etc.)

Grand coffre... à gants

Fidèle à la tradition

À moins d'être très douillets, les occupants constateront que le confort ne souffre pas de la fermeté des suspensions. Les sièges contribuent dans une large mesure à alléger la fatigue de longues heures au volant. Moins sévère que dans le passé, le tableau de bord accorde préséance à un immense compteur de vitesse flanqué du compte-tours sur la gauche et de la jauge à essence sur la droite. Un épais rembourrage en forme de boudin donne au tableau de bord un aspect sécuritaire indéniable. Les diverses commandes sont mieux centralisées et on s'est débarrassé de la forêt de petits commutateurs noirs autrefois dispersés pêle-mêle. À noter que le coffre à gants est trois fois plus grand (vraiment!) que dans les modèles précédents. L'espace est moins généreux à l'arrière où la bosse centrale sur la banquette ne permet pas d'accueillir confortablement un 3e passager.

De judicieux emprunts

Comme sa grande sœur la Classe S, la Classe C peut être équipée d'un rideau pare-soleil pour la lunette arrière et d'un système Parktronic qui, au moyen de témoins lumineux et de petits bips, vous indique la distance entre votre véhicule et tout obstacle placé à l'avant ou à l'arrière.

Parmi les autres emprunts judicieux faits à la Classe S, on peut citer le système de stabilité ESP (*Electronic Stability Program*) qui minimise les dangers de dérapage, le freinage d'urgence assisté qui surpasse l'effort appliqué sur la pédale par le conducteur, la détection automatique de la présence d'un siège d'enfant au poste du passager avant (le coussin gonflable se désactive), le volant multifonction permettant de programmer plus de 50 réglages individuels et «l'air bag de tête» (dixit Mercedes), une sorte de rideau réduisant les risques de blessures à la tête. Par contre, je ne suis pas sûr que l'abominable Command Control qui sévit sur les modèles de catégorie supérieure soit l'invention du siècle. Ce petit écran central qui permet de programmer la radio, le système de navigation et le téléphone est beaucoup trop complexe pour le commun des mortels.

Le bilan final est simple : plus svelte et plus élégante, la nouvelle Classe C n'est pas une voiture radicalement différente de l'ancienne dans son comportement. On a réussi à améliorer d'un pourcentage à peine mesurable tous les aspects de la voiture en gardant intact tout ce qui fait qu'une Mercedes-Benz est un modèle de confort, de sécurité, de qualité et d'endurance. Elle devrait elle aussi connaître une longue et fructueuse carrière.

Jacques Duval

MERCEDES-BENZ Classe C

▲ POUR

• Aérodynamisme poussé • Excellents moteurs • Sécurité optimisée • Agrément de conduite en hausse • Tenue de route soignée

▼ CONTRE

• Habitacle un peu serré
• Transmission automatique lente en reprise
• Performances moyennes (C240)

CARACTÉRISTIQUES

Prix du modèle à l'essai	C320 / 49 950 $
Garantie de base	4 ans / 80 000 km
Type	berline / propulsion
Empattement/ Longueur	271,5 cm / 453 cm
Largeur/ Hauteur	173 cm / 143 cm
Poids	1 565 kg
Coffre / Réservoir	455 litres / 62 litres
Coussins de sécurité	front., lat. et de tête
Suspension av.	indépendante
Suspension arr.	indépendante
Freins av. / arr.	disque ventilé ABS / disque ABS
Système antipatinage	oui
Direction	à crémaillère, paramétrique
Diamètre de braquage	10,8 mètres
Pneus av. / arr.	P205/55R16

MOTORISATION ET PERFORMANCES

Moteur	V6 3,2 litres
Transmission	automatique 5 rapports
Puissance	218 ch à 5 700 tr/min
Couple	229 lb-pi à 3 000 à 4 600 tr/min
Autre(s) moteur(s)	V6 2,6 litres de 170 ch
Autre(s) transmission(s)	manuelle 6 rapports
Accélération 0-100 km/h	7,8 secondes
Vitesse maximale	245 km/h
Freinage 100-0 km/h	n. d.
Consommation (100 km)	10,5 litres

MODÈLES CONCURRENTS

• Audi A4 • BMW 330i • Cadillac Catera • Infiniti I30 • Lexus ES 300 • Mazda Millenia • Volvo S60

QUOI DE NEUF ?

• Nouveau modèle

VERDICT

Agrément	★★★★
Confort	★★★½
Fiabilité	nouveau modèle
Habitabilité	★★★½
Hiver	★★★½
Sécurité	★★★★½
Valeur de revente	★★★★

MERCEDES-BENZ Classe E

MERCEDES-BENZ E430

L'art de vieillir en beauté

Synonyme d'excellence au sein de l'industrie automobile, la Classe E, dont la naissance remonte à 1984, est aussi devenue le modèle le plus populaire de l'histoire de Mercedes-Benz. La longévité est également une de ses marques de commerce. Ainsi, la deuxième génération entreprend sa sixième année sous sa forme actuelle. Et, comme le bon vin, elle s'améliore avec l'âge.

Il est vrai que la firme de Stuttgart a pris soin de raffiner la Classe E au fil des ans. Sur les plans technique comme esthétique, car après s'être vu greffer de nouveaux dispositifs de sécurité active et passive ainsi que de nouvelles motorisations, elle est passée sous le bistouri pas plus tard que l'an dernier. Il s'agissait cependant d'une chirurgie mineure (capot rabaissé de 2 cm, panneaux de carrosserie redessinés et nouvelles jantes). Résultat, une partie avant inspirée de la CLK et un profil plus élancé. De plus, Mercedes affirme avoir revu plus d'une centaine des composantes de la carrosserie et de la mécanique.

Prudence, prudence

L'année dernière toujours, une nouvelle version est venue grossir les rangs de la Classe E, soit l'E430 4Matic. Pour les non-initiés, cette désignation se décode ainsi : 430 pour la cylindrée du moteur (4,3 litres), 4Matic pour le système de rouage intégral jumelé à une boîte automatique. La nouveauté réside dans ledit jumelage, puisque c'était la première fois que cette transmission intégrale était accouplée à un V8.

Qui dit rouage intégral dit motricité exceptionnelle et l'E430 4Matic ne fait pas exception. On la sent plaquée au sol, ce que confirme une tenue de cap imperturbable, peu importe la vitesse. Sur un tracé sinueux, il faut cependant éviter l'excès de confiance, un piège dans lequel on peut facilement tomber avec une intégrale. En conduite normale, l'absence de roulis contribue à exacerber cette sensation de sécurité, d'autant plus que le sous-virage ne se manifeste pas trop. Mais cette lourde berline ne tarde pas à montrer ses limites pour peu que les courbes se resserrent et qu'on adopte un pilotage plus sportif.

À l'opposé, les plus douillets risquent de trouver que « ça porte dur », en bon québécois. Il est vrai que les pneus d'hiver de notre véhicule d'essai pouvaient y contribuer, mais il n'en demeure pas moins que la fermeté de la suspension se ressent, surtout lorsque la chaussée se dégrade. Toutefois, les amateurs de voitures allemandes apprécient justement cette fermeté, qui n'a rien à voir avec le roulement aseptisé d'une japonaise. Dans un même ordre d'idées, la direction est prompte, ultraprécise, et son assistance est dosée juste à point. Encore là, on est loin des Lexus et Infiniti, et c'est tant mieux à mon avis. Quant au freinage, il est tellement puissant qu'il nécessite une période d'adaptation !

Le V8 de 4,3 litres est la pièce maîtresse de ce petit chef-d'œuvre sur quatre roues. Souple, onctueux même, il émet toutefois un petit grondement qui, non seulement annonce ses couleurs, mais sonnait à mes oreilles comme une douce musique. Dommage que la lenteur de la boîte automatique altère un brin sa fougue. Mais juste un brin... Par contre, il est possible d'éliminer cet irritant en se plaçant en mode semi-automatique (Touch Shift), un modèle du genre.

Si vous êtes plus exigeant, voire insatiable, en matière de performances, et qu'un supplément de quelque 20 000 $ ne vous incommode pas le moins du monde, l'exclusive E55 devrait combler vos attentes. Si l'on fait exception de son poids considérable, cette berline de Classe E revue et corrigée par les sorciers de la division AMG ne mérite que des superlatifs. Elle est ultrapuissante (349 ch), accélère ultrarapidement (0-100 km/h en 5,9 secondes) et freine ultrafort. Mais on a rien pour rien : elle coûte ultracher, itou.

Un grand cru

Mercedes-Benz E320

Oubliez le ski et les disques compacts

Avec sa finition impeccable, son assemblage rigoureux et son ergonomie sans faille, l'habitacle de l'E430 respecte les standards Mercedes. Tout comme les sièges, qui frisent eux aussi la perfection. Encore une fois, il s'en trouvera pour leur reprocher leur fermeté, mais ce sont probablement les mêmes qui aiment les grosses banquettes mollasses d'une Lincoln Town Car ou d'une Buick... Les baquets d'une Mercedes, c'est autre chose. Ils offrent un excellent support latéral et lombaire, ce qui permet d'enfiler les kilomètres dans le plus grand confort.

Les places arrière sont du même calibre, en plus d'offrir un bon dégagement pour la tête et les jambes. Mais tout n'est pas parfait : le dossier de la banquette ne se replie pas. Pire, il n'y a même pas de trappe pour les skis. C'est donc dire que pendant une semaine, j'ai dû faire une croix sur deux de mes passions, en l'occurrence le ski et la musique. Parce qu'évidemment, il n'y avait pas de lecteur de disques compacts non plus, comme dans toute bonne allemande qui se respecte ! Bon, il y a toujours les cassettes, direz-vous, mais ce qui me chicote, c'est de savoir que cet accessoire fait partie de l'équipement de série d'une Mazda Protegé ou d'une Toyota Echo.

Ces lacunes viennent nous rappeler que la perfection n'est pas de ce monde, pas plus dans celui de l'automobile qu'ailleurs. Mais les Mercedes de Classe E figurent néanmoins parmi l'élite, sans l'ombre d'un doute. Elles sont sophistiquées, rapides, confortables, sécuritaires et fiables ; on ne peut pas leur reprocher grand-chose, sinon leur prix. Mais si le haut de gamme était à la portée de tous, ce ne serait plus du haut de gamme.

Philippe Laguë

MERCEDES-BENZ Classe E

▲ POUR

• Mécanique raffinée • Habitacle spacieux et confortable • Qualité d'assemblage exemplaire • Freinage surpuissant

▼ CONTRE

• Ligne quelconque • Pas de lecteur CD • Banquette arrière ne se replie pas • Suspension sèche sur mauvaise route • Boîte automatique lente

CARACTÉRISTIQUES

Prix du modèle à l'essai	E430 4Matic / 78 995 $
Garantie de base	4 ans / 80 000 km
Type	berline / traction intégrale
Empattement / Longueur	283 cm / 481 cm
Largeur / Hauteur	180 cm / 144 cm
Poids	1 760 kg
Coffre / Réservoir	434 litres / 80 litres
Coussins de sécurité	frontaux et latéraux
Suspension av.	indépendante
Suspension arr.	indépendante
Freins av. / arr.	disque ABS
Système antipatinage	oui
Direction	à crémaillère, assistance variable
Diamètre de braquage	11,3 mètres
Pneus av. / arr.	P215/55HR16

MOTORISATION ET PERFORMANCES

Moteur	V8 4,3 litres
Transmission	automatique 5 rapports Touch Shift
Puissance	275 ch à 5 750 tr/min
Couple	295 lb-pi entre 3 000 et 4 400 tr/min
Autre(s) moteur(s)	V6 3,2 litres 221 ch (E320) ; V8 5,4 litres 349 ch (E55)
Autre(s) transmission(s)	aucune
Accélération 0-100 km/h	7,1 secondes
Vitesse maximale	210 km/h (limitée)
Freinage 100-0 km/h	38,7 mètres
Consommation (100 km)	12,5 l ; 11,3 l (V6)

MODÈLES CONCURRENTS

• Acura RL • Audi A6 • BMW Série 5 • Cadillac Seville • Jaguar S-Type • Lexus GS • Volvo S80

QUOI DE NEUF ?

• Nouveau pommeau de levier de vitesses • Groupe Sport disponible sur E320 • Toit ouvrant « One Touch »

VERDICT

Agrément	★★★★
Confort	★★★★
Fiabilité	★★★★
Habitabilité	★★★★
Hiver	★★★★★
Sécurité	★★★★★
Valeur de revente	★★★★★

MERCEDES-BENZ Classe M

Mercedes-Benz ML55

Utilitaire, sport et supersport

Le trio des véhicules utilitaires sport de Mercedes-Benz comprend trois modèles bien distincts qui se différencient par leur motorisation et par leur groupe d'équipements de série. Le ML320, qui a marqué l'arrivée de la marque allemande sur ce marché, est le moins cher du groupe et se satisfait d'un moteur V6 de 215 chevaux. Le ML430, apparu en 1999, a haussé la barre à 268 chevaux avec son V8 de 4,3 litres tandis que le ML55 est venu revendiquer l'an dernier le titre du 4X4 le plus musclé de la planète avec 342 chevaux, courtoisie d'AMG.

Commençons par le dessert! Le ML55 a presque eu raison de ma profonde aversion pour les 4X4. N'eût été d'une tenue de route qui ne peut faire autrement que d'être un peu gauche, j'aurais facilement craqué pour ce sympathique engin à la verve débordante. Son bouillant moteur de 5,5 litres d'une sonorité envoûtante explose littéralement au moindre toucher de l'accélérateur, bien servi par une transmission automatique à 5 rapports qui gère parfaitement l'énorme couple du moteur (376 lb-pi). Ce *hot-rod* sur échasses est indéniablement ce qu'il y a de plus performant à l'heure actuelle parmi la faune des 4X4. Il fait un doigt d'honneur à son homologue, le X5 de BMW, qui lui concède pas moins de 60 chevaux. Ils sont aussi inutiles l'un que l'autre en dehors des sentiers battus, mais le Béhême est cependant un peu plus gâté en matière de tenue de route. Les gigantesques pneus Dunlop 9 000 (des 285/50R18) du ML55 sont impressionnants à regarder, mais peu à l'aise sous la pluie où l'aquaplanage et le sous-virage donnent des sueurs froides.

King of the road

En revanche, la stabilité à 220 km/h et plus est rien de moins qu'étonnante et, grâce à ses grosses bottes de sept lieues, ce Mercedes a immobilisé mes appareils de mesure à 38,7 mètres au test de freinage entre 100 km/h et l'arrêt complet du véhicule. Pour une caisse de plus de 2 tonnes, cela tient de l'exploit et, ne l'oublions pas, cela démontre le savoir-faire des préparateurs d'AMG (une filiale de Mercedes spécialisée dans les voitures de course et de haute performance) qui ont utilisé des étriers de freins plus gros qui se distinguent par leur couleur rouge bien visible à travers les roues spéciales de 18 pouces en alliage. Bref, si le 0-100 km/h de 6,5 secondes est remarquable, le 100-0 km/h l'est tout autant.

Premier de sa catégorie en performance pure, le ML55 sera aussi le premier à la pompe avec une consommation de 17 litres aux 100 km et cela sans abuser de sa puissance. Produit en toute petite série, ce modèle bénéficie d'une livrée exclusive qui se reconnaît à ses ailes élargies, à ses renflements sur le capot, à son pare-chocs avant avec antibrouillards intégrés, à ses bas de caisse proéminents, à son hayon arrière redessiné et à son double échappement chromé. À l'intérieur, une instrumentation sur fond blanc, des sièges sport, un volant mi-bois, mi-cuir et des appliques de bois foncé identifient ce modèle spécial.

De mieux en mieux

Tout cela malheureusement n'est pas donné et à plus de 90 000 $, c'est beaucoup d'argent pour jouer les poseurs. Et si j'ai aimé modérément le confort de ce 4X4 et énormément sa facilité d'accès ainsi que ses rétroviseurs (si gros que l'on dirait des baies vitrées), j'ai tout de même relevé certains petits travers comme des commandes de radio trop éloignées du conducteur et la trop grande similarité des boutons placés sur la console centrale. On doit obligatoirement les regarder un bon moment pour connaître leur fonction. Gênant !

Le juste milieu

Par rapport au ML55, aussi impressionnant soit-il, le ML430 ressemble à une aubaine. D'accord, son grand frère le précède de 1,3 seconde au sprint 0-100 km/h, mais une fois cependant, les pneus Dunlop ne semblent pas les mieux habilités à la tâche et mon essai en hiver a permis de constater qu'ils se bourraient trop facilement de neige. L'hiver n'a pas été tendre non plus pour la consommation, que j'ai chiffrée à 16,5 l/100 km, soit à peu près la même qu'avec le tout-puissant ML55.

Par rapport aux premiers ML construits par Mercedes en Alabama, la qualité d'assemblage a fait des progrès. Le seul pépin relevé sur le véhicule d'essai concernait la télécommande d'ouverture des portières. Comme dans le ML55 toutefois, l'écran qui affiche les coordonnées de la radio est trop pâle pour être lisible le jour en plein soleil. Soulignons aussi la mauvaise visibilité de 3/4 arrière et la trop grande proximité des leviers servant à actionner les phares et le régulateur de vitesse. Finalement, le ML n'est pas dépourvu de polyvalence puisqu'il offre 3 bonnes places arrière et un compartiment

pour 30 000 $ de moins, on s'en console très vite. Son moteur est largement suffisant pour permettre d'apprécier la belle rigidité du châssis et la transmission automatique avec mode manuel reste un plaisir à utiliser. Il suffit d'appuyer sur un bouton pour sélectionner la gamme de vitesses basses nécessaire au franchissement de raidillons ou de terrains difficiles. Encore à bagages pouvant aller de 1 144 à 2 492 litres.

Quant au ML320, il vous permettra d'apprécier la plupart de ces caractéristiques, à l'exception des performances, tout en épargnant un autre 10 000 $. À quand une version à moteur turbodiesel encore plus économique ?

Jacques Duval

MERCEDES-BENZ Classe M

▲ POUR

• Performances électrisantes (ML55) • Freinage exceptionnel (ML55) • Caisse solide • Bonne habitabilité • Faible diamètre de braquage

▼ CONTRE

• Pneus mal adaptés • Consommation élevée • Prix outrancier (ML55) • Quelques fautes d'ergonomie

CARACTÉRISTIQUES

Prix du modèle à l'essai	ML55 / 91 650 $
Garantie de base	4 ans / 80 000 km
Type	utilitaire sport / transmission intégrale
Empattement / Longueur	282 cm / 459 cm
Largeur / Hauteur	183 cm / 175,5 cm
Poids	2 255 kg
Coffre / Réservoir	de 1 144 à 2 492 litres / 90 litres
Coussins de sécurité	frontaux et latéraux
Suspension av.	indépendante
Suspension arr.	indépendante
Freins av. / arr.	disque ABS
Système antipatinage	oui
Direction	à crémaillère, assistée
Diamètre de braquage	11,2 mètres
Pneus av. / arr.	P285/502R18

MOTORISATION ET PERFORMANCES

Moteur	V8 5,5 litres
Transmission	automatique 5 rapports
Puissance	342 ch à 5 500 tr/min
Couple	376 lb-pi à 3 000 tr/min
Autre(s) moteur(s)	V6 3,2 litres 215 ch; V8 4,3 litres 268 ch
Autre(s) transmission(s)	aucune
Accélération 0-100 km/h	240 km/h
Vitesse maximale	6,5 secondes (ML 430 : 7,5 secondes)
Freinage 100-0 km/h	38,7 mètres
Consommation (100 km)	17 litres

MODÈLES CONCURRENTS

• Cadillac Escalade/Lincoln Navigator
• Range Rover 4.6 HSE • BMW X5 4.4i

QUOI DE NEUF ?

• Ordinateur de voyage avec boussole • Nouvelle direction à crémaillère • Nouveau contrôle de descente

VERDICT

Agrément	★★★★
Confort	★★★½
Fiabilité	★★★½
Habitabilité	★★★★
Hiver	★★★★
Sécurité	★★★★
Valeur de revente	★★★½

Mercedes-Benz S55 AMG

La carte de visite

La nouvelle Mercedes de la Classe S est commercialisée sur notre marché depuis plus d'une année maintenant. Son entrée en scène a été assez spectaculaire : tous les journalistes de la planète ou presque l'ont qualifiée de nouvelle référence chez les berlines de luxe, de meilleure voiture de grand luxe et autres commentaires élogieux à n'en plus finir.

Selon Mercedes, ses ingénieurs y ont cumulé tout leur savoir et toutes les astuces techniques dont ils étaient capables. Cette nouvelle Classe S est en quelque sorte la carte de visite du géant de Stuttgart. C'est en même temps la vitrine de son savoir-faire technologique, comme toutes les voitures de la Classe S qui l'ont précédée. Malheureusement, si cette belle allemande est dotée de qualités dynamiques et d'un châssis exceptionnel, elle n'est pas sans faute à bien des égards et il faut apporter quelques bémols à ce concert de louanges.

Moteur/châssis d'anthologie

Les voitures de cette Classe S ont toujours bénéficié d'une plate-forme dont la sophistication était telle qu'elles paraissaient toujours sous-motorisées. Elles auraient pu être équipées d'un moteur deux fois plus puissant que cela n'aurait pas semblé disproportionné. La situation se répète avec la génération actuelle. Il faut accorder de très bonnes notes à ce châssis très rigide qui travaille de concert avec une suspension adaptative qui permet de combiner confort et superbe tenue de route. La dureté des amortisseurs varie constamment selon les conditions de conduite tandis que les ressorts pneumatiques corrigent toujours l'assiette de la voiture en fonction des réglages choisis. On a beau conduire à vive allure et entrer dans les virages sans lever le pied, cette berline maîtrise toujours la situation avec aplomb. De plus, le confort est toujours de la partie. Et si les choses se gâtent, les freins s'avèrent presque aussi puissants que ceux d'un coupé sport. Enfin, toute une panoplie d'assistance électronique au pilotage permet de freiner plus court et de recouvrer le contrôle de la voiture. Il est pratiquement impossible de partir en dérapage même en commettant les pires fautes de pilotage. La direction mérite également de très bons commentaires en raison de sa précision et de son assistance bien dosée.

Mais le plus impressionnant dans cette voiture est la performance de son moteur V8 de 5 litres dont les accélérations et les reprises se révèlent très musclées pour une voiture luxueuse. Et il ne faut pas ignorer le V8 de 4,3 litres dont les 275 chevaux assurent des accélérations presque similaires. La boîte automatique de type adaptatif est à la hauteur et, modernisme oblige, il est possible de passer les vitesses manuellement.

Et cette équation est encore plus intéressante avec la nouvelle version S55 réalisée en collaboration avec AMG. Un moteur V8 de 5,5 litres d'une puissance de 349 chevaux travaille de concert avec des pneus ultralarges et une suspension plus sportive pour tirer un meilleur parti de ce magnifique châssis. Il s'agit d'une combinaison unique en son genre pour la catégorie.

Surdouée, mais...

Rien n'est parfait !

Il est indéniable que les équipes chargées de développer le moteur et le châssis étaient composées d'ingénieurs nettement plus doués et perspicaces que ceux qui ont développé le tableau de bord et les stylistes qui ont dessiné la silhouette. Cette berline est élégante, certes. Mais il lui manque ce petit quelque chose qui fait tourner les têtes et craquer les gens en sa faveur au moment d'acheter. La ligne est beaucoup trop anonyme. Il lui manque cette prestance qui fait la voiture de rêve.

Heureusement pour Mercedes, beaucoup de gens ne partagent pas mon opinion. Par contre, il y a de fortes chances qu'une bonne majorité de propriétaires pestent contre les gens qui ont conçu ce tableau de bord aux instruments et aux commandes presque diaboliques de par leur complexité et leur difficulté d'utilisation. On a toujours affirmé qu'un tableau de bord bien dessiné et ergonomique permettait aux utilisateurs d'y aller par intuition et que la manipulation des commandes devenait alors un jeu d'enfant. Dans la Mercedes de Classe S, il faut potasser un impressionnant manuel du propriétaire pour s'y retrouver. Et encore, l'apprentissage n'est pas facile et il arrive souvent qu'on actionne la mauvaise commande et qu'on doive passer plusieurs secondes, voire des minutes, à trouver la « combinaison gagnante ».

Même après plusieurs jours au volant d'une Classe S, j'étais toujours incapable de trouver une station de radio du premier coup ou encore de régler l'horloge à l'heure avancée de l'Est. La montre de bord s'entêtait la plupart du temps à indiquer l'heure en Arabie Saoudite. Il est vrai que la radio a une belle sonorité, mais encore faut-il être capable de s'y retrouver. Et même à ce prix, le lecteur de disques compacts est en option, comme sur toutes les autres Mercedes d'ailleurs. Il y a bien une fente pour insérer un disque sous l'écran LCD placé au centre du tableau de bord, mais il ne sert qu'au système de navigation électronique !

Enfin, comble d'ironie, le climatiseur ultrasophistiqué prend une éternité pour refroidir la cabine par temps chaud.

La Classe S est une berline de luxe pourvue d'éléments mécaniques connus, poussés à un niveau de raffinement inégalé. Cependant, il faut se munir d'une bonne dose de patience et de temps pour s'habituer à son tableau de bord.

Denis Duquet

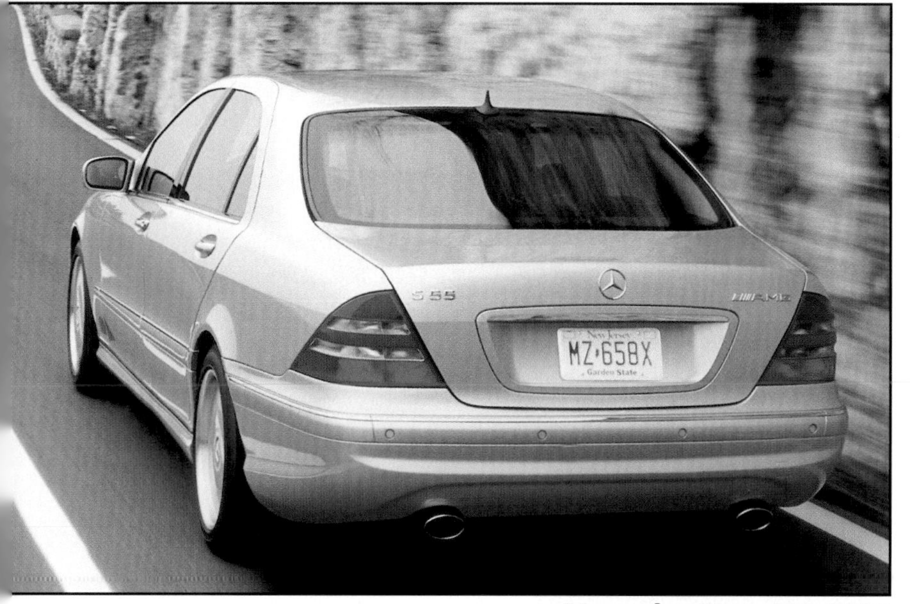

Mercedes-Benz S55 AMG

MERCEDES Classe S

▲ POUR

• Châssis exceptionnel • Moteur incisif • Sécurité active et passive très poussée • Habitacle confortable • Places arrière généreuses

▼ CONTRE

• Ergonomie à revoir • Commandes énigmatiques • Lecteur de disques compacts en option • Silhouette quelconque • Climatiseur peu efficace

CARACTÉRISTIQUES

Prix du modèle à l'essai	S55 AMG / 139 900 $
Garantie de base	5 ans / 120 000 km
Type	berline / propulsion
Empattement / Longueur	308 cm / 516 cm
Largeur / Hauteur	186 cm / 144 cm
Poids	1 875 kg
Coffre / Réservoir	436 litres / 88 litres
Coussins de sécurité	frontaux et latéraux
Suspension av.	indépendante
Suspension arr.	indépendante
Freins av. / arr.	disque ABS
Système antipatinage	oui
Direction	à crémaillère, assistance variable
Diamètre de braquage	12,1 mètres
Pneus av. / arr.	P225/45YR18 / P275/40YR18

MOTORISATION ET PERFORMANCES

Moteur	V8 5,5 litres
Transmission	automatique 5 rapports
Puissance	349 ch à 5 500 tr/min
Couple	391 lb-pi à 3 150-4 500 tr/min
Autre (s) moteur (s)	V12 5,8 litres 362 ch (S600) V8 5 litres 302 ch (S500); V8 4,3 litres 275 ch (S430)
Autre(s) transmission(s)	aucune
Accélération 0-100 km/h	5,9 secondes
Vitesse maximale	250 km/h
Freinage 100-0 km/h	37 mètres
Consommation (100 km)	14,6 litres

MODÈLES CONCURRENTS

• Audi S8 • BMW 750i • Lexus LS 430 • Jaguar XJR

QUOI DE NEUF ?

• Climatisation arrière • Suspension active sur S600 et S55 • Serrure de porte avec carte à puce

VERDICT

Agrément	★★★★½
Confort	★★★★★
Fiabilité	★★★★
Habitabilité	★★★★½
Hiver	★★★★
Sécurité	★★★★★
Valeur de revente	★★★★

MERCEDES-BENZ CLK CLK55 AMG

Mercedes-Benz CLK Cabrio

Muscle, élégance et plein air

Pour avoir une juste mesure des transformations qu'a connues la compagnie Mercedes au cours des dernières années, il suffit d'analyser les modèles CLK 2001. On y retrouve les qualités traditionnelles qui ont fait la réputation de la marque, mais également des éléments innovateurs qui témoignent du virage technologique et stratégique adopté par le géant de Stuttgart au milieu des années 90. Jadis embourbés dans un conservatisme presque maladif, les ingénieurs allemands laissent dorénavant libre cours à leur créativité.

Plusieurs d'entre vous ont observé lors de la dernière édition du Grand Prix du Canada que la voiture de tête était un coupé Mercedes CLK dont la sonorité du moteur et le comportement en piste laissaient présager une mouture vraiment spéciale adaptée aux exigences de la Formule 1. Eh bien, il sera dorénavant possible de commander une version légèrement édulcorée de cette voiture grâce à la collaboration de la firme AMG, la division des véhicules haute performance de Mercedes.

Non seulement ce coupé musclé est d'une rare élégance, mais ses prestations et son comportement routier sont à la hauteur de son plumage. Sous le capot, on retrouve le moteur V8 5,5 litres déjà utilisé sur l'E55. Solide comme le roc, il produit 342 chevaux, ce qui permet de boucler le 0-100 km/h en moins de 6 secondes. Mais il n'y a pas que les accélérations en ligne droite qui sont dignes de mention. La tenue de route n'est pas reléguée au second plan et cette rapide allemande compte sur des pneumatiques ultralarges de 17 pouces pour accrocher dans les virages. Une plateforme très rigide et une direction précise assurent une qualité de pilotage de premier plan. Et il ne faut pas oublier que cette CLK55 AMG propose également tous les éléments appréciés dans les autres modèles CLK, dont un système de navigation par satellite.

Une authentique Mercedes

Si cette légendaire compagnie a effectué l'un des plus importants revirements de situation dans l'histoire de l'automobile en diversifiant sa gamme de modèles en un temps record, cela ne s'est pas effectué sans quelques ratés. Certaines nouveautés ne possédaient pas toute la qualité d'assemblage et de matériaux propres à la marque. En revanche, le coupé CLK, dès son entrée en scène en janvier 1997, dans le cadre du Salon de l'auto de Detroit, avait toutes les qualités requises. Cet hybride entre les Classes C et E respecte la tradition de la compagnie sur tous les plans. Sa plate-forme est ultrarigide, sa finition impeccable et la présentation de son habitacle de première qualité. Ajoutons que c'est sans doute l'une des plus élégantes voitures sur le marché. Les stylistes ont réussi à agencer les phares ovales de l'avant avec une partie arrière plus équilibrée que sur la berline de la Classe E.

La première génération était propulsée par un moteur 6 cylindres de 216 chevaux qui assurait des performances surprenantes pour un moteur de 3,2 litres. Ses accélérations ne manquent pas de mordant et ses reprises sont dignes de mention. Il ne faut pas négliger cette version malgré l'arrivée de la CLK430, avec son moteur V8 de 275 chevaux qui a suivi quelque temps après. Il est vrai que ses performances sont supérieures à celles de la version 6 cylindres, mais cette dernière possède une agilité et un équilibre légèrement supérieurs.

En tête

Quoi qu'il en soit, Mercedes a bien joué ses cartes avec ce modèle à cheval entre deux catégories. Cela lui permet de damer carrément le pion à BMW dont le coupé de la Série 3 ne possède ni le prestige ni les performances nécessaires pour venir l'inquiéter. Et on en a remis avec l'ajout d'un cabriolet dévoilé à l'été 1999 en tant que modèle 2000.

Quatre places ?

Si la stratégie de Mercedes de développer un modèle plus petit que la Classe E dans la famille CLK a été fort astucieuse, elle coince quelque peu en ce qui concerne la décapotable. Ses dimensions plus réduites que celles de l'ancien cabriolet de la Série E, devenue voiture de collection de nos jours, ne font pas tellement bon ménage avec le toit souple. En effet, sa silhouette n'est pas aussi réussie. De plus, il faut avouer que les places arrière de la CLK cabrio ne sont pas de nature à accommoder les gros gabarits. Il faudra également être en mesure de voyager avec un minimum de bagages puisque la présence du toit souple réduit considérablement la capacité du coffre.

Si on la compare encore une fois avec les BMW Série 3, les Saab 9³ Cabrio et la Volvo C70, cette Mercedes l'emporte haut la main. Sa caisse est plus rigide, ses performances généralement plus élevées et la qualité de sa finition supérieure. Par contre, comparée à l'ancienne Série E, c'est moins bien réussi. Malgré tout, le rapport prix/performances est quasiment imbattable, et le toit isolé et doublé permet d'affronter les intempéries de l'hiver sans anxiété. Sur le plan de la sécurité, des arceaux de sécurité à déploiement automatique installés derrière la banquette arrière et un pare-brise spécialement renforcé protègent les occupants en cas de capotage.

Bref, la famille CLK est la plus belle preuve de la remontée de Mercedes-Benz au sommet de la catégorie.

Denis Duquet

Mercedes-Benz CLK55, AMG

MERCEDES-BENZ CLK

▲ POUR

• Performances endiablées • Tenue de route impeccable • Direction précise • Boîte automatique bien adaptée • Finition améliorée

▼ CONTRE

• Prix corsé • Conduite hivernale délicate • Places arrière restreintes • Absence de lecteur CD de série • Données de navigation embryonnaires

CARACTÉRISTIQUES

Prix du modèle à l'essai	CLK55 AMG / 94 975 $
Garantie de base	4 ans / 80 000 km
Type	coupé ultrasportif / propulsion
Empattement / Longueur	269 cm / 458 cm
Largeur / Hauteur	172 cm / 137 cm
Poids	1 620 kg
Coffre / Réservoir	318 litres / 62 litres
Coussins de sécurité	frontaux et latéraux
Suspension av.	indépendante
Suspension arr.	indépendante
Freins av. / arr.	disque ABS
Système antipatinage	oui
Direction	à billes, assistance variable
Diamètre de braquage	10,7 mètres
Pneus av. / arr.	P225/45ZR17 / P245/40ZR17

MOTORISATION ET PERFORMANCES

Moteur	V8 5,5 litres
Transmission	automatique 5 rapports
Puissance	342 ch à 5 500 tr/min
Couple	318 lb-pi à 3 000 tr/min
Autre(s) moteur(s)	V6 3,2 litres 215 ch ; V8 4,3 litres 275 ch
Autre(s) transmission(s)	aucune
Accélération 0-100 km/h	5,7 s ; 6,4 s (4,3 litres)
Vitesse maximale	250 km/h
Freinage 100-0 km/h	34,8 mètres
Consommation (100 km)	15,2 litres

MODÈLES CONCURRENTS

• BMW M Coupe • BMW M3 • Saab 9³ Viggen • Volvo C70

QUOI DE NEUF ?

• Nouvelle version CLK55 • Levier de vitesses • Toit ouvrant à une touche

VERDICT

Agrément	★★★★
Confort	★★★
Fiabilité	★★★★★
Habitabilité	★★½
Hiver	★★
Sécurité	★★★★
Valeur de revente	★★★★★

MERCEDES-BENZ SLK

Mercedes-Benz SLK V6 3,2

Enfin, un vrai moteur

Depuis sa sortie en 1997, on ne pouvait adresser qu'un seul reproche au superbe roadster/coupé SLK de Mercedes-Benz. Mais il était de taille ! Gratifié d'un impressionnant toit rigide rétractable aux évolutions parfaitement orchestrées et d'une qualité d'assemblage garantie par l'étoile à trois pointes qui siège au milieu de sa calandre, ce modèle était lourdement handicapé par un moteur indigne de son statut.

Pour 2001, on a corrigé le tir avec l'implantation sous le capot de la SLK d'un V6 3,2 litres de 215 chevaux. Ce n'est guère plus que les 190 chevaux de la version revue et corrigée du 4 cylindres à compresseur de 2,3 litres qui reste au catalogue mais, tant par son couple abondant que par sa sonorité, le V6 fait toute la différence.

La SLK ne devient pas pour autant une voiture sport dans le sens le plus pointu du terme et ce n'est d'ailleurs pas le but visé par les gens de Mercedes-Benz. Ce rôle incombra plutôt à la version AMG de la SLK, la 32, qui sortira en cours d'année.

Du grand-tourisme

Malgré son habitacle un peu étriqué, le coupé-roadster SLK prend soin du confort de ses occupants et répond parfaitement, selon moi, à la définition d'une voiture grand-tourisme. Cela lui vaut un peu de roulis en virage et l'intervention rapide du contrôle électronique de la stabilité (ESP), mais la sécurité y gagne énormément. Et en ce qui concerne la vitesse pure, la SLK V6 peut aligner des chiffres respectables grâce à un moteur qui répond instantanément à la plus petite sollicitation de l'accélérateur. Fait intéressant, la transmission automatique à 5 rapports Touch Shift est aussi performante que la nouvelle boîte de vitesses manuelle à 6 rapports. L'une ou l'autre permet de boucler le 0-100 km/h en 7,3 secondes, en route vers une vitesse interdite de 230 km/h. Identique à celle utilisée dans les nouvelles berlines de Classe C, la boîte manuelle à 6 rapports marque un progrès sur la boîte à 5 rapports des précédentes SLK. Ce n'est pas encore la meilleure de sa catégorie et elle se rebiffe dès qu'on tente de la brusquer, mais quand on la traite en douceur, les choses se passent beaucoup mieux.

Le comportement routier bénéficie d'un freinage sûr et précis ainsi que d'une direction agréable dont le volant mi-cuir, mi-bois à gros pourtour est on ne peut plus plaisant à tenir en main. La suspension, dotée d'une nouvelle barre stabilisatrice arrière, reste un peu souple et le poids relativement important de ce petit coupé-roadster l'empêche de jouer les sportives, comme peut le faire notamment une Porsche Boxster. Malgré tout, elle tient fort bien la route en dépit d'une maniabilité moins bonne que son format le laisse supposer. Le confort qu'elle assure, par ailleurs, est de loin supérieur à celui de sa rivale allemande tout comme la rigidité de la caisse qui endure les pires affronts de notre réseau routier dans un silence absolu.

Une cure de jouvence

Un toit génial

C'est à grande vitesse que le fameux toit magique de cette voiture nous montre ses plus belles qualités. D'une étanchéité irréprochable, il apaise le bruit de vent qui est trop souvent le lot de tous les cabriolets, quel que soit leur prix. Aucune intervention manuelle, autre que d'appuyer sur un bouton, n'est nécessaire pour abaisser ou remettre le toit rigide. Pas de poignée à manipuler et, surtout, pas de satanée housse à fixer sur la capote. Le seul inconvénient de ce toit est qu'il vient se loger dans le coffre arrière, réduisant son volume de 271 à 104 litres selon les derniers chiffres de Mercedes. L'installation d'un réservoir à essence plus grand a en effet nécessité le réaménagement du coffre. Bref, pour aller faire des courses, il vaut mieux rouler en version coupé et, pour un voyage de quelques jours, il faut emporter le moins de bagages possible si l'on compte profiter du soleil en se rendant à destination.

Pour rouler à ciel ouvert, Mercedes a conçu une sorte de moustiquaire que l'on place sur les arceaux de sécurité et qui permet de réduire considérablement les courants d'air dans l'habitacle. Cette solution rend toutefois la visibilité arrière très imprécise et est loin d'avoir la même efficacité que le pare-vent vitré électrique utilisé dans l'Audi TT Roadster.

Pour le reste, l'intérieur de la SLK permet d'apprécier des sièges impeccables, de bons espaces de rangement, une ergonomie correcte (sauf pour le compte-tours, toujours difficile à lire) et un tableau de bord original. Dans la SLK320, on déplore cependant la présence d'un bois verni qui ressemble à du plastique et qui cadre mal avec la personnalité jeune de ce modèle. Heureusement, des garnitures beaucoup plus colorées allant du rouge au jaune peuvent aussi habiller l'intérieur de la voiture.

L'arrivée d'un moteur V6 n'est pas la seule nouveauté au programme pour les SLK230 et 320 2001. L'extérieur bénéficie de plusieurs petites retouches et la voiture a même gagné un demi-centimètre en longueur. On remarque aussi que des feux clignotants ont été intégrés aux rétroviseurs extérieurs comme sur les récentes berlines de la marque. L'intérieur aussi a été redessiné et les plus attentifs remarqueront la nouvelle présentation du volant, du pommeau de levier de vitesses, du plafonnier et de quelques autres détails. Mais, au-delà de toute cette cosmétologie, c'est le fait que la SLK possède enfin un vrai moteur qui demeure la plus importante et la meilleure nouvelle.

Jacques Duval

MERCEDES-BENZ SLK

▲ POUR

• Nouveau moteur V6 • Boîte manuelle 6 rapports • Toit rétractable • Excellente qualité de construction • Confort appréciable

▼ CONTRE

• Moteur 2,3 inintéressant • Mauvaise visibilité arrière et faible volume du coffre toit baissé • Climatiseur non automatique et pas de lecteur CD

CARACTÉRISTIQUES

Prix du modèle à l'essai	SLK320 / 61 650 $
Garantie de base	4 ans / 80 000 km
Type	roadster coupé / propulsion
Empattement / Longueur	240 cm / 401 cm
Largeur / Hauteur	171 cm / 128 cm
Poids	1 405 kg
Coffre / Réservoir	104 à 271 litres / 60 litres
Coussins de sécurité	frontaux et latéraux
Suspension av.	indépendante
Suspension arr.	indépendante
Freins av. / arr.	disque ABS
Système antipatinage	oui
Direction	à billes, assistée
Diamètre de braquage	10,3 mètres
Pneus av. / arr.	P225/45ZR17 / P245/40ZR17

MOTORISATION ET PERFORMANCES

Moteur	V6 3,2 litres
Transmission	automatique 5 rapports
Puissance	215 ch à 5 700 tr/min
Couple	229 lb-pi de 3 000 à 4 600 tr/min
Autre(s) moteur(s)	4L 2,3 litres à compr., 190 ch
Autre(s) transmission(s)	manuelle 6 rapports
Accélération 0-100 km/h	7,3 secondes
Vitesse maximale	230 km/h
Freinage 100-0 km/h	38,2 mètres
Consommation (100 km)	11,4 litres

MODÈLES CONCURRENTS

• Audi TT Roadster • BMW Z3 3,0
• Porsche Boxster • Honda S2000

QUOI DE NEUF ?

• Contrôle électronique de stabilité
• Réservoir 60 litres • Boîte manuelle 6 rapports

VERDICT

Agrément	★★★½
Confort	★★★½
Fiabilité	★★★★
Habitabilité	★★
Hiver	★★★
Sécurité	★★★★
Valeur de revente	★★★★

MERCURY Cougar

Mercury Cougar

Belle orpheline

Après avoir connu un départ fulgurant grâce à sa silhouette audacieuse, les ventes de la Mercury Cougar sont tombées à plat au cours des derniers mois. C'est d'autant plus inquiétant pour le Canada, où la marque Mercury n'est plus présente. Cette orpheline se fait d'ailleurs appeler la « Cougar » sur notre marché. Mais, délaissée ou pas, elle aura droit aux retouches et améliorations prévues en cours d'année.

Il est impossible de demeurer indifférent face à ce coupé. Même s'il est commercialisé par une compagnie américaine, il ressemble beaucoup plus à une européenne. Son bloc optique avant triangulaire intégrant des phares à projecteur, sa ligne de toit fuyante, son antenne montée en plein centre de la partie avant du toit, son hayon arrière, voilà autant d'indices que son design provient d'outre-Atlantique. Cette Mercury a été conçue à Cologne, en Allemagne, et à Londres, en Grande-Bretagne. De plus, avec ses pare-chocs proéminents et son arrière tronqué, elle respecte les canons esthétiques du design *New Edge* dont s'inspiraient les prototypes Mercury MC4 et MC2. Ce qui ne l'empêche pas de profiter de quelques retouches assez mineures cette année, afin d'adapter sa silhouette aux goûts du marché. Les parties avant et arrière sont révisées et les stylistes ont davantage épuré les lignes. Le tableau de bord, de même inspiration, fera également l'objet d'une révision en 2001.

La filière Mondeo

La Mercury Mystique nous a quittés il y a deux ans après avoir connu une carrière assez honteuse sur notre marché. Comme la Cougar, elle était dérivée de la Ford Mondeo vendue sur les autres marchés du globe. Toutefois, les éléments de la suspension avant, la direction assistée de même que la fermeté des ressorts et des amortisseurs ont été modifiés sur la Cougar.

Cette filiation peut également être retracée chez les groupes propulseurs. Le 4 cylindres Zetec 2 litres développant 125 chevaux fait partie de l'équipement de série tandis que le V6 Duratec 2,5 litres est offert en option. Il est important de souligner que la version 4 cylindres n'est offerte qu'avec la boîte manuelle à 5 rapports tandis que le modèle avec moteur V6 propose la manuelle et l'automatique. Cette année, toutefois, la puissance du moteur V6 a été portée à 200 chevaux.

Enfin, la version V6 roule sur des pneus de 16 pouces tandis que le modèle équipé du Zetec doit se contenter de roues de 15 pouces.

Comportement à l'américaine

Cette allure européenne, cette présentation extérieure agressive permettent d'espérer que cette Cougar possède ce petit caractère spécial propre à certaines européennes qui privilégient le plaisir de conduire. Malheureusement, les conducteurs américains n'apprécient pas tellement une direction un peu plus directe, une insonorisation moins poussée et une suspension plus ferme. La Cougar nous aguiche donc par ses allures européennes, mais nous laisse sur notre appétit en raison d'un comportement dicté par les goûts des automobilistes américains. Ce qui ne signifie pas pour autant que ce coupé ne soit pas efficace sur la route. La version animée par le V6 a enfin les chevaux qui faisaient défaut auparavant, ce qui permettra de tirer un meilleur parti des qualités du châssis. Sa tenue de route est toujours impeccable et les freins sont bien assistés. La suspension est également bien calibrée dans son ensemble, offrant un bon compromis entre le confort et la tenue de route. Malheureusement, on a tellement filtré les bruits et le feed-back de la route dans l'habitacle que le pilote ne ressent pas les émotions associées à ce type de voiture. Contrairement à la diminutive Ford Puma européenne, justement louangée pour

Félin sans griffes

ses bonnes manières et l'agrément que les gens ont à la piloter, sa grande sœur américaine se contente de nous aguicher sans livrer la marchandise.

Et ce n'est pas le modèle propulsé par le moteur 4 cylindres qui va venir améliorer la situation. Ses organes mécaniques sont modernes et fiables, mais il ne faut pas s'attendre à s'éclater à son volant. Il est d'ailleurs plus économique de s'intéresser à une Focus *hatchback* non seulement plus puissante, mais dont le tempérament sport est plus perceptible. Revenons à notre Cougar à moteur 4 cylindres pour ajouter que sa boîte de vitesses manuelle est moyenne et que la course du levier pourrait être plus précise.

Un chat chétif

À défaut d'être l'européenne pure et dure que laisse espérer sa silhouette, la Cougar n'est pas dépourvue de qualités côté comportement routier. Cependant, le rugissement du félin se limite parfois à un « miaou » timide avec la version animée par le moteur Zetec.

Cette élégante germano-américaine fournit une autre preuve que les décideurs de Detroit ont de la difficulté à évaluer les goûts des conducteurs attirés par les voitures européennes. Elle a été développée en tenant compte des critères des décideurs, pas des acheteurs.

Denis Duquet

MERCURY Cougar

▲ POUR

• Silhouette accrocheuse • Mécanique raffinée • Tenue de route saine • Prix compétitif • Équipement élaboré

▼ CONTRE

• Sensations de conduite amorties • Places arrière difficiles d'accès • Version 4 cylindres peu performante • Levier de vitesses imprécis

CARACTÉRISTIQUES

Prix du modèle à l'essai	24 595 $
Garantie de base	3 ans / 60 000 km
Type	coupé sport / traction
Empattement / Longueur	270 cm / 470 cm
Largeur / Hauteur	177 cm / 133 cm
Poids	1 420 kg
Coffre / Réservoir	411 litres / 60 litres
Coussins de sécurité	frontaux et latéraux
Suspension av.	indépendante
Suspension arr.	indépendante
Freins av. / arr.	disque ABS (optionnel sur V6)
Système antipatinage	oui (optionnel)
Direction	à crémaillère, assistance variable
Diamètre de braquage	11,2 mètres
Pneus av. / arr.	P215/50R16

MOTORISATION ET PERFORMANCES

Moteur	V6 2,5 litres
Transmission	automatique 4 rapports
Puissance	200 ch à 6 250 tr/min
Couple	165 lb-pi à 4 250 tr/min
Autre(s) moteur(s)	4L 2 litres 125 ch
Autre(s) transmission(s)	manuelle 5 rapports
Accélération 0-100 km/h	7,9 s; 10,9 s (4L)
Vitesse maximale	216 km/h (V6)
Freinage 100-0 km/h	39,7 mètres
Consommation (100 km)	12 litres; 9,7 litres (4L)

MODÈLES CONCURRENTS

• Chrysler Sebring • Honda Prelude
• Hyundai Tiburon • Saturn SC • Toyota Celica

QUOI DE NEUF ?

• Changements esthétiques • Tableau de bord révisé
• Coussin de sécu. à déploiement progressif

VERDICT

Agrément	★★★½
Confort	★★★½
Fiabilité	★★★★
Habitabilité	★★
Hiver	★★★
Sécurité	★★★★½
Valeur de revente	★★½

MERCURY Grand Marquis

Mercury Grand Marquis

La voiture de « mon oncle » ?

Vous vous souvenez tous de cette publicité de Volkswagen dont le thème, « Tasse-toi, mon oncle ! », a soulevé tant de controverses. Cette pub a été retirée des ondes depuis belle lurette, mais il est presque certain que le « mon oncle » en question conduisait une Mercury Grand Marquis. En effet, le comportement pantouflard au volant associé à l'état civil du conducteur visé par Volkswagen nous amène à déduire qu'il devait probablement piloter cette Mercury d'une autre époque.

Cette grosse berline est surtout appréciée pour son habitabilité, sa douceur de roulement et son insonorisation. Mais pour le plaisir de conduire et le comportement routier, c'est la voiture somnifère par excellence. Avant de jeter la pierre à Ford qui s'entête à fabriquer cette relique du passé, il faut souligner que la demande est toujours très forte sur le marché des États-Unis. Ajoutez les achats de compagnies de taxi, des corps policiers, des parcs automobiles, des départements gouvernementaux et vous avez un carnet de commandes suffisamment garni pour assurer l'avenir de l'usine de Ford à Oakville pour quelques années encore.

Malgré son succès au sud de notre frontière, il ne faut pas se surprendre que cette rescapée ne soit pas tellement populaire chez nous, autant en raison de son gabarit que de l'absence de qualités routières dont elle fait preuve.

Le bon vieux châssis autonome

Avant l'arrivée de la caisse autoporteuse, toutes les voitures de tourisme étaient fabriquées à partir d'un châssis autonome sur lequel était boulonnée la carrosserie. Cette configuration était nécessairement plus lourde que celle d'une voiture monocoque, mais cela contribuait à assurer une douceur de roulement et une insonorisation supérieures à la moyenne. Chez les « anciens », on parle d'une auto qui a une bonne « portée ». De plus, l'ensemble est plus robuste, ce qui explique pourquoi les chauffeurs de taxi et les policiers sont des inconditionnels de ces pachydermes qui peuvent subir nombre d'abus sans que le châssis soit atteint.

Mais cette berline a autre chose à offrir qu'une configuration d'une autre époque et la propulsion. Elle se déplace grâce à un moteur V8 de 4,6 litres qui est un modèle en fait de modernisme. Le bloc et la culasse sont en aluminium, l'entraînement des soupapes est à double arbre à cames en tête et sa puissance est de 200 chevaux sur la version régulière et de 15 de plus sur le modèle équipé de la suspension plus « sportive » qui comprend une barre arrière antiroulis plus rigide, des pneus plus larges et des ressorts pneumatiques aux roues arrière.

À la « belle époque », toutes ces grosses américaines étaient équipées d'un essieu rigide relié à la carrosserie par des ressorts elliptiques. Si la Grand Marquis respecte la tradition avec un essieu rigide, celui-ci est couplé à la caisse par des ressorts hélicoïdaux sur le modèle régulier. De plus, la suspension arrière est à liens multiples asymétriques et de type Watt. Ces concessions à la nouvelle technologie comprennent également des freins à disque aux 4 roues. Le système ABS est optionnel.

Rétro-mobile

Puisque le coffre arrière, en dépit de son relief très tourmenté, est assez spacieux pour qu'on puisse y emprisonner un ou deux adultes, une poignée intérieure d'ouverture de couvercle y a été installée depuis l'an dernier. Bien entendu, cette poignée est fabriquée d'un matériau spécial qui luit dans le noir. Qui osera maintenant traiter cette Mercury de relique du passé ?

Opération roulis

Les ingénieurs ont eu beau moderniser la mécanique et renforcer le châssis lors de la révision de cette voiture en 1998, ils n'ont jamais été en mesure de remédier à une tenue en virage qui se traduit par un roulis prononcé accentué par un sous-virage marqué. Il faut se cramponner au volant pour en conserver la maîtrise pour peu que l'on tente de rouler à vive allure sur une route sinueuse. Et que dire des occupants qui doivent s'accrocher tant bien que mal pour ne pas glisser sur ces banquettes qui n'offrent aucun support latéral ? On se prend immédiatement à songer que les policiers occupés à pourchasser un fuyard doivent vraiment travailler très fort pour maintenir cette grosse barge dans sa trajectoire. Et pas besoin de jouer les défenseurs de la loi et de l'ordre pour avoir des frayeurs. Même en roulant de façon peinarde sur l'autoroute, on se fait parfois surprendre par une dérobade du train arrière dans un virage au passage d'une bosse.

Cette grosse américaine aux allures et au gabarit d'une autre époque est surtout à son aise sur les grands boulevards et les autoroutes à des vitesses respectueuses des limitées affichées. Elle sera également appréciée pour son habitabilité et sa fiabilité. Il ne faut pas s'en étonner puisqu'on travaille sur le même modèle depuis des décennies.

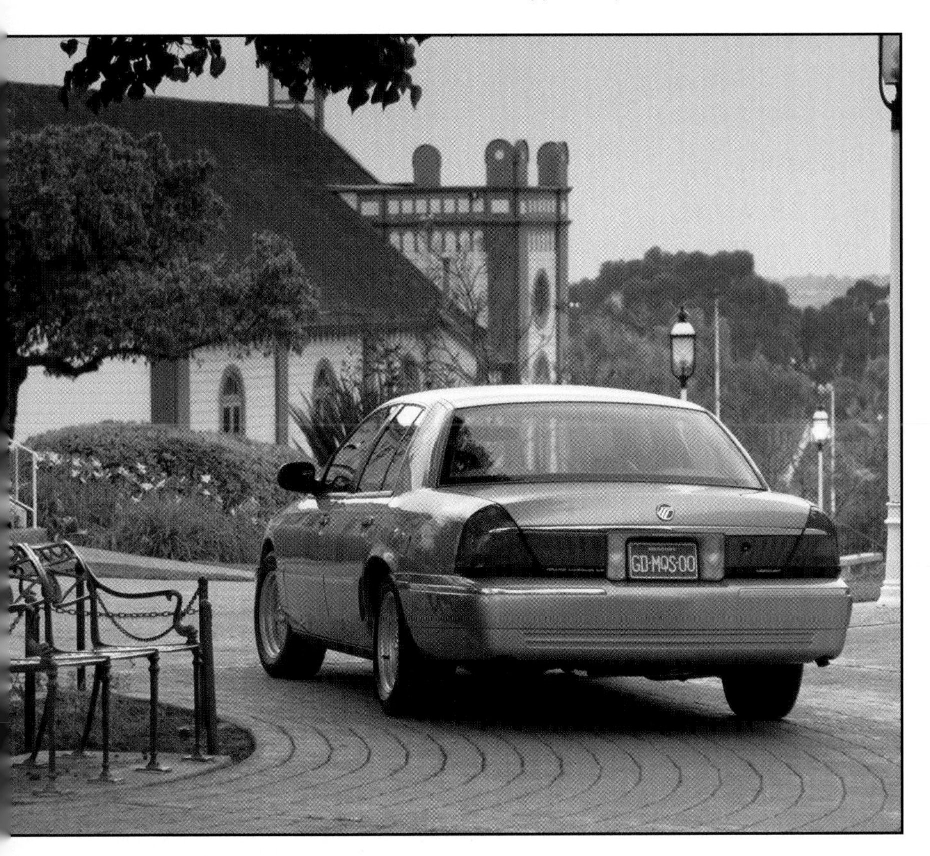

Denis Duquet

MERCURY Grand Marquis

▲ POUR

• Moteur moderne • Habitabilité assurée • Fiabilité éprouvée • Équipement complet • Insonorisation sophistiquée

▼ CONTRE

• Tenue de route aléatoire • Dimensions d'une autre époque • Roulis prononcé en virage • Coffre tarabiscoté • Conception dépassée

CARACTÉRISTIQUES

Prix du modèle à l'essai	LS / 41 260 $
Garantie de base	3 ans / 60 000 km
Type	berline / propulsion
Empattement / Longueur	291 cm / 538 cm
Largeur / Hauteur	199 cm / 144 cm
Poids	1 792 kg
Coffre / Réservoir	583 litres / 72 litres
Coussins de sécurité	frontaux
Suspension av.	indépendante
Suspension arr.	essieu rigide
Freins av. / arr.	disque ABS
Système antipatinage	oui (optionnel)
Direction	à billes, assistance variable
Diamètre de braquage	12,0 mètres
Pneus av. / arr.	P225/60R16

MOTORISATION ET PERFORMANCES

Moteur	V8 4,6 litres
Transmission	automatique 4 rapports
Puissance	225 ch à 4 500 tr/min
Couple	290 lb-pi à 3 000 tr/min
Autre(s) moteur(s)	aucun
Autre(s) transmission(s)	aucune
Accélération 0-100 km/h	8,9 secondes
Vitesse maximale	166 km/h (limitée)
Freinage 100-0 km/h	39,4 mètres
Consommation (100 km)	13,8 litres

MODÈLES CONCURRENTS

• Buick Le Sabre et Park Avenue • Chrysler LHS

QUOI DE NEUF ?

• Moteur plus puissant • Pédalier réglable
• Coussins gonflables adaptatifs

VERDICT

Agrément	★★★
Confort	★★★★
Fiabilité	★★★★
Habitabilité	★★★★½
Hiver	★★½
Sécurité	★★★★
Valeur de revente	★★½

MINI COOPER

Mini Cooper

Le plaisir ressuscité

Vous n'étiez peut-être pas né à la folle époque du circuit Mont-Tremblant, mais sachez que dans les années 60, une petite voiture pas plus grosse qu'une boîte à savon et animée par un moteur de moulin à coudre se plaisait à manger tout rond de grosses bagnoles américaines pétries de pouces cubes et de chevaux-vapeur. Cette voiture s'appelait la Mini Cooper et elle est de retour parmi nous sous la bannière BMW. Rappelons que depuis 1994, la marque anglaise fait partie de la filière du groupe allemand.

Cette voiture est sans doute moins célèbre que la Coccinelle, mais elle a néanmoins joué un rôle de tout premier plan dans l'histoire de l'automobile d'après-guerre. Issue de la baguette magique d'un ingénieur nommé Alec Issigonis à une époque ou l'industrie automobile britannique était encore florissante, la Mini a eu l'insigne honneur de prêter son nom à un nouveau mot de la langue française. C'est dans la foulée de son succès que l'on a vu apparaître la minijupe de Mary Quant et que le dictionnaire s'est enrichi du terme «mini» pour désigner tout ce qui était plus petit que la normale. Et avec une longueur de 10 pieds (ou 3 m, nous sommes en Angleterre, rappelez-vous) assortie d'une hauteur et d'une largeur de 4 pieds (1,2 m), la voiture avait vraiment des dimensions hors du commun. Tout comme la Beetle de Volkswagen, la Mini a eu une carrière plus longue en Europe qu'en Amérique. Retirée du marché ici il y a une vingtaine d'années, elle a continué à rouler sa bosse dans sa forme originale pendant 40 ans, c'est-à-dire jusqu'à l'an dernier, avec une production totale excédant les 5,3 millions d'exemplaires. Parmi ses propriétaires les plus célèbres, on relève les noms de Ringo Starr, Peter Ustinov, David Bowie, Niki Lauda et Enzo Ferrari lui-même.

J'ai hâte

Pour 8,50 $ par semaine

Chez nous, la Mini a fait carrière à l'enseigne BMC de l'époque, une époque bénie, précisons-le, où une automobile comme celle-là coûtait 850 $, pas un cent de plus. L'astuce est que la première mouture de la Mini portait le nom d'Austin 850, selon la cylindrée de son mo-

teur. À Montréal, elle était commercialisée notamment par un grand magasin de la rue Mont-Royal appelé L.N. Messier. On pouvait l'acheter pour 8,50 $ comptant et 8,50 $ par semaine... et c'est exactement ce que j'ai fait. La première voiture de mon épouse était une Mini et j'avoue tout de suite qu'elle ne la conduisait pas souvent pour la simple raison que je ne manquais pas une occasion de la lui prendre pour aller m'amuser. Car rien n'était plus réjouissant que de se faufiler en ville avec cette puce à roulettes et de se garer dans des endroits laissés vacants par les grosses américaines de l'époque.

Si la Mini du temps était une aubaine, je doute qu'il en soit de même pour la version 2002, le millésime au cours duquel BMW compte introduire ce modèle au Canada. Il suffit de consulter la liste des équipements de série ou optionnels pour se rendre compte que la Mini Cooper du nouveau millénaire s'adressera aux fanatiques prêts à payer le prix plutôt qu'au grand public. Elle sera notamment offerte avec des phares au xénon, un toit ouvrant panoramique et un système de navigation par satellite.

Rondelette, mais fidèle au passé

Dans sa réincarnation, la voiture arbore un look très près de l'original, mais emprunte des angles plus arrondis et, disons-le, plus modernes. Elle n'a toutefois rien perdu de sa bouille sympathique. Conçue et construite dans une usine d'Oxford, en Angleterre, sous la supervision de BMW, elle reste fidèle à la traction et à un petit moteur 4 cylindres, un 16 soupapes de 1,6 litre. La Mini 1 000 décrite dans *Le Guide de l'auto 76* devait se satisfaire de 4 freins à tambours coincés dans des roues de 10 pouces alors que la version 2002 héritera de 4 freins à disque et de roues de 15 pouces. Fini les jantes pliées qui étaient l'apanage des anciennes Mini, comme le soulignait mon ami Denis Duquet, lui-même propriétaire d'au moins trois de ces petits bolides dans sa jeunesse. Dans le répertoire des options, on trouvera même des roues en alliage ressemblant à s'y méprendre aux anciennes Minilite que les connaisseurs utilisaient autrefois.

Ces jantes seront blanches ou argent, au choix, tandis que la carrosserie pourra s'exhiber en 14 couleurs différentes. À ce propos, le toit et les rétroviseurs seront peints exclusivement en noir ou en blanc, une autre caractéristique des modèles originaux.

Chic et chère ?

À l'intérieur, la Mini pourra s'habiller de cuir et son tableau de bord se distinguera par la présence d'un compte-tours ajustable. Une chaîne audio haut de gamme figure également au catalogue.

Si le plaisir a fait partie des priorités, la sécurité n'a pas été négligée pour autant. La Mini Cooper 2001 sera dotée de freins ABS, de coussins gonflables frontaux et latéraux, d'un système de protection pour la tête mis au point par BMW ainsi que d'un contrôle dynamique de la stabilité. Par ailleurs, l'empattement allongé aura un effet bénéfique sur la tenue de route aussi bien que sur l'habitabilité. La suspension arrière à liens multiples utilisée sur plusieurs modèles haut de gamme est aussi une première dans cette catégorie de voitures.

À son arrivée sur le marché en 2002, la Mini Cooper sera commercialisée par les concessionnaires BMW, mais la petite voiture anglaise aura son propre emplacement dans les salles de montre. Aucun prix n'a été avancé pour le moment, mais il ne faudrait pas se surprendre d'avoir à payer près de 30 000 $ pour rouler dans cette machine à remonter le temps.

Jacques Duval

NISSAN Altima

Nissan Altima

Robuste et sans prétention

La Nissan Altima, qui existe déjà depuis 8 ans, constitue encore le plus gros succès de ce manufacturier en dépit du fait que la Sentra soit moins onéreuse. La situation pourrait évoluer à la suite de la refonte de cette dernière, mais l'Altima offre toujours un excellent rapport qualité/prix même si elle n'évolue pratiquement pas cette année.

Nissan avait profité de l'année-modèle 2000 pour modifier substantiellement la carrosserie. En dépit de son manque d'originalité, l'Altima se démarque quand même assez bien de ses concurrentes japonaises, Honda Accord, Toyota Camry et Mazda 626. Elle emprunte d'ailleurs pour ce faire certains traits de la Maxima et de l'Infiniti Q45. L'Altima se décline cette année en quatre versions, soit la XE, la GXE plus luxueuse, la SE plus sportive et mieux équipée, et la GLE offrant une dotation de base encore plus riche. L'habitacle assez spacieux renferme une foule d'espaces de rangement et vous permet de prendre vos aises à l'avant. Une troisième personne se sentira un peu négligée à l'arrière, surtout que l'assise de la banquette est posée trop bas. Tous les modèles, sauf la XE, reçoivent un équipement de série assez complet. Celle-ci doit en effet se passer entre autres d'un climatiseur et d'un dossier rabattable à l'arrière. Heureusement, les autres sont de mieux en mieux pourvues à mesure que l'on monte dans la « hiérarchie », tant et si bien que la GLE aspire à se frotter à des productions de catégorie supérieure.

Un 4 cylindres puissant et rustaud

Elle peut s'offrir ce luxe, car les Altima reçoivent toutes le même gros 4 cylindres de 2,4 litres et aucun V6 n'apparaît à l'horizon pour maintenir les prix bien serrés. Ce moteur n'est pas dépourvu de qualités, à commencer par sa remarquable endurance, fruit de perfectionnements incessants et d'une conception axée sur la robustesse. Par exemple, une chaîne assure la distribution, plutôt qu'une courroie crantée qui doit être remplacée périodiquement. Il développe toujours la même puissance supérieure à celle des moteurs de base des autres japonaises, mais son fonctionnement s'accompagne de bruits assez soutenus et discordants lorsqu'il s'approche de la zone rouge du compteur. Avec sa cylindrée unitaire importante, et sans arbre d'équilibrage, il vibre aussi davantage que ses confrères asiatiques. Néanmoins, il accomplit frugalement et sans se fatiguer son boulot, et les accélérations qu'il procure se situent dans la bonne moyenne avec deux personnes à bord. Cependant, elles sont inversement proportionnelles à l'équipement, car toutes ces assistances et tous ces gadgets ajoutent des kilos et le rapport poids/puissance pique rapidement du nez lorsqu'on dispose d'un nombre aussi limité de chevaux. On peut quand même les cravacher aisément grâce au maniement facile du long levier de vitesses, mais avec l'automatique, on a l'impression, malgré son fonctionnement sans reproche, que plusieurs ont pris congé.

Bridée par la Maxima

La position de conduite est assez basse, mais les sièges s'avèrent confortables malgré leur apparente simplicité, et deux grosses molettes difficiles à tourner permettent de les relever. Le cuir garnissant l'assise de ceux de la GLE est de bonne épaisseur et semble résistant bien que peu odorant. Malgré son équipement complet comprenant entre autres des jantes en alliage de 16 pouces, un ABS à 4 canaux, le siège conducteur à 8 réglages électriques, des coussins latéraux aux sièges avant, une sonorisation assez performante, et un toit ouvrant électrique, elle demeure relativement terne, la présentation ne comportant aucune fantaisie, de peur sans doute de jeter ombrage à la Maxima. Les instruments d'usage se consultent facilement et ceux de la SE sont semble légèrement plus raide, à commencer par l'assise des sièges, jusqu'aux ressorts qui vous font mieux percevoir le travail des pneus, mais aussi les « aspérités » de la route, pour employer un euphémisme très poli décrivant l'état de notre réseau routier. Les versions moins onéreuses se comportent plus mollement dans leurs mouvements et les amortisseurs devraient être plus serrés en détente. Le châssis bien rigide ne laisse entendre aucun craquement et les bruits éoliens sont relativement bien maîtrisés aux vitesses légales. Le freinage rassure, malgré la présence de tambours à l'arrière des XE et GXE. La pédale bien dure permet une bonne modulation et les distances d'arrêt sont plutôt limitées par leurs pneumatiques en taille 15 pouces de piètre qualité. Bien entendu, la direction demeure elle aussi tributaire des performances offertes par ces pneus et elle bénéficierait d'une monte plus efficace. À preuve, la précision supérieure des SE et GLE.

du même type que dans la Maxima avec leur éclairage « réversible » de jour et de nuit.

Une routière honnête

Le comportement routier de la SE, prétendue sportive de la famille et équipée elle aussi de l'ABS et de pneus de 16 pouces, se manifeste par une plus grande sécheresse des suspensions et un meilleur contrôle des réactions de la caisse. Tout

En fin de compte, il faut tout simplement éviter les comparaisons oiseuses. Les performances de la SE et de la GLE sont un peu à la traîne par rapport aux versions plus dépouillées, et les prix de ces versions frôlent dangereusement ceux d'autres productions motorisées par des 6 cylindres plus onctueux et puissants. À tout prendre, je préfère la GXE, pas prétentieuse pour deux sous, mais qui promet de longues années sans problèmes.

Jean-Georges Laliberté

NISSAN Altima

▲ POUR

• Construction robuste • Moteur assez puissant • Finition soignée • Caisse rigide • Freinage rassurant

▼ CONTRE

• Espace à l'arrière étriqué • Pneus médiocres (version de base) • Moteur bruyant • SE pas vraiment sportive • XE dénudée

CARACTÉRISTIQUES

Prix du modèle à l'essai	SE / 28 498 $
Garantie de base	3 ans / 80 000 km
Type	berline / traction
Empattement / Longueur	262 cm / 466 cm
Largeur / Hauteur	175 cm / 142 cm
Poids	1 335 kg
Coffre / Réservoir	390 litres / 60 litres
Coussins de sécurité	frontaux (latéraux GLE)
Suspension av.	indépendante, tours MacPherson
Suspension arr.	indép., tours MacPherson modifiées
Freins av. / arr.	disque / tambour (ABS sur SE et GLE)
Système antipatinage	non
Direction	à crémaillère, assistée
Diamètre de braquage	11,4 mètres
Pneus av. / arr.	P205/55HR16

MOTORISATION ET PERFORMANCES

Moteur	4L 2,4 litres DACT 16 soupapes
Transmission	manuelle 5 rapports
Puissance	155 ch à 5 600 tr/min
Couple	156 lb-pi à 4 400 tr/min
Autre(s) moteur(s)	aucun
Autre(s) transmission(s)	automatique 4 rapports
Accélération 0-100 km/h	10,2 secondes
Vitesse maximale	185 km/h
Freinage 100-0 km/h	42 mètres
Consommation (100 km)	10,0 litres

MODÈLES CONCURRENTS

• Chevrolet Malibu • Daewoo Leganza • Mazda 626 • Oldsmobile Alero • Volkswagen Jetta

QUOI DE NEUF ?

• Choix des versions diminué à quatre
• Nouvel ensemble LE comprenant roues de 16 po

VERDICT

Agrément	★★★
Confort	★★★½
Fiabilité	★★★★½
Habitabilité	★★★½
Hiver	★★★
Sécurité	★★★
Valeur de revente	★★★

NISSAN Maxima

Nissan Maxima

L'âge de la maturité

Dix-huit ans, c'est le début de l'âge adulte. C'était aussi l'âge de la Nissan Maxima lors de sa refonte, l'année dernière. Cette carrière pour le moins fructueuse se poursuit sous le signe de la maturité, car la Maxima de cinquième génération est sans l'ombre d'un doute la meilleure jamais construite.

La conception de la nouvelle Maxima fut une nouvelle fois confiée aux bureaux de Nissan Design International, sis à La Jolla, en Californie. Là même où la génération précédente avait été conçue et dessinée. Cette continuité a ses bons côtés, certes, mais aussi de moins bons, particulièrement sur le plan du style. Non pas que cette berline soit laide, loin s'en faut, mais pour l'originalité, on repassera.

S'il y a eu progrès par rapport au modèle précédent, c'est à l'intérieur. Et ce, sur tous les plans : esthétique, ergonomique et pratique. Dans une Maxima de base (GXE), ce n'était pas très jojo, côté ambiance, et les efforts pour rectifier le tir sont tangibles. Les cadrans à fond blanc (ou noir, selon qu'il fasse jour ou nuit) ne sont plus l'apanage exclusif de la version SE, et la grille de sélection de la boîte de vitesses automatique, en aluminium brossé, contribue à rehausser le tout. Comme quoi il suffit de bien peu de chose, parfois…

Pensée aux États-Unis, la Maxima continue cependant d'être assemblée au Japon, à l'usine d'Oppama. Voilà qui rassurera ceux qui ne jurent que par la qualité japonaise. Celle-ci est d'ailleurs palpable dans l'habitacle, qui respire le travail bien fait : finition soignée, construction rigoureuse et ergonomie sans faille. Qui plus est, l'habitabilité atteint de nouveaux sommets. Bref, il n'y a pas grand-chose à redire. Dommage que l'emballage ne soit pas un peu plus attrayant, mais c'était pareil pour l'ancienne génération, ce qui ne l'a pas empêchée de connaître le succès.

Choisir le bon jumelage

Je disais donc que la continuité a ses bons côtés… L'un de ceux-là est la reconduction du V6 de 3 litres sous le capot de la nouvelle Maxima. Considéré à juste titre comme l'un des meilleurs V6 de l'industrie automobile, ce moteur n'a que des qualités.

D'une rare souplesse, silencieux et dénué de vibrations, il brille par ce qu'il convient d'appeler son onctuosité. De plus, il répond présent à tous les régimes, signe d'une juste répartition de sa puissance. Mais ceux qui ne jurent que par le « 0-100 » (km/h) resteront sur leur faim : 9,6 secondes pour un engin délivrant 222 chevaux, voilà qui n'est rien pour écrire à sa mère. Mais, bon, la vocation de cette berline n'est pas de battre des records sur les pistes d'accélération, alors on ne lui en tiendra pas trop rigueur.

La boîte automatique effectue elle aussi un boulot remarquable. Les passages se font en douceur, sans à-coups ; ce qui ne l'empêche pas de répondre vivement, gérant avec doigté et brio les prestations de ce moteur. Un exemple à suivre, encore une fois.

On ne peut en dire autant du jumelage V6/boîte manuelle, tant cette dernière déçoit. Si bon nombre d'organes mécaniques ont fait l'objet d'une révision lors du processus de refonte, ce n'est sûrement pas le cas de cette transmission, qui sévit à bord des produits Nissan depuis trop longtemps. Affligé d'une course beaucoup trop longue et plutôt rétif, le levier est particulièrement désagréable à manier; de plus, son imprécision peut occasionner quelques surprises en conduite sportive. Il est donc recommandé d'être vigilant, question d'éviter les surrégimes... et les réactions de la voiture que cela peut entraîner.

Meilleure que jamais

Agrément de conduite à la hausse

Les suspensions et la direction ont également été revues. Encore une fois, ces modifications, bien réelles, ont fait le plus grand bien à cette berline qui, hier encore, était tout sauf excitante.

En prenant le volant de plusieurs Maxima au cours de la dernière année, j'ai pu constater que la différence de comportement entre les trois versions (GXE, SE et GLE) s'amenuisait. La direction m'est apparue plus aiguisée, plus précise aussi. Une amélioration qui contribue à rehausser l'agrément de conduite, n'en doutez pas, et dont tire profit cette berline au comportement en général très sain. Des retouches apportées aux suspensions résultent un roulis mieux maîtrisé ainsi qu'une tenue de route rassurante, presque sportive. Qu'on se le dise: on peut désormais avoir un certain plaisir à conduire une Maxima.

Ce changement est d'autant plus digne de mention qu'il n'a pas été obtenu au détriment du confort. Au contraire, on a encore relevé la barre d'un cran: au chapitre de l'insonorisation et de la douceur de roulement, notamment, la nouvelle Maxima se place en tête du peloton.

C'est aussi là qu'on la retrouve, traditionnellement, dans les différents sondages visant à mesurer le taux de satisfaction des propriétaires. Or, la fiabilité proverbiale des Maxima influence la valeur de revente, l'une des meilleures qui soient. Somme toute, on a donc amélioré ce qu'il fallait améliorer, c'est-à-dire l'agrément de conduite. Pour le reste, la Maxima, qui était déjà une excellente voiture, est encore meilleure, ce qui est tout dire. C'est ce qu'on appelle la maturité.

Philippe Laguë

NISSAN Maxima

▲ POUR

• Superbe V6 • Conduite plus inspirée • Silence et douceur de roulement • Prix revus à la baisse • Fiabilité et qualité d'assemblage

▼ CONTRE

• Design banal • Performances moyennes • Suspension sèche (SE) • Boîte manuelle désagréable

CARACTÉRISTIQUES

Prix du modèle à l'essai	GXE / 32 650 $
Garantie de base	3 ans / 60 000 km
Type	berline / traction
Empattement / Longueur	275 cm / 484 cm
Largeur / Hauteur	179 cm / 143,5 cm
Poids	1 473 kg
Coffre / Réservoir	428 litres / 70 litres
Coussins de sécurité	frontaux (latéraux option)
Suspension av.	indépendante
Suspension arr.	essieu rigide
Freins av. / arr.	disque ABS
Système antipatinage	oui
Direction	à crémaillère, assistance variable
Diamètre de braquage	10,8 mètres
Pneus av. / arr.	P205/65R15

MOTORISATION ET PERFORMANCES

Moteur	V6 3 litres
Transmission	automatique 4 rapports
Puissance	222 ch à 6 400 tr/min
Couple	217 lb-pi à 4 000 tr/min
Autre(s) moteur(s)	V6 3 litres 227 ch (SE 20e)
Autre(s) transmission(s)	manuelle 5 rapports
Accélération 0-100 km/h	9,6 secondes
Vitesse maximale	195 km/h
Freinage 100-0 km/h	38,7 mètres
Consommation (100 km)	10,2 litres

MODÈLES CONCURRENTS

• Acura TL • Buick Regal • Honda Accord V6 • Mazda Millenia • VW Passat V6 • Toyota Camry V6

QUOI DE NEUF ?

• Édition spéciale SE 20e anniversaire • Appuie-tête à sécurité active • Commandes audio sur le volant

VERDICT

Agrément	★★★½
Confort	★★★★½
Fiabilité	★★★★★
Habitabilité	★★★★
Hiver	★★★★
Sécurité	★★★★
Valeur de revente	★★★★★

NISSAN Pathfinder INFINITI QX4

Infiniti QX4

La magie du V6

Une fois de plus, Nissan tente de retrouver une bonne place au classement dans une catégorie où il a déjà joué l'un des principaux rôles. En effet, le Pathfinder a longtemps été l'un des véhicules utilitaires sport les plus en demande et le fer de lance de Nissan sur notre marché. Mieux encore, à une époque pas trop lointaine, il a été le modèle le plus vendu de la compagnie au Canada. Cela donne une idée de son importance pour Nissan.

Le Pathfinder est toujours demeuré un grand succès, mais sa popularité a régressé au cours des deux ou trois dernières années. Compte tenu de l'ampleur du marché des utilitaires sport en Amérique du Nord, il était devenu impératif de remédier à la situation. Pour ce faire, la direction de Nissan a utilisé l'un de ses grands atouts : un moteur V6 encore plus puissant et plus sophistiqué. Si on peut reprocher bien des choses à ce constructeur en ce qui concerne le stylisme et la mise en marché, il est difficile de trouver à redire sur la mécanique de ses produits. Et puisque la tendance de la catégorie vise des performances plus élevées et un meilleur confort, on a adopté un moteur plus puissant tout en améliorant la présentation générale de l'habitacle.

250 chevaux !

Il aurait sans doute été plus facile d'augmenter la cylindrée du moteur déjà en place sous le capot, mais les ingénieurs ont préféré offrir quelque chose d'encore meilleur. Ils ont donc modifié le moteur V6 de la Maxima, considéré comme l'un des meilleurs au monde. Par contre, la répartition du couple a été révisée afin qu'il soit plus important à un régime inférieur, une exigence pour toute conduite hors route. Le système de calage infiniment variable des soupapes de même que l'admission d'air proportionnelle ont été modifiés en fonction d'un utilitaire. La puissance affichée est de 250 chevaux avec la boîte manuelle à 5 rapports et de 240 chevaux avec l'automatique. Cette dernière a d'ailleurs été renforcée afin de pouvoir négocier sans problème cet important surplus de couple et de puissance.

L'acheteur pourra choisir entre un rouage d'entraînement 4X4 avec enclenchement à la volée et une boîte de transfert à deux paliers de démultiplication. Par contre, le modèle SE avec boîte automatique et toutes les versions LE sont livrés avec un système de traction intégrale qui répartit automatiquement le couple aux roues ayant le plus de traction. Sur le plan mécanique, le Pathfinder n'a plus rien à envier à la concurrence.

Pour compléter cette cure de jeunesse, les stylistes ont modifié toute la partie avant en lui donnant un air plus aérodynamique. La présentation du tableau de bord a été revue, la console redessinée et la sonorisation améliorée.

Toutes ces modifications permettent au Pathfinder de se montrer nettement plus compétitif qu'auparavant. Le moteur assure des accélérations vraiment impressionnantes tandis que le confort de l'habitacle permet d'oublier le caractère un peu trop primitif de la version précédente. Toutefois, il faudrait maintenant que le châssis soit raffiné davantage car, en certaines circonstances, il n'est pas à la hauteur du groupe propulseur, malgré un comportement routier légèrement supérieur à la moyenne.

Ça bouge !

Reste aux services de mise en marché de Nissan à orchestrer une campagne d'information pour que le grand public soit mis au courant des améliorations apportées à son tout-terrain, une chose qui n'a pas toujours été réussie par le passé.

Infiniti QX4 : une entité inconnue

Il suffit de tenter de se souvenir de la dernière fois qu'on a aperçu un QX4 sur nos routes pour en conclure que ses ventes sont passablement confidentielles. Pour le grand public, ce tout-terrain de luxe n'est rien d'autre qu'un Pathfinder en smoking. Et l'arrivée sous le capot du moteur V6 de 240 chevaux du Pathfinder ne vient pas arranger les choses. Curieusement, chez Toyota, la mutation se fait de Lexus à Toyota tandis que c'est le contraire chez Infiniti, qui transforme des Nissan en véhicules de luxe. C'est du moins la perception du public et cela ne doit certainement pas contribuer à améliorer l'image de cette marque.

S'il est vrai que ces deux véhicules partagent la même plate-forme, la même mécanique et la même caisse, leur conduite est différente. En effet, la suspension du QX4 n'est pas calibrée de la même façon et elle privilégie nettement le confort et la tenue de route au détriment de l'efficacité en tout-terrain. Il faut d'ailleurs féliciter les ingénieurs de Nissan qui ont réussi à obtenir un tel confort de la part d'une suspension arrière à essieu rigide. De plus, l'insonorisation de l'habitacle est supérieure à celle du Pathfinder, ce qui contribue à en relever de plusieurs crans le confort.

Noblesse oblige, le QX4 ne peut être livré avec un système 4X4 à temps partiel. Il est équipé de série avec une intégrale constituée par un embrayage multidisque commandé par un module électronique qui répartit instantanément le couple aux roues ayant le plus d'adhérence. Ce système est dérivé de celui du coupé sport haute performance Skyline GT-R commercialisé au Japon. Il convient fort bien à l'utilisation essentiellement routière de cette Infiniti, dont l'habitacle est très luxueux.

Encore une fois, les ingénieurs ont fait leur travail. Au tour des dirigeants de la commercialisation de se retrousser les manches !

Denis Duquet

NISSAN Pathfinder

▲ POUR

• Moteur V6 • Silhouette plus moderne • Fiabilité assurée • Rouage intégral • Finition sans faille

▼ CONTRE

• Espace arrière restreint • Silhouette anonyme • Tenue de route perfectible • Pneumatiques moyens

CARACTÉRISTIQUES

Prix du modèle à l'essai	XE / 34 700 $
Garantie de base	3 ans / 60 000 km
Type	utilitaire sport / 4X4
Empattement / Longueur	270 cm / 464 cm
Largeur / Hauteur	182 cm / 173 cm
Poids	1 928 kg
Coffre / Réservoir	1 076 l (banq. abaissée) / 95 l
Coussins de sécurité	frontaux et latéraux (option)
Suspension av.	indépendante
Suspension arr.	essieu rigide
Freins av. / arr.	disque / tambour ABS
Système antipatinage	non
Direction	à crémaillère assistée
Diamètre de braquage	11,4 mètres
Pneus av. / arr.	P245/70R16

MOTORISATION ET PERFORMANCES

Moteur	V6 3,5 litres
Transmission	manuelle 5 rapports
Puissance	250 ch à 6 000 tr/min
Couple	240 lb-pi à 3 200 tr/min
Autre(s) moteur(s)	V6 3,5 litres 240 ch (auto.)
Autre(s) transmission(s)	automatique 4 rapports
Accélération 0-100 km/h	9 secondes
Vitesse maximale	165 km/h
Freinage 100-0 km/h	43,7 mètres
Consommation (100 km)	13,3 litres

MODÈLES CONCURRENTS

• Chevrolet Blazer • Ford Explorer • GMC Jimmy • Jeep Grand Cherokee • Toyota 4Runner

QUOI DE NEUF ?

• Moteur de 250 ch • Habitacle transformé • Système audio plus puissant • Traction intégrale sur LE

VERDICT

Agrément	★★★½
Confort	★★★
Fiabilité	★★★★★
Habitabilité	★★★★½
Hiver	★★★★½
Sécurité	★★★★½
Valeur de revente	★★★★

NISSAN Quest

Nissan Quest

Une dernière fois !

Lancée au milieu des années 90, la Quest faisait bande à part dans le contingent de fourgonnettes. Elle se différenciait de ses rivales par sa compacité, son agilité et sa tenue de route à une époque où la concurrence optait pour des véhicules plus longs privilégiant l'habitabilité et le caractère pratique.

Malheureusement, l'accueil du public a été très mitigé. En fait, même la Mercury Villager, aujourd'hui disparue de notre marché, n'a pas été en mesure de soulever beaucoup d'enthousiasme en dépit d'un équipement plus complet et d'un plus grand nombre de concessionnaires. Ces deux fourgonnettes tentaient de lutter contre une tendance vraiment trop forte à cette époque. Le marché semble vouloir changer quelque peu et c'est une bonne nouvelle pour Nissan puisque le public s'intéresse davantage à des modèles plus petits et plus maniables, comme le confirme d'ailleurs le succès instantané de la nouvelle Mazda MPV.

Mais si la Quest a toujours connu une carrière en demi-teintes, ce n'est pas uniquement en raison des tendances du marché. Le produit y est inévitablement pour quelque chose et cette fourgonnette n'est pas toujours à la hauteur des attentes.

Disparate !

Lorsqu'on s'attarde à énumérer les caractéristiques de ce véhicule, on est impressionné. Non seulement ses dimensions sont plus politiquement correctes que celles de la plupart de ses concurrentes, mais la direction de Nissan n'a pas lésiné sur l'équipement de série. En plus des incontournables portes coulissantes arrière de chaque côté, on retrouve dans le coffre à bagages une ingénieuse tablette dont la hauteur peut être réglée selon les besoins du moment. Et il ne faut pas oublier que la banquette arrière est montée sur des rails, ce qui permet de configurer l'habitacle de nombreuses façons. Toutefois, il est impossible de l'enlever. Mais puisque la vocation première de ce véhicule est de jouer le rôle d'une familiale encore plus spacieuse que la moyenne, cette caractéristique ne devrait pas être trop contraignante.

Parmi les autres caractéristiques intéressantes de la Quest, on trouve un tableau de bord dont le style est inspiré de celui des automobiles. Plusieurs améliorations ont été apportées à l'habitacle cette année afin de combler certaines lacunes au chapitre de la présentation et de l'équipement, notamment de nouveaux cadrans. Il faut surtout souligner l'arrivée d'un système de divertissement vidéo aux places arrière. Détail intéressant, Nissan a été l'un des premiers manufacturiers à dévoiler, il y a plusieurs années, un prototype de ce système vidéo. Mais, encore une fois, la concurrence a eu le dessus puisque cet accessoire est commercialisé depuis plusieurs années par General Motors.

Parmi les éléments positifs offerts par cette Nissan, il faut souligner un assemblage soigné et une suspension avant qui s'apparente à celle des berlines intermédiaires de ce manufacturier. On a même apporté plusieurs améliorations à la suspension cette année. Notamment de nouveaux amortisseurs avant ASD de Monroe, des barres stabilisatrices plus grosses tandis que les roues de 16 pouces sont de série. Malheureusement, l'essieu arrière est à poutre déformable et il semble que les ingénieurs de la compagnie n'ont pas encore maîtrisé toutes les subtilités d'une telle configuration mécanique. Ce n'est pas mauvais en comparaison de la concurrence. Mais compte tenu qu'on veut faire de la Quest une quasi-voiture, l'équipe de développement aurait dû s'inspirer de la Honda Odyssey dont la suspension arrière est indépendante. Et la même remarque s'applique au moteur V6 de 3,3 litres. Sa cylindrée et sa puissance de 170 chevaux semblent bien adaptées à la vocation de ce véhicule. Pourtant, ses origines industrielles se révèlent dès qu'on accélère à fond. Le rugissement qui émane de sous le capot est une indication qui ne ment pas : mieux vaut ne pas trop solliciter le moteur.

Un autre échec

Et c'est là le problème de cette fourgonnette. Elle ne possède pas tous les attraits pour séduire la clientèle. Pour pallier cette lacune, la partie avant est redessinée, les phares nouveaux et la calandre de couleur harmonisée. Un peu comme l'image de la marque auprès du grand public, ce véhicule nous laisse indifférent. Il ne fait rien de mal, mais il ne fait rien de bien extraordinaire non plus. Tout est dans la bonne moyenne, sans plus. Et pire encore, le conducteur est agressé par un tableau de bord qui imite celui d'une automobile sans en avoir les caractéristiques ni la facilité d'utilisation. Et on a eu la fâcheuse idée de le placer tout près du conducteur, ce qui est oppressant pour certains. C'est d'autant plus irritant qu'on a affaire à un véhicule disposant de plus d'espace intérieur que plusieurs de ses rivales.

Sans vouloir tourner le fer dans la plaie, ajoutons que la Quest ressemble à plusieurs autres produits Nissan. Elle n'est pas dépourvue de qualités, mais il lui manque cette petite astuce, cette présentation un peu plus inspirée que la moyenne ou un agrément de conduite digne de mention pour nous faire pencher en sa faveur.

Il faut espérer que les modifications esthétiques apportées à la carrosserie et à l'habitacle seront de nature à relancer ce modèle. De plus, les roues de 16 pouces en équipement de série ont un effet positif sur le confort et la tenue de route. La Quest a eu si peu d'impact sur notre marché que c'est trop peu, trop tard. Il n'est pas prévu qu'elle soit de retour l'an prochain. Il y a peut-être en revanche une aubaine qui vous attend chez votre concessionnaire Nissan.

Jacques Duval/Denis Duquet

NISSAN Quest

▲ POUR

• Mécanique fiable • Comportement routier sain • Banquette arrière sur rails • Ingénieuse tablette arrière • Finition sérieuse

▼ CONTRE

• Moteur bruyant • Modèle en fin de carrière • Suspension arrière mal calibrée • Silhouette anonyme

CARACTÉRISTIQUES

Prix du modèle à l'essai	SE / 35 495 $
Garantie de base	3 ans / 60 000 km
Type	fourgonnette / traction
Empattement / Longueur	285 cm / 495 cm
Largeur / Hauteur	190 cm / 170 cm
Poids	2 015 kg
Coffre / Réservoir	de 716 à 3 889 litres / 75 litres
Coussins de sécurité	frontaux
Suspension av.	indépendante
Suspension arr.	essieu rigide
Freins av. / arr.	disque ABS / tambour ABS
Système antipatinage	non
Direction	à crémaillère, assistée
Diamètre de braquage	11,8 mètres
Pneus av. / arr.	P225/60R16

MOTORISATION ET PERFORMANCES

Moteur	V6 3,3 litres
Transmission	automatique 4 rapports
Puissance	170 ch à 4 800 tr/min
Couple	200 lb-pi à 4 400 tr/min
Autre(s) moteur(s)	aucun
Autre(s) transmission(s)	aucune
Accélération 0-100 km/h	11,2 secondes
Vitesse maximale	175 km/h
Freinage 100-0 km/h	40,8 mètres
Consommation (100 km)	13,8 litres

MODÈLES CONCURRENTS

• Chevrolet Venture/Olds. Silhouette • Honda Odyssey • Toyota Sienna • Ford Windstar • Chrysler Caravan

QUOI DE NEUF ?

• Nouveaux phares avant • Nouvelle calandre • Nouveaux amortisseurs avant

VERDICT

Agrément	★★★½
Confort	★★★★
Fiabilité	★★★★
Habitabilité	★★★
Hiver	★★★★
Sécurité	★★★
Valeur de revente	★★★

NISSAN Sentra

Nissan Sentra

Qualité et discrétion

Tandis que Honda, Mazda et Toyota comptent sur leurs modèles Civic, Protegé et Corolla/Echo pour augmenter leurs chiffres de ventes et amener de nouveaux acheteurs dans le giron de leurs familles respectives, le bilan est moins reluisant chez Nissan. En effet, pendant des années, la Sentra a été la malaimée du marché. Sa silhouette anonyme, une échelle de prix quelque peu hors normes et une diffusion presque confidentielle expliquent en grande partie cette situation.

Chaque année, les excuses étaient différentes pour expliquer la déroute sur le marché. Le taux de change, les modifications de la cadence de production à l'usine de Smyrna dans le Tennessee, un style trop rétro que l'on devait changer, tout le répertoire y passait. Pourtant, le problème s'est prolongé pendant plusieurs années.

Cette année, la situation est totalement différente puisque la Sentra a été complètement modifiée. Elle est même fabriquée dans une usine érigée au Mexique qui se consacre à sa production pour l'Amérique et même pour le Japon.

Hecho en Mexico

Vous apercevez de plus en plus souvent cette étiquette depuis que le Mexique a signé le traité de libre-échange avec le Canada et les États-Unis. Un nombre sans cesse croissant de produits nous proviennent de ce pays, et il en est de même dans le secteur automobile. La compagnie Nissan a agrandi son usine d'assemblage d'Aguascalientes, au centre du Mexique, afin de produire des modèles Sentra pour le marché des États-Unis, du Canada, de l'Amérique centrale et même du Japon, du moins en partie.

Jusqu'à tout récemment, les voitures fabriquées au Mexique étaient surtout destinées au marché local et les quelques exemplaires qui parvenaient dans les salles de montre des concessionnaires canadiens étaient des modèles conçus pour le marché mexicain et adaptés tant bien que mal pour répondre à nos besoins. Souvent, les résultats n'étaient pas tellement concluants.

Cette fois, c'est tout à fait différent. La voiture, l'usine et même la formation du personnel sur place, tout a été développé pour que les véhicules soient de la meilleure qualité possible. J'ai moi-même visité cet établissement et il est en tout point semblable à ce qu'on peut retrouver au Japon ou aux États-Unis. La seule différence digne de mention est le fait que plusieurs étapes de la fabrication sont réalisées par des machines guidées par des ouvriers et non pas robotisées. BMW a adopté cette même approche pour son usine de Spartanburg, en Caroline du Sud.

Une piste d'essai située derrière la fabrique d'Aguascalientes permet d'effectuer des essais sur route des voitures de production. Après avoir conduit plusieurs exemplaires de la Sentra, je n'ai pas été en mesure de détecter quelque différence que ce soit entre ce modèle « mexicain » et les Sentra antérieures assemblées au Tennessee.

Style raté

Question de style

Tous les modèles précédents de la Sentra se sont distingués par une silhouette mièvre et le terme est faible. En effet, c'était insipide à souhait. Les stylistes semblaient s'être donné le mot pour réaliser l'objet le plus drabe sur le marché, tous produits confondus. Cette fois, les concepteurs du Centre Nissan de design international avaient reçu l'ordre de créer une carrosserie aux lignes spectaculaires qui allait faire tourner les têtes.

À voir la Sentra 2001, l'âge moyen de ces stylistes doit être passablement avancé puisqu'on semble avoir dessiné cette voiture en pensant aux septuagénaires. C'est d'une certaine élégance, mais on a raté la cible. Cette Sentra va plaire aux directeurs de funérailles devant respecter un budget serré ou aux détectives privés voulant passer inaperçus dans le cadre d'une filature.

C'est dommage que la Sentra soit trahie par sa silhouette puisque ce n'est pas une vilaine voiture, loin de là. Le moteur de série est un 4 cylindres de 1,8 litre d'une puissance de 126 chevaux. Sa fiabilité ne devrait pas causer de soucis tandis que ses performances permettent de boucler le 0-100 km/h en un peu plus de 10 secondes avec la boîte manuelle qui est moins récalcitrante qu'auparavant. Bien que relativement bruyant, ce moteur est bien adapté et sa consommation nettement inférieure à la moyenne.

Le comportement routier de la plus petite Nissan sur notre marché est très prévisible et, à part un certain sautillement sur mauvais revêtement et un sous-virage dans les courbes raides, rassurant dans son ensemble.

L'habitacle s'avère également correct en termes de présentation générale tandis que l'habitabilité est impeccable. Sur ce nouveau modèle, le dégagement pour la tête est amélioré tant aux places avant qu'à l'arrière. Et les espaces de rangement sont légion. On en retrouve même sur la partie supérieure du tableau de bord.

Il ne faut pas oublier le modèle SE avec son moteur de 145 chevaux. Cette motorisation associée au prix de 26 000 $ et des poussières font de cette Sentra en *baskets* une option alternative plus économique et plus raisonnable que l'Infiniti G20, qui n'a rien à faire sur notre marché.

La SE possède d'indéniables qualités, mais elle est trahie par une silhouette en totale contradiction avec son caractère. Encore une fois, Nissan est passée à un doigt de viser la cible en plein centre. Dommage!

Denis Duquet

NISSAN Sentra

▲ POUR

• Bon choix de moteurs • Tenue de route prévisible • Bonne habitabilité • Assemblage soigné • Sièges confortables

▼ CONTRE

• Silhouette anonyme • Insonorisation perfectible • Version SE onéreuse • Stabilité directionnelle moyenne • Tissus des sièges

CARACTÉRISTIQUES

Prix du modèle à l'essai	XE / 15 298 $
Garantie de base	3 ans / 60 000 km
Type	berline / traction
Empattement / Longueur	253 cm / 450 cm
Largeur / Hauteur	170 cm / 141 cm
Poids	1 165 kg
Coffre / Réservoir	329 litres / 50 litres
Coussins de sécurité	frontaux
Suspension av.	indépendante
Suspension arr.	semi-indépendante
Freins av. / arr.	disque / tambour (option)
Système antipatinage	non
Direction	à crémaillère, assistée
Diamètre de braquage	10,4 mètres
Pneus av. / arr.	P185/65R14

MOTORISATION ET PERFORMANCES

Moteur	4L 1,8 litre
Transmission	manuelle 5 rapports
Puissance	126 ch à 6 000 tr/min
Couple	129 lb-pi à 2 400 tr/min
Autre(s) moteur(s)	4L 2 litres 145 ch
Autre(s) transmission(s)	automatique 4 rapports
Accélération 0-100 km/h	10,3 secondes; 9,1 secondes (SE)
Vitesse maximale	185 km/h
Freinage 100-0 km/h	41,2 mètres
Consommation (100 km)	7,1 litres; 7,4 litres (SE)

MODÈLES CONCURRENTS

• Daewoo Nubira • Ford Focus • Honda Civic • Hyundai Elantra • Mazda Protegé • Toyota Corolla

QUOI DE NEUF ?

• Moteur 1,8 litre plus puissant • Caisse plus rigide • Habitabilité en progrès

VERDICT

Agrément	★★★½
Confort	★★★½
Fiabilité	★★★★★
Habitabilité	★★★★
Hiver	★★★½
Sécurité	★★★½
Valeur de revente	★★½

NISSAN Xterra

Nissan Xterra

Pas seulement joli

C'est fou comme un simple petit détail peut contribuer au succès ou à l'échec d'un nouveau produit. Témoin, le nouveau rejeton de Nissan, l'Xterra, dont le support de toit intégré, d'ailleurs dessiné par une femme, a donné une « signature visuelle » quasi irrésistible à cet utilitaire sport. Il est tellement populaire qu'il faut faire preuve de patience pour s'en procurer un. Mais l'ensemble du véhicule est-il à la hauteur de ce bel appendice ?

Plusieurs connaissent mon aversion pour ces engins communément appelés 4X4 que je trouve lourdauds, énergivores, inconfortables et peu sécuritaires. Plus ils sont gros (et c'est malheureusement la tendance), plus ils sont encombrants et détestables. Bref, c'est souvent l'antithèse du plaisir de conduire.

Y aurait-il des exceptions à ma règle? Dans une certaine mesure, oui, et je fais moins d'urticaire au volant d'un Forester ou d'un Lexus RX 300 que dans un Durango ou un Expedition. Quant au récent Xterra, j'avoue qu'il m'a lui aussi réconcilié avec le genre en se positionnant, côté format, juste entre la nouvelle génération des 4X4 compacts et l'ancienne armada des gros bons à rien. Nous avons fait assez bon ménage pendant une semaine.

Le juste milieu

Le juste milieu de Nissan n'est pas sans fautes, loin de là, mais il a le mérite de vous faire rouler assez confortablement tout en offrant un comportement routier digne de mention, et cela malgré son essieu arrière rigide. Ignorant l'avertissement habituel à l'effet que les changements brusques de trajectoire peuvent causer le renversement d'un 4X4, je me suis permis de pousser l'Xterra à des vitesses terrifiantes sur une piste de course et cela sans conséquence dramatique. N'en tirez pas la conclusion que le véhicule est à l'épreuve des tonneaux, mais disons qu'il se défend plutôt bien dans des circonstances pour lesquelles il n'a absolument pas été créé. Et tout cela sans perdre ses belles capacités hors route soulignées par la présence de plaques protectrices sous le moteur et d'un châssis autonome repris de la camionnette Frontier. En plus, un boîtier de transfert permet de choisir entre les positions 4L (4 roues motrices et *low range* ou faible démultiplication), 4H (4 roues motrices et transmission normale) et 2H (2 roues motrices arrière). En conduite normale, l'Xterra est une propulsion 2 roues motrices. En cas de besoin, on engage soi-même la puissance aux roues avant.

Une suspension assouplie

Lors de notre essai comparatif de l'an dernier, ma première impression n'avait pas été tellement favorable et j'avais profondément détesté la rudesse de la suspension de l'Xterra qui transformait le parcours de chacune de nos routes défoncées en un véritable supplice. C'est d'ailleurs cette absence de confort (notée aussi par les autres essayeurs) qui avait relégué l'Xterra au deuxième rang. Or, le deuxième véhicule mis à l'essai accusait plus de 10 000 km et la suspension s'était considérablement adoucie par rapport au modèle tout neuf testé précédemment. À telle enseigne qu'il est devenu l'un des meilleurs de la catégorie.

Efficace, aussi

Si le confort et la tenue de route répondent présents, il en va tout autrement du moteur qui, avec les maigres 170 chevaux de son V6 de 3,3 litres, tire vraiment de la patte. Le bon couple à bas régime lui permet toujours de se débrouiller, mais les accélérations et surtout les temps de reprise sont longuets. Pire encore, ce moteur pénalise beaucoup la consommation puisqu'on doit souvent le solliciter à fond pour en extraire un semblant de performances. Il en résulte une consommation qui, dans les meilleures conditions, se promène autour de 14 litres aux 100 km mais qui peut aussi monter jusqu'à 24 litres aux 100 km. Ce n'est pas rien.

La direction aussi ternit la fiche de l'Xterra par sa lenteur : on a l'impression qu'il faudrait tourner le volant 1 km avant le virage pour s'assurer de ne pas le rater.

Pour ce qui est de l'aménagement, les stylistes auraient intérêt à retourner sur les bancs de l'école. Le tableau de bord rectangulaire fait très vieillot et les divers boutons de climatisation donnent l'impression d'avoir été montés à l'envers. Les commandes pointent dans la mauvaise direction. L'espèce de levier servant à déplacer le volant en hauteur est d'une horreur qui frise la grossièreté. Et pour en finir avec l'ergonomie, mentionnons que le commutateur du lave-glace arrière est invisible, caché par le volant. Et comme on en a besoin souvent, y'a comme un problème. Passons sur l'affreux tissu des sièges pour mentionner qu'ils ont le mérite d'être agréables. On n'y accède toutefois qu'en se donnant un petit élan puisque les marchepieds sont trop hauts pour être utiles. À l'arrière aussi, les places sont difficiles d'accès, bien que fort accueillantes. J'ai beaucoup aimé aussi la sécurité que procurent de grands rétroviseurs et le fait que les appuie-tête arrière ne soient pas gênants pour la visibilité. Quant aux nombreux rangements intérieurs, ils viennent compléter une bonne soute à bagages ainsi que les nombreuses possibilités du support de toit en alu brossé qui masque avec bonheur la ligne ascendante du toit.

Le Nissan Xterra a l'avantage d'être beau et assez efficace. Assez en tout cas pour m'avoir séduit, ne serait-ce qu'une semaine.

Jacques Duval

NISSAN Xterra

▲ POUR

- Joli design • Bonne tenue de route • Confort appréciable • Format idéal • Bonnes aptitudes hors route

▼ CONTRE

- Direction archilente • Moteur anémique • Piètre ergonomie • 4X4 à temps partiel • Marchepieds décoratifs

CARACTÉRISTIQUES

Prix du modèle à l'essai	29 795 $
Garantie de base	3 ans / 80 000 km
Type	utilitaire sport / 4X4
Empattement / Longueur	265 cm / 452 cm
Largeur / Hauteur	179 cm / 188 cm
Poids	1 874 kg
Coffre / Réservoir	1 260 litres / 73 litres
Coussins de sécurité	frontaux
Suspension av.	indépendante
Suspension arr.	essieu rigide
Freins av. / arr.	disque ABS / tambour ABS
Système antipatinage	non
Direction	à bille, assistée
Diamètre de braquage	10,8 mètres
Pneus av. / arr.	P265/70R15

MOTORISATION ET PERFORMANCES

Moteur	V6 3,3 litres
Transmission	automatique 4 rapports
Puissance	170 ch à 4800 tr/min
Couple	200 lb-pi à 2800 tr/min
Autre(s) moteur(s)	aucun
Autre(s) transmission(s)	manuelle 5 rapports
Accélération 0-100 km/h	12,0 secondes
Vitesse maximale	150 km/h
Freinage 100-0 km/h	47,3 mètres
Consommation (100 km)	14,0 litres

MODÈLES CONCURRENTS

- Mazda Tribute • Ford Escape • Hyundai Santa Fe • Honda CR-V • Suzuki Grand Vitara • Subaru Forester

QUOI DE NEUF ?

- 2 nouvelles versions : XE de base dépouillée et SE de luxe • Moteur V6 à compresseur en préparation

VERDICT

Agrément	★★★
Confort	★★★
Fiabilité	★★★★
Habitabilité	★★★½
Hiver	★★★★½
Sécurité	★★★½
Valeur de revente	★★★½

OLDSMOBILE Alero

Oldsmobile Alero

Un autre pas dans la bonne direction

Jamais deux sans trois, dit le proverbe, ce qui augure plutôt bien pour l'Alero. En effet, tant l'Aurora que l'Intrigue connaissent un succès enviable depuis leur arrivée sur le marché. Elles ont également contribué à rafraîchir l'image d'Oldsmobile, qui n'avait pas produit de voitures aussi compétentes depuis belle lurette.

On a placé la barre très haute pour l'Alero, qui est spécifiquement conçue pour plaire aux acheteurs de voitures importées qui recherchent avant tout un véhicule intermédiaire de conception pratique, mais doté d'un style attrayant et d'une technologie de pointe. Ces éléments ont été pris en considération dans le processus de développement, ce qui a donné pour résultat un coupé et une berline dont les lignes audacieuses et élancées annoncent les couleurs. Les deux configurations déclenchent les coups de foudre au premier regard et cette fois, l'habit fait le moine: la nouvelle compacte d'Oldsmobile ne se contente pas d'être belle, elle est aussi performante et sophistiquée.

Il est vrai qu'elle bénéficie d'un rapport poids/puissance favorable et d'un châssis ultrarigide qui contribuent à rehausser l'agrément de conduite. Bien servie par une direction précise – bien que trop légère à mon goût –, elle est maniable, incisive et elle freine avec autorité. Le roulis est cependant plus prononcé qu'à bord de son clone, la Pontiac Grand Am, mais l'Alero s'accroche néanmoins au pavé avec un aplomb étonnant – agréable, s'entend. Des impressions de conduite qui s'appliquent généralement aux meilleures berlines européennes; c'est dire que les concepteurs de l'Alero ont atteint leur objectif. On est bien loin de l'Achieva, et personne ne s'en plaindra!

Le V6 plutôt que le 4 cylindres

L'Alero se conjugue en trois temps, soit les versions GX, GL et GLS, qui varient par leur niveau d'équipement et leur motorisation. Le prix pour la berline et le coupé GX dépasse à peine la barre des 20 000 $ et même s'il s'agit de la livrée de base, son équipement de série a de quoi faire rougir la concurrence.

Il comprend notamment des freins à disque aux 4 roues épaulés par l'ABS et l'antipatinage, ainsi qu'une direction (à crémaillère) à assistance variable, une suspension à 4 roues indépendantes et une boîte automatique à 4 rapports. À cela s'ajoutent, toujours en équipement de série, de nombreuses commodités tels les accessoires électriques (lève-glaces, verrouillage central, ouverture du coffre), la climatisation, un système antivol, un compte-tours et un volant inclinable. Finie, l'époque où il fallait passer à travers le catalogue des options. La version GLS, dont disposait votre serviteur, ajoute à cette liste impressionnante un pommeau de levier de vitesses ainsi qu'un volant gainés de cuir, un système de télédéverrouillage, une chaîne stéréo de qualité supérieure avec lecteurs de cassettes et de disques compacts, bien servie par 6 haut-parleurs. Elle reçoit également de série des roues de 16 pouces en alliage et un moteur V6 de 3,4 litres, bon pour 170 chevaux. Celui-ci ne peut être jumelé qu'à une boîte automatique, tandis que le 4 cylindres offert en série dans les deux autres versions offre le choix entre une boîte manuelle (à 5 rapports) ou automatique.

L'habit fait le moine

Opter pour ledit V6 est par ailleurs fortement recommandé, car il convainc autant que le 4 cylindres déçoit. D'une cylindrée de 2,4 litres (150 chevaux), ce dernier offre des performances honnêtes, mais qui ne suffisent pas à occulter sa sonorité agricole et sa rugosité. Son architecture est pourtant tout ce qu'il y a de plus moderne (DACT, 16 soupapes), mais son rendement global nous rappelle que les constructeurs américains, GM en tête de liste, ne maîtrisent toujours pas la science du 4 cylindres. Ce n'est pourtant ni l'argent ni les cerveaux qui leur manquent, mais je ne m'aventure-rai pas sur ce terrain glissant... Pour le V6, c'est exactement l'inverse : une conception somme toute conservatrice, et des prestations plus que satisfaisantes.

Pour le millésime 2001, on a également amélioré le système de freinage antibloquant (ABS), afin de le rendre plus performant et plus raffiné. Entre vous et moi, ce n'était pas un luxe, et la remarque vaut pour la plupart des modèles de la grande famille GM. Encore une fois, c'est à se demander ce que ce constructeur fait de ses considérables ressources. Mais ne perdons pas patience ; après tout, Rome ne s'est pas bâtie en une journée. Au moins, il y a progrès.

Mission accomplie

Comme on peut le voir, les mentalités sont en train de changer à Detroit, et GM ne fait pas exception. Le renouveau d'Oldsmobile en est le meilleur exemple. Ce qui est tout à l'honneur des artisans de ce revirement, qu'on disait impossible. Encore une fois, les sceptiques ont été confondus.

En ce sens, l'Alero est à l'image de ses créateurs, car elle aussi a accompli une mission qu'on disait impossible, soit de rivaliser avec les réputées berlines japonaises et européennes. De plus, elle est également offerte sous forme de coupé, ce qui est l'exception plutôt que la règle dans ce segment. Mais surtout, elle brille par sa sophistication et la richesse de son équipement de série, qui lui assurent l'un des meilleurs rapports qualité/prix de sa catégorie. Un dicton qui a cours dans le monde de l'automobile affirme qu'une belle voiture ne peut être mauvaise, et ce n'est certes pas l'Alero qui le contredira !

Philippe Laguë

OLDSMOBILE Alero

▲ POUR

• Esthétique réussie • Bonne tenue de route • Freinage efficace • V6 performant • Équipement de série relevé

▼ CONTRE

• 4 cylindres décevant • Direction légère • Roulis en virage • Dégagement insuffisant pour les jambes à l'arrière

CARACTÉRISTIQUES

Prix du modèle à l'essai	GLS / 27 300 $
Garantie de base	3 ans / 60 000 km
Type	coupé / traction
Empattement / Longueur	272 cm / 474 cm
Largeur / Hauteur	178 cm / 138 cm
Poids	1 373 kg
Coffre / Réservoir	413 litres / 54 litres
Coussins de sécurité	frontaux
Suspension av.	indépendante
Suspension arr.	indépendante
Freins av. / arr.	disque ABS
Système antipatinage	oui
Direction	à crémaillère, assistance variable
Diamètre de braquage	10,9 mètres
Pneus av. / arr.	P225/60R16

MOTORISATION ET PERFORMANCES

Moteur	V6 3,4 litres
Transmission	automatique 4 rapports
Puissance	170 ch à 4 800 tr/min
Couple	200 lb-pi à 4 000 tr/min
Autre(s) moteur(s)	4L 2,4 litres 150 ch
Autre(s) transmission(s)	manuelle 5 rapports
Accélération 0-100 km/h	8,8 secondes
Vitesse maximale	170 km/h (limitée)
Freinage 100-0 km/h	41,0 mètres
Consommation (100 km)	11,0 litres

MODÈLES CONCURRENTS

• Chevrolet Malibu • Chrysler Sebring • Ford Focus ZTS • Honda Accord • Mazda 626

QUOI DE NEUF ?

• Roues de 16 po en aluminium (GLS) • Nouvelle gamme de radios Série 100 • ABS amélioré

VERDICT

Agrément	★★★
Confort	★★★
Fiabilité	★★★
Habitabilité	★★★
Hiver	★★★½
Sécurité	★★★½
Valeur de revente	★★½

OLDSMOBILE Aurora

Oldsmobile Aurora

Porte-étendard

Vous vous souvenez sans doute de la Toronado et de la situation dominante qu'elle occupait dans la gamme des voitures offertes par Oldsmobile. L'Aurora introduite en 1994 devait elle aussi assumer ce rôle de premier plan au sein de cette division, et la nouvelle version, bien que légèrement moins luxueuse, se pose encore comme son porte-étendard.

Les prétentions de l'Aurora ont été révisées à la baisse : en plus de pouvoir encore retenir le V8 de 4 litres qui motivait la première génération, on peut dorénavant choisir plus sagement un V6 3,5 litres, le même qui entraîne l'Intrigue depuis quelques années. Quelques équipements de série de la V8 font maintenant partie des options de cette 6 cylindres, d'où réduction du prix de quelques milliers de dollars. Le manufacturier espère de cette façon augmenter ses ventes de 30 % pour atteindre le chiffre de 40 000 unités.

Au régime

Comme la Buick Park Avenue, la Pontiac Bonneville et la Cadillac Seville, l'Aurora est construite sur la plate-forme G de GM. Cette année, sa cabine offre une habitabilité légèrement supérieure en dépit d'une carrosserie raccourcie de près de 15 cm et d'un empattement réduit de 4 cm. Bien entendu, la masse se trouve allégée de près de 130 kg sur la V6 et quand même de 75 kg sur la V8. La partie avant sans calandre rappelle l'Intrigue, et les feux arrière plus banals évoquent plusieurs autres productions actuelles. Même si la capacité du coffre perd théoriquement quelques litres, sa forme plus régulière vous permettra d'y mettre autant de bagages. Disposez-les prudemment, cependant, pour éviter de les écraser avec les grosses charnières en fermant le coffre.

GM s'est donné beaucoup de mal pour conserver une atmosphère cossue dans l'habitacle malgré la coupure de budget, et la réussite est digne de mention. Les matériaux sont de bonne qualité, et la brochure de présentation insiste lourdement pour attirer votre attention sur les appliques de noyer véritable qui garnissent la planche de bord et les contre-portes. Les gros instruments sont peu nombreux mais bien lisibles, malgré le début de presbytie qui guette les clients potentiels, et un centre de diagnostic complet vous tient au courant de l'état mécanique et électrique de votre monture. Les gros contrôles tombent bien sous la main et s'actionnent aisément, sauf le levier de vitesses qui s'accroche facilement dans la grille de sélection en dent de scie façon Mercedes.

Si vous retenez le V8, l'équipement offert reste du même niveau que celui de sa devancière. Il comprend entre autres un système de sonorisation complet avec lecteurs de disques compacts et de cassettes, la climatisation à réglage automatique double, des roues en alliage, l'ABS et l'antipatinage, un pratique correcteur d'assiette automatique à l'arrière, ainsi qu'un système de contrôle dynamique de stabilité (*Precision Control System*) assez sophistiqué. La V6 se passe de ce dernier item, des sièges chauffants et d'autres bricoles de moindre importance, bien qu'il soit possible de les commander moyennant, bien sûr, supplément. Les fauteuils avant comprennent à peu près tout ce qui se fait en la matière. Tendus d'un cuir d'assez bonne qualité, ils sont pourvus de l'assistance électrique en 6 sens (conducteur seulement sur la V6) et intègrent des sacs gonflables latéraux et les baudriers des ceintures de sécurité. Ils demeurent confortables même sur un long parcours. À l'arrière, trois invités se sentiront un peu serrés.

Renaissance confirmée

On a fait subir plusieurs retouches au moteur V8 pour le rendre plus doux et économe d'essence. Il offre encore la même puissance de 250 chevaux, même si la concurrence obtient un résultat similaire avec la cylindrée du 6 cylindres. Ce dernier reprend l'architecture générale de son grand frère, mais sa puissance annoncée de 215 chevaux demeure un peu en deçà de la moyenne. La boîte de vitesses à 4 rapports fonctionne avec une douceur digne de mention, mais les voitures de même catégorie en offrent 5 pour la plupart. Les 4 disques semblent accomplir leur boulot efficacement en conduite normale, mais un doute subsiste. En effet, des pulsations se faisaient sentir dans la pédale au cours de mon premier essai au volant des deux versions. Heureusement, le troisième exemplaire de presse conduit plus récemment se comportait de façon rassurante à ce chapitre. Affaire à suivre.

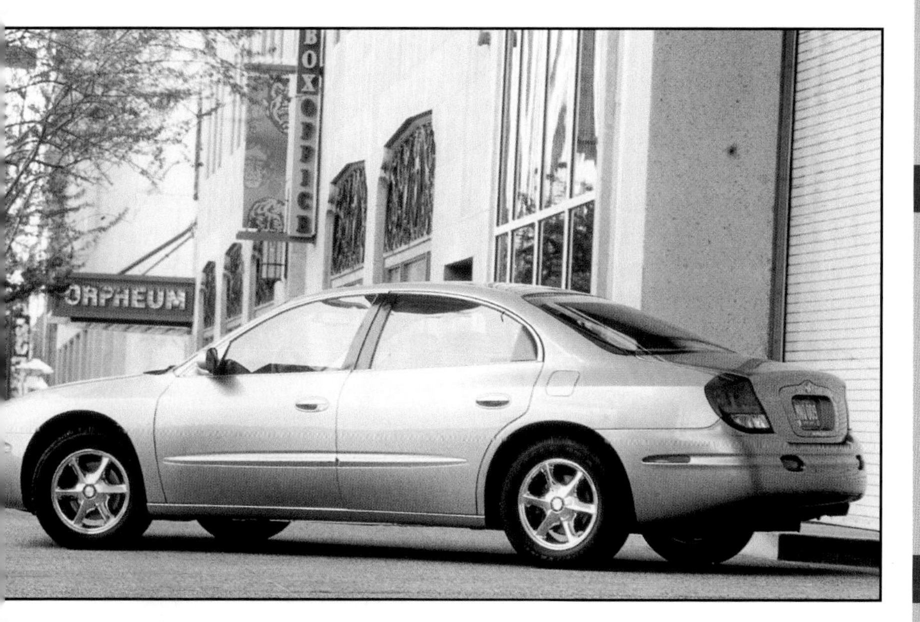

Des chiffres

En conduite quotidienne, il est difficile de discerner à quel moteur on a affaire. Le V8 accélère légèrement plus fort (1 seconde de moins pour le 0-100 km/h), mais le V6 ne démérite pas pour autant. Ses reprises assez vigoureuses s'accompagnent cependant d'une sonorité moins agréable. Bien que la diète semble lui avoir apporté une agilité inconnue chez sa devancière, l'Aurora demeure encore en retrait par rapport aux meilleures représentantes allemandes. Néanmoins, la tenue de cap est franche, l'adhérence tenace, particulièrement avec les pneus 17 pouces de la V8, et les courbes se négocient avec facilité, sans roulis excessif. Le confort de bon niveau se compare avantageusement avec la concurrence du même prix.

L'Aurora confirme bien le renouveau de la marque plus que centenaire. Ses lignes intéressantes bien que franchement « américaines », son équipement complet pour le prix et ses performances très honnêtes comparées à une concurrence prestigieuse laissent présager une belle carrière.

Jean-Georges Laliberté

OLDSMOBILE Aurora

▲ POUR

- Équipement complet • Prix concurrentiel
- Comportement routier en progrès
- Confort appréciable • Version V6 intéressante

▼ CONTRE

- Rapport cylindrée/puissance limité
- Grille de sélection des vitesses récalcitrante
- Espace à l'arrière un peu juste

CARACTÉRISTIQUES

Prix du modèle à l'essai	4,0 / 46 300 $
Garantie de base	4 ans / 80 000 km
Type	berline / traction
Empattement / Longueur	258 cm / 506 cm
Largeur / Hauteur	189 cm / 142 cm
Poids	1 649 kg
Coffre / Réservoir	422 litres / 70 litres
Coussins de sécurité	frontaux et latéraux
Suspension av.	indépendante, tours MacPherson
Suspension arr.	indépendante, bras oscillants
Freins av. / arr.	disque ABS
Système antipatinage	oui
Direction	à crémaillère, assistée électriquement
Diamètre de braquage	10,2 mètres
Pneus av. / arr.	P235/55VR17 (P225/60HR16)

MOTORISATION ET PERFORMANCES

Moteur	V8 DACT 4 litres 32 soupapes
Transmission	automatique 4 rapports
Puissance	250 ch à 5 600 tr/min
Couple	260 lb-pi à 4 400 tr/min
Autre(s) moteur(s)	V6 DACT 3,5 litres 215 ch
Autre(s) transmission(s)	aucune
Accélération 0-100 km/h	8,2 secondes
Vitesse maximale	210 km/h
Freinage 100-0 km/h	42,0 mètres
Consommation (100 km)	13,0 litres

MODÈLES CONCURRENTS

- Acura TL • Cadillac Catera • Infiniti I30
- Lexus ES 300 • Lincoln LS • Mazda Millenia

QUOI DE NEUF ?

- Nouveau modèle

VERDICT

Agrément	★★★½
Confort	★★★½
Fiabilité	nouveau modèle
Habitabilité	★★★½
Hiver	★★★½
Sécurité	★★★★
Valeur de revente	nouveau modèle

OLDSMOBILE Intrigue

Oldsmobile Intrigue

EurOldsmobile

S'il est une division qui devrait servir d'exemple aux autres chez GM, c'est bien Oldsmobile. Hier encore, on croyait que cette marque allait être sacrifiée sur l'autel de la rationalisation, mais quelqu'un, quelque part, a fini par comprendre qu'il fallait répondre aux exigences des consommateurs au lieu d'imposer sa propre vision – si vision il y a déjà eu !

Certains se souviennent peut-être du slogan *What is good for GM is good for America,* que clamait avec arrogance ce constructeur dans les années 60. Le n° 1 mondial (pour combien de temps encore ?) a depuis perdu de sa superbe, mais les mentalités semblent plus difficiles à changer chez lui que chez Chrysler ou Ford, deux géants qui n'ont pas hésité à se remettre en question au cours de la précédente décennie.

Chez Oldsmobile, on a fait de même, comme quoi tout n'est pas gris dans l'univers GM. De cette prise de conscience ont résulté de belles et bonnes voitures, dont l'Intrigue. Sa tâche n'était pourtant pas mince, car elle devait ratisser large (jeu de mots, ici). D'une part, elle devait se mesurer à ses compatriotes, mais néanmoins rivales, la Ford Taurus et la Chrysler Intrepid. Mais on lui demandait aussi de faire jeu égal avec des berlines japonaises à la réputation bien trempée, telles la Nissan Maxima ou les versions V6 des Honda Accord et Toyota Camry. Et n'oublions pas l'Acura TL, qui s'est ajoutée en cours de route ; ainsi qu'une allemande, la VW Passat.

Influence européenne

Pour une fois, GM ne s'est pas contentée de faire du rapiéçage, façon Chevrolet Malibu. Le seul vestige se trouvait sous le capot, soit l'incontournable V6 de 3,8 litres, qui ne faisait pas le poids face aux mécaniques plus raffinées de ses rivales importées. Mais on a corrigé le tir l'an dernier, en le remplaçant par un V6 de 3,5 litres 24 soupapes à double arbre à cames en tête.

Jumelé à une boîte automatique qui effectue un boulot rien de moins qu'exemplaire, ce moteur tire son épingle du jeu. S'il manque de mordant à bas régime ou au moment des reprises, il répond avec plus de vigueur dès qu'on augmente la cadence. Il serait exagéré de dire qu'il est aussi souple et silencieux qu'un V6 japonais, mais son rendement global est plus que satisfaisant. On est dans la bonne voie, c'est indéniable.

Là où le bât blesse, et pas qu'un peu, c'est sur le plan de la gestion de cette puissance aux roues motrices. Du moins était-ce le cas sur notre véhicule d'essai. Dire que l'effet de couple est mal maîtrisé est un euphémisme : je n'avais pas vu ça depuis longtemps. Si on s'en tient à une conduite normale, passe encore ; mais dès qu'on enfonce l'accélérateur avec le moindrement de vigueur, il faut agripper le volant pour garder sa trajectoire. Prudence, donc.

À l'opposé, la voiture reste bien droite au cours d'un freinage d'urgence. L'ABS travaille bien et les freins répondent avec autorité, mais sans brusquerie, à la sollicitation du pédalier. Mais ce qui impressionne le plus chez l'Intrigue, c'est son comportement routier. Cette berline a un aplomb qui manque cruellement à certaines de ses rivales, japonaises surtout. Elle s'accroche au pavé avec une hargne aussi surprenante que belle à voir, tandis que la caisse reste bien neutre dans les virages plus prononcés. Que voilà un roulis joliment maîtrisé !

La crème de GM

Mais surtout, il y a, dans la conduite de l'Intrigue, une fermeté qui m'a toujours plu. Qu'il s'agisse de la direction, de la suspension, de la tenue de cap ou même du rembourrage des sièges, on a plutôt l'impression de conduire une berline européenne. C'est un compliment, n'en doutez pas.

Un contenu à la hauteur de l'emballage

Naguère réputés pour leurs excès en matière de décoration intérieure, les constructeurs américains ont fait des progrès considérables. Chez GM, on est capable du pire (Chevrolet, Pontiac) comme du meilleur (Oldsmobile, Buick, Cadillac). L'habitacle de l'Intrigue illustre ce qui se fait de mieux chez ce constructeur, schizophrène sur les bords.

Complet et bien agencé, le tableau de bord est aussi agréable à l'œil. Les commandes sont accessibles et bien disposées, signe d'une ergonomie soignée, tout comme les nombreux espaces de rangement. N'oublions pas l'excellente chaîne stéréo, une constante chez GM.

L'assemblage paraît solide mais quand on aperçoit, bien en vue, les rails des sièges avant, on se dit que la finition pourrait être plus fignolée. Et puisqu'il est question des sièges, leur dureté risque de surprendre les acheteurs traditionnels de voitures américaines. Encore là, l'influence européenne transpire, mais on aurait souhaité un meilleur maintien. Avec la sellerie cuir, cette lacune ressort davantage. Les places arrière sont confortables, mais il y a moins d'espace pour les jambes que dans une Taurus ou une Intrepid. Il est vrai que cette dernière est dans une classe à part, mais c'est aussi la plus longue du lot.

Dans l'ensemble, on peut affirmer que le contenu est à la hauteur de l'emballage. Or, l'Intrigue a vu le jour avec un physique des plus agréables, qui fait l'envie de la concurrence. Mais elle ne se contente pas de faire la belle pour autant : son confort et, surtout, sa conduite inspirée, la placent dans le haut du peloton. Il ne lui reste qu'à surmonter le snobisme de certains acheteurs, particulièrement chez les plus jeunes parmi la clientèle ciblée (35-54 ans), qui sont plus attirés par les importées, ainsi que le traumatisme de ceux qui ont vécu de mauvaises expériences avec certains produits GM.

Y en aura pas de facile.

Philippe Laguë

OLDSMOBILE Intrigue

▲ POUR

• Présentation intérieure réussie • Équipement complet • Conduite inspirée • Fiabilité rassurante

▼ CONTRE

• Moteur mou à bas régime • Effet de couple mal maîtrisé • Manque de support des sièges avant • Finition inégale

CARACTÉRISTIQUES

Prix du modèle à l'essai	GL / 29 945 $
Garantie de base	3 ans / 60 000 km
Type	berline / traction
Empattement / Longueur	277 cm / 497,5 cm
Largeur / Hauteur	187 cm / 144 cm
Poids	1 406 kg
Coffre / Réservoir	462 litres / 68 litres
Coussins de sécurité	frontaux
Suspension av.	indépendante
Suspension arr.	indépendante
Freins av. / arr.	disque ABS
Système antipatinage	oui
Direction	à crémaillère, assistance variable
Diamètre de braquage	11,2 mètres
Pneus av. / arr.	P225/60R16

MOTORISATION ET PERFORMANCES

Moteur	V6 Twin Cam 3,5 litres
Transmission	automatique 4 rapports
Puissance	215 ch à 5 500 tr/min
Couple	230 lb-pi à 4 400 tr/min
Autre(s) moteur(s)	aucun
Autre(s) transmission(s)	aucune
Accélération 0-100 km/h	8,8 secondes
Vitesse maximale	175 km/h (limitée)
Freinage 100-0 km/h	42,6 mètres
Consommation (100 km)	11,5 litres

MODÈLES CONCURRENTS

• Acura TL • Buick Regal • Chrysler Intrepid • Ford Taurus • Honda Accord V6 • Nissan Maxima

QUOI DE NEUF ?

• Tirette intérieure d'ouverture du coffre • 3 nouvelles couleurs • Système OnStar (GLS seulement)

VERDICT

Agrément	★★★½
Confort	★★★½
Fiabilité	★★★½
Habitabilité	★★★½
Hiver	★★★½
Sécurité	★★★★
Valeur de revente	★★½

PLYMOUTH Prowler

Plymouth Prowler

Signé Michel Barrette

Monsieur Prowler, c'est lui. Au Québec, le plus populaire des propriétaires de Prowler est incontestablement mon ami Michel Barrette, avec qui j'ai le plaisir d'animer la série télévisée *Prenez le volant* à TVA. Ayant bravement franchi plus de 30 000 km au volant de son roadster mauve, Michel était très certainement l'essayeur par excellence pour nous parler de ce hot-rod de l'ère moderne. J'ai voulu savoir ce qui avait bien pu attirer Michel Barrette vers la Prowler. Je lui cède le clavier. (JD)

Je suivais déjà le développement de la Prowler depuis plusieurs années à travers les articles des différents magazines spécialisés que je dévore chaque mois. J'ai vu passer ce projet complètement fou en me disant que si un concepteur chez Plymouth avait proposé quelque chose du genre en 1950, on l'aurait envoyé en cure de désintox illico. En 1996, on nous annonce enfin que Chrysler va mettre la Prowler en production comme modèle 1997. Je n'en ai pas dormi de la nuit.

J'en veux une

Le lendemain matin, j'étais chez mon concessionnaire. Face à moi, le vendeur avale son café de travers, me regarde avec des yeux ronds gros comme les nouveaux deux piastres et me dit : « Tu veux une quoi ? » Une Prowler, lui dis-je... « C'est quoi ça ? » Tu vends bien des produits Chrysler, non ? « J'espère bien. » Alors fouille dans tes livres parce que ce matin tu me passes une commande pour une Plymouth Prowler 1997 mauve, moteur V6, automatique. « T'es sûr que tu veux un char mauve ? » C'est la seule couleur. « Pourquoi tu prends pas un V8 ? » Pas offert, que je lui réponds. « Au moins, prends la manuelle. » D'après toi, s'ils l'offraient, j'la prendrais-tu ? Quarante-trois appels à la compagnie plus tard, mon vendeur me dit : « La liste d'attente pour une Prowler 1997 est longue comme d'ici à la baie James. » Ma réponse : inscris mon nom pareil. Je lui demande le prix. « La compagnie ne peut pas nous le dire encore, mais ça va être cher. » Ça va m'être livré quand ? « Aucune idée, peut-être à l'automne, peut-être à l'été d'après ou peut-être quand Elvis va sortir de sa cachette et repartir en tournée. » Bon, j'vais attendre. J'ai attendu un an.

Belle à coucher dedans

Obtenir la confirmation que vous serez bien le futur propriétaire d'une Prowler est aussi facile que de tenter de convaincre Madonna de vous accompagner à l'épluchette de blé d'Inde de votre beau-frère. Mais ça valait la peine d'attendre. À l'hiver 1997, en pleine tempête de neige, mon vendeur qui, en passant, n'avait jamais eu confirmation que j'étais bien inscrit parmi les futurs acheteurs, me dit : « J'ai des nouvelles pour ta demande. » J'lui réponds, alors j'attends combien d'années encore ? Il me lance : « Une belle rousse de Toronto est en train de descendre d'un semi-remorque qui bloque le trafic dans les deux sens juste devant le garage. Bravo, mon homme, tu l'as ton char. » Ce soir-là, j'ai couché dedans... sans farces...

Mon jouet

Comme il était hors de question de faire rouler une si belle voiture dans la neige (essayez donc de toute facon de trouver des pneus d'hiver de 20 pouces), j'ai décidé de la laisser dans la salle de montre du concessionnaire jusqu'au printemps. À la condition qu'il me laisse passer la première nuit de nouveau propriétaire dans ma voiture. Vous auriez dû voir la face des deux policiers de Granby qui, en plein milieu de la nuit, croyant sûrement surprendre des voleurs, ont plutôt aperçu, sous les faisceaux de leurs lampes de poche, le fou à Barrette avec ses deux plus jeunes garçons en train de danser sur la musique Disco des années 70 que crachaient les 320 watts de la chaîne stéréo de la Prowler. Trois Martiens dans une soucoupe volante mauve en pleine nuit dans une salle de montre. Les policiers se sont gratté la tête et sont repartis. Aucune loi n'empêche un fou d'aimer son char.

J'pourrais vous dire qu'elle est sous-vireuse à basse vitesse et plutôt neutre en virage rapide, que sa direction est précise comme la date de tombée de la déclaration d'impôt, et qu'elle freine aussi rapidement qu'un policier de la SQ devant un Dunkin Donuts. J'pourrais me plaindre et vous affirmer qu'on est aussi à l'étroit dans son habitacle que dans le métro de New York à l'heure de pointe, qu'un bolide du genre sans boîte manuelle, c'est aussi sacrilège qu'un champagne servi dans un bock à bière, que sa suspension est tellement dure que sur l'ensemble du réseau routier québécois, on saute sur notre siège comme si on était inscrit au rodéo de Saint-Tite. Oui, je pourrais me plaindre, mais je ne le ferai pas. Parce que chaque fois que j'passe dans la rue avec la Prowler, j'suis aussi fier que lorsque j'avais 13 ans avec mon nouveau vélo. À 13 ans, j'avais livré beaucoup de journaux pour obtenir ce beau vélo rouge dans la vitrine de chez Western. Ça valait la peine, c'était à moi, c'était mon jouet et on n'en voyait pas des pareils à tous les coins de rue. J'me sentais unique... À 43 ans, mon nouveau jouet est mauve. Trois cents douze semblables fabriquées en 1997, une poignée seulement livrées au Québec, c'est plutôt unique. C'est comme ça que je me sens au volant de ma Prowler. UNIQUE. Et vous savez quoi? J'pense que ce soir, j're-tourne coucher dans mon garage.

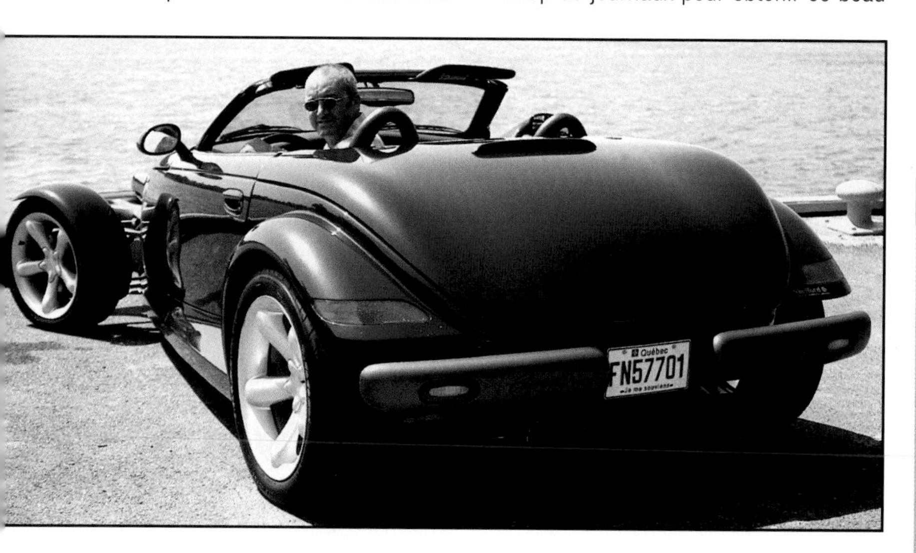

Trois ans plus tard

Trois ans plus tard, je ne dors plus dans ma Prowler. Nous sommes déjà un vieux couple et faisons chambre à part. Pas que je ne l'aime plus, mais la passion s'est amenuisée et a fait place à la routine. Pourtant, lorsque nous sortons ensemble, elle fait encore un effet bœuf. Regards admiratifs, pouces en l'air, elle est magnifique votre voiture, dit l'une; y marche-tu ton char? demande l'autre. Les filles semblent me donner 20 ans de moins lorsqu'elles me voient au volant. Je l'aime, la Prowler. J'suis fier de mon jouet.

Michel Barrette

PLYMOUTH Prowler

▲ POUR

• Look d'enfer • Direction précise • Freinage puissant • Bonne valeur de revente • Chaîne stéréo percutante

▼ CONTRE

• Suspension archidure • Habitacle étroit • Pas de boîte manuelle • Pas de coffre à bagages • Mauvaise visibilité • Capote sommaire

CARACTÉRISTIQUES

Prix du modèle à l'essai	62 895 $
Garantie de base	3 ans / 60 000 km
Type	roadster / propulsion
Empattement / Longueur	288 cm / 420 cm
Largeur / Hauteur	194 cm / 129 cm
Poids	1 287 kg
Coffre / Réservoir	51 litres / 46 litres
Coussins de sécurité	frontaux
Suspension av.	indépendante
Suspension arr.	indépendante
Freins av. / arr.	disque
Système antipatinage	non
Direction	à crémaillère, assistée
Diamètre de braquage	11,7 mètres
Pneus av. / arr.	P225/45HR17 / P295/40VR20

MOTORISATION ET PERFORMANCES

Moteur	V6 3,5 litres
Transmission	automatique 4 rapports
Puissance	253 ch à 6 400 tr/min
Couple	255 lb-pi à 3 950 tr/min
Autre(s) moteur(s)	aucun
Autre(s) transmission(s)	aucune
Accélération 0-100 km/h	6,5 secondes
Vitesse maximale	195 km/h
Freinage 100-0 km/h	38,4 mètres
Consommation (100 km)	15 litres

MODÈLES CONCURRENTS

• Panoz Roadster AIV

QUOI DE NEUF ?

• Couleur deux tons noir/argent
• Aucun autre changement

VERDICT

Agrément	★★★★
Confort	★½
Fiabilité	★★★
Habitabilité	★
Hiver	★★
Sécurité	★★★★★
Valeur de revente	★★★★½

Pontiac Aztek

La belle et la bête

Au cours de la dernière décennie, les stylistes de General Motors se sont refusés à toute audace. Il y a bien eu quelques exceptions, mais elles se sont généralement cantonnées à des prototypes ou à des modèles de très petite diffusion. La situation semble avoir diamétralement changé chez Pontiac, la marque qui tente de s'afficher comme celle qui procure des sensations fortes. Et il est certain que plusieurs vont en avoir à la seule vue de l'Aztek.

Les concepteurs de cette division n'ont jamais eu peur d'en beurrer épais côté style. Cette fois, ils poursuivent leur délire visuel, mais en s'intéressant aux utilitaires sport. Ils ont tellement dénaturé le genre qu'ils ont même inventé une nouvelle appellation pour décrire le résultat de leur cogitation : « véhicule récréatif sport ». Bref, le qualificatif « utilitaire » a fait place à « récréatif » à cause du caractère ludique et de la tenue de route plus sportive de l'Aztek.

S'il est un véhicule qui soulève la controverse, c'est bien ce Pontiac à tout faire. L'aspect costaud de l'Aztek se présente sous forme d'imposants panneaux de bas de caisse et d'un bouclier avant surdimensionné allant même jusqu'à intégrer la calandre, le pare-chocs, les phares de route et les passages de roues. Le pare-chocs arrière, tout aussi omniprésent, se prolonge jusqu'au panneau latéral de bas de caisse tout en faisant office de passage de roue. Sur le plan visuel, l'impact est assuré puisque tout ce polyuréthane est de couleur contrastante noire qui se détache de façon marquée de la partie supérieure de la caisse. Pour compléter le tout, les stylistes ont positionné les clignotants avant à l'extrémité des ailes.

Comme si cela n'était pas suffisant pour démarquer l'Aztek des autres véhicules de la catégorie, on a opté pour une section arrière avec hayon incliné vers l'avant afin d'accentuer la silhouette sportive. La partie inférieure de ce hayon est en verre dans le but d'alléger la présentation. Il a aussi l'avantage de faciliter les manœuvres de marche arrière. Enfin, le tout est complété par un panneau à battant, comme sur une camionnette. Une fois déployé, ce panneau articulé permet aux gens de s'asseoir pour pique-niquer, pour lacer leurs patins à roues alignées ou pour causer entre amis.

Cet aménagement est peut-être convivial sous certains aspects, mais il ne facilite pas le chargement et le déchargement du coffre à bagages, ce qui a obligé les concepteurs à développer un plancher mobile offert en option qui comprend en plus des espaces de rangement. Monté sur des roulettes, il est assez facile d'utilisation et peut également s'enlever pour faire place à des objets plus volumineux.

Configuration modulaire, bien entendu !

Puisque l'Aztek a été conçu à partir de la plate-forme de la fourgonnette Montana, on bénéficie d'un habitacle large qui se prête bien à la vocation anticipée de ce

véhicule. D'ailleurs, on insiste chez Pontiac pour souligner que ce modèle offre une plus grande habitabilité et un espace plus généreux pour les bagages que le Dodge Durango, la référence en la matière.

Les occupants des places avant n'auront pas à souffrir d'un encombrant coude à coude tandis qu'à l'arrière, l'acheteur peut choisir entre une banquette de type 50/50 et deux sièges de type capitaine. Il ne faudrait d'ailleurs pas passer sous silence les nombreuses astuces destinées à faciliter le rangement d'objets de toutes sortes. C'est ainsi que les vide-poches des portières avant accueillent un sac de rangement amovible qu'on peut apporter avec soi. Et il y a cette glacière, de série sur la GT, qui est installée entre les deux sièges avant. Dans le coffre, un filet de rangement permet de déposer des objets assez encombrants. Mais ces objets ne doivent pas être trop lourds, car il faut lever les bras assez haut pour franchir les rebords et on aura vite fait de dégager ce filet de ses amarres.

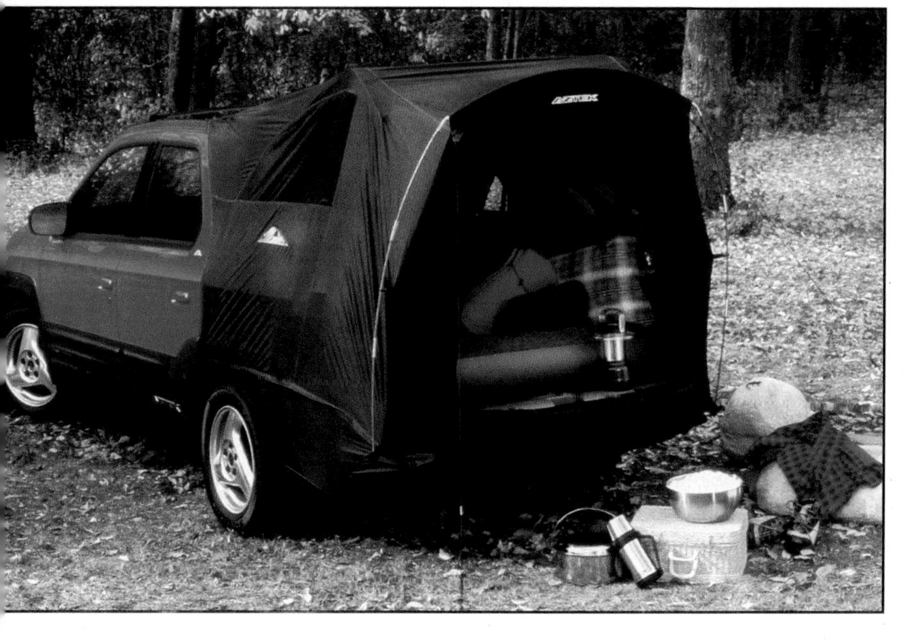

La division Pontiac prévoit également commercialiser d'autres accessoires, tels des couvre-sièges, des sacoches de rangement, et même un support intérieur afin de faciliter le transport de vélos de montagne dans l'habitacle. On a même concocté une tente spéciale qui s'arrime sur le hayon pour transformer la partie arrière en chambre à coucher en plein air. Son montage initial n'est toutefois pas une sinécure en raison de la complexité des instructions. Bref, à ne pas faire par temps de pluie.

Comme dans tous les véhicules Pontiac, le tableau de bord affiche une présentation tourmentée avec ses multiples buses d'air circulaires, ses commandes à affichage contrastant et toute une panoplie de boutons et de commandes en forme de presse-jus. Malgré tout, cette fois, la présentation n'est pas désagréable, mais c'est évidemment matière de goût. Et comme dans tout véhicule s'adressant à une clientèle jeune, le système de sonorisation est plus poussé que la moyenne. Il est même possible de commander un système Pioneer haut de gamme d'une puissance de 190 watts dont les haut-parleurs arrière sont spécialement étudiés pour projeter le son vers l'arrière, afin que les participants à des activités périphériques au véhicule puissent l'entendre. On a même prévu des commandes dans le compartiment à bagages. Reste à savoir si les voisins vont apprécier votre choix musical.

Intégrale ingénieuse

La mécanique est sensiblement la même que celle de la Montana. Un seul moteur est au catalogue, à savoir le robuste V6 de 3,4 litres d'une puissance de 185 chevaux. Il est associé à une boîte automatique à 4 rapports 4T65-E à commande électronique. Ces deux composantes mécaniques ont fait leurs preuves et leur robustesse n'est plus à démontrer. Comme celle de la fourgonnette dont elle est dérivée, la suspension arrière du modèle à traction est une poutre déformante. Cette structure est simple et légère tout en permettant d'obtenir un plancher arrière totalement plat.

Au début de 2001, l'Aztek sera également commercialisé en version à traction intégrale. Cette fois, ce modèle se démarque des autres. La suspension arrière à liens multiples est très sophistiquée sur le plan technique. Réalisée en alliage léger, elle est à bras asymétrique et comprend des amortisseurs monotubes. De plus, il est également possible de commander un système pneumatique de correction d'assiette sur tous les modèles.

Toutefois, sur le plan de la mécanique, c'est le rouage intégral Versatrak qui est le plus impressionnant. Ce système a été déve-

loppé en collaboration avec la firme Steyr-Daimler-Puch, une sommité mondiale en matière de traction intégrale. Le secret de ce mécanisme est une unité de commande placée à l'arrière et reliée à l'avant par un arbre de couche. Lorsque les roues avant patinent, une pompe hydraulique actionne des anneaux d'embrayage qui distribuent automatiquement le couple aux roues ayant le plus de motricité. C'est simple et plus efficace que les mécanismes antipatinages 4X4 associés au système de freinage.

Sportive, mais...

Lors du lancement de l'Aztek, les responsables de la division Pontiac se gargarisaient des mots « sport », « comportement routier sport » et « véhicule sport ». Il ne faudrait toutefois pas perdre les pédales.

L'Aztek n'offre rien de moins mais rien de plus que la plupart des fourgonnettes au plan du comportementt routier. Mollement suspendue, elle sous-vire passablement et a tendance à « flotter » à grande

ÉQUIPEMENTS

DE SÉRIE

• Climatisation double •Télécommande des portes • Lecteur CD • Antipatinage

EN OPTION

• Traction intégrale (plus tard dans l'année) • Toit ouvrant • Système OnStar • Sièges avant à commande électrique • Suspension pneumatique

vitesse tout en étant sensible au vent de côté.

Quant au moteur, il est suffisamment puissant pour les tâches anticipées, mais peine tout de même à la tâche au-dessus de 80 km/h. La capacité de remorquage est de 1 590 kg, ce qui est appréciable. La consommation de 11 litres aux 100 km est aussi très raisonnable.

Somme toute, le Pontiac Aztek est un véhicule beaucoup plus pratique et homogène que sa silhouette biscornue porte à le croire. Si jamais vous faites partie de ceux qui trouvent que l'Aztek n'est après tout pas si laide que ça et plutôt « cool », vous devez ensuite digérer son prix qui, dans le modèle GT avec option cuir, frôle les 40 000 $.

Du bizarre à l'élégance

Buick : « Rendezvous » avec le succès

Si l'Aztek a été commercialisé à l'été 2000, un autre véhicule en sera dérivé : le Buick Rendezvous, qui fera son entrée en scène au cours du printemps 2001. Il s'agit du premier véhicule à vocation utilitaire à être produit par cette division depuis 1923. La division Buick était la seule chez General Motors à ne pas commercialiser un véhicule utilitaire sport. Cette lacune sera donc corrigée. L'Aztek et le Rendezvous partagent le même groupe propulseur et la traction intégrale Versatrak.

Contrairement à Cadillac qui a opté pour un mastodonte des routes avec l'Escalade, les décideurs de Buick ont fait preuve d'un meilleur jugement avec ce nouveau véhicule polyvalent dont la silhouette très réussie en fait l'un des modèles les plus élégants de cette catégorie. Et si les stylistes de Pontiac ont voulu choquer et ont dessiné leur véhicule en fonction de jeunes acheteurs, ceux de Buick ont opté pour des formes classiques et moins controversées. En fait, le Rendezvous n'est pas sans rappeler le Lexus RX 300, une réussite en fait de conception.

Malgré sa vocation utilitaire, l'habitacle de ce véhicule sera non seulement confortable, mais doté de tous les accessoires généralement associés à un véhicule de luxe. Selon la configuration des sièges, il sera possible d'accueillir 2, 4, 5 ou 7 occupants. De plus, la banquette arrière se replie de façon ingénieuse afin de dégager un espace de chargement plat et spacieux sans pour autant disparaître dans le plancher comme dans certaines fourgonnettes.

Buick Rendezvous

Chez GM, on semble avoir abandonné l'habitude de rafistoler d'anciens produits. Cette fois, le résultat est plus sérieux et plus probant.

Denis Duquet/Jacques Duval

PONTIAC Aztek

▲ POUR

• Polyvalence assurée • Traction intégrale Versatrak • Tenue de route saine • Capacité de remorquage • Catalogue d'accessoires • Bonne visibilité arrière

▼ CONTRE

• Silhouette biscornue • Suspension arrière sèche • Sous-virage marqué • Panneau arrière articulé peu pratique • Prix élevé

CARACTÉRISTIQUES

Prix du modèle à l'essai	GT / 33 845 $
Garantie de base	3 ans / 60 000 km
Type	véhicule utilisation hybride / traction
Empattement / Longueur	275 cm / 462 cm
Largeur / Hauteur	187 cm / 169 cm
Poids	1 715 kg
Coffre / Réservoir	1 282 litres / 70 litres
Coussins de sécurité	frontaux et latéraux
Suspension av.	indépendante
Suspension arr.	demi-indépendante
Freins av. / arr.	disque / tambour ABS
Système antipatinage	oui (de série sur GT)
Direction	à crémaillère, assistée
Diamètre de braquage	11,0 mètres
Pneus av. / arr.	P215/65R16

MOTORISATION ET PERFORMANCES

Moteur	V6 3,4 litres
Transmission	automatique 4 rapports
Puissance	185 ch à 5 200 tr/min
Couple	210 lb-pi à XX tr/min
Autre(s) moteur(s)	aucun
Autre(s) transmission(s)	aucune
Accélération 0-100 km/h	11,3 secondes
Vitesse maximale	170 km/h
Freinage 100-0 km/h	48,5 mètres
Consommation (100 km)	11,2 litres

MODÈLES CONCURRENTS

• Buick Rendezvous • Chrysler PT Cruiser
• Toyota Highlander

QUOI DE NEUF ?

• Nouveau modèle

VERDICT

Agrément	★★★½
Confort	★★★★
Fiabilité	nouveau modèle
Habitabilité	★★★★
Hiver	★★★★
Sécurité	★★★★½
Valeur de revente	nouveau modèle

PONTIAC Grand Am

Pontiac Grand Am

Look

La Pontiac Grand Am fait un autre tour de piste sans changements par rapport à l'année dernière. Et ce ne sont pas les responsables de sa mise en marché qui s'en plaindront, car ses ventes connaissent encore un bon succès, souvent soutenu il est vrai par des rabais substantiels ou des taux d'intérêt frôlant le « zéro ».

La précédente version jouissait, elle aussi, d'une carrière commerciale florissante, en dépit de son châssis mou comme une pâte *al dente,* de ses suspensions rudimentaires et de son habitabilité inférieure à celle d'une Sunfire. Cependant, l'équipement complet pour le prix et un style très « personnel » militaient timidement en sa faveur. Heureusement, GM a vraiment « fait ses devoirs » avec la nouvelle édition offerte depuis 1999.

Elle excite, ou elle énerve

Commençons d'abord par le style. Chez Pontiac, on tente d'attirer une clientèle plus jeune par des carrosseries très exubérantes. On retrouve en effet sur la Grand Am autant de courbes et de panneaux aux formes tourmentées que sur la dernière Batmobile. Il faut croire toutefois que plusieurs acheteurs potentiels lui trouvent un look dynamique, même si certains, dont je suis, éprouvent plutôt, à sa vue, un certain énervement. À l'intérieur, la même extravagance prévaut : le tableau de bord est placé dans une nacelle qui ressemble étrangement, de profil, aux oreilles de Mickey Mouse, et la planche de bord présente des buses d'aération et des formes alambiquées à souhait. Heureusement, l'habitacle offre maintenant beaucoup plus d'espace, c'est-à-dire 3 038 litres par rapport à 2 506 litres auparavant. Les fauteuils plus confortables à l'avant et la position de conduite améliorée plairont davantage, et les claustrophobes se sentiront plus à l'aise grâce à la surface vitrée agrandie. À l'arrière, la place prévue pour les genoux est convenable, mais l'assise de la banquette se pose encore trop bas pour les grands gabarits. Dans l'ensemble, les matériaux semblent aussi de meilleure qualité, mais leur montage pourrait facilement être plus serré. GM maîtrise encore mal cette facette de sa production. Le coffre peut renfermer davantage de bagages, et le dossier de la banquette arrière se fractionne sur la GT pour dégager une bonne ouverture. Difficile de comprendre, considérant le prix qu'elle commande, pourquoi la SE n'offre pas cette option tellement utile.

Car la Grand Am est encore fabriquée en deux versions, soit la SE et la GT, et en deux configurations, un coupé et une berline. La SE dispose d'un équipement de série assez complet comprenant entre autres la climatisation, des freins mixtes (disque/tambour) dotés de l'ABS, un volant inclinable et une radiocassettes à 4 haut-parleurs. La GT ajoute principalement des roues en alliage de 16 pouces

(15 pouces en acier sur la SE), le régulateur de vitesse, des tissus de meilleure qualité, des assistances électriques pour les glaces et la hauteur du siège du conducteur, ainsi que des freins à disque aux 4 roues avec l'ABS. Ah oui ! j'oubliais presque, elle a aussi droit à un aileron style Star Wars aussi tapageur qu'inutile. La SE propose à l'origine une boîte manuelle à 5 rapports et la GT est offerte avec une automatique à 4 vitesses. Quant aux moteurs, le même 4 cylindres 2,4 litres relativement moderne est offert d'office sur la SE. Il est moins « agité » et bruyant qu'à l'époque, mais sa puissance demeure inchangée. Le V6 3,4 litres d'architecture archaïque avec son arbre à cames central offre quand même 20 chevaux (25 dans la GT) supplémentaires et un couple très supérieur. Le châssis exhibe une rigidité rassurante et les suspensions plus modernes offrent maintenant un débattement décent.

Extravertie en « titi »

se tordre mollement dans les virages. Le châssis reste imperturbable, la caisse vire plus à plat, du moins avec la berline GT que j'ai essayée, et les gros pneus 16 pouces s'accrochent bien. Le moteur V6 fait son boulot convenablement, avec discrétion, et sans vous déshonorer au feu vert. La boîte automatique demeure probablement ce que GM fait de mieux, et de toute façon, la manuelle n'est pas offerte avec ce moteur. Parlez-moi d'une GT... Le 4 cylindres ne manque pas de bonne volonté avec la boîte manuelle, mais il halète avec l'automatique. Pour moins de 1000 $, incluant la direction à assistance variable, offrez-vous le V6 sans remords, surtout qu'il ne se montre pas beaucoup plus gourmand que le 4. Quant au freinage, celui de la GT avec ses 4 disques est assez puissant et facile à doser, et celui de la SE satisfait en conduite normale.

Finalement, les comptables du manufacturier ont réussi à s'entendre avec les ingénieurs pour offrir au consommateur une voiture relativement spacieuse, bien équipée, au comportement routier sain et à un prix très étudié. Ceux qui sont agacés par les formes de sa carrosserie, mais qui apprécient quand même le bilan d'ensemble, devraient peut-être aller voir du côté de sa cousine l'Oldsmobile Alero. Ses performances à peu près équivalentes et ses lignes beaucoup plus sages les séduiront sûrement davantage.

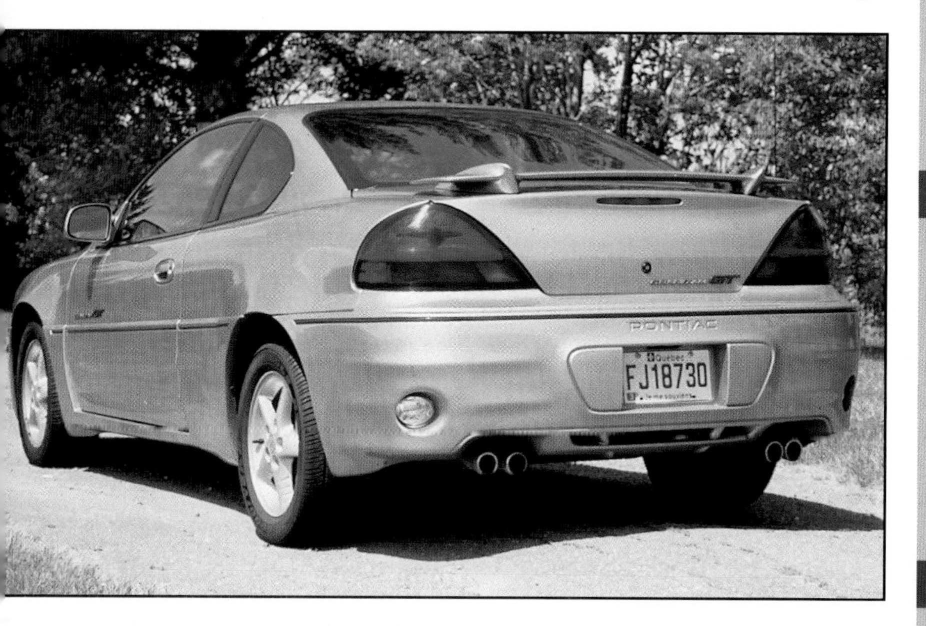

Des progrès tangibles

Qu'est-ce que ça donne maintenant sur la route ? Vous ne retrouverez pas les sensations offertes par une bonne européenne, quand même plus onéreuse, même si une GT avec tout l'équipement proposé dans les cases à options ne quittera pas la cour du concessionnaire à moins de vous délester de près de 30 000 $. La suspension peut maintenant faire face à ce que notre réseau routier offre de pire, sans pour cela

Jean-Georges Laliberté

PONTIAC Grand Am

▲ POUR

• Style ravageur (pour certains) • Châssis plus rigide • Équipement intéressant • Comportement routier en progrès • Prix attractif

▼ CONTRE

• Style trop ravageur (pour certains) • Moteur 4L peu avantageux • Moteur V6 archaïque • Planche de bord discutable • Places arrière justes

CARACTÉRISTIQUES

Prix du modèle à l'essai	GT / 28 795 $
Garantie de base	3 ans / 60 000 km
Type	berline / traction
Empattement / Longueur	272 cm / 473 cm
Largeur / Hauteur	179 cm / 140 cm
Poids	1 415 kg
Coffre / Réservoir	413 litres / 54 litres
Coussins de sécurité	frontaux
Suspension av.	indépendante
Suspension arr.	indépendante
Freins av. / arr.	disque ABS
Système antipatinage	oui
Direction	à crémaillère, assistance électronique
Diamètre de braquage	11,5 mètres
Pneus av. / arr.	P225/60R16

MOTORISATION ET PERFORMANCES

Moteur	V6 3,4 litres ACC 12 soupapes
Transmission	automatique 4 rapports
Puissance	175 ch à 4 800 tr/min
Couple	200 lb-pi à 4 000 tr/min
Autre(s) moteur(s)	4L 2,4 litres 150 ch (SE)
Autre(s) transmission(s)	man. 5 rapports (4L)
Accélération 0-100 km/h	9,1 s; 10,4 s (4L)
Vitesse maximale	185 km/h
Freinage 100-0 km/h	42 mètres
Consommation (100 km)	11,2 litres; 10,4 litres (4L)

MODÈLES CONCURRENTS

• Honda Accord • Mazda 626 • Nissan Altima • Oldsmobile Alero • VW Jetta

QUOI DE NEUF ?

• Roues de 15 pouces en aluminium • Nouvelle gamme de radios • Trois nouvelles couleurs

VERDICT

Agrément	★★★
Confort	★★★
Fiabilité	★★★
Habitabilité	★★★½
Hiver	★★★½
Sécurité	★★★
Valeur de revente	★★★

PONTIAC Grand Prix

Pontiac Grand Prix

Loterie

On pourrait comparer l'achat d'une Grand Prix à celui d'un billet de loterie: plus souvent qu'autrement, le résultat est frustrant. Les probabilités de perdre sont moindres, remarquez, mais il n'en demeure pas moins qu'un propriétaire satisfait en cache souvent un qui l'est moins. Il est d'ailleurs intéressant de constater qu'au sein de la grande famille GM, certains modèles s'avèrent beaucoup moins fiables que d'autres même s'ils se partagent la plate-forme et la mécanique. Et plus souvent qu'autrement, c'est du côté de chez Pontiac que ça cloche.

Quand ce n'est pas la fiabilité, c'est la qualité d'assemblage qui n'est pas au rendez-vous. À ce chapitre, l'usine de Fairfax, au Kansas, où sont notamment construites les Grand Prix, traîne une réputation peu enviable. On affirme, chez GM, que le problème est chose du passé, mais il n'en reste pas moins que le mal est fait.

Pour plusieurs, Pontiac rime également avec kitsch. Les stylistes de cette division ont en effet le don de massacrer des concepts qui, au préalable, avaient un certain potentiel, sinon un potentiel certain. Les personnes en charge de la décoration intérieure semblent très inspirées par les séries télévisées américaines des années 60 et 70, genre *Voyage au fond des mers* ou *Cosmos 1999,* si l'on en juge par les tableaux de bord truffés de cadrans bizarroïdes et de commandes de toutes sortes. Il ne manque que l'écran radar et le sonar... Ascètes s'abstenir.

Si ces mêmes stylistes ont su épargner à la Grand Prix les excroissances de plastique et autres fausses prises d'air qui affligent les carrosseries des autres modèles de la gamme Pontiac, ils n'ont pas su faire preuve de la même sobriété à l'intérieur. On se retrouve donc en plein décor psychotronique, avec une très forte dominance du plastique et un déluge de boutons lumineux. Hallucinant. Mais, bon, il y en a qui aiment ça. Au premier ou au deuxième degré, c'est selon. D'autres détestent; j'en suis.

La touche Pontiac

Pourtant, cette superbe voiture aurait mérité mieux que cet habitacle plutôt farfelu et d'un goût douteux. Mis à part sa devanture très plastique (c'est tout de même une Pontiac), elle se distingue par ses formes très fluides et sa ligne épurée – la berline autant que le coupé. En partant du principe qu'une belle voiture ne peut être mauvaise, la Grand Prix dispose donc de certains atouts. Mais de la théorie à la pratique, cette affirmation ne tient pas toujours le coup. Dans le cas qui nous concerne, la valeur intrinsèque de ce modèle ne peut cependant être remise en cause; la principale lacune réside, on l'a dit, dans l'assemblage, dont la qualité peut varier d'un exemplaire à l'autre. Sinon, cette voiture repose sur une base très saine, ce que vient confirmer un comportement routier, disons-le, impressionnant. Comprenons-nous bien: les Pontiac n'ont pas que des défauts. Cette division fait de réels efforts pour doter ses modèles d'un caractère plus sportif. Si les résultats ne font pas l'unanimité sur le plan esthétique, force est d'admettre que, en règle générale, l'agrément de conduite est plus marqué que chez Buick ou Chevrolet.

Il suffirait de presque rien

Cette différence tient à un seul mot : fermeté. Suspension plus ferme, direction précise et bien dosée, la recette n'est pas plus compliquée que ça. Évidemment, le châssis doit être à la hauteur, mais là aussi, la Grand Prix livre la marchandise. Cette combinaison de facteurs fait d'elle une routière aussi agréable que compétente, qui tient la route avec un certain mordant sans que cela n'affecte le confort.

La principale faiblesse semble venir des freins, qui souffrent d'usure prématurée. Plusieurs propriétaires nous l'ont signalé, validant ainsi les résultats des enquêtes effectuées par diverses associations de consommateurs. Bien que ces sondages doivent quelquefois être pris avec un grain de sel, il n'y a pas de fumée sans feu, surtout lorsqu'il y a unanimité.

Trois versions, trois moteurs

L'une des façons de différencier les trois livrées de la Grand Prix consiste à ouvrir le capot. Encore une fois, ce modèle met l'accent sur la performance en proposant trois motorisations pas piquées des vers, malgré leur âge vénérable. Au bas de l'échelle, la SE dispose du V6 de 3,1 litres, dont les origines remontent à la nuit des temps. Mais il n'a pas dit son dernier mot, d'autant plus qu'on a augmenté sa puissance l'année dernière, pour la porter à 175 chevaux. Si c'est le moins intéressant des trois moteurs proposés en termes de performances, son rendement global est tout ce qu'il y a de plus acceptable et sa fiabilité mérite d'être soulignée.

Viennent ensuite, dans l'ordre, la GT et la GTP, qui utilisent les bons et loyaux services de l'increvable V6 3800, dont l'ancienneté n'a d'égale que la compétence. Bon pour 200 chevaux, il démontre une certaine vigueur, pour devenir franchement agressif lorsqu'on lui greffe un compresseur. L'opération se traduit par un gain de 40 chevaux. La GTP, qui jouit de l'exclusivité de ce V6 suralimenté, peut ainsi se targuer d'offrir un rapport prix/performances sans égal dans cette catégorie.

Sur une note plus rationnelle, la Grand Prix, qui se décline en deux configurations (coupé et berline), accueille ses occupants dans un environnement spacieux, confortable et fonctionnel. Avec ses commandes à portée de la main et ses nombreux espaces de rangement, son habitacle obtient de bonnes notes au chapitre de l'ergonomie. À l'avant, les sièges se placent eux aussi à l'abri des reproches, tout comme la banquette arrière. Si seulement il y avait un peu moins de cet affreux plastique qui sévit chez GM, et si le tableau de bord faisait moins « bébelle », cela ne donnerait que plus d'attrait, de prestance même, à cette voiture qui souffre d'un problème d'image.

Philippe Laguë

PONTIAC Grand Prix

▲ POUR

• Esthétique réussie • Habitacle spacieux • Choix de moteurs • Bonne tenue de route • Direction précise

▼ CONTRE

• Tableau de bord kitsch • Plastique bon marché omniprésent • Qualité variable • Freins peu résistants • Image Pontiac peu flatteuse

CARACTÉRISTIQUES

Prix du modèle à l'essai	GT / 28 110 $
Garantie de base	3 ans / 60 000 km
Type	berline / traction
Empattement / Longueur	280 cm / 499 cm
Largeur / Hauteur	184 cm / 139 cm
Poids	1 530 kg
Coffre / Réservoir	453 litres / 68 litres
Coussins de sécurité	frontaux
Suspension av.	indépendante
Suspension arr.	indépendante
Freins av. / arr.	disque ABS
Système antipatinage	oui
Direction	à crémaillère, assistance variable
Diamètre de braquage	11,2 mètres
Pneus av. / arr.	P225/60R16

MOTORISATION ET PERFORMANCES

Moteur	V6 3,8 litres
Transmission	automatique 4 rapports
Puissance	200 ch à 5 200 tr/min
Couple	225 lb-pi à 4 000 tr/min
Autre(s) moteur(s)	V6 3,1 litres 175 ch V6 3,8 litres 240 ch
Autre(s) transmission(s)	aucune
Accélération 0-100 km/h	9,5 secondes 6,9 secondes (GTP)
Vitesse maximale	180 km/h (limitée)
Freinage 100-0 km/h	42,6 mètres
Consommation (100 km)	12,8 l; 14,3 l (GTP)

MODÈLES CONCURRENTS

• Chevrolet Impala • Chrysler Intrepid
• Ford Taurus • Oldsmobile Intrigue

QUOI DE NEUF ?

• Système OnStar installé à l'usine livrable pour GTP
• Nouvelles roues en aluminium (GT et GTP)

VERDICT

Agrément	★★★½
Confort	★★★½
Fiabilité	★★★
Habitabilité	★★★★
Hiver	★★★½
Sécurité	★★★★
Valeur de revente	★★½

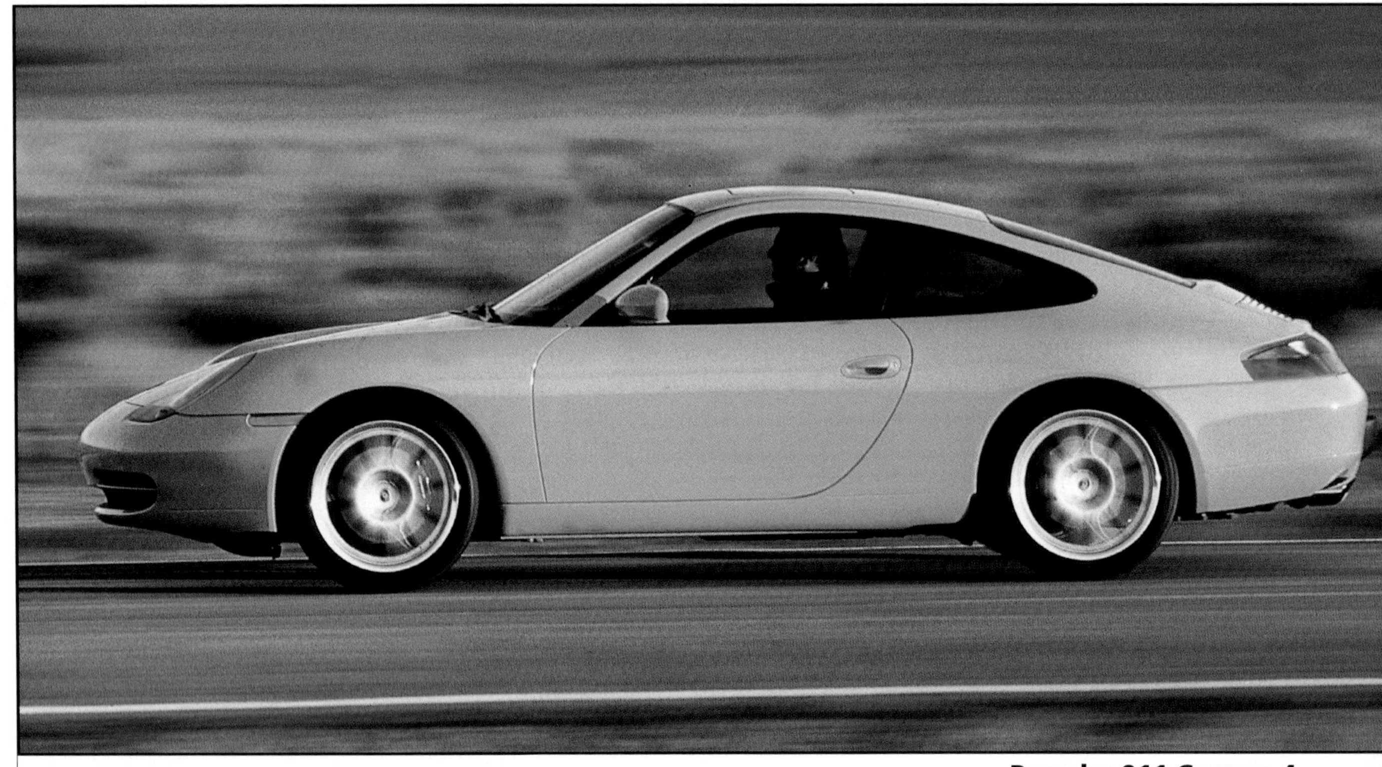

Porsche 911 Carrera 4

Lentement et sûrement

Il ne faut surtout pas prendre au pied de la lettre le titre qui coiffe cet article. Il n'a rien à voir avec les performances de la Porsche 911, mais plutôt avec son acceptation par les puristes de la marque qui, lentement mais sûrement, se réconcilient avec la remplaçante de leur bien-aimée 993. Le lancement de la version Turbo (à laquelle je consacre une place de choix parmi les supervoitures) a sans doute contribué à donner ses lettres de noblesse à la dernière gamme des 911. Outre la Turbo, elle regroupe un coupé et un cabriolet offert en version 2 ou 4 roues motrices (Carrera et Carrera 4). Qu'en est-il exactement?

On ne devrait pas commettre l'erreur de conduire une Carrera ordinaire après avoir pris le volant de la 911 Turbo. Aussi puissante et attirante soit-elle, elle perd considérablement de son éloquence et donne l'impression d'être à la traîne. Cela n'enlève toutefois rien à la valeur intrinsèque des 911 normales qui sont d'exceptionnelles voitures sport et dont la version Turbo est en quelque sorte l'apothéose.

J'ai soumis cette année une Carrera 4 au même traitement que la Boxster en lui faisant l'insulte de lui faire passer le test de l'hiver québécois. Elle chaussait pour l'occasion des pneus Dunlop Winter Sport M2 dans une dimension moins «agressive» que les montes d'origine (voir fiche). Pourtant, elle a à peine été pénalisée sur une chaussée sèche et sa transmission intégrale lui a permis de se promener dans la neige avec la même aisance que Mélanie Turgeon. Délaissons le volet hiver pour nous attarder aux autres vertus de cette 911 quatre saisons.

Bien grandir

Malgré tout le sérieux de son constructeur, la dernière 911, introduite il y a trois ans, n'a pas échappé aux problèmes qui se manifestent fréquemment sur les voitures de première génération. Même le moteur, habituellement d'une robustesse à toute épreuve chez Porsche, a été la source de certains ennuis. C'est pour cette raison que mon dernier essai de la 911, une Carrera 4, a été assez révélateur. Sans que je puisse mettre le doigt sur un point en particulier, il m'a semblé que la voiture était mieux construite que les modèles essayés antérieurement. Même après 11 000 km, la caisse m'a donné l'impression d'une plus grande rigidité tandis que le levier de vitesses de la boîte à 6 rapports bénéficiait d'un meilleur guidage et d'une précision accrue.

À la condition de ne pas avoir conduit la 911 Turbo avant, le moteur reste l'attraction numéro 1 de la Carrera 4 grâce à une inépuisable réserve de puissance, à des accélérations faciles et à un couple disponible à presque n'importe quel régime. Certains regretteront par contre que les crescendos de ce moteur soient un peu étouffés par l'insonorisation.

L'autre atout de ce modèle est sa magistrale tenue de route sous constante surveillance du PSM, le système de stabilité à contrôle électronique qui se charge de garder la voiture dans le droit chemin au cas où vous négligeriez de le faire. Contrairement à la quasi-totalité des systèmes du genre qui viennent couper court au plaisir, celui de chez Porsche permet à la voiture d'amorcer un dérapage avant d'entrer en scène. Trop souvent, l'antipatinage coupe les gaz et applique les freins dès que la voiture enregistre la plus petite perte d'adhérence. Le conducteur n'a alors rien d'autre à faire que d'attendre que sa voiture veuille bien lui rendre les commandes. C'est, entre vous et moi, carrément détestable. Porsche a élaboré un système plus intelligent qui autorise une conduite sportive et qui ne s'énerve pas au moindre glissement de pneus.

De mieux en mieux

Les freins restent une merveille du genre et j'ai eu la sensation que le confort sur mauvaise route avait fait l'objet de nouveaux réglages de suspension.

votre poche, vous pourrez remédier à la situation par le biais de toutes sortes d'options permettant de « personnaliser » l'intérieur. Du bois à la fibre de carbone en passant par l'aluminium et le cuir, on peut égayer considérablement l'habitacle un peu moche des 911. Le volant à 3 branches de notre Carrera 4 et le pommeau de levier de vitesses en alu ne devraient cependant pas figurer sur la liste des options d'une voiture de plus de 100 000 $.

Puisqu'il est question d'options, j'en profite pour déconseiller les roues de 18 pouces qui ne font que dégrader le confort. C'est payer cher pour repousser les limites d'une tenue de route que plusieurs ne seront jamais en mesure d'expérimenter dans la conduite de tous les jours. Surtout dans le cabriolet, ces roues tendent à accélérer l'apparition de bruits de caisse désagréables sur mauvaise route.

Même si certaines sources supposées être bien renseignées avaient laissé entendre que la Porsche 911 2001 hériterait d'un moteur de plus forte cylindrée et d'un avant retouché afin de mieux la différencier de la Boxster, on nous a confirmé que de tels changements étaient prématurés et que la meilleure voiture sport au monde pouvait très bien passer une autre année sans avoir à subir une cure de rajeunissement.

Des zones grises

Les zones grises de la 911 sont toujours les mêmes : le prix et la présentation intérieure. Surtout avec une finition en gris, c'est plutôt triste malgré un ciel de plafond en Alcantara (un genre d'ultrasuède). Les petits tiroirs à disques compacts sur la console font aussi bon marché, tout comme les satanés boutons en plastique glacé. En plongeant profondément la main dans

Jacques Duval

PORSCHE 911

▲ POUR

• Qualité de construction en hausse • Comportement routier stimulant • Moteur expressif • Aptitudes hivernales (Carrera 4) • Sécurité active

▼ CONTRE

• Prix substantiel • Tableau de bord moche • Volant trop bas • Pas de coffre à gants • Confort altéré par roues de 18 pouces

CARACTÉRISTIQUES

Prix du modèle à l'essai	Carrera 4 / 103 990 $
Garantie de base	4 ans / 80 000 km
Type	coupé 2 + 2 / traction intégrale
Empattement / Longueur	235 cm / 443 cm
Largeur / Hauteur	176,5 cm / 130,5 cm
Poids	1 375 kg
Coffre / Réservoir	130 litres / 64 litres
Coussins de sécurité	frontaux et latéraux
Suspension av.	indépendante
Suspension arr.	indépendante
Freins av. / arr.	disque ABS
Système antipatinage	oui
Direction	à crémaillère, assistée
Diamètre de braquage	11,0 mètres
Pneus av. / arr.	P205/50ZR17 / P265/40ZR17

MOTORISATION ET PERFORMANCES

Moteur	6H 3,4 litres
Transmission	manuelle 6 rapports
Puissance	300 ch à 6 800 tr/min
Couple	258 lb-pi à 4 600 tr/min
Autre(s) moteur(s)	aucun (voir 911 Turbo)
Autre(s) transmission(s)	Tiptronic 5 rapports
Accélération 0-100 km/h	5,8 secondes
Vitesse maximale	275 km/h
Freinage 100-0 km/h	37,0 mètres
Consommation (100 km)	12,0 litres

MODÈLES CONCURRENTS

• Acura NSX-T • Jaguar XKR • Mercedes Benz SL • Dodge Viper GTS

QUOI DE NEUF ?

• Éclairage intérieur amélioré • Commande à distance multifonction • Nouveau volant en option

VERDICT

Agrément	★★★★
Confort	★★★
Fiabilité	★★★½
Habitabilité	★★
Hiver	★★★★
Sécurité	★★★★
Valeur de revente	★★★★½

PORSCHE Boxster

PORSCHE
Boxster S

Porsche Boxster S

L'hiver en Porsche, crime ou passion ?

Lasse de voir ses voitures passer la moitié de leur temps bien emmitouflées dans un garage en attendant le retour du beau temps, la compagnie Porsche entend convaincre sa clientèle que la Boxster et la 911 peuvent affronter nos hivers sans coup férir. Et pour en faire la preuve, la firme allemande n'a pas hésité à lancer dans la tourmente deux Boxster (une normale et une S) toutes neuves et une 911 Carrera 4. Passe encore pour cette dernière qui peut compter sur ses 4 roues motrices, mais je me posais des questions sur le comportement d'une Boxster à moteur central sur des routes enneigées. Après deux semaines au volant, j'avais trouvé mes réponses.

Bien sûr, on avait pris la précaution de chausser le populaire roadster de 4 pneus d'hiver (des M + S Bridgestone sur la version de base et des Pirelli Winter 210 sur la S) tout en respectant les dimensions d'origine. Strictement sur le plan de la motricité, la voiture ne devient pas pour autant un 4X4 et sa légèreté est palpable sur un chemin couvert de neige. En revanche, ce petit handicap devient un atout en virage en rendant la Boxster extrêmement maniable et facile à contrôler. Et cela vaut autant pour la version normale essayée en premier lieu que pour la S.

Détail rassurant, la tenue de route sur pavé sec reste très saine et je dirais même qu'elle est plus facile à exploiter pour la simple raison que la limite d'adhérence des pneus à neige est plus prévisible.

Côté confort, le système de chauffage est à la hauteur de toutes les situations. Par contre, l'absence d'une lunette arrière dégivrante rend pratiquement obligatoire l'utilisation du toit dur en métal offert en option pour rouler en hiver. Cela éliminera du même coup l'insupportable bruit de vent qui sévit dans la Boxster de base. Personnellement, j'investirais ce montant supplémentaire pour m'offrir une S et je me contenterais du toit souple qui, dans cette version, est beaucoup mieux insonorisé.

Un moteur expressif

Si la plus chère des Boxster se distingue de sa congénère par son moteur 3,2 litres enrichi de 35 chevaux, par sa boîte manuelle à 6 rapports et par quelques éléments visuels, elle n'en demeure pas moins assez pauvre en équipement de série. Point de lecteur de disques compacts, pas de commande électrique pour les sièges ni même de chauffe-fesses. Pour une voiture qui veut sortir l'hiver, il me semble que l'on aurait pu se forcer.

Le moteur de la Boxster de base ayant gagné en cylindrée, en puissance et en couple depuis l'an dernier, il devient plus difficile de voir une grosse différence avec la version S. Son moteur de 3,2 litres et 252 chevaux est très expressif, mais au royaume des accélérations, il ne retranche que 0,4 seconde au 0-100 km/h de la version de 217 chevaux. C'est surtout au moment des reprises que le 3,2 litres de la S justifie sa présence sous le capot. Et l'existence d'un rapport supplémentaire sur la boîte manuelle n'est pas à dédaigner non plus. En revanche, la conduite d'une 911 Carrera 4 juste avant la Boxster m'a permis de constater que sa boîte de vitesses bénéficiait d'une commande plus douce et plus précise.

Dérapage contrôlable

Aussi bien sur le circuit routier du triovale de Sanair que dans la gadoue, le roadster de Porsche a fait preuve de ses aptitudes, tant sportives qu'hivernales. Il suffira de prendre connaissance de notre essai comparatif de la Porsche contre la SLK320 de Mercedes et l'Audi TT roadster Quattro pour constater que le plus petit des constructeurs allemands est encore au-dessus du lot quand il est question de voitures sport.

Manque de rigueur

Même si les moteurs ne sont plus refroidis à l'air, les 6 cylindres Porsche ont encore une sonorité exquise qui accompagne fort agréablement chaque montée en régime. La position centrale du moteur contribue dans une large mesure au bel équilibre de la voiture en courbe. Avec ou sans le PSM (*Porsche Stability Management*), la Boxster se contrôle facilement (n'est-ce pas Michel ?), grâce en bonne partie à une direction rapide qui répond instantanément aux moindres mouvements du volant. Et, en cas de besoin, un freinage irréprochable peut faire retomber vos montées d'adrénaline en un temps record. Là encore, la S est mieux pourvue que la version ordinaire grâce à des disques de plus grand diamètre.

Bien que cet aspect soit secondaire dans une telle voiture, le confort est très acceptable grâce à une suspension dont la fermeté n'est pas exagérée et à des sièges bien dessinés.

Dans les deux Boxster essayées, quelques bruits de caisse avaient réussi à faire surface, mais il est important de préciser que la version de base dépassait les 11 000 km tandis que l'autre en accusait plus de 14 000. Qu'importe, on serait en droit de s'attendre à un peu plus de rigueur de ce côté.

Une fois la capote enlevée, toutefois, ce petit inconvénient disparaît au premier rayon de soleil et la Boxster trouve sa vraie raison d'être. On oublie la piètre visibilité (avec la capote), les bruits de caisse, les petits boutons lustrés au tableau de bord et l'absence de coffre à gants. Avec une route sinueuse à l'horizon et en bonne compagnie, la Porsche Boxster ne demande pas mieux que de vous faire plaisir. Et avec deux coffres à bagages, on est prêt pour la grande évasion, l'été comme l'hiver.

Jacques Duval

PORSCHE Boxster S

▲ POUR

• Comportement très sportif • Excellente tenue de route • Moteur éloquent • Confort appréciable • Deux coffres • Aptitudes hivernales

▼ CONTRE

• Levier de vitesses revêche • Quelques bruits de caisse • Transmission Tiptronic sans intérêt • Boutons radio trop petits • Équipement limité

CARACTÉRISTIQUES

Prix du modèle à l'essai	76 210 $ (71 120 $ base)
Garantie de base	4 ans / 80 000 km
Type	roadster 2 places / propulsion
Empattement / Longueur	241,5 cm / 431,5 cm
Largeur / Hauteur	178 cm / 129 cm
Poids	1 295 kg
Coffre / Réservoir	260 litres / 64 litres
Coussins de sécurité	frontaux et latéraux
Suspension av.	indépendante
Suspension arr.	indépendante
Freins av. / arr.	disque ventilé ABS
Système antipatinage	oui
Direction	à crémaillère, assistée
Diamètre de braquage	11 mètres
Pneus av. / arr.	P205/50ZR17 / P255/40ZR17

MOTORISATION ET PERFORMANCES

Moteur	6H 3,2 litres
Transmission	manuelle 6 rapports
Puissance	252 ch à 6 500 tr/min
Couple	225 lb-pi à 4 500 tr/min
Autre(s) moteur(s)	6H 2,7 litres 217 ch
Autre(s) transmission(s)	Tiptronic 5 rapports
Accélération 0-100 km/h	6 s ; 6,4 s (2,7)
Vitesse maximale	260 km/h ; 245 km/h (2,7)
Freinage 100-0 km/h	36,3 mètres
Consommation (100 km)	11,7 litres

MODÈLES CONCURRENTS

• BMW M. Roadster ou Z3 3,0 • Audi TT Roadster • Honda S2000 • Mercedes-Benz SLK320

QUOI DE NEUF ?

• Instrumentation révisée • Meilleur éclairage intérieur • Version turbo en préparation

VERDICT

Agrément	★★★★½
Confort	★★★
Fiabilité	★★½
Habitabilité	★★½
Hiver	★★★
Sécurité	★★★★
Valeur de revente	★★★★½

ROLLS ROYCE Silver Seraph

Rolls Royce Silver Seraph

La Silver Lady, *forever*

En mai 1998, le constructeur le plus aristocratique du monde est tombé dans les mains de la société de la « voiture du peuple » ! Mais comme dans un roman savon, les péripéties et les intrigues se sont multipliées et c'est finalement BMW qui hérite de la « Silver Lady » et Volkswagen qui se retrouve avec Bentley, la marque sœur de RR.

Depuis, les esprits germaniques échauffés se sont calmés et une entente à l'amiable est intervenue entre Bernd Pischetsrieder, de BMW, Ferdinand Piëch, de Volkswagen et Vickers, propriétaire de Rolls-Royce (et de Bentley) depuis 1980. BMW continuera de fournir moteurs, boîtes de vitesses et autres éléments à Rolls-Royce, tandis que VW, qui hérite de Bentley, continuera de gérer l'usine Rolls-Royce de Crewe jusqu'en 2003.

Une vague de modernisation

Mais bien avant cette rocambolesque histoire d'acquisitions, Rolls-Royce avait déjà amorcé la modernisation de ses opérations. Le terme « modernisation » peut paraître déplacé lorsqu'on parle de Rolls-Royce, mais le dieu de la concurrence étant ce qu'il est, il a fini par rejoindre toutes les institutions, aussi traditionnelles soient-elles.

Cette transformation commencée au début des années 90 s'est soldée par une refonte radicale des installations de Crewe, en Angleterre. Pour la première fois de l'histoire de cette marque née en 1904, une chaîne de montage fait son apparition et l'effectif de 7 000 employés passe à 2 400 travailleurs et artisans, chargés de produire 2 000 voitures par an. Mais la tradition n'est pas pour autant écartée, et « l'aristocrate de l'automobile » consacre encore 150 heures à sculpter le tableau de bord, les accoudoirs et les garnitures de chaque Rolls, alors que 15 bovins se sacrifient pour habiller les sièges d'une seule voiture. Tradition aussi dans la façon de traiter les très distingués clients à qui l'on propose un salon aménagé dans le plus pur style britannique pour leur permettre de choisir les peaux Connolly, les moquettes, les essences de bois, le tissu et les autres matériaux nobles qui entrent dans la confection de la très exclusive Silver Seraph.

Successeur des Silver Dawn et Silver Spirit et première Rolls-Royce entièrement nouvelle depuis 30 ans, la Silver Seraph a rompu avec la tradition de la maison tant sur le plan des techniques d'assemblage que de la mécanique. C'est en effet le magnifique 12 cylindres en V de 5,4 litres signé BMW (Série 7) qui prend place sous le capot de la Silver Seraph. Ce noble V12 en alliage léger est coiffé de culasses à 24 soupapes commandées par un seul arbre à cames en tête par rangée de cylindres. Il développe 326 chevaux et le copieux couple de 361 lb-pi, de quoi permettre à l'imposante Rolls de boucler le 0-100 km/h en 7 secondes. Pas mal pour un paquebot de 2 300 kg ! Tout aussi impressionnants sont les freins à disque qui ramènent cette masse de 100 à 0 km/h en 3 secondes.

Du sang bleu... pour le moment

Signés aussi BMW, la très perfectionnée boîte automatique à 5 rapports, la direction à assistance variable, l'antipatinage et le système de climatisation électronique, le tout monté sur des suspensions indépendantes à doubles bras triangulés, avec amortisseurs pilotés et contrôle automatique de l'assiette. Ainsi équipée, la Silver Seraph devient une voiture à conduire, ce qui pourrait justifier la mise à la retraite du légendaire Charles, le chauffeur en livrée.

Depuis mars 2000, votre Rolls-Royce peut vous être livrée en version Park Ward à empattement allongé de 25 cm, question de vous permettre de mieux prendre vos aises sur le somptueux divan qui occupe la place arrière. Et si vous vivez au soleil et que vous aimez rouler cheveux au vent, Rolls-Royce vous propose sa récente Corniche. Propulsé par un V8 de 6,8 litres (329 chevaux) subtilement gavé par un turbocompresseur à basse pression issu de la divine Bentley Azure, ce cabriolet de rêve est un *must* pour qui veut étaler sa réussite sur la Promenade des Anglais ou les boulevards ensoleillés de la Floride. Précisons en passant que ce caprice vous soulagera de plus d'un tiers de million de dollars !

La tradition, quand même

Si la mécanique fait largement appel à des éléments BMW, le style et l'aménagement intérieur demeurent dans la plus pure tradition de la marque anglaise. Certes, le dessin de la carrosserie bénéficie d'une cure de rajeunissement, mais le profil reste quand même marqué par le capot très long, les montants arrière imposants qui assurent l'anonymat des occupants et la poupe bien définie. Les extrémités plus arrondies et les pare-chocs élégamment intégrés favorisent la fluidité des lignes et ajoutent une touche de modernisme à l'ensemble. Reste évidemment la légendaire calandre, toujours confectionnée à la main et coiffée de la Silver Lady, symbole éternel de la marque.

Tout comme pour Jaguar passée sous contrôle Ford, souhaitons que les nouveaux patrons de Rolls-Royce et de Bentley réussiront à faire évoluer ces deux marques bientôt centenaires sans que l'héritage de Charles Stewart Rolls et de Frederick Henry Royce se perde parmi la plèbe automobile.

Alain Raymond

ROLLS ROYCE Silver Seraph

▲ POUR

- Performances « à la BMW »
- Comportement routier de haut niveau
- Prestige inégalé • Investissement sûr

▼ CONTRE

- Poids imposant • Appétit gargantuesque
- Prix démesuré compte tenu des éléments provenant de la série

CARACTÉRISTIQUES

Prix du modèle à l'essai	n.d.
Garantie de base	3 ans / kilométrage illimité
Type	berline / propulsion
Empattement / Longueur	312 cm / 539 cm
Largeur / Hauteur	193 cm / 152 cm
Poids	2 300 kg
Coffre / Réservoir	375 litres / 94 litres
Coussins de sécurité	frontaux
Suspension av.	indépendante
Suspension arr.	indépendante
Freins av. / arr.	disque ABS
Système antipatinage	oui
Direction	à crémaillère assistée
Diamètre de braquage	12,6 mètres
Pneus av. / arr.	P235/65R16

MOTORISATION ET PERFORMANCES

Moteur	V12 5,4 litres
Transmission	automatique 5 rapports
Puissance	326 ch 5 000 tr/min
Couple	361 lb-pi à 3 900 tr/min
Autre(s) moteur(s)	aucun
Autre(s) transmission(s)	aucune
Accélération 0-100 km/h	7,0 secondes
Vitesse maximale	225 km/h
Freinage 100-0 km/h	n.d.
Consommation (100 km)	17,4 litres

MODÈLES CONCURRENTS

- Bentley Arnage

QUOI DE NEUF ?

- Cabriolet Corniche • Version Park Ward à empattement long

VERDICT

Agrément	★★★★½
Confort	★★★★★
Fiabilité	★★★★
Habitabilité	★★★★½
Hiver	★★★½
Sécurité	★★★★½
Valeur de revente	★★★★

SAAB 9³ SAAB 9³ Viggen

Saab 9³ Viggen

Quand l'avion s'écrase

Depuis quelques années déjà, la Saab 9³ fait l'objet de critiques très sévères dans les pages du *Guide*. Et à la lueur des informations reçues sur la fiabilité de certains modèles 9³ d'avant 1999, nous nous félicitons d'avoir mis les gens en garde. Qu'une voiture soit originale, ça va. Mais quand sa fiabilité est en cause, c'est une autre histoire.

Chaque fois, chez Saab, les responsables nous répétaient qu'ils avaient pris les mesures nécessaires pour améliorer la fiabilité et corriger le temps de réponse du turbo de même que l'incroyable effet de couple dans le volant avec les modèles plus puissants. Il a suffi de passer quelques jours au volant d'un coupé 9³ Viggen pour constater que le produit s'est amélioré à certains égards. Mais, vous allez le constater, il n'y a pas encore de raison de pavoiser.

Une idée bizarre

Si les ingénieurs suédois ont réussi à rendre la mécanique plus fiable, les responsables de la mise en marché sont toujours aussi égarés. On a beau être fier des avions produits par la division aéronautique de Saab, il faut quand même du culot ou une forte dose d'inconscience pour utiliser le nom d'un avion de chasse qui s'est écrasé lors de son vol inaugural et qui a récidivé devant la famille royale suédoise le jour de son vol officiel.

À retirer du marché et vite

La mise au point de ce modèle sportif a été confié à Tom Walkinshaw Racing, ce qui normalement devrait être un gage de réussite. Jusqu'à un certain point, l'opération a porté fruit mais, si le temps de réponse du moteur turbo a diminué et que la suspension s'est légèrement assouplie, TWR a dû composer avec un châssis mal adapté à un tel déchaînement de puissance. Que ce soit la berline, le coupé ou le cabriolet, la Viggen est propulsée par un moteur 4 cylindres de 2,3 litres développant 230 chevaux et, surtout, un incroyable couple de 258 lb-pi. Grâce à l'adoption depuis 2000 du système de gestion du moteur Trionic 7, le temps de réponse du turbo a beaucoup diminué. Mais l'histoire ne s'arrête pas là.

Le coupé Viggen a beau être moins rébarbatif sur bon revêtement et sa boîte de vitesses moins imprécise, la tenue de route ouvre la porte à un vrai débat tellement elle est dangereuse. La grande coupable est la direction qui s'accommode fort mal du couple moteur, particulièrement sur route bosselée. Un coup d'accélérateur en ligne droite sur pavé dégradé peut se solder par un grave accident tellement la stabilité est compromise par les à-coups du volant. Il s'en est fallu de peu pour que Jacques Duval se rabatte sur une voiture qu'il doublait lorsque la voiture a été projetée violemment vers la droite.

En somme, cette Saab 9³ Viggen peut parfaitement imiter l'avion de chasse qui a lui a donné son nom en faisant un petit vol plané dans le décor. On nous dit que l'ajout d'un système antipatinage sur les modèles 2001 permettra de ramener sur terre cette Viggen mais on peut s'interroger sur la valeur de cette solution en extremis.

Danger public

Si le grand protecteur du citoyen, l'avocat américain Ralph Nader, était encore aussi actif à surveiller le monde de l'automobile, il ne fait aucun doute que la Saab Viggen aurait été retirée du marché. À coté d'elle, la Corvair, la plus célèbre victime de Nader, était une bouée de sauvetage. General Motors, propriétaire de la marque suédoise, se doit de retirer cette voiture du marché avant qu'il ne soit trop tard. À moins que le ministère des Transports ne s'en mêle, ce qui serait logique.

Même si la 9³ a connu plusieurs améliorations, elle n'est pas à mettre entre les mains de tous. Il faut une bonne dose d'expertise et un cœur solide pour oser rouler rapidement sur une mauvaise route en Viggen. Il est essentiel de s'en tenir à du bitume plat comme un billard pour en apprécier les qualités.

Pourquoi pas ?

Cette compagnie a connu des heures sombres, car elle s'entêtait à produire des véhicules dont les caractéristiques avaient pour effet de décourager le grand public. Ajoutez un manque de fiabilité à faire peur et une valeur de revente aléatoire, et vous comprendrez que General Motors n'a pas payé le gros prix lorsqu'elle a fait l'acquisition de la compagnie il y a quelques années. Si le risque lié à l'achat d'une Saab est moins grand de nos jours, la direction de Saab s'entête à mettre l'accent sur des modèles hors normes comme la Viggen ou encore le cabriolet dont le châssis a sérieusement besoin d'être renforcé et la lunette arrière de la capote agrandie.

Il n'y aurait rien de déshonorant à mousser la berline 5 portes dont le hayon donne accès à un coffre caverneux et dont l'habitacle et les sièges sont confortables. De plus, les 185 chevaux du 4 cylindres 2 litres turbo sont capables d'assurer des accélérations et des reprises dans la bonne moyenne.

À la lumière des récentes améliorations, la Saab 9³ n'est plus un choix aussi saugrenu que par le passé. Mais, au risque de se répéter, la marque devra nous prouver hors de tout doute que la fiabilité en progrès observée au cours des deux dernières années n'est pas le résultat d'un concours de circonstances favorables.

Denis Duquet/Jacques Duval

SAAB 9³

▲ POUR

• Moteur puissant • Habitabilité supérieure à la moyenne • Sièges confortables • Coffre très vaste • Fiabilité en progrès

▼ CONTRE

• Voiture dangereuse • Effet de couple dans le volant • Valeur de revente incertaine • Diffusion limitée • Climatiseur capricieux

CARACTÉRISTIQUES

Prix du modèle à l'essai	Viggen / 50 895 $
Garantie de base	4 ans / 80 000 km
Type	coupé sport / traction
Empattement / Longueur	260 cm / 463 cm
Largeur / Hauteur	171 cm / 143 cm
Poids	1 360 kg
Coffre / Réservoir	451 litres / 68 litres
Coussins de sécurité	frontaux et latéraux
Suspension av.	indépendante
Suspension arr.	semi-indépendante
Freins av. / arr.	disque ABS
Système antipatinage	oui
Direction	à crémaillère, assistance variable
Diamètre de braquage	10,5 mètres
Pneus av. / arr.	P215/45R17

MOTORISATION ET PERFORMANCES

Moteur	4L 2,3 litres Turbo
Transmission	manuelle 5 rapports
Puissance	230 ch à 5 500 tr/min
Couple	258 lb-pi à 2 500 tr/min
Autre(s) moteur(s)	4L 2 litres turbo 185 ch 4L 2 litres turbo HO 205 ch
Autre(s) transmission(s)	automatique 4 rapports
Accélération 0-100 km/h	6,8 secondes
Vitesse maximale	250 km/h
Freinage 100-0 km/h	37,6 mètres
Consommation (100 km)	13,8 litres

MODÈLES CONCURRENTS

• Audi S4 • BMW Série 3 • Volvo S60 T5

QUOI DE NEUF ?

• Antipatinage de série • Nouvelle clé de contact
• Nouvel ordinateur de gestion du moteur

VERDICT

Agrément	★★★
Confort	★★★★
Fiabilité	★★½
Habitabilité	★★★★½
Hiver	★★
Sécurité	★★
Valeur de revente	★★

SAAB 9^5

Saab 9^5

Une Saab pour les anti-Saab

Une Saab ne serait pas une Saab si elle faisait l'unanimité. Mais les choses pourraient changer: avec la 9^5 Aero, cette firme suédoise vient de réussir un exploit, soit celui de concevoir une automobile qui peut plaire à ceux qui détestent les Saab! Ce n'est pas rien, mais lorsque cela se traduit par une augmentation des ventes, ça aide à faire rentrer les orthodoxes dans le rang.

La 9^5 est ce qui pouvait arriver de mieux à ce constructeur, qui tardait à prendre son envol malgré la consolidation financière, gracieuseté de General Motors. À l'époque, ils étaient nombreux à dire qu'il s'agissait d'une alliance contre nature; 10 ans plus tard, il convient plutôt de parler d'un mariage de raison. Non seulement les Saab ont conservé ce soupçon d'excentricité qui fait leur charme, mais elles se sont bonifiées.

C'est encore plus vrai depuis l'arrivée de la 9^5, il y a deux ans: au terme de sa première année d'existence, la société Saab Auto AB, dont la moitié du capital appartient désormais à GM, a vu ses ventes globales augmenter de 18 %. De quoi confondre, encore une fois, les sceptiques. Sans parler des prophètes de malheur, qui prédisent la mort imminente de cette marque pas comme les autres. Alors que la tendance est à l'uniformisation et à l'aseptisation dans le merveilleux monde de l'automobile, il est rafraîchissant de voir que des marginaux arrivent à survivre tout en restant fidèles à eux-mêmes.

Oui, je l'avoue: j'aime les Saab! Pour un chroniqueur automobile, une telle confession équivaut ni plus ni moins à sortir du garde-robe. Les collègues nous acceptent, mais ils ne nous regardent plus avec les mêmes yeux. Pas facile d'assumer sa différence...

Trio turbo

À l'origine, la gamme 9^5 se déclinait en une seule configuration (berline) et deux versions (base et SE). En cours de route se sont ajoutées une familiale, la première depuis belle lurette chez Saab, ainsi qu'une livrée plus sportive, l'Aero. Chacune dispose d'une motorisation qui lui est propre: un 4 cylindres de 2,3 litres (185 chevaux) pour la version de base, un V6 de 3 litres (200 chevaux) pour la SE et un 4 cylindres à haut rendement de 2,3 litres (230 chevaux) pour l'Aero. Précision: ces trois moteurs sont suralimentés par un turbocompresseur, tradition Saab oblige.

Qu'on aime ou pas les engins turbocompressés, force est d'admettre que ceux de la 9^5 ont ce qu'il faut pour nous réconcilier avec le genre. Dépourvus des irritants qui sont trop souvent les leurs (temps de réponse, secousses, paresse à bas régime), ils brillent par leur souplesse et leur linéarité, et la réponse est immédiate. Il faut souligner la grande compatibilité de ce «trio turbo» avec la boîte automatique Trionic, qui gère avec doigté la puissance disponible et autorise des passages très fluides, tout en éliminant les temps morts.

D'allure plus sportive, avec sa présentation exclusive (roues en alliage à trois rais, bas de caisse assortis) qui lui donne une certaine gueule, la version Aero reçoit, outre son moteur à haut rendement, d'autres améliorations en harmonie avec sa vocation. Les plus importantes concernent le châssis, qui a été rigidifié ; les freins, munis de disques de 16 pouces ; et les pneus, montés sur des jantes de 17 pouces.

La meilleure Saab jamais construite

Que ceux qui craignent les réactions caractérielles du moteur à haut rendement de l'Aero se rassurent : l'effet de couple est joliment maîtrisé, beaucoup mieux que sur les 9³ (la Viggen surtout, de triste mémoire). Quant au comportement routier, sans être sportif à proprement parler, il a ses charmes : une telle douceur de roulement, on ne voit pas ça tous les jours à bord d'une berline sport. Celle qui nous concerne sait aussi tirer son épingle du jeu sur un tracé sinueux : le roulis m'est apparu moins prononcé que dans les autres 9⁵, et son aplomb en virage,

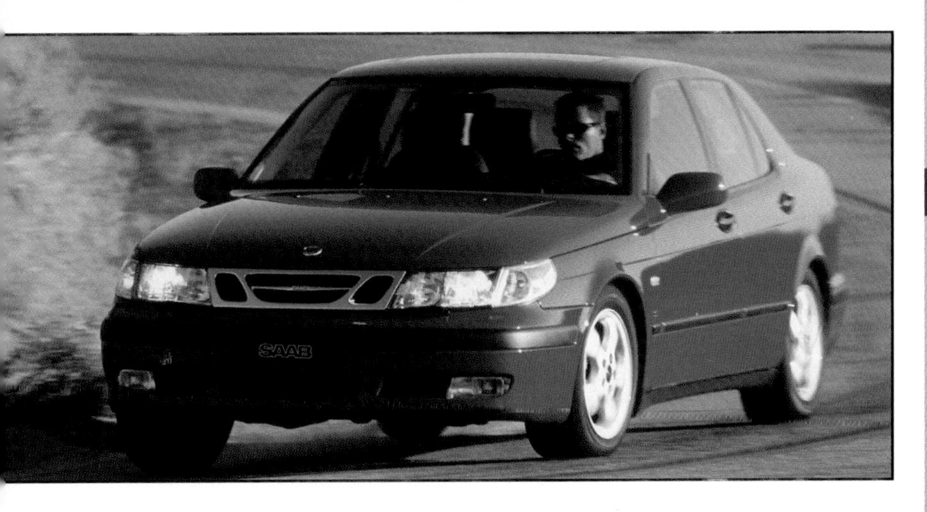

où elle montre une stabilité rassurante, m'a agréablement surpris. De plus, sa motricité exceptionnelle sait se faire apprécier en pareilles circonstances. Et cette voiture freine, mes amis, oh que ça freine ! J'aime.

Ambiance Aero

Plus discrète à l'intérieur, la touche Aero se limite à un volant sport gainé de cuir perforé. Ce matériel est par ailleurs omniprésent dans l'habitacle, puisqu'il recouvre en plus les sièges, le levier de frein à main et les garnitures de portes. Ajoutez à cela une présentation intérieure originale et du meilleur goût, ainsi qu'un tableau de bord qui l'est tout autant, et, franchement, il y a du cachet à bord. De l'ambiance, même. Et quel confort ! Les sièges, une spécialité suédoise, se classent parmi les meilleurs de l'industrie automobile, toutes catégories confondues. Ils sont chauffants, bien sûr, mais ils peuvent également être ventilés (moyennant supplément, toutefois).

Vous pensez que c'est le fin du fin ? Eh bien, sachez que le coffre à gants et celui qui loge dans la console sont également climatisés. Que dire d'autre, sinon que cet habitacle propose une habitabilité exceptionnelle, une ergonomie savamment étudiée et une finition soignée. J'allais oublier la chaîne stéréo, dont la qualité sonore a plu aux mélomanes de mon entourage.

Mais une Saab ne serait pas une Saab s'il n'y avait pas une ou deux incongruités. La clé dans la console, passe encore, s'ils y tiennent tant que ça ; mais avec la boîte manuelle, il faut placer le levier en marche arrière pour retirer la clé. Franchement... Pourquoi faire simple quand on peut faire compliqué ?

Il n'en reste pas moins que cette voiture bouge, respire, elle vit, quoi ! Son caractère demeure très typé, mais ce n'est plus tout blanc ou tout noir. La 9⁵ sait se montrer plus conviviale que sa sœur la 9³, décidément trop caractérielle. Véloce, agréable à conduire et très confortable, la version Aero incarne la quintessence de la 9⁵, qui est elle-même la meilleure Saab jamais construite. Alors, la conversion, c'est pour quand ?

Philippe Laguë

SAAB 9⁵

▲ POUR

• Caractère unique • Confort et douceur de roulement exceptionnels • Habitacle spacieux • Boîte automatique bien adaptée

▼ CONTRE

• Boîte manuelle imprécise • Piètre réputation en matière de fiabilité • Faible valeur de revente • Diffusion limitée • Clé au plancher

CARACTÉRISTIQUES

Prix du modèle à l'essai	Aero / 54 650 $
Garantie de base	4 ans / 80 000 km
Type	berline / traction
Empattement / Longueur	270 cm / 480 cm
Largeur / Hauteur	179 cm / 145 cm
Poids	1 565 kg
Coffre / Réservoir	450 litres / 75 litres
Coussins de sécurité	frontaux et latéraux
Suspension av.	indépendante
Suspension arr.	indépendante
Freins av. / arr.	disque ABS
Système antipatinage	oui
Direction	à crémaillère, assistée
Diamètre de braquage	10,8 mètres
Pneus av. / arr.	P225/45R17

MOTORISATION ET PERFORMANCES

Moteur	4L 2,3 litres turbo
Transmission	automatique 4 rapports
Puissance	230 ch à 5 500 tr/min
Couple	258 lb-pi à 2 500 tr/min
Autre(s) moteur(s)	4L 2,3 litres turbo 185 ch ; V6 3 litres turbo 200 ch
Autre(s) transmission(s)	man. 5 rapports (sauf V6)
Accélération 0-100 km/h	7,1 s ; 9,0 s (V6)
Vitesse maximale	240 km/h
Freinage 100-0 km/h	40,6 mètres
Consommation (100 km)	12,8 litres ; 9,5 litres (4L 185 ch) ; 10,8 litres (V6)

MODÈLES CONCURRENTS

• Audi A6 2,7T • BMW 530i • Cadillac Catera • Lincoln LS • Oldsmobile Aurora • Volvo S80

QUOI DE NEUF ?

• Familiale Aero • Moteur turbo 2,3 litres 185 ch • Toit ouvrant vitré de série (SE et Aero)

VERDICT

Agrément	★★★★
Confort	★★★★
Fiabilité	★★★
Habitabilité	★★★★
Hiver	★★★★
Sécurité	★★★★★
Valeur de revente	★

SATURN LS/LW

Saturn LS1

L'Allemagne à la rescousse

Dans l'édition 2000 du *Guide de l'auto,* la pauvre petite Saturn SL1 a eu le malheur de se classer au dernier rang lors d'un essai comparatif opposant 12 voitures de la même catégorie. Ce résultat peu honorable a irrité les « Saturnistes » à un point tel qu'ils nous ont fait connaître leur désaccord de façon quelquefois véhémente. Curieusement, chez Saturn, on ne s'est pas montré surpris outre mesure par la déconfiture de la SL1. Après tout, ce modèle date de près de 15 ans et il n'est pas étonnant qu'il ait de la difficulté à soutenir la comparaison avec des créations plus récentes.

Cela dit, les Saturn LS (berline) et LW (familiale), introduites l'an dernier, sont des voitures mieux affûtées pour faire face à la concurrence. Elles sont non seulement plus spacieuses que les SL mais, surtout, plus raffinées et offertes en deux livrées (LS1/LS2 et LW1/LW2).

Leur rôle, clairement défini, consiste à garder dans le clan Saturn les conducteurs qui ont dépassé le stade des SL1 et 2. Même si ces voitures ont quelquefois été égratignées par la presse automobile (y compris par *Le Guide de l'auto*) en raison de leurs moteurs bruyants et d'un comportement routier couci-couça, elles ont attiré de nombreux adeptes qui se sont ralliés à la philosophie de mise en marché érigée par General Motors. On a adoré l'accueil attentif chez le concessionnaire, le service après-vente et cet esprit de « belle grande famille » rattaché à la marque Saturn.

Un peu allemande

Compte tenu de cet engouement de la clientèle, la LS devrait avoir la tâche facile, d'autant plus que ses origines partiellement germaniques en font une voiture mieux réussie que la SL. Opel, la filiale allemande de GM, a contribué au développement de la LS en lui fournissant un certain nombre de composantes dont ses groupes propulseurs et sa plate-forme. Cela comprend un V6 de 3 litres et 180 chevaux (aussi utilisé dans la Cadillac Catera) pour la LS2 et un petit 4 cylindres de 2,2 litres et 137 chevaux que l'on peut accoupler à une boîte de vitesses manuelle à 5 rapports. Cette combinaison permet d'ailleurs de maintenir la LS1 à un prix très raisonnable et on ne gagne vraiment pas grand chose en optant pour le V6. Ce moteur brille par son couple mais est exagérément bruyant en reprise.

La facture de la LS1 mise à l'essai se chiffrait à environ 22500 $, incluant la climatisation et bon nombre d'accessoires de luxe, dont un lecteur de disques compacts. Par contre, l'absence d'ABS en équipement de série paraît inconcevable quand on sait qu'un tel dispositif de sécurité est offert sans supplément de prix dans une simple Chevrolet Cavalier ou, pire encore, dans une Saturn SL moins chère.

En revanche, on sera heureux d'apprendre que la marque de commerce de Saturn est fortement imprégnée dans la carrosserie dont les panneaux de caisse sont en polymère et, par conséquent, à l'abri des blessures mineures.

La famille grandit

Au premier contact, on ne se sent pas tout à fait à l'aise au volant de la Saturn LS. Il faut un certain temps pour apprivoiser le maniement du levier de vitesses et conduire en souplesse. Au bout de quelques heures toutefois, les choses se tassent et on commence à apprécier le bon couple du moteur à bas régime ainsi que son fonctionnement beaucoup plus silencieux que dans les SL. Les amateurs de chiffres s'attarderont à des relevés de consommation très raisonnables (10 litres aux 100 km) et à un chrono satisfaisant entre 0 et 100 km/h (10,3 secondes). Quant à la boîte de vitesses manuelle, tout se passe généralement bien si l'on oublie l'effort requis pour enclencher le premier rapport à partir du point mort.

Malgré des pneus bien ordinaires, la LS réussit à passer le test du comportement routier avec de bonnes notes. Le roulis est modéré, la maniabilité superbe, et ce n'est vraiment que sur des pavés mouillés que les pneus sont un handicap. En revanche, une tempête de neige m'a permis de me rendre compte que la nouvelle Saturn LS avait de bonnes aptitudes hivernales, et cela malgré l'absence d'ABS et de système de contrôle de la traction. Sur mauvaise route cependant, le châssis gagnerait à être un peu plus rigide, car on percevait certains bruits de caisse dans la voiture d'essai, même si elle était neuve.

La direction jette aussi une ombre au tableau. Le diamètre de braquage est trop grand et la forme du volant ne fait pas l'unanimité. On ressent également à l'occasion les à-coups du couple moteur.

Si l'on peut difficilement se pâmer sur la ligne de la dernière-née des Saturn, son aménagement intérieur est fort plaisant. D'accord, le faux bois fait un peu clinquant, mais l'ergonomie est très soignée. Les sièges sont recouverts d'un tissu élégant qui contribue à vous retenir en place dans les virages. De nombreux rangements, une visibilité quasi parfaite, un très bon chauffage et une habitabilité exceptionnelle figurent parmi les autres attributs des nouvelles LS. Même la place centrale arrière est utilisable, tandis que le coffre possède un volume identique à celui d'une Chevrolet Impala. La qualité de construction semble honnête avec, pour seule réserve, une porte avant gauche qui bâillait un peu à très grande vitesse.

La Saturn LS ne réinvente pas le genre, mais nul doute que la clientèle gagnée d'avance à la marque américaine y trouvera son compte quand viendra le temps d'abandonner sa vieille SL. C'est justement là sa raison d'être.

Jacques Duval

Saturn LW2

SATURN LS1

▲ POUR

• Moteur agréable • Bonne habitabilité • Prix réaliste • Équipement assez complet • Excellente visibilité • Grand coffre

▼ CONTRE

• Diamètre de braquage • Pneus bon marché • Bruits de caisse • Tableau de bord clinquant • Fiabilité incertaine • ABS optionnel

CARACTÉRISTIQUES

Prix du modèle à l'essai	LS1 / 22 500 $
Garantie de base	3 ans / 60 000 km
Type	berline / traction
Empattement / Longueur	270 cm / 484 cm
Largeur / Hauteur	175 cm / 144 cm
Poids	1 335 kg
Coffre / Réservoir	495 litres / 60 litres
Coussins de sécurité	frontaux
Suspension av.	indépendante
Suspension arr.	indépendante
Freins av. / arr.	disque/tambour (ABS optionnel)
Système antipatinage	oui (optionnel)
Direction	à crémaillère, assistée
Diamètre de braquage	11,1 mètres
Pneus av. / arr.	P195/65R15

MOTORISATION ET PERFORMANCES

Moteur	4L 2,2 litres
Transmission	manuelle 5 rapports
Puissance	137 ch à 5 800 tr/min
Couple	147 lb-pi à 4 400 tr/min
Autre(s) moteur(s)	V6 3 litres 180 ch
Autre(s) transmission(s)	automatique 4 rapports
Accélération 0-100 km/h	10,3 secondes
Vitesse maximale	180 km/h
Freinage 100-0 km/h	43,4 mètres
Consommation (100 km)	10,0 litres

MODÈLES CONCURRENTS

• Huyndai Sonata • Mazda 626 • Nissan Altima • Toyota Camry • Honda Accord • Volkswagen Passat

QUOI DE NEUF ?

• Rideau de sécurité latéral • Réservoir de carburant plus grand • Sortie d'urgence coffre

VERDICT

Agrément	★★★
Confort	★★★½
Fiabilité	★★★★
Habitabilité	★★★★
Hiver	★★★½
Sécurité	★★★½
Valeur de revente	★★

SATURN SC

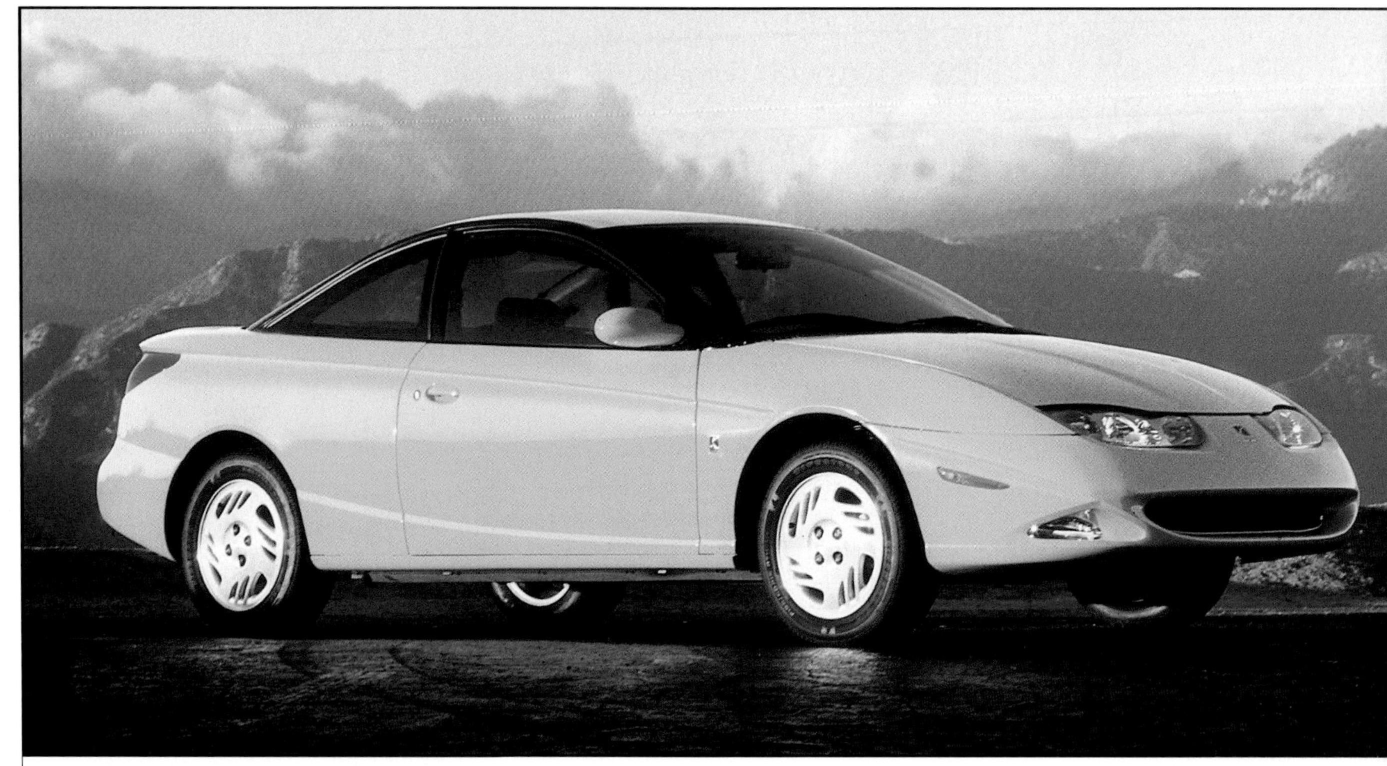

Saturn SC

Si près et si loin à la fois

Dans sa documentation de presse, GM décrit le mandat de Saturn comme suit: « Révolutionner les méthodes relatives à la fabrication, la mise en marché et la vente des petites voitures américaines. » De bien nobles intentions, mais il aurait été avisé et surtout, cohérent, de concevoir des véhicules à la hauteur de telles aspirations. Les coupés SC démontrent qu'il reste encore du travail à faire.

Comme c'est le cas pour les berlines SL, avec lesquelles ils partagent plate-forme et mécanique, les coupés SC1 et SC2 semblent à bout de souffle, même s'ils ont subi leur part de modifications visant à les raffiner. L'intention était louable, mais il aurait fallu faire plus. À moins que le dicton « lentement, mais sûrement » ne soit le credo de la marque...

Cette année encore, on a procédé à des retouches, d'ordre esthétique surtout, à l'extérieur comme à l'intérieur. À l'avant, les blocs optiques et les phares antibrouillards ont été modifiés, tandis qu'une ligne plongeante longe les panneaux latéraux, en partant du bas de la caisse pour se terminer au-dessus des feux arrière. C'est bien joli, mais ça ne saute pas aux yeux, dois-je le répéter? De toute façon, ce coupé sport, plutôt bien tourné, avait déjà de la gueule; là n'est pas le problème.

Horreur à l'intérieur

C'est à l'intérieur que ça se gâte. Tellement que je ne sais pas par où commencer. En attendant, je vais y aller avec les bons côtés, ce qui devrait être vite réglé. La chaîne stéréo, d'abord, brille par sa qualité sonore. Sur une note plus pratico-pratique, le coffre arrière est aussi logeable que facile d'accès, grâce à son ouverture au ras du pare-chocs. Pour obtenir plus d'espace, on n'a qu'à incliner le dossier.

À défaut d'être l'invention du siècle, la fameuse troisième porte est une trouvaille originale, c'est indiscutable, mais aussi fonctionnelle. Ceux qui lui reprochent son inutilité n'ont pas d'enfants ou ne déposent jamais rien à l'arrière, sur le siège ou sur le plancher. Mais les places arrière demeurent celles d'un coupé; pour la marmaille ou les sacs d'épicerie, passe encore, mais pour 2 adultes, oubliez ça. Que le dégagement pour les jambes soit un peu juste, on peut passer l'éponge; il s'agit d'un coupé sport, après tout. Mais plus inconfortable que cette banquette, je ne vois qu'un banc d'église, et encore. En plus, il n'y a pas d'appuie-tête.

Vous croyez que c'est mieux à l'avant? Désolé de vous décevoir... Enfin, j'exagère, ça ne saurait être pire. Mais on a manqué le bateau là aussi. Je n'irai pas par quatre chemins: j'ai rarement autant souffert derrière un volant. Mal foutu comme pas un, ce satané siège m'a fait enrager à cause du galbe trop prononcé du dossier et de son coussin trop court. De plus, je n'ai jamais réussi à trouver une position de conduite convenable.

Terminons avec le traditionnel reproche adressé aux habitacles des Saturn, soit une finition à la limite de l'acceptable, où le plastique règne en monarque absolu. À bord de notre véhicule d'essai, qui n'accusait même pas 400 km au compteur, il y avait déjà des morceaux bringuebalants. Cette division a beau adopter un profil bas quand il est question de son appartenance à la grande famille GM, il y a des signes qui ne trompent pas.

Exécution bâclée

Des griefs mécaniques

Hélas! trois fois hélas, la liste des griefs ne s'arrête pas là. Une précision, d'abord, pour ceux qui ne sont pas familiers avec la nomenclature Saturn: ce qui différencie une SC1 d'une SC2 – outre l'équipement de série, bien sûr –, c'est ce qu'il y a sous le capot. La première reçoit un 4 cylindres de 1,9 litre, dont la puissance est chiffrée à 100 chevaux, tandis que la deuxième a droit à la version Twin Cam (à 16 soupapes et double arbre à cames en tête) de ce moteur, ce qui se traduit par un gain de 24 chevaux.

Mais s'il n'y avait que ça... En plus d'émettre un grondement qui n'a rien d'agréable, ces engins ne brillent pas par leur douceur, encore moins par leur souplesse. Rugueux, vous dites? Et comment! Au moins, le moteur Twin Cam parvient à se racheter par ses performances honorables; mais le modèle SC1, avec son pauvre moteur de 100 chevaux, ne mérite même pas qu'on s'y attarde. Et si vous optez pour la SC2, assurez-vous de choisir la boîte manuelle. Pour l'agrément, d'abord, d'autant plus qu'il s'agit d'une excellente boîte, comme quoi tout n'est pas mauvais sur ces voitures; mais surtout parce que cette transmission tire un meilleur profit du moteur. Qui plus est, la boîte automatique réagit très mal à une conduite plus sportive.

Pour résumer, nous voici en face d'un beau gâchis, pour lequel les dirigeants de Saturn n'ont qu'eux-mêmes à blâmer. Cela

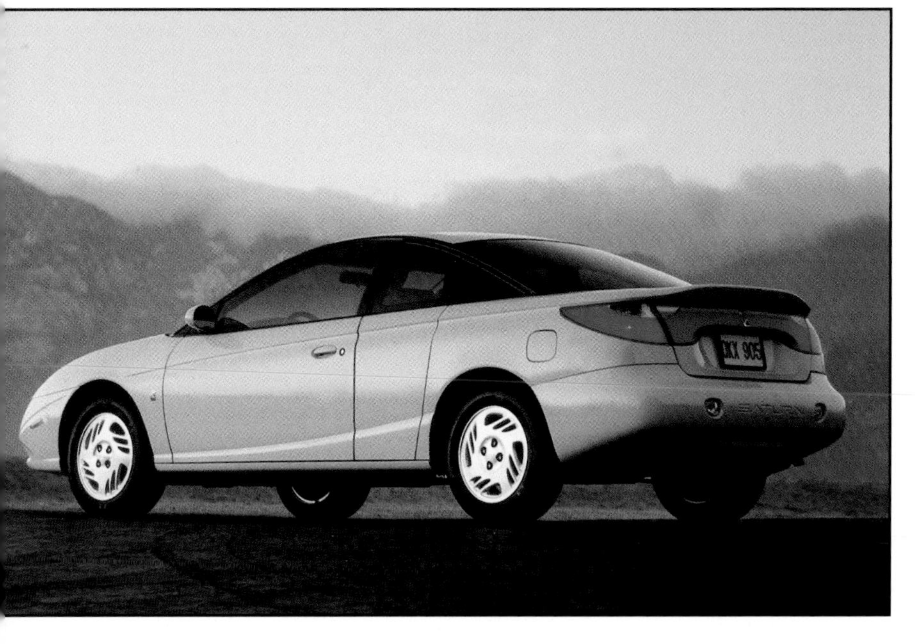

Là où le bât blesse, c'est lorsqu'on constate qu'en 10 ans, ces deux motorisations ont très (trop) peu évolué. Au fil des années, Saturn affirme avoir fait des efforts considérables pour les raffiner, mais tout ce qu'on a réussi à faire, c'est de les rendre moins bruyants. Avec un succès mitigé, il faut bien le dire, car leur niveau sonore demeure plus élevé que celui des moteurs de la concurrence.

est d'autant plus regrettable que ces coupés ont un potentiel certain: en plus d'avoir fière allure, ils tiennent la route de brillante façon et leur châssis montre une belle rigidité. Bref, la base est de toute évidence saine. Mais il faudrait raffiner la mécanique... repenser l'habitacle... rehausser la finition... changer les sièges... etc.

Philippe Laguë

SATURN SC

▲ POUR

• Physique agréable • Tenue de route sportive • Moteur Twin Cam performant • Prix intéressants • Service après-vente exceptionnel

▼ CONTRE

• Sièges inconfortables • Habitacle à revoir • Piètre visibilité ¾ arrière • Mécanique peu raffinée • Boîte automatique mal adaptée

CARACTÉRISTIQUES

Prix du modèle à l'essai	SC2 / 24 038 $
Garantie de base	3 ans / 60 000 km
Type	coupé 3 portes / traction
Empattement / Longueur	260 cm / 458 cm
Largeur / Hauteur	173 cm / 135 cm
Poids	1 115 kg
Coffre / Réservoir	323 litres / 45,8 litres
Coussins de sécurité	frontaux
Suspension av.	indépendante
Suspension arr.	indépendante
Freins av. / arr.	disque / tambour
Système antipatinage	non
Direction	à crémaillère, assistance variable
Diamètre de braquage	11,3 mètres
Pneus av. / arr.	P195/60R15

MOTORISATION ET PERFORMANCES

Moteur	4L 1,9 litre Twin Cam
Transmission	automatique 4 rapports
Puissance	124 ch à 5 600 tr/min
Couple	114 lb-pi à 2 400 tr/min
Autre(s) moteur(s)	4L 1,9 litre 100 ch
Autre(s) transmission(s)	manuelle 5 rapports
Accélération 0-100 km/h	10,1 secondes
Vitesse maximale	195 km/h
Freinage 100-0 km/h	40,7 mètres
Consommation (100 km)	9,0 litres

MODÈLES CONCURRENTS

• Acura Integra • Honda Civic coupé
• Hyundai Tiburon • Mercury Cougar

QUOI DE NEUF?

• Retouches esthétiques (intérieur et extérieur)

VERDICT

Agrément	★★★
Confort	★★★
Fiabilité	★★★
Habitabilité	★★★
Hiver	★★★
Sécurité	★★★
Valeur de revente	★★★

SATURN SL SATURN SW

Saturn SL

À bout de souffle

Après des débuts prometteurs, il y a 10 ans, la marque Saturn a connu les affres de la stagnation. Si on a réussi à fidéliser la clientèle, grâce à une approche révolutionnaire et à un service après-vente hors pair, il est difficile de recruter de nouveaux acheteurs pour les modèles SL et SW, qui font du surplace depuis leur dernière refonte, en 1996.

Certes, ces berlines (SL1 et SL2) et familiales (SW2) ont eu droit à plusieurs retouches l'année dernière, mais un essai subséquent est venu confirmer que le miracle n'avait pas eu lieu. C'était trop peu, trop tard.

Dire qu'il s'agit de mauvaises voitures serait quand même exagéré. Sans atteindre les standards japonais, leur fiabilité est néanmoins supérieure à celles de leurs rivales américaines ou coréennes ; de plus, faut-il le répéter, les concessionnaires traitent leurs clients aux petits oignons, ce qui n'est pas rien. Et puis, dans le genre, il y a pire : je pense à la Kia Sephia, à la Suzuki Esteem, ainsi qu'au tandem Cavalier/Sunfire.

Mais il y a mieux aussi, et c'est là que se situe le cœur du problème. La concurrence a fait des pas de géant au cours des dernières années : du côté américain, Ford a rehaussé la barre de plusieurs crans avec la Focus, tandis que les Japonais demeurent les champions de la qualité et de la fiabilité dans cette catégorie. Et n'oublions pas les marques coréennes Daewoo et Hyundai, qui proposent des berlines (et des familiales) plus raffinées que la paire SL/SW.

Une routière étonnante

Parmi les améliorations apportées à la Saturn l'an dernier, l'insonorisation est la plus évidente. On entend beaucoup moins le grondement du moteur, ce dont personne ne se plaindra. Et pour accélérer, il accélère, puisque le 0-100 km/h s'effectue en moins de 10 secondes. Pour un petit 4 cylindres (1,9 litre), jumelé à une boîte automatique de surcroît, c'est plus qu'honorable. Précisons toutefois qu'il s'agit de la plus puissante des deux motorisations proposées. Leur cylindrée est la même, mais l'architecture plus raffinée du moteur de la SL2 (4 soupapes par cylindre, 2 arbres à cames en tête) se traduit par un gain de 24 chevaux (124 contre 100).

S'il est performant et moins bruyant, il demeure cependant rugueux, ce qui rebutera ceux qui ont connu la douceur des petits moulins nippons. C'est encore pire avec le moteur de base, sans parler de ses accélérations pour le moins laborieuses. À éviter.

En revanche, la boîte automatique se place à l'abri de toute critique, ce qui n'étonne guère d'un produit GM. Tout aussi efficace est le freinage, en usage normal comme en usage intensif. Du moins était-ce le cas sur notre véhicule d'essai qui, il est vrai, disposait de l'ABS.

Rapide et précise, la direction mérite elle aussi des compliments. Son rendement permet d'exploiter et d'apprécier la tenue de route de la SL2, qui s'avère une heureuse surprise. En fait, son comportement évoque celui d'une Volkswagen, avec un généreux roulis et des mouvements de tangage qui, a priori, font craindre le pire. Pourtant, elle refuse de décrocher et il faut attaquer très fort pour atteindre la limite. Avec de meilleurs pneus, ce serait encore mieux, quoique ceux montés en série conviennent à l'usage auquel ils sont destinés. De plus, ils contribuent à la douceur de roulement qui caractérise cette berline, dont la suspension absorbe bien les inégalités du revêtement.

Vivement la relève !

Les fleurs... et le pot

L'habitacle d'une Saturn est toujours un brin ésotérique. Ce n'est pas kitsch façon Pontiac mais c'est d'un goût, disons, discutable. Cependant, le tableau de bord offre une vue imprenable et ses gros cadrans en facilitent la consultation. Les commandes ne sont pas très conventionnelles, mais pas compliquées non plus ; on s'y fait. De plus, tout est à la bonne place. Quant aux espaces de rangement, ils sont aussi nombreux que pratiques. Et je m'en voudrais de ne pas souligner la valeur de la chaîne stéréo, dont la qualité sonore impressionne dans une voiture de ce prix.

À l'avant, les baquets sont enveloppants et confortables, mais il m'est apparu difficile de trouver la bonne position de conduite, à cause des réglages du dossier. À l'arrière, le dégagement pour les jambes est un peu juste. En revanche, la banquette offre un confort appréciable. Et elle se replie en deux sections, ce qui permet d'augmenter la capacité de chargement d'un coffre de dimensions moyennes, quoique profond et facile d'accès.

Le pot, maintenant. À bord de notre véhicule d'essai, un concert de craquements se faisait entendre sur mauvaise route. Sans parler des bruits éoliens... Déjà que la finition n'impressionne guère, notamment à cause de la surabondance de plastique, voilà qui augurait plutôt mal. De plus, une pièce pendait sous le coffre à gants. Comme quoi, chez GM, on a beau chasser le naturel, il revient au galop.

Résumons : pour ceux qui sont à la recherche d'un honnête moyen de transport, confortable et relativement fiable, pour les mener du point A au point B, les Saturn SL et SW méritent considération, d'autant plus que leurs propriétaires sont aussi bien traités, sinon mieux, que s'ils roulaient dans un véhicule haut de gamme. Mais si cette marque veut vraiment percer le marché, il lui faudra faire plus, et mieux. Et vite, aussi.

Philippe Laguë

SATURN SL

▲ POUR

• Habitacle mieux insonorisé • Moteur performant (SL2) • Freinage efficace (avec ABS) • Douceur de roulement appréciable • Service après-vente

▼ CONTRE

• Places arrière justes • Surabondance de plastique à l'intérieur • Assemblage douteux • Bruits éoliens • Moteurs rugueux

CARACTÉRISTIQUES

Prix du modèle à l'essai	SL2 / 24 103 $
Garantie de base	3 ans / 60 000 km
Type	berline / traction
Empattement / Longueur	260 cm / 452 cm
Largeur / Hauteur	169 cm / 140 cm
Poids	1 100 kg
Coffre / Réservoir	343 litres / 45,8 litres
Coussins de sécurité	frontaux
Suspension av.	indépendante
Suspension arr.	indépendante
Freins av. / arr.	disque / tambour (ABS optionnel)
Système antipatinage	oui (optionnel)
Direction	à crémaillère, assistance variable
Diamètre de braquage	11,3 mètres
Pneus av. / arr.	P185/65R15

MOTORISATION ET PERFORMANCES

Moteur	4L 1,9 litre Twin Cam
Transmission	automatique 4 rapports
Puissance	124 ch à 5 600 tr/min
Couple	122 lb-pi à 4 800 tr/min
Autre(s) moteur(s)	4L 1,9 litre 100 ch
Autre(s) transmission(s)	manuelle 5 rapports
Accélération 0-100 km/h	9,6 secondes (SL2 aut.)
Vitesse maximale	175 km/h (limitée)
Freinage 100-0 km/h	43,0 mètres
Consommation (100 km)	9,2 litres (SL2); 7,9 litres (SL1)

MODÈLES CONCURRENTS

• Daewoo Nubira • Chrysler Neon • Ford Focus • Hyundai Elantra • Mazda Protegé • Nissan Sentra

QUOI DE NEUF ?

• Aucun changement majeur

VERDICT

Agrément	★★
Confort	★★★★
Fiabilité	★★★
Habitabilité	★★★½
Hiver	★★★½
Sécurité	★★★½
Valeur de revente	★★★★★

SUBARU Forester

Subaru Forester

Le parfait compromis

Pendant longtemps, la compagnie Subaru a été la championne incontestée de la traction intégrale sur les voitures de tourisme. En fait, tous ses modèles sont des 4 roues motrices. Puisque le marché nord-américain des véhicules utilitaires sport s'est embrasé, les décideurs ont sagement décidé de concocter un véhicule hybride se rapprochant davantage des modèles 4X4 que les versions Outback pourtant si populaires. Le Forester était né et a connu plus que sa part de succès.

Sous les apparences d'une grosse familiale au toit surélevé, cette nippone toutes conditions est capable de franchir des obstacles de façon surprenante pour un véhicule dérivé d'une automobile. Le tout sans être handicapée par une tenue de route rustique et sans faire souffrir les occupants par un inconfort en toutes circonstances. En fait, c'est cet amalgame de qualités sur route et hors route qui lui a permis de rafler les grands honneurs de notre match comparatif des 4X4 compacts réalisé l'an dernier.

Cette année, la concurrence dans cette catégorie est plus vive que jamais alors que les Hyundai Santa Fe, Ford Escape et Mazda Tribute viennent se joindre à ce groupe tandis que le Toyota RAV4 est modifié du tout au tout. C'est probablement l'arrivée de ces concurrents qui a incité la compagnie à prendre les devants et à modifier le Forester en cours d'année.

En février 2000, les dirigeants de Subaru Canada dévoilaient donc la nouvelle Forester revue et corrigée.

On reste calme !

Si les communiqués dithyrambiques de la compagnie font état d'un modèle sérieusement modifié, il ne faut pas se faire prendre au jeu. Oui, le Forester 2001 fait l'objet de plusieurs changements, mais il s'agit plutôt de modifications de détails et de multiples raffinements. En fait, les changements les plus importants sont ceux apportés aux panneaux de la carrosserie pour donner au Forester une silhouette rajeunie. La grille de calandre chromée, des feux arrière multiréflecteurs et de nouvelles jantes en alliage constituent d'autres éléments visuels qui contribuent à donner plus de caractère à la présentation générale.

Il est curieux de constater que Subaru s'intéresse au style, après avoir été le champion des silhouettes biscornues et sans saveur. Cette fois, les petits changements permettent au Forester de soutenir la comparaison avec tous les modèles de la catégorie. Son apparence est moins ordinaire et c'est tant mieux. L'utilisation d'une garniture de bas de caisse de couleur contrastante est un autre élément qui fait des merveilles pour la présentation esthétique.

Ce véhicule a toujours été reconnu pour son confort et son habitacle ressemblant de très près à celui d'une automobile. Ce nouveau millésime est plus raffiné grâce à des améliorations de détails concernant l'ancrage des sièges pour bébé, les moquettes, de nouveaux porte-verres, une nouvelle sellerie pour les sièges et une foule d'autres éléments.

Pluie d'étoiles

gagner en précision, le Forester réussit très bien à concilier le côté route et le côté champ. Cette année, la suspension a été raffermie et la voie élargie de 15 mm, deux modifications qui font des merveilles pour la stabilité directionnelle et pour diminuer le roulis en virage.

Une mécanique connue

Si le Forester a modifié son plumage, sa mécanique est demeurée essentiellement la même. On y trouve donc toujours ce moteur 4 cylindres horizontal à cylindres à plat de 2,5 litres. D'une puissance de 165 chevaux, ce boxer est moins anémique dans sa version Phase II ; l'utilisation de culasses à simple arbre à cames en tête permet de bénéficier d'un couple mieux réparti. Les dépassements s'avèrent moins problématiques. De plus, même si la boîte manuelle a gagné en précision et en douceur, l'automatique à 4 rapports s'entend mieux avec le rouage intégral. Les décisions se prennent entre ordinateurs et le pilote n'intervient pas dans ce dialogue comme c'est le cas avec une transmission manuelle. Curieusement, cette fois, le rendement optimal du groupe propulseur passe par l'automatique. À part un convertisseur de couple trop enclin à entrer en scène, une pédale de freins quelque peu spongieuse et une direction qui pourrait

Il est important de souligner que la sécurité passive est impressionnante. La compagnie Subaru est d'ailleurs fière des résultats des tests effectués aux États-Unis par l'Insurance Institute for Highway Safety sur 10 véhicules de la catégorie des utilitaires sport compacts. Le Forester est le seul du groupe à avoir obtenu la meilleure cote à la suite de ces essais.

Bref, c'est le bonheur total pour cette compagnie qui est passée à deux doigts de la déconfiture financière avant de connaître un incroyable renouveau grâce à la popularité des véhicules 4 roues motrices sur le marché américain et au développement de modèles moins marginaux. Mais il y a place pour de l'amélioration. Il serait encore mieux de pouvoir bénéficier sur le Forester du nouveau moteur 6 cylindres à plat de plus de 200 chevaux dont hérite la Outback cette année. De plus, la présentation générale de l'habitacle pourrait être moins triste et la texture du plastique plus raffinée.

Denis Duquet

SUBARU Forester

▲ POUR

- Présentation rajeunie • Traction intégrale efficace • Fiabilité assurée • Suspension améliorée • Sécurité passive reconnue

▼ CONTRE

- Freins spongieux • Consommation un peu élevée • Reprises moyennes • Sensibilité au vent latéral

CARACTÉRISTIQUES

Prix du modèle à l'essai	S / 31 545 $
Garantie de base	3 ans / 60 000 km
Type	utilitaire sport / traction intégrale
Empattement / Longueur	252 cm / 446 cm
Largeur / Hauteur	173 cm / 159 cm
Poids	1 425 kg
Coffre / Réservoir	940 litres / 60 litres
Coussins de sécurité	frontaux
Suspension av.	indépendante
Suspension arr.	indépendante
Freins av. / arr.	disque / disque ABS
Système antipatinage	non
Direction	à crémaillère, assistance variable
Diamètre de braquage	11,7 mètres
Pneus av. / arr.	P215/60R16

MOTORISATION ET PERFORMANCES

Moteur	4H 2,5 litres 16 soupapes
Transmission	automatique 4 rapports
Puissance	165 ch à 5 600 tr/min
Couple	162 lb-pi à 4 000 tr/min
Autre(s) moteur(s)	aucun
Autre(s) transmission(s)	manuelle 5 rapports
Accélération 0-100 km/h	9,5 secondes
Vitesse maximale	185 km/h
Freinage 100-0 km/h	40,6 mètres
Consommation (100 km)	12,0 litres

MODÈLES CONCURRENTS

- Honda CR-V • Toyota RAV4 • Suzuki Grand Vitara • Jeep Cherokee • Hyundai Santa Fe

QUOI DE NEUF ?

- Nouvelle grille de calandre • Panneaux de caisse redessinés • Suspension plus ferme

VERDICT

Agrément	★★★½
Confort	★★★½
Fiabilité	★★★★★
Habitabilité	★★★½
Hiver	★★★★½
Sécurité	★★★★★
Valeur de revente	★★★★

SUBARU Impreza

SUBARU Outback Sport
SUBARU 2,5RS

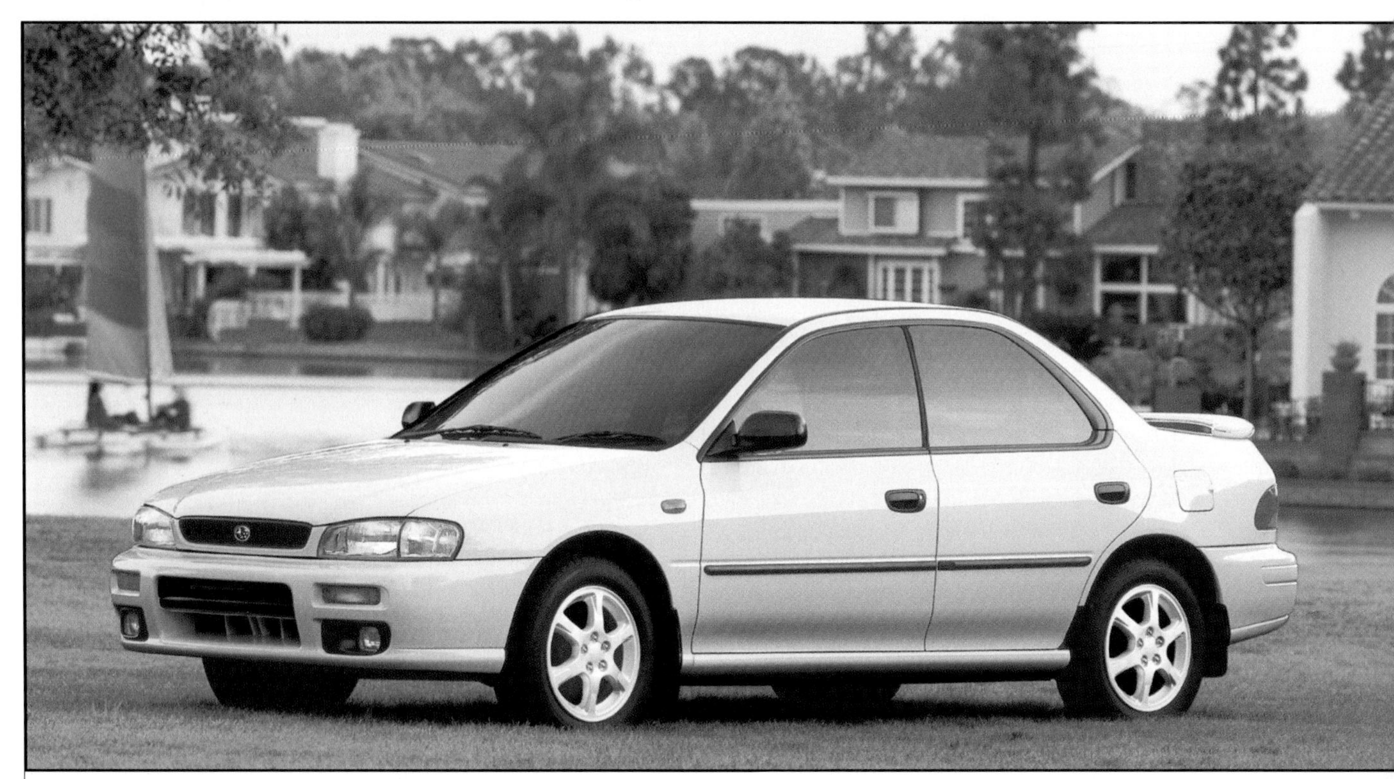

Subaru Impreza TS

En attendant !

Lors de son lancement au début des années 90, l'Impreza était un modèle compact utilisant la plate-forme raccourcie de la Legacy. Elle se voulait la réplique aux Toyota Corolla et Nissan Sentra de l'époque. En dépit d'indéniables qualités, elle a été boudée par le public autant en raison d'une perception négative de la marque que d'un prix supérieur à la moyenne lié à la force du yen. Les choses ont bien changé depuis ce temps. La réputation de la compagnie n'est plus la même et elle s'est même permis de remporter le championnat du monde des rallyes avec une Impreza WRC. De plus, à la suite des succès des modèles Outback Legacy, on a adopté la même recette pour l'Impreza qui est devenue l'Outback Sport. Décision qui a fait des merveilles pour l'image de Subaru.

L'utilisation des mots Sport et Outback donne d'ailleurs de sérieux indices quant à la vocation et aux caractéristiques de la prochaine génération de l'Impreza 2002. Ces nouveaux modèles, dévoilés dans le cadre du Salon de Detroit 2001, seront commercialisés au printemps de la même année. Cette fois, Subaru va jouer davantage la carte sportive et même nous amener la WRX et son moteur turbo de plus de 200 chevaux. Il s'agira d'une version nord-américaine d'un modèle qui séduit les conducteurs européens depuis plusieurs années. D'ailleurs, la presse britannique en a fait sa *darling* et la revue *Car* l'a même nommée à plusieurs reprises « meilleure sportive » devant des voitures vendues deux fois plus cher.

La transformation radicale de l'Impreza 2002 permet aux ingénieurs nippons de faire respecter les normes nord-américaines à presque tous les modèles de la famille. La sublime WRX sera donc commercialisée sur notre marché. Présentement, la version européenne de la WRX est propulsée par un moteur turbo de 2 litres développant 218 chevaux. La vitesse de pointe excède les 230 km/h et il faut un peu plus de 6 secondes pour boucler le 0-100 km/h. Une suspension sport et une présentation plus dynamique viennent compléter le tableau. Il est facile de comprendre pourquoi tant d'Européens considèrent les Subaru comme des voitures sportives.

La 2,5RS charme

En attendant cette nouvelle cuvée, l'actuel coupé 2,5RS n'est pas à dédaigner non plus. Avec son aileron arrière aux dimensions généreuses, son déflecteur avant, la prise d'air sur le capot, les jantes en alliage de 16 pouces, les cadrans indicateurs à chiffres noirs sur fond blanc, les sièges baquets de type sport, ce modèle vise une clientèle intéressée à la conduite sportive.

Si sa silhouette ressemble quelque peu à celle des Impreza européennes plus musclées, ses performances sont plus modestes. Le moteur de 165 chevaux a beau posséder un couple assez bien réparti, les performances n'ont rien de commun avec celles des européennes. Il faut un peu plus de 9 secondes pour boucler le 0-100 km/h, soit 3 de plus qu'avec une WRX.

Ça promet!

Faute d'accélérations foudroyantes, cette Impreza compense par un équilibre général fort impressionnant. La course du levier de vitesses plus courte contribue à une conduite sportive tandis que la précision de la direction est à souligner. La traction intégrale permet de tirer avantage de tous les chevaux disponibles. Sur pavé mouillé, sur route de gravier ou même sur une surface sèche, la RS se conduit au doigt et à l'œil. Elle nous confère une assurance en nos moyens qui rehausse l'agrément de conduite.

Malgré quelques restrictions quant à la présentation intérieure, aux tissus des sièges et à la texture du plastique employé, cette Subaru est le type de voiture qui séduit au fil des kilomètres. Et il ne faut pas oublier que sa solidité et sa traction intégrale sont idéales pour les routes et le climat du Québec. Seul son prix passablement corsé risque de ne pas être en harmonie avec le contexte québécois.

Toujours pratiques

Même si la RS a presque tout ce qu'il faut pour intéresser une clientèle plus jeune, davantage orientée vers la performance, Subaru ne renie pas ses modèles à vocation plus familiale. La berline est une voiture tout-aller qui a l'avantage d'être l'une des rares compactes à offrir la traction intégrale en équipement de série. D'ailleurs, lors du match comparatif de la catégorie réalisé dans l'édition 2000 du *Guide de l'auto,* elle s'est illustrée en devançant plusieurs autres modèles bien établis. Même si elle était quelque peu handicapée par un châssis plutôt vieillot, son équilibre général et la qualité de son assemblage ont séduit notre groupe d'essayeurs.

Il ne faut pas non plus négliger la version Outback Sport qui reprend avec intelligence la recette de la Legacy Outback. Loin d'être déclassée par sa grande sœur, elle soutient fort bien la comparaison. Avec un moteur de même puissance, elle est non seulement plus rapide, mais ses dimensions moindres la rendent plus agile et lui permettent de vraiment passer partout ou presque. Et la popularité des véhicules hybrides à traction intégrale fait en sorte que le public ne bronche plus face au prix assez élevé de ce modèle.

Même si les modèles pratiques et polyvalents vont demeurer dans une gamme Impreza élargie, il semble qu'on compte sur les 2,5RS et WRX pour donner ses lettres de noblesse à cette gamme et continuer à voir la courbe des chiffres de vente progresser vers le haut.

Denis Duquet

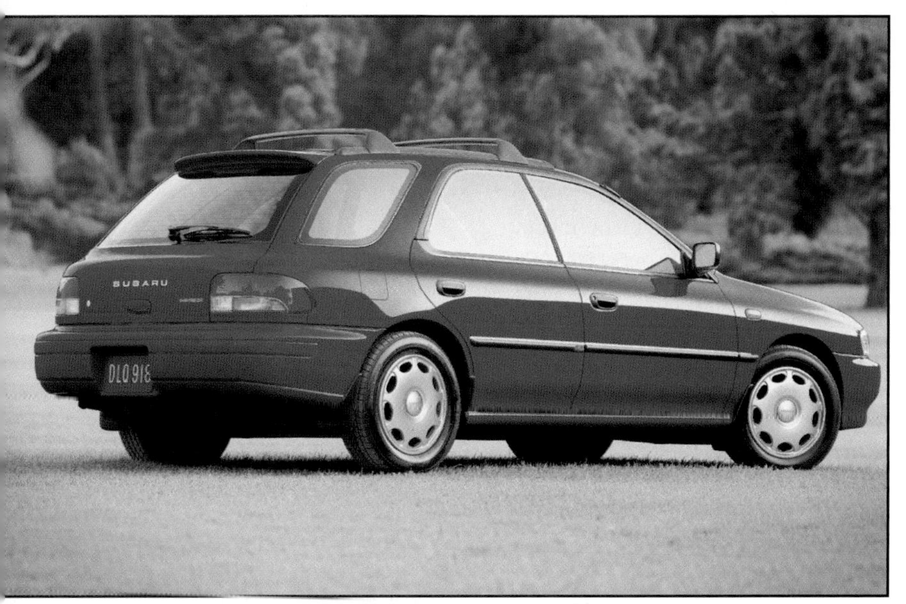

Subaru Impreza Brighton

SUBARU Impreza

▲ POUR

• Traction intégrale efficace • Agrément de conduite relevé • Boîte de vitesses manuelle • Mécanique fiable • Places arrière correctes

▼ CONTRE

• Prix relativement élevé • Détails de présentation à revoir • Aileron arrière bloque la visibilité • Roulis en virage

CARACTÉRISTIQUES

Prix du modèle à l'essai	TS / 23 295 $
Garantie de base	3 ans / 60 000 km
Type	berline / traction intégrale
Empattement / Longueur	252 cm / 438 cm
Largeur / Hauteur	171 cm / 140 cm
Poids	1 220 kg
Coffre / Réservoir	314 litres / 60 litres
Coussins de sécurité	frontaux
Suspension av.	indépendante
Suspension arr.	indépendante
Freins av. / arr.	disque / tambour
Système antipatinage	non
Direction	à crémaillère, assistance variable
Diamètre de braquage	10,2 mètres
Pneus av. / arr.	P195/60R15

MOTORISATION ET PERFORMANCES

Moteur	4H 2,2 litres 16 soupapes
Transmission	manuelle 5 rapports
Puissance	137 ch à 5 400 tr/min
Couple	140 lb-pi à 4 400 tr/min
Autre(s) moteur(s)	4L 2,2 litres 165 ch
Autre(s) transmission(s)	automatique 4 rapports
Accélération 0-100 km/h	9,7 secondes
Vitesse maximale	190 km/h
Freinage 100-0 km/h	42 mètres
Consommation (100 km)	10,6 litres

MODÈLES CONCURRENTS

• Honda Civic • Ford Focus • Mazda Protegé • Hyundai Elantra • Toyota Corolla • VW Jetta

QUOI DE NEUF ?

• Aucun changement majeur • Modèle WRX au début de 2001

VERDICT

Agrément	★★★½
Confort	★★★
Fiabilité	★★★★★
Habitabilité	★★★½
Hiver	★★★★½
Sécurité	★★★★
Valeur de revente	★★★

SUBARU Legacy

SUBARU Outback

Subaru Outback H6 3,0

Moteur demandé, moteur reçu

Chez Subaru, on devrait ériger un monument à celui qui a eu l'idée d'inventer la série Outback. Ces modèles, des dérivés de la gamme Legacy, ont permis au constructeur japonais de se démarquer de la concurrence et de créer son propre créneau dans un marché automobile de plus en plus saturé. Volvo, Audi, BMW et qui sais-je encore auront beau jouer la carte des familiales à transmission intégrale et garde au sol élevée, Subaru a déjà une sérieuse emprise sur cette catégorie. Mais qu'en est-il du produit?

Le Guide de l'auto ne saurait être mieux placé pour répondre à cette question. Subaru a en effet relevé le défi de nous confier une Subaru Outback Limited pour un essai prolongé de plusieurs milliers de kilomètres. Je devrais peut-être dire *deux* voitures, puisque la première a été écrabouillée contre un rail de protection à la sortie du pont Champlain par un matin de tempête hivernale. D'une traction phénoménale en ligne droite, les Bridgestone Blizzak sont moins efficaces dans les changements de cap et l'un de nos essayeurs, peu méfiant, a tout simplement raté un virage. Six semaines plus tard, une seconde Outback s'est mise à la tâche d'affronter ce qui restait de notre hiver.

Un moteur, s.v.p.

Le commentaire qui revient le plus souvent dans le livret de bord a trait au manque de puissance du moteur, principalement en reprise. Cette lacune ne serait pas aussi flagrante si elle ne s'accompagnait d'une consommation relativement élevée qui tourne (en hiver) autour des 13 litres aux 100 km. En somme, le manque de puissance oblige à solliciter davantage le moteur, ce qui lui donne soif. Quoi qu'il en soit, Subaru a entendu toutes ces critiques et propose cette année une Outback H6 3,0 VDC à moteur 6 cylindres à plat qui donne à ce modèle une sérieuse injection de puissance. Avant de nous y attarder, revenons aux commentaires relevés au cours de l'essai à long terme de notre Outback Limited.

Un de nos essayeurs a souligné que l'Outback attirait une clientèle qui mettait plus souvent à l'épreuve le potentiel de son tout-terrain que ces aventuriers du vendredi soir qui arpentent le boulevard Saint-Laurent avec de gros utilitaires sport rudement plus costauds que le Subaru. Tous les utilisateurs du véhicule ont précisé qu'ils se sentaient en sécurité dans cette familiale.

Dans la première voiture mise à l'essai, le rideau cache-bagages situé à l'arrière s'était avéré une source de bruit agaçante, mais le second modèle mis à notre disposition n'a pas souffert de ce petit défaut. En revanche, la trop grande sensibilité de l'accélérateur en a gêné plusieurs, tout comme l'imprécision de la direction et l'effet spongieux de la pédale de freins.

On a aussi relevé un certain manque de rigidité du châssis qui se solde par plusieurs bruits de caisse sur mauvaise route. Un conducteur plus pointilleux a souligné que les rétroviseurs extérieurs se salissaient plus que de raison en hiver dans la gadoue.

Puissance et facture en hausse

Après 10 000 km, la chose la plus importante à se rappeler est que notre familiale Outback n'a pas eu besoin de la moindre petite intervention, un signe de fiabilité très rassurant.

Spacieuse, confortable et amoureuse de l'hiver, la Subaru Outback Limited est une voiture particulièrement bien adaptée aux besoins des petites familles actives qui ne veulent pas s'embarrasser d'un gros 4X4 vorace.

Le H6 à la rescousse

Que diriez-vous d'une cinquantaine de chevaux de plus pour traîner les 1 600 kg de votre Outback? C'est ce que vous propose Subaru pour 2001 avec son H6, un tout nouveau 6 cylindres à plat de 3 litres développant 212 chevaux et 212 livres de couple. Évidemment, il faut compter avec une augmentation de poids que Subaru a réussi à limiter à 40 kg pour le moteur qui, avec 2 cm de plus en longueur, loge sans difficulté dans le compartiment moteur.

Ainsi équipée, l'Outback gagne en accélération et en reprises, et grâce à un rapport de pont plus long et à une modification de la répartition du couple (70 % à l'avant en conduite normale), la note ne sera pas plus salée à la pompe à essence. Notons aussi que le H6 se distingue par la souplesse qui caractérise les moteurs à plat et, surprise, par une sonorité agréable à l'échappement. Autre importante nouveauté sur le plan mécanique, le système antidérapage VDC équipant la version haut de gamme qui s'allie à l'antipatinage, à l'antiblocage et à la transmission intégrale pour procurer à cette Subaru le summum en matière de sécurité active.

À l'extérieur, seules les plaques H6 3,0 VDC distinguent la nouvelle Outback, alors qu'à l'intérieur, le beau volant mi-bois mi-cuir, la climatisation automatique et l'accoudoir central arrière marquent les nouveautés, sans oublier l'insonorisation en net progrès qui permet de mieux jouir de l'excellente chaîne stéréophonique McIntosh.

Motorisation plus musclée, sécurité active et insonorisation encore rehaussées procurent à Subaru un atout de plus. Reste à voir si le prix en hausse de quelque 7 000 $ pour la version à l'essai par rapport à l'Outback Limited ne rebutera pas les amis de la marque.

Jacques Duval / Alain Raymond

SUBARU Legacy

▲ POUR

• Meilleures performances • Sécurité active de haut niveau • Insonorisation et consommation en progrès Chaîne stéréophonique de qualité • Fiabilité enviable

▼ CONTRE

• Forte augmentation du prix (H6) • Freins mous • Accélérateur sensible • Quelques bruits de caisse • Ligne inchangée

CARACTÉRISTIQUES

Prix du modèle à l'essai	Outback H6 3,0 / 43995 $
Garantie de base	3 ans / 60000 km
Type	familiale / intégrale
Empattement / Longueur	265 cm / 476 cm
Largeur / Hauteur	198 cm / 158 cm
Poids	1694 kg
Coffre / Réservoir	795 l (942 l banq. abaissée) / 64 l
Coussins de sécurité	frontaux et latéraux
Suspension av.	indépendante
Suspension arr.	indépendante
Freins av. / arr.	disque ABS
Système antipatinage	oui
Direction	à crémaillère, assistée
Diamètre de braquage	11,2 mètres
Pneus av. / arr.	P225/60R16

MOTORISATION ET PERFORMANCES

Moteur	6H, 3 litres, 24 soupapes
Transmission	automatique 4 rapports
Puissance	212 ch à 6000 tr/min
Couple	212 lb-pi à 4400 tr/min
Autre(s) moteur(s)	2,5 litres 165 ch
Autre(s) transmission(s)	aucune
Accélération 0-100 km/h	8,5 secondes
Vitesse maximale	210 km/h
Freinage 100-0 km/h	45,6 mètres
Consommation (100 km)	10,8 litres

MODÈLES CONCURRENTS

• Audi A4 • Saab 9⁵ • Volkswagen Passat
• Volvo V70

QUOI DE NEUF ?

• Nouveau modèle

VERDICT

Agrément	★★★½
Confort	★★★½
Fiabilité	nouveau modèle
Habitabilité	★★★★
Hiver	★★★★★
Sécurité	★★★½
Valeur de revente	★★★★

SUZUKI Esteem

Suzuki Esteem

Pour la familiale

Si la compagnie Suzuki a réussi à se faire remarquer sur notre marché par ses utilitaires sport Vitara et Grand Vitara, ses voitures de tourisme demeurent toujours dans l'ombre. En effet, autant la berline que la familiale Esteem jouissent d'une popularité fort relative tandis que d'autres manufacturiers bénéficient d'assises mieux établies dans ce secteur.

Contrairement à plusieurs autres constructeurs nippons, Suzuki semble avoir de la difficulté à faire sa marque dans un créneau autre que celui des véhicules à vocation spécialisée. Mais pour survivre de nos jours sur un marché aussi encombré que celui de l'auto, il faut avoir une diversité certaine. L'Esteem a un rôle important à jouer pour Suzuki.

Une familiale à découvrir

Le nombre de compagnies qui constituent des familiales compactes est fort limité. Seules Hyundai et Daewoo s'intéressent à ce marché, ainsi que Ford et GM chez les Nord-Américains, avec la Focus et la Saturn. Pourtant, en toute logique, ce type de voiture devrait répondre aux besoins de bien des gens à la recherche d'une sous-compacte ou d'une compacte capable de transporter des objets encombrants de temps à autre.

Suzuki est représentée dans cette catégorie par l'Esteem, une voiture qui mérite d'être connue. Malgré ses dimensions plutôt modestes, elle est pourvue d'une habitabilité exceptionnelle tandis que son coffre à bagages permet de transporter des objets encombrants. C'est la petite voiture passe-partout dont les dimensions sont réduites, mais qui est capable d'accueillir 4 adultes et leurs bagages dans un confort plus qu'acceptable.

Depuis l'an dernier, l'équipe responsable de ce modèle a doté la familiale d'un moteur un peu plus puissant. Il s'agit d'un 4 cylindres de 1,8 litre produisant 122 chevaux, soit 27 de plus que le 1,6 litre qui est toujours offert sur les modèles de bas de gamme.

Ce surplus de chevaux est venu corriger la principale lacune de cette voiture : un manque de puissance qui affectait sérieusement l'agrément de conduite et qui rendait les dépassements problématiques lorsque la voiture était lourdement chargée.

Ces muscles en plus sous le capot permettent de mieux profiter des qualités de cette voiture qui est capable d'affronter les situations les plus diverses. Vous allez au centre de bricolage, sa soute à bagages est assez généreuse pour accueillir tout ce qu'il faut pour votre projet de fin de semaine. Il suffit d'abaisser le dossier arrière pour être en mesure de transporter des objets encombrants. Elle ne se limite pas non plus à son rôle de voiture utilitaire. Cette familiale est suffisamment élégante pour avoir sa place parmi les plus stylisées de la catégorie. Et il ne faut pas oublier que son comportement routier n'est pas à dédaigner. Ce n'est pas une voiture de sport, mais sa tenue en virage est honnête et ses dimensions assez modestes constituent un avantage dans la circulation.

Pas tout à fait ça

Le modèle d'essai était équipé d'une boîte manuelle bien étagée. Malheureusement, la course du levier de vitesses est très imprécise. Un défaut majeur, d'autant plus qu'il faut le manier fréquemment pour tirer tout le potentiel du moteur. De plus, ce moteur est relativement bruyant et rugueux, une caractéristique susceptible de tomber sur les nerfs de plusieurs personnes.

Parmi les autres améliorations souhaitées, mentionnons des commandes de radio plus faciles à utiliser, un volant au boudin plus gros et un tableau de bord fabriqué dans un plastique de meilleure qualité. Et j'allais oublier: des sièges un peu plus rembourrés seraient également appréciés.

Voilà autant de tares qu'on peut pardonner à une voiture affichant un prix de vente inférieur à la concurrence. Compte tenu que cette Suzuki se vend au même prix et souvent plus cher que ses concurrentes, il faudrait améliorer ces éléments.

Une berline oubliée

Si l'Esteem connaît sa part de succès en tant que familiale, la berline joue un rôle beaucoup plus effacé. Bien que les stylistes aient réalisé une silhouette passablement élégante, cette petite nippone souffre de la comparaison avec ses concurrentes plus puissantes, moins chères et possédant une meilleure cote d'appréciation. Son principal handicap est son moteur 4 cylindres de 1,6 litre d'une puissance de 95 chevaux. Ce groupe propulseur est fiable et capable d'offrir des accélérations et des reprises acceptables à la condition de toujours travailler très fort. Ce qui signifie que la boîte de vitesses manuelle est continuellement sollicitée, situation qui devient irritante compte tenu que la course du levier de vitesses est très imprécise. C'est encore pire avec la boîte automatique, qui absorbe une partie de la puissance d'un moteur qui n'en produit déjà pas suffisamment.

Tous les modèles Esteem sont en plus affligés d'une direction légère et d'une sensibilité marquée au vent latéral tandis que la finition est pour le moins aléatoire. Cette petite japonaise n'est pas encore complètement adaptée à notre marché. Heureusement pour Suzuki que les utilitaires sport Vitara et Grand Vitara sont plus en demande, sinon la situation de la compagnie au Canada serait précaire.

Denis Duquet

SUZUKI Esteem

▲ POUR

• Moteur 1,8 litre • Bonne habitabilité • Mécanique fiable • Silhouette élégante • Suspension confortable

▼ CONTRE

• Pneumatiques dérisoires • Boîte de vitesses imprécise • Finition inégale • Sièges trop minces • Sensibilité au vent latéral

CARACTÉRISTIQUES

Prix du modèle à l'essai	GLX / 18 495 $
Garantie de base	3 ans / 60 000 km
Type	familiale / traction
Empattement / Longueur	248 cm / 437 cm
Largeur / Hauteur	169 cm / 142 cm
Poids	1 075 kg
Coffre / Réservoir	680 litres / 51 litres
Coussins de sécurité	frontaux
Suspension av.	indépendante
Suspension arr.	indépendante
Freins av. / arr.	disque / tambour (ABS optionnel)
Système antipatinage	non
Direction	à crémaillère, assistée
Diamètre de braquage	9,8 mètres
Pneus av. / arr.	P185/60R14

MOTORISATION ET PERFORMANCES

Moteur	4L 1,8 litre
Transmission	manuelle 5 rapports
Puissance	122 ch à 6300 tr/min
Couple	117 lb-pi à 3500 tr/min
Autre(s) moteur(s)	4L 1,6 litre 95 ch
Autre(s) transmission(s)	automatique 4 rapports
Accélération 0-100 km/h	10,7 s; 13,8 s (1,6 litre)
Vitesse maximale	165 km/h
Freinage 100-0 km/h	45 mètres
Consommation (100 km)	8,9 l; 8,2 l (1,6 litre)

MODÈLES CONCURRENTS

• Daewoo Nubira • Ford Focus • Huyndal Elantra • Saturn SW

QUOI DE NEUF?

• Aucun changement majeur

VERDICT

Agrément	★★½
Confort	★★★½
Fiabilité	★★★
Habitabilité	★★★½
Hiver	★★★½
Sécurité	★★★
Valeur de revente	★★★

SUZUKI Vitara

SUZUKI Grand Vitara CHEVROLET Tracker

Chevrolet Tracker

Le respect des traditions

L'engouement collectif de l'Amérique pour les véhicules utilitaires sport a fait monter les enchères. Dans cette course à qui ferait plus gros, plus cher et plus gourmand en pétrole, on a quelque peu oublié les modèles de prix plus abordable. Pourtant, beaucoup de gens aimeraient bien joindre les rangs des amateurs d'utilitaires, mais sans y consacrer une fortune. Le Chevrolet Tracker et son jumeau, le Suzuki Vitara, visent cette clientèle.

Comme c'est le cas pour les véhicules en grande demande, l'apparence extérieure des Tracker et Vitara joue un rôle important dans leur popularité. Chez les modèles concernés, les passages de roues élargis et bombés contribuent à les faire paraître plus larges et à accentuer leur caractère costaud. Il ne faut cependant pas les confondre avec le Suzuki Grand Vitara. Si les Tracker et Vitara ont des plates-formes presque identiques, le Grand Vitara est propulsé par un moteur V6 de 2,5 litres et sa présentation extérieure est différente en raison de bas de caisses en relief.

Revenons à notre duo. Leur habitacle est dans la norme et ne renverse rien sur le plan esthétique. Les commandes à glissières du tableau de bord sont quelque peu démodées, mais c'est un peu normal dans un véhicule de ce prix. Il faut également déplorer la texture du plastique qui fait bon marché de même que les tissus des sièges qui n'ont rien pour améliorer les choses.

Malgré tout, la qualité générale est supérieure à ce que nous offre la Kia Sportage, une autre championne de l'économie.

Un vrai 4X4

Beaucoup de véhicules utilitaires sport compacts ne sont rien d'autre que des berlines adaptées à la sauce 4X4. Au contraire, ce tandem économique demeure fidèle au concept du châssis autonome. Les ingénieurs ont retenu la plate-forme de type échelle pour obtenir la robustesse et la rigidité voulues. La suspension arrière est toujours à essieu rigide, mais à liens multiples afin d'assurer une meilleure tenue de route et un confort plus relevé. Sans amortir les chocs comme une grosse berline, c'est tout de même plus confortable que le modèle précédent qui a tiré sa révérence l'an dernier.

Pour la première fois cette année, le Chevrolet Tracker peut être commandé avec le même moteur V6 que le Suzuki Grand Vitara. Sa puissance est toujours de 155 chevaux, mais la répartition du couple est différente. Bien entendu, le moteur 4 cylindres de 2 litres d'une puissance de 127 chevaux est toujours offert. Passablement sophistiqué, il est fabriqué d'alliage léger; sa culasse est à double arbre à cames en tête tandis que l'allumage est direct. Il est couplé à un système 4X4 à temps partiel que l'on peut engager en roulant jusqu'à une vitesse de 90 km/h.

Lentement mais sûrement

Avec le moteur 4 cylindres, ces deux petits utilitaires sport ne sont pas des bolides de course. Le moteur est grognon et ses performances assez réservées. Et si son niveau sonore est un gage de fiabilité, il doit être très, très fiable. Malgré tout, il est possible de rouler avec le flot de la circulation sans trop avoir à jouer du levier de vitesses. Quant à la direction, elle est à pignon et crémaillère, ce qui ne l'empêche pas d'être imprécise au centre. Ce défaut sur la route est apprécié en conduite tout-terrain alors que ce jeu évite les douloureux retours du volant lorsque les roues avant sont secouées par un trou ou une bosse.

La tenue de route est adéquate pour qui a la sagesse de respecter les limites du châssis tout en ayant en mémoire qu'il s'agit d'un véhicule tout-terrain. En conduite hors route, ce duo d'économes se tire bien d'affaire. Le couple du moteur à

Think small !

la garde au sol et l'angle d'attaque de pente sont dans la bonne moyenne de la catégorie. Un autre avantage est l'utilisation d'un système 4 roues motrices à temps partiel associé à une boîte de transfert ayant une démultipliée ou un rapport « lo ». Ce rapport très bas permet de pouvoir compter sur un frein moteur très efficace lors des descentes abruptes.

Le Grand Vitara

Suzuki s'est réservé l'exclusivité d'un modèle de présentation différente, mieux équipé et propulsé par un moteur V6 de 155 chevaux. Ce V6 possède un avantage de 28 chevaux, mais son couple maximal est atteint à un régime plus élevé, ce qui devient un handicap sur le terrain, permettant au Tracker/Vitara de ne pas être trop pénalisé.

En fait, le Grand Vitara roule sur des pneus plus larges et à profil plus bas, ce qui

bas régime permet de s'élancer sur un obstacle. Les pneus plus étroits assurent une meilleure traction. Le jeu dans le volant rend la conduite moins épuisante sur très mauvais revêtement et la suspension s'avère bien adaptée à ce genre d'exercice. Il faut également ajouter que convient mieux à la conduite sur route, mais est mal adapté à la conduite hors route.

Ce trio propose donc des valeurs traditionnelles toujours appréciées de ceux qui tiennent à utiliser leur véhicule hors route.

Denis Duquet

CHEVROLET Tracker

▲ POUR

• Prix abordable • Mécanique simple • Bon comportement hors route • Coffre à bagages spacieux • Châssis solide

▼ CONTRE

• Moteur bruyant • Direction floue • Tissus de sièges à revoir • Porte arrière ouvre du mauvais côté • Pneu de secours obstrue la vue arrière

CARACTÉRISTIQUES

Prix du modèle à l'essai	LT / 28 995 $
Garantie de base	3 ans / 60 000 km
Type	utilitaire sport / 4X4
Empattement / Longueur	248 cm / 413 cm
Largeur / Hauteur	171 cm / 168 cm
Poids	1 354 kg
Coffre / Réservoir	1 266 l (banq. abaissée) / 66 l
Coussins de sécurité	frontaux
Suspension av.	indépendante
Suspension arr.	essieu rigide
Freins av. / arr.	disque / tambour (ABS optionnel)
Système antipatinage	non
Direction	à crémaillère, assistée
Diamètre de braquage	10,6 mètres
Pneus av. / arr.	P215/75R15

MOTORISATION ET PERFORMANCES

Moteur	V6 2,5 litres
Transmission	manuelle 5 rapports
Puissance	155 ch à 6 500 tr/min
Couple	160 lb-pi à 4 000 tr/min
Autre(s) moteur(s)	4L 2 litres 127 ch
Autre(s) transmission(s)	automatique 4 rapports
Accélération 0-100 km/h	0,2 secondes
Vitesse maximale	170 km/h
Freinage 100-0 km/h	42,3 mètres
Consommation (100 km)	11,3 litres

MODÈLES CONCURRENTS

• Suzuki Grand Vitara • Ford Escape • Mazda Tribute

QUOI DE NEUF ?

• Moteur V6 2,5 litres de 155 ch (LT et ZR2) • Moteur 1,6 litre abandonné • Climatiseur de série

VERDICT

Agrément	★★½
Confort	★★★
Fiabilité	★★★½
Habitabilité	★★½
Hiver	★★★
Sécurité	★★★★
Valeur de revente	★★★

TOYOTA 4Runner

Toyota 4Runner

Raffinements supplémentaires

Depuis des années, le Toyota 4Runner est cité en exemple comme étant un modèle de solidité, de fiabilité et de qualité d'assemblage. Toutes des vertus qui semblent être le lot de presque tous les véhicules Toyota sur le marché. Curieusement, personne ne vante son style, le plaisir de conduire ou encore le raffinement de l'habitacle.

C'est tout simplement que ces qualités ne sont pas élevées au même niveau que celles qui ont fait la réputation de la marque. Il faut avouer que c'est souvent une question de perception plutôt qu'une réalité. Par exemple, la silhouette du 4Runner a été critiquée à maintes reprises, non sans raison. Mais elle n'est pas plus anonyme que celle de bien d'autres véhicules. Les stylistes se sont ingéniés à placer des lignes encavées dans les tôles latérales afin de lui donner un peu plus de dynamisme. D'ailleurs, si vous examinez la camionnette Tacoma et un 4Runner, vous allez constater de curieuses similitudes. Cette année, le 4Runner hérite d'une nouvelle grille de calandre et de feux arrière de type combiné qui contribuent à donner un peu plus de brio à l'ensemble.

Sur le plan de la conduite, ce Toyota tout-terrain a soulevé bien des discussions entre les spécialistes. Certains se déclarent toujours impressionnés par la qualité de la prestation routière et l'impression de solidité qui se dégage de ce gros 4X4. D'autres sont d'avis que l'agrément de conduite est pratiquement nul. État de fait qui n'est pas amélioré par une direction un peu trop insensible à leur goût et certainement trop assistée.

S'il est vrai que la conduite d'un 4Runner n'est pas une expérience enivrante, force est d'admettre que le tout est solide, prévisible et sans... saveur. Mais, dans l'esprit des inconditionnels de ce modèle, cette approche est logique et la seule valable pour un véhicule de cette catégorie.

L'an dernier, Toyota avait abandonné le moteur 4 cylindres de 2,7 litres qui n'avait pas sa place dans un véhicule de cette catégorie et de ce gabarit. Cette année, c'est au tour de la boîte manuelle à 5 rapports de nous quitter, sans doute faute de preneurs. Dorénavant, le seul groupe propulseur offert est le V6 3,4 litres de 183 chevaux. Et si plusieurs modèles concurrents sont toujours équipés de moteurs à soupapes en tête avec tiges et culbuteurs, ce V6 est à double arbre à cames en tête et 4 soupapes par cylindre. Il est couplé à une boîte automatique à 4 rapports à commande électronique d'une grande douceur. Par contre, comme avec plusieurs boîtes automatiques chez Toyota, on dénote un certain temps d'hésitation avant qu'elle rétrograde lorsqu'on appuie à fond sur l'accélérateur.

Valeur ajoutée

Cette année, plusieurs améliorations ont été apportées sur le plan technique. L'engagement du mode 4X4 à temps partiel s'effectue dorénavant par un commutateur placé sur le tableau de bord. Jusqu'à l'an dernier, cette caractéristique était réservée au Limited, le plus huppé de la famille 4Runner. En outre, tous les modèles 2001 sont équipés d'un système antipatinage et de contrôle de stabilité latérale en plus de la répartition électronique de la puissance de freinage. Et pour faire bonne mesure, la commande de la pédale d'accélération est de type sans fil, comme sur les berlines Lexus haut de gamme. Il est également possible de verrouiller le différentiel central à l'aide d'une commande placée sur le tableau de bord, une autre innovation cette année.

Du solide

Comme c'est présentement la tendance dans l'industrie, on a augmenté de façon substantielle le contenu du véhicule sans pour autant hausser son prix. Et pour être honnête, cela permet également de justifier la facture passablement corsée qui est le lot de ce type de véhicule, toutes marques et modèles confondus. Et, j'allais oublier, le Limited est dorénavant équipé de sièges chauffants. Après tout, noblesse oblige!

Mais parfois, un modèle tout garni comme le Limited est doté d'éléments qui viennent le handicaper. Dans le cas du 4Runner, cette version est assez mal servie par les pneus Bridgestone P265/70R16 dont la largeur est davantage un défaut qu'une qualité. Trop larges, ils sont sujets à faire de l'aquaplanage en plus de transmettre dans le volant les moindres imperfections de la route. Quant aux Dunlop P225/75R15, ils offrent un meilleur compromis même si leur adhérence dans la neige humide est quasiment nulle.

Heureusement, l'implantation cette année de toute une panoplie d'assistance électronique au pilotage devrait permettre d'affronter pratiquement toutes les conditions de routes et de sentiers sans appréhension. De plus, la qualité générale de ce véhicule nous transmet une sensation de sécurité. Bien assis dans des sièges confortables, rassuré par la qualité des matériaux et l'intégrité de la caisse, on comprend pourquoi plusieurs amateurs de véhicules tout-terrains ne jurent que par le 4Runner.

Comme le veut le dicton, «il ne faut pas juger un livre par sa couverture» et c'est certainement le cas avec le 4Runner. Il manque de panache, mais offre un amalgame d'éléments positifs qui le font apprécier de ses propriétaires.

Denis Duquet

TOYOTA 4Runner

▲ POUR

• Fiabilité assurée • Assistance électronique au pilotage • Sièges avant confortables • Finition impeccable • Présentation rajeunie

▼ CONTRE

• Pneus mal adaptés • Direction trop assistée • Bruits de vent • Certaines commandes mal placées • Places arrière moyennement confortables

CARACTÉRISTIQUES

Prix du modèle à l'essai	Limited / 48 495 $
Garantie de base	3 ans / 60 000 km
Type	utilitaire sport / 4X4
Empattement / Longueur	267 cm / 454 cm
Largeur / Hauteur	180 cm / 176 cm
Poids	2 381 kg
Coffre / Réservoir	1 262 l banq. abaissée / 70 l
Coussins de sécurité	frontaux
Suspension av.	indépendante
Suspension arr.	essieu rigide
Freins av. / arr.	disque / tambour ABS
Système antipatinage	oui
Direction	à crémaillère, assistance variable
Diamètre de braquage	11,4 mètres
Pneus av. / arr.	P265/70R16

MOTORISATION ET PERFORMANCES

Moteur	V6 3,4 litres
Transmission	automatique 4 rapports
Puissance	183 ch à 4 800 tr/min
Couple	217 lb-pi à 3 600 tr/min
Autre(s) moteur(s)	aucun
Autre(s) transmission(s)	aucune
Accélération 0 100 km/h	11,7 secondes
Vitesse maximale	170 km/h
Freinage 100-0 km/h	46,3 mètres
Consommation (100 km)	14,9 litres

MODÈLES CONCURRENTS

• Ford Explorer • Jeep Grand Cherokee • Nissan Pathfinder • Mercedes-Benz ML320

QUOI DE NEUF ?

• Grille avant révisée • Abandon de la boîte manuelle • Système de stabilité latérale

VERDICT

Agrément	★★★
Confort	★★★
Fiabilité	★★★★★
Habitabilité	★★★★½
Hiver	★★★★★
Sécurité	★★★★
Valeur de revente	★★★½

TOYOTA Avalon

Toyota Avalon

Anonyme, malgré tout

Personne n'est à l'abri des erreurs, pas même l'un des constructeurs automobiles les plus respectés au monde, tant par la clientèle que par la presse spécialisée. Je prends comme exemple la nouvelle Avalon de Toyota, une voiture qui, malgré ses efforts pour sortir de l'anonymat, ne figurera jamais parmi les plus belles réussites de la marque japonaise.

Après une honorable carrière sous l'appellation de Cressida, le modèle haut de gamme de Toyota a pris une nouvelle tangente et un nouveau nom il y a cinq ans. Dans une gaffe de marketing sans précédent chez Toyota, on avait concocté une Camry grand format baptisée Avalon et prétendument conçue pour faire la lutte aux grosses voitures américaines.

Cette grande berline allait même jusqu'à offrir une banquette avant 3 places avec levier de vitesses sur la colonne de direction. Sans être une mauvaise voiture, l'Avalon a complètement raté le coche. Les ventes sur notre marché ont été insignifiantes et son évaluation par la presse spécialisée souvent peu flatteuse.

Pour redresser la barre, Toyota a complètement redessiné l'Avalon l'an dernier. Cependant, même si le coup de crayon des stylistes est assez réussi, le produit dans son ensemble est loin de représenter ce que Toyota fait de mieux.

De plus, il faut se poser de sérieuses questions sur le prix de la version XLS qui est plutôt dur à avaler. À plus de 40 000 $, ne vaudrait-il pas mieux opter pour une Acura TL ou une Infiniti I30, deux modèles infiniment plus intéressants et possédant une meilleure valeur de revente ?

Du bon et du moins bon

Car, malgré les changements apportés à la version 2000, l'Avalon persiste à vouloir jouer les grosses américaines avec tout ce que cela représente de bon et de mauvais. Elle est certes confortable, silencieuse et très spacieuse, mais ces qualités s'accompagnent d'un certain nombre d'irritants, dont la présence d'une suspension beaucoup trop souple qui gâche le comportement routier. À la moindre manœuvre précipitée, la suspension s'affaisse sans pouvoir contrôler le roulis ni le tangage.

La motorisation, un V6 de 3 litres et 210 chevaux associé à une transmission automatique à 4 rapports, n'a pas grand-chose à se reprocher. Par sa grande douceur et son fonctionnement archisilencieux, ce V6 donne le ton à une voiture qui fait tout pour nous faire oublier que l'on est dans une automobile. La consommation, les accélérations et la vitesse de pointe (voir fiche technique) s'inscrivent dans la bonne moyenne des modèles de ce format.

J'ignore si la voiture qui me fut confiée avait été malmenée par ces essayeurs amateurs qui pullulent au Québec, mais son freinage accusait de sérieuses déficiences pour une voiture pratiquement neuve. Les distances d'arrêt étaient interminables et une épaisse fumée blanche laissait clairement entrevoir que les freins toléraient mal les décélérations un peu trop intempestives.

L'autre aspect décevant de l'Avalon est son châssis qui ne semble pas avoir la même rigidité que celui des modèles équivalents. Même sur des routes dont le revêtement n'était que moyennement dégradé, notre Toyota était la source de petits bruits de caisse provenant principalement du tableau de bord.

Une chaise berçante avec ça ?

La vie à bord

L'aménagement intérieur de l'Avalon est très représentatif de la clientèle visée. L'ancien propriétaire d'une grosse voiture américaine ne sera nullement dépaysé par la présence d'un frein d'urgence que l'on actionne au moyen d'une pédale plutôt que par un levier sur la console centrale. Et que dire de cet immense écran rectangulaire planté en plein centre du tableau de bord et affichant en lettres grosses comme ça diverses données

Les espaces de rangement ont aussi fait l'objet d'un soin particulier. En plus d'un bon coffre à gants et d'un vide-poches central, les portières renferment un petit tiroir qui permet d'y placer des lunettes de soleil ou même un téléphone cellulaire. La visibilité ne souffre pas d'angle mort important et la position de conduite est généralement agréable. Certains trouveront peut-être que les sièges en cuir n'offrent pas suffisamment d'appui latéral, mais ils sont néanmoins très confortables et bien adaptés au caractère douillet de l'Avalon.

En ce qui a trait à l'habitabilité, cette grande Toyota soutient parfaitement la comparaison avec les voitures américaines. L'espace arrière est généreux et le coffre est suffisamment grand pour un long voyage à deux.

Voilà, somme toute, la voiture idéale pour beaucoup de retraités qui ne cherchent rien d'autre qu'un moyen de transport fiable,

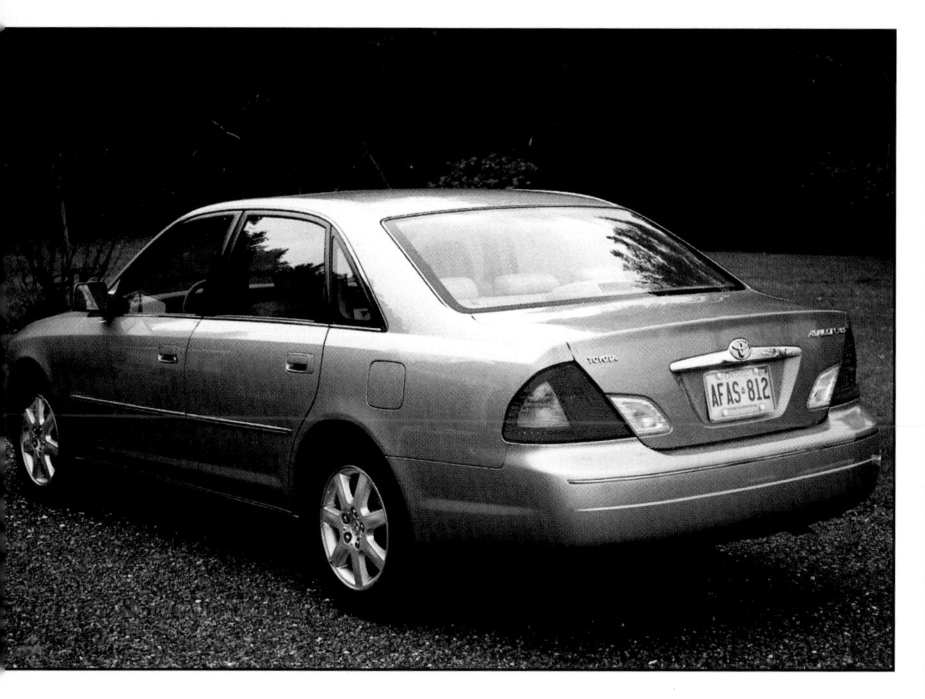

pour vous rafraîchir la mémoire ? En plus de l'heure et de la date, le conducteur a même droit à une boussole. Le seul hic est que cet écran vient rompre l'équilibre du tableau de bord et qu'il ne cadre pas très bien avec le reste de l'instrumentation. Il faut, en revanche, applaudir la présence de ce grand tablier qui surplombe le tableau de bord et qui protège des reflets du soleil.

confortable et soigneusement exécuté dans la tradition Toyota. Pour s'amuser sur de petites routes campagnardes, ce n'est sans doute pas l'article, mais pour le trajet Montréal/Miami, il est sans doute difficile de trouver mieux, surtout que la boussole vous rappellera constamment que vous filez bel et bien vers le sud.

Jacques Duval

TOYOTA Avalon

▲ POUR

• Insonorisation remarquable • Moteur bien adapté • Confort soigné • Bonne habitabilité • Équipement complet

▼ CONTRE

• Prix élevé • Freinage peu rassurant (voir texte) • Tenue de route médiocre • Bruits de caisse • Agrément de conduite inexistant

CARACTÉRISTIQUES

Prix du modèle à l'essai	XLS / 43 800 $
Garantie de base	3 ans / 60 000 km
Type	berline / traction
Empattement / Longueur	272 cm / 487 cm
Largeur / Hauteur	182 cm / 147 cm
Poids	1 570 kg
Coffre / Réservoir	450 litres / 64 litres
Coussins de sécurité	frontaux et latéraux
Suspension av.	indépendante
Suspension arr.	indépendante
Freins av. / arr.	disque ABS
Système antipatinage	oui
Direction	à crémaillère, assistance variable
Diamètre de braquage	11,5 mètres
Pneus av. / arr.	P205/60R16

MOTORISATION ET PERFORMANCES

Moteur	V6 3 litres
Transmission	automatique 4 rapports
Puissance	210 ch à 5 800 tr/min
Couple	220 lb-pi à 4 400 tr/min
Autre(s) moteur(s)	aucun
Autre(s) transmission(s)	aucune
Accélération 0-100 km/h	9,7 secondes
Vitesse maximale	210 km/h
Freinage 100-0 km/h	42,3 mètres
Consommation (100 km)	12,0 litres

MODÈLES CONCURRENTS

• Mazda Millenia • Infiniti I30 • Buick LeSabre • Chrysler Concorde • Mercury Grand Marquis

QUOI DE NEUF ?

• Élimination du dispositif des contrôles de dérapage et de location sur le modèle XL

VERDICT

Agrément	★★
Confort	★★★★
Fiabilité	★★★★½
Habitabilité	★★★★
Hiver	★★★½
Sécurité	★★★½
Valeur de revente	★★

TOYOTA Camry TOYOTA Highlander

Toyota Highlander

Jumeaux dissemblables

La Camry est le fleuron de la gamme Toyota. Non seulement elle a remporté au fil des ans une multitude de trophées et d'accessits pour sa qualité et sa fiabilité, mais elle est l'une des berlines intermédiaires les plus vendues au monde. Mieux encore, elle fait partie de cette élite qui sert d'étalon à l'industrie à presque tous les égards. Cette année, elle nous revient virtuellement inchangée tant sur le plan esthétique que mécanique.

Nous aurions été surpris du contraire puisque la Camry a connu plusieurs modifications l'an dernier. Trois ans après une révision en profondeur, elle a bénéficié d'une transformation de la partie avant et de légères modifications au tableau de bord tandis que la puissance du moteur 4 cylindres de 2,2 litres était portée à 138 chevaux. Il faut d'ailleurs souligner qu'on a trop souvent tendance à ignorer ce 4 cylindres pour vanter les mérites du V6 3 litres. Pourtant, ce « p'tit 4 », comme le dit l'expression populaire, est d'une rare douceur et sa répartition du couple et de la puissance permet de compter sur des reprises et des accélérations adéquates. Ce n'est qu'une fois la voiture lourdement chargée ou lorsque vient le temps de grimper les côtes que sa puissance se révèle déficitaire.

En plus d'offrir 194 chevaux, le V6 est remarquable pour sa douceur et il est couplé à une boîte automatique dont la fiabilité n'inquiète jamais. Cependant, cette boîte paresseuse n'est pas toujours empressée de faire passer les rapports. Au moment d'une accélération départ arrêté, le temps de réponse est assez important avant que la voiture accélère.

Pour le reste, la Camry est un exemple de finition sérieuse, d'insonorisation poussée et de suspension confortable. Ce sont là des qualités qui ont toutefois un effet négatif sur le plaisir de la conduite. À force de vouloir tout insonoriser, tout aseptiser, les ingénieurs ont développé une voiture à la direction engourdie qui prive le pilote de tout feed-back de la route. En plus, la suspension plutôt molle privilégie un comportement boulevardier. Si elle est la préférée de la majorité pour sa fiabilité, sa valeur de revente et son confort, cette Toyota risque de devenir soporifique pour ceux qui aiment conduirc.

En fait, chez Toyota, on est tellement confiant dans les capacités de la plateforme de cette voiture qu'on l'utilise à toutes les sauces. À partir de celle-ci, les ingénieurs ont conçu la fourgonnette Sienna, le coupé Solara et le cabriolet du même nom. Et voilà que le nouveau Highlander sera lui aussi dérivé de cette même plate-forme.

Le Highlander : une Camry campagnarde

On accuse souvent les constructeurs japonais de suivre les grandes tendances du marché et de concocter d'excellentes copies mieux fignolées et plus fiables que les originales. Pourtant, dans la catégorie des véhicules hybrides, ce jugement ne tient pas. En effet, le Lexus RX 300 est unique en son genre pour la catégorie. Et le RAV4 comporte plusieurs caractéristiques mécaniques et esthétiques qui l'ont avantagé par rapport à ses concurrents.

Le Highlander fait également partie de ce groupe innovateur même si l'on devine qu'il a été conçu pour rivaliser avec les populaires Outback de Subaru. Il est dérivé de la Camry dont il emprunte la plupart des caractéristiques techniques. Cependant, noblesse oblige, il sera propulsé par un moteur V6 de 220 chevaux. Un peu comme un certain film de Hollywood mettant en scène deux jumeaux disparates, le Highlander est une Camry des champs et des forêts. Ses dimensions sont sensiblement les mêmes que celles d'un 4Runner, mais son habitabilité sera supérieure tandis que le confort de la suspension et le comportement routier seront beaucoup plus apparentés à ceux d'une voiture que d'une camionnette, comme c'est le cas du 4Runner.

Bien nommé

Et même si ce détail n'a aucune incidence sur le comportement général du véhicule, il faut féliciter les décideurs d'avoir choisi un nom aussi évocateur que celui de « Highlander ». La seule mention de ce mot évoque

Duo insolite

les landes écossaises, le rude climat de cette région et le caractère aventureux de ses habitants. Souvent, le seul nom peut causer la perte d'un nouveau produit ou son succès. Parlez-en à General Motors qui a eu sa part de déboires à ce chapitre.

Malgré ses origines boulevardières, cet utilitaire sport urbain ne sera pas dépourvu de ressources en terrain accidenté puisque les ingénieurs de Toyota ont développé un rouage intégral travaillant de concert avec une garde au sol généreuse pour permettre au pilote de ne jamais avoir d'appréhensions lorsque les conditions routières se détérioreront ou même lorsque la route fera place à un sentier parsemé de trous.

Malgré les avis négatifs des puristes qui ne jurent que par d'authentiques 4X4 à châssis autonome et à essieux rigides, nous avons démontré à plus d'une reprise que ces hybrides dérivés d'une plate-forme d'automobile sont capables de passer presque partout. Et pour la très grande majorité des gens, c'est plus que suffisant. Le Highlander et la berline Camry ne semblent pas avoir beaucoup d'affinités de prime abord, mais ils possèdent tant de points en commun qu'ils forment un couple de jumeaux, tout différents soient-ils l'un de l'autre.

Denis Duquet

Toyota Camry

TOYOTA Camry

▲ POUR

• Fiabilité assurée • Suspension confortable • Insonorisation poussée • Finition sérieuse • Moteurs bien adaptés

▼ CONTRE

• Silhouette générique • Agrément de conduite mitigé • Direction molle • Prix corsés • Habitacle dépouillé

CARACTÉRISTIQUES

Prix du modèle à l'essai	LE / 31 295 $
Garantie de base	3 ans / 60 000 km
Type	berline / traction
Empattement / Longueur	267 cm / 478 cm
Largeur / Hauteur	178 cm / 141 cm
Poids	1 435 kg
Coffre / Réservoir	399 litres / 70 litres
Coussins de sécurité	frontaux
Suspension av.	indépendante
Suspension arr.	indépendante
Freins av. / arr.	disque / tambour ABS
Système antipatinage	oui
Direction	à crémaillère, assistance variable
Diamètre de braquage	11,8 mètres
Pneus av. / arr.	P205/65 R15

MOTORISATION ET PERFORMANCES

Moteur	V6 3 litres
Transmission	automatique 4 rapports
Puissance	194 ch à 5 200 tr/min
Couple	214 lb-pi à 4 400 tr/min
Autre(s) moteur(s)	4L 2,2 litres 138 ch
Autre(s) transmission(s)	manuelle 5 rapports (4L seulement)
Accélération 0-100 km/h	8,8 secondes ; 12,1 secondes (4L)
Vitesse maximale	195 km/h
Freinage 100-0 km/h	41,2 mètres
Consommation (100 km)	10,4 l / 9,4 l (4L)

MODÈLES CONCURRENTS

• Chrysler Sebring • Chevrolet Malibu • Honda Accord • Mazda 626 • Nissan Maxima • VW Passat

QUOI DE NEUF ?

• Révision des groupes d'options
• Nouvelles couleurs

VERDICT

Agrément	★★★★★
Confort	★★★★★
Fiabilité	★★★★★
Habitabilité	★★★★
Hiver	★★★★
Sécurité	★★★★
Valeur de revente	★★★★★

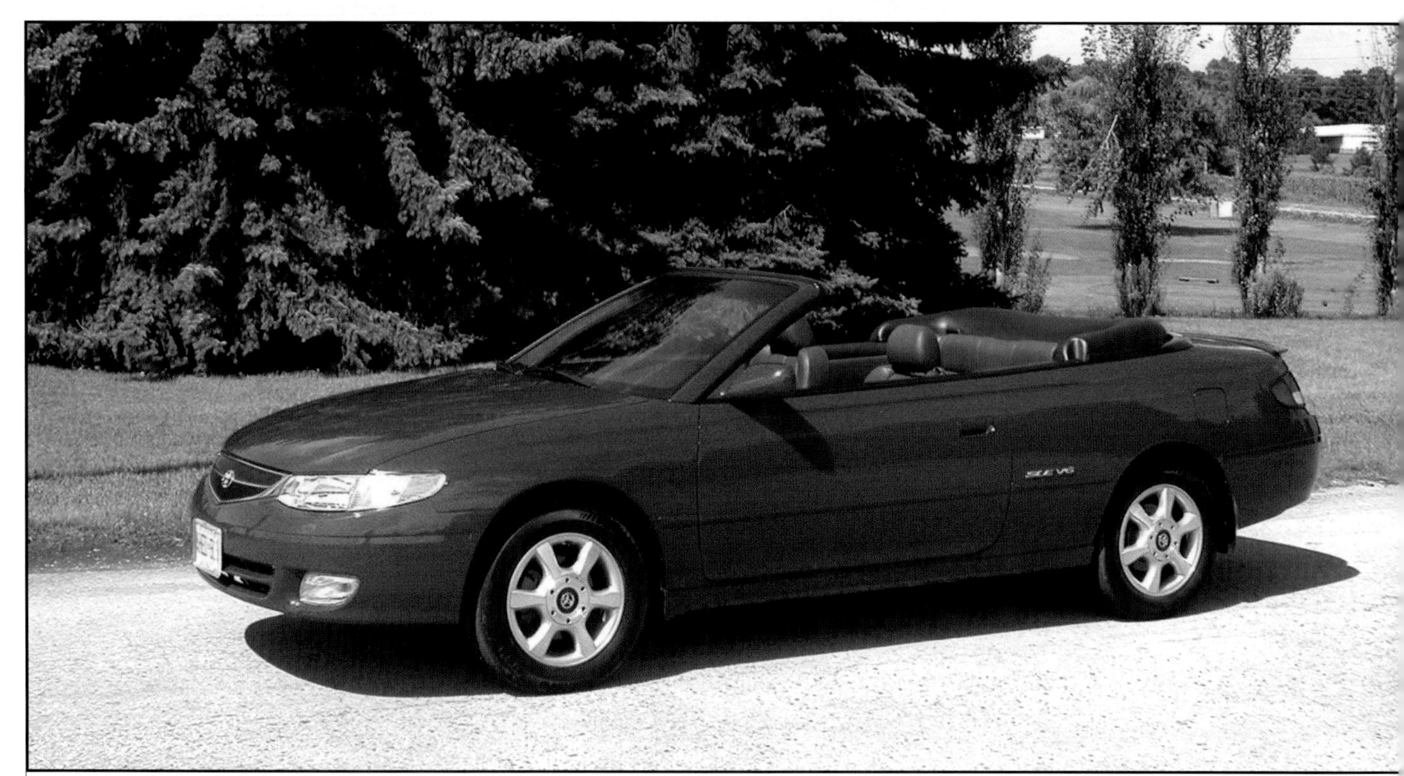

Toyota Camry Solara Cabriolet

Dédoublement de personnalité

Parfois, lorsque les lois de la logique sont respectées, les résultats peuvent être assez déconcertants. Prenez le cas de la Camry Solara cabriolet et coupé de Toyota. Il aurait été certainement plus simple de parler de Toyota Solara sans insister pour insérer le mot Camry entre les deux. Mais chez ce manufacturier, on est logique et puisque les deux modèles Solara sont des versions dérivées de la berline Camry, on ne cache rien. Comme nous ne sommes pas toujours logiques, nous allons nous contenter de parler de la Solara tout court.

Malgré cette rigueur dans la nomenclature, la chronologie des valeurs n'est pas toujours respectée par Toyota au sujet de la Solara. Par exemple, le coupé est apparu en premier sur le marché en 1999, mais c'est le cabriolet qui a été dévoilé en 1997, dans le cadre des grands salons automobiles nord-américains, en tant que prototype d'un modèle de production. Encore plus cocasse, les ingénieurs de Toyota ont confirmé qu'ils ont d'abord développé le cabriolet, dérivé de la plate-forme de la berline Camry, avant de le transformer en coupé. Si la logique avait été respectée, c'est la Solara à toit souple qui aurait été commercialisée en premier, mais ce rôle a été dévolu au modèle à toit rigide.

Quelques aller-retour

Comme presque tous les coupés sur le marché, cette Toyota n'a guère fait mieux que ses concurrents qui doivent lutter contre une indifférence quasi totale. Il se peut toutefois que le cabriolet qui débute sa carrière en 2001 ait plus d'impact, puisque cette catégorie a progressé depuis quelques années. Détail intéressant, la Solara cabrio est tout d'abord assemblée en tant que coupé sur la chaîne de montage de TMMC à Cambridge, en Ontario. La voiture est ensuite expédiée dans un atelier de transformation de la compagnie ASC spécialement érigé pour la modification de cette voiture. Le toit est enlevé et on procède à l'installation de renforts structurels avant de retourner la voiture à l'usine Toyota où on installera les éléments mécaniques et l'habitacle. Finalement, l'auto est à nouveau livrée chez ASC où sont posés les garnitures de l'habitacle, les glaces de custode et le toit du cabriolet. Il faut préciser que la lunette arrière de ce toit souple est en verre, ce que certaines allemandes beaucoup plus chères ne daignent pas encore offrir.

Compte tenu du caractère plus luxueux de la majorité des cabriolets 4 places sur le marché, le Solara n'est pas livré avec le moteur 4 cylindres 2,2 litres de 135 chevaux qui demeure quand même au catalogue de la version à toit rigide. Seul le V6 3 litres de 200 chevaux est offert en association avec une boîte automatique à 4 rapports.

Cabriolet et coupé partagent le même tableau de bord qui est totalement différent de celui de la Camry, ce dont personne ne se plaindra. Des appliques en bois, une console verticale surplombée par une montre de bord encastrée dans une capsule en retrait, voilà autant d'éléments venant ajouter un peu plus de luxe à un habitacle qui se démarque surtout par la qualité de ses matériaux, qui semble supérieure à celle qu'on retrouve dans la Camry.

Fiabilité plein air

Sur la route, la seule Toyota décapotable vendue au Canada se débrouille assez bien si vous êtes à la recherche d'une voiture boulevardière dotée d'un comportement acceptable à des vitesses moyennes. Par contre, la rigidité de la caisse n'est ni meilleure ni pire que celle de la concurrence, notamment la Chrysler Sebring. Franchement, on se serait attendu à mieux de la part de Toyota. Mais, puisque c'est la compagnie ASC qui s'est chargée du travail, c'est elle qui porte le blâme.

Et le coupé alors ?

Sur le plan visuel, le coupé se caractérise par sa ceinture de caisse relativement haute

Dixit pour le cabriolet dont la silhouette n'est quand même pas trop vilaine une fois le toit en place.

La plate-forme de la Camry a été adaptée pour le coupé/cabriolet. La suspension est légèrement plus ferme tandis que l'assistance de la direction a été modifiée et l'angle de chasse des roues avant revu afin d'offrir un meilleur feed-back au pilote. Et contrairement à ce qui est le cas pour la majorité des voitures de cette catégorie, la boîte manuelle n'est livrée que sur la version SE à moteur V6.

En recul

La caisse du coupé est théoriquement plus rigide que celle de la berline, aussi bien en raison de renforts dans la structure que grâce à l'utilisation de membres transversaux à la partie avant. Ce désir d'offrir une caisse rigide explique pourquoi l'ouverture intérieure entre le coffre arrière et l'habitacle est assez réduite : on n'a pas voulu altérer la rigidité en torsion.

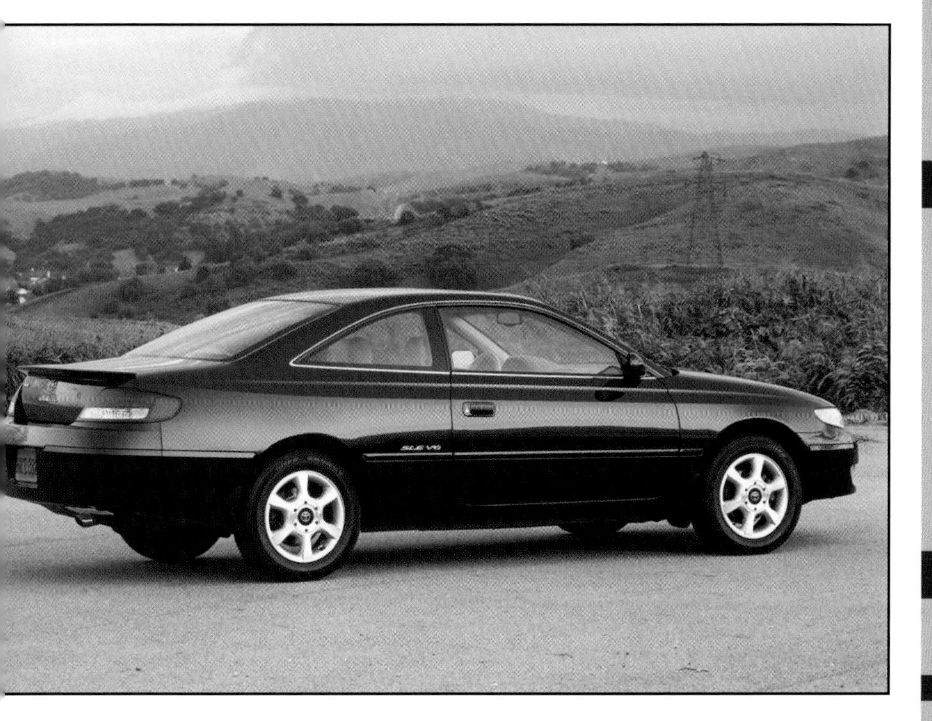

qui était un indice très net, lors du lancement en 1999, qu'un cabriolet allait être offert quelques mois plus tard. La partie arrière est réussie avec son pare-chocs intégré, son minidéflecteur débordant du couvercle du coffre et son arrière bien agencé. À l'avant, la calandre trop conservatrice vient atténuer l'impact d'ensemble de la silhouette.

Malgré la légendaire qualité de fabrication Toyota, ce tandem m'a laissé quelque peu sur mon appétit. Les quelques exemplaires du coupé essayés depuis son lancement n'offraient pas la même sensation de conduite que lors de mon premier contact. Dommage…

Denis Duquet

TOYOTA Camry Solara

▲ POUR

• Mécanique sophistiquée • Fiabilité éprouvée • Finition impeccable • Position de conduite confortable • Lunette arrière en verre (cabriolet)

▼ CONTRE

• Calandre avant rétro • Accès aux places arrière difficile • Guidage du levier de vitesses imprécis • Seuil du coffre très élevé

CARACTÉRISTIQUES

Prix du modèle à l'essai	Cabriolet V6 / 39 105 $
Garantie de base	3 ans / 60 000 km
Type	cabriolet / traction
Empattement / Longueur	267 cm / 482 cm
Largeur / Hauteur	180 cm / 142 cm
Poids	1 580 kg
Coffre / Réservoir	249 litres / 70 litres
Coussins de sécurité	frontaux
Suspension av.	indépendante
Suspension arr.	indépendante
Freins av. / arr.	disque ABS
Système antipatinage	oui
Direction	à crémaillère, assistance variable
Diamètre de braquage	11, 6 mètres
Pneus av. / arr.	P205/60R16

MOTORISATION ET PERFORMANCES

Moteur	V6 3 litres
Transmission	automatique 4 rapports
Puissance	200 ch à 5 200 tr/min
Couple	214 lb-pi à 4 400 tr/min
Autre(s) moteur(s)	4L 2,2 litres 135 ch
Autre(s) transmission(s)	manuelle 5 rapports
Accélération 0-100 km/h	11,0 secondes
Vitesse maximale	195 km/h
Freinage 100-0 km/h	40 mètres
Consommation (100 km)	11,9 litres

MODÈLES CONCURRENTS

• Chrysler Sebring • Saab 9³ cabrio

QUOI DE NEUF ?

• Nouveau modèle cabriolet
• Changements mineurs sur Coupé

VERDICT

Agrément	★★★½
Confort	★★★★
Fiabilité	★★★★★
Habitabilité	★★★
Hiver	★★★
Sécurité	★★★½
Valeur de revente	nouveau modèle

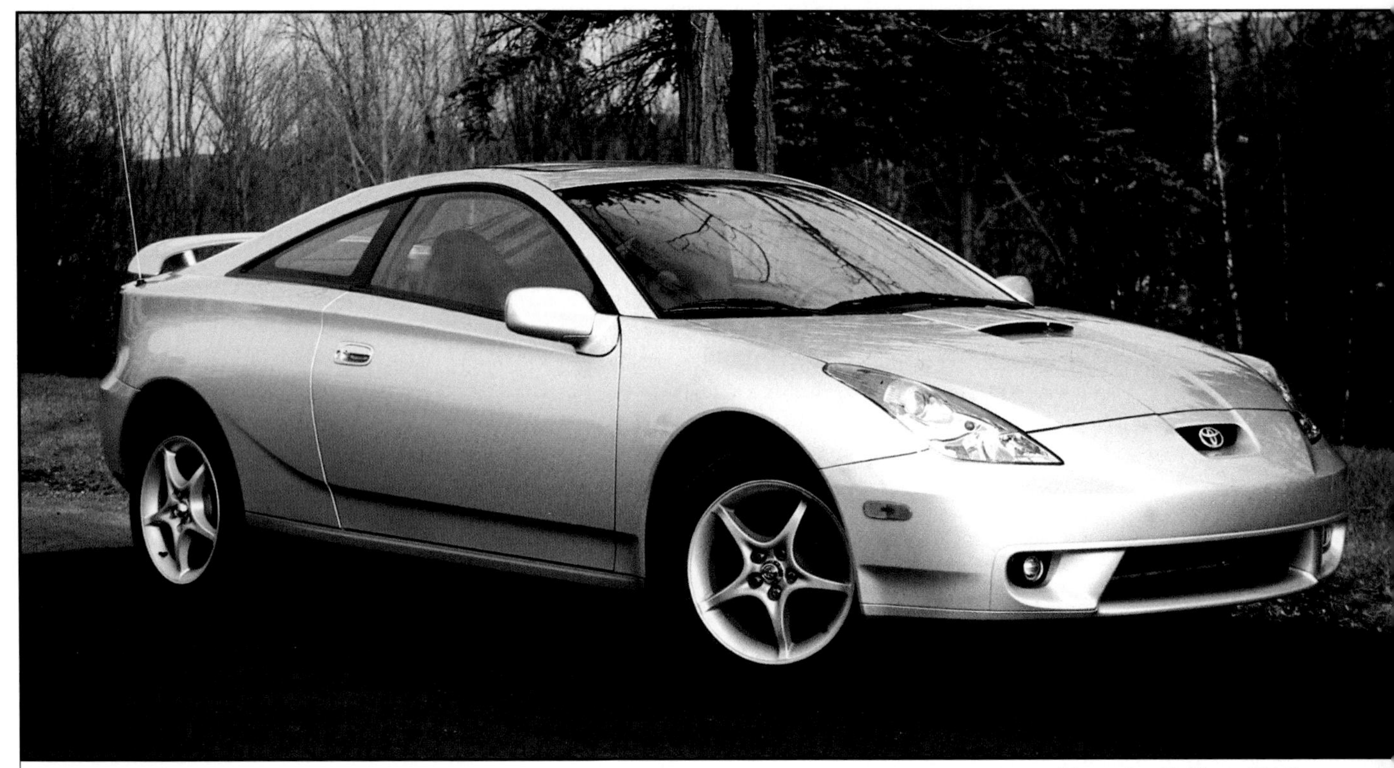

Toyota Celica GT-S

Haut régime

Entièrement remaniée l'an dernier, la Toyota Celica a gagné du terrain dans l'échelle des ventes. Sa diffusion reste limitée, mais sa nouvelle tenue lui a permis de quitter le fond du classement pour devenir une intéressante solution de rechange aux coupés sport de chez Mercury (Cougar), Saturn (SC2), Honda (Prelude) ou Hyundai (Tiburon). L'an dernier, je m'étais emballé pour la Celica GT-S à moteur de 180 chevaux et boîte de vitesses manuelle à 6 rapports. Toutefois, le jour du lancement du nouveau coupé sport de Toyota, la version à transmission automatique manquait au rendez-vous. Avait-elle quelque chose à cacher ?

Avec le moteur haute performance à double arbre à cames en tête, la voiture offre un agrément de conduite indéniable, sauf que la transmission automatique en option gâche vraiment tout le plaisir. Cette mauvaise combinaison est attribuable à la nature même du moteur de 1,8 litre, dont le couple et la puissance maximale sont obtenus à de très hauts régimes (6800 et 7600 tr/min). Avec 4 rapports automatiques au lieu de 6 rapports manuels, le moteur souffre d'un sérieux handicap qui se manifeste par un manque de vigueur plutôt frustrant à bas régime. Par exemple, il faut pas moins de 10 secondes pour passer de 0 à 100 km/h, alors que la même performance est réalisable en 7 secondes à peine avec la boîte manuelle. Cela revient à dire que la voiture met pratiquement 3 secondes à s'animer lorsqu'on appuie à fond sur l'accélérateur. L'automatique fait aussi chuter considérablement la vitesse de pointe qui n'excédait pas 190 km/h sur la voiture mise à l'essai.

Mauvais ménage

La Celica perd ainsi beaucoup de son lustre, se retrouvant nez à nez avec une prosaïque Corolla. Et cela, malgré l'option qui permet de passer les vitesses à son gré au moyen de petites touches placées sur et sous les branches centrales du volant comme sur les monoplaces de F1. Même après une semaine de familiarisation au volant de la Celica, il n'est pas facile de se souvenir sur quel bouton on doit appuyer pour monter ou descendre les vitesses. Et comme si cela n'était pas suffisant, le levier de vitesses possède une grille de guidage des rapports en escalier qu'il est malaisé d'utiliser. Moralité : si vous êtes séduit par le look de la Celica, faites-vous plaisir mais, de grâce, évitez la transmission automatique qui s'accorde aussi bien avec le moteur VTTi qu'un japonais avec un coréen. Et si vous devez absolument opter pour l'automatique, contentez-vous du moteur 1,8 litre de 140 chevaux qui produit sa puissance maximale à un régime de 6400 tr/min au lieu de 7600. Bref, ce petit 4 cylindres est mieux adapté au fonctionnement de la transmission automatique.

Il n'en demeure pas moins que l'agrément de conduite de cette Celica réside dans son moteur de 180 chevaux élaboré en collaboration avec Yamaha et doté d'un système de réglage automatique du calage des soupapes d'admission. Ce moteur, rappelons-le, possède un rendement de 100 chevaux au litre, ce qui le place pratiquement dans la même ligue que le fabuleux 2 litres de 240 chevaux qui équipe le roadster Honda S2000. Ses accélérations lui font honneur avec un 0-100 km/h réalisé en 7 petites secondes.

Automatique à fuir

Si l'on ajoute à cela une tenue de route stimulante, aussi bien sur pavé sec que mouillé, on aura compris que la dernière Celica ne ressemble en rien au modèle plutôt insipide qui l'a précédée.

Une direction rapide coiffée d'un très beau volant permet de placer la voiture avec une grande précision à l'entrée des virages.

Le confort reste acceptable sur mauvaise route malgré des pneus à vocation sportive de 16 pouces et, sans être spectaculaire, le freinage est satisfaisant.

La carrosserie est relativement rigide, mais comme beaucoup de voitures à hayon, la Celica mise à l'essai ne pouvait échapper à quelques bruits de caisse provenant du compartiment arrière.

Merde aux ailerons

Puisqu'il est question du postérieur de la voiture, profitons-en pour souligner la commodité du compartiment à bagages et, dans un même souffle, la stupidité des ailerons arrière qui ne répondent à rien d'autre qu'à une mode infantile. N'importe quel aérodynamicien vous dira qu'aux vitesses autorisées en Amérique, ces artifices superfétatoires n'ont aucune incidence sur la tenue de route du véhicule. Loin d'améliorer la sécurité, ils ont plutôt l'effet contraire en réduisant sérieusement la visibilité arrière. Le comble du ridicule, c'est que l'on va même jusqu'à affubler d'un aileron (ou serait-ce une poignée pour le coffre arrière?) des voitures aussi modestement performantes qu'une Toyota Echo. Il serait grandement temps que notre ministère des Transports interdise ces accessoires dangereux.

Cela dit, la Celica est une voiture relativement confortable et on finit par s'habituer à ses sièges malgré le manque d'appui latéral. L'habitacle est sobre, peut-être même un peu trop, mais il a le mérite d'offrir des tas d'espaces de rangement. J'ai beaucoup aimé aussi l'appareil de radio dont les touches de sélection ne semblent pas avoir été dessinées uniquement pour être manipulées par des doigts de fée. Pour ce qui est des places arrière, la Celica se présente comme un modèle 2+2, ce qui est juste. Cela revient à dire que la banquette (par ailleurs repliable) n'offre qu'un refuge occasionnel à des passagers de très petite taille et surtout fort compréhensifs. Plus précisément, elle est inutile ou presque.

Classé premier de sa catégorie par *Le Guide de l'auto* l'an dernier, le coupé Toyota Celica maintient sa légère avance sur le Honda Prelude. La lutte est cependant très serrée et je dirais que ce sont les lignes banales du coupé Honda qui permettent à Toyota de prendre les devants. À partir de là, ce n'est plus qu'une question de goûts.

Jacques Duval

TOYOTA Celica

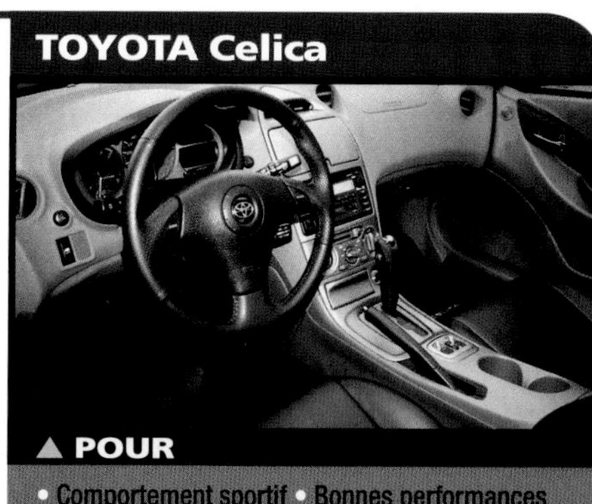

▲ POUR

• Comportement sportif • Bonnes performances (GT-S manuelle) • Confort acceptable • Direction agréable • Coffre pratique

▼ CONTRE

• Transmission automatique exécrable (GT-S) • Visibilité arrière atroce (GT-S) • Présentation intérieure fade • Bruits de caisse

CARACTÉRISTIQUES

Prix du modèle à l'essai	GT-S / 33 500 $
Garantie de base	3 ans / 60 000 km
Type	coupé 2+2 / traction
Empattement / Longueur	260 cm / 433 cm
Largeur / Hauteur	173,5 cm / 130,5 cm
Poids	1 134 kg
Coffre / Réservoir	n.d. / 55 litres
Coussins de sécurité	frontaux
Suspension av.	indépendante
Suspension arr.	indépendante
Freins av. / arr.	disque ventilé ABS / disque ABS
Système antipatinage	non
Direction	à crémaillère, assistée
Diamètre de braquage	10,4 mètres
Pneus av. / arr.	P205/50R16

MOTORISATION ET PERFORMANCES

Moteur	4 L 1,8 litre
Transmission	autom. 4 rapports à mode séquentiel
Puissance	180 ch à 7 600 tr/min
Couple	130 lb-pi à 6 800 tr/min
Autre(s) moteur(s)	4 L 1,8 litre, 140 ch (GT)
Autre(s) transmission(s)	manuelle 6 rapports
Accélération 0-100 km/h	10,3 secondes
Vitesse maximale	190 km/h
Freinage 100-0 km/h	39,3 mètres
Consommation (100 km)	11,2 litres

MODÈLES CONCURRENTS

• Acura Integra • Honda Prelude
• Hyundai Tiburon FX • Mercury Cougar

QUOI DE NEUF ?

• Ajout au groupe B du modèle GT : régulateur de vitesse

VERDICT

Agrément	★★★½
Confort	★★★
Fiabilité	★★★★
Habitabilité	★★½
Hiver	★★★
Sécurité	★★★
Valeur de revente	★★½

TOYOTA Corolla

Toyota Corolla S

Crème molle

Vous vous souvenez peut-être de la publicité de Holiday Inn qui, il y a quelques années, disait: « Chez nous, pas de surprises. » Effectivement, pas de surprises, comme la crème glacée molle que l'on aime bien s'offrir quand il fait chaud, non pas parce que c'est meilleur qu'un sorbet, mais parce que c'est une tradition de l'été. La crème glacée molle, molle et sans surprises, comme la Toyota Corolla.

Mais tenez-vous bien, pour 2001, Toyota nous propose « un modèle sport » qui arbore fièrement sur le couvercle du coffre un beau S rouge en forme de route sinueuse. *Yes!* Je sens qu'on va s'amuser. Peut-être même pourra-t-on passer de la crème molle au sorbet aux framboises. Après tout, c'est la saison.

Premières impressions

Ma Corolla noire montée sur de belles roues en alliage m'attend dans le stationnement. Un petit aileron trône sur le coffre, question d'accompagner le S rouge dont je vous parlais tout à l'heure, et des antibrouillards agrémentent la face avant. J'ouvre la porte et je m'installe sur le siège baquet noir et gris.

Devant moi, un beau volant tri-branches – provenant de la Celica – surpiqué de fil rouge et une instrumentation à chiffres rouges sur fond noir du plus bel effet. Dommage que les commandes sur la colonne de direction soient partiellement cachées par le volant. Et cette bosse gênante sous le pied gauche, qu'est-ce que c'est?

À droite, la console qui abrite la radio avec lecteur de disques compacts intégré (de série, s'il vous plaît), les commandes de chauffage et de climatisation (de série aussi) et un petit casier pratique. Chose curieuse, l'éclairage de l'instrumentation est orange (à la BMW) alors que le reste du tableau s'éclaire en vert...

Je règle le siège à commandes manuelles et je note l'absence de réglage en hauteur, puis je passe aux rétroviseurs extérieurs, toujours à réglage manuel. Peu pratique, surtout du côté droit. Le levier de vitesses orné d'un soufflet noir à surpiqûres... rouges (vous l'aviez deviné) me paraît un peu long, mais je verrai à l'usage.

Contact

Le 4 cylindres démarre instantanément. J'engage le climatiseur et, pour évacuer l'air chaud de l'habitacle, j'ouvre la fenêtre avec la bonne vieille manivelle. Surprenant que Toyota n'ait pas jugé bon d'inclure sur sa nouvelle Corolla S les lève-glaces électriques, ne serait-ce qu'à l'avant. Réservés à la berline LE haut de gamme, paraît-il. « Peu importe, à condition que le "sport" soit au rendez-vous », me dis-je en engageant la 1re.

Les vitesses passent bien même si le levier gagnerait à être plus court. Mais au fait, où sont les accélérations? Peut-être le moteur n'est-il pas encore monté en température? Soyons patients.

Quelques kilomètres plus tard, de nouveau, 1re, 2e, etc. Crème molle, te voici donc! Imaginez qu'il faut près de 12 secondes pour passer de 0 à 100 km/h. J'ai même arrêté la climatisation pour voir si ça pouvait faire une différence! Quant aux reprises de 80 à 120 km/h en 4e, la crème aurait fondu... 12,8 secondes. Le coupable? À mon avis, la boîte de vitesses, dont les rapports sont tellement longs que le moteur tourne à 2 800 tours/minute en 5e à 120 km/h.

Fausses prétentions sportives

Même scénario navrant en 4e. Il faut donc passer en 3e pour trouver un régime moteur qui permette des reprises valables. Permettez-moi de vous rappeler que reprise est synonyme de dépassement et que manque de reprise signifie dépassements dangereux. Certes, il est louable de vouloir faire tourner le moteur au plus bas régime possible pour en réduire le bruit et la consommation, mais comme pour toute autre chose dans le merveilleux monde de l'automobile, il faut aussi savoir faire des compromis valables. À mon humble avis, la solution des rapports longs/régimes bas préconisée par Toyota laisse à désirer, surtout, surtout quand on choisit de poser un petit S rouge sur le coffre!

Fidèlement plate

Pour le reste, la Corolla – toute S soit-elle – demeure fidèle à la philosophie Toyota: freins mous (sans ABS), direction molle et peu communicative, suspension confortable mais molle et le silence... le silence, comme vous ne le trouverez même pas dans une voiture coûtant bien plus cher.

Avouons que Toyota est passée maître dans l'art de dissimuler les décibels et nombreux sont les constructeurs (notamment chez les Européens) qui auraient avantage à suivre un stage de formation en acoustique chez le numéro 1 japonais. À ce compte, écouter la radio ou votre disque favori rehaussera sûrement le «plaisir de conduire» de la Corolla qui saura, comme toute Toyota qui se respecte, mener les 4 occupants et leurs bagages à bon port confortablement (ou les 5 tassés comme des sardines) sans trop taxer le portefeuille.

Parlant de portefeuille, notre Corolla S, qui se détaille à tout près de 21 000 $, affiche une consommation combinée ville/route de 6,4 litres/100 km. Très respectable. Certes, les rapports super longs de la boîte y comptent pour quelque chose et si le mot performance ne fait pas partie de votre vocabulaire et que les surpiqûres rouges du volant vous plaisent, allez-y, gâtez-vous et faites semblant – comme dans la pub – de rouler sport. Bonne route, mais pas trop vite, car vous risqueriez de renverser la crème molle.

Alain Raymond

TOYOTA Corolla

▲ POUR

- Excellente insonorisation • Faible consommation
- Fiabilité légendaire • Bonne habitabilité
- Tableau de bord agréable

▼ CONTRE

- Faibles reprises • Direction trop assistée
- Tenue de route médiocre • Freins mous
- Pas d'ABS • Équipement insuffisant

CARACTÉRISTIQUES

Prix du modèle à l'essai	Sport / 19925 $
Garantie de base	3 ans / 60000 km
Type	berline / traction
Empattement / Longueur	246 cm / 442 cm
Largeur / Hauteur	169 cm / 138 cm
Poids	1 090 kg
Coffre / Réservoir	343 litres / 50 litres
Coussins de sécurité	frontaux
Suspension av.	indépendante
Suspension arr.	indépendante
Freins av. / arr.	disque / tambour
Système antipatinage	non
Direction	à crémaillère, assistée
Diamètre de braquage	10,3 mètres
Pneus av. / arr.	P185/65R14

MOTORISATION ET PERFORMANCES

Moteur	4L 1,8 litre 16 soupapes
Transmission	manuelle 5 rapports
Puissance	125 ch à 5600 tr/min
Couple	126 lb-pi à 4000 tr/min
Autre(s) moteur(s)	aucun
Autre(s) transmission(s)	automatique 4 rapports
Accélération 0-100 km/h	11,9 secondes
Vitesse maximale	180 km/h
Freinage 100-0 km/h	42,0 mètres
Consommation (100 km)	6,4 litres

MODÈLES CONCURRENTS

- Chevrolet Cavalier • Daewoo Nubira • Ford Focus
- Honda Civic • Hyundai Elantra • Mazda Protegé

QUOI DE NEUF?

- Version Sport

VERDICT

Agrément	★★½
Confort	★★★½
Fiabilité	★★★★★
Habitabilité	★★★½
Hiver	★★★½
Sécurité	★★★
Valeur de revente	★★★★½

TOYOTA Echo

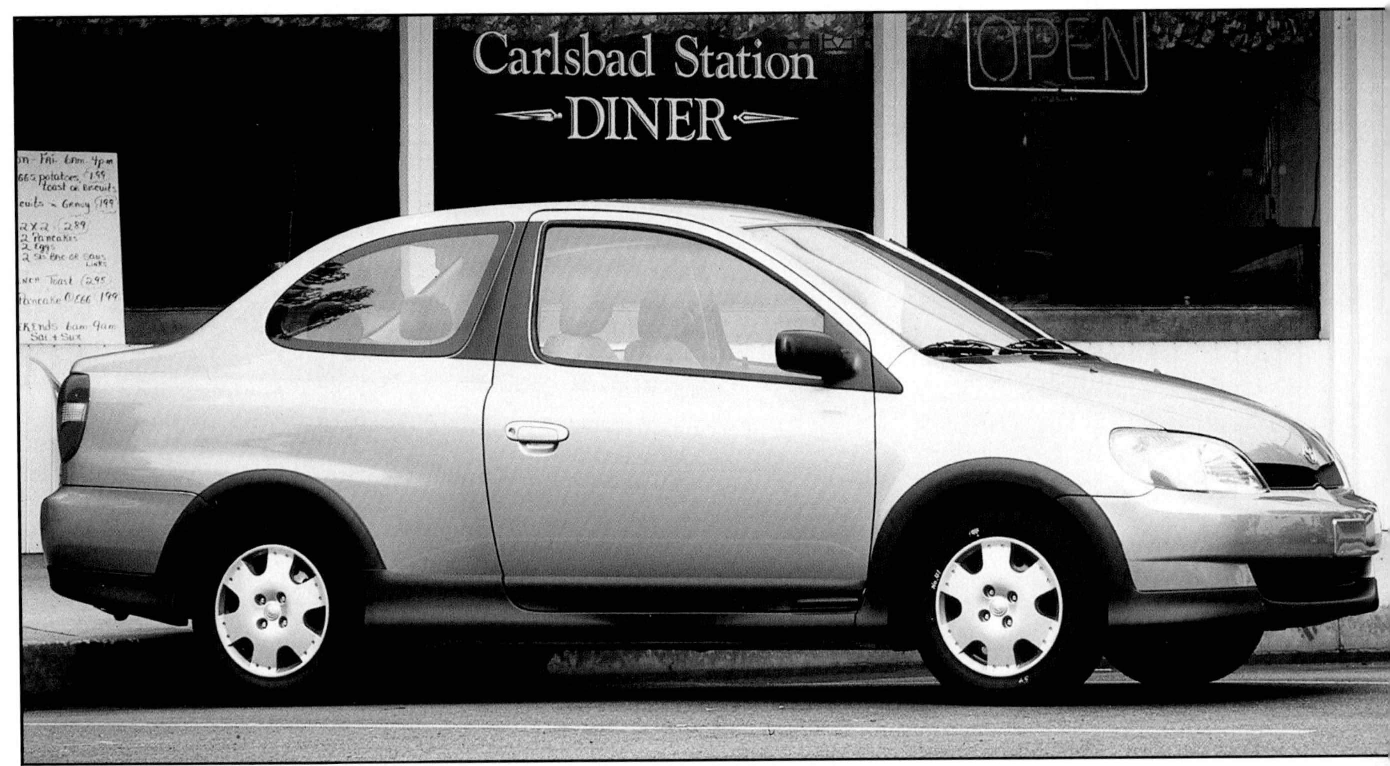

Toyota Echo

Quelle horreur !

En Europe, elle a décroché le titre fort convoité de « voiture de l'année » pour l'an 2000. Cependant, malgré ses nombreuses qualités, sa prestation en terre d'Amérique est moins reluisante. Si seulement Toyota avait donné à l'Echo le même look que sa contrepartie européenne, la Yaris, il est permis de croire qu'elle aurait été accueillie ici avec un plus grand enthousiasme.

Car, quoi que l'on dise, l'apparence d'une voiture pèse encore lourd dans la balance quand vient le moment des grandes décisions. Il suffit d'évoquer l'exemple de la récente PT Cruiser de Chrysler. Avec sa carrosserie de camionnette de livraison endimanchée, cette voiture sait faire vibrer la corde sensible des acheteurs. L'Echo de Toyota, c'est autre chose et elle doit miser quasi uniquement sur la réputation de son constructeur et sur la fiabilité légendaire des produits de la marque pour se faire une place au soleil. Elle a fort à faire pour détourner l'attention de sa rivale de chez Ford, la Focus.

Cela dit, que faut-il penser de cette miniberline qui a pris le relais de la populaire Tercel ?

Un moteur brillant

Bien qu'un certain nombre de lacunes viennent assombrir le bilan global, l'Echo possède un atout majeur en son moteur 4 cylindres de 1,5 litre. Il est économique (7 litres aux 100 km en moyenne), peu polluant, et ses 105 chevaux se montrent bien en verve. Sa vivacité lui permet de s'entendre admirablement avec la transmission automatique que l'on retrouvait sur ma voiture d'essai.

Avec l'aide d'une direction rapide et précise, la petite Toyota Echo fait preuve en plus d'une tenue de route adéquate. La caisse accuse un certain roulis, mais l'adhérence est impressionnante. C'est en ligne droite que les choses se gâtent. Plus haute d'une dizaine de centimètres que ses rivales, l'Echo n'est pas faite pour la grande vitesse et son comportement ne le démontre que trop bien. La moindre rafale la pousse hors de sa trajectoire et elle ne fait pas très bon ménage non plus avec les inégalités du revêtement. De grâce, respectez les limites de vitesse et, à la première occasion, offrez-vous des pneus de meilleure qualité que ceux qui sont installés à l'origine. Je m'explique mal d'ailleurs que des constructeurs automobiles dépensent des sommes importantes pour mettre au point des suspensions et des châssis de plus en plus sophistiqués pour voir ensuite les efforts des ingénieurs ruinés par un département des finances qui prend la décision d'équiper la voiture de pneus bon marché. Mais, malheureusement, nous n'en sommes pas au premier illogisme dans l'industrie automobile.

Si l'on fait exception de l'omniprésence du bruit de vent, le confort est adéquat pour une voiture de cette taille. Il faudra toutefois s'accommoder de sièges droits style « chaise de cuisine » qui n'offrent aucun appui latéral.

Un tableau déroutant

Mal fagotée

Au sujet de l'aménagement intérieur, le moins que l'on puisse dire, c'est qu'il ne fait pas l'unanimité et cela principalement à cause de la disposition du bloc des instruments au centre du tableau de bord. Après avoir conduit l'Echo la nuit, Mme Duval a même affirmé qu'elle ne se sentait pas en sécurité face à « ce grand trou noir » devant elle. De toute évidence, ce sont des considérations de coût plutôt que d'ergonomie qui sont à l'origine de cette dérogation aux habitudes. Toyota peut ainsi économiser avec un tableau de bord qui se prête mieux aux exigences de la conduite à droite (Japon, Angleterre, Australie, etc.) ou à gauche. L'instrumentation est par ailleurs dépouillée, se limitant à l'indicateur de vitesse et à la jauge à essence.

À l'exception de ce détail, la petite Echo bénéficie d'une présentation plutôt sympathique en proposant plus d'espaces de rangement qu'une armoire Ikea. On a même droit à deux coffres à gants. C'est la même histoire pour la soute à bagages dont le volume de 385 litres est aussi largement suffisant. On peut même l'agrandir en repliant le dossier de la banquette arrière en deux sections.

Contrairement à la Ford Focus présentée dans la publicité « anglifiée » comme une « 5 passagers » (ce qui est faux, compte tenu que le conducteur n'est pas un passager), l'Echo est une honnête 4 places. L'espace pour la tête est particulièrement généreux et on a même l'impression de prendre place dans une fourgonnette, tellement la voiture est aérée. La surface vitrée y contribue pour beaucoup et assure en plus une excellente visibilité sous tous les angles.

En général, l'équipement est plutôt sommaire et la finition très « plastifiée ». Et que dire de la minceur des tôles qui donne aux portières, entre autres, une impression de fragilité extrême.

Tout compte fait, la Toyota Echo reste, comme la Tercel, une voiture bas de gamme offrant une fiabilité prometteuse à un prix abordable. Par rapport à sa devancière, elle a sans doute fait de légers progrès, mais les améliorations ne sont pas spectaculaires. Et il est surtout dommage que Toyota n'ait pas eu l'audace de donner à l'Echo le même faciès que celui de sa cousine germaine, la Yaris, réservée au marché européen. Je suis convaincu qu'elle aurait ainsi pu faire la vie dure à la Ford Focus.

Jacques Duval

TOYOTA Echo

Toyota Yaris

▲ POUR

• Bonnes performances • Transmission automatique bien adaptée • Direction précise • Excellente visibilité • Confort louable

▼ CONTRE

• Sièges désagréables • Bruits de caisse • Sensibilité au vent • Instrumentation déroutante • Finition « légère » • Pneus médiocres

CARACTÉRISTIQUES

Prix du modèle à l'essai	15 895 $
Garantie de base	3 ans / 60 000 km
Type	berline / traction
Empattement / Longueur	237 cm / 414 cm
Largeur / Hauteur	166 cm / 150 cm
Poids	1 135 kg
Coffre / Réservoir	385 litres / 45 litres
Coussins de sécurité	frontaux
Suspension av.	indépendante
Suspension arr.	semi-indépendante
Freins av. / arr.	disque / tambour
Système antipatinage	non
Direction	à crémaillère, assistée
Diamètre de braquage	n.d.
Pneus av. / arr.	P175/65R14 (optionnels)

MOTORISATION ET PERFORMANCES

Moteur	4L 1,5 litre
Transmission	automatique 4 rapports
Puissance	105 ch à 6 000 tr/min
Couple	105 lb-pi à 4 000 tr/min
Autre(s) moteur(s)	aucun
Autre(s) transmission(s)	manuelle 5 rapports
Accélération 0-100 km/h	9,5 secondes
Vitesse maximale	180 km/h
Freinage 100-0 km/h	49,2 mètres
Consommation (100 km)	7,0 litres

MODÈLES CONCURRENTS

• Hyundai Accent • Daewoo Lanos • Kia Rio

QUOI DE NEUF ?

• Pneus P175/65R14 de série sur tous les modèles

VERDICT

Agrément	★★½
Confort	★★★
Fiabilité	★★★★½
Habitabilité	★★★½
Hiver	★★★
Sécurité	★★★
Valeur de revente	★★★

TOYOTA Prius

Toyota Prius

Pensons différemment

En matière d'automobile, les Japonais sont passés maîtres dans l'art d'améliorer des concepts inventés ailleurs. Mais il arrive parfois que l'automobile nippone nous surprenne en nous livrant un produit tout à fait inédit, un concept dont on parle ailleurs, mais qui n'existe encore que sur les planches à dessin. Telle est l'histoire de la Toyota Prius, première berline à propulsion hybride au monde.

Toyota vient rejoindre Honda et son petit coupé Insight dans le club très sélect des constructeurs de voitures hybrides de grande série. Les lecteurs du *Guide de l'auto 1999* se souviendront sans doute de la Prius version japonaise au volant de laquelle nous avions effectué un bref galop d'essai. Aujourd'hui, la Prius nord-américaine figure au catalogue des concessionnaires Toyota et c'est précisément cette livrée qui a fait l'objet de notre essai estival.

Deux moteurs

Rappelons que la Prius est propulsée par deux moteurs : un 4 cylindres à essence de 1,5 litre à haut rendement énergétique et à très faible pollution développant 70 chevaux et un moteur électrique de 44 chevaux, le tout relié par une transmission à variation continue. La batterie de 288 volts logée derrière le siège arrière alimente le moteur électrique et le système est piloté par une centrale électronique très évoluée.

À faible vitesse, c'est le moteur électrique qui fait tourner les roues dans le silence total. Dès que vous enfoncez l'accélérateur, le moteur à essence intervient, procurant à la Prius des reprises honorables. Évidemment, la batterie alimente le moteur électrique. Et lorsqu'elle a besoin de « jus », c'est le moteur électrique transformé pour la circonstance en génératrice qui se charge d'en refaire le plein. En décélération et au freinage, l'énergie est récupérée par ce même moteur-génératrice pour recharger la batterie. Et ce ballet se poursuit ainsi à l'infini sans que le conducteur ne s'en rende compte. Pour les curieux, Toyota a prévu un petit écran où s'affiche sous forme schématique tout ce petit manège ainsi que les chiffres de consommation ponctuelle et moyenne.

Promesses tenues

Toyota a tenu sa promesse d'américaniser la Prius. La lenteur navrante de la version japonaise a été remplacée par un comportement honorable compte tenu de la vocation de la voiture, vocation que l'on pourrait résumer ainsi : air pur, économie et circulation urbaine.

La Prius est avant tout une voiture « verte » conforme aux futures normes ULEV (ultra faible pollution). En outre, sa faible consommation rehausse ses qualités de voiture propre, car moins on consomme, moins on pollue. Fait étrange : la Prius consomme moins en ville que sur autoroute, ce qui s'explique par le fait que le moteur électrique suffit à propulser la voiture à basse vitesse, alors que les deux moteurs sont sollicités à vitesse d'autoroute. Aussi, le moteur à essence se coupe dès que la voiture s'arrête, éliminant le fonctionnement au ralenti, importante source de gaspillage et de pollution.

La patronne des écolos

Ainsi réglée, la Prius obtient l'excellente moyenne de 4,5 litres aux 100 km en ville, alors que sur autoroute, la consommation se rapproche des 6 litres.

La vocation rêvée

Un taxi ! Avec tout le dégagement à l'arrière, l'automatisme, la climatisation de série et son remarquable diamètre de braquage, la Prius ferait un merveilleux taxi et la joie de son propriétaire qui verrait ses dépenses en carburant fondre comme neige au soleil. À propos de neige et malgré la garantie de 96 mois/160 000 km sur le groupe hybride, nous aimerions quand même voir la Prius évoluer en janvier avant de nous prononcer sur la tenue des batteries en hiver.

Pour le reste, la Prius agit comme une voiture ordinaire. Extrasilencieuse, elle bénéficie d'une aérodynamique soignée qui explique l'absence de bruits de vent. Mais le vent n'est pas totalement absent de l'équation, car la Toyota est sensible au vent latéral. Ajoutez les petites « poussées » agaçantes que l'on ressent dès 120 km/h et qui proviennent sans doute des fluctuations du système de propulsion, et il en ressort une voiture pas très agréable à conduire sur autoroute et même, à la limite, un peu fatigante.

Quant au confort, il est correct, sans plus. La hauteur de la voiture autorise un excellent dégagement à la tête et les sièges perchés haut procurent une bonne visibilité. Dommage que le siège du conducteur ne soit pas réglable en hauteur, car la bonne position de conduite n'est pas facile à trouver. En outre, l'accoudoir central trop bas devient inutile et l'ergonomie souffre de quelques lacunes, notamment à cause du sélecteur de transmission qui cache les commandes de la radio.

Climatisation automatique, radio-cassettes et lecteur de disques compacts, essuie-glace central articulé à pantographe, pochettes dans les portes et les inévitables porte-verres complètent l'équipement de série. Le casier de rangement qui se trouvait sous le siège du passager avant de la version japonaise a disparu, sans doute pour économiser quelques dollars, ce qui n'empêche pas la Prius de chatouiller les 30 000 $. À comparer à une rivale économique à moteur diesel qu'est la Volkswagen Jetta TDI GL, la différence de plus de 6 000 $ reste, pour le moment, difficile à justifier. (Voir aussi « Les amies de la planète ».)

Alain Raymond

TOYOTA Prius

▲ POUR

• Pollution minimale • Très faible consommation en ville • Insonorisation remarquable • Bonne habitabilité • Diamètre de braquage court

▼ CONTRE

• Fatigante sur autoroute • Prix élevé • Sensible au vent latéral • Ergonomie perfectible • Comportement hivernal à vérifier

CARACTÉRISTIQUES

Prix du modèle à l'essai	29 990 $
Garantie de base	3 ans / 60 000 km
Type	berline / traction
Empattement / Longueur	255 cm / 430 cm
Largeur / Hauteur	170 cm / 147 cm
Poids	1 255 kg
Coffre / Réservoir	354 litres / 45 litres
Coussins de sécurité	frontaux
Suspension av.	indépendante
Suspension arr.	semi-indépendante
Freins av. / arr.	disque ABS / tambour ABS
Système antipatinage	non
Direction	à crémaillère assistée
Diamètre de braquage	9,4 mètres
Pneus av. / arr.	P175/65R14

MOTORISATION ET PERFORMANCES

Moteur	4L 1,5 litre + élect.
Transmission	automatique, variateur
Puissance	70 ch à 4500 tr/min + 44 ch à 1 000 tr/min
Couple	82 lb-pi à 4 200 tr/min + 259 lb-pi à 400 tr/min
Autre(s) moteur(s)	aucun
Autre(s) transmission(s)	aucune
Accélération 0-100 km/h	12,5 secondes
Vitesse maximale	150 km/h
Freinage 100-0 km/h	45,0 mètres
Consommation (100 km)	4,5 litres (ville); 5,8 litres (autoroute)

MODÈLES CONCURRENTS

• Honda Insight • Volkswagen Golf TDI
• Volkswagen Jetta TDI

QUOI DE NEUF ?

• Nouveau modèle

VERDICT

Agrément	★★½
Confort	★★★★
Fiabilité	nouveau modèle
Habitabilité	★★★★
Hiver	n.d.
Sécurité	★
Valeur de revente	n.d.

TOYOTA RAV4

Toyota RAV4

Du sérieux !

Les constructeurs japonais se trouvent dans une classe à part lorsque vient le temps de développer des véhicules compacts, et ce dans toutes les catégories. Ils ont été les premiers à nous faire découvrir les vertus des véhicules utilitaires sport compacts et ont créé par le fait même une toute nouvelle catégorie. Même si les gourous des tout-terrains avaient méprisé ces automobiles transformées en véhicules hybrides à traction intégrale, ceux-ci ont connu beaucoup de succès.

Dans cette catégorie, deux des meneurs sont le Honda CR-V et le Toyota RAV4. Les deux sont dérivés d'une plateforme d'auto et les deux ont un système de traction intégrale surtout adapté pour la conduite sur des routes enneigées ou des voies secondaires quand même carrossables. Le RAV4 a connu beaucoup de succès en raison de sa silhouette relativement sportive. La réputation de qualité et de fiabilité de Toyota a certainement contribué à son succès. Le fait que le chétif moteur 2 litres de 127 chevaux peinait à la tâche en certaines circonstances n'a pas nui ; pas plus d'ailleurs que la piètre qualité des plastiques utilisés dans l'habitacle. Malgré ces handicaps, ce petit véhicule tout usage a conquis bien des gens, et pas uniquement au Canada. En Europe, entre autres, il est devenu l'un des favoris du public.

Chez Toyota, on a jugé qu'il était quand même temps de rafraîchir ce modèle en continuant d'en développer les points forts et d'en corriger les faiblesses.

Encore plus élégant !

La première génération de ce véhicule nous avait permis de découvrir que les stylistes de Toyota pouvaient être créatifs et même nous proposer un modèle d'allure sympathique capable d'intéresser une clientèle jeune et de faire l'unanimité sur son élégance. Si le modèle précédent semblait appartenir à la collection de la poupée Barbie, l'édition 2001 semble moins artificielle. Au lieu de garnir les parois latérales d'un immense panneau de bas de caisse, les stylistes ont opté pour une baguette de protection très large et en relief. De plus, tandis que les glaces latérales vont en s'amenuisant vers l'arrière, cette languette fait l'inverse en s'élargissant vers l'arrière afin de donner beaucoup de dynamisme à la silhouette. Les phares elliptiques surplombent un large pare-chocs intégrant des phares antibrouillards. On a retenu, en plein centre du pare-chocs, la prise d'air sectionnée en plein centre par une barre transversale supportée à l'arrière par des alvéoles carrées.

L'une des marques de commerce visuelles de ce véhicule était son pneu de secours ancré sur la porte arrière et recouvert d'une housse rigide. On a naturellement conservé cet élément qui s'intègre fort bien à l'ensemble. Comme sur le modèle précédent, les charnières de la 5e portière sont placées du côté droit du véhicule, ce qui oblige à faire un détour lorsqu'on est stationné le long du trottoir.

Aguichant

Curieusement, il semble encore une fois que le plastique de l'habitacle soit de moins bonne qualité que dans tous les autres véhicules Toyota. C'est mieux qu'auparavant, mais il y a énormément de place pour de l'amélioration. Comme pour la caisse, les stylistes ont eu le coup de crayon heureux dans la conception du tableau de bord. Il n'y a aucun rapport avec la triste présentation du modèle précédent, alors que de nombreux rectangles tentaient de se partager un espace restreint. Cette fois, la pièce de résistance est une console centrale de forme trapézoïdale dont le pourtour est maintenu en place par des vis bien en évidence. Des éléments de couleur gris argent, la texture des plastiques, les buses de ventilation, tout se conjugue pour donner une impression de modernisme et de véhicule à vocation spécialisée. Des cadrans à fond blanc bien en évidence viennent équilibrer la présentation générale. Enfin, dernier détail, les sièges avant sont nettement plus confortables qu'auparavant.

Plus gros, plus puissant

Le RAV4 possédait déjà une silhouette qui faisait l'unanimité et les récents changements ont permis de l'améliorer encore. Cependant, la plus grande faiblesse de ce petit utilitaire sport était son moteur 2 litres dont les 127 chevaux ne faisaient pas le poids, surtout lorsqu'on s'aventurait sur une route boueuse ou escarpée. Il est remplacé par un moteur de même cylindrée en alliage d'aluminium, le premier d'une toute nouvelle génération de 4 cylindres qui sont plus légers, plus sophistiqués et plus performants tout en consommant moins. Et comme pour la plupart des nouveaux moteurs de Toyota, on fait appel au calage constamment variable des soupapes. Une boîte manuelle à 5 rapports est de série tandis que l'automatique à 4 rapports est optionnelle. Le système intégral transmet le couple aux roues avant jusqu'à ce que le manque d'adhérence en transfère une partie aux roues arrière. Pour l'instant, seule la version intégrale sera commercialisée.

En conduite, ce nouveau RAV4 s'avère nettement plus confortable et confère un plus grand sentiment de sécurité aux occupants. Son centre de gravité plus bas et une voie plus large assurent une meilleure tenue de route et réduisent le roulis en virage. Les 21 chevaux supplémentaires font sentir leur présence même si le moteur est relativement bruyant. Un châssis plus rigide et une meilleure insonorisation de l'habitacle sont d'autres éléments qui contribuent au confort.

Enfin, plus long, plus large, plus haut et surtout avec de meilleurs sièges, ce nouveau RAV4 fait moins voiture-jouet qu'auparavant.

Denis Duquet

TOYOTA RAV4

▲ POUR

- Moteur plus puissant • Silhouette attrayante
- Habitabilité en progrès • Sièges plus confortables
- Tableau de bord stylisé

▼ CONTRE

- Finition légère • Certains plastiques à revoir
- Moteur bruyant • Tissus des sièges peu seyants
- Porte arrière à charnières

CARACTÉRISTIQUES

Prix du modèle à l'essai	25 555 $ (prix 2000)
Garantie de base	3 ans / 60 000 km
Type	utilitaire sport compact / intégrale
Empattement / Longueur	249 cm / 419 cm
Largeur / Hauteur	173 cm / 168 cm
Poids	1 810 kg
Coffre / Réservoir	n.d. / 56 litres
Coussins de sécurité	frontaux
Suspension av.	indépendante
Suspension arr.	indépendante
Freins av. / arr.	disque / tambour (ABS en option)
Système antipatinage	non
Direction	à crémaillère, assistance variable
Diamètre de braquage	10,7 mètres
Pneus av. / arr.	P215/70R16

MOTORISATION ET PERFORMANCES

Moteur	4L 2 litres
Transmission	automatique 4 rapports
Puissance	148 ch à 6 000 tr/min
Couple	142 lb-pi à 4 000 tr/min
Autre(s) moteur(s)	aucun
Autre(s) transmission(s)	manuelle 5 rapports
Accélération 0-100 km/h	11,4 s ; 10,6 s (man.)
Vitesse maximale	170 km/h
Freinage 100-0 km/h	40,7 mètres
Consommation (100 km)	11,3 litres

MODÈLES CONCURRENTS

- Chevrolet Tracker/Suzuki Vitara • Honda CR-V
- Hyundai Santa Fe • Kia Sportage • Subaru Forester

QUOI DE NEUF ?

- Nouveau modèle plus long, plus puissant

VERDICT

Agrément	★★★★
Confort	★★★★
Fiabilité	★★★★
Habitabilité	★★★½
Hiver	★★★½
Sécurité	★★★★★
Valeur de revente	★★★½

TOYOTA Sequoia

Toyota Sequoia

Un gros calibre

Volkswagen et Toyota se disputent présentement le 3e rang parmi les plus grands constructeurs automobiles du monde. Pour accéder à la dernière marche du podium, il est primordial de posséder une gamme de modèle vaste et étoffée. C'est sans doute ce qui explique la prolifération des modèles Toyota dans tous les segments du marché, y compris celui des gros utilitaires sport. À compter de cette année, elle vient y concurrencer les Ford Expedition et Chevrolet Tahoe, tandis que le Lexus LX 470 affronte le Cadillac Escalade et le Lincoln Navigator.

Comme ces derniers sont des dérivés de camionnettes, on s'est empressé chez le numéro un japonais de profiter de l'arrivée du gros camion Tundra pour utiliser ses éléments mécaniques afin de réaliser le Sequoia. D'ailleurs, ce véhicule sera assemblé à la même usine, dans l'Indiana.

Certains prétendent que Toyota aurait pu allonger la plate-forme du 4Runner pour produire un véhicule plus gros, mais plus agile. Cette solution n'a pas été retenue tout simplement parce que dans cette catégorie, les véhicules comportent une foule de caractéristiques dont il aurait été impossible de doter le Sequoia en utilisant le 4Runner comme point de départ.

Un costaud

Il serait erroné de croire que les ingénieurs se sont contentés de déposer une cabine confortable et insonorisée sur le châssis de la camionnette. S'il est vrai que les deux partagent le même moteur V8 de 4,7 litres, le châssis du Sequoia est nettement plus sophistiqué puisque les besoins et les attentes des acheteurs sont bien différents. Si, de la paroi pare-feu de la cabine jusqu'à l'avant, on a affaire aux mêmes éléments qu'on retrouve dans le Tundra, l'arrière est vraiment différent. La plus grande transformation consiste dans l'utilisation de poutres fermées afin d'obtenir plus de rigidité. Et il est certain que la suspension n'est pas calibrée de la même façon. Après tout, même s'il risque d'être lourdement chargé à plusieurs occasions, cet utilitaire sport n'aura pas à transporter les matériaux lourds qui risquent de s'entasser dans la caisse de chargement d'une grosse camionnette.

La puissance ne fera pas défaut puisque ce moteur V8 développe 240 chevaux. De plus, sa sophistication mécanique et sa grande douceur le mettent dans une classe à part dans cette catégorie. En revanche, il ne faut pas oublier que le plus petit moteur du Chevrolet Tahoe, le V8 4,8 litres, développe 35 chevaux de plus tandis que le V8 de 5,4 litres du Ford Expedition en produit 20 de plus. Pour plusieurs, ces statistiques sont très importantes. Et même si la capacité de remorquage du Sequoia s'avère excellente à 2 812 kg, ses concurrents nord-américains ont un léger avantage.

Cependant, il leur sera difficile de contrer le confort de la suspension du Sequoia. Comme le Tundra est reconnu pour être la camionnette intermédiaire dont le comportement routier s'apparente le plus à celui d'une automobile, le Sequoia a certainement de bonnes références en ce domaine. Toujours au chapitre des raffinements, il faut également ajouter que la direction est de type à pignon et crémaillère tandis que plusieurs modèles concurrents font appel à un système à billes de moins grande précision.

Du solide !

Enfin, il ne sera pas possible de commander une version 2 roues motrices, ce qui est beaucoup plus logique sur un véhicule de cette catégorie. Le mécanisme d'engagement des 4 roues est de type à temps partiel.

Huit places !

Le marché nord-américain ne respecte pas toujours la plus élémentaire logique. Par exemple, tous les gros véhicules utilitaires sport doivent offrir une troisième banquette afin de répondre aux demandes des acheteurs américains. Cette tendance est en contradiction avec la vocation première d'un tel véhicule, mais chez nos voisins du sud, les 4X4 sont surtout utilisés comme grosse familiale capable d'affronter les congères en hiver et les pluies abondantes en été. Les manufacturiers ont beau s'ingénier à renforcer les plates-formes et à raffiner le rouage d'entraînement, leurs véhicules ne sont bien souvent considérés par les acheteurs que comme des fourgonnettes aux épaules larges juchées sur une suspension surélevée.

Contrairement à la banquette du Ford Expedition qui est plus symbolique qu'autre chose, celle du Sequoia peut accommoder des adultes de taille normale. De plus, comme elle offre une configuration 50/50, il est possible de déplacer les sièges longitudinalement de façon indépendante et ils sont relativement faciles à faire basculer et à enlever.

Malgré ces efforts, ces places arrière demeurent les moins confortables de l'habitacle puisque les sièges avant sont excellents à ce chapitre et ceux du centre pas trop mal non plus. Enfin, signe du positionnement du Sequoia dans la famille de modèles Toyota, le tableau de bord est sensiblement pareil à celui du Tundra. Toutefois, la présentation est plus élaborée dans l'utilitaire sport et cette impression est confirmée par la présence d'une imposante console centrale qui rejoint la partie inférieure du tableau de bord.

Sa silhouette est sage, son habitacle cossu et il partage les qualités routières du Tundra ; voilà autant de raisons pour les « Toyotaphiles » de tomber amoureux de ce gros tout-terrain.

Denis Duquet

TOYOTA Sequoia

▲ POUR

• Moteur sans faute • Finition impeccable • Habitacle cossu • Suspension confortable • Équipement complet

▼ CONTRE

• Silhouette trop discrète • Système 4X4 partiel • Marchepieds inutiles • Consommation élevée

CARACTÉRISTIQUES

Prix du modèle à l'essai	SR5 / 42 395 $ (estimé)
Garantie de base	3 ans / 60 000 km
Type	utilitaire sport / 4X4
Empattement / Longueur	300 cm / 518 cm
Largeur / Hauteur	191 cm / 187 cm
Poids	2 390 kg
Coffre / Réservoir	834 litres (3e siège) / 100 litres
Coussins de sécurité	frontaux et latéraux
Suspension av.	indépendante
Suspension arr.	essieu rigide
Freins av. / arr.	disque ABS
Système antipatinage	oui
Direction	à crémaillère, assistance variable
Diamètre de braquage	12,9 mètres
Pneus av. / arr.	P265/70R16

MOTORISATION ET PERFORMANCES

Moteur	V8 4,7 litres
Transmission	automatique 4 rapports
Puissance	240 ch à 4 800 tr/min
Couple	315 lb-pi à 3 400 tr/min
Autre(s) moteur(s)	aucun
Autre(s) transmission(s)	aucune
Accélération 0-100 km/h	8,0 secondes
Vitesse maximale	190 km/h
Freinage 100-0 km/h	41 mètres
Consommation (100 km)	16,5 litres

MODÈLES CONCURRENTS

• Chevrolet Tahoe • Dodge Durango
• Ford Expedition

QUOI DE NEUF ?

• Nouveau modèle

VERDICT

Agrément	★★★½
Confort	★★★★
Fiabilité	★★★★★
Habitabilité	★★★★½
Hiver	★★★★
Sécurité	★★★★
Valeur de revente	nouveau modèle

TOYOTA Sienna

Toyota Sienna

La porte ! La porte, Olivier !

C'est à l'arrière que ça se passe dans la catégorie des fourgonnettes. Emporté par le feu de la compétition et l'impact de la concurrence, tous les intervenants se livrent une bataille... de portières latérales. Non seulement il y en a obligatoirement une de chaque côté, mais elles sont motorisées en plus. Bien entendu, Toyota est aux avant-postes en la matière. Ce qui explique pourquoi la Sienna ne se fabrique plus en modèle trois portières, sans doute faute d'acquéreur.

GM a alors pris les devants en motorisant la portière arrière droite. L'escalade s'est poursuivie avec l'introduction de deux portes coulissantes arrière motorisées chez presque tous les manufacturiers. Toyota a toujours été un protagoniste de première ligne sur ce sujet et abandonne carrément les modèles à une seule porte coulissante arrière. Il y en a dorénavant une de chaque côté et il est possible d'en obtenir la motorisation à télécommande par le jeu des options. Et comme cette compagnie ne rate aucun détail, le groupe d'options XLE C comprend la porte arrière droite motorisée tandis que le groupe d'options XLE 2 D vous l'offre des deux côtés. C'est ça la liberté de choix.

Il ne faut pas en conclure pour autant que la Sienna 2001 n'a été modifiée que sur ce point. La lutte dans le segment des fourgonnettes étant parmi les plus ardues sur le marché, la Sienna a été l'objet d'innombrables raffinements, modifications de détails et ajouts d'équipement. Par exemple, les sièges individuels de la troisième rangée peuvent maintenant être avancés ou reculés de plus de 18 cm. Une manette placée derrière chacun d'eux permet de changer leur position à partir de l'espace réservé aux bagages. Toujours dans l'habitacle, la présentation du tableau de bord a été révisée. Si la configuration générale avec le module d'accessoires accroché sous la partie inférieure centrale est toujours au même endroit, la partie qui le surplombe a été fortement modifiée. Il y a maintenant deux buses de ventilation au lieu de trois, mais leurs dimensions sont plus importantes. Les commandes à boutons circulaires de la climatisation ont fait place à un groupe de commandes rectangulaire à boutons-poussoirs. On a fait cependant exception pour la commande du ventilateur, toujours à bouton rotatif et placée à droite de ce rectangle. Enfin, sous la radio, on retrouve les commandes d'ouverture des portes latérales arrière.

En plus de ces multiples changements, l'extérieur a également été modifié. La grille de calandre a été remplacée et le pare-chocs avant est tout nouveau. Bref, la Sienna 2001 se démarque de plusieurs façons des modèles des deux années précédentes.

Un moteur plus puissant

S'il est aisé de se perdre dans le dédale des groupes d'options, il est plus que facile de s'y retrouver quand vient le temps de commander les éléments mécaniques. En

Des progrès, mais...

effet, seul le moteur V6 3 litres est offert et il est couplé à une nouvelle boîte automatique cette année. Il s'agit de celle de la berline Avalon, dont le moteur développe la même puissance que celui de la Sienna, soit 210 chevaux. En effet, cette fourgonnette utilise un nouveau moteur cette année. Plus puissant et plus propre, il a hérité de toute la panoplie des moteurs ultramodernes, à savoir un bloc en alliage d'aluminium, 24 soupapes, 2 arbres à cames en tête et le calage des soupapes infiniment variable avec intelligence en plus de l'injection multipoint séquentielle. Il est difficile de trouver un groupe propulseur plus sophistiqué sous le capot d'une fourgonnette.

Ce surplus de puissance permet à la Sienna de faire une lutte à armes égales avec la Honda Odyssey dont le moteur V6 de 3,5 litres produit le même nombre de chevaux. Par contre, c'est Chrysler qui remporte cette bataille de la puissance avec son moteur 3,5 litres de 250 chevaux qui sera offert en cours d'année et son autre V6 de 3,3 litres qui développe 5 chevaux de plus que ceux de la Sienna et de l'Odyssey.

Il ne faut cependant pas s'arrêter à ce détail. Il suffit de conclure que cette fourgonnette Toyota possède, du moins sur papier, tout ce qu'il faut pour se mesurer aux meilleures de la catégorie.

Toutefois, à moins que vous soyez un inconditionnel de la marque, il faut admettre que la Sienna n'est pas la surdouée de la catégorie. C'est un véhicule pratique, sobre, confortable, d'une bonne fiabilité, mais il ne peut distancer les fourgonnettes Chrysler et Honda qui sont les deux « coqs » de cette catégorie, surtout la nouvelle génération des modèles Chrysler et Dodge dont le raffinement est porté à un nouveau palier.

La Sienna est un modèle qui s'adresse à une personne pour qui fiabilité et solidité sont les deux critères principaux. De plus, le comportement de cette Toyota est tout ce qu'il y a de plus honnête et ses nombreux espaces de rangement la feront apprécier dans la vie de tous les jours. Et il est certain que son nouveau moteur ragaillardi mettra un peu plus de vigueur dans les accélérations et les reprises. Malgré tout, elle ne possède pas ce je-ne-sais-quoi qui la placerait une coche au-dessus du lot comme c'est le cas avec certains autres modèles.

La Sienna est un véhicule sans défaut majeur qui a tout pour intéresser l'acheteur qui privilégie l'exécution technique plutôt que l'agrément de conduite. Et malheureusement pour les chefs de famille, cette Toyota n'offre pas encore de centre audiovisuel !

Denis Duquet

TOYOTA Sienna

▲ POUR

• Moteur plus peu rigide • Transmission améliorée • Équipement plus complet • Silence de roulement • Nouvelles commandes

▼ CONTRE

• Plate-forme peu flexible • Prix corsé • Agrément de conduite mitigé • Silhouette quelconque • Certains bruits de caisse

CARACTÉRISTIQUES

Prix du modèle à l'essai	LE / 32 435 $
Garantie de base	3 ans / 60 000 km
Type	fourgonnette / traction
Empattement / Longueur	290 cm / 493 cm
Largeur / Hauteur	186 cm / 171 cm
Poids	1 775 kg
Coffre / Réservoir	507 litres / 79 litres
Coussins de sécurité	frontaux
Suspension av.	indépendante
Suspension arr.	essieu rigide
Freins av. / arr.	disque ABS / tambour ABS
Système antipatinage	non
Direction	à crémaillère, assistance variable
Diamètre de braquage	12,2 mètres
Pneus av. / arr.	P205/70R15

MOTORISATION ET PERFORMANCES

Moteur	V6 3 litres
Transmission	automatique 4 rapports
Puissance	210 ch à 5 800 tr/min
Couple	220 lb-pi à 4 400 tr/min
Autre(s) moteur(s)	aucun
Autre(s) transmission(s)	aucune
Accélération 0-100 km/h	10,1 secondes
Vitesse maximale	180 km/h
Freinage 100-0 km/h	42,4 mètres
Consommation (100 km)	13,9 litres

MODÈLES CONCURRENTS

• Chevrolet Venture • Dodge Caravan • Ford Windstar • Honda Odyssey • Mazda MPV • Nissan Quest

QUOI DE NEUF ?

• Moteur plus puissant de 16 ch • Modèle 3 portes discontinué • Nouvelle boîte automatique

VERDICT

Agrément	★★★
Confort	★★★★
Fiabilité	★★★★
Habitabilité	★★★★
Hiver	★★★★
Sécurité	★★★★
Valeur de revente	★★★★

Volkswagen EuroVan

Mieux vaut tard que jamais

Même si son apparence n'a pas changé d'un poil depuis son lancement, en 1989, l'EuroVan a connu un regain de vie il y a deux ans. Enfin, n'exagérons rien ; disons seulement que le VR6 tant attendu lui a permis de prolonger sa carrière. Mais celle-ci se poursuit en dilettante. Le vent pourrait toutefois tourner en 2001, avec un nouvel influx de puissance.

Pour la première fois, cette fourgonnette se voit attribuer une mécanique à la hauteur de ses aspirations. Il a fallu attendre 12 ans, mais vous connaissez le proverbe : mieux vaut tard que jamais.

L'EuroVan entreprend l'année-modèle 2001 avec la plus récente version du VR6, dorénavant doté de 4 soupapes par cylindre et développant 201 chevaux. Cette soixantaine de chevaux supplémentaires, ainsi qu'une augmentation du couple, permettront à cette fourgonnette de faire jeu égal avec la concurrence. Mais il faudra être patient : le VR6 arrivera en cours d'année, au printemps ou à l'été. Nous aurions aimé être plus précis, mais c'est là toute l'information que nous avons pu avoir de VW Canada. Plus ça change, plus c'est pareil... Ce qui signifie que l'EuroVan entreprend l'année-modèle 2001 avec l'ancienne version du VR6 (140 ch).

En plus de ce nouveau groupe propulseur, celle qu'on pourrait qualifier de « maxi-fourgonnette » a été l'objet de plusieurs ajouts et raffinements pour 2001. Sur le plan technique, on lui a greffé le système de stabilité électronique (ESP), ce qui se traduit par des gains en matière de sécurité et de comportement routier. À l'intérieur, on a revu les fixations pour siège d'enfant ainsi que la console centrale. On nous promet également un système audio de qualité supérieure.

Une seule question me hante : pourquoi les têtes pensantes (?) de Volkswagen Of North America ont-ils attendu si longtemps avant de réagir ? Chez ce constructeur, ce genre de question existentielle relève de la métaphysique au même titre que « qui sommes-nous » pour la race humaine...

D'autres améliorations

Même si c'est là que le besoin était le plus criant, les changements apportés à l'EuroVan ne se sont donc pas limités au seul moteur. Le freinage constituait naguère l'une des lacunes majeures de cette fourgonnette, lacune qui a été corrigée depuis avec le remplacement des tambours à l'arrière par des disques, ainsi que par l'ajout de l'ABS. Celui-ci travaille de concert avec un système antipatinage qui opère à basse vitesse, sur des surfaces telles que gravier ou neige. Le chapitre sur la sécurité se conclut avec la présence de deux coussins gonflables, de ceintures à trois points d'ancrage et de poutrelles de renforcement du côté du passager.

Ces dispositifs contribuent par ailleurs à rehausser l'équipement de série, qui a pris du galon lui aussi. Outre les traditionnelles commandes électriques (vitres, rétroviseurs, verrouillage central), le régulateur de vitesse, la climatisation à deux zones et à réglage électronique ainsi qu'un filtre à pollen font partie des caractéristiques de série, tout comme les accessoires chauffants (sièges, rétroviseurs extérieurs et gicleurs de lave-glace), très appréciés lors de notre rude – et interminable – saison hivernale. Comme dans tout bon véhicule allemand qui se respecte, le lecteur de disques compacts n'est toutefois offert qu'en option...

Laissée à elle-même

Par ailleurs, la visibilité est impeccable sous tous les angles, grâce à la conjugaison des trois facteurs suivants : une large surface vitrée, d'énormes rétroviseurs extérieurs ainsi qu'une assise très haute pour le conducteur, plus élevée que dans la plupart des fourgonnettes et même dans certains 4X4. Voilà qui plaira aux nombreuses personnes qui aiment être haut perchés.

modulable à souhait et propose une intéressante variété de combinaisons. On peut même tourner les sièges médians face à la banquette arrière et installer une table au milieu, ce qui vous donne une idée de l'immensité des lieux. Quant à ladite table, elle se replie sur la paroi latérale, du côté du conducteur. Vous en conclurez qu'il n'y a pas de porte permettant d'accéder aux places arrière de ce côté, comme le veut la tendance. On ne peut pas tout avoir.

Dans un même ordre d'idées, la présentation intérieure pourrait être un peu plus *jazzée* qu'elle ne s'en porterait pas plus mal, et nous non plus. Mais un aménagement fonctionnel à souhait ainsi qu'une ergonomie sans faille viennent atténuer l'effet de cette décoration austère. Bref, on a soigné le fond plutôt que la forme, une approche typiquement germanique. Et hautement défendable.

Du reste, voilà qui cerne bien la personnalité de l'EuroVan, un véhicule avant tout

Le fond plutôt que la forme

Certes, l'EuroVan n'est pas la moins chère des fourgonnettes, bien au contraire. Mais à sa décharge, il convient de préciser qu'elle offre, en plus de son équipement de série bien garni, des dimensions supérieures à la moyenne et une habitabilité directement proportionnelle à son format.

L'habitacle est vaste, aéré, ce qui contribue au confort tout en facilitant les déplacements à l'intérieur. De plus, il est

pragmatique, mais pas dénué de charme pour autant. Son côté pratique exacerbé cache en effet un confort de premier ordre et des qualités routières qui ne sont pas négligeables. De plus, le brio de son moteur devrait élever d'un cran l'agrément de conduite, ce qui mérite d'être souligné dans le cas d'une fourgonnette. À défaut de déclencher les coups de foudre, l'EuroVan séduit à l'usage : plus on la conduit, plus on l'apprécie. N'est-ce pas là la recette d'un amour durable ?

Philippe Laguë

VOLKSWAGEN EuroVan

▲ POUR

• Nouvelle motorisation mieux adaptée • Confort et douceur de roulement • Équipement complet • Dimensions et habitabilité supérieures

▼ CONTRE

• Levier de vitesses trop bas • Garantie 2 ans/ 40 000 km • Prix corsé • Ventes confidentielles • Service après vente inégal

CARACTÉRISTIQUES

Prix du modèle à l'essai	GLS / 43 940 $
Garantie de base	2 ans / 40 000 km
Type	fourgonnette / traction
Empattement / Longueur	292 cm / 478 cm
Largeur / Hauteur	184 cm / 194 cm
Poids	1 890 kg
Coffre / Réservoir	495 litres / 80 litres
Coussins de sécurité	frontaux
Suspension av.	indépendante
Suspension arr.	indépendante
Freins av. / arr.	disque ABS
Système antipatinage	oui
Direction	à crémaillère, assistée
Diamètre de braquage	11,7 mètres
Pneus av. / arr.	P205/65R15

MOTORISATION ET PERFORMANCES

Moteur	V6 2,8 litres
Transmission	automatique 4 rapports
Puissance	140 ch à 4 500 tr/min
Couple	177 lb-pi à 3 200 tr/min
Autre(s) moteur(s)	V6 2,8 litres 201 ch
Autre(s) transmission(s)	aucune
Accélération 0-100 km/h	11,4 secondes
Vitesse maximale	190 km/h
Freinage 100-0 km/h	47,4 mètres
Consommation (100 km)	13,7 litres

MODÈLES CONCURRENTS

• Chevrolet Astro • Ford Econoline
• GMC Savana

QUOI DE NEUF ?

• Nouveau moteur en cours d'année (201 ch)
• Système audio supérieur • Nouvelle console centrale

VERDICT

Agrément	★★
Confort	★★★
Fiabilité	★★★
Habitabilité	★★★★★
Hiver	★★★
Sécurité	★★★
Valeur de revente	★

Volkswagen Golf Cabrio

Personnalités multiples

Dans le segment des petites voitures, la Golf constitue un cas d'exception. Aucune voiture de cette catégorie n'offre un tel choix de versions, de configurations et de motorisations. Mais au fait, à quelle catégorie appartient cette chouchoute des acheteurs québécois ?

Elle est plus courte que la compacte Jetta, mais ses dimensions sont cependant supérieures à celles des rares sous-compactes (Hyundai Accent, Daewoo Lanos et cie) encore offertes sur le marché canadien. De plus, elle coûte beaucoup plus cher que ces dernières, mais offre un niveau de luxe exceptionnel pour une voiture de ce gabarit. Inclassable, la Golf ?

Voyons ça dans le détail. Dans un premier temps, vous avez le choix entre des configurations 3 et 5 portes, munies d'un hayon arrière. Ce type de configuration se fait de plus en plus rare sur notre continent et encore une fois, c'est le marché américain qui impose ses diktats. Que voulez-vous, nos voisins du sud préfèrent les berlines conventionnelles trois volumes, avec une malle arrière.

Adorable cabrio

Outre ces deux *hatchbacks,* la gamme Golf comprend également un joli cabriolet, très très prisé de la gent féminine. Mignon comme tout, mais également bien conçu et fort pratique. Ça, c'est plus rare pour une décapotable. Contrairement aux traditionnels roadsters, la Cabrio est une traction, ce qui permet une utilisation hivernale. Dans le même ordre d'idées, sa lunette arrière – en vitre, s.v.p. – est munie d'un dégivreur. Bien pensé. En plus, c'est une véritable 4 places. Et pour couronner le tout, elle est pourvue d'un coffre digne de ce nom, plus logeable que ceux de la plupart des décapotables, petites et grandes. Notons qu'une capote en tissu plutôt qu'en vinyle est aussi offerte ainsi qu'une version grand luxe nommée GLX en 2001.

Mais, car il y a toujours un mais, on lui reproche sa trop grande popularité auprès de la clientèle féminine. Pas assez macho, la Cabrio. Allez y comprendre quelque chose...

Si on ne peut reprocher à cette voiture d'être victime de son image, il est plus difficile de passer outre le rendement décevant de son moteur. Déjà timide avec la boîte manuelle, ce 4 cylindres de 2 litres (115 chevaux) sombre dans le coma lorsqu'on l'accouple à une boîte automatique. Compte tenu du prix demandé, Volkswagen pourrait doter sa Cabrio d'une mécanique plus inspirante, d'autant plus que ce n'est pas le choix qui manque.

GTI : où sont passées les vraies rebelles ?

En plus du 2 litres, qu'on retrouve également sous le capot des Golf GL et GLS, trois autres motorisations figurent au catalogue :

un 4 cylindres turbodiesel à injection directe (TDI, sur la version du même nom), un V6 de 2,8 litres (appelé VR6 chez Volkswagen), ainsi qu'un tout nouveau 4 cylindres turbocompressé de 1,8 litre, apparu en cours d'année. Enfin, pas si nouveau que ça : cet engin suralimenté motorise l'Audi A4 1,8T depuis quatre ans déjà. Une affaire de famille, quoi.

Sauvez mon âme !

Deux versions de la Golf y ont droit, soit la GLS et la GTI, qui elle-même se décline en deux livrées (GLS et GLX). Ceux qui ont compris qu'il existe une Golf GLS et une Golf GTI GLS méritent une étoile. Cela dit, on a fait grand état de l'arrivée du moteur 1,8T dans la gamme GTI. Pour les *aficionados* de cette sportive de poche, et Dieu sait qu'ils sont nombreux au Québec, il s'agit d'un retour aux sources, d'une mécanique et une puissance (150 chevaux) plus conformes à la vocation des premières GTI – celles des années 80.

Mmouais... Disons que l'opération n'est pas encore complétée. Il manque encore à cette soi-disant sportive une suspension à la hauteur de ses aspirations. Ce qui, nous promet-on chez VW, devrait être corrigé avec la nouvelle suspension Sport assortie de roues de 17 pouces, attendues sous peu (la précision n'est pas le point fort de ce constructeur). Même si je n'ai pu en faire l'expérience, je me risque à la recommander, en me disant que ça ne peut qu'être mieux.

Pour une sportive, allemande de surcroît, la Golf GTI surprend par sa douceur de roulement. Mais est-ce bien ce que veulent ses fans, les vrais, ceux de la première heure ? Rien n'est moins sûr. Parce que l'envers de la médaille, c'est un débattement trop important entre l'absorption et la détente, qui d'une part occasionne un roulis et un tangage qui n'ont rien de sportif et qui, d'autre part, montre une fâcheuse tendance à talonner dans les trous et les bosses.

À haute vitesse et dans les grandes courbes, la GTI se montre très stable, mais elle est moins à l'aise sur un parcours sinueux, parsemé de virages serrés, à cause des mouvements de sa caisse, qui valse, qui valse... Ajoutez à cela une direction légère, qui gagnerait à être munie de l'assistance variable et qui ne communique pas suffisamment les sensations de la route, ainsi qu'une boîte manuelle imprécise et affligée d'un levier à la course trop longue.

Comme la plupart des tractions, la GTI est sous-vireuse, mais ce n'est ni trop prononcé ni difficile à contrôler. Du reste, il s'agit d'une voiture saine, agréable et facile à conduire pour le commun des mortels, et plus confortable que la moyenne. Ce constat s'applique également aux autres versions de la Golf, mais ces qualités ne sont pas celles qui importent pour les mordus de la GTI. Le cas est classique : la rebelle d'hier est aujourd'hui devenue une bourgeoise empesée. Trop lourde, trop « valseuse » et trop cossue, son âme est corrompue. Ce n'est pas seulement d'une suspension dont elle a besoin, mais d'un exorcisme !

Philippe Laguë

VOLKSWAGEN Golf

▲ POUR

• Gamme polyvalente • Équipement de série complet • Confort et douceur de roulement • Cabriolet aussi agréable que pratique • Versions GTI performantes

▼ CONTRE

• Moteur de série décevant (2 litres) • Boîte manuelle quelconque • Direction légère (GTI) • Suspension trop souple (GTI) • Prix corsés • Fiabilité variable

CARACTÉRISTIQUES

Prix du modèle à l'essai	GTI GLS 1,8T / 26 050 $
Garantie de base	2 ans / 40 000 km
Type	berline à hayon / traction
Empattement / Longueur	251 cm / 415 cm
Largeur / Hauteur	173 cm / 144 cm
Poids	1 275 kg
Coffre / Réservoir	330 litres / 55 litres
Coussins de sécurité	frontaux et latéraux
Suspension av.	indépendante
Suspension arr.	semi-indépendante
Freins av. / arr.	disque ventilé ABS
Système antipatinage	oui
Direction	à crémaillère, assistée
Diamètre de braquage	10,9 mètres
Pneus av. / arr.	P195/65HR15

MOTORISATION ET PERFORMANCES

Moteur	4L 1,8 litre turbo
Transmission	manuelle 5 rapports
Puissance	150 ch à 5 700 tr/min
Couple	155 lb-pi à 4 200 tr/min
Autre(s) moteur(s)	4L 2 litres 115 ch ; 4L 1,9 l TDI 90 ch ; V6 2,8 l 174 ch
Autre(s) transmission(s)	automatique 4 rapports
Accélération 0 100 km/h	8,1 s ; 7,1 s (GTI VR6)
Vitesse maximale	220 km/h
Freinage 100-0 km/h	34,5 mètres
Consommation (100 km)	8,5 l ; 9,5 l (GTI VR6)

MODÈLES CONCURRENTS

• Chrysler Neon • Ford Focus • Honda Civic • Mazda Protegé • Toyota Corolla

QUOI DE NEUF ?

• Moteur 1,8 litre turbo • Nouveaux réglages de la suspension Sport • Roues en alliage de 17 po en option

VERDICT

Agrément	★★★★
Confort	★★★★
Fiabilité	★★★
Habitabilité	★★★
Hiver	★★★★
Sécurité	★★★★★
Valeur de revente	★★★

 # VOLKSWAGEN Jetta

Volkswagen Jetta TDI

Le triomphe du diesel

Nonobstant sa grande popularité et ses qualités intrinsèques, nous nous posions deux questions concernant la Volkswagen Jetta. Son assemblage mexicain était-il à la hauteur des normes allemandes et son moteur diesel arrivait-il à faire taire les vieux préjugés sur ce type de mécanique ? Volkswagen Canada a bien voulu nous aider à répondre à ces interrogations en nous prêtant pour un essai à long terme deux Jetta, une GL à moteur à essence de 2 litres et une TDI dotée d'un 4 cylindres turbodiesel de 1,9 litre. Près de 40 000 km plus tard, les carnets de bord de ces deux modèles fourmillent d'observations pertinentes.

Ce double essai a aussi donné lieu à une intéressante comparaison entre deux voitures identiques animées de mécaniques différentes. Notre collaborateur Alain Raymond nous entretient ailleurs de ce face à face dans un dossier très fouillé sur le moteur diesel. Sans vendre la mèche, je peux cependant vous dire que la Jetta TDI est sortie victorieuse de cette confrontation en dépit du fait qu'elle se soit déroulée en hiver, dans des conditions climatiques ordinairement peu favorables au moteur diesel.

Mauvaise réputation

Si le diesel a souvent mauvaise réputation, c'est que l'on entretient à son sujet des opinions préconçues datant d'une autre époque. On lui reproche son bruit agaçant, sa mauvaise odeur, ses fumées suspectes, son allergie au temps froid, ses performances douteuses sans oublier la difficulté d'approvisionnement en gasole, le carburant nécessaire à son fonctionnement. Notre TDI a démontré que ces arguments négatifs appartiennent pratiquement à l'histoire ancienne. Par une température de -25 °C, le turbodiesel de la Jetta s'est mis en marche sans problème après seulement quelques secondes d'attente, le temps de permettre à ses bougies de préchauffage de réchauffer la chambre de combustion. Quant au bruit de castagnettes, à la fumée et à l'odeur, ce n'est qu'à l'occasion de ces démarrages par grand froid qu'ils se sont manifestés. Après 30 secondes, tout au plus, le TDI (*turbo diesel injection*) redevenait aussi propre et silencieux que le moteur à essence de la GL normale.

Ses 90 chevaux sont également très satisfaisants et ne concèdent qu'une mince seconde et demie au moteur à essence dans le 0-100 km/h. Grâce à un meilleur couple, le TDI offre également des reprises plus énergiques. Et que dire de l'économie ! Avec une consommation moyenne de 6 à 7 litres aux 100 km, c'est incontestablement le meilleur « économiseur » d'essence sur le marché. Meilleur en tout cas que ces babioles comme l'Écono-Pro que des promoteurs lunatiques essaient de refiler à une clientèle naïve. Sur route et avec un pied léger, on frôle quelquefois les 1 000 km avec un seul plein. Quant à la difficulté de trouver le carburant diesel, elle est davantage présente dans les grandes villes qu'à la campagne, mais ce n'est pas catastrophique.

Craintes dissipées

À la colonne des incidents, le seul digne de mention est le gel des canalisations de carburant, qui n'a cependant pas stoppé le véhicule. Il a suffi de ralentir pour que le problème s'amenuise, mais il est plus prudent de mettre une bouteille d'antigel à carburant dans le réservoir par grand froid. Au moment d'écrire ces lignes, la TDI affiche 23 565 km parcourus sans autre problème qu'un intérieur beige pâle pas commode à garder propre. La version essence a parcouru quant à elle 17 342 km sans panne ou autre pépin. Elle a même fait dire à un de nos essayeurs que la finition intérieure et extérieure était sans reproche. En somme, l'assemblage mexicain des Jetta a passé le test haut la main.

L'envers de la médaille

En fouillant dans les longues pages de notes laissées par nos essayeurs, on finit par connaître parfaitement les qualités et les faiblesses de ces Jetta. Tout le monde a apprécié le comportement routier, le confort de la suspension et des sièges, la rigidité de la caisse, l'agrément des boîtes manuelles, la qualité de la chaîne audio, la bonne visibilité et la grandeur du coffre. Cela ne veut pas dire pour autant que la colonne des « contre » est vierge, loin de là.

Le moteur à essence de 2 litres a gêné tout le monde par son bruit assourdissant sur autoroute en raison d'un régime trop élevé à une vitesse de croisière (environ 3 600 tr/min à 120 km/h). À ce chapitre, le diesel se permet même de lui faire la leçon, ce qui est assez anachronique. Hormis la version TDI que nous considérons comme le meilleur achat de la gamme Jetta, l'acheteur qui veut absolument rouler à l'essence aura intérêt à se tourner vers les modèles à moteur 1,8 Turbo ou VR6.

Qu'importe la version choisie, toutes les Jetta souffrent de places arrière étroites, d'un accoudoir central gênant au moment d'engager le frein à main ou d'attacher sa ceinture, d'une molette de réglage de dossier exécrable et de pare-soleil difficiles à manipuler. Dans nos deux Jetta, la portière de droite n'était pas parfaitement étanche à haute vitesse, une source de bruit fatigante. En plus, la plaque protectrice sous le moteur ne résiste pas au premier contact avec une congère. Il y aurait encore beaucoup à dire sur la Jetta, mais réservons-nous un peu d'espace pour souligner les nouveautés 2001, dont un rideau latéral gonflable pour la protection de la tête et l'option d'une suspension sport pour les modèles 1,8 et VR6.

L'essai à long terme de nos deux Jetta a, je pense, répondu favorablement à nos deux questions du début tout en confirmant l'attrait de ces voitures allemandes pour ceux qui cherchent ce petit agrément de conduite que la concurrence japonaise est incapable d'offrir. Si la fiabilité est désormais au rendez-vous, que demander de plus?

Jacques Duval

VOLKSWAGEN Jetta

▲ POUR

• Bon comportement routier • Modèle TDI emballant • Fiabilité retrouvée • Confort louable • Grand coffre

▼ CONTRE

• Niveau sonore élevé (2 litres) • Places arrière étroites • Certaines commandes mal placées • Pneus bon marché • Suspension sport optionnelle

CARACTÉRISTIQUES

Prix du modèle à l'essai	GL TDI / 27 795 $
Garantie de base	2 ans / 40 000 km
Type	berline / traction
Empattement / Longueur	251 cm / 438 cm
Largeur / Hauteur	173,5 cm / 145 cm
Poids	1 393 kg en 2000
Coffre / Réservoir	455 litres / 55 litres
Coussins de sécurité	frontaux et latéraux
Suspension av.	indépendante
Suspension arr.	semi-indépendante
Freins av. / arr.	disque ABS
Système antipatinage	oui
Direction	à crémaillère, assistée
Diamètre de braquage	10,0 mètres
Pneus av. / arr.	P195/65R15

MOTORISATION ET PERFORMANCES

Moteur	4L turbodiesel 1,9 litre
Transmission	manuelle 5 rapports
Puissance	90 ch à 3 750 tr/min
Couple	155 lb-pi à 1 900 tr/min
Autre(s) moteur(s)	4L 2 litres 115 ch; 4L 1,8 litre turbo 150 ch; V6 2,8 litres 174 ch
Autre(s) transmission(s)	automatique 5 rapports
Accélération 0-100 km/h	12,5 s, 8,2 s (1,8 l turbo)
Vitesse maximale	185 km/h
Freinage 100-0 km/h	39,4 mètres
Consommation (100 km)	6,5 litres

MODÈLES CONCURRENTS

• Ford Focus • Mazda Protegé • Toyota Corolla • Nissan Sentra • Subaru Impreza • Honda Civic

QUOI DE NEUF ?

• Volant multifonction • Suspension Sport en option avec roues 17 po (1,8 VR6 et GLX)

VERDICT

Agrément	★★★½
Confort	★★★½
Fiabilité	★★★½
Habitabilité	★★★
Hiver	★★★½
Sécurité	★★★★
Valeur de revente	★★★½

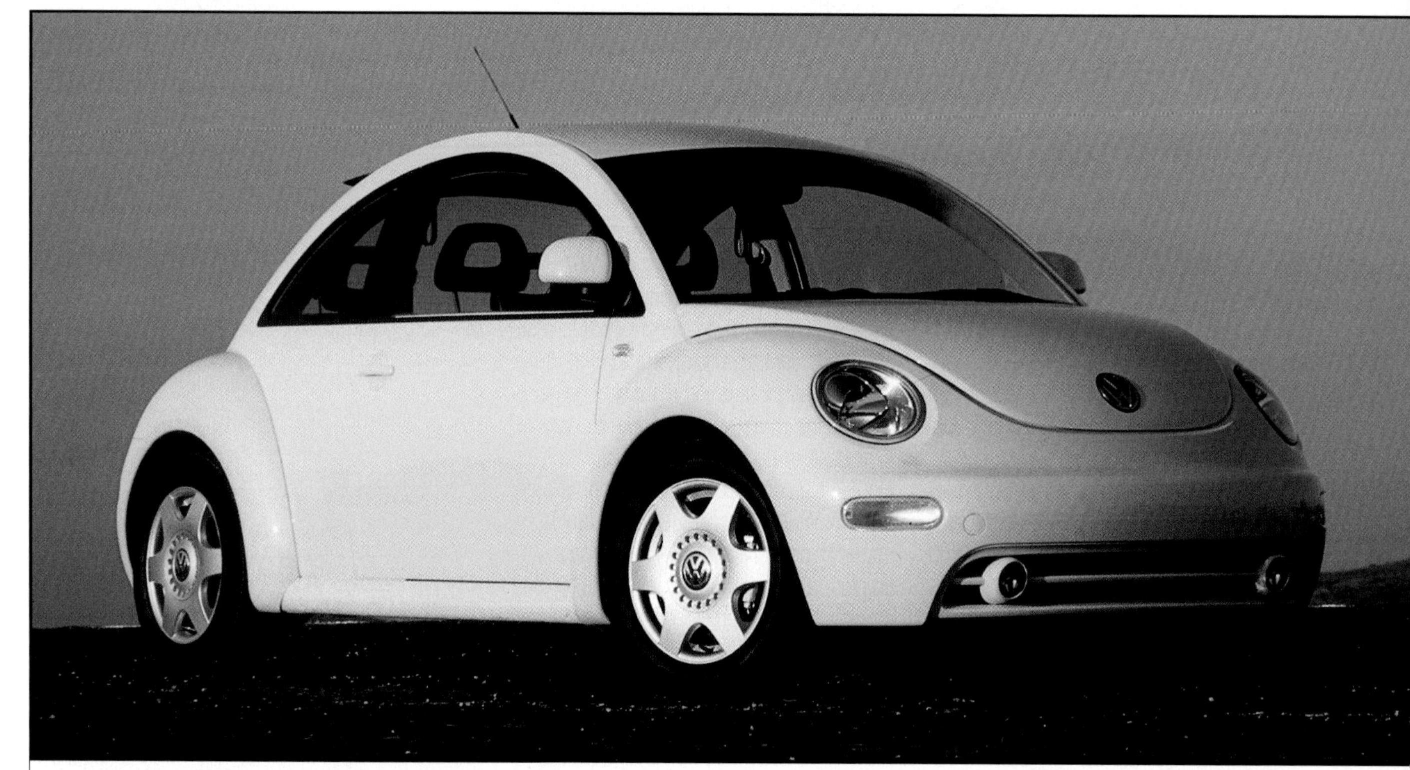

Volkswagen New Beetle

La Beetle au bois dormant

Il était une fois une petite voiture d'apparence tellement moche que même les publicitaires chargés de sa mise en marché utilisaient cette caractéristique peu commune pour la rendre sympathique aux yeux du public. Quelques années après sa mise en catalepsie, un « prince charmant » dénommé Ferdinand Piëch décida de la faire renaître sous une apparence plus moderne, et on assista alors à l'éclosion d'une ribambelle de petites New Beetle, pour le bonheur de leurs nouveaux parents adoptifs.

Jouant la carte de la nostalgie, Volkswagen cherche ainsi à séduire une clientèle à la fois aisée et soucieuse d'originalité. Comment expliquer autrement la mise en marché d'une automobile avec des ailes en plastique qui sortent de la carrosserie, un pavillon à l'arc aussi cambré qu'un arc-en-ciel et une partie arrière à ce point tronquée qu'elle devient pratiquement inutilisable par rapport à celle de la Golf qui partage la même plateforme ? La ressemblance avec l'originale est purement superficielle, comme vous vous en doutez bien. L'ancêtre pesait un peu plus de 800 kg avec son moteur boxer refroidi à l'air en porte-à-faux à l'arrière, tandis que la nouvelle affiche près de 1 300 kg sur la balance et est tractée par des groupes motopropulseurs modernes refroidis à l'eau. À l'époque, on l'appelait le scarabée de la route à cause de sa forme caractéristique, mais on l'a bien vite surnommée affectueusement « coccinelle » ou « bête à bon Dieu ». Il faut dire qu'elle est une véritable bénédiction pour Volkswagen puisqu'on l'adopte encore à un rythme soutenu.

Charmante mais peu pratique

Encore aujourd'hui, la New Beetle allume les sourires. Aucune agressivité, simplement de l'admiration. Elle est une de ces autos qui vous rendent sympathique aux yeux de ceux qui vous aperçoivent à son volant.

À l'intérieur, vous n'êtes pas au bout de vos surprises. Appréciez d'abord la douceur des plastiques et les panneaux supérieurs des contre-portes dont la couleur s'harmonise à celle de la caisse. Les quelques instruments, vélocimètre, tachymètre et indicateur de niveau d'essence, sont contenus dans une menue nacelle en demi-lune dont l'éclairage bleu indigo vous charmera. Le petit volant réglable dans tous les sens est un plaisir pour les yeux et les mains, et un minuscule vase à fleurs rend l'ambiance encore plus sympathique en nous ramenant bien sûr à l'époque du *Flower Power.* Vous serez étonné par la planche de bord d'une profondeur de près de 75 cm et par les fauteuils avant fixés au beau milieu de l'empattement. La garde au toit aux places antérieures accommoderait un haut-de-forme de 10 litres et les fauteuils soignent bien votre anatomie. Ils s'ajustent en hauteur à l'aide d'un levier à rochet et contiennent des coussins gonflables latéraux. À l'arrière, les enfants se sentiront à l'aise, mais les plus grands se frotteront la tête sur la lunette. Le coffre est de piètre capacité, mais on peut l'agrandir en rabattant le dossier. L'équipement de série très complet comprend entre autres la climatisation, une radiocassette à 6 haut-parleurs, un système d'alarme perfectionné, des rétroviseurs chauffants et la peinture métallique. Vous pouvez l'enrichir avec le cuir, l'ABS, des roues en alliage et une foule d'accessoires réservés normalement à des voitures de catégorie supérieure. La qualité de l'assemblage semble correcte même s'il est réalisé au Mexique.

Belle petite bête

Un grand choix de moteurs

Tournez la clef de contact et vous reconnaîtrez immédiatement les sonorités des moteurs de la Golf. Le 2 litres dans les GL et GLS commence à montrer son âge avec ses 8 soupapes, mais il offre quand même des performances acceptables. Quelque 10 % des GLS sont dotées du turbodiesel de la marque. Ce 1,9 litre particulièrement puissant et possédant un couple de tracteur emporte la New Beetle presque aussi rapidement que le 2 litres et consomme deux fois moins. Dommage que le prix d'admission soit aussi élevé (1 600 $) et qu'il claque encore autant des castagnettes à froid. Si vous voulez vraiment vous régaler, optez pour une GLS ou GLX avec le 1,8 litre à essence turbo de 150 chevaux qui équipe aussi certaines autres productions du groupe comme l'Audi A4. Il apporte une autre dimension à l'expérience de conduite grâce à sa douceur exemplaire et à sa plage d'utilisation très étendue à la suite de l'emballement immédiat de la petite turbine au moindre chatouillement de l'accélérateur. Dommage qu'il faille l'alimenter à l'essence super.

Il existe aussi une version course de la New Beetle avec un V6 de plus de 200 chevaux, mais ça c'est un autre conte de fées que vous raconte notre patron Jacques Duval ailleurs dans *Le Guide*.

La New Beetle est dotée d'une suspension moderne calquée sur la Golf qui entraîne un comportement neutre et un confort très correct aux dépens d'une certaine mollesse. Volkswagen n'a pas lésiné sur les pneumatiques puisqu'on retrouve d'office des 16 pouces, avec des conséquences bénéfiques sur l'adhérence et sur la direction assistée qui vous entretient assez fidèlement de ses rencontres avec la route. Les 4 freins à disque vous arrêtent sûrement et résistent à l'échauffement. La boîte manuelle se manie assez bien ; l'automatique passe les vitesses en douceur.

Conduire une New Beetle pourrait vous éviter plusieurs rencontres avec un psychologue ou un jovialiste convaincant. Personne ne peut prévoir la durée de cet engouement, mais elle a le mérite de vous faire oublier vos tracas, les limitations importantes imposées par ses formes tellement séduisantes, et son prix assez corsé…

Jean-Georges Laliberté

VOLKSWAGEN New Beetle

▲ POUR

• Silhouette craquante • Intérieur original • Équipement d'origine complet • Performances attrayantes • Comportement routier compétent

▼ CONTRE

• Habitabilité étriquée • Coffre insuffisant • Garantie limitée • Prix corsés • Moteur 2 litres dépassé

CARACTÉRISTIQUES

Prix du modèle à l'essai	GLS 1,9 l TDI / 27 250 $
Garantie de base	2 ans / 40 000 km
Type	coupé *hatchback* / traction
Empattement / Longueur	251 cm / 409 cm
Largeur / Hauteur	172 cm / 151 cm
Poids	1 300 kg
Coffre / Réservoir	300 litres / 55 litres
Coussins de sécurité	frontaux et latéraux
Suspension av.	indépendante, essieu déformable
Suspension arr.	indépendante, essieu déformable
Freins av. / arr.	disque ABS
Système antipatinage	non
Direction	à crémaillère, assistée
Diamètre de braquage	10,0 mètres
Pneus av. / arr.	P205/55HR16

MOTORISATION ET PERFORMANCES

Moteur	4L 1,9 litre SACT diesel turbocompressé
Transmission	manuelle 5 rapports
Puissance	90 ch à 3 750 tr/min
Couple	155 lb-pi à 1 900 tr/min
Autre(s) moteur(s)	4L 2 litres 115 ch ; 4L 1,8 litre turbo 150 ch
Autre(s) transmission(s)	automatique 4 rapports
Accélération 0-100 km/h	11,0 secondes ; 11,2 secondes (2 litres)
Vitesse maximale	170 km/h ; 180 km/h (2 l)
Freinage 100-0 km/h	42 mètres
Consommation (100 km)	5,0 litres ; 8,5 litres (2 l)

MODÈLES CONCURRENTS

• Chrysler PT Cruiser • Honda Civic Si • VW Golf 1,8 turbo

QUOI DE NEUF ?

• Roues de 17 pouces et phares haute intensité en option sur les GLS et GLX • Rétroviseurs plus grands

VERDICT

Agrément	★★★★
Confort	★★★½
Fiabilité	★★★
Habitabilité	★★
Hiver	★★★
Sécurité	★★★★
Valeur de revente	★★★★½

VOLKSWAGEN Passat

Volkswagen Passat 2002

En lorgnant Mercedes

De plus en plus chère, de plus en plus opulente, la Passat ne correspond plus du tout à l'idée que l'on se fait d'une Volkswagen. L'image de ce constructeur a profondément changé depuis 10 ans, si bien que la marque allemande se pose désormais en rivale du plus prestigieux emblème au monde, celui de Mercedes-Benz. Déjà bien nantie, la Passat se donne cette année de nouveaux arguments pour se montrer à la hauteur de son rôle de trouble-fête.

Soulignons d'abord que, dès le printemps prochain, la plus luxueuse des Volkswagen héritera de ce que l'on appelle dans le métier un *facelift,* ce qui veut dire qu'il ne s'agira pas d'un changement radical, mais de légères retouches à la carrosserie, principalement à l'avant. Ce modèle, déjà dévoilé au Salon de Paris en octobre 2000, précédera l'arrivée de la W8, une Passat encore plus cossue dotée d'un 8 cylindres modulaire empruntant la même architecture que le W16 des prototypes Bugatti. Volkswagen, on le constate, voit grand, très grand. Revenons toutefois au présent et surtout à la 4Motion que j'ai eu le privilège de conduire pour la première fois en Europe le printemps dernier. On avait notamment «déroulé le tapis rouge» pour permettre aux journalistes de faire connaissance avec cette nouvelle version toutes roues motrices de la Passat. De la charmante petite ville d'Annecy en France, agenouillée au pied du mont Blanc, nous avons fait la traversée des Alpes en nous dirigeant vers Monaco, l'hôtel de Paris et la table d'Alain Ducasse. Bref, une mise en scène relevée pour une voiture qui, par son luxe et son prix, est devenue la «voiture du peuple riche».

Une Audi A4 en mieux ?

En plus de la Passat W8 prévue pour 2002, une limousine à moteur 12 ou 16 cylindres destinée à concurrencer les BMW Série 7, Mercedes Classe S, les grandes Jaguar ou les Audi A8 est également au programme. L'époque où le mot Volkswagen était synonyme d'économie et de produits bon marché est bel et bien révolue, même si les symboles ont la vie dure. À un prix de 42 500 $, la berline Passat 4Motion GLX est aussi loin d'une voiture économique que Wolfsburg est éloigné de Waterloo et son équipement permet de la comparer à des voitures qu'on n'associe pas habituellement à VW. En somme, elle n'a rien à envier à une BMW Série 3 ou à une Mercedes de Classe C. Quant à l'Audi A4, sa plus proche concurrente, elle est ni plus ni moins que sa sœur jumelle et elle a l'avantage de se vendre moins cher dans sa version de base, tout en offrant des places arrière plus spacieuses. Quoi qu'il en soit, nous vous invitons à consulter notre match comparatif des voitures de luxe «économiques» qui oppose notamment une A4 2001 à la version 1,8 litre turbo de la Passat.

Berline ou familiale

L'avantage indéniable de la Passat 4Motion est d'être offerte non seulement sous la forme d'une berline, mais aussi d'une familiale pour un supplément d'environ 1 200 $. Ce modèle est d'ailleurs celui qui semble le plus attrayant auprès de la clientèle et devrait ravir des ventes aux Subaru Outback du même type. Chez VW, la transmission intégrale Quattro (la même que chez Audi) offre, en temps normal, une répartition égale de la puissance sur les deux essieux. Sur des routes glissantes, le couple est dirigé à 67 % vers les roues avant et le reste à l'arrière. Le seul groupe propulseur au programme 4Motion est le V6 2,8 litres (Audi encore une fois) à 5 soupapes par cylindre développant 190 chevaux. Il fait équipe avec une transmission automatique Tiptronic à 5 rapports qui rétrograde quelquefois de façon brutale à basse vitesse.

La voiture du peuple riche

Bien sûr, 40 000 $ pour une Volkswagen, ce n'est pas donné, mais on aurait tort d'isoler la Passat 4Motion dans un créneau à part, juste parce que son nom a une connotation d'économie. Avec sa sellerie en cuir, ses garnitures en bois, sa climatisation entièrement automatique, ses sièges chauffants réglables électriquement et sa flopée d'accessoires de luxe, la voiture mise à l'essai n'avait absolument rien à envier à n'importe quelle Mercedes-Benz ou BMW et certes pas à l'Audi A4.

Confort, luxe et sécurité

Elle partage avec cette dernière ce moteur un peu mou et mal nourri qui donne toujours l'impression de peiner à la tâche. Le phénomène semble d'ailleurs plus marqué avec la traction intégrale en raison d'un poids supérieur et de la parfaite motricité des roues. Car la Passat 4Motion ignore ce qu'est un dérapage, comme j'ai pu le constater à maintes reprises en lançant la voiture à des vitesses effrénées dans les interminables boucles des petites routes de l'arrière-pays provençal. Et si jamais l'inévitable devait se produire, il est rassurant de savoir que cette Passat est dotée de coussins gonflables frontaux et latéraux. Ces derniers sont intégrés aux sièges, de sorte qu'ils restent tout aussi efficaces quelle que soit la position de conduite adoptée.

Il faut noter que, dans sa version 4Motion, la Passat n'a rien d'une voiture sportive et s'associe davantage à une confortable berline de luxe.

Introduite en 1997 dans sa version actuelle, la Passat a été le modèle phare de Volkswagen, celui qui a prêté son style aux autres produits de la marque, tout en restaurant l'image lourdement endommagée du constructeur allemand. Avec les quelques retouches esthétiques prévues pour le printemps, la Passat 4Motion vient confirmer la présence de VW à presque tous les échelons du marché automobile. Et ce n'est qu'un début si l'on se fie aux propos de Ferdinand Piëch, le grand manitou du 4e plus grand constructeur automobile de la planète.

Jacques Duval

VOLKSWAGEN Passat

▲ POUR

• Bonne habitabilité • Sécurité poussée • Équipement complet • Confort soigné • Bon comportement routier

▼ CONTRE

• Garantie courte • Freins spongieux • Moteur amorphe (4Motion) • Prix intimidant • Transmission capricieuse (voir texte)

CARACTÉRISTIQUES

Prix du modèle à l'essai	GLX V6 4Motion / 42 500 $
Garantie de base	2 ans / 40 000 km
Type	berline / traction intégrale
Empattement / Longueur	270 cm / 467 cm
Largeur / Hauteur	174 cm / 146 cm
Poids	1 602 kg
Coffre / Réservoir	475 litres / 62 litres
Coussins de sécurité	frontaux et latéraux
Suspension av.	indépendante
Suspension arr.	indépendante
Freins av. / arr.	disque ABS
Système antipatinage	non
Direction	à crémaillère, assistée
Diamètre de braquage	11,4 mètres
Pneus av. / arr.	P195/65R15

MOTORISATION ET PERFORMANCES

Moteur	V6 2,8 litres
Transmission	Tiptronic 5 rapports
Puissance	190 ch à 6 000 tr/min
Couple	206 lb-pi à 3 200 tr/min
Autre(s) moteur(s)	4L 1,8 litre turbo 150 ch
Autre(s) transmission(s)	manuelle 5 rapports
Accélération 0-100 km/h	9,3 secondes
Vitesse maximale	210 km/h
Freinage 100-0 km/h	42 mètres
Consommation (100 km)	12,5 litres

MODÈLES CONCURRENTS

• Audi A4 • BMW 323i • Mercedes-Benz C240 • Subaru Legacy Outback • Volvo S40/V40 • Saab 9³

QUOI DE NEUF ?

• Écran gonflable latéral • Commandes au volant • Commande intérieure de coffre antipiégeage

VERDICT

Agrément	★★★½
Confort	★★★★
Fiabilité	★★★½
Habitabilité	★★★★
Hiver	★★★★
Sécurité	★★★★
Valeur de revente	★★★★

VOLVO C70

Volvo C70

Le retour

Le grand retour d'un coupé Volvo coïncidait avec celui de Simon Templar, dit le Saint. Sous les traits de l'acteur britannique Roger Moore, ce héros du petit écran conduisait à l'époque un superbe coupé d'origine suédoise, soit l'ancêtre de la C70. Cette dernière a suivi son personnage, incarné cette fois par Val Kilmer au grand écran et, dans un cas comme dans l'autre, le succès ne fut pas celui qu'on escomptait. Mais toute comparaison s'arrête là : la voiture est beaucoup plus réussie que le film…

Depuis les beaux jours de la P1800, qui fut produite de 1959 à 1973, Volvo ne comptait plus de coupé sport au sein de sa gamme. Il y eut par la suite les 262 et 780, dessinées par Bertone, mais ils privilégiaient avant tout le luxe et le confort. Lancée il y a quatre ans, la C70 s'avère un heureux compromis entre ces deux approches, tout en proposant pour la première fois depuis des lunes une version cabriolet.

La tentative précédente – la première, en fait – remontait à 1956, avec le roadster P1900 à carrosserie en fibre de verre, dont seulement 68 exemplaires sortirent des ateliers du constructeur suédois. La production fut stoppée l'année suivante, le président de Volvo, fort déçu d'une randonnée à son volant, ne l'ayant pas jugée à la hauteur.

Contrairement à son éphémère ancêtre, le cabriolet C70 offre 4 places. Et des vraies, qui peuvent accueillir 2 adultes en tout confort. Depuis l'an dernier, il peut recevoir une motorisation supplémentaire, soit le 5 cylindres de 2,3 litres à double arbre à cames en tête et 4 soupapes par cylindre, muni d'un turbocompresseur haute pression qui développe 236 chevaux (à 5 400 tr/min) et un couple de 244 lb-pi à un régime aussi bas que 2 400 tr/min. Voilà qui est prometteur.

Pour le coupé, c'est exactement l'inverse : les modèles portant le millésime 2001 n'ont plus droit à l'autre 5 cylindres (2,5 litres DACT), muni d'un turbocompresseur basse pression cette fois, bon pour 190 chevaux et 199 lb-pi de couple dans une courbe plate qui commence à 1 600 tr/min. Ce moteur est toutefois offert de série dans le cabriolet. Ça va, vous suivez toujours ?

Étrangement, la moins puissante des deux motorisations ne peut être jumelée qu'à une boîte automatique adaptative qui, comme son nom l'indique, s'adapte au style de conduite de celui qui est derrière le volant. Cette transmission est par ailleurs optionnelle à bord des coupés C70, qui reçoivent une boîte manuelle de série. Les deux boîtes comptent désormais 5 rapports. Pendant que vous démêlez tout ça, je vais aller prendre une ou deux Aspirin…

Un contenu à la hauteur de l'emballage…

La C70 est donc un croisement entre un coupé sport et un coupé de luxe. Collons-lui l'étiquette de « coupé sport de luxe », étiquette qui sied aussi bien à sa rivale directe, la Mercedes CLK.

Par définition, le style incarne en bonne partie l'essence d'un coupé, encore plus s'il joue la carte du prestige. Autrement dit, cette configuration se doit d'afficher une certaine gueule pour séduire les acheteurs.

Bonne voiture, mauvais moment

Quant au contenu, il est à la hauteur de l'emballage. Les sièges se placent parmi ce qui se fait mieux dans l'industrie automobile, tandis que l'ambiance à bord n'est pas sans rappeler les voitures de luxe anglaises, avec une présentation intérieure cossue mais d'une classe indéniable, rehaussée par un heureux mariage de boiseries et de cuir.

... mais pas le moteur

Spacieux, confortable et silencieux, ce coupé fort bien tourné serait cependant mieux servi par un V6 atmosphérique que par son 5 cylindres muni du turbo à haute pression. Il y a d'abord le grondement sourd, qui est le propre de cette configuration moteur et qui n'est pas ce qu'il y a

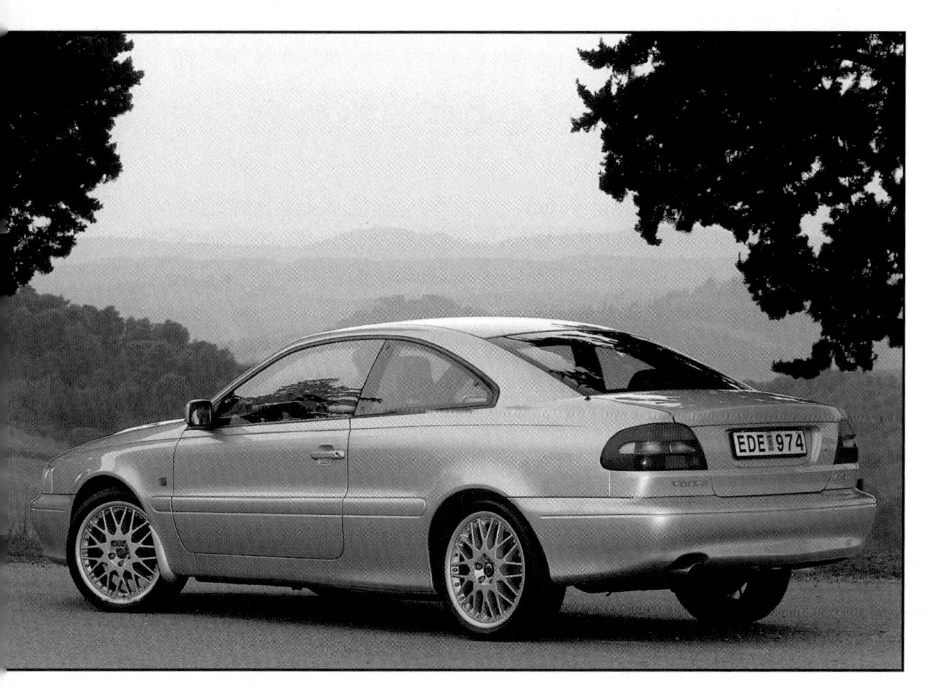

de plus doux à l'oreille; mais aussi, et surtout, ce satané temps de réponse qui afflige les engins turbocompressés. Dans ce cas-ci, il se manifeste davantage à bas régime et c'est encore plus évident si on l'accouple à une boîte automatique.

Pour couronner le tout, la C70 prouve une fois de plus que la puissance ne fait pas bon ménage avec les roues motrices avant. Comme effet de couple, on a vu pire, c'est vrai, mais on le sent quand même et il convient de se montrer vigilant. Dommage, parce que ce moteur n'a pas que des défauts : en plus d'être performant, il brille par sa souplesse. Mais une voiture aussi raffinée mériterait une mécanique qui l'est tout autant. Qui plus est, les turbos de Volvo n'ont pas la meilleure des réputations en matière de fiabilité.

C'est bien là l'essentiel des reproches qu'on peut adresser à la C70 qui, autrement, se démarque des autres coupés et cabriolets par son habitabilité, en plus de faire preuve d'un comportement routier qui, sans être sportif à proprement parler, est loin de démériter. Les puristes auraient préféré la propulsion à la traction, mais les esprits pratiques répliqueront que l'hiver, c'est très bien ainsi. Et ne négligeons pas la sécurité qui, comme on le sait, est la marque de commerce de Volvo. Avec ses coussins gonflables (de deuxième génération) frontaux et latéraux, ainsi que les systèmes WHIPS (anticontrecoup) et ROPS (arceaux de sécurité antiretournement), la C70 montre la voie. Quant à son demi-succès, il peut s'expliquer par une conjoncture défavorable aux coupés, et aussi sans doute par la belle prestation du coupé CLK de Mercedes qui est vraiment une bonne coche au-dessus.

Philippe Laguë

VOLVO C70

▲ POUR

• Moteur performant (turbo haute pression) • Habitabilité surprenante • Présentation intérieure cossue • Réussite esthétique • Sécurité poussée

▼ CONTRE

• Mécanique qui manque de raffinement • Temps de réponse • Fiabilité douteuse des turbocompresseurs • Effet de couple • Suspension raide

CARACTÉRISTIQUES

Prix du modèle à l'essai	54 995 $
Garantie de base	4 ans / 80 000 km
Type	coupé / traction
Empattement / Longueur	266 cm / 472 cm
Largeur / Hauteur	182 cm / 141 cm
Poids	1 480 kg
Coffre / Réservoir	370 litres / 70 litres
Coussins de sécurité	frontaux et latéraux
Suspension av.	indépendante
Suspension arr.	semi-indépendante
Freins av. / arr.	disque ABS
Système antipatinage	oui
Direction	à crémaillère, assistance variable
Diamètre de braquage	11,7 mètres
Pneus av. / arr.	P225/45ZR17

MOTORISATION ET PERFORMANCES

Moteur	5L 2,3 litres turbo haute pression
Transmission	automatique 5 rapports
Puissance	236 ch à 5 400 tr/min
Couple	244 lb-pi à 2 400 tr/min
Autre(s) moteur(s)	5L 2,5 litres turbo basse pression (cabriolet seulement)
Autre(s) transmission(s)	aucune
Accélération 0-100 km/h	7,2 secondes
Vitesse maximale	234 km/h
Freinage 100-0 km/h	39,6 mètres
Consommation (100 km)	11,5 litres

MODÈLES CONCURRENTS

• Audi TT • BMW 330Ci • Mercedes-Benz CLK • Saab 9³ Viggen

QUOI DE NEUF ?

• Boîte auto. à 5 rapports • Nouveaux coussins gonflables • Système de répartition du freinage (EBD)

VERDICT

Agrément	★★★★
Confort	★★★
Fiabilité	★★★
Habitabilité	★★★
Hiver	★★★½
Sécurité	★★★★★
Valeur de revente	★★★

VOLVO S40 VOLVO V40

Volvo S40

Petite voiture, grosse déception

S'il est une voiture que l'on attendait avec impatience, c'est bien la Volvo S40 et sa version familiale, la V40. Dès que l'on a eu vent qu'elle était déjà offerte aux États-Unis vers la fin de 1999, les demandes de renseignements ont commencé à affluer chez tous ceux qui, de près ou de loin, travaillent dans le domaine de l'information automobile. Compte tenu de son format et de son prix, on voyait dans la S40 l'occasion rêvée de conduire une authentique Volvo au prix d'une japonaise de milieu de gamme. Cette voiture tant désirée est maintenant arrivée chez nous, mais la réalité est bien différente du rêve.

Avant même de conduire la S40, compte tenu que les lignes d'un modèle constituent encore sa meilleure réclame, on peut s'interroger sur le style banal de la S40 tout en se pâmant pour le joli profil de la familiale. Le nez de la berline a un air de famille plutôt sympathique, mais les flancs ont fait naître chez moi des images de Ford Tempo, ce qui est loin d'être flatteur. Le plastique noir qui sévit sur les poignées de porte et qui souligne la ceinture de caisse donne un côté bas de gamme à cette petite Volvo. Nul doute qu'elle aura meilleure mine dans des couleurs plus sombres que le bleu insipide qui déparait la voiture mise à l'essai.

Les stylistes de la marque semblent beaucoup plus inspirés quand vient le temps de dessiner des familiales, un défi pourtant pas facile à relever. La V40 est d'une rare beauté et m'a rappelé le magnifique coupé 1800 PS des années 60.

Une denrée rare

Comme la berline toutefois, la V40 souffre d'un très sérieux problème d'espace habitable qui est, sans l'ombre d'un doute, l'irritant majeur de ces petites Volvo. Dans l'une comme dans l'autre, les places arrière sont quasi inexistantes, à tel point que l'on peut parler des premières berlines et familiales 2+2 sur le marché. D'accord, leurs rivales ne font pas fureur non plus à ce chapitre, mais il me semble que Volvo aurait pu cueillir une part plus grande de la clientèle avec des voitures un peu plus hospitalières. La marque suédoise, désormais chapeautée par Ford, a au moins le mérite de ne pas vouloir nous faire prendre des vessies pour des lanternes. Ses communiqués de presse font clairement état de voitures « destinées à de jeunes acheteurs sans enfants » ou encore à « des acheteurs dont les enfants ont quitté le nid familial et qui n'ont plus besoin d'autant d'espace utilitaire ». Il n'en demeure pas moins que cette particularité des nouvelles petites Volvo entraînera une grosse déception auprès de ceux qui espéraient entrer dans le monde Volvo sans laisser leurs enfants à la porte. Remarquez que les conducteurs de taille moyenne pourront toujours s'accommoder du peu d'espace à l'arrière. Pour les « grands six pieds » de la chanson de mon ami Claude Gauthier, il faudra toutefois apprendre à voyager en couple plutôt qu'en groupe, ce qui n'est pas forcément une mauvaise idée.

Avant d'aller plus loin, faisons un peu le tour du propriétaire de ces Volvo S40 et V40.

De lointaines origines japonaises

Quand la firme suédoise a pris la décision d'élargir sa gamme de modèles au milieu des années 90, elle n'avait pas les moyens de se lancer seule dans une telle aventure. Elle s'est donc mise en ménage avec le conglomérat japonais Mitsubishi pour construire en Hollande une voiture utilisant la même plate-forme que la Carisma. Ainsi sont nées en 1995 les Volvo S40 et V40, deux tractions dotées du châssis de la compacte japonaise. Ce châssis, précisons-le, n'est ni très jeune ni très raffiné et s'il peut convenir à une petite Mitsubishi, il a plus de mal à s'adapter à la personnalité plus léchée d'une Volvo. Le constructeur suédois a contourné le problème en s'attardant à l'insonorisation, à l'équipement de série et, bien sûr, à la sécurité passive des S40 et V40.

Quatre freins à disque avec ABS et EBD (distribution électronique du freinage) sont compris dans le prix de base fixé à 29 995 $. L'acheteur peut aussi compter sur des accessoires aussi commodes que les sièges chauffants, une chaîne audio de bonne qualité et des essuie-phares, sans oublier la climatisation. Le régulateur de stabilité dynamique (DSA) se retrouve sur la courte liste des options. Pour ce qui est de la sécurité, les coussins gonflables frontaux ont deux seuils de déclenchement, selon la force de l'impact. Ils sont complétés par les rideaux gonflables latéraux logés dans la garniture de pavillon à l'arrière. Ceux-ci se déploient vers le bas pour protéger la tête et le torse des occupants des places avant et arrière.

Des chevaux suralimentés

Une seule motorisation figure au catalogue des nouvelles petites Volvo. Il s'agit d'un 4 cylindres en aluminium de 1,9 litre à double arbre à cames en tête qui, avec l'aide d'un turbocompresseur à faible pression et d'un refroidisseur intermédiaire, développe 160 chevaux. La S40 rejoint ainsi ses principales rivales que sont l'Audi A4 et la VW Passat qui, toutes les deux, peuvent être équipées d'un moteur 1,8 turbo de 170 et 150 chevaux. Chez Volvo toutefois, la seule boîte de vitesses offerte est une transmission automatique à 5 rapports qui a l'avantage de garder le régime moteur à un niveau très bas à la vitesse permise sur nos autoroutes, soit 2 000 tr/min à 100 km/h. La consommation d'essence et la diminution du vent sont les principaux bénéficiaires de cet étagement de la transmission. Sur la grand-route, on peut espérer limiter la consommation à 8 litres ou moins aux 100 km tandis qu'un parcours mixte donne une moyenne de 9,5 litres aux 100 km.

La Volvo peut-elle prétendre être une berline sport de la même race qu'une petite BMW de Série 3 ? Les performances sont là, dont un 0-100 km/h d'un peu moins de 9 secondes assorti d'une vitesse de pointe

de 215 km/h, mais le châssis et la suspension ne suivent pas le rythme. Malgré la présence de pneus de bonne qualité, le sous-virage est incontournable et il s'accompagne d'un roulis marqué et de véhémentes protestations du train avant. Mieux vaut ne pas se laisser surprendre par une bretelle d'autoroute qui se resserre un peu trop vers la sortie. Pourtant, la petite Volvo a reçu tout ce qui se fait de mieux en matière de suspension, y compris un système à liens multiples pour l'essieu arrière.

Quant au confort, l'amortissement m'a paru un peu limité sur nos routes lézardées et quelques bruits de caisse ont aussi fait

surface malgré le très bas kilométrage de la voiture.

Le freinage est stable et endurant, quoique les distances paraissent particulièrement longues au moment d'un arrêt d'urgence. La Volvo S40 obtient aussi un bon score grâce à sa direction assistée contrôlée par un volant d'une impeccable ergonomie avec des points d'appui sur les branches du milieu. Le diamètre de bra-

ÉQUIPEMENTS

DE SÉRIE

- Climatiseur
- Transmission automatique 5 rapports
- Coussins gonflables latéraux

EN OPTION

- Système de stabilité dynamique
- Roues de 16 pouces à 10 rayons
- Toit ouvrant • Lecteur CD

quage rend les manœuvres de stationnement aisées et la direction n'est jamais bousculée par le travail des roues motrices.

La familiale d'abord

Bel emballage

Pour occulter au mieux les limites du châssis, Volvo a fait un beau travail de présentation, surtout à l'intérieur. Le tableau de bord, avec quelques appliques en bois, est très relevé grâce à l'utilisation de matériaux de qualité. Les contre-portes sont particulièrement réussies et les espaces de rangement se multiplient avec deux vide-poches sur la console centrale et de pratiques pochettes dans la partie avant des sièges. Ces derniers respectent les normes du constructeur suédois en assurant un confort et une position de conduite sans faille.

Par ailleurs, il est étrange que l'on ait à critiquer la visibilité en s'appuyant sur des aspects étroitement liés à la sécurité du véhicule. Le large pilier arrière de la carrosserie combiné à la présence des appuie-tête crée un angle mort important de ¾ arrière. De plus, les nombreuses sorties d'air placées à la base du pare-brise se reflètent dans la glace, une source de distraction dont on se passerait volontiers. On déplore également l'absence d'une poignée de maintien pour le passager avant ainsi que de repères en milles à l'heure sur l'indicateur de vitesse.

Si les places arrière sont vraiment chiches, le volume du coffre à bagages est généreux. Dans la familiale, un filet permet de retenir les objets placés dans le compartiment à bagages qui, autrement, peuvent se transformer en dangereux projectiles en cas d'accident. Selon Volvo, les Nord-Américains utilisent trop peu cet accessoire de sécurité et prennent des risques.

Même si la Volvo S40 m'a laissé mi-figue, mi-raisin, c'est une voiture qui aura ses adeptes. La philosophie du constructeur suédois, surtout sur le plan de la sécurité, a été endossée par plusieurs automobilistes qui ne conduiraient rien d'autre. Grâce à une échelle de prix attrayante, la famille Volvo pourrait bien s'agrandir même si les S40 et V40 ne sont pas aussi raffinées qu'on le souhaiterait. (Voir aussi notre match comparatif articulé autour de ces nouveaux modèles.)

Jacques Duval

VOLVO S40

▲ POUR

• Performances satisfaisantes • Construction sérieuse • Sécurité poussée • Direction agréable • Excellents sièges

▼ CONTRE

• Espace arrière limité • Sous-virage prononcé • Mauvaise visibilité arrière • Pas de poignée de maintien

CARACTÉRISTIQUES

Prix du modèle à l'essai	29 995 $
Garantie de base	4 ans / 80 000 km
Type	berline / traction
Empattement / Longueur	256 cm / 454 cm
Largeur / Hauteur	172 cm / 142 cm
Poids	1 295 kg
Coffre / Réservoir	471 litres / 60 litres
Coussins de sécurité	frontaux et latéraux
Suspension av.	indépendante
Suspension arr.	indépendante
Freins av. / arr.	disque ventilé ABS / disque ABS
Système antipatinage	oui
Direction	à crémaillère, assistée
Diamètre de braquage	10,6 mètres
Pneus av. / arr.	P195/60VR15

MOTORISATION ET PERFORMANCES

Moteur	4L 1,9 litre turbo
Transmission	automatique 5 rapports
Puissance	160 ch à 5 250 tr/min
Couple	177 lb-pi entre 1 800 et 4 500 tr/min
Autre(s) moteur(s)	aucun
Autre(s) transmission(s)	aucune
Accélération 0-100 km/h	9,0 secondes
Vitesse maximale	215 km/h
Freinage 100-0 km/h	44,6 mètres
Consommation (100 km)	9,2 litres

MODÈLES CONCURRENTS

• VW Passat • Audi A4 1,8 • Saab 9³ • BMW 320

QUOI DE NEUF ?

• Nouveau modèle

VERDICT

Agrément	★★★
Confort	★★★
Fiabilité	nouveau modèle
Habitabilité	★★
Hiver	★★★
Sécurité	★★★★
Valeur de revente	nouveau modèle

VOLVO S60

Volvo S60

Un coupé 4 portes !

Jadis bastion du conformisme et de la rectitude politique, la compagnie Volvo semble vouloir à tout prix faire oublier son passé récent. Si, pendant deux ou trois décennies, le numéro un suédois était automatiquement associé aux carrosseries de formes carrées et à la propulsion, cette période est bel et bien révolue depuis quelque temps. À Gotëborg, on veut que la marque ait à nouveau une connotation sportive, comme c'était le cas avec les modèles P544 Sport et 122 Sport des années 60 qui ont fait partie des premières berlines sport sur le marché.

La nouvelle berline S60 est justement inspirée de ces voitures qui ont initié plusieurs Nord-Américains à une conduite plus inspirée. D'ailleurs, si la berline S60 nous est présentée sous une appellation différente de la familiale V70, c'est pour permettre une plus grande démarcation entre ces deux modèles. Auparavant, la berline de cette catégorie n'était généralement rien d'autre qu'une familiale avec une section arrière modifiée. Cette fois, les deux voitures ont des personnalités totalement différentes. Cela transparaît d'ailleurs dans la conception esthétique. Si la nouvelle V70 tente de combiner la partie avant d'une voiture sport avec l'arrière d'une fourgonnette, la S60 concilie la partie avant d'une sportive avec l'arrière d'un coupé. D'ailleurs, les stylistes se sont inspirés du coupé C70 pour concevoir la silhouette de cette nouvelle berline.

Mais une Volvo doit tout de même demeurer fidèle aux incontournables éléments de cette marque et, même si les stylistes ont doté cette voiture d'un pavillon dont les formes épousent celles d'un coupé, les places arrière demeurent tout aussi confortables que dans la S80. Pour ce faire, on n'a pas abaissé l'assise de la banquette arrière pour offrir un dégagement pour la tête acceptable pour des adultes. On a plutôt adopté le concept de la cabine avancée qui permet aux occupants de bénéficier de plus d'espace dans l'habitacle. De plus, la réduction des porte-à-faux avant et arrière permet d'augmenter l'espace disponible. Et l'empattement plus long de 5 mm que dans la défunte S70 contribue à augmenter l'espace aux places arrière.

Enfin, la S60 retient tout de même la célèbre calandre de la marque, ainsi que les feux arrière et le passavant placé sous la ceinture de caisse à la S80. Le résultat final n'est pas vilain et l'énergie visuelle qui se dégage de la silhouette permet d'anticiper des qualités routières plus pointues que la moyenne.

Une plate-forme de qualité

La S60 est dérivée de la plate-forme de la S80, elle-même reconnue pour sa rigidité et la qualité de ses éléments de suspension. Mais puisqu'elle est plus courte que la berline S80 et la familiale V70 tout en ayant un empattement plus long que la S70 qu'elle remplace, cette nouvelle venue possède un caractère nettement plus sportif, en harmonie avec sa silhouette. Ces modifications assurent une excellente rigidité de la caisse ; en torsion, elle est deux fois meilleure que celle de la S70 qui tire sa révérence. La suspension avant est à jambe de force avec levier triangulé inférieur. À l'arrière, on retrouve une suspension à liens multiples plus ou moins semblable à celle de la S80.

Du style

Statu quo moteur

Comme il fallait s'y attendre, il n'y a aucune nouveauté en ce qui concerne les groupes propulseurs. Les moteurs 5 cylindres montés en position transversale sont de retour. Le moteur de série est le 2,4 litres à turbo basse pression d'une puissance de 197 chevaux. Il sera également possible de commander en option le 2,3 litres avec turbo haute pression d'une puissance de 242 chevaux. La boîte manuelle à 5 rapports est de série sur certains modèles tandis que l'automatique à 5 rapports est également offerte. Il est même possible de commander cette boîte avec le système Geartronic de passage manuel des rapports dont le levier de vitesses est unique en son genre. En effet, les stylistes ont dessiné un pommeau surdimensionné de couleur argent sur lequel repose la paume de la main et rend plus aisés les changements de vitesse en mode manuel.

Sur la route

En conduite, cette voiture offre une grande impression de sécurité. Le comportement routier de ce coupé 4 portes est remarquable. De plus, en slalom à haute vitesse, le système de stabilité DSTC s'acquitte très bien de sa tâche. En aucun moment on ne sent la voiture en perte d'équilibre. Le seul accroc est la faiblesse des freins qui ont eu tendance à surchauffer durant un essai en Suède. Le système *antidive* aurait également besoin d'être révisé. Un freinage important provoque un affaissement de la suspension avant qui cause des chaleurs aux occupants. Mais en général, chapeau à cette 4 portes. La visibilité 3/4 arrière est très bonne et les ingénieurs de Volvo ont aménagé l'habitacle de façon ingénieuse. L'accès aux places arrière requiert une légère contorsion mais, une fois installé, l'espace disponible est acceptable.

Pour l'amateur de conduite sportive à qui cette voiture s'adresse, il faut mentionner que le turbo s'acquitte bien de sa tâche, la puissance étant délivrée de façon progressive. Le volant, bien qu'inconfortable à la longue offre une réponse précise, mais le diamètre de braquage est beaucoup trop large pour une voiture qui se veut maniable et agile. À vous de l'essayer.

Denis Duquet / François Duval

VOLVO S60

▲ POUR

• Silhouette très agréable • Bon comportement routier • Habitacle spacieux • Bonne mécanique • Sécurité en progrès

▼ CONTRE

• Freins ont tendance à surchauffer • Diamètre de braquage trop important • Tableau de bord banal • Volant désagréable • Détails de finition à revoir

CARACTÉRISTIQUES

Prix du modèle à l'essai	S60 T5 / 43 995 $
Garantie de base	4 ans / 80 000 km
Type	berline / traction
Empattement / Longueur	272 cm / 458 cm
Largeur / Hauteur	180 cm / 143 cm
Poids	1 427 kg
Coffre / Réservoir	400 litres / 70 litres
Coussins de sécurité	frontaux et latéraux
Suspension av.	indépendante
Suspension arr.	indépendante
Freins av. / arr.	disque ABS
Système antipatinage	oui
Direction	à crémaillère, assistée
Diamètre de braquage	11,8 mètres
Pneus av. / arr.	P205/55R16

MOTORISATION ET PERFORMANCES

Moteur	5L 2,3 litres
Transmission	automatique 5 rapports
Puissance	242 ch à 6 000 tr/min
Couple	238 lb-pi à 1 800- 5 000 tr/min
Autre(s) moteur(s)	5L 2,4 litres 197 ch
Autre(s) transmission(s)	manuelle 5 rapports
Accélération 0-100 km/h	5,8 s, 7,2 s (auto.)
Vitesse maximale	250 km/h
Freinage 100-0 km/h	n.d.
Consommation (100 km)	9,3 litres

MODÈLES CONCURRENTS

• Audi A6 • Acura TL • Mercedes-Benz Classe C • Nissan Maxima • Lexus IS 300

QUOI DE NEUF ?

• Suspension arr. indépendante à bras asymétriques • Plate-forme plus rigide • Nouveau tableau de bord

VERDICT

Agrément	★★★★
Confort	★★★★
Fiabilité	nouveau modèle
Habitabilité	★★★½
Hiver	★★★★
Sécurité	★★★★★
Valeur de revente	nouveau modèle

VOLVO S80

Volvo S80

Un changement de cap réussi

La domination exercée par les constructeurs germaniques dans le marché très compétitif des voitures de luxe n'est un secret pour personne. Bien qu'attaquée de toutes parts, la Sainte Trinité allemande (Audi-BMW-Mercedes) a réussi à tenir bon, ce qui est tout à son honneur. Mais les troupes ennemies se sont enrichies d'une arme de fabrication suédoise qui pourrait s'avérer redoutable : la Volvo S80.

La S80 est venue prendre le relais de la S90 (ex-960) il y a deux ans. Mettons tout de suite les choses au clair : la Volvo S80 et sa devancière n'ont rien en commun, si ce n'est l'écusson de la marque sur la calandre. En fait, c'est là le seul indice qui permet de l'identifier, car la S80 ressemble à tout sauf à une Volvo. Les stylistes des studios californiens de ce constructeur ont fait fi de la tradition en accouchant d'une berline aux lignes fluides et arrondies, combinant élégance et efficacité aérodynamique (Cx de 0,28). La partie arrière, plus sculptée, contribue à rehausser le tout. Qu'on se le dise : l'ère de la boîte carrée est terminée chez Volvo !

Il en va de même pour la présentation intérieure, qui tranche nettement avec l'austérité qui était naguère le propre des réalisations de la marque. Cette fois, le résultat est du meilleur goût et le manque d'espaces de rangement sur la console est le seul reproche que l'on peut adresser à l'habitacle qui, autrement, brille de tous ses feux. Quant à la tradition scandinave, elle n'a pas que des mauvais côtés, bien au contraire ; en plus de l'aspect pratique, le confort et la sécurité ont forgé la réputation des constructeurs suédois. Ainsi, les sièges de la S80 se situent parmi ce qui se fait de mieux à l'heure actuelle. Non seulement ils assurent un confort exemplaire, mais ils procurent un support lombaire de premier ordre tout en maintenant leurs occupants bien en place. L'habitabilité légendaire des Volvo est également au rendez-vous, tandis que le coffre arrière est tout simplement caverneux.

Conçue pour l'*Autobahn*

L'équipement de série est, comme il se doit, pléthorique, tout comme la panoplie de sécurité, active comme passive. Soulignons la présence d'un rideau gonflable situé en haut des vitres latérales avant et arrière, qui est déclenché par les mêmes capteurs qui déploient les sacs gonflables latéraux.

Le soin apporté à l'aérodynamique se vérifie par la tenue de cap, ainsi que par l'absence de bruits éoliens. La S80 est un modèle de stabilité à haute vitesse, alors qu'elle fait montre d'un aplomb aussi rassurant qu'impressionnant. Pas de doute, elle sera très à l'aise sur les *Autobahnen* allemandes, ces légendaires autoroutes sans limites de vitesse. Surtout la T6, dont le 6 cylindres biturbo de 2,8 litres possède les ressources nécessaires (268 chevaux) pour rivaliser avec les V8 des Audi A6, BMW 540 et Mercedes E430, les cibles avouées de la S80.

Plus pour moins

L'autre motorisation disponible consiste également en un 6 cylindres en ligne, de 2,9 litres cette fois, dont la puissance a été ramenée à 201 chevaux. Notons que ces moteurs sont munis d'un système de calage variable des soupapes ; de plus, ils sont montés transversalement, une approche peu conventionnelle, tant pour ce type de motorisation que pour un véhicule de cette catégorie. Cette disposition permet d'accroître l'espace dans l'habitacle tout en évitant de surcharger le compartiment-moteur.

Heureux compromis

Le comportement routier de la S80 se situe à mi-chemin entre ces deux concurrentes germaniques. Par ailleurs, celles-ci sont des propulsions, alors que la Volvo est une traction ; elle est donc un poil plus sous-vireuse.

en partie, mais pas complètement, de sorte qu'il vaut mieux commencer par apprivoiser la bête avant de se laisser aller. Vous voilà prévenu.

Côté confort et douceur de roulement, cette bourgeoise n'a rien à envier à personne. Ce qui, du reste, ne surprend guère de la part d'une Volvo. Par ailleurs, la T6 fait montre d'autorité dans les virages, tout en étant servie par une direction des plus efficaces. En conduite sportive, elle se durcit juste ce qu'il faut, quand il le faut ; en usage normal, elle m'est toutefois apparue un brin trop assistée. De plus, son important rayon de braquage m'a fait tiquer lors de certaines manœuvres.

Somme toute, la S80 se révèle comme une berline plus luxueuse que sportive, ce qui est loin d'être un reproche. Les plus pragmatiques, qui accordent plus d'attention au confort et à des détails d'ordre pratique telles l'habitabilité et l'ergonomie,

Des deux versions offertes, c'est la T6 qui fait meilleure figure. Outre son 6 cylindres vitaminé par 2 turbocompresseurs, elle a droit à une direction à assistance variable, à des pneus plus performants, ainsi qu'à une boîte automatique adaptative munie d'un mode séquentiel.

Attention à l'effet de couple, car il est assez brutal merci. L'antipatinage l'atténue seront comblés par la version de base, alors que ceux qui privilégient les performances et le comportement routier opteront pour la T6. Le meilleur de deux mondes, quoi. Surtout que les S80 et T6 coûtent quelques milliers de dollars de moins que leurs opposantes germaniques…

Philippe Laguë

VOLVO S80

▲ POUR

• Esthétique réussie • Équipement de série pléthorique • Sécurité maximum • Comportement rassurant • Prix intéressant

▼ CONTRE

• Effet de couple brutal (T6) • Diamètre de braquage trop grand • Direction légère • Boîte manuelle non disponible

CARACTÉRISTIQUES

Prix du modèle à l'essai	T6 / 56 490 $
Garantie de base	4 ans / 80 000 km
Type	berline / traction
Empattement / Longueur	279 cm / 482 cm
Largeur / Hauteur	183 cm / 145 cm
Poids	1 489 kg
Coffre / Réservoir	440 litres / 80 litres
Coussins de sécurité	frontaux, latéraux et plafond
Suspension av.	indépendante
Suspension arr.	indépendante
Freins av. / arr.	disque ABS
Système antipatinage	oui
Direction	à crémaillère, assistance variable
Diamètre de braquage	10,9 mètres
Pneus av. / arr.	P225/50ZR17 (optionnels)

MOTORISATION ET PERFORMANCES

Moteur	6L 2,8 litres biturbo
Transmission	automatique 4 rapports
Puissance	268 ch à 5 400 tr/min
Couple	280 lb-pi à 2 000 tr/min
Autre(s) moteur(s)	6L 2,9 litres 201 ch
Autre(s) transmission(s)	aucune
Accélération 0-100 km/h	7,1 secondes
Vitesse maximale	250 km/h (limitée)
Freinage 100-0 km/h	38,7 mètres
Consommation (100 km)	12,2 litres

MODÈLES CONCURRENTS

• Acura RL • Audi A6 • BMW Série 5 • Infiniti I30 • Lexus GS • Mercedes-Benz Classe E

QUOI DE NEUF ?

• Aucun changement majeur

VERDICT

Agrément	★★★★
Confort	★★★★★
Fiabilité	★★★
Habitabilité	★★★★
Hiver	★★★★
Sécurité	★★★★★
Valeur de revente	★★★★

VOLVO V70 VOLVO V70 XC

Volvo V70 T5

Alphabet suédois

Jadis la plus traditionaliste des compagnies automobiles, Volvo ne craint plus d'effectuer des changements et même de transformer sa gamme de modèles année après année. Cette fois, la S70 tire sa révérence pour devenir la S60, une berline qui s'inspire de la S80. La familiale V70 revient sous la même appellation, mais elle est complètement transformée elle aussi. Et la Cross Country est un modèle vraiment à part.

La Volvo V70 est la familiale intermédiaire de luxe la plus vendue tant en Europe qu'en Amérique. Il était donc essentiel de ne pas rater le coche à l'occasion de sa refonte. Compte tenu des qualités dynamiques de la plate-forme de la S80, les ingénieurs l'ont adaptée aux dimensions de la V70. Ce mariage de raison a eu des effets très positifs. Le châssis est beaucoup plus rigide, ce qui permet de corriger du même coup l'une des faiblesses du modèle précédent. Mieux encore, on retrouve à l'arrière la suspension de la S80, l'une des plus raffinées de la catégorie. Fabriquée en aluminium moulé, elle est à liens multiples.

Métamorphose du meneur

La fiabilité mécanique de la nouvelle génération de V70 était également primordiale. Les groupes propulseurs de la version précédente ont été jugés satisfaisants et sont de retour. Le modèle le plus économique sera donc propulsé par un moteur 5 cylindres de 2,5 litres équipé d'un turbo à basse pression produisant maintenant 197 chevaux. Le moteur de 2,3 litres avec turbo haute pression propulse le modèle T5. Ses 242 chevaux sont amplement suffisants pour les amateurs de conduite plus sportive que la moyenne. La tenue de route améliorée permet au pilote de tirer un meilleur parti de ce moteur.

Comme la carrosserie, l'habitacle est également tout nouveau et les sièges Volvo méritent toujours de figurer parmi les plus confortables de l'industrie. Non seulement la présentation est moderne, mais les commandes sont plus faciles à utiliser et à déchiffrer, à part celles de la radio qui sont inutilement compliquées. À l'arrière, les ingénieurs ont concocté un dossier qui peut être réglé en deux positions afin de faciliter le chargement de valises plus longues que la moyenne. Dans le coffre à bagages, un ingénieux système de rétention des sacs d'épicerie vient résoudre le sempiternel problème des bagages légers qui glissent un peu partout.

Cette nouvelle V70 est dotée de multiples espaces de rangement. Une tablette placée sur la console centrale peut être utilisée par les occupants des places avant et arrière. On a même placé un crochet pour veston sur la partie gauche du siège avant droit. Le conducteur a ainsi accès aux poches de ses vêtements sans devoir se contorsionner dans tous les sens.

Toutefois, c'est le comportement routier qui a été le plus amélioré. La plate-

forme plus rigide et la suspension arrière plus sophistiquée sur le plan technique font des merveilles pour la tenue de route. Le roulis est considérable, mais l'adhérence demeure superbe dans les virages serrés. Le modèle T5 avec son moteur 2,3 litres à turbo haute pression est pratiquement une voiture sport déguisée en familiale. Les 242 chevaux de son moteur 5 cylindres permettent de boucler le 0-100 km/h en un peu plus de 7 secondes. Malheureusement, la boîte manuelle livrée en équipement de série est mal adaptée et le temps de réponse du turbo toujours agaçant.

Duo dynamique

La V70 à moteur de 2,5 litres est mieux. Avec 197 chevaux à sa disposition, le conducteur peut doubler en toute sécurité et l'équilibre général est meilleur que sur la T5, handicapée par une suspension trop sèche pour nos routes. Soulignons au passage que la V70 n'est plus offerte en version AWD.

C'est ainsi que sa garde au sol a été portée à 20,9 cm, ce qui est mieux que le BMW X5 et juste un poil au-dessus du nouveau venu de chez Audi. Par rapport à la familiale V70, on a aussi allongé l'empattement et élargi les voies sans pourtant ajouter du poids à l'ensemble. L'essieu arrière a aussi été reculé afin de faire place à des pneus plus gros, des Pirelli Scorpion P215/65R16. Ils sont sans doute à l'origine d'un niveau sonore plus élevé dans l'habitacle et transmettent davantage les imperfections de la chaussée dans le volant, mais ils constituent un compromis route/sentier intéressant comme nous avons pu le constater lors d'une excursion hors-route en Nouvelle Angleterre.

Le seul groupe propulseur au catalogue de la XC est le 5 cylindres 2,5 litres de 197 chevaux couplé à une boîte automatique à 5 rapports. Sans avoir le «punch» d'une Audi Allroad, cette Volvo toutes conditions routières constitue une routière intéressante pour sa polyvalence, sa tenue de

Volvo V70 XC

Une Cross Country plus distinctive

Si l'ancienne version de la Volvo Cross Country a été un échec commercial, c'est en grande partie parce qu'elle ne se différenciait pas suffisamment de la familiale dont elle était dérivée. Face à l'arrivée sur le marché de l'Audi Allroad, le constructeur suédois a réalisé l'importance de dépoussiérer son utilitaire sport et de lui donner les attributs d'un véritable utilitaire sport.

route, son rouage intégral très efficace et son confort. En plus, son système antipatinage TRACS peut désormais fonctionner jusqu'à une vitesse de 80 km/h.

À un prix d'environ 55 000 $ (avec le bon équipement), c'est moins cher que l'Audi Allroad et vous aurez droit en prime à un siège central arrière pouvant se transformer en un accoudoir dans lequel se glisse une glacière. À vous la grande nature.

Denis Duquet/Jacques Duval

VOLVO V70

▲ POUR

• Bonne tenue de route • Performances relevées • Sécurité passive remarquable • Habitacle spacieux • Finition soignée

▼ CONTRE

• Mauvaise visibilité latérale • Grand diamètre de braquage • Temps de réponse du turbo • Boîte manuelle mal adaptée

CARACTÉRISTIQUES

Prix du modèle à l'essai	37 495 $
Garantie de base	4 ans / 80 000 km
Type	familiale / traction
Empattement / Longueur	276 cm / 471 cm
Largeur / Hauteur	180 cm / 152 cm
Poids	1 545 kg
Coffre / Réservoir	1 059 litres / 80 litres
Coussins de sécurité	frontaux et latéraux
Suspension av.	indépendante
Suspension arr.	indépendante
Freins av. / arr.	disque ABS
Système antipatinage	oui
Direction	à crémaillère, assistée
Diamètre de braquage	10,9 mètres
Pneus av. / arr.	P205/55R15

MOTORISATION ET PERFORMANCES

Moteur	5L 2,5 litres
Transmission	automatique 4 rapports
Puissance	197 ch à 6 000 tr/min
Couple	210 lb-pi de 1 800 à 5 000 tr/min
Autre(s) moteur(s)	5L 2,3 litres 242 ch
Autre(s) transmission(s)	manuelle 5 rapports
Accélération 0-100 km/h	8,2 s, 6,7 s (man. 197 ch)
Vitesse maximale	210 km/h
Freinage 100-0 km/h	41,7 mètres
Consommation (100 km)	11,1 litres

MODÈLES CONCURRENTS

• Audi A6 • Acura TL • BMW Série 5 • Nissan Maxima • Lexus ES 300

QUOI DE NEUF ?

• Suspension arrière indépendante à bras asymétriques • Plate-forme plus rigide

VERDICT

Agrément	★★★½
Confort	★★★★
Fiabilité	★★★★
Habitabilité	★★★★
Hiver	★★★★
Sécurité	★★★★★
Valeur de revente	★★★★

Achevé d'imprimer au Canada
sur les presses de l'imprimerie Interglobe.